Schaduwval

Van Tad Williams zijn verschenen:
Staartjager's zang*

De boeken van Heugenis, Smart en het Sterrenzwaard
De Drakentroon*
De Steen des Afscheids*
De Groene Engeltoren i – De belegering*
De Groene Engeltoren ii – Het ontzet*

Anderland
Boek 1 Stad van Gouden Schaduw*
Boek 2 Rivier van Blauw Vuur*
Boek 3 Berg van Zwart Glas*
Boek 4 Zee van Zilveren Licht*

Caliban's Wraak*
De Oorlog der Bloemen

Schaduwwereld
Boek 1 De Schaduwgrens
Boek 2 Het Schaduwspel
Boek 3 Schaduwval

*In Poema pocket verschenen

Tad Williams

Schaduwval

Schaduwwereld – Boek III

Vertaald door Erica Feberwee

Luitingh Fantasy

© 2010 Tad Williams
All rights reserved
© 2010 Nederlandse vertaling
Uitgeverij Luitingh ~ Sijthoff B.V., Amsterdam
Alle rechten voorbehouden
Oorspronkelijke titel: *Shadowrise – Shadowmarch Volume Three*
Omslagontwerp: Karel van Laar
Omslagillustratie: Jesse van Dijk

ISBN 978 90 245 5623 6
NUR 334

www.boekenwereld.com
www.dromen-demonen.nl
www.watleesjij.nu

Net als de eerste twee delen draag ik *Schaduwval* op aan onze kinderen, Connor Williams en Devon Beale, die me elke dag weer weten te smoren in liefde. Connor, Devon, jullie zijn cool, wat heet, supercool!

Opmerking van de auteur

Schaduwval had het laatste deel van de *Schaduwwereld*-trilogie (was eerst *Schaduwmars*) moeten worden. Maar mijn legendarische onvermogen als het gaat om plannen en tellen – tenminste, zodra ik aan mijn vingers en mijn tenen niet meer genoeg heb – leidde ook in dit geval weer tot problemen: toen ik aan bladzijde vijftienhonderd begon, besefte ik dat het laatste deel zou moeten worden gesplitst.

Vandaar dat dit boek de eerste helft is van het slot van het verhaal. Het tweede (en laatste) deel, *Schaduwhart*, zou binnen enkele maanden moeten verschijnen. En ik beloof plechtig dat ik ooit zal leren een laatste deel te schrijven van minder dan duizend bladzijden.

Voorspel

'Kom op, ik wil de rest van het verhaal ook horen!'

De raaf hield zijn kop schuin. 'Welk verhaal?'

'Over de god Kupilas – de Manke, zoals jij hem noemt. Vertel op! Het stortregent, ik heb het koud, ik heb honger en ik ben verdwaald in zo ongeveer de ergste plek van de hele wereld.'

'Ons is ook nat. En ons heeft ook honger,' hielp Skurn hem herinneren. 'Want ons heeft de laatste dagen amper gegeten. Twee slakkenhuizen, meer heeft ons niet weten te kraken.'

De gedachte aan gekraakte slakkenhuizen kon Barrick niet opbeuren. 'Toe nou... Ga nou door met je verhaal. Alsjeblieft.'

De raaf ordende zijn smoezelige veren. 'Nou, vooruit dan maar,' zei hij, milder gestemd. 'Waar was ons gebleven?'

'Dat hij zijn overgrootmoeder ontmoette. En ze zou hem leren...'

'O ja, ons weet het weer. "Ik zal je leren door het domein van de Leegte te reizen," sprak zijn overgrootmoeder tegen de Manke. "De Leegte is overal, dichtbij als een gedachte, onzichtbaar als een gebed." Was dat het? Was ons daar gebleven?'

'Ja, daar was je gebleven.'

'Kan ik u misschien eerst iets te eten brengen?' Skurns stemming was weer opgeklaard. 'Het wemelt in dit gedeelte van het woud van de Kwinkelmotten...' Hij zweeg bij het zien van de uitdrukking op Barricks gezicht. 'Zoals u wenst, Meester Kieskeur-tot-Pietlut... Maar neem het Skurn niet kwalijk wanneer u vanavond aan het rommelbuiken slaat...'

De Manke verbleef vele dagen bij zijn overgrootmoeder, de Leegte, en ze leerde hem de geheimen van haar rijk en van de wegen die erdoorheen leidden. Zo werd de Manke nog wijzer dan hij al was. Al reizend door het do-

mein van zijn overgrootmoeder leerde hij talloze listigheden, en hij zag ve-
le dingen wanneer niemand in de gaten had dat hij keek. Doordat zijn ene
been korter was dan het andere, liep hij haperend, wankelend, als een kar met
een gebroken wiel. Desondanks reisde hij sneller dan wie ook – zelfs sneller
dan zijn neef Draaier, die door de mensen Zosim wordt genoemd.

Draaier was de snelste in de clan van de Drie Broeders, de sluwe meester
van reizigers, dichters en krankzinnigen. Slim als hij was, had hij op eigen
kracht enkele van de geheimen van zijn Grootmoeder Leegte weten te ont-
dekken, maar eens, toen hij niet wist dat ze luisterde, had hij haar een "Ou-
de Wind in een Wel" genoemd. Sindsdien had ze ervoor gezorgd dat hij niet
nog meer te weten kwam over haar rijk en over haar geheimen en buitenis-
sigheden.

Maar de Manke had ze in haar hart gesloten, en ze was een goede leer-
meesteres. Hoe meer de Manke te weten kwam, hoe meer woorden en macht
hij zich eigen maakte, hoe oneerlijker hij het vond dat zijn vader was gedood,
zijn moeder ontvoerd, en dat zijn oom en al zijn verwanten naar de hemel
waren verbannen, terwijl degenen die hun dat alles hadden aangedaan, met
name de drie machtigste broeders – Perin, Kernios en Erivor, zoals uw volk
ze noemt –, een gelukkig leven leidden en zingend en dansend over de aarde
gingen. De Manke dacht er heel lang over na en ten slotte bedacht hij een
plan – het sluwste, ingewikkeldste plan dat ooit iemand had weten te beden-
ken.

Alle drie broeders waren voortdurend omringd door gruwelijk machtige
bewakers en behoeders, dus met een simpele aanval zou hij niets bereiken, be-
sefte de Manke. Rond de troon van Erivor Waterheer zwommen zeewolven
en giftige kwallen, en hij had waterkrijgers die hem de hele groene dag en
nacht bewaakten. Perin Hemelheer woonde in een paleis op de hoogste berg
van de wereld, omringd door zijn verwanten, en hij droeg de machtige ha-
mer Donderschicht die de Manke zelf voor hem had gemaakt, en waarmee
hij zelfs de wereld zou kunnen stukslaan als hij er maar lang genoeg mee ha-
merde. En Steen Man (die jullie Kernios noemen) had weliswaar niet zo-
veel dienaren, maar hij werd in zijn burcht diep in de aarde, waar hij woon-
de tussen de doden, rondom afgeschermd door listen en spreuken die de ogen
uit je hoofd konden branden en je botten tot ijsgruis konden vermalen.

Alle broeders hadden echter een zwakke plek – een zwak dat alle mannen
hebben – en dat was hun vrouw. Want er wordt beweerd dat zelfs de Eerst-
geborenen in de ogen van hun vrouw geen haar beter zijn dan anderen.

De slimme Manke stak veel tijd in het sluiten van vriendschap met de
vrouwen van twee van de broeders: Nacht, de koningin van de Hemelheer,

en Maan, die door Steen Man was verstoten en daarna door diens broer, Erivor Waterheer, tot de zijne gemaakt. Beide koninginnen benijdden hun echtgenoot om zijn vrijheden en wensten dat ook zij konden gaan en staan waar ze wilden; dat ze konden beminnen wie hun beviel en dat ze konden doen wat bij hen opkwam. En dus gaf de Manke beide vrouwen een drankje dat ze in de wijn van hun man moesten doen. "Dit zal ervoor zorgen dat hij de hele nacht doorslaapt, zonder ook maar één keer wakker te worden. En terwijl hij slaapt, kunt u doen wat u wilt," zei hij tegen de koninginnen.

Nacht en Maan waren blij met het geschenk van de Manke en beloofden dat ze hun man nog diezelfde avond het brouwsel zouden geven.

De derde broeder, de koude, harde Steen Man, had Bloem, de moeder van de Manke, die door uw volk Zoria wordt genoemd, gevonden toen ze na het einde van de oorlog alleen en diepbedroefd door het woud zwierf. Hij had haar mee naar huis genomen en haar tot zijn vrouw gemaakt, nadat hij zijn eerste vrouw, Maan, had verstoten. Steen Man gaf de moeder van de Manke een nieuwe naam, Stralende Dageraad, en overlaadde haar met goud en juwelen en andere rijkdommen uit de zwarte aarde. Toch lachte ze nooit en ze sprak geen woord. Zwijgend en roerloos zat ze naast hem, als een van de doden over wie Steen Man heerste op zijn troon. En dus ging de Manke onder dekking van de duisternis naar zijn moeder, en hij vertelde haar wat hij van plan was. Tegen haar hoefde hij niet te liegen, want ze was er getuige van geweest dat haar echtgenoot werd gedood, ze had met eigen ogen gezien dat haar zoon werd gemarteld en dat haar familie werd verbannen. Ook toen hij haar het drankje gaf, sprak ze geen woord, noch schonk ze hem zelfs maar een glimlach, maar ze drukte haar koude lippen op het hoofd van de Manke voordat ze zich weer omdraaide naar de eindeloze gangen van het huis van Steen Man. De Manke zou haar nog maar één keer terugzien.

Toen hij zijn plan in werking had gesteld ging de Manke eerst naar het huis van de Waterheer, op de bodem van de diepe oceaan. Zoals ze hem dat had geleerd, reisde hij door de Leegte, het domein van zijn overgrootmoeder, en zo kwam het dat niemand in het huis van de Waterheer hem zag komen. De Manke glipte als een koude stroming langs de altijd waakzame zeewolven, en hoewel ze zijn nabijheid vermoedden, konden ze niet bij hem komen om hem met hun scherpe tanden te verscheuren. En ook de giftige kwallen konden hem niet steken – de Manke bewoog zich tussen hen door alsof ze slechts drijvende leliebladeren waren.

Toen hij eindelijk bij de Waterheer kwam, trof hij die in bed aan, dronken en in diepe slaap, buiten bewustzijn dankzij het drankje dat Maan hem had gegeven. De Manke aarzelde even, want het was hem plotseling vreemd *te moede. Anders dan zijn twee broers had de Waterheer niet meegedaan toen de Manke werd gemarteld, en die haatte hem dan ook niet zo vurig als hij Hemelheer en Steen Man haatte. Maar de Waterheer had wel oorlog gevoerd tegen de familie van de Manke en ervoor gezorgd dat de moeder van de Manke weduwe was geworden, waarna hij samen met zijn broeders de rest van de clan van de Manke naar de hemel had verbannen. Bovendien zou de bloedlijn van de clan Vocht, de vijanden van de Manke, blijven voortbestaan zolang de Waterheer op aarde leefde. Om toch enig mededogen te tonen besloot de Manke de Waterheer niet te wekken om hem te vertellen welk lot hem wachtte. In plaats daarvan opende hij een deur naar een deel van de Leegte waar niemand ooit een voet had gezet, een geheime plek die zelfs zijn overgrootmoeder was vergeten, en duwde hij de slapende Waterheer door de opening. Toen Erivor Waterheer de wereld had verlaten, sloot de Manke de deur weer.*

Opnieuw begaf hij zich over zijn geheime wegen vanaf het huis op de zeebodem, zich afvragend wie hij vervolgens ter verantwoording zou roepen, Hemelheer of Steen Man. Van de drie broeders was Hemelheer de machtigste en de wreedste. Hij had zichzelf tot heer van alle goden uitgeroepen en regeerde over hen vanuit zijn paleis op de top van de berg Xandos – de Staf – en het goddelijke hof beschermde hem beter dan muren dat ooit hadden gekund. Zijn zoons, Jager, Ruiter en Schildvoerder, waren bijna net zo machtig als hun vader, en zijn dochters, Wijsheid en Woud, konden bijna iedere krijger verslaan, en zeker een man met een gebrek, zoals de Manke. Dus het zou het verstandigst zijn de Hemelheer in zijn imposante burcht als laatste te bezoeken.

Maar ondanks alles was het de koude, zwijgende Steen Man en niet zijn woeste broeder, die de Manke de grootste angst inboezemde.

Dus hij reisde over de paden van de Leegte naar de Staf, en de hele clan Vocht voelde dat hij voorbijkwam, maar er was niemand die hem kon zien, of horen, of ruiken. Alleen Jager met de scherpe ogen en Woud met de snelle voeten hadden een vermoeden waar hij was. De beeldschone, maar wrede Woud haastte zich achter hem aan maar kreeg de Manke net niet te pakken. Het lukte haar slechts een stuk van zijn buis te scheuren. Jager vuurde een magische pijl af die over de verloren paden joeg waarlangs de Manke reisde, en die zijn oor raakte zodat het bloed op zijn schouder en op zijn ivoren hand droop. Maar ze konden hem niet tegenhouden en het duurde niet lang of hij was diep in het paleis van de Hemelheer doorgedrongen, in de kamer waar de gedrogeerde heer des huizes lag te slapen. De Manke deed de deur achter zich op de grendel.

"*Wakker worden!*" *riep hij tegen de slapende Hemelheer, want hij wilde dat zijn vijand wist wat er ging gebeuren en wie hem dat aandeed.* "*Wakker worden, Raasbol! Je einde is nabij!*"

Ondanks het drankje dat de Manke had gebrouwen, was de Hemelheer nog altijd erg sterk. Hij sprong uit bed, pakte zijn machtige hamer Donderschicht, zo groot als een hooiwagen, en haalde ermee uit naar de Manke. Maar hij miste en sloeg zijn eigen reusachtige bed tot splinters.

"*Geen nood,*" *zei de Manke.* "*Dat bed heb je toch niet meer nodig. Spoedig zul je in een ander bed slapen – een koud bed in een koud oord.*"

De Hemelheer maakte de Manke bulderend uit voor verrader en slingerde zijn hamer op hem af, zo hard als hij die met zijn machtige arm kon gooien. Ieder ander doelwit – zowel een god als een sterveling – zou door Donderschicht zijn vermorzeld en tot sintels verteerd, maar de Manke hield stand.

"*Dacht je nou werkelijk dat ik een wapen voor je zou maken dat je tegen me zou kunnen gebruiken?*" *vroeg de Manke.* "*Je noemt me een verrader, maar jij hebt mijn vader aangevallen – je eigen broer – en hem door verraad verslagen. Nu krijg je eindelijk je verdiende loon.*"

Toen keerde de Manke de hamer van de Hemelheer tegen hem, en het geraas van de slagen was als het geknetter en gebulder en gerommel van de bliksem. Perin Hemelheer riep zijn familie en zijn dienaren om hulp. Allen die op de top van de Staf woonden, snelden toe. Maar de Manke opende een deur naar het domein van de Leegte en voordat de Hemelheer nog maar één woord had kunnen zeggen, trof de Manke hem opnieuw met de machtige hamer en beukte hem achterwaarts door de deuropening. Het domein van de Leegte trok aan de Hemelheer als een zuigende wind, maar die greep zich met alle kracht in zijn machtige handen vast aan de grond. Hoewel hij koppig weigerde los te laten, slaagde hij er niet in zich terug te trekken uit de lege landen waar de overgrootmoeder van de Manke heerste. Glimlachend deed de Manke een stap naar achteren, hij opende de deur naar de kamer van de Hemelheer en verborg zich daarachter. Alle andere goden van de berg, Wijsheid en Schildvoerder en Wolken en Behoeder, kwamen aanstormen. Toen ze zagen in welk gevaar hun heer verkeerde schoten ze toe om hem te helpen. Ze grepen hem bij de armen en probeerden hem terug te trekken, maar de magie van Grootmoeder Leegte was hun te machtig. Terwijl ze deden wat ze konden, kwam de Manke tevoorschijn van achter de deur en ging bij de broodmagere Ouderdom staan, die de achterhoede vormde. Ouderdom stond te ver van Hemelheer om hem te kunnen pakken, dus hij had zich vastgegrepen aan Wijsheid, die zich op zijn beurt vastgreep aan Jager, die aan de hand van de Hemelheer trok.

"Ik weet nog dat je spuugde op het lichaam van mijn vader," zei de Manke tegen Ouderdom, toen hief hij zijn bronzen hand en zijn hand van ivoor en gaf de oude een zet in de rug. Ouderdom strompelde naar voren, botste tegen Wijsheid, die tegen Jager botste, en spoedig schoten allen die vanuit het hele paleis hun heer te hulp waren gekomen, over de drempel van de Leegte. Dat brak de greep van Hemelheer, en ze tuimelden de koude duisternis in. Voorgoed. Tot de laatste man.

De Manke lachte toen hij hen zag vallen, hij lachte terwijl ze het uitschreeuwden en hem verwensten, en hij lachte het hardst toen ze eenmaal waren verdwenen. Hij had lang geleden onder het kwaad dat ze hem hadden aangedaan en hij voelde geen mededogen.

Een van de verwanten van de Hemelheer was zijn meester echter níét te hulp gekomen. Dat was Draaier, die nooit iets deed wat hij door anderen kon laten opknappen. Toen hij zag wat er gebeurde en besefte dat de Hemelheer, de sterkste van alle goden, was verslagen en verbannen, werd hij overvallen door angst. Hij rende het paleis van de goden uit om zijn vader, Steen Man, te waarschuwen.

En zo gebeurde het dat toen de Manke eindelijk de machtige Xandos afdaalde en zich naar het huis van Steen Man haastte, de snelle Draaier hem vóór was. Daardoor miste de Manke het voordeel van de verrassing, dus toen hij bij de grote poort van het huis van Steen Man kwam, vond hij die gesloten en vergrendeld en bewaakt door vele soldaten. Dat hield de Manke echter niet tegen. Hij omzeilde de soldaten via de wegen die alleen hij en zijn overgrootmoeder kenden, en wist onopgemerkt de kamer van Steen Man te bereiken. Draaier, die zijn vader had gewaarschuwd, glipte net weg, maar de Manke kreeg hem te pakken en er ontstond een worsteling. De Manke greep Draaier bij de keel en weigerde los te laten. Draaier veranderde zichzelf in een stier, in een slang, in een valk, zelfs in een hoog oplaaiende vlam, maar de Manke liet niet los. Ten slotte gaf Draaier het op. Hij hernam zijn natuurlijke verschijning en smeekte de Manke zijn leven te sparen.

"Ik heb geprobeerd je moeder te redden," jammerde hij. "Ik heb geprobeerd haar te helpen ontsnappen. En ik heb altijd aan jouw kant gestaan! Toen alle anderen tegen je waren, was ik je voorspraak. En toen je werd verstoten, heb ik je onderdak geboden en wijn geschonken, of ben je dat soms vergeten?"

De Manke lachte. "Je wilde mijn moeder voor jezelf. Als ze niet was ontsnapt, zou je haar tot je vrouw hebben gemaakt. En je bent mijn voorspraak niet geweest, want je hebt geen partij gekozen – dat doe je nooit. Je wacht af wie als overwinnaar uit de strijd komt, om die je steun te geven. En dat je me onderdak hebt geboden en wijn geschonken, dat heb je gedaan om me dron-

ken te voeren; om me al mijn kennis te ontfutselen over de magische voorwerpen die ik de Hemelheer en de anderen heb gegeven. Maar mijn ivoren hand heeft me beschermd door de kroes te breken. En dus mislukte je plan."
Hij tilde Draaier op aan zijn nek. Zo ging hij de kamer van Steen Man binnen, nog altijd bang voor de heer van de duistere aarde, maar in het besef dat het einde hoe dan ook nabij was.

Steen Man Kernios vertrouwde niemand, dus hij had het brouwsel dat de moeder van de Manke voor hem had gemaakt, niet opgedronken. Hij stond gereed in zijn angstwekkende grijze wapenrusting, met zijn gruwelijke speer Aardster in de hand. Een god op het hoogtepunt van zijn kracht, in zijn eigen paleis. Bovendien had hij nog een ander wapen, en toen de Manke binnenkwam langs de wegen van de Leegte en vlak voor hem vanuit het niets verscheen, confronteerde Steen Man hem daarmee.

"Hier heb je je moeder," sprak hij. "Ik heb haar in huis genomen, maar ze heeft me beloond met verraad." Steen Man hield haar stijf tegen zich aan geklemd, met de punt van zijn speer tegen haar keel gedrukt. "Als je weigert je over te geven, als je weigert jezelf te kluisteren met de bezweringen van de Leegte die je in staat hebben gesteld mijn broeders te vermoorden, zul je je moeder voor je ogen zien sterven."

De Manke verroerde zich niet. "Ik heb je broeders meer genade getoond dan zij destijds mijn verwanten. Ze zijn niet dood, ze slapen, in een koud, verlaten oord. En daar zal ook jij spoedig rusten."

Steen Man lachte. Volgens de overlevering klonk het als wind uit een graftombe. "En dat is te verkiezen boven de dood? Voor altijd slapen in de Leegte? Hoe dan ook, jij mag dat een geschenk noemen, maar het zal jou niet vergund zijn. Of je vernietigt jezelf, of ik laat je moeder doodbloeden, en vervolgens dood ik je alsnog."

De Manke hief Draaier, die nog altijd naar adem snakte in de greep van zijn bronzen hand. "En je zoon dan?"

De stem van Steen Man klonk als het harteloze gerommel van de bevende aarde. "Ik heb vele zoons gehad. Als ik blijf leven kan ik er nog vele verwekken. Zo niet, dan kan het me niet schelen wie me overleeft. Dus doe met hem wat je wilt."

De Manke wierp Draaier van zich af. Lange tijd keken Steen Man en hij elkaar aan als wolven die streden om een prooi, geen van beiden bereid de eerste stap te zetten. Toen hief de moeder van de Manke haar bevende handen naar de scherpe punt van de speer, ze sneed haar keel door en viel op de grond, in een stroom van bloed.

Steen Man aarzelde geen moment. Terwijl de Manke naar zijn moeder keek die hijgend haar laatste adem uitblies, slingerde de heer van de zwarte aarde zijn machtige speer, nat van het bloed, naar het hart van de Manke. Die probeerde Aardster aan zijn wil te onderwerpen, maar Steen Man had zijn eigen machtswoorden over de speer uitgesproken en de Manke kon zijn meesterschap niet ongedaan maken. En dus kon de Manke slechts razendsnel een stap opzij doen, de Leegte in. De speer vloog langs hem heen en beukte zo hard tegen de muur dat het halve paleis instortte en er tot ver in de omtrek een huivering door het land trok.

Toen de Manke weer uit de Leegte tevoorschijn kwam, stortte Steen Man zich op hem. Er volgde een langdurige worsteling terwijl om hen heen het paleis instortte; hun kracht was zo enorm en hun strijd zo machtig dat zelfs de stenen van de aarde werden gebroken en vermorzeld, zodat wat eens een bastion van rotsachtige pieken boven de burcht van Steen Man was geweest, tot stof vergruisde; het land zonk weg, de oceaan stroomde toe, en wat bleef was een eiland van rotsblokken, omspoeld door water. Daarop woedde hun strijd voort.

Uiteindelijk grepen ze elkaar naar de strot. Steen Man was de sterkste van de twee, en de Manke had geen ander verweer dan te vluchten naar de wegen der duisternis, maar Steen Man liet niet los en werd meegevoerd. Terwijl ze door de Leegte vielen, boog Steen Man de rug van de Manke zo ver door dat die dreigde te breken. De Manke snakte naar adem, terwijl Steen Man hem vermorzelde; denken kon hij niet meer.

"Kijk in mijn ogen," zei Steen Man. "Daar zul je een duisternis zien, grootser dan al wat de Leegte kan voortbrengen; grootser dan alles waarvan de Leegte zich zelfs maar een voorstelling kan maken!"

Bijna was de Manke verslagen, want als hij ook maar één blik in de ogen van de Heer van de Duistere Diepten had geworpen, zou hij de dood in zijn gezogen. In plaats daarvan wendde hij echter zijn hoofd af en hij zette zijn tanden in de hand van Steen Man. De pijn was zo gruwelijk dat diens greep verslapte, zodat de Manke hem wist af te schudden, waarop Steen Man in de troebele, koude duisternis viel en verdween.

De Manke zwierf nog een tijdje door de verste bereiken van de Leegte. Hij was verward, het duizelde hem, maar ten slotte vond hij de weg terug naar het huis van Steen Man waar het lichaam van zijn moeder nog altijd lag. Hij knielde en boog zich over haar heen, maar besefte dat hij niet kon huilen. Met zijn hand op de plek waar ze hem had gekust, bukte hij zich en drukte een kus op haar koude wang.

"Ik heb hen vernietigd die u vernietigd hebben," zei hij tegen haar roerloze lichaam.

Plotseling, zonder enige waarschuwing voelde hij een gruwelijke pijn toen de machtige speer van Steen Man zijn borst doorboorde. Wankelend richtte de Manke zich op. Draaier trad naar voren uit de schaduwen waarin hij zich had verborgen. Schaterend danste de onruststoker in het rond.

"En nu heb ik jou vernietigd!" riep Zosim de Draaier uit. "Alle groten zijn dood. Alleen ik blijf over om over de wereld te heersen! Over de wereld en over zeven maal zeven bergen en zeven maal zeven zeeën!"

Met zijn hand van brons en zijn hand van ivoor greep de Manke de speer Aardster die hem had doorboord. Vlammen sloegen uit het machtige wapen, en het verteerde, tot er slechts sintels restten. "Ik ben niet vernietigd," sprak de Manke, ondanks zijn ernstige verwondingen. "Nog niet... nog niet..."

Pas toen de stilte zo lang duurde dat Barrick merkte dat hij in slaap dreigde te sukkelen, keek hij op. 'En toen? Skurn? Hoe ging het verder?' Verbaasd keek hij om zich heen. 'Skurn? Waar ben je?'

Even later fladderde er een bijna volledig zwarte gedaante uit de eeuwig grijze hemel, met in zijn zwarte snavel iets gruwelijks wat heftig verzet pleegde.

De raaf produceerde een gesmoord, genietend geluid, terwijl de poten van zijn slachtoffer nog wanhopig spartelend uit zijn snavel hingen. 'Verrukkelijk!' rapporteerde hij vervolgens. 'Ons vertelt straks verder. Want ons heeft een heel nest ontdekt. Smaakt naar dode muis, voordat die zo ver is opgezwollen dat hij uit elkaar barst. Zal ons er voor u ook een paar halen?'

'Genadige goden!' Barrick wendde zich af, kreunend van weerzin. 'Geef me kracht, waar u ook bent – levend, dood, of slapend!'

De raaf snoof om zoveel dwaasheid. 'Bidden om kracht is niet genoeg. Ons moet eten om sterk te blijven.'

DEEL EEN

Sluier

1
De valse kroon

'Voor zover ik heb kunnen nagaan, bestaat er nergens op de twee
continenten of op de eilanden een plek zonder legenden over het elfenvolk.
Maar de vraag blijft of de elfen daar ooit daadwerkelijk hebben geleefd, of
dat de herinnering aan het elfenvolk is meegebracht door mensen die zich
er hebben gevestigd.'

Uit *Een Verhandeling over de Elfenvolken van Eion en Xand*

De tempelklok luidde het uur van het middaggebed. Brionie werd overvallen door schaamte – ze was al een uur te laat, en dat kwam voornamelijk door Heer Jino met zijn sluwe vragen waaraan geen eind leek te
komen.

'Verschoning, heer.' Ze kwam haastig overeind. 'Ik moet nu echt naar
mijn vrienden.' Na het primitieve, ruwe leven dat ze maandenlang had
geleid, viel het niet mee om haar rol van dame weer op te pakken. Sterker nog, die voelde minstens zo onecht als de rollen die ze bij het toneelgezelschap had gespeeld. 'Ik hoop dat u me kunt vergeven.'

'Met "vrienden" bedoelt u de spelers?' Erasmias Jino trok een modieus geëpileerde wenkbrauw op. De edelman zag eruit als een fat, maar
zo was de mode in Syan. Jino was beroemd om zijn sluwheid, en hij had
drie tegenstanders gedood in duels waartoe opdracht was gegeven door
het Hof van Eer. 'Maar Hoogheid, u wilt toch niet blijven doen alsof u

oprecht bevriend kunt zijn met... met zulke mensen. Ze hebben het u mogelijk gemaakt incognito te reizen – een slimme zet voor wie over gevaarlijke wegen door onveilig gebied trekt – maar de tijd dat u uw identiteit moest verbergen is voorbij.'

'Toch moet ik naar ze toe. Dat ben ik aan ze verplicht.' Ze moest toegeven dat zijn woorden een kern van waarheid bevatten. Ze had de spelers nooit als echte vrienden behandeld en geen open kaart gespeeld. De mannen en vrouwen van Propermans' Troep hadden haar in hun midden opgenomen en geen geheimen voor haar gehad, maar op haar beurt had zij nauwelijks iets van zichzelf laten zien; tegenover hun eerlijkheid had zij welbewust gekozen voor het tegendeel.

Hoewel, misschien moest ze zeggen dat de meesten van de troep eerlijk waren geweest. 'Ik heb begrepen dat u iedereen hebt vrijgelaten behalve Finh Teodoros? Hij beweerde dat hij een boodschap had voor uw koning; een boodschap die afkomstig zou zijn van Heer Brone. Aangezien ik op dit moment zijn monarch ben, weet ik zeker dat Avin Brone zou willen dat ik die boodschap ook te horen krijg.'

Jino streek glimlachend door zijn baard. 'Het zou kunnen, Prinses Brionie, maar dat besluit is aan mijn meester, Koning Enander. Hij zal u later op de dag ontvangen.' Het ontging haar niet dat hij nadrukkelijk zowel háár titel noemde als die van de koning. Blijkbaar om haar eraan te herinneren dat ze lager in rang was dan de koning van Syan, iets wat ze zelfs op haar eigen grondgebied zou zijn geweest – en dat was ze hier bepaald niet.

Heer Jino stond op met een sierlijkheid en een souplesse waar de meeste vrouwen hem om zouden benijden. 'Kom. Dan breng ik u naar de spelers.'

Vader weg, Kendrick weg, Barrick... Uit alle macht verdrong ze de tranen die plotseling in haar ogen brandden en dreigden over haar wangen te biggelen. *Shaso, en nu Dawet. Allemaal verdwenen. De meesten dood. Misschien wel allemaal...* Ze probeerde zichzelf weer in de hand te krijgen voordat de Syannees in de gaten kreeg hoe het haar te moede was. *En nu moet ik ook nog afscheid nemen van de troep!* Het was een vreemde sensatie, dit gevoel van eenzaamheid. Iets wat ze altijd als tijdelijk had ervaren, waar ze even doorheen moest tot de situatie weer verbeterde. Maar voor het eerst had ze het gevoel dat het misschien helemaal niet iets tijdelijks was, dat ze ermee moest leren leven, kaarsrecht, onbewogen als een standbeeld, hard als steen, maar vanbinnen hol. *Hol, helemaal, volledig hol...*

Jino loodste haar door de residentie en via een van de indrukwekkende tuinen van Paleis Dreefstaete naar een stille gang langs de binnenkant van de grote paleismuur. Dreefstaete was gigantisch; alleen het paleis was al net zo groot als heel Zuidermark – het kasteel én de stad. En ze kende hier niemand, er was hier niemand die ze kon vertrouwen...

Ik heb in dit vreemde land bondgenoten nodig, mensen op wie ik kan bouwen.

De toneelspelers uit Zuidermark zaten op een bank in een kamer zonder ramen, onder het toeziend oog van een stel bewakers. De meeste gezichten stonden angstig, en de aanblik van Brionie – van wie ze inmiddels wisten dat ze hun prinses was, en die dankzij de inspanningen van Jino in een kostbaar gewaad was gehuld – maakte de situatie er niet beter op. Estir Propermans, wier laatste woorden tegen Brionie verre van aangenaam, om niet te zeggen boos waren geweest, verbleekte zelfs en dook in elkaar alsof ze slaag verwachtte. Van de hele troep was de jeugdige Feival de enige die niet ineenkromp. Sterker nog, hij nam Brionie keurend op.

'Kijk eens aan! Ze hebben je prachtig aangekleed!' zei hij waarderend. 'Maar je moet wel je rug recht houden, meid! Draag je waardigheid met overtuiging!'

Brionie glimlachte, ondanks zichzelf. 'Dat ben ik verleerd, vrees ik.'

Ook de losbandige Nevin Hewneij kon zijn ogen niet van haar afhouden en trok verbaasd zijn wenkbrauwen op. 'Bij de goden, dus het is echt waar! Als ik een beetje meer mijn best had gedaan, had ik een prinses tussen de lakens kunnen hebben!'

Estir Propermans hield geschokt haar adem in. Haar broer Pedder viel van de bank, en twee van de bewakers lieten dreigend hun hellebaard zakken voor het geval dat dit het begin zou blijken te zijn van een algehele rebellie. 'Genadige Zoria, sta ons bij!' riep Estir schor, starend naar de vurige klingen. 'Hewneij, idioot, door jou belanden we allemaal met ons hoofd op het hakblok!'

Brionie moest een glimlach verbijten, maar ze besefte dat ze zich in aanwezigheid van Jino en de wachten geen al te grote vertrouwelijkheden kon veroorloven. 'Mocht ik al aanstoot nemen aan zijn onbeheerste uitlatingen, dan kan ik jullie verzekeren dat alleen Hewneij daarvoor zou boeten.' Ze keek de toneelschrijver streng aan. 'En mocht ik tegen hem moeten getuigen, dan zou ik kunnen beginnen met die keer dat hij mijn broer en mij aanduidde als "die tweelingworp, door de reu Onverstand verwekt bij de teef Rijk-en-Verwend". Of met zijn verwijzing naar mijn gevangengenomen vader als "de koninklijke holmaat van Ludis Drakava". Dat lijkt me meer dan genoeg reden om de beul aan het werk te zetten.'

Nevin Hewneij kreunde berouwvol, maar het was net iets te luid om overtuigend te klinken – óf hij kende geen angst, óf hij was na jaren drinken volledig afgestompt. 'Horen jullie dat?' vroeg hij zijn makkers. 'Dat krijg je van de combinatie jeugd en gematigdheid. Haar geheugen is gruwelijk scherp. Wat een vloek om nooit zelfs maar de kleinste dwaasheid te kunnen vergeten. Ik heb met u te doen, Hoogheid!'

'O Hewneij, hou toch je mond!' zei Brionie. 'Natuurlijk ga ik je niet ter verantwoording roepen voor wat je hebt gezegd toen je nog niet wist wie ik was. Maar... je bent niet half zo charmant of zo slim als je zelf denkt.'

'Dank u, Hoogheid.' De toneelschrijver en acteur maakte een vluchtige buiging. 'Ik heb een buitengewoon hoge dunk van mezelf, dus dat betekent dat ik kan bogen op een aanzienlijke hoeveelheid charme.'

Brionie kon slechts haar hoofd schudden. Toen keerde ze zich naar Dowan, de zachtmoedige reus die een speciaal plaatsje had in haar hart. 'Ik kom alleen maar even dag zeggen. En ik kan jullie verzekeren dat ik mijn uiterste best zal doen om te zorgen dat ze Finh snel vrijlaten.'

'Dus het is echt waar?' vroeg hij. 'Bent u echt... wie ze zeggen dat u bent, vrouwe... eh... Hoogheid?'

'Ik ben bang van wel. Ik had eerlijk moeten zijn en niet moeten liegen. Dat wilde ik ook helemaal niet, maar ik was mijn leven niet zeker. En ik zal nooit vergeten hoe goed jullie voor me zijn geweest. Jullie allemaal.' Ze keerde zich naar de anderen en schonk zelfs Estir een glimlach. 'Zelfs Meester Nevin, ook al werd zijn goedheid gekleurd door wellust en door zijn vurige liefde voor de melodie van zijn eigen stem.'

'Ha!' Pedder Propermans ging weer rechtop zitten. 'Die was raak, Hewneij! Ze heeft je goed de oren gewassen.'

'Ik kan me er niet druk om maken,' zei de toneelschrijver luchtig. 'Want de meesteres van heel Zuidermark heeft toch maar mooi verklaard dat ik half zo charmant ben als de charmantste man op de hele wereld.'

'Maar ik bén niet de meesteres van heel Zuidermark.' Brionie keek naar Erasmias Jino, die beleefd glimlachend had toegekeken, als een theaterbezoeker die wel eens een betere voorstelling had gezien. 'En daarom moeten jullie niet naar Zuidermark teruggaan. Tenminste, nog niet.' Ze keerde zich naar de Syannese edelman. 'Het nieuws dat ik hier ben, zal ook Zuidermark bereiken, denkt u niet?'

Hij haalde zijn schouders op. 'We zullen het niet geheimhouden. Tenslotte zijn we niet met uw land in oorlog, Prinses. Sterker nog, er is ons verteld dat Heer Tollij alleen als behoeder van de troon optreedt, tot de terugkeer van uw vader... of van u, neem ik aan.'

'Dat is een leugen! Hij heeft geprobeerd me te vermoorden.'

Jino hief zijn handen in een gebaar van berusting. 'U hebt ongetwijfeld gelijk, Prinses. Maar het ligt nu eenmaal... erg gecompliceerd.'

'Zien jullie nou wel?' Ze keerde zich weer naar de spelers. 'Dus jullie moeten hier in Tessis blijven, in elk geval tot ik meer duidelijkheid heb over mijn plannen. Ga gewoon door met optreden. Ik ben alleen wel bang dat jullie op zoek moeten naar een andere Zoria.' Opnieuw verscheen er een glimlach op haar gezicht. 'En het zal vast geen moeite kosten om een betere te vinden.'

'Ach, ik vond eigenlijk dat je heel aardig kon meekomen,' zei Feival. 'Gelukkig was je nou ook weer niet zo geweldig dat je mij wegspeelde, en daar ben ik Zosim en alle andere goden innig dankbaar voor. Maar nogmaals, je deed het aardig.'

'Hij heeft gelijk,' zei Dowan Berk. 'Met een beetje meer inzet zou u nog steeds een groot actrice kunnen worden.' Hij keek blozend om zich heen toen de anderen begonnen te lachen.

Maar Brionie lachte niet mee. Zijn woorden hadden haar pijnlijk getroffen, door het beeld van een ander leven dat ze opriepen; een leven dat misschien mogelijk was geweest als de wereld er anders uit had gezien; een leven waarin ze haar eigen keuzes had kunnen maken. 'Dank je wel, Dowan.' Ze stond op. 'Maak je geen zorgen, we zullen zo snel mogelijk onderdak voor jullie zien te vinden.' Tot het zover was zou ze de troep nog dicht in de buurt hebben en nadenken over het idee dat bij haar was opgekomen. 'Het ga jullie goed. Tot de volgende keer.'

Terwijl de spelers door twee paleiswachten uitgeleide werden gedaan, maakte Hewneij zich los uit de groep en liep terug naar Brionie. 'Om je de waarheid te zeggen, zie ik je liever in deze rol, kindje. Je bent een buitengewoon overtuigende koningin. Ga zo door en ik voorzie goede kritieken.' Na een haastige kus die naar wijn rook – hoe had hij, opgepakt door Koning Enander, aan wijn weten te komen, vroeg ze zich af – volgde hij de anderen naar buiten.

'Bij de zoete Wees, dat was bijzonder... boeiend,' zei Heer Jino. 'Ooit moet u me toch eens vertellen hoe het is om met zulke mensen rond te reizen. Maar nu wacht u een optreden voor aanzienlijk voornamer publiek. Een zogenaamde gehoorverlening.'

Het duurde even voordat ze begreep wat hij bedoelde. 'Moet ik bij de koning komen?'

'Inderdaad, Hoogheid. Zijne doorluchtige Majesteit, de Koning van Syan, verwacht u.'

Brionie zou de eerste zijn geweest om toe te geven dat de troonzaal thuis in Zuidermark weliswaar voornaam en stijlvol was, indrukwekkend zelfs, maar dat de ruimte geen ontzag afdwong. Het plafond was versierd met prachtig oud houtsnijwerk, maar daar was in de donkere zaal niet veel van te zien, behalve op feestdagen wanneer alle kaarsen brandden. En hoewel het plafond beslist hoog mocht worden genoemd, gold dat alleen in vergelijking met de rest van de zalen en vertrekken van het kasteel – in veel voorname huizen in de Mark Koninkrijken waren de plafonds aanzienlijk hoger. De glas-in-loodramen, die voor Brionie als kind haar beeld van de hemel hadden bepaald, waren niet half zo mooi als die in de imposante tempel van het Trigonaat in de buitenburcht, voorbij de Raven Poort. Toch had Brionie altijd gedacht dat er geen dramatisch verschil zou bestaan tussen haar thuis en de andere koninklijke paleizen in Eion. Haar vader was tenslotte koning, net als zijn vader en zijn grootvader vóór hem – een bloedlijn die generaties terugging. Dus ze twijfelde er niet aan of de vorsten van Syan en Brenhland en Perikal leefden op nauwelijks grotere voet. Die illusie had ze echter vaarwel moeten zeggen toen ze het beroemde Paleis Dreefstaete betrad.

Al direct na haar gevangenneming, toen de wagen omringd door soldaten onder het valhek van de poort de binnenplaats opreed, had ze beseft hoe dwaas haar veronderstellingen waren geweest. Hoe kon ze ooit hebben gedacht dat haar familie beter was dan de boerse landadel met zijn enigszins vergane glorie die Barrick en zij thuis altijd zo vermakelijk hadden gevonden? Terwijl ze naast Jino de troonzaal betrad, de enorme ruimte die eeuwenlang het hart van het continent was geweest en die nog altijd het machtscentrum vormde van een van de sterkste landen ter wereld, bezorgden haar dwaze pretenties haar een gevoel alsof er een graat in haar keel was blijven steken.

Alleen al de afmetingen van de troonzaal in Tessis waren reusachtig en ontzagwekkend, het plafond was twee keer zo hoog als in de grootste tempel van Zuidermark, bewerkt met houtsnijwerk en zo schitterend, zo verbijsterend gedetailleerd beschilderd dat het leek alsof een hele Funderlingenpopulatie er minstens honderd jaar aan had gewerkt.

(En dat was ook zo, hoorde ze later, ook al werd het kleine volk hier in Syan *Kallikanters* genoemd.) De glas-in-loodramen met kleuren die straalden als de zon, leken stuk voor stuk net zo groot als de Basilisk Poort thuis in Zuidermark. Het waren er tientallen, waardoor de reusachtige ruimte leek gekroond met regenbogen. De marmeren vloer bestond uit een wervelend patroon van zwarte en witte vierkanten met daarin een ingewikkeld rond mozaïek – het wereldberoemde Oog van Perin, aldus Erasmias Jino terwijl hij Brionie eroverheen loodste. Ze liet zich langs de enorme, lege troon leiden en langs de compagnie ridders die zwijgend en roerloos als standbeelden langs de muren stonden; hun wapenrusting had de kleuren van Syan: blauw, rood en goud.

'Ik hoop dat u me toestaat u op enig moment rond te leiden door de tuinen,' zei de markies. 'De troonzaal is natuurlijk schitterend, maar de koninklijke tuinen, díe zijn pas de moeite waard.'

Met andere woorden: zo ziet een echt koninkrijk eruit. Brionie ergerde zich aan Jino's arrogantie, maar ze hield haar gezicht zorgvuldig in de plooi, met een welwillende glimlach om haar mond. *Je hebt geen hoge dunk van Zuidermark, je vindt de problemen waar wij mee worstelen maar onbeduidend, en je probeert me duidelijk te maken hoe ware grootsheid en echte macht eruitzien. Ik begrijp het. Je vindt de kroon van mijn familie niet indrukwekkender dan het houten, met goudverf beschilderde prul dat ik op het toneel droeg.*

Maar een klein koninkrijk kan wel degelijk een groot hart hebben.

Jino loodste haar naar een deur aan het eind van de troonzaal, bewaakt door soldaten in een andere uitmonstering dan de wachten langs de muren, alleen hun uniformen waren ook in blauw en rood uitgevoerd. 'Het Kabinet van de Koning.' Jino deed de deur open en gebaarde Brionie hem voor te gaan. Een heraut in een hemelsblauwe mantel met daarop het beroemde zwaard van Syan met de bloeiende amandeltak, vroeg naar haar naam en titel en stampte toen met zijn goudgepunte staf op de grond.

'Brionie te Meriel te Krisanthe M'Connord Eddon, prinses-regentes van de Mark Koninkrijken.' Het klonk bijna nonchalant, alsof Brionie die dag al de vierde of de vijfde prinses was. *En misschien ben ik dat ook wel.* Ze schatte het aantal aanwezigen in de weelderige zaal tussen de twintig en de dertig – wachten, bedienden en schitterend geklede hovelingen. Hoewel vele hoofden zich omdraaiden bij haar binnenkomst, was er nauwelijks sprake van oprechte, levendige belangstelling.

'Ach natuurlijk, Olins dochter,' klonk het vanaf een bank met een hoge rugleuning. De man die daar zat, gebaarde haar naar voren te komen. Een deel van zijn gezicht ging schuil onder een baard. Hij was plechtig gekleed in donkere tinten, zijn stem klonk diep en krachtig. 'Ik zie zijn gezicht terug in het uwe. Wat een onverwacht genoegen u hier te mogen ontvangen.'

'Dank u, Majesteit.' Brionie boog volgens de regels der etiquette. Enander Karallios was de machtigste heerser in Eion, en dat was hem aan te zien. Hij was de laatste jaren wat te zwaar geworden, maar zijn verschijning was nog altijd indrukwekkend. Zijn donkere haar was bijna zwart, met slechts hier en daar wat grijs, en hoewel zijn gezicht met het klimmen der jaren en met het toenemen van zijn gewicht wat ronder was geworden, straalden het hoge voorhoofd, de wijd uit elkaar staande ogen en de prominente, scherpe neus nog altijd kracht uit. Het was maar al te duidelijk dat hij als jongeman een aantrekkelijke partij moest zijn geweest, een knappe, dynamische prins. 'Ga zitten, kindje. We zijn verheugd u te zien. Uw vader is ons dierbaar.'

'Zoals hij allen in Eion dierbaar is,' zei de vrouw in het schitterende, met parels bezette gewaad die naast hem zat. Dat moest Ananka te Voa zijn, besefte Brionie, een edelvrouwe die alleen al door haar afkomst een machtige positie bekleedde. Bovendien – en dat maakte haar nog veel belangrijker – was ze een maîtresse van koningen. Brionie was enigszins geschokt haar zo openlijk aan Enanders zijde te zien. De tweede vrouw van de koning was enkele jaren eerder gestorven, maar volgens de geruchten die Brionie bij Propermans' Troep had gehoord, had hij Ananka pas recentelijk tot zijn geliefde genomen, nadat zij haar vorige minnaar, Koning Hesper van Jael en Jellon, had verlaten.

Hesper de verrader met bloed aan zijn handen...

Bij die gedachte verloor Brionie midden in haar reverence bijna haar evenwicht. Er waren op de hele wereld maar weinig mannen die ze zou laten martelen als ze de kans kreeg, en Hesper was er een van. Had Ananka hem gesteund, vroeg ze zich onwillekeurig af, toen Hesper had besloten om Olin, haar vader, gevangen te nemen en hem vervolgens aan Ludis Drakava te verkopen? Bij het zien van de harde uitdrukking in Ananka's scherpe ogen leek dat Brionie maar al te aannemelijk.

'Dank u beiden voor uw vriendelijkheid.' Ze deed haar best om haar stem vlak te houden. 'Mijn vader sprak altijd met eerbied en liefde over u, Koning Enander.'

'Hoe maakt hij het? Hebt u recentelijk nog bericht van hem ontvangen?' Enander speelde met iets op zijn schoot, waardoor ze werd afgeleid. Ineens zag ze twee heldere oogjes die haar aankeken van onder zijn mouw van zwaar fluweel. Een klein dier, begreep ze, een hondje of een fret.

'We hebben af en toe een brief van hem gekregen, maar sinds ik uit Zuidermark ben vertrokken heb ik niets meer van hem gehoord.' Wat ging er in hen om, vroeg ze zich af. De koning en Vrouwe Ananka deden alsof dit een willekeurige audiëntie was – waren ze niet op de hoogte van haar situatie? 'Uwe majesteit weet ongetwijfeld dat ik mijn huis heb verlaten... Nou ja, laten we maar zeggen dat ik niet vrijwillig ben vertrokken. Een van mijn onderdanen... Nee, dat zeg ik verkeerd. Een van mijn vaders onderdanen, Hendon Tollij, heeft zich door verraad meester gemaakt van de troon van de Mark Koninkrijken. Ik vermoed dat hij het is geweest die mijn oudere broer heeft vermoord. En overigens ook zijn eigen broer.' In het geval van Kendricks dood kon ze inderdaad niet bewijzen dat Hendon Tollij daarachter zat, maar zijn aandeel in de dood van Gailon, zijn broer, had hij met zoveel woorden toegegeven.

'En u weet ongetwijfeld dat Heer Tollij een andere visie geeft op de gebeurtenissen,' zei Enander met een zorgelijk gezicht. 'We kunnen geen partij kiezen – althans, niet voordat we meer informatie hebben. Iets wat u zult begrijpen. Volgens Heer Tollij bent u ervandoor gegaan en heeft hij zich uitsluitend ten doel gesteld de troon te behoeden in het belang van de kleine Alessandros, de enig overblijvende erfgenaam van Koning Olin. Dat is toch de naam van de jonge knaap?' vroeg hij aan Ananka.

'Ja, Alessandros.' Ananka keerde zich weer naar Brionie. 'Arm kind. Wat moet u hebben geleden.' Ananka was een knappe verschijning, maar door haar overdadig gebruik van poeder werden de lijnen in haar smalle gezicht eerder benadrukt dan gemaskeerd. Desondanks was ze het soort vrouw dat Brionie een gevoel van onnozelheid bezorgde, alsof ze een onhandig, onvolwassen wicht was. 'We hebben zulke verschrikkelijke verhalen gehoord! Is het waar dat Zuidermark is aangevallen door de elfen?'

Koning Enander wierp haar een geërgerde blik toe, misschien omdat hij niet herinnerd wilde worden aan Syans schuld aan Anglins lijn die nog stamde uit de elfenoorlogen in een ver verleden.

'Dat is inderdaad waar, vrouwe,' antwoordde Brionie. 'En voor zover ik weet, duurt het beleg nog steeds voort...'

'Maar we hebben ook gehoord dat u bent gevlucht en hebt weten te ontsnappen door onder te duiken bij een groep boeren. En dat u helemaal van Zuidermark naar hier bent komen lopen! Wat slim! En wat dapper!'

'Het was een toneelgezelschap... vrouwe.' Door ervaring wijs geworden slikte Brionie een nijdige repliek in, maar de vieze smaak in haar mond was er niet minder om. 'En ik ben niet gevlucht vanwege het beleg, maar vanwege mijn eigen verraderlijke...'

'Ja, dat is ons ter ore gekomen. Wat een verhaal!' Enander kapte haar af, en dat deed hij welbewust, besefte Brionie. 'Maar we hebben alleen de kale feiten gehoord. De kale botten, om het zo maar eens te zeggen. Het vlees op die botten moet van u komen. Dus u moet ons maar snel verslag doen. Nee, niet nu!' Hij hief zijn hand om te voorkomen dat ze direct gevolg gaf aan zijn verzoek. 'Voorlopig hebben we genoeg gepraat. U moet wel doodmoe zijn na alle beproevingen. We hebben alle tijd, dus we zullen geduld oefenen tot u weer wat op krachten bent gekomen. En we zien u vanavond aan het diner.'

Ze bedankte hem en maakte opnieuw een reverence. Wat ben ik hier, vroeg ze zich ondertussen af. *Ben ik een gast? Of een gevangene?*

Terwijl Heer Jino haar vanuit het Kabinet van de Koning naar buiten escorteerde, voelde Brionie zich diep ongelukkig, en ze moest vechten tegen haar woede. Enander had haar hoffelijk en allervriendelijkst ontvangen; ze had niets te klagen over de behandeling aan het hof van Syan. Of had ze soms verwacht dat de koning van zijn troon zou opstaan om zijn eeuwigdurende loyaliteit aan Anglins lijn te verklaren en haar een troepenmacht te beloven waarmee ze de Tollijs uit het zadel kon wippen? Natuurlijk niet! Maar afgaande op de blik waarmee de koning haar had aangekeken, geloofde ze niet dat hij aarzelde over een dergelijk besluit. Nee, ze had sterk de indruk gekregen dat hij niet van plan was haar ooit met troepen te hulp te komen.

Ze was zo verdiept in gedachten dat ze in de troonzaal bijna tegen een lange man botste die op weg was naar het Kabinet van de Koning. Toen ze verschrikt een stap achteruit deed, stak hij een sterke hand uit om te voorkomen dat ze viel.

'Verschoning, vrouwe! Gaat het weer?'

'Koninklijke Hoogheid!' zei Jino. 'Dus u bent al terug? Dat is snel!'

Brionie ordende haar kleren om haar verwarring te maskeren. Koninklijke Hoogheid? Dan moest dit Eneas zijn, de zoon van de koning. Toen ze opkeek, betrapte ze zichzelf erop dat de adem stokte in haar keel. Was dit inderdaad de jongeman aan wie ze zich als meisje ooit een jaar lang zoveel had gedacht? Hij was minstens zo knap als de prins uit haar verbeelding; een lange, slanke, breedgeschouderde verschijning met een warrige bos zwart haar, als de manen van een paard na een lange, snelle rit.

'Ik heb heel wat te vertellen,' zei de prins. 'Dus ik ben in vliegende vaart teruggekomen.' Toen hij zich naar Brionie keerde, verscheen er een vragende uitdrukking op zijn gezicht. 'En wie is dit?'

'Hoogheid, sta me toe u voor te stellen aan Brionie te Meriel te Krisanthe...' begon Jino.

'Brionie Eddon?' viel de prins hem in de rede. 'U bent Brionie Eddon? Echt waar? Olins dochter? Maar wat doet u hier?' Zich plotseling bewust van zijn ongemanierdheid pakte hij haar hand en bracht die naar zijn lippen, zonder zijn ogen ook maar één moment af te wenden van haar gezicht.

'Ik zal het u later allemaal uitleggen, Hoogheid,' zei Jino. 'Uw vader zal benieuwd zijn naar uw berichten over de zuidelijke legers. Is alles goed gegaan?'

'Nee,' zei Eneas. 'Nee, het is niet goed gegaan.' Hij keerde zich weer naar Brionie. 'Dineert u vanavond met ons? Zeg ja, alstublieft.'

'J-ja... natuurlijk.'

'Mooi. Dan spreken we elkaar vanavond. Wat een verrassing om u hier te zien. En dat terwijl ik net aan uw vader liep te denken – ik heb grote bewondering voor hem. Is alles goed met hem?' Hij wachtte haar antwoord niet af. 'Jino heeft gelijk, ik moet verder, maar ik verheug me erop u vanavond te spreken.' Opnieuw kuste hij haar hand, een vluchtige streling van zijn droge, door de wind gesprongen lippen, maar daarbij keek hij haar aan alsof hij elk detail van haar gezicht in zijn geheugen wilde prenten. 'Ik heb toen al gezegd dat u zou opgroeien tot een schoonheid. En ik heb gelijk gekregen.'

Terwijl Brionie hem nakeek, besefte ze pas na geruime tijd dat ze met haar mond open stond, als een schaapherder uit de Dalen die voor het eerst in de grote stad kwam. 'Wat bedoelde hij daarmee?' zei ze, half tegen zichzelf. 'Volgens mij wist hij niet eens dat ik bestond!'

Jino fronste licht zijn wenkbrauwen, maar deed zijn best de frons te veranderen in een glimlach. 'O, maar de prins zou nooit onwaarheid spreken, Hoogheid. En hij zou zich zeker niet verlagen tot vleierij. Hij bedoelt het goed,' vervolgde hij toegeeflijk. 'Het is een geweldige jongeman, onze prins, maar de eerlijkheid gebiedt me toe te geven dat zijn hoofse manieren soms wat te wensen overlaten.' Hij richtte zich op en gebaarde uitnodigend. 'Sta me toe u terug te brengen naar uw vertrekken, Prinses. We zien er allemaal naar uit vanavond aan het diner opnieuw de eer van uw gezelschap te mogen smaken, maar u moet werkelijk eerst wat rust nemen na uw angstaanjagende reis.'

Naar Syannese maatstaven waren Brionies hoofse manieren misschien wat boers, maar het was haar glashelder wat Erasmias Jino wilde zeggen: *En nu wegwezen, kind, zodat ik me aan belangrijker zaken kan wijden – de zaken van een echt koninkrijk, in plaats van zo'n achterlijk, afgelegen landje als het jouwe.*

En ze werd er voor de zoveelste maal aan herinnerd dat ze op z'n gunstigst een onderhoudende afleiding vormde voor de Syannezen. Waarschijnlijk beschouwden ze haar echter vooral als een ergerlijk probleem. In beide gevallen bezat ze geen enkele macht, geen enkele invloed, en ze had geen enkele vriend op wie ze kon rekenen. Terwijl ze zich door Jino opnieuw door de luisterrijke, weergalmende troonzaal liet loodsen, nagestaard door groepjes hovelingen en langs bedienden die weliswaar discreter, maar net zo nieuwsgierig waren, zon ze in gedachten al op een manier om die situatie in haar voordeel om te buigen.

2
Een weg onder het water

'Volgens Rhantys en andere geleerden uit de tijd voor de Grote Dood,
beweren de elfen zelf dat ze niet zijn geschapen door de goden, maar dat
zij de goden "opriepen".'

Uit *Een Verhandeling over de Elfenvolken van Eion en Xand*

Flint bukte zich naar de gebroken schijf, gebleekt als oude botten, en
raapte hem op. 'Wat is dit?' vroeg hij aan Kiezel, maar die liep te ver
vooruit om te kunnen zien wat het kind had gevonden.

'Zeg ouwe, lopen we soms helemaal naar Zilverzijde?' vroeg Opaal
die de rij sloot. Toen zag ze wat Flint in zijn hand hield. 'Wat heb je
daar?' Ze nam de bleke, halve cirkel van hem over, wreef zorgvuldig het
stof eraf en hield hem omhoog in het licht van haar koraallamp. 'Nee
maar, Kiezel, moet je nou eens kijken! Een empiriaal, uit zee! Wat doet
die hier? Zou iemand hem hebben meegenomen van het strand?'

'Dat moet haast wel.' Kiezel inspecteerde de rotsmassa boven hun
hoofd, maar die zag er geruststellend droog en solide uit. 'Ik zie nergens
druppels. Trouwens, als de zee hier naar binnen kwam, zou het niet bij
druppelen blijven. Al dat water... dat enorme gewicht... De boel zou in
een oogwenk onderlopen.' Onwillekeurig dacht hij aan de gruwelijke
verhalen die zijn vader hem had verteld, over de tragedie in de Steenhouwersschacht, genoemd naar het gilde dat voor uitbreiding van zijn

onderkomen daar aan het graven was geslagen.

Al sinds Funderheugenis luidde het eerste gebod in Funderstad, dat er geen serieuze graafwerkzaamheden zouden worden ondernomen onder de waterlijn. Eén misstap kon immers tot gevolg hebben dat de zee naar binnen stroomde en alles verzwolg, van de Mysteriën en de tempel van de Metamorfische Broederschap tot al wat zich in de grotten daaronder bevond. Maar op die ochtend, inmiddels zo'n zestig, zeventig jaar geleden, waren delvers van het Steenhouwersgilde het zicht kwijtgeraakt op de diepte die ze hadden bereikt. Bovendien bleek later dat ze te ver hadden doorgegraven in de richting van de rand van de Midlands Berg, het rotsachtige eiland waarop Kasteel Zuidermark was gebouwd.

Na een stortvloed van losgeraakte stenen was het koude zeewater met geweld naar binnen gespoten en had de mannen van het Steenhouwersgilde getroffen als een speerstoot. Al snel was de ontstane opening door de enorme watermassa verder uitgesleten tot de doorsnee van een wijnvat. De steenhouwers probeerden uit alle macht het gat te dichten, maar hun strijd was tevergeefs, de overmacht van de zeegod te groot, en de uitgegraven ruimten begonnen vol te lopen. Een van de gravers negeerde het bevel van zijn voorman en vluchtte naar boven om alarm te slaan. Alle beschikbare gildeleden haastten zich naar de plek des onheils, en de Grootgildemeester nam het besluit de schacht te verzegelen. Een stuk of tien, twaalf Funderlingen werden uit het volgestroomde gedeelte gered, maar bijna twee keer zoveel delvers die zich in andere zijgangen bevonden, waren ingesloten door het stijgende water en voor een zoekactie was geen tijd. Het was een keuze geweest, aldus Kiezels vader met een wrange klank van bevrediging in zijn stem; een keuze tussen drieëntwintig mannen die ten dode waren opgeschreven door de stommiteit van een voorman en de honderden in de rest van Funderstad, beneden zeeniveau.

Het was een geluk bij een gruwelijk ongeluk dat het Steenhouwersgilde recentelijk had ingestemd met het gebruik van plofpoeder bij bijzonder moeilijke graafwerkzaamheden. Als de stenen handmatig verplaatst hadden moeten worden, zou er geen redden meer aan zijn geweest voor de diepere lagen. Toen het plofpoeder het dak van de ruimte naast de schachtmond deed instorten, moesten de ingesloten mannen een enkele luide knal hebben gehoord – als van de hamer van de Heer der Oneindige Hemelen. Daarna was alles om hen heen stil geworden, op hun eigen wanhoopskreten en het geraas van het water na, dat steeds hoger steeg en hen uiteindelijk verzwolg.

Het beeld van die mannen in hun stervensuur had de kleine Kiezel zijn hele jeugd achtervolgd. Hij had er nachtmerries van gehad, en tot op de huidige dag werd er door Funderkinderen slechts fluisterend gesproken over de door geesten bewoonde, verborgen diepten van de Steenhouwersschacht.

'Nee... Er is hier geen gat te bekennen.' Kiezel schudde zijn hoofd om de jeugdherinneringen die hem nog altijd hartkloppingen bezorgden. Hij dwong zichzelf te glimlachen. 'En dat is maar goed ook, want we zijn hier diep onder de zee, en ik hou er niet van om nat te worden.'

'En toch is het een echte empiriaal die Flint heeft gevonden! Dat weet ik zeker.' Opaal gaf de jongen zijn schelp terug en streek hem over zijn haren. Ze wist veel van schelpen en in het koude seizoen genoot ze ervan om met de andere vrouwen naar boven te gaan en mosselen te zoeken in de getijdepoelen langs Brenh's Baai. Wanneer ze dan met haar vangst thuiskwam, kookte ze die met een hete steen. Kiezel was er dol op – ze waren nog lekkerder dan de veelpotige *korabi*, de scheurkruipers die over de vochtige rotsen langs de Zoutpoel scharrelden. Opaal vond ze zelf ook heerlijk, maar sinds ze Flint in huis hadden genomen was ze niet meer naar boven geweest en had ze geen mosselen meer op tafel gezet.

'Een empiriaal...?' Met zijn ogen tot spleetjes geknepen keek Flint naar de witte schijf.

'Ja. Omdat hij lijkt op een munt, zie je wel? Maar het is een schelp, het skelet van een zeediertje.' Kiezel pakte de jongen teder bij zijn elleboog. 'Kom, we moeten verder. Ondertussen zal ik je iets vertellen over deze plek.'

'Ik hoop dat je ons gaat vertellen dat we er bijna zijn,' zei Opaal. 'Wie graaft er nou een pad dat zo diep gaat? Dan ben je toch niet goed bij je hoofd! En hoe lang lopen we al niet?'

Kiezel moest lachen. 'Rustig maar, ouwetje, we zijn er bijna. Maar nog niet helemaal.' Over zijn schouder heen klopte hij op de zware tas die hij droeg. 'En niet om het een of ander, maar ik heb de rugzak.'

Opaal trok een lelijk gezicht. 'Nou, wat ik meesjouw is anders ook niet bepaald licht.'

'Dat weet ik.' Hij had haar bezworen nog niet de helft mee te nemen van wat ze uiteindelijk in haar tas had gestopt, maar hij had net zo goed tegen de kat kunnen zeggen dat hij zijn staart en zijn snorharen moest thuislaten. Opaal ging nu eenmaal nergens heen zonder op z'n minst een paar pannen, en haar goede lepels, die een trouwcadeau waren geweest van haar moeder. 'Laat maar,' zei hij, zowel tegen zichzelf als tegen zijn gezin. 'Loop nou maar gewoon door, dan zal ik jullie het verhaal vertellen van dit pad – hoe het is ontstaan en wie het heeft aangelegd.

Lang geleden, in de tijd van Koning Kellick de Tweede – tenminste, zo heb ik het van mijn opa gehoord – leefde er een groot Funderling. Hij heette Azuriet en hij behoorde tot de Koperfamilie, maar in die tijd was de gebruikelijke benaming voor azuriet kristallen "Stormsteen", en zo werd hij dan ook door iedereen genoemd. Zoals ik al zei, Stormsteen Koper was een groot man; een bijzonder mens, en dat was maar goed ook want de tijd waarin hij leefde, was bepaald niet gemakkelijk.'

'Hoe lang is dat geleden?' vroeg Flint.

Kiezel fronste zijn wenkbrauwen. 'O, mijn grootvader was nog niet eens geboren! Dus wel meer dan een eeuw. Koning Kellick de Eerste was altijd goed geweest voor de Funderlingen. Hij hield zich aan zijn afspraken en behandelde hen niet slechter dan de rest van zijn onderdanen, soms zelfs beter omdat hij grote waardering had voor hun ambachtskunde.'

'Je bedoelt hun ambachtelijke vaardigheden,' zei Opaal enigszins kortademig.

'Nee, ik bedoel ambachtskunde, want het gaat om meer dan alleen het bewerken van steen met een beitel. Ambachtskunde behelst ook kénnis. De eerste Kellick was een van de weinige koningen die waardering had voor de kennis van ons volk. Hij was niet de enige vorst die in oorlog was met het elfenvolk, maar hij behandelde ons niet alsof we kobolden waren, afkomstig uit het land achter de Schaduwgrens.' Kiezel schudde zijn hoofd. 'Maar leid me niet af, vrouw. Ik probeer jullie het verhaal te vertellen over deze gangen.'

'O, neem me niet kwalijk, Meester Blauwkwarts! Hoe durf ik u te onderbreken? Spreek vooral verder.' Maar hij hoorde een glimlach in haar stem. Ze liepen al bijna de hele ochtend en ze waren allemaal moe; de afleiding was maar al te welkom.

'Dus na de dood van Kellick de Eerste verwachtte iedereen dat alles op dezelfde voet zou doorgaan onder het bewind van Barin, Kellicks zoon, die de indruk wekte erg op zijn vader te lijken. En dat was ook zo, behalve in één opzicht: hij haatte de elfen, en met ons Funderlingen had hij ook niet veel op. Tijdens zijn bewind werden de Acht Poorten van Funderstad stuk voor stuk verzegeld, zodat er nog maar één weg overbleef naar de bovengrondse wereld – en terug. Dat is de weg die we vandaag de dag nog steeds gebruiken. Bovendien zette de koning wachten bij de poort die dag in dag uit de wagens van ons volk inspecteerden en ons het leven zuur maakten, enkel en alleen om ons ervan te doordringen dat we niet zo belangrijk waren als het grote volk. Na de lange en prettige samenwerking met Barins vader betekende dat een enorme schok, voor alle Funderlingen.

Uiteindelijk zou Barin zelfs nog langer regeren dan Kellick – hij zat bijna veertig jaar op de troon – en hoewel we nog altijd werk hadden in Zuidermark, was het geen gelukkige tijd. Veel van onze mensen vertrokken naar andere landen en steden, vooral hier in het noorden, waar de legers van de Qar zoveel hadden verwoest en platgebrand.

Toen Barin eindelijk stierf en zijn zoon de troon besteeg – Kellick de Tweede, genoemd naar zijn grootvader – riep de wijze oude Stormsteen de leiders van de Gilden bij elkaar. "Weten jullie hoe het grote volk konijnen vangt?" vroeg hij hun. "Ze sluiten alle gangen van het hol af, op één na, en in die ene gang laten ze een fret naar binnen, die vervolgens de hele kolonie uitmoordt – de moeren, de jongen, geen dier uitgezonderd."

De andere Funderlingen vroegen hem waarom hij over konijnen begon wanneer er een nieuwe koning zou worden gekroond en er zoveel te bespreken viel. Stormsteen lachte honend. "Waarom denken jullie dat Koning Barin alle toegangen tot ónze holen heeft afgesloten?" vroeg hij. "Dat zal ik jullie vertellen. Als ze daarboven ooit van ons af willen, hoeven ze alleen maar een stel soldaten met speren en fakkels naar beneden te sturen, net zoals ze dat doen met fretten in konijnenholen. Dan is het afgelopen met Funderstad. We zijn dwaas geweest dat we het hebben laten gebeuren, en we zijn nog veel dwazer als we er niet zo snel mogelijk iets aan doen."

Je begrijpt dat er een enorme discussie losbarstte. Veel gildeleden wilden niet geloven dat het grote volk hun ooit kwaad zou doen. Maar Stormsteen hield voet bij stuk. "Deze Kellick is anders dan de eerste. Hij lijkt meer op zijn vader, Barin. Zien jullie dan niet hoe het grote volk naar ons kijkt? Horen jullie dan niet hoe er over ons wordt gefluisterd? Het grote volk ziet amper verschil tussen ons en de elfen die de stad belegeren. Als ze hierboven nog banger worden, valt niet te voorspellen wat ze doen in hun angst en hun woede."

"Maar wat stel je dan voor?" vroeg een van de gildemannen. "Moeten we de nieuwe koning smeken om de wet te veranderen en ons toestemming te geven de andere zeven poorten weer te openen?"

Opnieuw begon Stormsteen te lachen. 'Vraagt de vos permissie aan de honden om ervandoor te gaan? Natuurlijk niet! We doen wat we moeten doen, en dat vertellen we aan niemand." En dus deden ze wat hij voorstelde.'

Kiezel schraapte zijn keel. 'Merken jullie dat? We beginnen weer te klimmen. Dat betekent dat we er bijna zijn. Het was nogal een omweg, dat geef ik toe, maar wel een veilige omweg.' Hij sloeg zijn arm om Flints schouder en verkilde even toen het kind haastig een stap opzij deed. 'Als je het leuk vindt, vertel ik je de rest van het verhaal. Dus zeg het maar.'

Even dacht hij dat het kind hem opnieuw zou afwijzen, maar toen knikte Flint, zij het nauwelijks merkbaar.

'De mannen van het Steenhouwersgilde deden wat de wijze Stormsteen had voorgesteld. In de daaropvolgende twaalf jaar gingen ze onder het grote volk op zoek naar huizenbezitters die in ruil voor goud geen vragen stelden, en zo kochten ze met geld uit de gildekas in het diepste geheim een paar pandjes in de armste wijken aan de rand van Zuidermark. Daaronder begonnen ze met het graven van gangen die ze verbonden met het bestaande netwerk helemaal aan de buitengrens van Funderstad, aan het eind van een reeks naamloze wegen waarvan het grote volk het bestaan niet kende, en die het zelfs met een kaart nooit had kunnen vinden. Toen het karwei was geklaard, wist een groep van onze mensen die ook na zonsondergang nog bovengronds mochten zijn omdat ze bezig waren met werkzaamheden aan een koninklijke graanschuur die overdag in gebruik was, versterkingen mee te smokkelen; iets wat ze voor elkaar kregen door de wachten in verwarring te brengen met een onafgebroken komen en gaan van arbeiders. Na het vallen van de avond verliet de helft van de ploeg de graanschuur en sloop door stegen en sloppen naar de huizen die door het Gilde in het geheim waren gekocht. Daar groeven ze de laatste paar el zand en stenen weg naar de gangen eronder. Toen ook die klus was geklaard, bedekten ze de toegang tot de gangen door er een vloer van plavuizen overheen te leggen, waarin één steen los lag en kon worden opgetild.

Van deze nieuwe doorgangen kwam de meerderheid uit in de buitenburcht, maar dat gold niet voor allemaal. Er waren zelfs gangen die onder water naar huizen en andere plekken op het vasteland liepen.' Kiezel had kunnen vertellen dat hij daar zelf gebruik van had gemaakt toen hij de spiegel van Flint naar het kamp van de Qar had gebracht, maar hij deed het niet uit angst dat hij Opaal van streek zou maken. 'Er wordt zelfs beweerd,' vervolgde hij, 'dat Stormsteen een gang had aangelegd die uitkwam in de binnenburcht, ergens vlak bij de Troonzaal!

Toen na een paar maanden de werkzaamheden in de graanschuur waren voltooid, gold dat ook voor de toegangen tot de Nieuwe Poorten, zoals ze door de Gilde-oudsten fluisterend werden genoemd. Sindsdien zijn er altijd geheime wegen geweest tussen Funderstad en de buitenwereld. Toen zich meer dan honderd jaar lang geen problemen meer voordeden met het elfenvolk, raakte een groot aantal van de verborgen gangen in verval. Maar het schijnt dat de huizen en andere bovengrondse gebouwen die de toegang tot de geheime wegen verbergen, nog altijd in ons bezit zijn.'

'Ik hoop niet dat je ons dit hele verhaal vertelt omdat je van hieraf verder bovengronds wilt reizen,' zei Opaal streng.

'Nee, mijn lief. We zijn er echt bijna. Ik heb het jullie verteld omdat dit een van die gangen is.'

'Waar zijn we bijna?' vroeg Flint.

'Bij de plek waar we heen gaan – de tempel van de Metamorfische Broeders.'

'Maar waarom hebben we zo ver gelopen?' Flint klonk niet alsof hij dat erg vond, hij was gewoon nieuwsgierig.

'Omdat er bovengronds soldaten staan bij de poort die we anders altijd nemen. Trouwens, ze patrouilleren ook op de belangrijkste straten in Funderstad,' legde Kiezel uit. 'En ze zijn allemaal op zoek naar een man die Kiezel heet en zijn vrouw Opaal, en naar Flint, een jongen van het grote volk die bij hen in huis woont.'

'Zo heten wij,' zei Flint ernstig.

Kiezel wist niet zeker of hij het spelletje meespeelde. 'Precies. Ze zoeken ons, zoon. En ze hebben het niet goed met ons voor.'

Broeder Antimoon stond hen al op te wachten op het pad door de uitgestrekte zwammentuin van de tempel. Op zijn brede, jeugdige, doorgaans opgewekte gezicht tekenden zich zorgelijke rimpels af. Achter hem waren nog meer bezorgde gezichten te zien, van zijn medebroeders die de bezoekers gadesloegen vanuit de schaduwen tussen de zuilen van de tempel.

'De stemming onder de broeders is erg somber,' vertelde Antimoon. 'Grootvader Sulfer heeft de hele nacht lopen ijsberen, luidkeels verkondigend dat de Grote Overstroming nabij is.' Hij keerde zich van Kiezel naar Opaal en knikte haar toe. 'Gegroet, vrouwe, en mogen de Ouden u zegenen. Het doet me deugd u weer te zien.'

Kiezel keek om zich heen op zoek naar Flint, die het grillige pad van een grotkrekel was gevolgd. 'Maken ze zich zorgen over de jongen?'

Antimoon haalde zijn schouders op. 'Volgens mij vooral over die andere twee van het grote volk. Denkt u ook niet?' Hij lachte, maar het was duidelijk dat hij zich inhield; vanuit de schaduwen voor de tempel waren nog altijd alle ogen op hen gericht. 'Om nog maar te zwijgen over wat er bovengronds gebeurt: de oorlog met de elfen en de kans dat wij daarbij betrokken raken. Anderzijds, er zijn er ook die het niet zo erg vinden dat er eindelijk eens wat gebeurt.' Hij knikte heftig. 'Het zal u misschien verrassen, Meester Blauwkwarts, maar het leven in de tempel is niet altijd even opwindend. Begrijp me goed, ik klaag niet, maar u hebt recentelijk voor wat welkome afleiding gezorgd.'

'Dank je wel... Tenminste, ik neem aan dat ik blij moet zijn met die formulering.'

Opaal had de jongen eindelijk te pakken, en Kiezel wenkte hen naar de ingang van de tempel. Opaals ogen werden groot toen ze langs de zuilen en de gevel omhoogkeek. 'Ik was vergeten hoe groot hij is!' Naarmate ze dichter bij de tempel kwam, begon ze langzamer te lopen, alsof ze een krachtige wind moest trotseren. In zekere zin was dat ook zo, dacht Kiezel, in de vorm van de eeuwenlange, onuitgesproken traditie volgens welke de tempel uitsluitend en alleen toegankelijk was voor de Metamorfische Broeders zelf en voor een sporadische gewichtige buitenstaander.

Hoewel Kiezel de tempel twee keer eerder had bezocht, was hij er nooit binnen geweest, en terwijl Antimoon hen door de zuilengang naar de *pronaos* loodste, was hij ondanks alles onder de indruk van de afmetingen en het vakmanschap van wat hij om zich heen zag. Het plafond van de pronaos bevond zich bijna net zo ver boven zijn hoofd als het beroemde gewelf van Funderstad, zij het dat het niet half zo rijk was bewerkt. De bouwers van de tempel hadden zich laten leiden door soberheid en gestreefd naar heldere, simpele lijnen, zoals in hun – lang vervlogen – tijd de gewoonte was geweest. Vandaar dat het geribde gewelf niet was versierd met bladeren en bloemen en dieren, maar met brede lijnen en fraaie, rond geslepen randen. Het gaf de zaal de aanblik van gestolde vloeibaarheid, alsof de Heer zelf de tempel uit een enorme emmer gesmolten steen had gegoten die van het ene op het andere moment was afgekoeld.

'Het is... prachtig,' fluisterde Opaal.

Antimoon grijnsde. 'Sommigen vinden het mooi, vrouwe. Ik moet bekennen dat ik het een beetje... streng vind. Wanneer je ergens dagelijks langsloopt, is het leuk wanneer je blik wordt vastgehouden; hier betrap ik me erop dat mijn ogen... wegglijden...'

'Antimoon,' klonk een scherpe stem. 'Heb je niets beters te doen dan dat gebazel?' Het was Broeder Nikkel met het zure gezicht die Kiezel zich herinnerde van zijn eerste bezoek, en zijn gezicht stond nog altijd even zuur.

De jonge monnik schrok. 'Neem me niet kwalijk, broeder. Natuurlijk, er is genoeg te doen...'

'Doe dat dan. We roepen je wel als we je nodig hebben.'

Met een verdrietig gezicht – niet zozeer omdat hij was betrapt op vrijblijvend gekeuvel, vermoedde Kiezel, maar omdat hij dat moest staken – maakte Antimoon een vluchtige buiging en sjokte weg.

'Het is een goeie jongen,' zei Kiezel.

'En erg luidruchtig.' Nikkel fronste zijn wenkbrauwen. Hij knikte vluchtig naar Opaal, Flint negeerde hij. 'Ik neem aan dat hij je heeft verteld over de beroering die hier heerst?' Hij ging hen voor naar een deur in een van de muren van de enorme zaal die toegang gaf tot een zijgang met aan weerskanten nissen. De planken daarin waren leeg, maar de patronen in het stof suggereerden dat wat erop had gestaan, recentelijk was verwijderd. 'We hadden het hier aanzienlijk rustiger voordat we jou leerden kennen, Kiezel Blauwkwarts.'

'Ik ben ervan overtuigd dat de schuld van alle veranderingen niet volledig bij mij ligt.'

Nikkel trok een lelijk gezicht. 'Nee, dat zal wel niet. Er gebeuren overal akelige dingen, dat is zeker. Sinds de dagen van Grootgildemeester Stormsteen is het niet meer zo onrustig geweest.'

'Ja, ik heb mijn gezin net over hem verteld...'

'Het is zo jammer dat het grote volk ons niet gewoon met rust kan laten. We doen niemand kwaad,' zei Nikkel boos. 'We willen niets anders dan de Aard Ouden dienen en ons eigen leven leiden volgens onze eigen eeuwenoude tradities en gebruiken.'

'Misschien maakt het grote volk ook deel uit van de bedoelingen van de Aard Ouden,' opperde Kiezel geduldig. 'Misschien is wat het grote volk doet, precies wat de Ouden hebben gewild.'

Nikkel nam hem lang en doordringend op. 'Je doet me beschaamd staan, Kiezel Blauwkwarts,' zei hij toen somber. Even later hield hij stil bij een deur en zwaaide die open. Aan de muren van de ruimte daarachter hingen manden met brokken gloeiend koraal, waardoor ze na de donkere gang bijna werden verblind. 'Kom binnen en voeg je bij je vrienden. Dit is de schrijfkamer van de bibliotheek.'

In de schrijfkamer, die een kleine, bescheiden indruk maakte vergeleken met de grote zaal, leken de twee mannen – geen Funderlingen maar leden van het grote volk – bijna grotesk bovenmaats. Chaven, de heelmeester, glimlachte maar stond niet op, misschien uit angst om zijn hoofd te stoten tegen het plafond. Ferras Vansen, die nog een halve kop groter was, kwam met ongemakkelijk gebogen rug overeind en drukte Opaal de hand. 'Vrouwe, ik ben blij u en uw gezin weer te zien. Het maal waarop u me op de avond van mijn terugkeer hebt onthaald, zal ik nooit vergeten. Het was het lekkerste wat ik ooit heb gegeten.'

Opaals lach dreigde te ontaarden in een meisjesachtig gegiechel. 'Ach, daar kan ik me nauwelijks voor op de borst kloppen. Koken voor een man die uitgehongerd is... Dat is als... als...'

'Als een salamander vangen die is verblind door de zon?' opperde Kiezel, maar bij het zien van Opaals gekwetste blik wenste hij dat hij zijn mond had gehouden. 'Je doet jezelf tekort, vrouw. Iedereen weet dat je tafel een van de beste is in heel Funderstad.'

'Reken maar. Daar kan ik over meepraten,' zei Chaven. 'Ik had nooit gedacht dat ik een smakelijk bereide mol zo zou weten te waarderen.' Hij keerde zich glimlachend naar Flint, die de heelmeester met zijn gebruikelijke, ernstige blik stond op te nemen. 'Jij ook welkom hier, knaap. Tjonge, wat word je groot.' Toen richtte hij zich tot Kiezel. 'We wachten nog op de komst van onze laatste gast...'

De deur ging knarsend open. Een bezorgd kijkende acoliet stak zijn hoofd naar binnen. 'Broeder Nikkel? Een van de magisters uit de stad is hier, en hij zegt dat hij uw studeerkamer als vergaderruimte wil gebruiken!'

'Mijn studeerkamer?' protesteerde Nikkel luid, toen haastte hij zich de kamer uit om zijn domein te verdedigen.

'... en dat zal hem zijn,' besloot Chaven. 'Tja, Magister Cinnaber en Broeder Nikkel zullen wel nooit dikke vrienden worden, vrees ik.'

Kiezel haalde zijn oude, botte mes uit zijn zak en gaf het aan Flint, samen met een brok speksteen, zodat het kind iets te doen had. 'Laat maar eens zien wat je hiervan weet te maken. Maar denk goed na voordat je begint met snijden – het is een mooi, schoon stuk.'

Opnieuw ging de deur open, en Cinnaber Kwikzilver kwam binnen, achtervolgd door het luid galmende, scherpe stemgeluid van Broeder

Nikkel. 'Die denkt dat hij al abt is,' zei Cinnaber fronsend. 'Kiezel Blauwkwarts, wat ben ik blij om je te zien! En Vrouwe Opaal? Hebben de broeders u goed behandeld?'

'We zijn er net,' zei Opaal.

'Het staat u en de jongen vrij om het stof van u af te spoelen na uw lange tocht,' zei Cinnaber. 'Maar ik ben bang dat ik uw man even moet stelen, vrouwe. Ook al bent u natuurlijk ook van harte welkom bij onze bespreking. Mijn Vermiljoen weet doorgaans in een oogwenk problemen op te lossen waar de Grootgildemeester een uur voor nodig heeft.'

Op dat moment kwam Nikkel binnen, met het norse gezicht van een man die ontdekt dat er iemand in zijn favoriete stoel is gaan zitten. 'Zijn jullie al zonder mij begonnen? Niet om het een of ander, maar de Metamorfische Broederschap is hier de gastheer. Of was u dat soms vergeten?'

'Daar zijn we ons maar al te zeer van bewust, Broeder Nikkel,' zei Cinnaber. 'Tenslotte wordt dit beraad in uw studeerkamer gehouden. Of was ú dat vergeten?'

Terwijl de monnik de magister aankeek met een blik die graniet tot gruis had kunnen vermalen, liet de heelmeester zich horen. 'Ons gesprek zal een groot deel van de middag in beslag nemen, vrees ik, en Kapitein Vansen en ik zitten al een tijd te wachten. Is het misschien mogelijk dat we iets te eten en te drinken krijgen?'

'U kunt op het vaste tijdstip aanschuiven bij de broeders,' zei Nikkel stijfjes. 'Over een paar uur is het tijd voor het avondmaal. We hebben met Magister Cinnaber afgesproken dat u met ons mee-eet zolang u hier te gast bent. Onze maaltijden zijn simpel, maar gezond.'

'Daar twijfel ik niet aan,' zei Chaven met een zweem van weemoed.

'... en toen was ik plotseling hier. Niet langer mijlenver achter de Schaduwgrens, maar in het hart van Funderstad, met onder mijn voeten een enorme spiegel.' Vansen fronste zijn wenkbrauwen, zijn ogen stonden bezorgd. 'Nee, dat zeg ik verkeerd. Zo plotseling ging het niet. Maar... de herinneringen aan de reis hierheen zijn me ontglipt... als een droom...'

'We zijn dankbaar dat u er bent, kapitein,' zei Chaven. 'En we zijn dankbaar om te horen dat Prins Barrick nog leefde en het goed maakte, de laatste keer dat u hem zag.' Maar het gezicht van de dokter stond bezorgd. Het was Kiezel niet ontgaan dat hij zijn wenkbrauwen fronste toen Vansen de enorme spiegel noemde die de vloer vormde in de

raadzaal van het Gildehuis, tussen twee identieke beelden van de dreigend kijkende Kernios, de aardheer.

'Ja, hij leefde nog,' zei de soldaat. 'Maar of hij het goed maakte... Dat
weet ik nog niet zo zeker.'

'Verschoning, maar ik heb nieuws,' zei Cinnaber. 'Nieuws dat te maken heeft met de jonge prins. Enkelen van ons hebben nog altijd toestemming om bovengronds in het kasteel te komen, om werk te doen
voor de Tollijs. Een van hen heeft, ten koste van enorme risico's, het
nieuws van uw komst doorgegeven aan Avin Brone.'

'De heer konstabel,' zei Vansen. 'Maakt hij het goed?'

'Die functie bekleedt hij niet langer,' zei Cinnaber. 'En wat de rest
van uw vraag betreft, dat zult u zelf moeten ontdekken. Hij heeft dit
voor u meegegeven, en mijn contact heeft ervoor gezorgd dat ik het
kreeg.'

Vansens lippen bewogen geluidloos terwijl hij zijn blik over de brief
liet gaan. 'Mag ik hem voorlezen?' vroeg hij. Cinnaber knikte.

Vansen,
Het doet me genoegen te horen dat alles goed met u is, en het nieuws over
Olins erfgenaam doet me zelfs nog meer genoegen. Ik begrijp niet wat er is
gebeurd, noch hoe u hier bent gekomen – een soort kabouter bracht me een brief
van een andere kabouter...

'Ik moet me verontschuldigen voor de manieren van de graaf,' zei Vansen met een blos van schaamte.

Cinnaber gebaarde nonchalant met zijn hand. 'We zijn wel erger gewend. Ga door alstublieft.'

'*... maar ik begrijp er allemaal niets van. Hoe dan ook, u moet onderge-*
doken blijven. T – ik neem aan dat hij daarmee Hendon Tollij bedoelt –
heeft zijn mannen opdracht gegeven me voortdurend in de gaten te houden,
en dat hij me nog niet ter dood heeft laten brengen is uitsluitend te danken
aan het vertrouwen dat ik nog altijd geniet onder de soldaten en aan het feit
dat veel van mijn wachten me trouw zijn gebleven.

Het elfenvolk – mogen de goden het vervloeken – houdt zich rustig, maar
volgens mij wijst dat erop dat het bezig is nieuwe kwaadaardige plannen te
bedenken. Omdat de elfen geen schepen tot hun beschikking hebben, kunnen
we een beleg doorstaan, maar ze hebben meer wapens dan zichtbaar zijn voor
het oog. Zoals u ongetwijfeld weet verlammen ze hun vijanden met een ver-
morzelende angst...

Dat weet ik inderdaad maar al te goed.' Vansen keek op. 'Angst en verwarring, dat zijn hun machtigste wapens.'

Hij las verder. *'Er is nog altijd geen nieuws...'* Zijn stem haperde even. *'... nog altijd geen nieuws over Prinses Brionie. Wel wordt er beweerd dat Shaso haar bij zijn ontsnapping als gijzelaar heeft meegenomen. Het voorspelt weinig goeds dat we na al die tijd nog niets van hem hebben vernomen.'* Vansen haalde diep adem. *'Dus zo staan de zaken ervoor. T regeert in Zuidermark uit naam van Olins jongste, de kleine Alessandros. De elfen staan voor onze muren, en zolang ze een bedreiging vormen durft T me niet te doden of gevangen te nemen. U moet u voorlopig blijven verbergen, Vansen, ook al hoop ik dat de dag nabij is waarop u mij uw hele verhaal zult willen vertellen en waarop ik u de hand kan schudden om u te bedanken voor alles wat u hebt gedaan...'*

Vansen schraapte enigszins gegeneerd zijn keel. 'De rest is niet belangrijk. Dit is alles wat ertoe doet. De Qar houden zich rustig, maar ze zijn er nog steeds. Toch zouden de muren ons nog geruime tijd moeten kunnen beschermen, zelfs tegen elfenbezweringen...'

'Als de Qar het kasteel in willen, zullen ze dat niet doen door de muren te bestormen,' zei Kiezel. 'Dan komen ze door Funderstad... en door de tempel... Wat heet, ze komen recht langs de plek waar wij nu zitten...'

Vansen keek hem aan alsof Kiezel zijn verstand had verloren. 'Wat bedoelt u?'

'Wat...' Nikkel richtte zich bevend op. 'Waarom zeg je dat? Wat hebben ze hier te zoeken, in onze gezegende tempel?'

'Met de tempel heeft het weinig te maken,' zei Kiezel grimmig.

'Maar wat heeft het dan met Funderstad te maken?' vroeg Cinnabar. 'Waarom zouden ze hierheen komen wanneer ze eenmaal over de kasteelmuren zijn?' Hij zweeg, zijn ogen werden groot. 'O! Bij de Ouden, je hebt het niet over een aanval van boven...'

'U begrijpt het, magister.' Kiezel keerde zich naar Vansen. 'Er is heel veel wat u nog niet weet over ons en onze stad, kapitein. Maar misschien wordt het tijd om daar iets aan te doen...'

'Je hebt niet het recht om over zulke dingen te praten!' riep Nikkel met overslaande stem. 'En al helemaal niet tegen... tegen het grote volk! Tegen vreemden!'

Cinnaber hief bezwerend zijn handen. 'Rustig aan, broeder. Maar misschien heeft hij gelijk, Kiezel. Dit is niet zomaar een gewone aangelegenheid. Alleen het Gilde mag besluiten...'

Tot schrik van bijna alle aanwezigen sloeg Kiezel met zijn vuist op tafel. 'Begrijpen jullie het dan niet?' Hij was nu echt kwaad – kwaad op het grote volk met zijn intriges dat de Funderlingen in een oorlog betrok die de hunne niet was; kwaad op Nikkel en de anderen met hun laffe onwil om de waarheid onder ogen te zien. Hij was zelfs kwaad op Opaal, besefte hij, omdat zij erop had gestaan Flint in huis te nemen, de vreemde, stille jongen met wiens komst alle narigheid in zijn leven was begonnen. 'Zien jullie het dan niet? Níéts is meer gewoon! We kunnen zaken zoals de wegen van Stormsteen niet langer geheimhouden, Nikkel. We kunnen niet blijven doen alsof alles nog bij het oude is. Ik heb de elfen zelf ontmoet – ik ben bijna net zo dicht bij ze geweest als Kapitein Vansen. Ik heb met Yasammez, hun vrouwe, gesproken, en ik kan je vertellen dat je bijna spontaan begint te braken van angst. Er is niets "gewoons" aan deze vrouwe! Het is mijn jongen geweest die de magische spiegel heeft meegebracht over de Schaduwgrens; de spiegel waarvan Vansen vermoedt dat Prins Barrick ermee onderweg is, om hem terug te brengen naar de grote stad van de Qar. Is dat gewoon? Is er ook maar íéts in dit hele verhaal gewoon?'

Hij zweeg, buiten adem. Iedereen aan tafel staarde hem aan, de meesten waren verbaasd, Opaal keek bezorgd, Chaven bijna genietend.

'Volgens mij wacht Kapitein Vansen nog op antwoord op zijn vraag,' zei de heelmeester. 'Trouwens, ik ook. Waarom denk je dat Funderstad in gevaar is? Hoe zouden de Qar hier kunnen komen zonder een bres te slaan in de muren van Zuidermark?'

'Kiezel Blauwkwarts,' begon Broeder Nikkel, en zijn stem klonk hees van boosheid. 'Je hebt niet het recht om over zulke dingen te praten. We hebben je hier een toevluchtsoord geboden.'

'Gooi me er dan maar uit. Dan neem ik ze mee naar elders en vertel ik het daar. Want de Qar weten het al, en dus moet iedereen hier het ook weten. Hou je mond, Opaal. Bemoei je er niet mee. Iemand moet de eerste stap zetten.' Hij keerde zich naar Chaven. 'En verwacht niet dat ik uw geheimen wél zal beschermen, dokter. Als u dat liever hebt, geef ik u de kans om zelf uw verhaal te doen. Zo niet, dan vertel ik ze wat u mij hebt verteld.'

Op slag was er van Chavens geamuseerdheid niets meer over. 'Míjn verhaal...'

'Over de spiegel. Want daardoor ben ik in deze laatste problemen gekomen. Daardoor word ik in de hele stad gezocht door wachten van het grote volk. En de eerste keer dat mijn jongen naar hier afdaalde, kwam dat ook door een spiegel – de spiegel die de elfenvriend van Kapitein Vansen bij zich had en die hij aan Prins Barrick heeft gegeven. Dus als we over de wegen van Stormsteen gaan praten, dan gaan we het ook over spiegels hebben. Ik doe als eerste het woord. En luister goed, want het is belangrijk. Voor iedereen.'

Voor de tweede keer die dag begon hij te vertellen. 'Een eeuw geleden, misschien langer, tijdens het bewind van Kellick de Tweede, was er een wijze, oude Funderling die Stormsteen heette...'

Tegen de tijd dat Kiezel was uitgesproken, was Broeder Nikkel in een mokkend stilzwijgen vervallen. 'Ongelooflijk!' zei Ferras Vansen, die met open mond had geluisterd. 'Dus u zegt dat we deze verborgen wegen zouden kunnen gebruiken om onder water naar het vasteland te gaan?'

'Het ligt meer voor de hand dat die vervloekte elfen ze gebruiken om Zuidermark binnen te komen,' merkte Cinnaber op. 'Met als gevolg dat wij, Funderlingen, de eersten zijn die hen moeten tegenhouden.'

'Dat mag zo zijn, maar elke weg heeft twee richtingen,' zei Vansen nadrukkelijk. 'Dus misschien zouden we in een noodsituatie op die manier uit het kasteel kunnen ontsnappen. Wat denkt u? Zou dat kunnen?'

'Natuurlijk.' Kiezel was behalve vermoeid inmiddels ook hongerig. 'Ik heb het zelf gedaan. Ik ben met Gihl, de half-elf, over een van de oude, geheime wegen onder Brenh's Baai naar het vasteland gelopen, rechtstreeks naar de troon van de duistere vrouwe.'

'Dus deze hele rots is een soort honingraat van geheime wegen – doorgangen waarvan ik nota bene als kapitein van de koninklijke garde nooit iets heb geweten!' Vansen schudde zijn hoofd. 'Dit kasteel heeft zelfs nog meer geheimen dan ik ooit had kunnen vermoeden. En deze jongen is met zijn magische spiegel ongetwijfeld als een soort spion door de Qar over de Schaduwgrens gezet. Maar waarom hebben ze dat zo openlijk gedaan? Recht voor onze neus?'

'Hij is geen spion!' zei Opaal. 'Hij is nog maar een kind.'

Vansen staarde doordringend naar Flint. 'Wat hij ook is, ik begrijp er nog altijd helemaal niets van. Wat is hier aan de hand? Het lijkt wel een spinnenweb, waarin alle draden met elkaar in verband staan.'

'En ze zijn allemaal even kleverig en gevaarlijk,' zei Chaven.

Ferras Vansen nam hem scherp op. 'Denk maar niet dat ik u vergeet, heer. Kiezel noemde u al, toen hij het over spiegels had. Dus nu is het uw beurt. Ik eis dat u ons alles vertelt wat u weet. We kunnen het ons niet langer veroorloven geheimen te hebben voor elkaar.'

De heelmeester kreunde zacht en klopte op zijn buik, die aanzienlijk in omvang was afgenomen. 'Mijn verhaal is lang en beangstigend – in elk geval voor mijzelf. Ik had gehoopt dat we iets te eten zouden krijgen voordat ik begon, om kracht op te doen.'

'Ik moet bekennen dat ik ook trek krijg,' zei Cinnaber. 'Maar volgens mij spreekt u beter, en meer ter zake, wanneer u weet dat u pas te eten krijgt wanneer u klaar bent, Ulosiër. Het lijkt erop dat er voordat deze avond ten einde is, nog vele verhalen verteld moeten worden. Dus Chaven, brand los. Daarná wordt er gegeten.'

Chaven zuchtte. 'Ik was al bang dat u dat zou zeggen.'

3
Het Zijdewoud

'Een ander verhaal, afkomstig van de geleerde Kyros uit Soteros, is dat volgens een oude kobold de goden "ons hierheen zijn gevolgd", vanuit hun land van oorsprong, voorbij de sporen van de zee.'

Uit *Een Verhandeling over de Elfenvolken van Eion en Xand*

'Ik heb een plan!' Barrick Eddon bevrijdde zich zorgvuldig van de zoveelste prikkerige rank en peuterde een voor een de pijnlijke, kromme doorns uit zijn arm. 'Een heel slim plan. Jíj gaat op zoek naar een pad dat me niet langs elke doornstruik in heel Elfenland voert... en in ruil daarvoor beloof ík dat ik die akelige kop van je niet insla.'

Skurn hipte naar een lagere tak, maar zorgde er wel voor buiten Barricks bereik te blijven. Toen zette hij zijn besmeurde veren op. 'Vanuit de lucht ziet alles er nu eenmaal heel anders uit,' zei hij mokkend. Sinds het middaguur van de vorige dag hadden ze geen van beiden meer iets gegeten. 'Dus ons kan het niet altijd goed zien.'

'Vlieg dan wat lager.' Barrick krabbelde overeind, wreef over de rij bloedende wondjes en trok de gerafelde mouw van zijn buis weer naar beneden.

'"Vlieg dan wat lager," zegt hij,' mopperde Skurn. 'Alsof hij de meester is en Skurn de bediende. Alsof we geen gelijkwaardige reisgenoten zijn zoals we bij overééngekomen.' Hij klapperde met zijn vleugels.

Barrick kreunde. 'Waarom stuurt mijn... reisgenoot me dan voortdurend door de prikkerigste gebieden? Voor een paar honderd stappen hebben we een dag nodig gehad. Als we in dit tempo doorgaan, komen we met de...' Het kwam ineens bij hem op dat het in een duister woud, ongetwijfeld vol luisterende oren – aan wie die oren toebehoorden, vroeg hij zich maar liever niet af – misschien niet verstandig was om over de spiegel van Vrouwe Porcupina te praten, die hij had gezworen naar de troon van de Qar te brengen. 'Als we in dit tempo doorgaan, blijken zelfs de onsterfelijken te zijn gestorven tegen de tijd dat we onze bestemming bereiken.'

Skurn toonde zich iets verzoenlijker. 'Ons kan vanuit de lucht de grond niet zien, omdat de bomen te dicht zijn, vooral die hertenknopen. Maar ons durft niet nog lager te vliegen, want hebt u dat niet gezien? In de hoogste takken zijn zijden draden gespannen, hier en daar wuiven ze zelfs boven de boomtoppen, om prachtige kerels als ons te verstrikken.'

'Zijden draden?' Barrick kwam moeizaam weer in beweging, waarbij hij de eeuwenoude, roestige speerpunt die hij op zijn vlucht uit de Grote Diepten had gevonden, gebruikte om zich een weg door het dichte struikgewas te banen. Op zijn reis door het land achter de Schaduwgrens was hij wel door dichtere wouden gekomen, maar de hardnekkige ranken die zich om zijn benen slingerden, bemoeilijkten de voortgang en gaven hem een gevoel alsof hij door dikke modder waadde. Dat, gecombineerd met het onveranderlijke schemerlicht, was genoeg om zelfs het dapperste hart te doen wanhopen.

'Ja, dit hier moet het Zijdewoud zijn!' kraste de raaf. 'Het woud van de spinsels.'

'De spinsels? Wat zijn dat?' Het klonk niet bijzonder angstaanjagend, wat voor de verandering wel eens prettig zou zijn, na het avontuur met Keije Kluisterketen en zijn monsterlijke dienaren. 'Zijn het elfen?'

'Als u bedoelt of ze tot het Hoge Volk behoren, nee.' Skurn fladderde door naar een volgende tak en wachtte daar tot de traag, maar hardnekkig voortzwoegende Barrick hem had ingehaald. 'Ze praten niet, noch gaan ze naar de markt.'

'Naar de márkt?'

'Dus nee, ze zijn niet zoals het echte elfenvolk.' De raaf tilde zijn kop op. 'Sst!' siste hij. 'Dat klinkt naar iets kleins en onnozels dat stervende is. Etenstijd!' Hij hipte van de tak en verdween klapwiekend tussen de bomen, Barrick in verbijstering achterlatend.

Die maakte een plekje vrij waar de prikkerige takken het minst dicht waren en ging zitten. Hij had al uren last van zijn slechte arm, dus eigenlijk was hij wel blij dat hij even rust kon nemen. Ondanks alle ergernissen die de raaf hem bezorgde, had hij met Skurn tenminste iets om tegen te praten in dit oord van eindeloze schaduwen, grijze luchten en dreigende bomen behangen met zwart mos. Nu de raaf weg was leek de stilte hem als een dichte mist in te kapselen.

Hij sloeg zijn armen om zijn knieën en maakte zich zo klein mogelijk om niet te huiveren.

Barrick schatte dat er meer dan een halve tiendaagse was verstreken sinds Gyir en Vansen in de diepte waren verdwenen en sinds hij was ontsnapt uit het krankzinnige ondergrondse koninkrijk van de halfgod Jikuyin. In de oneindige schemering achter de Schaduwgrens viel het niet mee het verstrijken van de tijd te schatten, maar hij wist dat hij meer dan zes keer had geslapen – de langdurige, diepe, maar merkwaardig afmattende slaap waarmee hij het in dit schemerland moest doen. In de wereld aan de andere kant van de grens was Kerneia gekomen en gegaan terwijl zij in hun ondergrondse kerker werden vastgehouden – dat wist Barrick omdat de monsterlijke Jikuyin de dag van de aardheer had willen vieren door hem en de anderen te offeren. Bovendien wist hij dat ze in Endekamene uit Zuidermark waren vertrokken om tegen de elfen te vechten, wat betekende dat hij al meer dan een kwart jaar van huis was. Wat kon er in zo'n lange tijd niet allemaal zijn gebeurd? Hadden de elfen Zuidermark bereikt? Zat zijn zuster Brionie gevangen in het kasteel doordat de elfen een beleg hadden geslagen?

Misschien wel voor het eerst sinds die verschrikkelijke dag op de Vlakte van Kolkan zag Barrick Eddon duidelijk de scheidslijn in zijn eigen gedachten: hij voelde nog altijd een geheimzinnige, bijna slaafse loyaliteit jegens de gruwelijke krijgsvrouwe die hem van het veld had geplukt en hem naar het land achter de Schaduwgrens had gestuurd (ook al kon hij zich nog altijd niet herinneren waarom ze dat had gedaan, of welke opdracht ze hem had meegegeven), maar tegelijkertijd wist hij inmiddels wie die duistere vrouwe was: Yasammez, Vrouwe Porcupina, de oorlogsgesel van de Qar, standvastig in haar haat jegens alle zonlanders... Barricks volk. Als de Qar bezig waren een beleg te slaan voor Zuidermark, als zijn zuster en de rest van de inwoners in gevaar verkeerden, of zelfs gedood waren, dan was dat het werk van de bleke, dodelijke hand van die vrouwe.

En inmiddels had hij een tweede missie voor Yasammez en de Qar geërfd. De eerste, die ze hem had meegegeven op de dag dat ze hem had gespaard op het slagveld, kon hij zich niet herinneren: het voelde alsof Yasammez die opdracht in hem had gegoten als olie in een kruik, waarna ze de kurk er zo strak in had gedrukt dat hij die er zelf niet uit kon krijgen. De tweede opdracht had hij uitsluitend geaccepteerd op het woord van Gyir, haar eerste dienaar, die had gezworen dat zowel mensen als elfen er wel bij zouden varen, vlak voordat de elf zonder gezicht zijn leven voor Barrick had geofferd. Dus nu hij eindelijk vrij was, deed hij niet wat ieder weldenkend mens zou doen (namelijk zorgen dat hij het Schaduwland zo snel mogelijk achter zich liet en terugkeerde naar het licht van de zon), maar stortte hij zich nog dieper in dit land van nevelen en waanzin.

Nevelen die op dit moment leken terug te keren, besefte hij ineens. Het was kouder geworden sinds de raaf was weggevlogen, en nevelslierten stegen kronkelend op van de grond. Barrick had het gevoel alsof hij in een veld van spookachtige, zwaaiende grashalmen zat; nog even en de mist zou boven zijn hoofd uitstijgen. Dat vooruitzicht beviel hem helemaal niet, dus hij krabbelde overeind.

Net boven de grond werd de mist steeds dichter en wervelde als water rond de stammen van de grijze bomen, klom zelfs langs de stammen omhoog. Het zou niet lang duren of de mist was overal, zowel hoog als laag. Waar bleef die vervloekte vogel? Hoe kon hij zomaar wegvliegen en zijn metgezel in de steek laten – moest dát loyaliteit voorstellen? Wanneer kwam hij terug?

Komt hij wel terug?

Die gedachte sloot zich als een ijzige vuist om zijn hart. Anders dan Barrick had de raaf geen belofte aan Gyir gedaan. Skurn gaf nauwelijks om de verlangens van Qar of zonlanders. Trouwens, hij gaf bijna nergens om, zolang hij zijn maag maar kon vullen met de weerzinwekkende dingen waaraan hij zich verlustigde. Dus misschien had de raaf plotseling besloten dat hij hier zijn tijd verspilde.

'Skurn!' Barricks stem leek zwak, als een pijl die van een gebroken pees werd geschoten en die in de eeuwige, duistere avond verdween. 'Vervloekt, smerige raaf, waar zit je?' Bij het horen van de woede in zijn stem kwam hij tot inkeer. 'Skurn, kom terug alsjeblieft! Dan... dan mag je onder mijn buis slapen.' Eerder, toen het kouder begon te worden, had hij dat geweigerd. De gedachte om de stinkende, oude aaseter – en alles wat er tussen de veren van de raaf leefde – aan zijn borst te koesteren, bezorgde hem de koude rillingen, en dat had hij dan ook gezegd, op niet mis te verstane wijze.

Inmiddels begon hij echter spijt te krijgen van zijn hardvochtigheid. *Alleen.* Het was iets waar hij niet aan wilde denken, uit angst dat de gedachte hem te veel zou worden. Zijn hele jeugd was hij de helft geweest van 'de tweeling', een eenheid waarover zijn vader, zijn oudere broer en de bedienden hadden gesproken alsof het niet om twéé kinderen ging, maar om één buitengewoon moeilijk kind met twee hoofden. Bovendien was de tweeling bijna altijd omringd geweest door hovelingen en bedienden, met als gevolg dat ze voortdurend probeerden te ontsnappen. Barrick Eddon had een groot deel van zijn jeugd besteed aan het zoeken van verstopplekken waar niemand hen zou weten te vinden. Inmiddels kwam het drukke kasteel hem echter voor als iets uit een heerlijke droom.

'Skurn?' Ineens bedacht hij dat het misschien niet zo'n goed idee was om luidruchtig uiting te geven aan zijn eenzaamheid. Ze hadden al dagenlang nauwelijks meer een levend wezen gezien, maar dat kwam voornamelijk doordat Jikuyin en zijn leger hongerige dienaren het hele gebied tot mijlen in de omtrek hadden leeggeroofd van alles wat groter was dan een veldmuis. Maar hij had de groeve van de halfgod inmiddels ver achter zich gelaten...

Barrick huiverde weer. Hij wist dat hij niet moest gaan dwalen, maar de mist bleef stijgen, en hij meende beweging te zien in de wervelende verte, alsof sommige van de parelwitte strengen niet door de wind bewogen, maar op eigen kracht.

De bries wakkerde aan en werd kouder. In het bladerdak boven zijn hoofd dacht hij een klaaglijk gefluister te horen. Met de gebroken schacht van de speer in zijn hand geklemd begon hij te lopen.

Zijn zicht werd beperkt door de mist, maar hij slaagde erin vooruit te komen zonder al te veel gestruikel, ook al moest hij van tijd tot tijd zijn speer gebruiken om zich ervan te overtuigen dat een donkere plek in het struikgewas geen gat was dat hem een verzwikte enkel zou bezorgen als hij erin stapte. Maar het pad was verrassend goed zichtbaar en aanzienlijk gemakkelijker begaanbaar dan het overwoekerde, verstikte spoor van de afgelopen uren. Nadat hij een paar honderd stappen was gevorderd, kwam het echter bij hem op dat hij niet langer een pad kóós, maar er een vólgde, simpelweg door zijn voeten daar neer te zetten waar de bosgrond niet begroeid was.

En als dat nou eens precies is wat iemand... of iets... wil?

De vraag en de implicaties daarvan waren nog maar net tot hem doorgedrongen toen hij beweging registreerde, net buiten zijn gezichtsveld. Hij draaide vliegensvlug naar opzij, maar er was niets te zien tussen de bomen, behalve een mistsliert die hij ongetwijfeld zelf in beweging had gebracht door de luchtverplaatsing na zijn snelle draai. Toen hij zich weer naar het pad keerde, schoot er in de verte iets voor hem langs; het had de kleur van mist, maar het ging te snel om contouren te kunnen onderscheiden.

Barrick bleef staan en hief met trillende handen de gehavende speerpunt. Hij wist zeker dat zich in de nevelen tussen de bomen in de verte iets bewoog – lange mensachtige gedaanten, maar ze waren zo bleek dat hij ze tot zijn frustratie nauwelijks kon zien. Opnieuw hoorde hij gefluister in het bladerdak boven zijn hoofd, niet langer als de woordeloze stem van de wind, maar sissende, schorre klanken van een onbegrijpelijke taal.

Achter hem ritselde iets – heel vaag, heel zacht, het geluid van een voetstap op bladeren. Toen Barrick zich omdraaide, zag hij een glimp van iets wat elke verbeelding tartte: een gedaante, bijna zo lang als een man, maar zo krom als een alruinwortel, van top tot teen in draden en lappen gewikkeld – als een gestorven koning – en zo wit als de mist. Misschien wás het wel mist, een verzameling nevelen die een vage, menselijke vorm hadden aangenomen, dacht hij in bijgelovige afschuw. Hier en daar bedekten de windsels van nevelen de gedaante niet volledig; op die plekken puilde wat daaronder zat naar buiten, terwijl er een glimmende, grijszwarte vloeistof uit lekte. Hoewel de gedaante geen zichtbare ogen had, kreeg Barrick sterk de indruk dat die hem kon zien. Vrijwel onmiddellijk nadat het was verschenen, verdween het bleke wezen weer in de mist langs het pad. Boven zijn hoofd hoorde Barrick opnieuw gefluister en echo's van zachte stemmen. Haastig draaide hij zich weer om, bang dat hij was omsingeld, maar blijkbaar hadden de wezens van draden en windsels zich althans voorlopig teruggetrokken in de sluiers van de mist.

Het waren *spinsels*, volgens de raaf, die dit giftige oord het Zijdewoud had genoemd.

Er streek iets duns langs zijn gezicht, kleverig als een spinnenweb. Hij sloeg ernaar, maar op de een of andere manier wikkelde het zich om zijn arm. In plaats van zijn andere hand op te tillen en het risico te lopen dat die op dezelfde manier verstrikt raakte, ging Barrick de strengen met zijn speer te lijf en begon te zagen tot ze – abrupt, maar zonder geluid – braken. Opnieuw naderde er een streng, ogenschijnlijk zwevend op de wind, en wikkelde zich met griezelige precisie om hem heen. Weer gebruikte Barrick zijn speer, maar hij voelde dat de streng zich vasthaakte en werd aangetrokken. Toen hij opkeek zag hij boven zich een van de in witte windsels gehulde wezens in de takken hurken, waar hij als een poppenspeler zijn zijden draden naar beneden liet hangen. Met een kreet van angst en weerzin stortte Barrick zich op het schepsel. De punt van zijn speer zonk weg in iets wat meer substantie had dan mist, zelfs meer substantie dan zijdedraad, maar wat toch niet voelde als een gewoon dier of als een mens; stokjes in een drilpudding, was de sensatie die Barrick kreeg.

Het wezen slaakte een merkwaardige, fluitende zucht en vluchtte het gebladerte in, waar het verdween achter wervelingen van mist en een lijkwade van zijdeachtige strengen die tussen de takken waren opgehangen. Toen Barrick een blik vooruit waagde, zag hij dat het pad, dat even eerder nog zo breed en uitnodigend had geleken, zich versmalde tot het nauwelijks breder was dan zijn schouders – een tunnel van witte draden, als de koker van een spin die wacht op zijn prooi. Ze probeerden hem in het nauw te drijven door hem steeds verder op te jagen tot hij niet meer terug kon; tot zijn armen en benen verstrikt waren in hun zijden strengen en hij net zo hulpeloos zou zijn als een vlieg in een spinnenweb.

Hoe had dit allemaal zo snel kunnen gebeuren? Het bloed raasde door zijn oren. Nog maar enkele ogenblikken eerder had hij aan thuis gedacht, nu keek hij de dood in de ogen.

Links van hem bewoog iets. Barrick haalde wijd uit met zijn speer, in een wanhopige poging de wezens op een afstand te houden. Hij voelde heel vluchtig iets in zijn nek toen een andere spinsel boven hem zijn wuivende strengen naar beneden slingerde. Schreeuwend van weerzin sloeg hij met zijn hand naar zijn nek om zich van de kleverige tentakels te ontdoen.

Door midden op het pad te blijven staan, tekende hij zijn doodvonnis, besefte hij. *Ga op zoek naar een muur of iets anders wat je rugdekking kan geven*, had Shaso hem altijd geleerd. Abrupt verliet hij het pad en begon hij zich een weg te banen door het struikgewas. De bomen waren onontkoombaar, wist hij, maar hij kon op z'n minst zelf de plek uitkiezen voor zijn confrontatie met de vijand. Wegduikend voor de slierten die op hem afzweefden, wist hij een kleine open plek te bereiken met in het midden daarvan een reusachtige boom met roodachtig gouden bladeren zo groot als soepborden en een dikke, grijze stam; de bast van de boom zat vol groeven en knobbels als de huid van een hagedis. Barrick ging er met zijn rug tegenaan staan. Wie zijn tegenstander ook was, hij zou niet gemakkelijk naar de takken van de boom kunnen klimmen, want die stond aan alle kanten vrij van zijn buren.

Nevelen kolkten rond zijn voeten en reikten hier en daar tot aan zijn middel terwijl hij probeerde nog iets te zien door de steeds dichter wordende mist. Zijn gebrekkige arm brandde als vuur op de plekken waar hij ooit, in een ver verleden gebroken was geweest, maar Barrick hield zijn gehavende speer krampachtig met beide handen vast, doodsbang dat het wapen uit zijn greep zou worden geslagen.

Vanuit de mistige schemering kwamen ze op hem af, bleke, spookachtige gedaanten die zelf uit weinig meer dan mist leken te bestaan. Helaas waren de spinsels maar al te echt; dat had hij gevoeld toen de punt van zijn speer zich in een van de wezens boorde. En als ze zo echt waren dat een speerpunt zich in hun lichaam kon boren, dan waren ze ook echt genoeg om te kunnen doden.

Er kriebelde iets in zijn gezicht. Omdat hij zich concentreerde op de gedaanten die op hem afkwamen, reikte Barrick onnadenkend omhoog om het weg te vegen. Toen hij besefte wat het kriebelende gevoel veroorzaakte, sprong hij geschrokken opzij. Een van de wezens was om hem heen geslopen en bestookte hem van achteren met zijn zijden strengen, maar toen Barrick om de dikke stam heen liep en wilde aanvallen, boog de mensachtige gedaante in bijna komische verrassing het door windsels omhulde uitsteeksel dat voor zijn hoofd moest doorgaan, als een hond die werd betrapt op iets wat niet mocht. Barrick meende tussen de wirwar van lappen en draden een vochtige, donkere schittering te zien die op ogen duidde. Hij stak uit alle macht met zijn speer naar het schepsel, en door het zompige geluid waarmee het grootste deel van de roestige punt in de buik van zijn belager verdween, was hij ervan overtuigd dat hij het wezen had gedood. Het kostte hem echter de grootste moeite om de gebroken schacht terug te trekken, en toen dat eindelijk lukte, borrelde er slechts wat stroperige, donkergrijze vloeistof uit het gat in de zijden wikkels. Toch was duidelijk dat het wezen pijn had. Het deinsde wankelend achteruit, toen wendde het zich af en vluchtte weg in de mist.

Barrick draaide zich om, net op tijd om te zien dat er over de open plek opnieuw een belager op hem afkwam, met tentakels van zijde die uit zijn vingers leken te stromen. Doordat Barrick wegdook belandden de kleverige draden naast zijn hoofd op de boomstam, zodat het schepsel even de gevangene was van zijn eigen wapen. Het trok zijn gekromde hand terug, de zijde brak, en op hetzelfde moment stootte Barrick zijn speer in de borst van de spinsel. Doordat hij geen kans zag veel kracht achter zijn stoot te zetten, ging de speer niet erg diep, maar hij zette zijn hand hoger op de schacht om meer greep te hebben en duwde de speer vervolgens naar beneden, dwars door het lijf van het wezen zodat hij een gapende, maar ondiepe wond veroorzaakte van de borst tot het middel. Tot zijn verbazing golfde er dit keer een enorme hoeveelheid grijze drab uit het gat, en terwijl zijn zwijgende makkers uit de mist naar voren slopen, zakte de gewonde spinsel hijgend en rochelend in elkaar, stuiptrekkend als een slang waarvan de kop af was geslagen.

Blijkbaar bestonden de wezens bijna uitsluitend uit vocht, als merg uit gekookte botten. Misschien waren de windsels geen kleren, dacht Barrick, maar een soort huid of schelp – iets wat hun zachte lijven moest beschermen. Als dat zo was, dan was een speer zo ongeveer het slechtst denkbare wapen; dan had hij iets nodig met een lange, scherpe kling – een zwaard of desnoods een mes. Helaas had hij geen van beide. Als een van de vijf, zes wezens die op hem afkwamen hem te pakken zou weten te krijgen, zouden ze hem overmeesteren en zou hij binnen enkele ogenblikken met zijde worden omwikkeld, als een vlieg in een spinnenweb...

Hij dacht aan Brionie, die er inmiddels wel van overtuigd moest zijn dat hij dood was. En hij dacht aan het meisje met het donkere haar, het meisje uit zijn dromen, dat misschien niet meer was dan een visioen en niet echt bestond. Ach, wat waren er maar weinigen die hem zouden missen! Toen dacht hij aan Gyir en aan de spiegel die de dappere elf zonder gezicht in zijn hand had gelegd. En hij dacht zelfs aan Vansen, die in de duisternis was gestort, zijn dood tegemoet, bij een poging hem te redden. Zou Barrick Eddon zich dan laten afmaken als een onnozel, redeloos dier? Zou hij zich laten verslaan door deze... hersenloze schepsels?

'Ik ben een prins van het Huis Eddon!' Zijn stem klonk zacht, beverig, maar geleidelijk aan werd hij luider, krachtiger. Hij hief zijn speer zodat de spinsels die konden zien. 'Voor het Huis Eddon!' Toen legde hij de speer tussen de wortels van de boom, hij stak de punt diep in de bast en trapte hard op de schacht, waardoor die kort achter de pokdalige speerpunt afbrak. Met de punt als een dolk in zijn goede hand geklemd keerde hij zich vervolgens naar de spinsels. 'Dus kom maar op, als jullie denken dat een stelletje ellendige geesten het Huis Eddon ten val kan brengen!' schreeuwde hij met stijgend stemvolume.

En ze kwamen inderdaad, zwaaiend met hun zijden strengen. Als ze zich allemaal tegelijk op hem hadden gestort en hem zowel van voren als van boven hadden aangevallen, zou hij het niet hebben overleefd. Ze waren snel en geruisloos, en door de mist waren ze moeilijk te zien. Maar blijkbaar ontbrak het hun aan menselijke sluwheid, dus ze vielen een voor een aan, staken als hongerige bedelaars hun armen naar hem uit en probeerden hem in hun zijden val te lokken. Barrick slaagde erin de kleverige tentakels te gebruiken om een van zijn belagers naar zich toe te trekken, die hij vervolgens met zijn afgebroken speer van onder tot boven openhaalde. Het weerzinwekkende wezen zakte in elkaar en viel naast het lijk van de eerste spinsel die hij had gedood, kreunend als de wind in verre verten, terwijl er grijs vocht opborrelde uit zijn buik.

Op dat moment kwam de rest op hem afstormen. Barrick probeerde zich te herinneren wat Shaso hem ooit had geleerd, in een ver verleden toen de wereld nog door de rede werd geregeerd, maar zijn oude Tuani meester had nooit veel aandacht besteed aan vechten met een mes. Barrick kon alleen maar zijn best doen, uit alle macht worstelend om zijn wapen niet kwijt te raken. Hij vocht als in een droom, gehinderd door de kleverige witte strengen die zich aan zijn armen en zijn benen en zijn gezicht vastklampten, waardoor ook zijn zicht werd belemmerd. Al vechtend probeerde hij de spinsels bij hun kleverige, door bladeren verstrikte windsels te grijpen terwijl hij ondertussen met zijn kling op hen inhakte. Telkens wanneer hij er een tegen de grond wist te werken, nam een andere zijn plaats in; uiteindelijk werd zijn zicht zo belemmerd dat de wereld om hem heen in duisternis leek gehuld en dat hij alleen nog maar kon zien wat zich vlak voor hem bevond. Hij hakte, en hakte, en hakte tot hij zijn laatste krachten had opgebruikt. Toen zakte hij in elkaar, bijna bewusteloos, amper wetend of hij nog leefde, en volmaakt onverschillig als zou blijken dat hij dood was.

'*Wrm bntu nt gwn geblv wr uws?*' De vraag werd telkens opnieuw herhaald, maar Barrick had geen idee wat hij moest antwoorden.

Toen hij ten slotte zijn ogen opendeed, werd hij aangestaard door een wezen uit een nachtmerrie, een soort pop met een rottende appel als hoofd. Hij schreeuwde het uit. Althans, dat probeerde hij. Maar er kwam alleen een soort gelispel uit zijn kurkdroge keel. De raaf vloog op en verdween met heftig vleugelgeklapper, maar een klein eindje verder streek hij weer neer en liet hij het gruwelijke *iets* dat uit zijn snavel bengelde op de zachte bosgrond vallen.

'Waarom bent u niet gewoon gebleven waar u was?' vroeg Skurn opnieuw. 'Ons had toch gezegd dat u moest blijven wachten? Dat ons terug zou komen?'

Barrick rolde zich om, ging rechtop zitten en keek plotseling in paniek om zich heen, maar van zijn belagers was geen spoor te bekennen. 'Waar zijn ze? Waar zijn die zijdeachtige schepsels? Waar zijn ze gebleven?'

De raaf schudde zijn kop alsof hij te maken had met een betreurenswaardig onnozele jonge vogel. 'Ons heeft het nog zo gezegd! Dit is het land van de spinsels, en dus had meester moeten blijven waar hij was.'

'Ik heb met ze gevóchten, idiote mus die je bent!' Barrick werkte zich moeizaam overeind. Zijn hele lijf deed zeer, maar dat was nog niets vergeleken bij de pijn in zijn gebrekkige arm. 'Blijkbaar heb ik ze allemaal gedood.' Maar hij zag dat zelfs de lijken waren verdwenen. Verdampten die dingen als ze dood waren, als dauw in de ochtendzon?

Toen ontdekte hij iets op de grond en hij bukte zich om het aan de punt van zijn gebroken speer te prikken. 'Aha!' Hij hield het triomfantelijk in de richting van de raaf, hoewel zelfs zijn goede arm trilde van vermoeidheid. 'En wat is dat dan?'

De raaf keek naar de klodder zwart slijm, verstrikt in gescheurde vuilwitte strengen. 'De drek van iets wat braken moest...' Met belangstelling bestudeerde Skurn de vieze smurrie. '... als meester het ons vraagt.'

'Het is van een van die zijde-wezens! Ik heb het opengescheurd met mijn speer, en toen borrelde deze vieze derrie eruit.'

'Aha. Dan moeten we allerdringendst verder.' Skurn knikte. 'Eet vlug op! Het zal niet lang duren of de spinsels komen in nog grotere aantallen terug.'

'Ha! Maar je ziet het! Ik heb er een heel stel gedood!' Hij zweeg, plotseling verward. 'Wat moet ik opeten?' vroeg hij toen.

Skurn duwde met zijn snavel tegen het *iets* dat hij op de grond had laten vallen. 'Een Naloper, nog een jonkie, maar wel vervloekt zwaar.'

De dode Naloper was ongeveer zo groot als een eekhoorn, zijn ronde kop werd gedomineerd door een brede, gekartelde bek waardoor hij eruitzag als een stukgetrapte meloen. De knobbels van zijn botten die door zijn smoezelige vacht staken, verhardden bij de volwassen exemplaren tot grijze knoesten, zoals Barrick had gezien op de dag dat ze Gyir vonden. Bij dit jonge dier waren ze nog zacht en roze. Het droeg niet bepaald bij aan de schoonheid van het schepsel. 'Je wilt dat ik...' Barrick keek er met grote ogen naar. 'Denk je nou echt dat ik dát opeet...'

'Iets lekkerders krijgt u vandaag niet,' zei de raaf chagrijnig. 'Ons probeert u een plezier te doen.'

Barrick moest alle zeilen bijzetten om niet acuut, hevig te braken.

Maar de raaf had in één opzicht gelijk, besefte hij. Het zou niet verstandig zijn om te blijven hangen op de plek waar hij een slachting onder de spinsels had aangericht.

'Als jij dat gruwelijke schepsel wil opeten, doe dat dan,' zei hij. 'Maar dwing me niet ernaar te kijken.'

'Ons zal het meenemen, voor het geval dat meester van gedachten verandert...'

'Geen denken aan!' Barrick hief zijn hand om naar de zwarte vogel uit te halen, maar hij had er de kracht niet voor. 'Schiet nou maar op! Werk die gruwel naar binnen, dan kunnen we gaan.'

'Te groot,' zei de raaf tevreden. 'Ons moet het langzaam eten en ervan genieten. Maar zo'n groot stuk lekkers kan ons niet dragen. Tenminste, niet erg ver. Dus wil meester...'

Barrick haalde diep adem. Hoe beschamend het ook was, hij had de raaf nodig. Want hij was het gevoel van eenzaamheid nog niet vergeten, amper een uur eerder, toen hij had gedacht dat Skurn hem in de steek had gelaten. 'Goed dan! Ik zal het voor je dragen. Op voorwaarde dat je wat bladeren zoekt of iets anders waar we het in kunnen wikkelen.' Hij huiverde van afschuw. 'Maar als het begint te stinken...'

'Dan zou u wel eens alsnog trek kunnen krijgen. Dat weet ons bijna zeker. Maar maak u geen zorgen. Voordat het zover is heeft ons al een plek gevonden om stil te houden.'

Nadat ze zo ver waren gevorderd dat Barrick zich althans iets veiliger voelde, besloten ze de nacht door te brengen in een uitholling waar hij tegen de wind en de mist werd beschut door een hoge rots. Barrick zou er heel wat voor over hebben gehad als hij een vuur had kunnen aanleggen, maar in de Grote Diepten was hij zijn vuursteen en zijn slagijzer kwijtgeraakt, en hij wist niet hoe hij anders vuur moest maken.

Kendrick zou het hebben geweten, dacht hij bitter. *En vader ook.*

'Gelukkig lijkt het erop dat we het gebied van de spinsels achter ons hebben gelaten,' zei hij. 'We hebben uren gelopen zonder er ook maar één te zien.'

'Het Zijdewoud is erg uitgestrekt,' zei de raaf. 'Ons denkt dat we misschien nog niet eens halverwege zijn.'

'Bij het bloed van de goden, dat meen je toch niet serieus!' Barrick voelde zich overweldigd door wanhoop, als een donderwolk die de zon verduisterde. 'Moeten we er echt dwars doorheen? Kunnen we er niet omheen? Is dit de enige weg naar...' Hij had moeite met de vreemde, keelachtige klanken. '... naar Qul-na-Qar?'

'Ons denkt dat we om het woud heen zouden kunnen lopen,' antwoordde Skurn. 'Maar dat zou erg veel tijd kosten. We zouden de zon tegemoet kunnen lopen, door het land van de Blinde Bedelaar. Of de andere kant uit, door Wormswaarde. Maar in beide gevallen komt ons uiteindelijk alsnog in de problemen.'

'Hoezo?'

'In het land van de Blinde Bedelaar moet ons op onze hoede zijn voor Oude Brandoog en de Boomgaard van de IJzervleren.'

Barrick slikte. Hij wilde het allemaal niet weten. 'Laten we dan via de andere kant gaan.'

Skurn knikte ernstig. 'In dat geval komt ons door een moerassig gebied waarvan ik heb gehoord dat het Smelt-Je-Botten wordt genoemd. En zelfs als we de wormen weten te omzeilen, dan nog moeten we oppassen dat de Zuig-Knagers ons niet te pakken krijgen.'

Barrick sloot zijn ogen. Hoewel hij na zijn ontmoeting met de halfgod Jikuyin nog steeds maar moeilijk kon geloven dat de goden het beste met de mens voorhadden, betrapte hij zichzelf erop dat hij voor het eerst sinds heel lang weer de neiging had om te bidden. En dat kon geen kwaad, wanneer hij moest kiezen tussen de moordzuchtige spinsels, wezens die IJzervleren heetten en Zuig-Knagers.

O goden in de Hemel... groot is uw naam... Hij probeerde te bedenken wat hij moest zeggen. *Amper een paar dagen geleden ontdekte ik dat ik de reis door dit angstaanjagende, onbekende land vol demonen en monsters met slechts twee metgezellen zou moeten maken, een elfenkrijger en de kapitein van de koninklijke garde. Inmiddels moet ik mijn bestemming met nog maar één metgezel zien te bereiken – een dreketende, hondsbrutale vogel. Als het uw bedoeling was mijn lasten te verlichten, dan had u het anders moeten aanpakken.*

Als gebed stelde het niet veel voor, besefte Barrick, maar de goden en hij spraken tenminste weer met elkaar.

'Maak me wakker als iets dreigt me te vermoorden.' Terwijl hij zich uitstrekte op de hobbelige grond, besefte hij dat de zompige geluiden die hij hoorde, afkomstig waren van Skurn, die aan de dode Navolger begon. Zijn ribben deden pijn, zijn arm voelde alsof hij was gevuld met scherpe potscherven. 'Bij nader inzien, maak me toch maar niet wakker. Misschien heb ik geluk en sterf ik in mijn slaap.'

4
Zonder hart

'De vooraanstaande filosoof Phayallos beweerde dat de elfenwoorden voor "god" en "godin" nauw verwant zijn aan hun woorden voor "oom" en "tante"...'

Uit *Een Verhandeling over de Elfenvolken van Eion en Xand*

De kleine jongen pakte haar hand en legde die op zijn smalle borst. Qinnitan wist wat dat gebaar betekende: *Ik ben bang*. Ze trok hem dichter naar zich toe en hield hem in haar armen terwijl het deinende Xissische schip hen beiden wiegde. 'Niet bang zijn, Duif. Hij doet je niets. Hij heeft je alleen maar meegenomen om te zorgen dat ik niet overboord spring en probeer terug te zwemmen naar Hierosol.'

Het kind schonk haar een verwijtende blik: zijn angst gold niet alleen zichzelf.

'Het komt allemaal goed. Echt waar,' stelde ze hem gerust, maar ze wisten allebei dat ze loog. Qinnitan dempte haar stem tot een gefluister. 'Je zult het zien... Voordat we het schip van de autarch hebben ingehaald, zijn wij allang ontsnapt.'

Op dat moment vloog de deur van de hut open. De man die hen in Hierosol van de straat had geplukt, stond in de opening, met een lege blik in zijn ogen en een gezicht dat geen enkele emotie verried, alsof hij met zijn gedachten ergens anders was. Terwijl hij in zijn vermomming als oude vrouw heel overtuigend gevoelens had gespeeld, leek hij die nu opzij te hebben gezet; blijkbaar was zijn menselijkheid slechts een masker geweest.

'Wat wilt u?' vroeg ze. 'Bent u bang dat we zelfs met de deur op slot nog weten te ontsnappen? Dat we langs de mast omhoogklimmen en op een wolk stappen?'

Hij negeerde haar en liep naar het raam. Daar gaf hij een harde ruk aan de tralies, alsof hij zeker wilde weten dat ze sterk genoeg waren. Toen keerde hij zich om en liet hij zijn blik door de kleine hut gaan.

'Hoe heet u?' vroeg Qinnitan.

Hij vertrok vluchtig zijn mond. 'Wat doet het ertoe?'

'We zijn tot elkaars gezelschap veroordeeld tot we de autarch hebben ingehaald en u uw bloedgeld kunt incasseren. En ik weet zeker dat u weet hoe ik heet. Trouwens, het kan niet anders of u weet nog veel meer van me. U moet me wekenlang hebben gevolgd. U moet me in de gaten hebben gehouden, bij alles wat ik deed. Bij de Heilige Korf, om me te bespioneren hebt u zich zelfs als een oude vrouw verkleed! Het minste wat u kunt doen, is me vertellen wie u bent.'

Hij ging er niet op in. Zijn gezicht bleef net zo uitdrukkingsloos als dat van een dode terwijl hij zich omdraaide en de hut uit liep, met de vloeiende, beheerste bewegingen van een tempeldanser. Ze zou hem er bijna om bewonderen, maar ze wist dat het niet in het belang was van de muis om bewondering te hebben voor de moordlustige gratie van een kat.

Haar arm werd vochtig, voelde ze, en ze zag dat Duif huilde.

'Stil maar,' zei ze. 'Rustig maar, m'n schaapje. Je moet niet bang zijn. Zal ik je een verhaaltje vertellen? Vind je dat leuk?' Ze wachtte het antwoord niet af. 'Ken je het waargebeurde verhaal van Habbili de Manke? Ik weet zeker dat je wel eens van hem hebt gehoord. Hij was de zoon van de grote god Nushash, maar nadat zijn vader in ballingschap was gestuurd, werd Habbili erg slecht behandeld door Argal en de rest van de demongoden. Een tijdje leek het erop dat hij ten dode was opgeschreven, maar uiteindelijk slaagde hij erin zijn vijanden te vernietigen en niet alleen zijn vader maar zelfs de Hemel te redden. Zal ik je zijn verhaal vertellen?'

Hoewel Duif bleef snotteren, meende ze te voelen dat hij knikte.

'Het is af en toe wel een beetje eng, dus je moet flink zijn. Afgesproken? Daar gaan we.' En ze vertelde hem het verhaal zoals zij dat als kind van haar vader had gehoord.

Lang, heel lang geleden, toen paarden nog konden vliegen en toen de grote, rode woestijn van Xand nog was bedekt met gras en bloemen en bomen, reed de grote god Nushash door de wereld en ontmoette hij Suya, Bloem van de Dageraad. Met haar schoonheid wist ze zijn hart te veroveren. Dus hij ging naar haar vader, Argal de Donderaar, die zijn halfbroer was, en vroeg om haar hand. Argal gaf hem toestemming om Suya tot zijn vrouw te nemen, maar heimelijk besloot hij Nushash wreed en oneerzaam te bedriegen, omdat hij en zijn broers jaloers op hem waren.

Toen Nushash met Suya was vertrokken om haar voor te stellen aan zijn familie, riep Argal zijn broers Xergal en Efiyal bij zich en vertelde hun dat Nushash zijn dochter had ontvoerd. Daarop verzamelden de broers al hun krijgers en bedienden en trokken op naar Maansikkel, het huis van Xosh, broer van Nushash en heer van de maan, waar Nushash en zijn bruid ver-bleven.

De oorlog was lang en gruwelijk, en terwijl die woedde werd er bij Nus-hash en Suya een zoon geboren. Ze noemden hem Habbili. Hij was een mooi, dapper kind, de oogappel van zijn ouders, en wijs en goed als slechts weini-gen op zo'n jonge leeftijd.

De stralende Nushash en zijn verwanten werden uiteindelijk verslagen door het verraad van zijn halfbroers. Tijdens de verwoesting van Maansik-kel wist Suya Bloem van de Dageraad te ontkomen, maar ze doolde vele ja-ren door de wildernis tot Xergal, Heer van de Diepte en Argals broer, haar vond en haar tot zijn vrouw nam.

Xosh de Maanheer werd in het gevecht gedood. De grote Nushash werd ge-vangengenomen, maar hij was zo machtig dat zijn vijanden hem niet kon-den vernietigen. Daarom hakten Argal en de anderen hem in stukken en ver-spreidden die over alle windstreken. Maar de jonge Habbili, de zoon van Nushash, werd door Argal, nota bene zijn grootvader, en door alle andere de-mongoden die tot Argals familie behoorden, gemarteld. Ze pijnigden hem tot hij mank liep, en uiteindelijk sneden ze zijn hart uit zijn borst, ze verbrand-den het en lieten zijn levenloze lichaam achter tussen de ruïnes van Maan-sikkel.

Maar toen verscheen er een moederslang die op zoek was naar een plek om haar ei te leggen. En toen ze het had gelegd, verborg ze het in de holte van Habbili's borst. Met het vergiftigde ei in zijn lichaam kwam hij weer tot le-ven, en verteerd door woede legde hij de vurige gelofte af dat hij zich zou wreken.

'Hoe kun je me dat aandoen?' vroeg de moederslang. 'Ik heb je tot leven gewekt, maar mijn kind rust in je borst en kan niet uit het ei komen. Als je

nu weggaat om je op je vijanden te wreken kies je voorgoed voor het kwaad.'

Habbili dacht na over haar woorden en besefte dat ze gelijk had. 'Akkoord,' zei hij ten slotte. 'Ik zal je vertrouwen, hoewel mijn eigen familie me zo vaak heeft verraden dat ik de tel ben kwijtgeraakt. Neem je ei terug, maar haal een kool uit het brandende puin en stop die op de plaats van het ei.' Daarop reikte Habbili in zijn borst, hij haalde het slangenei eruit en viel opnieuw dood neer.

De moederslang was eerzaam. Ze had hem in de steek kunnen laten, maar ze haalde een kool uit een van de vuren die tussen de ruïnes van de torens brandden en bracht die naar Habbili, hoewel ze haar bek daarbij ernstig ver- wondde. Vandaar dat slangen sindsdien alleen nog maar sissen in plaats van praten. Ze stopte de kool in Habbili's borst, en hij kwam weer tot leven. Na- dat hij haar had bedankt, vervolgde hij zijn weg, zo gruwelijk mank door zijn vele verwondingen dat de stervelingen hem de 'Manke' noemden.

Jarenlang zwierf hij door de wereld. Hij beleefde talloze avonturen en leer- de vele lessen, maar nooit vergat hij wat zijn grootvader en zijn ooms hem hadden aangedaan. En na vele jaren voelde hij eindelijk dat hij er klaar voor was om de heilige vete weer op te vatten en Nushash, zijn vader, opnieuw tot leven te wekken. Maar het lichaam van zijn vader was in stukken ge- hakt en verspreid over alle landen in het noorden en het zuiden, dus Habbi- li begon aan een langdurige zoektocht vol ontberingen. Ten slotte had hij al- le stukken gevonden, behalve het hoofd van zijn vader, dat in een kristallen kist werd bewaard in het huis van Xergal, de god van de Diepte en de do- den, die door de noorderlingen 'Kernios' wordt genoemd. Habbili ging naar de burcht van Xergal en door gebruik te maken van de toverspreuken en be- zweringen die hij had geleerd, wist hij langs de wachten te komen en door te dringen tot het hart van het huis. Terwijl hij door dat duistere oord sloop, liep hij de vrouw van Xergal tegen het lijf. De Manke herkende haar niet, maar zij hem wel – ze was tenslotte zijn moeder, Suya Bloem van de Dage- raad, die door Xergal was gevangengenomen en tot een huwelijk gedwongen.

'Mijn zoon, je moet vluchten,' zei ze. 'De heer van de aarde zal spoedig terugkeren en wanneer hij thuiskomt, zal hij in woede ontsteken en je ver- nietigen.'

'Nee,' zei Habbili. 'Ik ben gekomen om het hoofd van mijn vader te stelen, zodat ik hem weer tot leven kan wekken.'

Suya was bang, maar het lukte haar niet hem tot andere gedachten te bren- gen. 'De duistere Xergal bewaart het hoofd van je vader in de diepste kelder van zijn huis,' zei ze ten slotte. 'In een kristallen kist die zonder de hamer van zijn broer, Argal de Donderaar, niet kan worden geopend. Maar je kunt de hamer niet stelen zonder het net van Efiyal, Heer van de Wateren, de broer van hen beiden. Alle drie broers zijn samen op jacht, hun schatten zijn on-bewaakt, dus als je ze wilt stelen, moet je dat nu doen, want ze zullen spoe-dig naar huis terugkeren en dan lukt het je nooit meer.'

En zo verliet Habbili de Manke het huis van Xergal. Hij volgde de aan-wijzingen van zijn moeder, dook in de grote rivier en zwom naar de diep-te, naar het huis van Efiyal. Door de vaardigheden die hij zich eigen had ge-maakt, wist hij de krokodillen te verslaan die de troon van de riviergod bewaakten, en het net te stelen. Daarmee klom hij naar de top van de berg Xandos, waar Argals huis stond. Hij gooide het net van Efiyal over de hon-derd dodelijke krijgers die daar waakten, zodat ze op zijn bevel in slaap vie-len, en nam de grote hamer van de muur naast de deur. Nadat hij het ma-gische net had teruggehaald, daalde Habbili de Xandos weer af, en ging hij naar het huis waar de troon stond van Xergal, zijn oom en heer van de Diep-ten, en waar die zijn schatten bewaarde.

'Wees alsjeblieft voorzichtig, zoon,' waarschuwde Suya, zijn moeder. 'Als Xergal je hier vindt zal hij je vernietigen. Hij is de god van de dode landen. Hij zal je de schaduwen in sleuren en daar zul je voor altijd moeten blijven.' Maar Habbili daalde de trap af naar het diepste deel van de burcht van de heer des doods en vond het hoofd van zijn vader in een kist van goud en kris-tal, drijvend in kwikzilver. Toen Habbili het hoofd oppakte, gingen de ogen van zijn vader open. Maar omdat hij wel ogen en een mond had maar geen hart, herkende hij zijn eigen zoon niet. En dus begon het hoofd van Nushash om hulp te roepen. 'Help! Xergal, grote heer! Iemand probeert me te stelen!'

Uitgerekend op dat moment keerde Xergal terug van de jacht. Toen hij het hulpgeroep van het hoofd van Nushash hoorde, haastte hij zich de gang door naar het diepe gewelf, zijn voetstappen dreunend als donderslagen. Ondanks de vurige brandende kool in zijn borst sloeg de angst Habbili om het hart – hij wist dat hij door zijn mankheid niet aan de heer van de dood zou kun-nen ontkomen. En dus zette hij het hoofd van zijn vader op de grond, hij pakte de Hamer van Argal en het Net van Efiyal en wachtte af. Toen Xer-gal kwam binnenstormen – zijn baard en zijn gewaden zwart als een nacht zonder maan en sterren, zijn ogen schitterend als rode robijnen – wierp Hab-bili het net over hem heen. Heel even werd Xergal vertraagd door de water-magie van zijn broer en haperde hij, getroffen door verbazing. Op dat mo-ment slingerde Habbili de hamer zodat Xergal de Aardheer tegen de grond werd geslagen. Daarop pakte Habbili de hamer weer op, hij greep de kristal-len kist met het hoofd van zijn vader en rende de trap op, gevolgd door Xer-gal die snel op hem inliep.

Suya, de moeder van Habbili, greep Xergals mantel toen de Aardheer langs stormde. 'Man! Kom aan tafel, anders wordt je eten koud!'

De Aardheer probeerde zich los te rukken, maar ze hield vast. 'Vrouw, laat me los! Iemand heeft gestolen wat van mij is.'

Suya klampte zich aan hem vast. 'Maar ik heb de dekens teruggeslagen. Kom bij me liggen voordat het bed koud wordt.'

Xergal bleef proberen zich van haar te ontdoen. 'Laat me los! Iemand heeft gestolen wat van mij is!'

Suya weigerde hem te laten gaan. 'Blijf bij me! Ga niet weg. Ik voel me ziek en misschien zal ik spoedig sterven.'

'Niet spoedig! Nú zul je sterven!' schreeuwde Xergal, en hij sloeg haar neer. Maar tegen die tijd was Habbili de Manke al uit het ondergrondse paleis ontsnapt en gevlucht naar het zuiden, naar de wouden rond de berg Xandros. Daar gebruikte hij de hamer van Argal om het hoofd van zijn vader uit de kist te bevrijden, en toen alle stukken van Nushash Witvuur waren samengevoegd kwam de heer van de zon weer tot leven.

'Vader!' sprak Habbili. 'U leeft!'

'Je bent een goede, trouwe zoon,' zei Nushash. 'Je hebt me gered. Waar is je moeder? Ik mis haar.'

Toen Habbili hem vertelde dat Suya Bloem van de Dageraad was gestorven zodat zij konden ontsnappen aan Xergal de Aardheer, werd de grote Nushash overweldigd door verdriet. Hij ging naar zijn huis in de hoogste hemelen en hervatte zijn taak om dagelijks in de zonnewagen langs de hemel te rijden. Habbili bleef op de aarde, waar hij de zonen der mensen de waarheid leerde over Argal de Donderaar en de rest van die verraderlijke godenfamilie, zodat ze werden ontmaskerd als de vijanden van Nushash Witvuur. Daarop verdreven de mensen de volgelingen van Argal, en sindsdien wordt in de landen rond de Xandros Nushash aanbeden als de ware hemelvorst.

Duif kneep in haar hand. Toen ze hem aankeek, las ze de vraag in zijn ogen. 'Ja,' zei ze, 'dat is echt waar. Daarom heb ik je dit verhaal verteld. Habbili de Manke was dood, zijn hart was uit zijn borst gesneden, maar toch slaagde hij erin zijn vijanden te verslaan – en die vijanden waren goden en demonen! Ja, hij was bang, maar hij gaf niet toe aan zijn angst. En daarom kwam alles uiteindelijk toch nog goed.'

Opnieuw kneep Duif in haar hand.

'Graag gedaan. Dus niet bang zijn, kleintje. We vinden wel een manier om te ontsnappen. De goden zullen ons helpen. De Hemel zal ons bewaren.'

Ze hield hem tegen zich aan tot ze merkte dat zijn ademhaling regelmatig werd. Duif was eindelijk in slaap gevallen.

Tegen alle verwachtingen in had de kreupele Habbili weten te overleven, dacht ze. *Tegen alle verwachtingen in. Maar om hem te redden had zijn moeder haar leven moeten offeren.*

*

'Bent u gelovig, Koning Olin?' De gouden ogen van de autarch leken nog stralender dan anders.

'Of ik gelovig ben?'

'Ja. Gelooft u in de Hemel?'

'Ik geloof in mijn goden.'

'Aha. Dus u bent níét gelovig. Althans, niet in de oude zin des woords.'

'U spreekt in raadselen, Xandiër. Ik heb u gezegd dat ik geloof in...'

'... "In mijn goden" is wat u zei.' Sulepis hief zijn lange, slanke handen, als de schalen van een weegschaal. 'En daarmee erkent u dat anderen een andere overtuiging kunnen aanhangen... en dus andere goden kunnen aanbidden. Maar wie echt trouw is aan zijn eigen geloofsbelijdenis erkent geen andere goden; die beschouwt de overtuiging van anderen als bijgeloof of duivelsaanbidding.' De autarch glimlachte. Voor een knappe man had hij een gruwelijke, angstaanjagende glimlach; Pinimmon Vash diende hem al meer dan een jaar en hij was er nog steeds niet aan gewend. 'Maar volgens mij geldt dat niet voor u.'

Olin haalde zijn schouders op, maar formuleerde zijn antwoord zorgvuldig. 'Ik probeer de wereld waarin ik leef te begrijpen.'

'Daarmee zegt u eigenlijk dat u nauwelijks kunt geloven in zo'n dwaze opvatting dat elk woord in *Het Boek van de Trigon* waar zou zijn. Niet boos worden, Olin! Hetzelfde kan worden gezegd over onze *Openbaringen van Nushash.* Verhaaltjes, dat zijn het. Verhaaltjes om bij de haard aan kinderen te vertellen.'

Zelfs Vash met zijn jarenlange politieke ervaring kon zich niet inhouden en liet vluchtig een verbaasd gebrom horen. De autarch keerde zich grijnzend naar hem toe. 'Heb ik u beledigd, Eerste Minister Vash?'

'N-nee, Gouden Vorst. Niets wat u zou doen of zeggen zou me ooit kunnen beledigen.'

'Hm. Dat klinkt als een uitdaging.' Sulepis lachte – de hoge, vrolijke, onbekommerde lach van een gelukkig kind. 'Maar ik voer hier een diepgaande, filosofische discussie met Koning Olin, dus misschien is het voor u prettiger om iets anders te gaan doen.' Zijn glimlach was van het ene op het andere moment verdwenen. 'Met andere woorden... Je kunt gaan, Vash.'

Die boog en haastte zich achterwaarts uit de nabijheid van de Gouden Vorst. Terwijl hij langs Scotarch Prusas kwam, die onderuitgezakt in zijn draagstoel hing, meende Vash in diens slijmerige ogen niet de gebruikelijke angst en verwarring te lezen. Had de autarch met zijn onverschillige godslastering de belangstelling van de gebrekkige oude man gewekt? Voelde de simpele ziel zich zelfs beledigd? Vash werd bekropen door een kille geamuseerdheid. Misschien had Sulepis de verkeerde weggestuurd.

Eenmaal in het hoofdruim klom Vash zo snel als zijn oude benen hem wilden dragen naar het bovendek, waar hij een omtrekkende beweging maakte tot hij opnieuw binnen gehoorafstand was van de autarch. Een man bereikte niet de respectabele leeftijd waarop de eerste minister mocht bogen, wanneer hij niet zorgde dat hij op de hoogte bleef van alles wat er werd besproken. En omdat hij op het koninklijke schip niet over zijn gebruikelijke informanten kon beschikken, moest hij het spioneren zelf voor zijn rekening nemen, hoe vernederend en gevaarlijk dat ook mocht zijn.

Tegen de tijd dat Vash voldoende dichtbij had weten te komen om Sulepis te kunnen verstaan, was die nog altijd aan het woord.

'... Nee, u hoeft niet terughoudend te zijn in uw uitlatingen, Koning Olin. Wijze mannen weten dat de ouden in de grote gewijde boeken spreken over geheimen die te machtig zijn voor het gewone volk. Een dergelijke kennis is slechts voorbehouden aan de elite – aan mannen zoals u en ik; mannen die de hoge kunsten hebben bestudeerd en die de waarheid kennen achter de opzichtige pronkstoet van de geschiedenis.'

Toen Vash iets naar voren boog, kon hij het achterhoofd zien van de koning uit het noorden die op het dek beneden hem aan de reling stond. En hoewel Sulepis zich buiten zijn gezichtsveld bevond, begreep Vash uit Olins gespannen houding dat de autarch vlakbij moest zijn. Als eerste minister was Vash maar al te vertrouwd met de angsten en spanningen die zelfs een ogenschijnlijk vriendelijk gesprek met Sulepis opleverde.

'U begrijpt me verkeerd...' begon Olin, waarop de autarch in lachen uitbarstte.

'Spreek me niet tegen, mijn beste. Een man wiens leven nog maar zo weinig ademtochten zal tellen, zou er niet één moeten verspillen. Ik weet meer van u dan u van mij weet, Olin Eddon. Want ik heb u en uw familie in de gaten gehouden.'

De noorderling aan de reling bevroor. En als hij niet had gezien dat de groene, onrustige wateren van de Zee van Osteia zich achter Olins schouder bleven krullen en in wit schuim op elkaar bleven botsen, dan zou Pinimmon Vash hebben gedacht dat de hele wereld plotseling de adem inhield, als een hart dat stopte met slaan. 'U hebt ons in de gáten gehouden...'

Sulepis sprak verder alsof Olin niets had gezegd. 'Ik weet dat u met uw koninklijke heelmeesters en andere filosofische denkers aan uw hof een studie hebt gemaakt van de oude leer, van de verloren kunsten... en van de dagen van de goden.'

'Ik weet niet waar u het over hebt,' zei Olin stijfjes.

'Het is mogelijk dat u daar oorspronkelijk uw eigen, persoonlijke redenen voor had – om meer inzicht te krijgen in het mysterie rond het bezoedelde bloed van uw familie – maar tijdens uw jarenlange studie moet u ook meer inzicht hebben verworven in de vraag hoe de wereld wáárlijk in elkaar steekt; meer inzicht dan de simpele zielen die u omringen en die u een door de goden gezalfde monarch noemen, zonder ook maar iets over die goden te weten.' Sulepis kwam heel even in zicht, en Vash deinsde achteruit, maar de autarch ging slechts iets dichter bij Olin staan. Hun beider ruggen bleven naar de schuilplaats van Vash gekeerd. De eerste minister kon de lijfwachten niet zien, maar hij wist dat ze het niet prettig zouden vinden dat de autarch zo dicht naast de buitenlandse gevangene stond.

Het was een merkwaardig alledaags tafereel, die twee mannen aan de reling: zonder zijn ceremoniële uitmonstering – de hoge puntige hoofdtooi die de Nachtschade Kroon werd genoemd, vanwege de gelijkenis met de zaden van die giftige plant; de reusachtige gouden amulet in de vorm van de zon op zijn borst; en natuurlijk de gouden sluifjes op zijn vingertoppen – had Sulepis gewoon een Xandische priester kunnen zijn die met een noordelijke ambtgenoot sprak over tienden en tempelonderhoud. Maar wie rechtstreeks in die gouden ogen keek, kreeg een heel ander gevoel over wie en wat de autarch was, wist Vash.

De koning uit het noorden toonde zich verrassend moedig. Ieder ander zou zijn teruggedeinsd wanneer hij zo dicht bij de autarch stond dat hij de hitte kon voelen die deze uitstraalde, de koorts die de gedachten van de Gouden Vorst in zijn greep hield. In het Warande Paleis werd gefluisterd dat de nabijheid van Sulepis te vergelijken was met onbe-

schermde blootstelling aan de woestijnzon; dat die nabijheid eerst je verstand en ten slotte zelfs je huid en je botten zou verteren, als je niet tij-
dig wist te ontkomen.

Vash huiverde licht. Ooit had hij dergelijke praatjes afgedaan als onzin. Inmiddels had hij het gevoel alsof hij bijna alles zou kunnen geloven over zijn meester, over deze verschrikkelijke god-op-aarde.

'Misschien is het allemaal een beetje moeilijk te bevatten.' De autarch
gebaarde met zijn lange vingers naar de westelijke horizon alsof hij de
ondergaande zon als een vijg van een tak wilde plukken. 'Ik heb over
deze dingen misschien meer nagedacht dan u, Olin, maar ik weet dat u
in staat bent ze te bevatten; dat u in staat bent de waarheid te begrijpen. En wanneer dat begrip er eenmaal is... dan zult u misschien anders
over me denken, en over wat ik voornemens ben.'

'Dat betwijfel ik.'

De autarch bromde tevreden, duidelijk niet onder de indruk. 'Kent u
het verhaal van Melarkh, de held die koning was van het oude Jurr? Dat
moet u kennen. Zijn vrouw was vervloekt door kwade schikgodinnen.
Daardoor kon ze hem geen zoon baren. Melarkh redde een valk van een
reusachtige slang, en als beloning bracht de valk hem naar de hemel zodat hij daar van de goden het Zaad van de Geboorte kon stelen.'

Olin keek op, met zo'n merkwaardige uitdrukking op zijn gezicht dat
Vash niet wist hoe hij die moest duiden. 'Ik heb zo'n zelfde verhaal gehoord over de grote held Hiliometes.'

'Kijk, dat illustreert wat ik probeer duidelijk te maken. De meesten
die het verhaal horen, zeggen: "Het is echt zo gegaan. Dit avontuur heeft
de grote held Melarkh – of Hiliometes, afhankelijk van de versie die ze
te horen krijgen – echt zo beleefd." De god-koning hief opnieuw een
hand op, zodat de sluifjes op zijn vingertoppen in de stralen van de ondergaande zon glinsterden als vuur. 'Maar het zijn natuurlijk buitengewoon simpele zielen, die dat beweren. Wie slimmer is – geestelijken en
andere wijze mannen, al wie boven het gewone volk staat – zal zeggen:
"Melarkh is misschien niet echt op een valk naar de hemel gevlogen om
het Zaad van de Geboorte te stelen, maar wat het verhaal bedoelt duidelijk te maken, is dat dappere mannen de geheimen van de goden kunnen ontdekken, dat stervelingen hun lot in eigen hand kunnen nemen."
En de meest vrijgevochten geesten, de onafhankelijkste filosofen die zich
niets van de afkeuring van anderen aantrekken, zouden zelfs kunnen redeneren: "Geen valk is zo groot dat hij een volwassen man op zijn rug
kan dragen, dus het verhaal van Melarkh die op een valk naar de hemel

vloog, kan niet waar zijn. En als dat verhaal niet waar is, dan geldt dat misschien ook voor andere verhalen. En als de verhalen niet waar zijn, dan is misschien wel alles wat ons daarin wordt verteld, gelogen. En dus ook alles wat er over de goden wordt verteld. Misschien bestaan de goden wel helemaal niet!" Maar voor een dergelijke godslastering schrikken zelfs de wijste mannen terug, omdat ze weten dat die gruwelijke gevolgen zou kunnen hebben en de hemel zelf zou kunnen ontwortelen, waardoor de mens eenzaam in de leegte zou worden geworpen.'

De toon van de autarch veranderde en werd zachter, vertrouwelijker, zodat Vash zijn oude oren vervloekte omdat hij zo ver voorover moest buigen dat zijn toch al pijnlijke rug hevig begon op te spelen. Bovendien was hij als de dood dat de reling het onder zijn gewicht zou begeven, waardoor hij zichzelf zou verraden.

'Maar ik zeg tegen iedereen – tegen de onnozelen, tegen de nieuwsgierigen en tegen de dapperen – dat ze gelijk hebben!' vervolgde de autarch. 'En tegelijkertijd hebben ze allemaal ongelijk. Alleen ik ken de waarheid en begrijp wat er werkelijk wordt bedoeld. En van alle levende schepselen ben ik de enige die de wil van de goden kan buigen naar mijn wil.'

Vash haalde diep adem. Hij was nog niet eerder getuige geweest van zoveel waanzin, terwijl hij toch al heel wat vreemde en wrede ideeën van de autarch had moeten aanhoren.

'Ik... ik begrijp niet wat u wilt zeggen.' Olin klonk inmiddels zwak, ellendig.

'O, volgens mij begrijpt u dat heel goed. U begrijpt in elk geval de algemene strekking van wat ik zeg – al was het maar omdat u zelf soortgelijke ideeën koestert. Geef het maar toe, Olin, u bent verrast zulke ideeën – meer verheven dan de uwe, maar voor het overige niet zo verschillend – te horen van iemand die in uw ogen heel anders is dan u. En daar hebt u gelijk in, ik bén anders. Want terwijl u deze geheimen hebt ontdekt en deze ideeën hebt ontwikkeld in diepe wanhoop, in een poging de oorsprong te achterhalen van de vloek die rust op u en uw bloedlijn, ben ik de uitdaging aangegaan door te zeggen: "Deze geheimen zijn wat ik heb gezocht, maar in plaats van het aambeeld zal ik de hamer zijn; de maker, de schepper."' De autarch lachte opnieuw vrolijk en onbekommerd. 'Want ik weet wat zich onder uw kasteel bevindt, Olin van Zuidermark. Ik ken de vloek die uw familie al generaties lang teistert, en ik ken de oorsprong van die vloek. Maar anders dan u zal ik de macht die daarin schuilt, naar mijn hand zetten. Anders dan u, zal ik me niet laten regeren door de hemel met eeuwenoude verhalen en kinderlijke waarschuwingen... De macht van de goden zal de mijne zijn... en dan zal ik de rollen omdraaien en de hemel straffen omdat die probeert me te verloochenen!'

Toen de autarch terugging naar zijn hut bleef Koning Olin aan de reling staan, zwijgend uitkijkend over het water. Pinimmon Vash, die inmiddels niet alleen last had van zijn rug maar ook werd gekweld door pijnlijk bonzende knieën, durfde zich niet te verroeren, uit angst dat de koning uit het noorden zijn aanwezigheid zou opmerken. Ten slotte draaide Olin zich om en liet zich door zijn wachten terugbrengen naar zijn kleine hut. Heel even kon Vash het gezicht van de buitenlandse koning zien. Met zijn verslapte huid en ziekelijk bleke kleur zag Olin eruit alsof hij dood was. Sterker nog, de koning zag eruit alsof hij niet alleen getuige was geweest van zijn eigen dood, maar alsof hij ook het einde had gezien van al wat hem dierbaar was.

Pinimmon Vash had nog nooit een greintje medelijden verspild aan zijn medemens, maar bij de aanblik van Olins bloedeloze gezicht betrapte hij zich op de hoop dat de goden de koning uit het noorden genadig zouden zijn en dat ze hem nog diezelfde nacht in zijn slaap zouden laten sterven.

5
Een druppeltje vrede

'In de jaren van de Grote Dood werd het merendeel van de elfen verdreven uit de landen van de mensen, met de beschuldiging dat zij de gruwelijke pest hadden voortgebracht en verspreid. Maar Phayallos en anderen beweren dat er verlaten elfendorpen waren aangetroffen – zoals een grotstad bij Falopetris in Ulos – met daarin slechts de lichamen van dode Qar, die al voordat de mensen hen bereikten, aan de pokken waren bezweken.'

Uit *Een Verhandeling over de Elfenvolken van Eion en Xand*

'Nee!' De dienster smeet het geldstuk op de natte, vettige tapkast en liep weg.

En hoewel Mattes Tinslager had gewild dat ze het aanpakte, was hij ten prooi aan tegenstrijdige gevoelens. Het was zijn laatste geld, een zilveren steur die hij – met nog drie andere die hij de afgelopen veertien dagen had uitgegeven – van de oude Rebus had weten los te peuteren met een knap staaltje vleierij, overdrijving en onvervalste huichelarij waarover door het bedelaarsgilde nog eeuwenlang met bewondering zou worden gesproken. Niet dat Tinslager bij alles wat hij had gezegd, had overdreven om Rebus zo ver te krijgen dat hij de sterk geurende buidel omkeerde die hij in zijn laars bewaarde. Tinslager had echt geld nodig gehad, en het ging oprecht om een zaak van leven of dood.

'Alsjeblieft, Brecht,' zei hij zacht toen de dienster weer langskwam. Op dit uur van de dag was het niet druk in de Dorstige Jager, en de aanwezige gasten zouden ontwijfeld het verschil niet meer kunnen onderscheiden tussen stemmen in hun hoofd of daarbuiten, maar dit was iets waarover Tinslager niet hardop wilde praten. 'Alsjeblieft. Je bent de enige die me kan helpen.'

'Dat interesseert me geen sikkepit!' Ze ging voor hem staan, met haar vuisten op haar heupen, en bracht haar gezicht tot op een handbreedte van het zijne. Normaliter zou haar weelderige decolleté, dat in deze houding volledig tot zijn recht kwam, hem danig hebben afgeleid, maar zelfs zijn meest dominante instincten waren verdrongen door de angst die zijn ontzagwekkende verantwoordelijkheid met zich meebracht. 'Mijn broers hebben je geholpen haar uit het kasteel te halen, ik heb je geholpen haar te krijgen waar ze nu is – wat heet, ik heb dat deftige mokkel zelfs gedragen terwijl jij van angst in je broek pieste en ervandoor ging!'

'Dat is een vuile leugen!' zei hij verontwaardigd, maar hij dempte zijn stem onmiddellijk weer. 'Ik moest zien dat ik die lui afleidde. Het waren priesters, geestelijken uit de rekenkamer van het kasteel. Die zijn niet gek. Ze zouden meteen in de gaten hebben gehad dat er iets niet in de haak was.' Hij herinnerde zich de doodsangst die hij had gevoeld toen hij hen had horen aankomen, terwijl hij samen met Brecht de verdwaasde Elan M'Corij op blote voeten naar de huurkamer loodste die hij voor haar in orde had gemaakt aan de Jutters Lagune. Dat moment was zo mogelijk nog angstaanjagender geweest dan toen hij dacht dat hij door Avin Brone ter dood zou worden gebracht, al was het maar omdat hij bij die gelegenheid niet had begrepen wát hem in de problemen had gebracht. Maar zijn – vergeefse – hulp aan een jonge edelvrouwe om zichzelf te vergiftigen had hij welbewust aangeboden. En nu moest hij Elan verborgen zien te houden voor Hendon Tollij en de anderen, terwijl ze weer aansterkte. Hij wilde het tegenover Brecht niet toegeven, maar door de angst om te worden betrapt, had het inderdaad niet veel gescheeld of hij had zichzelf bevuild.

'Weet je, Mats, je kunt zeggen wat je wilt, maar het kan me nog steeds geen sikkepit schelen.' Brecht schudde haar krullen uit haar gezicht. 'Je problemen interesseren me niet langer. Ik heb een nieuwe vent. Een vent met geld. Niet mondjesmaat zoals jij en zoals die arme oude sloeber die je zijn geld aftroggelt, maar genoeg om er goed van te leven. Hij heeft een huis in Ooskasteel, en een winkel, en hij heeft mooie kleren en een wandelstok met een knop van echt walvissenivoor...'

'En heeft hij thuis soms een vrouw zitten?' Tinslager kon het niet laten.

'Nou en? Een chagrijnig mokkel. Daar maakt hij geen geheim van. Hij zorgt dat ik een eigen huisje krijg, en dan hoef ik niet langer in deze ellendige kroeg te werken en me door Conarij in mijn tieten te laten knijpen om mijn geld te verdienen.'

'Maar Brecht, ik zit echt verschrikkelijk in de problemen...'

'En wie zijn schuld is dat, Mats Tinslager? Precies! En wie moet je er weer uit helpen? Dat zul je toch echt zelf moeten doen. En het wordt tijd dat je daarvan leert; dat je eindelijk een vent wordt, in plaats van je te gedragen als een klein kind, en een idioot.'

Ze keerde hem de rug toe en beende driftig weg, maar na een paar stappen bleef ze staan en draaide zich om. De uitdrukking op haar gezicht was iets zachter geworden. 'Ik wens je echt alle goeds toe, Mats. We hebben veel plezier gehad samen, en je bent geen slechte jongen. Maar je kunt geen huis bouwen op drijfzand. Je moet zorgen voor stevigheid, voor een degelijk fundament.'

Toen keerde ze hem definitief de rug toe. En ondanks zijn jarenlange hofmakerij van de muze van de dichtkunst stond hij met zijn mond vol tanden.

'O, ben jij het.' Haar donkere ogen leken de helft van haar smalle gezicht in beslag te nemen. Elan M'Corij was angstaanjagend mager. Ze had niet echt meer gegeten sinds ze – inmiddels vele dagen geleden – het drankje van de algenmengster had genomen. 'Ik dacht dat het die hardvochtige vrouw was met dat rode gezicht.'

Tinslager zuchtte. 'Brecht is geen hardvochtige vrouw.'

'Verdedig haar maar niet, alleen omdat je haar in je bed hebt gehad. Ik ben geen kind meer, ik weet wat er in de wereld te koop is. En ze is wel degelijk hardvochtig. Ze heeft geprobeerd soep in mijn keel te gieten. Ik stikte er bijna in!'

'Ze wilde gewoon dat u iets at. Want u moet echt eten, vrouwe.' Hij ging op het voeteneind van het bed zitten. Het goedkope, gammele meubel kraakte onder zijn gewicht. 'Alstublieft, vrouwe, anders wordt u nog ziek...'

'En als ik ziek word, wiens schuld is dat dan? Nou? Wie heeft me bedrogen toen ik er klaar voor was om er een eind aan te maken?'

Tinslager boog zijn hoofd. Zo was ze al sinds ze haar ogen weer had

opgeslagen – woedend, ruziezoekerig, verdrietig en zwijgzaam, maar
vooral diep ongelukkig. Geen wonder dat Brecht weigerde nog langer
te komen. Hij maakte zichzelf nog altijd geen verwijten dat hij had geweigerd werkeloos toe te zien terwijl de vrouw van zijn hart probeerde
een einde te maken aan haar leven, maar hij wenste vurig dat het allemaal beter had uitgepakt. 'Ik,' was alles wat hij zei. Het was gemakkelijker om niet tegen haar in te gaan. Het was al erg genoeg dat haar
sombere woorden hem bleven achtervolgen, nog uren nadat hij bij haar
was weggegaan. Hij had al in geen dagen meer een letter op papier kunnen krijgen, uitgerekend op een moment waarop hij had gedacht dat er
eindelijk schot in zijn carrière begon te komen.

'Het was zo eenvoudig wat ik je had gevraagd – een simpel gebaar
van welwillendheid.' Ze sloot haar ogen en liet zich terugzakken in het
kussen. 'Je zegt dat je van me houdt, en dat blijf je herhalen, maar toch
ontzeg je me het enige waar ik je om heb gevraagd. Eén druppeltje dat
mijn ziel vrede zou hebben gebracht. Eén klein druppeltje, dat was alles wat ik vroeg. Het was zo simpel.'

'Het is niet simpel om iemand te doden! En al helemaal niet wanneer het gaat om iemand die je zo dierbaar is, Vrouwe Elan.'

Ze deed haar ogen weer open, en even dacht hij dat ze zou losbarsten in een tirade. Maar de verwilderde blik verdween en maakte plaats
voor tranen. 'Als je liefde en je bezorgdheid me hadden kunnen redden,
dan zou ik zijn gered, Mattes Tinslager. Maar helaas, ik ben vervloekt.
Ik behoor toe aan Kernios en zijn duistere rijk.'

'Dat moet u niet zeggen!' Hij hief zijn hand en wilde ermee op de
dekens slaan, maar bedacht zich. 'U bent misbruikt door een onmens,
een schurk. Als het in mijn vermogen lag om Hendon Tollij te doden,
dan deed ik het. Maar ik ben geen man van het zwaard. Ik ben dichter.
En soms denk ik dat ik als dichter ook niet veel voorstel.'

Als hij had gehoopt dat ze hem zou tegenspreken, dan werd hij in
die hoop teleurgesteld. 'Het is zo... zo moeilijk om te accepteren dat ik
nog leef,' zei ze zacht. 'Mijn leven is een nachtmerrie waaruit ik maar
niet wakker word. Soms denk ik dat we allemaal dienaren zijn van de
Dood en dat hij ons tijdelijk heeft uitgeleend aan andere meesters.'

Hij vond het afschuwelijk wanneer ze zulke dingen zei. 'Maar u bent
nu veilig, Vrouwe Elan. Hendon Tollij laat niet eens naar u zoeken!'

Iets van de hardheid keerde terug in haar gezicht. 'O Mats Tinslager,
wat ben je toch een dwaas! Natuurlijk laat hij naar me zoeken. Niet omdat hij me mist, zelfs niet omdat hij me haat – daar zou ik mee kunnen

leven – maar omdat ik van hém was, en omdat hij het niet accepteert dat zijn bezit hem wordt ontstolen.'

'Maar u...'

Ze hief haar hand op. 'Toe! Het helpt niet wat je wilt zeggen. Want je hebt geen idéé...' Haar uitdrukking veranderde weer, werd nog verontrustender. Alle hardheid was uit haar gezicht verdwenen. Ze zag er weerloos uit, als een weekdier beroofd van zijn schelp. 'Hij heeft een spiegel. Daar kan hij... Er zijn... Er zitten dingen in die spiegel. Dingen die... lachen... en... en praten. Ze kennen gruwelijke geheimen.' Een huivering deed haar broze schouders schokken, en haar handen, die ze gevouwen voor haar borst hield, beefden. 'Hij heeft me gedwongen in die spiegel te kijken...'

Mats Tinslager kon geen woord uitbrengen, hij kon zich zelfs niet verroeren. Het liefst zou hij haar in zijn armen hebben genomen om haar af te schermen tegen alle gruwelijke herinneringen die haar kwelden, maar de naakte wanhoop in haar stem maakte zijn ledematen zwaar en bloedeloos.

'Hij heeft me gedwongen erin te kijken,' herhaalde ze fluisterend. 'Hij nam me mee naar een kelder en hield mijn hoofd vast. Het... het sprak tegen me... het ding in de spiegel. Het wist wie ik was! Het wist dingen over me die niemand hoort te weten, zelfs Hendon Tollij niet. Zelfs mijn vader en moeder niet! Ik wilde vluchten, maar dat kon ik niet. Wat er ook in die spiegel huisde, hield me vast en speelde met me als... als een kat met een muis; een kat die een muis koestert, zijn poot erop zet, dan de muis laat ontsnappen en hem uiteindelijk weer vangt. Ik... ik...' De tranen liepen over haar wangen, maar ze nam niet de moeite ze weg te vegen. 'In zo'n wereld wil ik niet leven, Mats Tinslager. Een wereld zo vol... vuiligheid, een wereld waarin zich achter elke spiegel... achter elke weerspiegeling... zulke gruwelijke dingen verbergen...'

Tinslager vond eindelijk zijn stem terug. 'Het was bedrog, een kunstje... iets wat hij deed om u bang te maken...'

Ze schudde haar hoofd terwijl de tranen nog altijd over haar wangen liepen. 'Nee. Hij is er zelf ook bang voor. Volgens mij was dat de reden dat hij me er mee naartoe nam. Het is als een beest in een kooi. Hij dacht het als een soort huisdier te kunnen houden, maar het is veeleisend. Hij wilde mij gebruiken om het tevreden te houden. Ook daarom zal hij me niet laten gaan, Mats. Het was de bedoeling dat ik het monster zou... bezighouden.'

Het duurde even voordat Tinslager erin was geslaagd Elan M'Corij voldoende te kalmeren om wat koude bouillon te drinken. Daarna was ze in slaap gevallen. Hij was opgelucht te zien dat ze althans even haar zorgen vergat en tot rust kwam, maar hoe lang kon hij dit volhouden? Hoe lang kon hij haar blijven bewaken en verbergen? Hoe lang zou het duren voordat iemand aan het hof in de gaten kreeg dat hij wel erg vaak en langdurig afwezig was? Het wemelde in de binnenburcht van de spionnen en de hielenlikkers, die allemaal wedijverden om de aandacht van hun meester – en van wie sommigen zelfs jaloers waren op de arme Mats Tinslager, wie het geluk nog nooit had toegelachen zonder dat het onmiddellijk weer was veranderd in paardendrek!

Als Brecht me niet wil helpen dan moet ik iemand anders zien te vinden. Maar wie kan ik vertrouwen? En wat minstens zo belangrijk is, wie kan ik betalen? Hij keek neer op de zilveren steur, waarmee hij het nog veertien dagen zou moeten uitzingen als zich geen wonder voordeed zoals dat van Onir Diotrodos en de vaten bier. Het leek een onmogelijke opgave. Zodra ze Elans maatschappelijke status in de gaten kregen, zou iedereen die bereid was voor zo'n karige beloning te werken, beseffen dat Tinslager haar aanwezigheid tegen elke prijs geheim wilde houden. En dat maakte hem tot het perfecte doelwit voor afpersing. Wat hij nodig had, was iemand zonder geld en met weinig scrupules; iemand die hem niet zou verraden. Althans, niet meteen.

Het leek onmogelijk zo iemand te vinden. Door schade en schande wijs geworden wist Mats Tinslager echter beter.

In heel Zuidermark is er maar één die aan die voorwaarden voldoet, dacht hij met een bezwaard gemoed. *Mijn moeder.*

Maar voordat hij haar hulp kon inroepen, zou hij haar eerst moeten zien te vinden.

*

Ondanks het feit dat ze aan het Syannese hof werd omringd door comfort en pracht en praal, had Brionie het gevoel alsof de dagen voorbij króepen. Ze had geen enkele reden tot klagen over haar behandeling – haar vertrekken waren volledig in overeenstemming met haar status: een royale suite in de langgerekte oostelijke vleugel van Paleis Dreefstaete met uitzicht op de rivier. Bovendien had ze een staf van dienstmaagden en hofdames toegewezen gekregen, en waren haar kisten vol juwelen en kleren ter beschikking gesteld, stuk voor stuk uitgekozen – zo was haar verteld – door Vrouwe Ananka, de uitverkorene van de koning. Brionie was grootgebracht met verhaaltjes over jaloerse heksen en kwaadaardige elfen, dus voordat ze de kleren aantrok inspecteerde ze die zorgvuldig op in gif gedoopte spelden.

Hoewel de edelen aan het hof haar met gepaste eerbied bejegenden, verliet ze aanvankelijk maar zelden haar vertrekken. Ze voelde zich vreemd in een wereld waarin ze het een noch het ander was – ze was geen volwaardige prinses noch een toneelspeler omringd door collega's (ook al had ze soms wel het gevoel dat ze een rol speelde). Het kostte haar moeite beleefdheden uit te wisselen met de verwende, overdadig geklede hovelingen in Enanders paleis zonder het gevoel te hebben dat ze daarmee – en door haar tijd af te wachten – verraad pleegde jegens haar volk en haar familie. Toch was dat de enige manier om aan een vreemd hof, zonder vrienden, zonder mensen die ze kon vertrouwen, het weinige nieuws op te vangen over de gebeurtenissen in Zuidermark. Het beleg van de elfen duurde nog altijd voort, maar omdat het in de laatste maanden een min of meer vreedzame vorm had aangenomen waren de gedachten van de Syannezen steeds minder bij Zuidermark. Daar heerste Tollij nog altijd als de zelfbenoemde beschermer van Alessandros, het jongste kind van de koning. En Brionie kwam te weten dat zijzelf een mysterie bleef. Sommigen in Zuidermark geloofden dat ze was ontvoerd, misschien zelfs door de autarch van Xis. Maar tot voor kort was het hardnekkigste gerucht dat de ronde had gedaan, het verhaal dat ze zou zijn gedood en dat haar lichaam op een geheime plaats was verborgen. Haar aankomst in Dreefstaete had die theorie echter de wind uit de zeilen genomen.

De vier jonge vrouwen die Ananka, de geliefde van de koning, had gestuurd om haar te bedienen – en Brionie twijfelde er niet aan of ze hadden ook opdracht haar te bespioneren – leken allervriendelijkst, maar ze vond het moeilijk om met hen te praten, laat staan om hen te vertrouwen. Dat gold zelfs voor de jongste, de kleine Talia van nog geen twaalf. De eerste weken na Shaso's dood en haar ontsnapping uit Landers Rede was Brionie zo eenzaam geweest dat ze van dit soort simpele pleziertjes had gedroomd – haar haren laten borstelen, babbelen over ditjes en datjes. Maar óf deze jonge vrouwen waren aanzienlijk onnozeler dan Roos en Moina, haar favoriete hofdames in Zuidermark, óf Brionie was het plezier in dit soort gesprekken kwijtgeraakt. Opgewonden speculaties over deze of gene ambitieuze hoveling of over een veronderstelde romance, nadrukkelijke commentaren wanneer iemands ambities zijn of haar stand te boven gingen, en het eindeloze geroddel over Prins Eneas en zijn romances en avonturen konden haar nauwelijks boeien. Natuurlijk was ze bij hun eerste ontmoeting onder de indruk geweest van de prins, maar het enige waar het haar om ging was hulp zien te krijgen voor haar volk en voor de troon van haar familie. Ze kon echter geen fatsoenlijke manier bedenken om hem zelfs maar te benaderen, laat staan om hem te vragen of hij haar wilde helpen. En wat het benaderen van de koning zelf betrof, Vrouwe Ananka had het maar al te duidelijk gemaakt dat ze Enander als haar privébezit beschouwde.

Op zichzelf teruggeworpen in haar vertrekken, als een zeeman aangespoeld op een onbewoond eiland, merkte Brionie dat haar verlangens verdergingen dan Syannese hofroddels en dat ze behoefte had aan gezelschap met meer inhoud dan de vrouwen aan het hof haar konden bieden.

En toen op een ochtend kwam Agnes, een van Brionies hofdames, hevig opgewonden bij haar, met een blos op haar jonge gezicht. 'U raadt nooit wie hier is aangekomen, Hoogheid!'

'Waar is "hier"?' vroeg Brionie, maar ze ging wat meer rechtop zitten. Was het de prins, die zelf het initiatief had genomen tot een gesprek? En zo ja, hoe zou ze dat gesprek dan op Zuidermark kunnen brengen en op de hulp die haar land nodig had?

'Hier aan het hof,' antwoordde het meisje. 'Hij is gisteravond aangekomen, helemaal in bont gehuld, als een koopvaarder uit de Vuttische Archipel.'

'Ik heb geen flauw idee.' Als het ging om iemand die gisteravond was aangekomen, was het dus niet de prins. Brionie veronderstelde dat het een of andere edelman was, een legendarisch onderwerp van Syannese hofroddels. Als Perin zelf naar de aarde afdaalde, zwaaiend met zijn heilige hamer, zouden de hovelingen in Dreefstaete het over zijn schoenen hebben, dacht Brionie. En over de vraag of de kleuren die hij droeg, wel bij het seizoen pasten. *Genadige Zoria, en mijn broer en ik dachten nog wel dat de edelen van Zuidermark oppervlakkig waren...*

Agnes stond bijna te dansen. 'O, maar u moet het kunnen raden, Hoogheid. Het gaat om een landgenoot van u!'

'Wat?' Heel even kwam de onmogelijke wens bij haar op dat het Barrick was, of Shaso, of Vansen, maar die waren verloren, verdwenen, ieder op zijn eigen manier. Plotseling werd ze overvallen door zo'n overweldigend verdriet dat ze even bang was in tranen te zullen uitbarsten.

Het duurde geruime tijd voordat ze zichzelf weer in de hand had. 'Vooruit, voor de draad ermee! Wie is het?'

'Hij heet Jenkin Crowel!' Agnes vouwde krampachtig haar handen alsof ze zich nauwelijks kon beheersen. 'Kent u hem?'

Even zei de naam haar niets – het was zo lang geleden dat Brionie aan de hovelingen van Zuidermark had gedacht, of aan de wereld die ze met hen had gedeeld – maar ineens wist ze het weer en maakte het verdrietige gevoel plaats voor een bittere smaak in haar mond.

'O ja, natuurlijk. Hij is een broer van Durstin Crowel, de baron van Grauwsluis, ook al is Durstin inmiddels vast en zeker hoger opgeklommen, want hij is al heel lang een van de trouwste stroopsmeerders van Hendon Tollij.' Bij de gedachte aan de Crowels zou ze het liefst iets of iemand in elkaar willen trappen! 'Wat is de reden van Jenkins komst?'

'Hij is hier als de nieuwe afgezant van uw broer Alessandros.'

Brionie snoof. 'Alessandros is amper zes maanden! Afgezant van Hendon Tollij, zul je bedoelen, de usurpator met bloed aan zijn handen.'

De jonge hofdame zette grote ogen op. 'Natuurlijk, Hoogheid. Als u dat zegt...'

Brionie deed haar best haar drift in te tomen. Dit meisje mocht dan een van Ananka's spionnen zijn, aan het verraad van de Tollijs had ze geen enkele schuld. 'Dank je wel dat je me dit bent komen vertellen, Agnes.'

'En wat bent u nu van plan, Hoogheid? Hij heeft naar u gevraagd.'

'O ja? Echt waar? Bij alle goden, waar haalt hij het gore...' Ze zweeg abrupt. Met woorden die in een troep rondtrekkende toneelspelers heel gewoon waren, zou ze hier aan het hof alleen maar nóg meer aanleiding geven tot praatjes. De bittere smaak in haar mond werd sterker, dreigde plaats te maken voor angst, maar tegelijkertijd voelde ze een vurige, overweldigende woede in zich opkomen. 'Natuurlijk. Akkoord. We zullen hem ontvangen. Als hij komt namens de Tollijs verwacht ik dat we heel wat te bespreken hebben, hij en ik. Maar geef me eerst de gelegenheid ons gesprek voor te bereiden.'

Tenslotte had ze door schade en schande geleerd hoe het was gesteld met de betrouwbaarheid van Crowels meester. Als ze diens afgezant moest ontvangen, dan wilde ze dat de koninklijke garde paraat stond, zowel ín de kamer als daarbuiten.

Iemand die hen niet kende, zou hebben kunnen denken dat Jenkin Crowel háár een gunst bewees, en dat Brionie die gunst dankbaar aanvaardde. Hij bracht ook twee van zijn eigen lijfwachten mee en een magere, nors kijkende, volledig in het zwart gehulde geestelijke, alsof er over een huwelijkscontract onderhandeld ging worden.

Crowel zelf was vlezig zonder dik te zijn, met een blozend gezicht, een grote neus en een kuiltje in zijn kin. Hij had zich gekleed naar wat hij blijkbaar beschouwde als de laatste mode in Syan; toen hij een diepe buiging maakte, ruisten en ritselden zijn stijve kniebroek en zijn bovenmaatse mouwen versierd met volants.

'Hoogheid, wat een verrukkelijke en buitengewoon onverwachte verrassing! Ik kon het goede nieuws nauwelijks geloven. Uw landgenoten zullen uitzinnig zijn van vreugde wanneer ze horen dat u nog leeft en dat alles goed met u is. Hoe bent u hier gekomen? Ik zal onmiddellijk een boodschap naar huis sturen. Wat een blijdschap zal die brengen in de harten van een rouwend volk!'

Brionie keek naar haar hofdames, die vlijtig zaten te borduren. Vergeleken met deze idioot leken de kinderlijke obsessies en subtiele hatelijkheden aan het Syannese hof bijna begerenswaardig. Maar als dat het spel was dat Crowel wilde spelen, dan zou Brionie zich niet laten kennen.

'Ach ja,' zei ze. 'Ik heb mijn thuis zo gemist, Heer Crowel. Hoe is het met mijn kleine broertje, Alessandros? En met mijn stiefmoeder, Anissa? En laat ik mijn dierbare neef Hendon niet vergeten, die zo goed voor iedereen zorgt.'

Crowel haperde. 'Is de rentmeester... is Hendon Tollij uw neef? Ik eh... ik dacht eigenlijk dat de familierelatie minder dichtbij was.'

Brionie gebaarde nonchalant. 'Wat maakt het uit? De Tollijs zijn altijd méér voor me geweest dan familie. Vandaar dat ik Hendon aanspreek met "neef". Op de avond dat ik Zuidermark verliet, hebben we een buitengewoon verhelderend gesprek gevoerd, kan ik u vertellen. Daarbij maakte Hendon duidelijk welke plannen hij had met mij en met mijn familie en de troon. Ik was geroerd dat hij zoveel tijd en inspanning aan ons besteedde. Oprecht geroerd. Sterker nog, woorden schieten te kort om u te vertellen hoeveel verdriet het me doet dat ik hem mijn dankbaarheid nog altijd niet heb kunnen tonen. Maar ik heb héél goed nagedacht over de vraag welke beloning Heer Tollij en de zijnen verdienen, dat kan ik u verzekeren. Ik heb er echt erg veel tijd in gestoken, en volgens mij heb ik zulke ongebruikelijke beloningen weten te bedenken dat zelfs Hendon ze niet kan raden.'

Crowel staarde haar aan, zijn lippen weken licht uiteen. 'Aha,' zei hij ten slotte. 'Aha. Dat is interessant, Hoogheid.'

'Dus wanneer u die lieve Hendon schrijft, vergeet dan niet hem dat te vertellen. Zoals u zult merken heb ik heel veel – en heel machtige – vrienden hier in Syan, en ze zijn het er allemaal over eens dat zo'n nobel, loyaal rentmeesterschap als dat van Hendon een gepaste beloning verdient.'

Van alle honderden mannen en vrouwen die deel uitmaakten van het hof van Koning Enander, waren er maar heel weinig die hun best deden om een gesprek met Brionie aan te knopen of om ook maar iets verder te komen dan een vluchtige kennismaking. Een van die weinigen was Ivgenia e'Doursos, de dochter van de burggraaf van Teryon, een klein maar belangrijk gebied in het hart van Syan, ten zuiden van de hoofdstad. Het feit dat Ivgenia het initiatief nam tot contact, betekende in Brionies ogen dat ze haar niet kon vertrouwen – de kans was te groot dat ze voor de geliefde van de koning werkte. Ondanks dat merkte Brionie dat ze genoot van Ivgenia's gezelschap.

Ze ontmoetten elkaar tijdens een van de ongemakkelijke diners in de grote zaal, met tientallen tafels en honderden bedienden, zodat de lucht gonsde van de stemmen en het geroezemoes. Ivgenia was bij de tafelindeling tegenover Brionie gezet, die op haar beurt naast een al wat oudere edelman zat, die te veel wijn dronk en hardnekkig probeerde een blik te werpen in Brionies decolleté. Tegen het eind van de maaltijd viel hij van zijn stoel en moest hij door bedienden overeind worden geholpen. Het donkerharige meisje boog zich over de tafel heen naar Brionie, terwijl de baron strompelend de zaal verliet, op weg naar zijn kamer. 'Wij provincialen kunnen nog zoveel leren van deze verfijnde Tessiërs,' zei ze met een stalen gezicht. Brionie moest zo lachen dat ze bijna stikte in een stuk brood. Dat was het begin van hun vriendschap.

Ivgenia was in het kader van haar opleiding naar het hof gestuurd, en ze had in elk geval geleerd aandacht te hebben voor wat er om haar heen gebeurde. Ze was dan ook een onuitputtelijke bron van roddels en geamuseerde observaties, en ze beschikte over bijna dezelfde droge humor als Barrick. Net als Brionie was Ivgenia een buitenstaander aan het hof, niet vanwege haar afkomst – daar mankeerde niets aan – maar vanwege haar intelligentie, een kwaliteit die in Syan bij meisjes niet bijzonder hoog werd aangeslagen, althans niet bij meisjes die jong en knap genoeg waren om die niet nodig te hebben. Een goed verstand was nuttig gereedschap voor ambitieuze mannen en lelijke vrouwen, luidde een populair gezegde.

Het ging er in Syan in sommige opzichten losbandiger aan toe dan Brionie gewend was – de vrouwen kleedden zich uitdagender en de mannen lieten veel meer been zien dan de hovelingen in Zuidermark – maar in andere opzichten waren de opvattingen juist conservatiever, misschien vanwege de sterke en plaatselijke invloed van het geloof in het Trigonaat. De beroemde tempel van de Trigonarch stond op een rotsachtige heuvel in het hart van Tessis, de torens waren nog hoger dan het koninklijk paleis, en de invloed van de Trigon was overal merkbaar. Iedereen droeg de Triskelion, en bijna dagelijks werd er wel een of ander heilig feest gevierd. En zoals Koning Enander aan zijn linkerzijde altijd werd geflankeerd door Vrouwe Ananka, zo verscheen aan zijn rechterhand onveranderlijk de machtigste priester van het Trigonaat, Hiërarch Phimon, van wie werd beweerd dat alleen de drie broedergoden sneller toegang kregen tot het luisterend oor van de Trigonarch.

'Als u hier iets voor elkaar wilt zien te krijgen, Hoogheid, moet u de hiërarch aan uw kant hebben,' zei Ivgenia toen ze op een dag naar Brionies vertrekken was gekomen. 'Het schijnt dat de Trigonarch doorgaans naar de hiërarch luistert, dus misschien kan hij u helpen uw koninkrijk terug te krijgen!' Zoals iedereen in het paleis, wist Ivgenia althans iets van Brionies situatie; een prinses die werd verjaagd uit haar eigen land, dat hoorde je niet elke dag, zelfs niet in zo'n grote, belangrijke stad als Tessis.

Brionie huiverde vluchtig – werd ze gemanipuleerd? Zou Ivgenia eventuele plannen van haar rechtstreeks doorbrieven naar Ananka? 'Hiërarch Phimon heeft vast en zeker wel wat beters te doen,' zei ze dan ook op haar hoede. 'Dus ik wacht tot Koning Enander een besluit neemt over zijn plannen met Zuidermark. Ik ben ervan overtuigd dat hij een wijze beslissing zal nemen.'

Ivgenia haalde haar schouders op. 'Dat is misschien maar beter ook, want u bent niet echt zijn type. Er wordt beweerd dat er maar drie soorten mensen zijn die de hiërarch interesseren: jonge jongens met een mooie stem, oude vrouwen met heel veel geld, en trigonarchen.'

'Maar Ivvie, er is maar één trigonarch!' protesteerde Brionie lachend.

'Tja, dat maakt de laatste categorie wel erg klein,' moest Ivgenia toegeven. 'En u bent geen jonge jongen, ook al heb ik gehoord dat u hebt geprobeerd daarvoor door te gaan. Dus u kunt maar beter zorgen voor een welgevulde geldbuidel, Grootmoeder.'

'Ach! Gekkerd!' Brionie gooide een kussen naar haar hoofd. Als Ivgenia een verklikker was, dan deed ze haar werk wel erg bekwaam. En zelfs een onoprechte vriendin die zo onderhoudend was als Ivgenia e'-Doursos, was veruit te verkiezen boven een leven in eenzaamheid. Toch had Brionie Eddon elke avond dat ze ver van haar gestolen land in haar luxueuze Tessische bed kroop, meer moeite om in slaap te komen.

'Ik heb vandaag opnieuw verschillende keren het woord Kallikanters horen vallen,' zei Brionie. 'Wat zijn dat?'

Diverse hofdames maakten ontstelde geluidjes, maar Ivgenia vroeg: 'Wilt u ze zien? Ik weet zeker dat u ze erg interessant zult vinden.'

Ze stonden net op het punt om de Bloemengaard, het grote marktplein in Tessis, te verlaten. Brionie voelde zich overweldigd. Alleen al de omvang van de markt was verbijsterend. Het leek wel alsof er op die ene dag meer mensen langs de kramen en dekens dromden dan er in alle Mark Koninkrijken bij elkaar woonden. Bovendien bezorgde de schitterende veelzijdigheid van de koopwaar haar het gevoel dat ze niet alleen arm was, maar ook onwetend. Van minstens de helft van de aangeboden waren had ze nog nooit gehoord, en hetzelfde gold voor de plekken waar die vandaan kwamen.

'Interessant...' herhaalde ze langzaam, zich omdraaiend naar een ossenkar, hoog opgetast met huisaltaren, beschilderd met bladgoud. Over slechts enkele weken zou Groot Zosimia worden gevierd, een volksfeest ter ere van het eind van de winter. Thuis in Zuidermark was het feest voornamelijk een excuus om de beelden van de goden te versieren met wijnranken en gedroogde bloemen, maar blijkbaar werd het feest hier in Syan veel uitbundiger gevierd. 'Als ik nog meer interessants te zien krijg, ben ik bang dat mijn hoofd opzwelt en als een zeepbel uiteenspat... Maar... maar het lijkt me wel leuk om naar de Kallikanters te gaan. Tenminste, hebben de wachten daar geen bezwaar tegen?'

Ivgenia wierp een blik op de vier soldaten in hun blauwe wapenkleed en rolde met haar ogen. 'Ze zijn hier om u te bespioneren, niet om ons te zeggen wat we moeten doen of laten. Dus waar we ook naartoe gaan, zij gaan mee.'

Brionie boog zich dichter naar haar vriendin. 'Is dat echt waar, denk je?' vroeg ze op gedempte toon.

'Wat? Dat ze meegaan? Of dat ze hier zijn om u te bespioneren?' Ivgenia vertrok haar gezicht. 'Het zijn misschien niet allemaal spionnen, Hoogheid, maar ik kan u verzekeren dat op z'n minst een van het stel aan het eind van de dag verslag gaat uitbrengen aan de uitverkorene van de koning. Dus dan kunnen we maar beter zorgen dat hij wat te vertellen heeft.'

Met haar rokken iets opgetild, zodat ze niet over de modderige weg sleepten, nam de donkerharige Ivgenia de leiding en loodste Brionie, de hofdames en de soldaten weg van de markt. In plaats van de richting van het paleis in te slaan, stak ze de brede, drukke Lantaren Dreef over, vlak bij het Devona Plein met de gelijknamige fontein. Eenmaal aan de overkant liep ze een gewone, smalle straat in – tenminste, zo zag het eruit, dacht Brionie, ook al wees de lijn van de daken erop dat hij hoger lag dan de straten aan weerskanten. Pas toen ze zich een weg hadden gebaand door de kolkende mensenmassa zag Brionie dat de hoge straat in werkelijkheid een brug was – een brug over de rivier, met aan weerskanten winkels en huizen.

'Daar wonen ze,' zei Ivgenia. 'Op de andere oever van de Ester. Ze noemen het "Neerbrugge".'

'Wie noemt het zo?'

'Dat zult u wel zien. Kom mee!' Ivgenia loodste Brionie, de onverstoorbare soldaten en de nerveuze hofdames door de menselijke rivier de brug over. Het was Dimene, dus nog koud en winderig, amper twee maanden na het begin van het nieuwe jaar. Waar kwamen al die mensen vandaan, vroeg Brionie zich af. En hoe zou het er hier uitzien in Hexamene, onder de warme zon, met kramen vol verse vruchten en groenten en bloemen op de markt?

Toch maakte deze verbijsterende, intimiderende stad dat ze haar thuis miste – de bescheiden Grote Markt (hoewel ze die nooit eerder als bescheiden had beschouwd) en zelfs Markt Straat, die slechts een steegje leek vergeleken bij de meeste grote straten in Tessis, laat staan vergeleken met de Lantaarn Dreef, zo breed als een toernooiveld, een straat met enorme stenen looppaden in het midden zodat voetgangers zich in veiligheid konden brengen voor de zware wagens die af en aan reden. Hier en daar waren zelfs kleine huizen op deze hooggelegen looppaden gebouwd! Brionie kon haar ogen bijna niet geloven – een weg die zo breed was dat er in het midden huizen konden staan!

Maar het was niet haar thuis. En wat belangrijker was, ze hadden haar hier niet nodig, noch waren ze echt blij haar hier te hebben.

Aan de overkant van de brug vroeg Ivgenia de soldaten te blijven staan. Ze beloofde dat Brionie en zij in het zicht zouden blijven en liet de hofdames achter om de soldaten te vermaken. Daar hadden de jonge vrouwen duidelijk geen bezwaar tegen, want Brionie kreeg de indruk dat ze de Kallikanters – wat dat ook mochten zijn – eigenlijk maar vulgair vonden. Ivgenia schoof haar arm door die van Brionie en loodste haar een buurt in waar de huizen en de winkels zo klein waren, dat Brionies eerste gedachte was dat ze waren gebouwd voor een koningskind – een poppenstráát in plaats van een poppenhuis. De deuren reikten nauwelijks tot haar schouders.

Terwijl ze haar blik door de straat met de kleine huizen liet gaan en wenste dat ze een keukentrapje had zodat ze door de ramen op de bovenverdiepingen kon kijken, kwam er een paar deuren verderop een vrouw naar buiten. Ze reikte tot Brionies middel en blijkbaar wilde ze een pan met etensresten leeggooien. In haar kielzog volgden enkele piepkleine kindertjes. De kleintjes zagen Brionie en Ivgenia onmiddellijk en keken hen met onverholen belangstelling aan. Maar de vrouw besefte pas dat er naar haar werd gekeken toen ze de pan al had leeggeschud. Roerloos als een verschrikte muis en met opengesperde ogen nam ze de edelvrouwen langdurig op, toen pakte ze de kinderen bij de arm, ze vluchtte haar huis in en trok de deur achter zich dicht.

'Als we mannen waren geweest, of als we de soldaten bij ons hadden gehad, zou iemand die klok daar hebben geluid.' Ivgenia wees naar een tempeltoren, die zoals alles hier maar half zo groot was als de gebouwen in de rest van de stad. 'En er zou waarschijnlijk helemaal niemand naar buiten zijn gekomen. In deze hele straat wonen mensen zoals de vrouw die u net hebt gezien. Tientallen, misschien wel honderden.'

'Zijn het Funderlingen?'

'Nee gekkie, dit zijn de Kallikanters! Die wilde u toch zien?'

'Thuis noemen we ze Funderlingen. Ik wist niet dat jullie ze hier ook hadden.' Brionie schudde haar hoofd; het was alsof ze droomde. 'Wat merkwaardig! En ze hebben zelfs een andere naam! Die van ons wonen in hun eigen stad, onder Kasteel Zuidermark. Die hebben ze uitgehakt in de rotsen. Het gewelf is heel beroemd, versierd met bladeren en vogels die net echt lijken, en...'

'De inwoners van de stad, de koning voorop, hebben de onze gedwongen hier te bouwen, goed in het zicht,' vertelde Ivgenia. 'Want ze halen soms rare streken uit. En ze stelen.'

Dat had Brionie thuis over de Funderlingen nooit horen beweren; daar waren het de Jutters die als onbetrouwbaar werden beschouwd, met hun vreemde uiterlijk en hun rare taal. 'Hebben jullie ook Jutters?' vroeg ze.

Maar Ivgenia was al doorgelopen en wenkte Brionie haar te volgen, de smalle, kronkelende straat door, dieper de buurt van de Kallikanters in. Op dat moment kwamen de ongeruste wachten haastig achter hen aan, en Brionie hoorde dat overal bovenramen werden dichtgegooid en luiken naar beneden werden gedaan, terwijl de kleine mensen hun geheimen veilig wegsloten voor het grote volk.

Tegen de tijd dat ze terug waren in Dreefstaete hadden ze het avondeten in de grote banketzaal gemist. Ivgenia ging op zoek naar iets te eten, maar Brionie was moe. Ze had echter nog wel trek, dus na een tijdje stuurde ze Talia, haar jongste hofdame, naar de keuken om te vragen om een kop soep en wat brood, terwijl de andere hofdames haar hielpen de veters van haar strakke keursje los te maken en haar schoenen en kousen uit te trekken. Het vuur in de haard brandde lustig, en ze snakte ernaar haar koude tenen te warmen.

Ze had het zich gemakkelijk gemaakt voor het vuur en was misschien zelfs even ingedommeld, toen een gruwelijk gekletter op de gang haar deed opschrikken. Een van de hofdames rende naar de deur, keek de gang in en begon te gillen.

Brionie werkte zich langs het dodelijk verschrikte meisje heen. Daar lag de kleine Talia, voorover in de gang, in een plas van gemorste soep en omringd door aardewerkscherven. Toen Brionie haar omdraaide, zag ze dat het gezicht van het meisje donkerpaars was geworden; de blik in haar ogen verried dat haar einde gruwelijk moest zijn geweest. Brionie sprong op, vechtend tegen de aandrang om te braken. De kleine hofdame was morsdood.

'Vergiftigd!' Brionies benen trilden zo dat ze houvast moest zoeken bij de muur. De dienstmeisjes en de andere hofdames dromden met verschrikte gezichten in de deuropening samen. 'Dat arme kind! Blijkbaar heeft ze van de soep gedronken. Ze zei dat ze ook trek had. O, genadige Zoria! Die soep was voor mij bedoeld.'

6
Gebroken tanden

'*Het Boek van Berouw* is een elfenkroniek waarvan wordt beweerd dat die
verslag doet van al wat ooit is gebeurd en van al wat nog gaat komen.
Volgens Rhantys is elke bladzijde van gehamerd goud en is het boek
gebonden in zuivere diamant. Sommige oude verhalen suggereren dat niet
zozeer de ontvoering van Zoria, alswel de diefstal van dit boek de inzet was
van de Theomachie, of de Godenstrijd.'

Uit *Een Verhandeling over de Elfenvolken van Eion en Xand*

Barrick had zijn zuster Brionie vaak bekritiseerd om haar slordigheid.
Ze liet de honden in haar bed slapen, zelfs in warme nachten, ze liet
overal haar schoenen slingeren, en ze was bereid de smerigste, weerzin-
wekkendste schepselen aan haar borst te koesteren zolang ze maar net
ter wereld waren gekomen – of het nu ging om jonge hondjes, veulen-
tjes, jonge katjes, lammetjes of kuikens. Maar ondanks alle keren dat
Brionie haar broer, die aanzienlijk kieskeuriger was dan zij, tot wanhoop
had gedreven, toch wenste hij niets liever dan dat hij haar om vergiffenis kon vragen voor zijn verwijt dat er op de hele wereld niemand rondliep die zo slonzig en rommelig was als zij... Want inmiddels wist hij
beter. Geen enkel levend schepsel, zelfs geen blinde worm in het pri-
vaat van Kernios, kon zo weerzinwekkend zijn als de raaf Skurn, met
zijn maaltijden van kikkerdril en rottende muizenkadavers, met zijn sjo-

fele veren waarin het krioelde van het ongedierte, en met de geur van bloed, drek en rotting die om hem heen hing.

De grote donkere vogel was altijd aan het eten, waarbij zijn kop boven de onbeschrijfelijkste gruwels op en neer deinde met de razend makende regelmaat van een waterrad in een snelstromende rivier. En Skurn at alles, echt alles – torren die hij uit de lucht hapte, uitwerpselen van andere vogels die hij van boomtakken pikte, slakken, met of zonder huis, en alle andere schepsels die te traag waren om aan zijn hoornachtige, zwarte snavel te ontkomen. Bovendien was hij bepaald geen nette eter: zijn borst was altijd bedekt met aangekoekte resten van wat hij tijdens zijn laatst genuttigde maaltijd had gemorst – waaruit die ook mocht hebben bestaan – en met niet zelden hier en daar nog delen die zwakjes bewogen. Zijn andere gewoonten waren zo mogelijk nog verschrikkelijker. Onder de gunstigste omstandigheden was hij al buitengewoon onzorgvuldig met het kiezen van een plek om zich te ontlasten, maar wanneer hij schrok liet hij werkelijk alle discretie varen; dan konden zijn uitwerpselen volkomen onvoorspelbaar op Barricks schouders spatten, zelfs in zijn haar!

'Maar ons schijt u niet met opzet onder!' zei de vogel na weer zo'n ongelukje, toen hij was geschrokken van een vallende tak. 'En eerlijk is eerlijk, ons heeft u tot dusverre gevrijwaard van de spinsels.'

Dat was inderdaad waar, moest Barrick toegeven. Sinds zijn terugkeer had Skurn hem door het Zijdewoud geloodst zonder dat ze nog waren lastiggevallen door de wezens met hun zijden strengen waaraan het woud zijn naam dankte. Ze waren een tijdje gevolgd door een groepje zwijgende belagers – dat was inmiddels alweer een paar keer slapen geleden – maar die hadden zich niet verder gewaagd dan de lagere takken. Misschien had het nieuws de ronde gedaan hoe hij met hun verwanten had afgerekend, dacht Barrick met een zweem van trots. (Het lag echter meer voor de hand dat ze wachtten tot ze versterking kregen, besefte hij.)

Sinds de vorige dag had hij niets meer gezien wat op hun aanwezigheid duidde. Het was hem zelfs gelukt een paar uur te slapen terwijl Skurn de wacht hield – tenminste, dat zei hij. Niet alleen liet de vogel zich uitsluitend leiden door eigenbelang, maar hij was bovendien al oud. Barrick had hem zelfs een keer al vliegend zien indommelen, zodat hij de controle over zijn vleugels verloor en met zijn kop tegen een boomstam knalde, waarna hij als een kluit zwarte bladeren naar de grond was getold. Terwijl hij zich naar hem toe haastte, had Barrick zeker geweten dat de raaf zijn nek had gebroken.

Is het ketterij om tot de goden aan wier welwillendheid en zelfs aan wier bestaan je twijfelt, te bidden voor het welzijn van een bruut van een vogel, die je nota bene niet eens aardig vindt, vroeg Barrick zich onwillekeurig af.

'Volgens mij heb je geen idee waar we heen moeten!' riep hij naar de raaf. 'We lopen in een kringetje!'

'Niet waar!' protesteerde Skurn. 'Alles ziet er hier hetzelfde uit omdat het bos almaar doorgaat... almaar door...'

'Ik geloof er niks van.'

Door de mist, de dicht op elkaar staande bomen en het eeuwige schemerlicht had Barrick nooit echt een idee kunnen krijgen waar hij was of hoe dit gedeelte van de schaduwlanden eruitzag. Maar ze trokken al zo lang door een eindeloze uitgestrektheid van bomen die zich in niets van elkaar onderscheidden, dat hij ernaar snakte de horizon te zien. En dus begon hij, tegen Skurns krachtige advies in, een heuvel op te klimmen, in de hoop dat de top kaal zou zijn zodat hij over de bomen heen kon kijken.

'Altijd laag blijven, nooit de hoogte in,' zei Skurn, nerveus fladderend terwijl hij uit alle macht probeerde de takken boven zijn kop te vermijden. 'Dat weet iedereen met ook maar een greintje verstand!'

'Ik niet.' Barrick had geen zin om te praten; zijn arm deed pijn en hij wilde zijn adem zo veel mogelijk sparen voor de klim.

Somber mompelend vloog de raaf voor hem uit langs de helling omhoog, maar hij was al snel weer terug.

'Ons denkt dat ons deze plek kent. Hier woont het Alver Volkje. Het nestelt tot in de wijde omtrek.'

'Het Alver Volkje?' Barrick schudde zijn hoofd. 'Wat zijn dat? En zijn ze erger dan de spinsels?'

De raaf trok zijn kop tussen zijn veren, alsof hij zijn schouders ophaalde. 'Ik geloof het niet. Sterker nog, ze zijn best binnen te houden, op voorwaarde dat je ze van hun wapens weet te ontdoen...'

'Hou maar op!'

'Ze zijn misschien niet erger dan de spinselwezens,' mopperde de raaf, 'maar ons heeft ook niet gezegd dat ze áárdig waren.'

Misschien een uur later ploeterde Barrick nog altijd heuvelopwaarts en probeerde geen acht te slaan op zijn arm die brandde als vuur, terwijl hij zich over omgevallen boomstammen werkte en door struikgewas dat zich aan hem leek vast te klampen – het ergst waren de kruipers waarvan de ranken waren bedekt met kleine doorns en waarvan de dikste stengels uitliepen in deinende, fluweelachtig zwarte bloemen, zo groot als kolen. De kruipende slingerplanten leken hele hellingen te overwoekeren en alle andere gewassen, zelfs bomen, te verstikken. De ranken vormden zo'n dichte wirwar dat hij een zeis nodig zou hebben gehad om zich er een weg doorheen te banen, en zelfs met een zeis zou het een zwaar, zweterig karwei zijn geweest. Waar Barrick op de ranken met zwarte bloemen stuitte – en in deze heuvels waren ze overal – had hij geen andere keus dan rechtsomkeert maken en eromheen lopen. Toch had de eeuwige schemering één voordeel, namelijk dat het niet alleen nooit echt licht werd, maar ook nooit volledig donker. Dus hij hoefde tenminste niet bang te zijn dat de nacht hem halverwege de helling zou overvallen.

Maar waar kwam die schemering vandaan? Barrick begreep dat wolken en mist het land konden bedekken en de zon buitensluiten, maar hoe konden ze het licht vasthouden nadat de zon was ondergegaan? Zogen ze de zonnestralen op, terwijl ze het land onder zich in voortdurende schemering hielden, zoals een droge lap zich volzoog in een plas water? Was dat de verklaring waardoor er licht uit het wolkendek bleef lekken, ook lang nadat de zon was verdwenen?

Wat doet het ertoe? Het is gewoon elfenmagie. Maar hij kon het niet laten zichzelf vragen te stellen over de goden, die voor zover hij had begrepen niet zo heel anders waren dan de mensen; tenminste, als het ging om de manier waarop ze hun leven leidden. Misschien waren Perin en Kernios en de anderen niet de meesters van de mensheid geworden omdat ze goden waren – misschien waren ze goden geworden omdat ze machtig genoeg waren geweest zich op te werken tot de meesters van de mensheid...

Skurn viel uit de lucht en streek neer op zijn schouder, zodat Barrick van schrik een luide verwensing slaakte. 'Sst!' siste de raaf in zijn oor. 'Er beweegt iets tussen de bomen, daar verderop.'

Met bonzend hart trok Barrick zijn gebroken speer uit zijn riem, hij haalde diep adem, deed een paar stappen naar voren en duwde een tak opzij, zodat er een kleine open plek zichtbaar werd, een betrekkelijk kaal stuk op de helling. Hij kon inderdaad duidelijk beweging zien in het gebladerte, en er klonk geritsel tussen de takken, maar toen hij uiteindelijk zag wie daarvoor verantwoordelijk waren, bleek het te gaan om wezentjes die nog kleiner waren dan zijn pink.

'Het zijn... een soort kabouters!' riep hij uit. 'Zoals in de verhalen!'

Hij had het nog niet gezegd of vlakbij klonk uit het groen een schril hoornsignaal, waarop hij van alle kanten werd bestookt met scherpe, kleine voorwerpen. Twee of drie boorden zich in de rug van zijn hand. Barrick slaakte een kreet van pijn en probeerde de piepkleine pijlen af te schudden, maar er volgde opnieuw een regen van minuscule projectielen voorzien van weerhaken, die als horzels in zijn gezicht en in zijn schedeldak staken.

'Hou op!' Hij wendde zich haastig af, maar hoe hij ook draaide, hij bleef het doelwit van de scherpe pijltjes. Ten slotte sloeg hij een arm voor zijn gezicht en rende naar voren, naar de dichtstbijzijnde tak waarop hij de kleine schutters had gezien. Terwijl die zich uit de voeten maakten, ving Barrick vluchtig een glimp op van chitine wapenrustingen, als torrenschilden. Hij greep de tak toen er nog maar een paar hadden weten te ontsnappen en schudde die krachtig tot er aan alle kanten kleine krijgers naar beneden vielen. Hij ving er zo veel mogelijk op – misschien een stuk of vijf, zes – en hief de wriemelende, maar zo goed als ongedeerde kluwen als een schild boven zijn hoofd. In de takken boven zich hoorde hij schelle kreten, en de storm van miniatuurpijlen ging plotseling liggen. 'Zeg dat ze ophouden met schieten!' riep hij naar Skurn. 'Dat we geen kwaad in de zin hebben!'

'Ons heeft toch gewaarschuwd om niet de hoogte in te gaan,' hielp Skurn hem nors herinneren, maar even later hoorde Barrick dat de raaf zich tot het kleine volkje richtte met een luidruchtige stroom van rollende, ratelende klanken. Nadat hij even had gezwegen begon Skurn opnieuw te praten; Barrick vermoedde dat de stem van de woordvoerder van het kleine volkje zo zacht was dat hij die niet kon horen. De stem van de raaf en de ogenschijnlijke stilte wisselden elkaar geruime tijd af.

'Ons denkt dat het Alver Volkje ons wel een vrijgeleide willen geven als u hun makkers laat gaan. Ons heeft hun verteld dat u er niet meer dan twee of drie wilt houden om op te eten.'

'Om op te eten? Wat...' Ineens begreep Barrick het. 'Smerige raaf! Mogen de goden je vervloeken! Natuurlijk eten we ze niet óp!'

'U niet,' zei Skurn gekwetst. 'En dat had ik ook niet verwacht. Ik had ze meer voor mezelf gedacht...'

'Hoe kun je dat nou zeggen! Dit zijn mensen... in elk geval een sóórt mensen. En dat is meer dan van jou kan worden gezegd.' Barrick keek naar zijn hand. Een van de piepkleine, in boombast gehulde mannen klampte zich uit alle macht vast aan zijn mouw, terwijl hij met zijn benen boven een voor hem angstaanjagende diepte bungelde. De helm van het kleine kereltje, gemaakt van een vogelschedel, was afgevallen en zijn ogen puilden van angst bijna uit hun kassen. 'Mogen de Drie Broeders ons genadig zijn, ze dragen zelfs een wapenrusting!' Terwijl hij zijn hoofd nog altijd afschermde, bewoog Barrick zijn arm dichter naar zijn lichaam, zodat de kleine krijger zich in veiligheid kon brengen via zijn haveloze jas.

'O, die wapenrusting heb je zo los,' zei Skurn. 'Wat daaronder zit is best binnen te houden. Vooral de jonge...'

'Hou toch je mond! Je bent walgelijk. En niet om het een of ander, maar terwijl jij hoog en droog in een boom je vreselijke praatjes uitslaat, krijg ik een pijl in mijn oog als er iets misgaat. Zeg maar dat ik ze allemaal neerzet als ze dat willen, en dat ze niet meer op me moeten schieten. Zeg dat ik ze állemaal laat gaan, anders trek ik je je staartveren uit. Dat zweer ik bij de goden!'

Terwijl de raaf de boodschap overbracht, nam Barrick zijn handen van zijn hoofd en bracht ze naar de grond. De kleine mannetjes, die hun verzet uit doodsangst of uit praktische overwegingen hadden gestaakt, lieten zich voorzichtig van zijn hand glijden, de vrijheid tegemoet. Hij hoopte dat hij er geen had gedood, niet omdat hij zich daarvoor zou schamen – ze hadden hem tenslotte met pijlen bestookt – maar omdat de situatie daardoor nog ingewikkelder zou worden. Dat was een les die hij van zijn vader had geleerd. *'Wrijf een verslagen vijand nooit met zijn gezicht door het stof,'* had Olin vaak gezegd. *'Tenminste, als je van plan bent hem uiteindelijk weer te laten opstaan. Beledigingen hebben meer tijd nodig om te genezen dan verwondingen.'* Barrick had zich er nooit veel bij kunnen voorstellen, al was het maar omdat híj voor zijn gevoel doorgaans degene was die met zijn gezicht door het stof werd gehaald. Maar inmiddels begon hij zijn vader te begrijpen. De weg door het leven was misschien wel enigszins te vergelijken met de tocht door dit afschuwelijke woud: hoe minder haat je achter je liet, hoe minder reden je had om over je schouder te kijken en hoe meer tijd om je bezig te houden met wat voor je lag.

Toen de gevangenen zich allemaal in veiligheid hadden gebracht, kwam de rest van het Alver Volkje langzaam tevoorschijn tussen de bomen en van onder de struiken, zodat er uiteindelijk misschien zo'n honderd op de open plek stonden. Het waren niet alleen hun minuscule afmetingen waardoor ze verschilden van gewone mensen, concludeerde Barrick: hun gezicht was langer, met vreemde gelaatstrekken, vooral hun puntige neus en kin waren nogal merkwaardig, en bij sommigen leken hun armen en benen zo dun als spinnenpoten. Maar voor het overige waren ze niet zo anders dan de mens. Hun wapenrusting was met grote vindingrijkheid samengesteld uit stukjes boombast, notendoppen en insectenschilden, hun speren zagen eruit als geslepen botjes. En de blik op hun gezicht was dezelfde als die van een troep soldaten van normaal formaat die zich geconfronteerd zagen met een ongemakkelijke wapenstilstand; terwijl Barrick naar hen toe kroop, sloegen ze hem angstig en wantrouwend gade, klaar om bij het eerste teken van verraad het struikgewas weer in te vluchten.

Toen Barrick eenmaal voor hen zat, stapte een van de leden van het Alver Volkje uit de groep naar voren en begon te praten, met een hoge stem die deed denken aan het geluid van een jong vogeltje. Ondanks zijn fluitende tonen bood hij een buitengewoon krijgslustige aanblik met zijn glimmende, blauwgroene schild van een kever, zijn met linten ingevlochten baardje en zijn helm bestaande uit een vissenkop met veel tanden.

'Hij zegt dat hij de wapenstilstand respecteert,' vertaalde Skurn. 'Maar als u bent gekomen om het heilige goud uit de korven van zijn volk te stelen, zullen hij en zijn mannen zich tot het uiterste verzetten en er zo nodig hun leven voor geven. Volgens de eed die ze hebben afgelegd aan hun voorouders, hebben ze de plicht hun korven en honingpaarden te beschermen.'

'Korven?' Barrick schudde zijn hoofd. 'Honingpaarden? Bedoelt hij bijen?' Bij de gedachte aan honing – hij had al maanden niets zoeters gegeten dan zure bessen – liep het water hem in de mond. 'Zeg maar dat ik ze geen kwaad zal doen,' zei hij. 'Dat ik op weg ben naar Qulna-Qar.'

Na opnieuw een stroom van rollende, ratelende klanken keerde Skurn zich weer naar Barrick. 'Als u niet van plan bent hun schat te stelen, dan moeten ze ervandoor, zegt hij, om anderen in de gaten te houden die het daar wel op gemunt hebben.' Skurn pikte naar zijn borstveren om een vlo te verschalken. 'Ze blijven nooit lang op open terrein – ze voelen zich nu al ongemakkelijk, zonder dekking van de schaduwen.' Skurn hield zijn kop schuin toen de kleine aanvoerder opnieuw het woord nam. 'Maar omdat u een eerzaam man bent en ze niet willen dat u een gruwelijke dood sterft, waarschuwen ze u om niet in de buurt van de Vervloekte Hoogte te komen.'

'De Vervloekte Hoogte? Wat is dat?'

'Ons heeft ervan gehoord,' zei de raaf ernstig. 'Maar niets goeds. Ons zou onze weg moeten vervolgen.'

Maar de aanvoerder was nog niet klaar. Hij slaakte opnieuw een reeks fluittonen en wees opgewonden naar de raaf.

'Wat zegt hij?'

'O, niks,' zei Skurn, overdreven ongeïnteresseerd. 'Vrijblijvend gepraat. Woorden van vaarwel en zegen, dat soort dingen.'

De stem van de aanvoerder steeg in hoogte. Blijkbaar had het Alver Volkje een erg hardnekkige manier van afscheid nemen.

'O, nou zeg dan maar dat ik hen dank en...' Barrick kneep zijn ogen tot spleetjes. 'Wat heb je daar onder je poot, Skurn?'

'Hè? Wat?' De vogel keek omhoog in plaats van Barricks wijzende vinger te volgen. 'O, niks. Helemaal niks, meester.'

Als Barrick het zwakjes worstelende piepkleine mannetje al niet had gezien, zou het feit dat Skurn hem 'meester' noemde de raaf hebben verraden. 'Je houdt er nog een gevangen, waar of niet? Een van de gewonden. Mogen de goden je vervloeken! Laat die arme kerel gaan of ik trek je echt al je veren uit! En je snavel!'

De raaf tilde met een verwijtende blik zijn geschubde, zwarte poot op. Een stuk of vijf, zes leden van het Alver Volkje haastten zich naar voren om hun gewonde kameraad af te voeren. Toen ze hem in veiligheid hadden gebracht, verdween de hele troep kleine krijgers haastig tussen het struikgewas.

'Je bent walgelijk.'

'Hij was toch al ernstig gewond,' zei Skurn mokkend. 'Ze kunnen weinig meer voor hem doen. En hebt u wel gezien hoe aangenaam vlezig hij was?'

Ik trek mijn eerdere gebeden terug, zei Barrick geluidloos tegen de goden. *Ik had niet het recht uw hulp te vragen voor zo'n gevleugelde ellendeling.*

Het viel niet mee om volledig te begrijpen wat een stel angstige kleine mannetjes hem te vertellen had, en dan ook nog in de vertaling van een chagrijnige raaf, maar Barrick maakte uit hun woorden op dat Skurn en hij zich op een soort heuvelrug bevonden die door het hele woud liep, en dat ze terug moesten naar de vlakke bosgrond om de plek te vermijden die de Vervloekte Hoogte werd genoemd. Waarom die plek zo heette, werd hem niet duidelijk. Skurn was in mokkend stilzwijgen vervallen en had niet méér willen zeggen dan 'wie verdwaalt en daar belandt, komt gek of in elk geval anders terug'.

Als Barrick het minuscule volkje goed had begrepen, zouden ze, eenmaal voorbij die onheilspellende plek, na misschien nog een dag lopen het gebied van de spinsels verruilen voor veiliger streken.

Hoe onplezierig hij het ook had gevonden om door tientallen piepkleine pijlen te worden beschoten, toch zag Barrick het Alver Volkje met spijt vertrekken. Als kind had hij talloze verhalen over de kleine mensjes gehoord, maar hij had niet gedacht dat hij ze ooit te zien zou krijgen – in de gangen en zalen van Zuidermark vertoonden ze zich niet. Maar hier, in dit schemerige rijk, had hij ze ontmoet. Alweer een bewijs dat zijn leven zich nog vreemder had ontwikkeld dan hij ooit had kunnen denken.

Niet alleen vreemder, ook erger dan ik had kunnen denken, besefte hij somber.

Ze vervolgden hun weg naar de top van de heuvelrug en vonden uiteindelijk een rotsachtige uitstulping die zich een paar el boven de bomen verhief, zodat Barrick althans iets van het omringende gebied zou kunnen zien. Terwijl hij vermoeid naar boven klom, herinnerde hij zichzelf eraan dat het gevoel alsof de tijd verstreek weliswaar in een groter verband klopte, maar in de situatie waarin hij zich bevond, toch vooral een illusie was: hoe donker de hemel ook was, de zon stond niet op het punt onder te gaan. En hoewel hij over niet al te lange tijd zou moeten stilhouden om te slapen, zou hij dat niet in het donker doen. Wanneer hij een paar uur later dan weer zou ontwaken, gold dat niet voor de zon. In dit vreemde land bleef alles altijd hetzelfde.

En misschien was de situatie in Zuidermark en de Mark Koninkrijken inmiddels ook wel zo, dacht hij. *Misschien hebben de Qar deze deken van schaduw over alle landen van de mensheid gesleept. Misschien zien Brionie en de anderen in Zuidermark ook niets anders meer dan schemer.* Het was een naargeestige, ontmoedigende gedachte.

Uitkijkend over de geplooide, mistige zee van boomtoppen besefte hij dat de kleine mensen gelijk hadden gehad: hij bevond zich op een langgerekte heuvelrug die zich als een hoge dam door het woud slingerde. Voor hem, op het punt waar de mist het dichtst was, verhief zich een eenzame top aan de horizon, die zowel boven de bomen als boven de heuvelrug uitstak, een reusachtige, groene kolos omhuld door mistslierten. De top van de heuvel werd omkranst door rotsachtige uitstulpingen die eruitzagen als afgebroken tanden. Misschien kwam het door de manier waarop hij boven de zee van mist uittorende en tegelijkertijd

zijn eigen sluier van nevelen had, dat de heuvel een eeuwenoude, geheimzinnige aanblik bood, als een bedelaar die zo dik in oude vodden
was gewikkeld dat hij pas opviel zodra hij bewoog.

Barrick besefte dat hij de goede raad van het Alver Volkje maar al te
graag ter harte zou nemen: hij was niet van plan om zelfs maar in de
buurt van de Vervloekte Hoogte te komen.

Hij was doodmoe, maar terwijl hij niets ziend voor zich uit lag te staren lukte het hem niet in slaap te komen. De oude raaf zat dicht naast
hem, met zijn kop tussen zijn veren. Zijn gesnurk klonk als de ijle klanken van een fluit. Wat verspreide regendruppels deden het bladerdak
boven het hoofd van de prins zacht op en neer deinen, en daarachter
strekte zich de vlakke, grijze deken van de schemering uit.

Hoe lang is het geleden dat ik voor het laatst de zon heb gezien, vroeg
hij zich af. *Of de maan? Bij de Drie, hoe kunnen de schepselen van dit schaduwrijk zo leven? Zelfs de sterren blijven onzichtbaar!*

Volgens de verhalen had het Schemervolk de lijkwade twee eeuwen
eerder geschapen en als een deken over zich heen getrokken toen hun
tweede aanval op de wereld van de mensen op niets was uitgelopen.
Maar waaróm hadden ze dat gedaan? Waren ze zo bang voor de wraak
van het mensdom dat ze hadden besloten om de zon en de openlucht
voorgoed op te geven, om voor altijd afscheid te nemen van dag en
nacht? Hij had het elfenvolk gezien op het slagveld; zelfs met bedui-
dend minder krijgers was het erin geslaagd het leger van de mensen te
verslaan. En ze waren bepaald niet laf. Waren ze tweehonderd jaar geleden met nog veel minder geweest, of had hun kennis van het krijgsbedrijf tekortgeschoten?

Plotseling werd Barrick zich bewust van beweging in de takken hoog
boven zijn hoofd. Hij hield zich doodstil en gluurde door zijn wimpers,
zodat het leek alsof zijn ogen gesloten waren. Daar! Hoog boven hem
kroop iets door de groene baldakijn; iets wat leek op een reusachtige,
witte spin: een spinsel.

Naast de eerste klauterde geluidloos een tweede bleke gedaante tevoorschijn, en samen keken ze gehurkt naar beneden. Het kostte Barrick de grootste moeite roerloos te blijven liggen. Ten slotte rekte hij
zich gapend uit en hij deed alsof hij wakker werd. Even hielden de spinsels zich doodstil, toen trokken ze zich terug in de schaduwen tussen de
hoogste takken. Het duurde echter geruime tijd voordat Barricks hart
weer gekalmeerd was.

Dus de akelige schepsels waren er nog steeds. Waar wachtten ze op? Het kon niet anders of ze volgden hem met de bedoeling aan te vallen zodra ze hun kans schoon zagen. Maar hij had al diverse keren geslapen, zonder dat ze iets hadden ondernomen. Dus waar wachtten ze op? *Waarschijnlijk op versterking.*

Een fijne motregen tikkelde op de bladeren boven hem, en af en toe viel er een druppel op zijn gezicht, maar het deed er niet toe. Voorlopig werd er toch niet meer geslapen.

Barrick en Skurn hadden de rotsachtige heuvelrug zo lang mogelijk gevolgd, maar geleidelijk aan werden de heuvels lager. Een klein eindje voor hen uit verhief zich de Vervloekte Hoogte, die als de koepel van een enorme tempel de hemel verduisterde en een stille, geheimzinnige aanblik bood. Barrick had er weinig behoefte aan af te dalen in de donkere valleien waar de bomen ook het weinige licht dat er was, tegenhielden, maar als dat de beste manier was om de onheilspellende heuvel te ontwijken, dan moest het maar, besloot hij.

Zelfs Skurn maakte een moedeloze indruk. 'Ruikt slecht, die berg, terwijl ons dichterbij komt,' verklaarde hij zijn moedeloosheid. 'Stinkt naar oude tijden en dode goden – nog erger dan de Grote Diepten. Zelfs de spinsels wagen zich daar niet.'

Erger dan de Grote Diepten. Barrick wendde huiverend zijn blik af. De gruwelijke herinneringen aan de gangen en aan de eenogige Jikuyin – de verschrikkelijke koning van de Diepten – zou hij nooit vergeten, zolang zijn hart bleef slaan.

En zo begonnen ze in een hardnekkige motregen aan de afdaling, langs beboste ravijnen die de voet van de hoge heuvel volgden, waarvan de top als een peinzende reus boven hen uittorende. De duisternis in de diepte maakte dat Barrick zich kwetsbaarder voelde dan op de heuvelrug. Zelfs Skurn, die doorgaans ver vooruit vloog en soms wel een uur leek weg te blijven, bleef nu dichtbij, fladderde telkens maar een paar bomen verder en wachtte daar op Barrick. Zo kwam het dat de raaf als eerste in de gaten had dat ze weer werden gevolgd.

'Drie van die spinselwezens,' siste hij in Barricks oor. 'Net voorbij die bomen daar.' Hij wees met zijn snavel. 'Niet kijken!'

'Wel vervloekt, ze hebben een makker gevonden.' Hij deed zijn best zich niet bang te laten maken. Bij hun laatste treffen waren het er minstens vijf geweest, en die had hij zich van het lijf weten te houden. Dus drie zouden niet genoeg zijn om hem in het stof te doen bijten. Hij was

Barrick Eddon, meester van de zijdesplijtende speer! Maar die drie konden er snel meer worden...

Wanneer kunnen we dit door de goden vervloekte woud eindelijk achter ons laten? Ik kan het geen dag langer meer verdragen! Maar de herinnering aan de zee van boomtoppen voorbij de Vervloekte Hoogte lag hem nog vers in het geheugen, dus hij wist dat een onbelemmerd zicht op de hemel nog wel even op zich zou laten wachten.

Skurn was een eindje vooruit gevlogen, op zoek naar een plek waar ze enigszins veilig de nacht konden doorbrengen. Ondertussen werd Barrick hoe langer hoe meer gekweld door honger. Hij had de afgelopen dagen alleen maar wat bessen en rauwe vogeleieren gegeten, rechtstreeks uit de schaal. Een stuk vlees en een vuur om het op klaar te maken leken hem iets uit het rijk der fabelen, een weelde die hij zich nauwelijks meer kon herinneren.

Alle prinsen zouden verplicht een jaar achter de Schaduwgrens moeten ronddolen, besloot hij. *Dat zou ze leren te waarderen wat ze hebben. Bij de goden, wat zou dat een goede les zijn!*

Hij schrok toen hij een eindje voor zich uit beweging zag. Iets wits wat achter een boom verdween. En vrijwel meteen ontdekte hij iets dieper het woud in nóg een bleke schim. Ze waren dichterbij gekomen, besefte hij. *Misschien denken ze dat we zijn gestopt omdat ik gewond ben.* Hij raapte een steen op en begon demonstratief de punt van zijn gebroken speer te scherpen, in de hoop dat ze het zagen. Hij had een stuk van zijn mouw gescheurd en dat om de handgreep gewikkeld, maar wenste nog altijd vurig dat hij een zwaard had, of op z'n minst een echt mes.

Skurn fladderde vanuit het gebladerte naar beneden en sloeg met zijn vleugels terwijl hij naast Barricks voeten neerstreek. 'Het zijn er vier,' bracht hij hijgend uit. 'O, mijn vleugels doen pijn! Ons heeft zo snel gevlogen om verslag uit te brengen. Het zijn er vier, en ze hebben een net bij zich.'

'Ik heb ze gezien,' zei Barrick zacht, gebarend met zijn duim. 'Daar!'

'Daar? Nee, deze zijn daarginds, een eindje verderop. Als u ze daar ook hebt gezien zijn dat andere.'

Barrick maakte het teken van de Drie en sprong op. 'Ellendige schepsels! Ze proberen ons te omsingelen.' De hulpeloosheid die hij had gevoeld in het woud aan de rand van de Vlakte van Kolkan overviel hem als een plotselinge kilte – dat moment waarop hij en zijn metgezellen hadden beseft dat de elfen hen in de val hadden gelokt; dat het Sche-

mervolk niet op de vlucht was geslagen maar na een omtrekkende beweging van alle kanten op hen afkwam. De wanhoopskreten en de
doodsangst van de mannen om hem heen, toen ze in een enkele ademtocht van jagers, prooi waren geworden, zou Barrick nooit meer vergeten, zolang hij leefde. 'Erop af!'

Hij stormde naar voren, weg van de plek waar de raaf had gezegd dat
de vier spinsels hem opwachtten met hun net, maar ook weg van het
groepje dat hijzelf had gezien. Even later fladderde Skurn naast hem.
'Veel achter ons!' schreeuwde de raaf.

Barrick wierp een blik over zijn schouder. Een stuk of vijf, zes van de
in zijde gewikkelde wezens haastten zich door de takken en over de bosgrond met die griezelige, springende gang die een kruising leek tussen
de bewegingen van apen en insecten.

Hij keek weer voor zich, net op tijd om te zien dat er uit de schaduwen tussen twee knoestige bomen nog twee opdoemden, zwaaiend met
iets wat leek op een visnet. Op het laatste moment veranderde hij van
koers, zodat hij de kleverige strengen slechts langs zijn arm voelde strijken. Skurn moest scherp afbuigen om het net te ontwijken en verdween
tussen de hoogste takken.

Tussen de bomen gleden nog meer bleke schimmen met omtrekkende bewegingen op hem af. De bosgrond was verraderlijk ongelijk zodat
Barrick met één oog in de gaten moest houden waar hij liep, maar hij
meende in de gauwigheid zo'n stuk of twaalf belagers te tellen, misschien meer. Ze probeerden als het ware een bewegende barricade op te
werpen, waarbij ze aan de zijkanten sneller terugvielen dan recht voor
hem, zodat hij binnen enkele ogenblikken omsingeld zou zijn.

'Nee!' schreeuwde hij, en hij bleef abrupt staan, zich vastgrijpend aan
een tak om overeind te blijven. Even verloren zijn voeten het contact
met de grond, en door de druk op zijn slechte arm was het alsof er een
vurige bliksemschicht via zijn elleboog en zijn schouder naar zijn nek
schoot. Een stuk of vier, vijf spinsels die hij tot op dat moment niet had
gezien, klauterden uit de bomen naar beneden. Nog een paar stappen
verder, en hij zou ze recht in de armen zijn gelopen. 'Skurn, ga terug!'
riep Barrick, in de hoop dat de raaf hem kon horen. Toen maakte hij
rechtsomkeert en zette het op een rennen, heuvelopwaarts in de richting waar hij vandaan kwam. De heuvel was steiler dan hij zich herinnerde, en bovendien wist hij niet waar hij heen moest. Dus hij zou de
confrontatie niet veel langer kunnen uitstellen. *'Als je verder geen enkele
keus hebt, kies dan ten minste de plek waar je gaat vechten,'* had Shaso al-

tijd gezegd. '*Laat je die niet voorschrijven door de vijand.*'

Shaso. Even werd hij overweldigd door verdriet, een gevoel van verlies, zelfs doodsangst, niet alleen bij de gedachte in het woud te zullen sterven, maar door het besef hoeveel hij nooit zou weten, nooit zou begrijpen, hoeveel besluiten hij nooit zou nemen.

Misschien leer je alles op het moment dat je sterft. Of misschien leer je niets.

'Niet daarheen!' Skurn vloog naast hem mee en deed zijn best nergens tegen aan te botsen terwijl hij Barrick volgde tussen de bomen. 'Dan komt u bij de Vervloekte Hoogte! Denk aan wat het Alver Volkje heeft gezegd!'

Barrick struikelde over een wortel maar wist zich staande te houden en bleef klimmen. Waarom ook niet? De vogel had immers gezegd dat zelfs de spinsels zich daar niet waagden? En als hij een plek moest kiezen om zich te verdedigen, waar kon hij dat dan beter doen dan onder de blote hemel, met een van die rotsachtige uitsteeksels in zijn rug?

'Meester!' riep Skurn wanhopig terwijl Barrick zich nog hardnekkiger omhoogwerkte. De raaf fladderde naar beneden en streek neer op een steen vlak voor hem. 'Meester, op die heuvel wacht u een zekere dood!'

'Doe wat je wilt,' riep hij terug. 'Ik ga deze kant uit.'

'Ons wil u niet verlaten, maar ons weet zeker dat ons daar zal sterven!'

Even later werd de helling zo steil dat Barrick bijna op handen en knieën verder moest. Door zich vast te grijpen aan laaghangende takken wist hij zich steeds verder omhoog te werken. Achter zich hoorde hij aan het geritsel van de takken dat de spinsels hem bleven volgen, terwijl hun vreemde, mompelende jachtlied aanzwol. 'Ga nou maar! Vlieg weg, stom beest!' bracht hij hijgend uit. 'Als het mijn tijd is, dan zal ik tenminste sterven onder de blote hemel.'

'Krrrraaaahhhh!' kraste de vogel gefrustreerd. 'Zijn alle zonlanders zulke... zulke koppige, benevelde idioten?' Hij wachtte het antwoord niet af, maar sloeg zijn vleugels uit, de hemel tegemoet, en was verdwenen.

7
De tafel van de koning

'Nader bewijs van de heiligschennende aard van de overtuigingen die de elfen koesteren, ziet Kyros uit Soteros in de nauwkeurigheid waarmee hun geschiedschrijving van de Theomachie de Xandische Ketterij schijnt te volgen, waarin de goden van de Trigon worden afgespiegeld als de vijanden van de mens en waarin de verslagen goden Zmeos Witvuur en zijn broers de weldoeners van de mensheid heten te zijn...'

Uit *Een Verhandeling over de Elfenvolken van Eion en Xand*

'Ik ben geschokt en verontwaardigd door de moord op uw bediende, Hoogheid,' zei Finh Teodoros. 'Wat een afschuwelijk incident! Zelfs in gevangenschap hoorde ik over nauwelijks iets anders praten.'

'Het is het ergst voor de familie van de kleine Talia.' Brionie schonk hem een verdrietige glimlach. '"Hoogheid", wat klinkt dat vreemd uit jouw mond, Finh.'

'Ach, voor u moet het nog veel vreemder zijn geweest om door ons "Jongen" of "Tim" te worden genoemd.' Hij lachte. 'Met recht de ondergedoken Zoria!'

Ze zuchtte. 'Eerlijk gezegd mis ik het. Tim mag dan niet zo'n rijke dis hebben gehad als de tafel van de koning, maar niemand heeft ooit geprobeerd hem te vergiftigen.'

'Het is echt schokkend, Hoogheid. Hebt u enig idee wie het kan hebben gedaan?'

Ze keek naar de deur van Teodoros' kamer, die Erasmias Jino welbewust op een kier had laten staan. Daarbuiten kon ze de kleuren van het uniform van een van de wachten zien. Dus het zou dwaas zijn iets te zeggen waarvan ze niet wilde dat iemand anders het hoorde. 'Ik heb geen idee. Het enige wat ik weet, is dat er een kind is gestorven door vergif dat voor mij was bedoeld. Heer Jino zegt dat hij niet zal rusten voordat hij de schuldige heeft gevonden.'

'Heer Jino?' Finh Teodoros grinnikte; het klonk spottend en spijtig tegelijk. 'Die ken ik. Hij geeft niet snel op en kan behoorlijk intimiderend zijn. Dus ik twijfel er niet aan of hij zal de dader weten in te rekenen.'

'O Finh, hebben ze je slecht behandeld?' Ze moest zich beheersen om geen arm om zijn brede schouders te slaan, maar nu ze weer prinses was, zou een dergelijk gebaar niet gepast zijn. 'Ik heb tegen ze gezegd dat je een goed mens was.'

'Het spijt me dat ik het moet zeggen, Hoogheid, maar dan vertrouwen ze ú blijkbaar ook niet op uw woord.'

Ze wierp een snelle blik op de deur, toen stond ze op en ze deed hem zachtjes dicht. *Laten ze hem maar weer opendoen als ze per se willen horen wat hier wordt gezegd.* 'Vertel het me nog eens,' zei ze zacht. 'We hebben misschien niet veel tijd. Wat wilde Brone dat je hier in Tessis voor hem deed?'

Het gezicht van de toneelschrijver verried hoe ongelukkig hij zich voelde. 'Neem me alstublieft niet kwalijk dat ik me met de zaken van uw familie heb bemoeid, Hoogheid. Ik heb alleen maar gedaan wat Heer Brone me opdroeg. En ik zweer u dat ik hem niet ter wille zou zijn geweest als ik had gedacht dat hij kwaad in de zin had!'

'Ik denk niet dat hij je de keuze zo gemakkelijk heeft gemaakt.' Brionie schonk hem een wrange glimlach. 'Volgens mij heeft hij je niet alleen geld geboden voor je diensten, maar je bovendien bedreigd als je weigerde mee te werken.'

Teodoros knikte somber. 'Hij zei dat we nooit meer een vergunning zouden krijgen om in Zuidermark te spelen.'

'Precies. Maar vertel, wat wilde hij van je?'

Teodoros haalde een zakdoek uit zijn mouw en bette zijn glimmende voorhoofd. Hij was afgevallen sinds de Syannezen hem gevangen hadden genomen, maar zijn gewicht mocht er nog altijd zijn. 'Zoals ik al zei, ik heb hier brieven afgeleverd aan de koning. Maar ik heb geen flauw idee wat erin stond. Verder moest ik in een bepaalde taveerne een boodschap achterlaten voor Dawet dan-Faar. Ook dat heb ik gedaan. De boodschap luidde dat we elkaar zouden treffen in Het Valse Wijf; dat ik nieuws voor hem had uit Zuidermark. Maar die afspraak is er nooit van gekomen. Ik weet niet hoe het hem is gelukt aan de soldaten te ontsnappen...'

'Volgens mij hebben ze hem gewoon laten gaan,' zei Brionie. 'Ik had op dat moment wel wat anders aan mijn hoofd, maar de hele situatie maakte op mij de indruk alsof...' Ze legde haar vinger langs haar neus. '... alsof er een soort stilzwijgende afspraak was tussen Dawet en de wachten.' Ze schudde haar hoofd. Spionage – het was om gek van te worden, verraderlijk als drijfzand. 'En wat had je Dawet moeten vertellen als de afspraak wel was doorgegaan?'

'Ik moest zeggen dat... dat een overeenkomst nog altijd tot de mogelijkheden behoorde, maar dat Drakava dan niet alleen Olin zou moeten vrijlaten, maar bovendien een gewapende eenheid moest sturen om verraad door de Tollijs te voorkomen, die probeerden zich de troon toe te eigenen.'

Ze was geschokt. 'Een overeenkomst met Drakava? Doelt hij daarmee op de honderdduizend gouden dolfijnen, of op mij als uitgehuwelijkte bruid? Heeft Brone me aan Drakava aangeboden? Iets wat mijn vader en mijn broer hebben geweigerd?'

Teodoros haalde zijn schouders op. 'Ik heb al eerder boodschappen van Avin Brone overgebracht. Hij geeft me niet meer dan strikt noodzakelijk is, doorgaans een verzegelde brief. Bij Dan-Faar wilde hij geen enkel risico nemen en dus niets zwart op wit hebben, maar hij heeft me niet meer verteld dan ik moest weten.'

Brionie leunde naar achteren, het bloed schoot naar haar gezicht zodat haar wangen begonnen te gloeien. 'Tja. Misschien heeft de Graaf van Landseind zijn eigen plannen – en misschien zelfs zijn eigen geheimen.'

De toneelschrijver voelde zich duidelijk slecht op zijn gemak. 'Ik... ik... ik weet verder niet wat hij met Dawet de Tuani wilde. Dat zweer ik. Wees alstublieft niet boos op me, Hoogheid.'

Brionie besefte dat ze hem bang maakte. Uitgerekend Teodoros, die zich altijd een vriend had getoond, als een van de weinigen, terwijl hij haar niets verschuldigd was. De toneelschrijver beefde, er parelden zweetdruppels op zijn voorhoofd.

Ik gedraag me weer als een echte Eddon. Net als mijn vader wil ik in veel gevallen juist géén koninklijke behandeling, maar ik vergeet dat ik anderen met mijn drift soms de stuipen op het lijf jaag...

'Maak je geen zorgen, Finh.' Ze boog zich naar hem toe. 'Je hebt niets verkeerd gedaan, dus er is geen enkele reden waarom ik of mijn familie je ook maar iets kwalijk zou nemen.'

'Dank u, Hoogheid,' wist Teodoros uit te brengen, maar hij keek nog altijd diep ongelukkig.

'Toch is Zuidermark nog niet met je klaar. Ik heb meer opdrachten voor je. Maar om te beginnen heb ik een secretaris nodig. De Syannezen kan ik niet vertrouwen, maar het moet wel iemand zijn die zich gemakkelijk beweegt aan het hof; iemand die goed kan luisteren en... iemand die niet vies is van een beetje roddelen.'

Finh Teodoros keek op, zijn gezicht verried een mengeling van opluchting en verwarring. 'U bedoelt toch niet dat ik uw secretaris zou moeten worden, Hoogheid?'

Brionie lachte. 'Eerlijk gezegd dacht ik aan Feival. Hij heeft hovelingen van beiderlei kunne gespeeld, dus waarom zou hij die rol niet opnieuw spelen om mij van dienst te zijn? Nee, met jou heb ik andere plannen, Finh. Ik wil dat jij en de rest van Propermans' Troep mijn ogen en oren zijn hier in Tessis. Probeer erachter te komen wat de mensen denken, vooral over Zuidermark. Probeer zo veel mogelijk nieuws te verzamelen over de oorlog en over de Tollijs en hun misdadige streken.' Ze stond op. 'Zonder informatie kan ik geen beslissingen nemen. En omdat ik zelf geen nieuwsbronnen heb, krijg ik alleen te horen wat Koning Enander en de zijnen willen dat ik hoor.'

'Natuurlijk, Prinses, dat begrijp ik. Maar hoe kan ik u ter wille zijn? Ik ben een gevangene!'

'Niet lang meer. Daar ga ik voor zorgen. Je moet dapper zijn, mijn vriend. Van nu af aan ben je mijn bondgenoot en zal ik me over je ontfermen.'

Brionie liep naar de deur en gooide die open. 'Dat toneelvolk! Wat ben ik blij dat ik dáár vanaf ben!' Ze zei het met opzet luid, zodat de wachten het zouden horen. 'Breng hem terug naar zijn cel! Ik heb genoeg van het gezelschap van beroepsmatige leugenaars.'

*

Bij zijn binnenkomst maakte hij een buiging. 'Goedemorgen, vrouwe. Gaat u me vandaag doden?'

'Hoezo, Kayyin? Had je andere plannen?'

Het was inmiddels hun gebruikelijke begroeting, en de woorden waren niet louter schertsend bedoeld.

Vrouwe Yasammez hield haar ogen gesloten. Ze was ver weg geweest met haar gedachten en net pas teruggekeerd naar deze vreemde plek, deze stad van zonlanders aan de rand van de oceaan – dezelfde oceaan als de zwarte watermassa zonder zon die tegen de rotsen onder Qul–na–Qar beukte, maar zo heel anders in aanblik en gevoel. Ja, in slechts enkele honderden jaren was er veel veranderd door de Mantel – de enorme sluier die de Manke hun had geleerd over het land te trekken, zodat ze veilig zouden zijn. Maar kwam het alleen door de Mantel dat er zoveel was veranderd? Was er ook niet iets gegroeid in de harten van het volk – háár volk – waardoor het de zon niet langer liefhad? Ze nam Kayyin peinzend op zoals hij daar voor haar stond, met zijn vreemde, trieste glimlach. Welke Qar had er ooit zo uitgezien, met die blik van angst en schuldbesef en berusting voorbehouden aan de stervelingen? *Ze verschillen minder van ons dan u misschien denkt*, had Kayyin eens tegen haar gezegd. Op dat moment had ze het afgedaan als de zoveelste poging om haar woede te wekken, om te proberen haar te dwingen hem te doden en een eind te maken aan zijn onnatuurlijke, onvolwaardige leven. Maar later had ze over zijn woorden nagedacht. Kon het zijn dat hij gelijk had?

En terwijl ze dacht aan de duistere branding die onafgebroken aanrolde naar de kust van Qul-na-Qar, kwam er plotseling een andere gedachte bij haar op: stel nu eens dat de zonlanders – de sterfelijke insecten die ze al jaren wilde vermorzelen en door wier zwaarden ze met plezier zou sterven wanneer ze zich eenmaal bevredigend op haar vijand had kunnen wreken – niet alleen niet verschílden van haar volk, maar dat ze zelfs béter waren? Hoe lang kon een schepsel met gebogen rug lopen voordat het zich niet langer kon oprichten? Hoe lang bleven dieren in een grot zich gedragen alsof ze ooit naar het licht zouden terugkeren, voordat hun ogen uiteindelijk afstierven en hun huid zo wit werd als de huid van een dode? Hoe lang kon je het leven van een minderwaardig schepsel leiden, voordat je een minderwaardig schepsel wérd?

'U hebt nog niet het sein tot de oorlog gegeven, vrouwe,' verbrak Kayyin ten slotte de stilte.

'Oorlog?'

'Amper een paar dagen geleden hebt u gezworen dat u de stad van de stervelingen met de grond gelijk zou maken. Of bent u dat vergeten?

Toen u die twee vrouwen uit Zuidermark gevangennam. U was buitengewoon indrukwekkend, vrouwe, en buitengewoon angstaanjagend. "Het zal me een ware vreugde zijn de wanhoopskreten van uw volk te horen," heb ik u horen zeggen. Maar hier zit u, en ik hoor nog geen wanhoopskreten. Kan het zijn dat u op uw schreden bent teruggekeerd wat betreft deze onredelijke haat die u koesterde?'

'Onredelijk?' Ze keerde zich naar hem toe, duidelijk gepikeerd. Het feit dat ze zich ergerde, was op zich al ergerlijk – zijn enige doel in het leven was haar op stang jagen, en dat plezier gunde ze hem niet. Maar wat hij nu zei klonk vreemd, bijna kwaadaardig. 'Het is alleen de volharding van de rede die hen in leven houdt. Alleen een dwaas aarzelt niet om te doen wat niet ongedaan kan worden gemaakt – want dat geldt voor de plannen die ik heb met de stervelingen. Wanneer de god dood is, zullen ook de stervelingen sterven.' Ze keek hem aan en knipperde slechts een keer met haar ogen, als teken van milde verrassing; meer stond ze zichzelf niet toe. 'Zou je echt willen dat ik hen vandaag aanviel, Kayyin? Wil je hun einde bespoedigen? Ik dacht dat je zo'n hechte band met ze had opgebouwd.'

'Ik wil dat u weet wat u wilt, vrouwe. Want ik heb zo'n gevoel dat dat allesbepalend zal zijn.'

'Wat is dat voor onzin?'

'Die onzin is me ingefluisterd voordat ik me weer bewust werd van mezelf.' Kayyin zweeg even alsof hij naar woorden zocht. 'Laat maar. Het doet er niet toe. U gelooft me misschien niet, maar ik maak me zorgen over ons volk, moeder. Ik maak me zorgen over de beslissingen die u gaat nemen. Dat is waarschijnlijk de reden waarom ik ernaar vraag. Als een stout kind dat wacht tot zijn ouders thuiskomen, vrees ik de straf minder dan het wachten.'

'Maar met mij vergeleken bén je ook een kind, Kayyin. Wanneer ik besluit toe te slaan, zal het allemaal heel snel gaan, en keihard, onomkeerbaar. Ik zal de stad bestoken met een macht die al wat leeft zal doden, zelfs de vogels in de bomen en de mollen in de grond.'

Voor het eerst keek hij verrast en leek de uitdrukking op zijn gezicht angst te verraden. 'Wat gaat u doen? Wat bent u van plan?'

'Dat hoef jij niet te weten, kleine overloper. Maar omdat de verwoesting compleet zal zijn, begin ik pas wanneer ik volledig zeker ben van mijn zaak.'

'Dus u geeft toe dat u twijfels hebt?'

'Twijfels? Het mocht wat!' Ze nam Witvuur van haar schoot, kwam overeind en strekte haar lange benen. Toen legde ze het zwaard op haar raadstafel. De grote zaal waarin eens het stadsbestuur had vergaderd, was door iedereen verlaten, zelfs door de geesten. Haar garde wachtte buiten. Net als Kayyin waren ze ongetwijfeld rusteloos en ongeduldig door het lange intermezzo, nadat de oorlog zo goed als gewonnen had geleken. Maar anders dan hij waren de mannen van de garde zo gedisciplineerd dat ze die gevoelens voor zich hielden, zoals het soldaten betaamde. 'Ik zal je een verhaal vertellen. Als je dat wilt.'

'Een waar gebeurd verhaal?'

'Je ergert me minder dan je denkt, maar het blijft onbeleefd wat je doet. Je voorvader zou zich voor je hebben geschaamd – hij was de vleesgeworden hoffelijkheid.'

'Is dat het verhaal dat u me wilt vertellen? Over mijn voorouder?'

'Ik wil je vertellen over de Slag van de Huiverende Vlakte. Je vader was toen nog niet geboren, maar een van je voorouders, je over-over-overgrootvader Ayyam, heeft daar gevochten. Het was een van de laatste veldslagen tussen de clans Bries en Vocht en hun sterfelijke bondgenoten. We vochten voor Witvuur tegen het verraad van zijn drie halfbroers, die door die idiote stervelingen worden aanbeden.

Ik was een van de drie generaals van Koning Numannyn – Numannyn de Voorzichtige, zoals hij de geschiedenis in zou gaan. We hadden dagenlang gestreden aan de zijde van de grote god Witvuur, tegen zowel halfgoden als legers van stervelingen, en onze troepen waren vermoeid. Toen de avond begon te vallen wilden onze manschappen niets liever dan vóór het donker hun kamp opslaan. Maanheer, de broer van Witvuur, was gedood, waarop de maan zich rood had gekleurd, en inmiddels was hij bijna verbleekt. De goden konden vechten zonder licht, maar voor ons was dat veel moeilijker. Numannyn had echter een ziener bij zich, en zij vertelde de koning dat er onder dekking van de duisternis een ontsnapping plaatsvond; dat een eenzame figuur met een wacht van enkele honderden sterfelijke soldaten wegvluchtte van het slagveld.

"Het moet een belangrijk iemand zijn," sprak Numannyn. "Misschien een van de koningen van de stervelingen die de strijd ontvlucht, of een boodschapper van de stervelingen naar de goden op de Xandos. We moeten hem gevangennemen."

"Uw soldaten zijn vermoeid," zei een van de andere generaals. Ik durfde toen nog niet het woord te nemen zonder toestemming van de koning, maar ik maakte me ook zorgen. Er was al te veel van mijn krijgers gevergd, en de volgende dag dreigde nog bloediger te worden dan de dagen daarvoor. Zelfs onze vurigste strijders moeten af en toe rusten.

"Iets zegt me dat we dit moeten zien als een ongunstig voorteken," zei de derde generaal. "Kunnen we niet een vlucht Schimmen sturen om de vluchteling van dichterbij te observeren? Ik ruik een val."

"Als geen van mijn generaals het wil doen, ga ik zelf met een compagnie," zei Numannyn, die in boosheid was ontstoken.

We waren allemaal vervuld van schaamte. Omdat ik de jongste was en de enige die geen protest had laten horen, voelde ik me verplicht gehoor te geven aan zijn bevel. Dus ik verzamelde mijn metgezellen om me heen, de Tranen Makers, we klommen in het zadel en vertrokken.

We haalden de vijand in toen hij de Zilverstroom overstak, de rivier aan de voet van de heuvels rond de uitgestrekte, met ijs bedekte grasvlakte. Zoals de ziener had gezegd, bestond de troep uit misschien honderd soldaten die een hoog tempo aanhielden. Het enige doel van de sterke, goed bewapende mannen leek het beschermen van een draagstoel die rustte op de schouders van halfnaakte slaven. Toen we hen sommeerden zich over te geven, draaiden ze zich om en gingen ze de strijd aan – we hadden niet anders verwacht. Als degene die ze beschermden rijk of belangrijk genoeg was voor zo'n grote lijfwacht, dan zouden ze hem niet gemakkelijk prijsgeven. Maar ondanks het feit dat ze op oorlogssterkte waren en duidelijk goed getraind, waren ze slechts stervelingen, met als enige voordeel hun numerieke overwicht. Vergeleken bij ons waren ze als sterke, maar onbeholpen kinderen.

Toen we hen hadden verslagen, lieten de slaven hun draagstoel los en sloegen op de vlucht. Uit de stoel kwam een kleine sterfelijke man tevoorschijn met donker haar. Ik had hem nooit gezien, maar toch kwam hij me op de een of andere manier bekend voor.

"Doe me geen kwaad," zei hij angstig. "Laat me gaan, en ik zal u allen rijk maken."

"Wat zou u ons kunnen geven?" riepen mijn mannen lachend. "Goud? Vee? Wij zijn het Volk – het ware Volk. Dat van u is een volk van steenapen! Er is niets wat u ons kunt geven, dat u niet eerst van ons hebt gekregen!"

"Onze koning wil u als zijn gevangene, dus u gaat mee!" jouwden anderen. "Meer valt er niet te zeggen." Ze bonden de handen van de gevangene op zijn rug en gooiden hem ruw op de rug van een paard.

Toen hij voor de koning werd gesleept, bepleitte de gevangene opnieuw zijn zaak, en hoewel hij nog altijd sprak als een smekeling, klonk er iets vreemds door in zijn stem. "Alstublieft, Koning Numannyn, Meester van de Qar, Heer van Winden en Gedachten, laat me gaan en ik zal u rijk belonen. Ik wil geen problemen, voor mezelf noch voor u."

De koning schonk hem een kille glimlach – zonder te weten waarom, vond ik het angstig om te zien, want ik had het gevoel dat je bekruipt wanneer een enorm rotsblok begint te schuiven en naar beneden dreigt te vallen. Er ging iets gebeuren, maar ik wist niet wat; ik wist alleen dat het elk moment te laat kon zijn om het te voorkomen.

"U hebt me niets te bieden behalve wat u weet," zei Numannyn. "En wat u weet, dat zult u me geven, of u wilt of niet. Want u bent nu van mij. Wie bent u en waar wilde u naartoe?"

De sterveling staarde lang naar de grond, alsof hij zich schaamde, of gewoon doodsbang was. Maar toen hij opkeek, verried zijn gezicht angst noch schaamte. Zijn ogen straalden en zijn glimlach was net zo hard en kil als die van Numannyn.

"Zoals u wilt, nietige vorst. Ik hoopte slechts dit oord met zijn eindeloze strijdgewoel te kunnen verlaten, want daar deug ik niet voor, in geen enkel opzicht. Dus ik wilde terug naar mijn huis op de top van de Xandos. Maar u besloot me tegen te houden en me te ondervragen. Het zij zo." Hij hief zijn handen. De wachten die het dichtst bij hem stonden trokken hun zwaard, maar de vreemdeling verroerde zich verder niet. "U vroeg me naar mijn naam? Mijn bedienden noemen me Zosim, maar u kent me beter als de eerste en grootste van de Draaiers."

En het was inderdaad de god zelf, in de gedaante van een sterveling. Terwijl hij sprak begon hij de ware gedaante van zijn goddelijkheid aan te nemen. Hij werd groter... en groter... Zijn ogen fonkelden, bliksemschichten vonkten rond zijn hoofd. Ik was jong en nog niet zo sterk als nu, dus ik kon zijn aanblik niet verdragen terwijl hij zijn ware gezicht toonde. Het was te gruwelijk. En hij was nog wel een van de minst oorlogszuchtige goden! We hadden hem gevangen toen hij probeerde de strijd te ontvluchten. Maar nu zou hij vechten. Nu zou hij straffen.

Zijn huid werd zo zwart als de vleugels van een raaf, in zijn ogen verscheen een rode gloed als van brandende kolen. Zijn wapenrusting – van een metaal dat zowel rood als blauw was van kleur – bedekte hem als mos dat over een steen woekert, tot hij er van top tot teen in was gehuld. Wij, de dienaren van de koning, keken met open mond toe, als vogels gehypnotiseerd door een slang. Hij hief zijn hand, en op slag verscheen daarin een zweep van vuur. Toen hij ook zijn andere hand uitstrekte, hield hij van het ene op het andere moment een roede van kristal geheven. En toen begon hij uit te halen, met de zweep en de roede, en zelfs het lied dat hij daarbij zong was gruwelijk. Je hebt nog nooit een god gezien, Kayyin. Maar ik kan je vertellen dat een god in zijn krijgsuitmonstering zo angstaanjagend is dat het elk voorstellingsvermogen tart. En ik hoop dat mijn lange leven zal eindigen voordat ik zoiets ooit weer te zien krijg. Want bij een god als Draaier, een heer van stemmingen en mysteriën, maakt alleen al zijn aanblik hem gruwelijk angstaanjagend – door onze doodsangst maken we hem zelf nog veel groter dan hij is.

Begrijp me niet verkeerd, zijn macht was maar al te echt. Sommigen beweren dat de goden van dezelfde voorvader afstammen als wij; dat hun oorsprong ligt in hetzelfde zaad, hetzelfde gebeente; dat alleen hun vermogen om te worden wat ze zijn, om meester te worden over wat ze beheersen, hen anders maakt. Anderen geloven daarentegen dat ze tot een geheel ander ras behoren. Ik weet het niet, Kayyin. Ik ben maar een soldaat, en hoe oud ik ook ben, de goden waren al oud voordat ik deze wereld betrad. Maar ongeacht of ze op welke manier dan ook onze verwanten zijn, onze vaders, onze voorouders, bega nooit de fout te denken dat ze net zo zijn als wij, want dat zijn ze niet.

Koning Numannyn was een van de eersten die stierf, gespleten door de zinderende staf van de Draaier, als een boomstam die tot aanmaakhout werd gehakt. De andere twee generaals stierven terwijl ze probeerden de koning te verdedigen, net als vele tientallen soldaten, jammerend als weerloze zuigelingen. Als de wachten van de Draaier zelf niet krijsend in doodsangst waren gevlucht toen hij zijn ware gedaante onthulde, hadden ze ons halve leger kunnen vernietigen, zo gruwelijk was de schade die de vertoornde god aanrichtte. Maar hij had de waarheid gesproken: hij was afkerig van oorlog. Toen zijn woede enigszins begon te bekoelen, wendde de Draaier zich af en liep weg, verschrompelend als een stuk perkament in een kaarsvlam, tot slechts zijn sterfelijke vermomming overbleef. Geen van de overlevenden probeerde hem tegen te houden. Volgens mij heeft geen van hen dat zelfs maar overwógen.

Ik was vrijwel meteen neergeslagen, mijn schild werd door de zweep van de Draaier in brand gezet en in vlammende scherven gebroken, mijn lichaam weggeslingerd over het veld door een toevallige slag van zijn geschoeide hand. Geruime tijd bleef ik buiten kennis, en ik kwam pas bij toen Ayyam, je over-over-overgrootvader, me in zijn armen terugbracht naar mijn troepen. Hij diende als adjudant bij een van de andere generaals en was gewond geraakt bij een poging zijn meester te redden. Een loyale dienaar, en misschien kwam hij me te hulp omdat hij het gevoel had dat hij zijn generaal en zijn koning in de steek had gelaten.

Hoe dan ook, we werden vrienden en later zelfs meer dan dat. Maar we spraken nooit over de nacht van onze eerste ontmoeting. Die herinnering drukte op onze gedachten als het litteken van een ernstige brandwond...'

Ze zweeg alsof ze kracht verzamelde om verder te gaan, maar de tijd verstreek en ze bleef zwijgen.

'Waarom vertelt u me dit?' vroeg Kayyin ten slotte. 'Word ik geacht een voorbeeld te nemen aan de loyaliteit van mijn voorvader?'

Langzaam hief ze haar hoofd op, alsof ze hem was vergeten. 'Nee, zo bedoel ik het niet. Je vroeg me waarom ik de stervelingen niet vernietig terwijl ik aan de hele wereld heb verkondigd dat ik dat van plan ben. Mijn geliefde dienaar Gyir is gestorven en het Pact van de Spiegel heeft niets opgeleverd, zoals ik al had gevreesd. En dus zal ik het kasteel van de stervelingen neerhalen, desnoods steen voor steen, om te krijgen wat ik nodig heb. Maar dat betekent niet dat ik overhaast te werk zal gaan, hoe ongeduldig jij ook bent... en hoe ongeduldig ik zelf ook ben.'

Hij hield zijn hoofd schuin in afwachting van haar verdere uitleg.

'Want wat daar onder dat kasteel droomt en lijdt in een rusteloze slaap, is een gód, dwaas kind dat je bent. En behalve dat is hij ook mijn vader, maar dat is alleen voor mij van belang.' Het gezicht van Yasammez was zo bleek en onheilspellend als de hemel wanneer er onweer dreigt. 'Heb je dan helemaal niets van het verhaal begrepen? De goden zijn niet zoals wij – ze staan net zo ver boven ons als wij boven een stel lieveheersbeestjes staan die samendrommen op een blad. Alleen een dwaas verstoort blindelings wat hij niet kan begrijpen noch beheersen. Begrijp je het nu? Dit wordt de stervenszang van ons volk. En ik wil er zeker van kunnen zijn dat, ongeacht hoe die eindigt, we zelf de melodie bepalen.'

Kayyin boog zijn hoofd. En even later deed Yasammez hetzelfde. Een onwetende waarnemer zou hen voor twee stervelingen in gebed hebben kunnen aanzien.

*

'Meent u dat echt, Hoogheid? Wilt u de prins zo ontvangen?' Feival bekeek haar afkeurend. Hij genoot uitbundig van zijn nieuwe rol – een beetje te uitbundig, kon Brionie niet nalaten te denken; hij zeurde net zo over haar uiterlijk als tante Merolanna en Roos en Moina dat ooit hadden gedaan.

'U maakt zeker een grapje, Hoogheid!' zei haar vriendin Ivgenia. 'Waarom hebt u me dat niet verteld? Komt Prins Eneas echt hierheen?'

Brionie verbeet een glimlach. Eneas was een koningszoon, maar dat waren Brionies broers ook – zij het dat Eneas prins was aan een veel groter en belangrijker hof, in een veel groter en belangrijker land. Alle vrouwen in Dreefstaete leken echter vastberaden hem te behandelen als een godheid. 'Ja, hij komt hier.' Ze keerde zich naar haar hofdames. 'En denk erom dat jullie hem niet gaan zitten aangapen. Jullie gaan gewoon door met borduren.' Brionie had het nog niet gezegd, of ze had er al spijt van. Het was voor het eerst sinds de gruwelijke dood van de kleine Talia dat haar hofdames weer ergens interesse in hadden getoond. 'Nou ja, doe in elk geval alsóf je zit te borduren, alsjeblieft. Anders schrikken jullie hem af.' Ze vermoedde dat Eneas het, net als haar broer Barrick, afschuwelijk vond om naar de ogen te worden gekeken, zij het waarschijnlijk om heel andere redenen.

De prins verscheen met een bewonderenswaardig gebrek aan uiterlijk vertoon – zonder lijfwacht of escorte en gehuld in wat, naar de maatstaven van het Tessische hof, buitengewoon informele kleding kon worden genoemd: een eenvoudig maar schoon en fraai gemaakt buis met daaroverheen een dito jasje, verder een royale, wijdvallende kniebroek zoals de heersende mode voorschreef, een reismantel die daadwerkelijk sporen van lange reizen verried, en een brede platte baret die eruitzag alsof de elementen hem niet hadden gespaard. Brionie merkte dat Feival weliswaar onder de indruk was van de knappe verschijning van de prins, maar dat hij diens eenvoudige uitmonstering afkeurde.

'Hij moet kasten vol kleren hebben zo groot als heel Ooskasteel,' fluisterde de jonge speler haar toe. 'Maar het is wel duidelijk dat hij er nooit in kijkt.'

Eneas is ongetwijfeld de enige aan het hele hof die niet verliefd is op zijn spiegelbeeld, dacht Brionie. Wat haar betrof maakte dat hem tot plezierig gezelschap en iemand die ze serieus kon nemen; een man die de moeite nam nette, schone kleren aan te trekken wanneer hij bij haar op bezoek ging, maar die ook nog andere bezigheden had en het hield bij zijn gewone mantel en baret.

'Prinses Brionie,' zei de prins met een buiging. 'Zoals iedereen aan het hof heeft het ook mij met afschuw vervuld toen ik hoorde wat u hier, in het hart van mijn vaders koninkrijk, is overkomen.'

'Mij is door een gelukkig toeval niets overkomen, Prins Eneas,' zei ze vriendelijk. 'Maar het toeval was mijn dienstmaagd, de arme Talia, niet zo gunstig gezind.'

Hij bloosde, en dat sierde hem, vond ze. 'Natuurlijk, vergeeft u mij. Ik kan slechts proberen me een voorstelling te maken van het verdriet van haar familie bij het horen van dit slechte nieuws. Het was een verschrikkelijke dag, voor ons allemaal.'

Brionie knikte. De prins nam zijn baret af. Daaronder was zijn haar zo donker als gedroogde kruidnagelen; het zag eruit alsof er wel enige aandacht aan was besteed, maar een borstel leek er nauwelijks aan te pas te zijn gekomen. Brionie gebaarde naar een gemakkelijke stoel. 'Gaat u zitten, Hoogheid. Ik neem aan dat u Vrouwe Ivgenia e'Doursos kent? De dochter van Burggraaf Teryon?'

'Natuurlijk.' De prins knikte het meisje ernstig toe, maar ondanks Ivgenia's knappe gezichtje betwijfelde Brionie of hij zich haar herinnerde. Het was algemeen bekend dat de prins zo min mogelijk tijd aan het hof doorbracht, wat zijn aanwezigheid in haar vertrekken dubbel interessant maakte en buitengewoon complimenteus.

Toen ze eenmaal zaten, keerde de prins zich weer naar Brionie. 'Los van dat verschrikkelijke incident, hoe máákt u het, Prinses? Nogmaals, ik was diep geschokt toen ik van de gruwelijke moord hoorde. Het idee dat iemand meende dit te kunnen doen, in het paleis nota bene...'

Brionie was al tot de conclusie gekomen dat Dreefstaete een slangenkuil was, maar Eneas klonk zo oprecht dat ze nauwelijks aan zijn woorden kon twijfelen. Wat had Finh destijds over hem gezegd, lang geleden toen ze naar Syan kwamen? *Hij wacht geduldig zijn tijd af. Ze zeggen dat hij een goed mens is, vroom en dapper. Nu zeggen ze dat natuurlijk over alle prinsen, ook als die zich ontpoppen als monsters...* Helaas had Brionie inmiddels genoeg monsters ontmoet om daarover te kunnen oordelen, en het leek haar onwaarschijnlijk dat deze man zich ooit als zodanig zou ontpoppen. Hij was ontegenzeggelijk charmant, en door zijn aanwezigheid in haar vertrekken wist ze zeker dat bijna alle vrouwen in het paleis, ongeacht hun leeftijd, jaloers op haar waren.

'Ik maak het naar omstandigheden redelijk,' antwoordde ze op zijn vraag. 'Mijn troon is in handen van de vijand. Ik ben gevlucht omdat hij heeft geprobeerd me te vermoorden. Bij mijn oudere broer Kendrick is hem dat gelukt.' Dat wist ze natuurlijk niet zeker, en Shaso had de indruk gewekt dat hij daaraan twijfelde. Ze hield zichzelf echter voor dat ze geen getuigenis aflegde in de tempel waar de goden waakten over de gewijde zuiverheid, maar dat ze haar zaak probeerde te bepleiten tegenover een potentiële bondgenoot. 'En blijkbaar reikt zijn hand zo ver dat hij het hier ook probeert. Tenminste, dat vermoed ik.'

'Nee!' Het was geen ontkenning, maar een uitroep van schrik en weerzin. 'Meent u dat serieus? Denkt u dat de Tollijs zo dwaas zouden zijn om hier, onder de ogen van de koning, een dergelijk schandalig misdrijf te plegen?'

De ogen van de koning zijn volgens mij op iets anders gericht, dacht Brionie, maar ze zei het niet. Het optrekken met de grofgebekte spelers van Propermans' Troep was niet bevorderlijk geweest voor haar beschaafde, lieftallige prinsessenmanieren, maar ze was daardoor wel meer bedreven geraakt in veinzen en huichelen. 'Wat zal ik ervan zeggen? Ik heb hier enige tijd in alle rust en veiligheid kunnen verblijven, maar binnen een dag na aankomst van de gezant van Hendon Tollij heeft iemand geprobeerd me te vermoorden.'

Eneas balde zijn grote, slanke handen tot vuisten. Hij stond op en begon rusteloos heen en weer te lopen. Doordat hij hun daarbij de rug toekeerde, konden de bordurende hofdames hem eindelijk ongestoord aangapen, en dat deden ze dan ook. 'Om te beginnen eet u van nu af aan uitsluitend en alleen aan de tafel van de koning,' zei hij. 'Daar kunt u profiteren van de voorproevers van mijn vader. En mocht u besluiten een maaltijd in uw eigen vertrekken te gebruiken, dan zal die worden gebracht door een van mijn persoonlijke bedienden, om er zeker van te kunnen zijn dat u geen gevaar loopt.' Hij zweeg even en dacht na. 'Bovendien zal ik een aantal van mijn mannen opdracht geven bij uw vertrekken te waken. Ik hoop tenminste dat u daar geen aanstoot aan neemt. Zelf moet ik weer op reis, maar de kapitein van mijn wacht zal zich om uw veiligheid bekommeren, zowel hier als wanneer u uw vertrekken verlaat. Ten slotte zal ik Erasmias Jino vragen om te allen tijde, maar vooral tijdens mijn afwezigheid, een oogje in het zeil te houden – hij is een goed mens, ik vertrouw hem volledig.'

Ze wist niet zeker of ze hem daar dankbaar voor moest zijn (Heer Jino en zijn scherpe ogen bezorgden haar een buitengewoon ongemakkelijk gevoel), maar ze was wel zo verstandig om deze machtige, vriendelijke jonge prins niet tegen te spreken wanneer hij probeerde haar te helpen. Toch kon ze een steek van verdriet niet verdringen; door het noemen van de kapitein van zijn wacht had de prins haar herinnerd aan Ferras Vansen, die volgens alle berichten na de rampzalig verlopen slag op de Vlakte van Kolkan spoorloos was verdwenen, samen met Barrick, haar broer. Sterker nog, ze schaamde zich een beetje, alsof ze zich door deze knappe prins het hof liet maken in plaats van hem slechts de kans te geven haar te beschermen; alsof ze Vansen ook maar iets verschuldigd was. Ze wist wel beter. Alleen al de gedachte was bespottelijk.

Toch liet de pijn zich niet zo gemakkelijk verdrijven, en ze zweeg zo lang dat Eneas haar bezorgd aankeek.

In een poging de situatie te redden vroeg Ivgenia: 'Waar gaat u deze keer heen, Prins Eneas? Tenminste, als ik zo vrij mag zijn dat te vragen. Het hele hof mist u wanneer u weg bent.'

Hij vertrok zijn gezicht, maar Brionie had de indruk dat hij daarmee niet zozeer op Ivgenia reageerde alswel op het idee dat er over hem werd gepraat. 'Ik moet opnieuw naar het zuiden. De Markgraaf van Akyon wordt weer belegerd door de Xissiërs, dus ik ga erheen met mijn Tempel Honden en met de rest van het leger om een eind te maken aan het beleg.'

'En gaat u daarna Hierosol ontzetten, Hoogheid?' vroeg Ivgenia.

Hij schudde zijn hoofd. 'Ik vrees dat Hierosol verloren is, vrouwe. Ze zeggen dat alleen de binnenste muren nog overeind staan en dat zelfs Ludis Drakava is gevlucht.'

'Wat?' Brionie viel bijna van haar stoel. 'Dat had ik nog niet gehoord! Is er nieuws over mijn vader, Koning Olin?'

'Het spijt me, Prinses, maar ik heb niets gehoord. Ik kan me niet voorstellen dat zelfs een barbaar als de Autarch van Xis uw vader kwaad zou doen. Los daarvan lijkt het me buitengewoon onwaarschijnlijk dat Hierosol uw vader in handen van Sulepis zou laten vallen. Tenslotte heeft de stad zich nog niet overgegeven, en het is heel goed mogelijk dat Hierosol nog lang stand weet te houden. Ik vermoed dat een van de edelen Drakava's plaats heeft ingenomen. Ondanks dat zou ik willen dat ik beter nieuws voor u had.'

Brionies ogen begonnen te branden. Onder normale omstandigheden zou ze haar tranen hebben verdrongen, maar de omstandigheden waren niet normaal. 'Ach, mogen de goden mijn arme, lieve vader beschermen! Ik mis hem zo!'

Feival boog zich naar haar toe met een zakdoek. 'Als u niet oppast loopt uw blanketsel door als natte verf in de regen, Hoogheid,' waarschuwde hij.

Eneas keek alsof hij zich slecht op zijn gemak voelde. 'Het spijt me, vrouwe. Hecht alstublieft niet te veel waarde aan wat ik heb gezegd over uw vader of over Hierosol. Het land is in oorlog, en er is maar weinig wat we zeker weten. Het is heel goed denkbaar dat Ludis uw vader op zijn vlucht heeft meegenomen, als waardevol onderhandelingsinstrument.'

Brionie snoof en lachte kort, duidelijk pijnlijk getroffen. 'Het idee van een wanhopige Drakava die mijn vader achter zich aan sleept over het slagveld, is niet bepaald opbeurend, Prins Eneas.'

Nu leek hij zo mogelijk nog slechter op zijn gemak. 'O, bij de eer van de goden... Het spijt me oprecht, Brionie... ik bedoel, Prinses. Neem me niet kwalijk dat ik het zelfs maar heb geopperd.'

Ze wilde geen misbruik van hem blijven maken. 'Maakt u zich geen zorgen, Prins Eneas. U bedoelde het goed, en ik ben zo lang bedrogen door zovelen van wie ik dacht dat ze mijn vrienden waren, dat ik u alleen maar dankbaar kan zijn voor uw openhartigheid. En laat u door ons niet van uw verplichtingen afhouden. Ik besef dat u een drukbezet man bent. Dank u wel, voor alles.'

Toen Eneas was vertrokken, ten prooi aan een milde verwarring, bette Brionie haar ogen, en ze wuifde zowel Ivgenia's poging weg om haar te troosten als die van Feival om haar gezicht weer te fatsoeneren. Onder het mom van vermoeidheid stuurde ze hen beiden weg, hoewel ze aan hun gezichten kon zien dat ze dolgraag met haar over Prins Eneas wilden praten.

Brionie had het niet zo hevig te kwaad als ze deed voorkomen. Natuurlijk maakte ze zich grote zorgen om haar vader en miste ze hem verschrikkelijk, maar dat was al maanden zo; de hulpeloosheid, de doodsangst, de machteloosheid, daar had ze mee leren leven. Inmiddels had ze echter besloten daar iets aan te gaan doen en had ze de eerste stap gezet naar de verwezenlijking van haar plannen.

8
De valk en de havik

'Er zijn talloze geruchten over de aanwezigheid van elfen op het zuidelijke
continent, of op z'n minst verhalen die aan hen herinneren, helemaal van
Xis tot het legendarische Sirkot in het diepste zuiden. Bovendien zouden
er op sommige van de bosrijke eilanden in de Hesperische Oceaan nog
altijd Qar wonen. Maar daar zijn nooit bewijzen van gevonden.'

Uit *Een Verhandeling over de Elfenvolken van Eion en Xand*

Pinimmon Vash vloeide de punt van zijn pen zorgvuldig af en schreef
toen een fraai krullende letter *bre*. Voordat hij aan de volgende letter begon vloeide hij zijn pen opnieuw af. Zorgvuldig was belangrijker dan
snel.

De eerste minister van Xand werkte aan zijn verslagenboek.

In zijn jeugd hadden sommigen van de andere jonge edelen, telgen
uit geslachten die minstens zo oud waren als dat van Vash, de spot met
hem gedreven omdat hij zoveel tijd aan het schrijven van teksten besteedde. Welk gezonde jongen, welk waarachtig kind van de woestijn
zat urenlang in kleermakerszit zijn pennen te slijpen, inkt te mengen en
velijn te prepareren om vervolgens vellen vol woorden te schrijven? Zelfs
als die woorden over mannelijke zaken gingen, zoals het voeren van oorlog, dan nog was erover schrijven iets heel anders dan de praktijk. Bovendien bestonden de schrijfoefeningen van de jonge Pinimmon vaak

slechts uit het kopiëren van huishoudelijke verslagen.

Niet dat Vash geen bekwaam ruiter of boogschutter was geweest. Hij had dergelijke vaardigheden net voldoende beheerst om gevrijwaard te zijn van de ergste pesterijen – wanneer er op feestdagen een toernooi werd georganiseerd liep hij nooit voorop, maar hij eindigde ook nooit als laatste en hoefde zich nergens voor te schamen. Hoe dan ook, uiteindelijk hadden zijn leeftijdgenoten het niet verder gebracht dan een middelmatige rang in het leger, of ze waren tot ledigheid veroordeeld op het familielandgoed. Vash was echter van autarch naar autarch opgeklommen tot secretaris, boekhouder en bureaucraat, met als bekroning de hoge positie die hij tot op de dag van vandaag bekleedde: die van de op een na machtigste man in het machtigste rijk van de wereld.

In de praktijk betekende dat echter dat hij secretaris was van de gevaarlijkste gek die er op aarde rondliep.

Met een zucht schreef Vash zijn laatste woorden. Dankzij de lange dagen aan boord van het schip had hij aardig wat werk kunnen inhalen – het regelen van diverse politieke en economische kwesties, en het afhandelen van zijn verwaarloosde correspondentie – maar hoewel dat hem tevreden had moeten stemmen, betrapte hij zichzelf erop dat hij er een beetje neerslachtig van werd. Het bezorgde hem een gevoel alsof hij bezig was zijn dood voor te bereiden; alsof hij zijn testament en zijn legaten aan het regelen was. Al maanden voelde hij zich in toenemende mate ongemakkelijk met zijn monarch, en dat was alleen maar erger geworden sinds de ontsnapping van het meisje afkomstig uit de tempel; het meisje dat Sulepis – tot verbazing van Vash – tot zijn honderdzevende bruid had gekozen. De autarch leek hoe langer hoe meer te leven in een wereld waar anderen, zoals zijn eerste minister, slechts naar konden gissen, maar die ze nooit zouden kunnen betreden. Sulepis sprak vaak onsamenhangend over vreemde – niet zelden religieuze – onderwerpen, en hij stortte zich in ondernemingen – zoals deze zeereis naar het noorden – zonder ook maar iemand de zin daarvan uit te leggen. En als hij die moeite wel had genomen, dan zou ongetwijfeld niemand de zin ervan hebben kunnen inzien.

Maar wat viel eraan te doen? Eerdere autarchen hadden ook vaak aan een lichte vorm van krankzinnigheid geleden, in elk geval vergeleken met hun onderdanen. De generaties lange inteelt begon zijn tol te eisen, om nog maar te zwijgen van het feit dat zelfs de sterkste en verstandigste persoonlijkheden soms slecht met absolute macht konden omgaan. Een overlevende van het bewind van Vaspis de Duistere had zich onsterfelijk gemaakt met de uitspraak dat leven in de nabijheid van de autarch vergelijkbaar was met slapen naast een hongerige leeuw. Maar Sulepis was anders dan zelfs zijn meest extreme voorgangers. Hij wekte de indruk vervuld te zijn van serieuze bedoelingen, maar niets van wat hij deed kon de toets der redelijkheid doorstaan.

Vash klapte in zijn handen, kwam overeind en liet zijn ochtendgewaad van zijn broze, oude lichaam glijden. Zijn jeugdige bedienden schoten haastig toe om hem te helpen bij het aankleden. Hun knappe, jonge gezichten stonden ernstig, alsof ze waren belast met de zorg voor een kostbaar kunstvoorwerp. In zekere zin was dat ook zo, want de macht van de eerste minister reikte zo ver dat hij hen ter dood kon laten brengen als ze hem verwondden of zelfs maar zijn ergernis wekten. Niet dat hij ooit iemand die zijn ergernis had gewekt, ter dood had laten brengen. Daar was hij de man niet naar. Tot een jaar of tien eerder had hij zelfs welbewust gekozen voor jongens met durf en een goed stel hersens; bedienden die hem af en toe plaagden en zelfs uitdaagden – slimme, ondeugende, verleidelijke jongens. Maar naarmate hij de vier maal twintig jaren naderde was zijn geduld minder geworden, en inmiddels was de inspanning om zulke bedienden in het gareel te krijgen, geen plezier meer en alleen maar vermoeiend. Tegenwoordig voedde hij nieuwe rekruten op met een stuk of wat zweepslagen. En als ze geen aanleg toonden voor de stille, onvoorwaardelijke gehoorzaamheid waaraan hij de voorkeur was gaan geven, gaf hij ze simpelweg door aan mannen als Panhyssir of Muziren Shah, de huidige regent van de autarch in Xis, een man die het heerlijk vond opstandige geesten te breken en die geen enkele scrupule had met het toebrengen van pijn als opvoedkundig instrument.

Ik heb te veel pijn gezien, besefte Vash. *Die heeft voor mij zijn amusementswaarde verloren en kan me zelfs niet eens meer schokken.* Pijn was voor hem alleen nog iets wat diende te worden vermeden.

Vash deed alsof hij Panhyssir toevallig tegenkwam op het dek voor de reusachtige hut van de autarch. Blijkbaar had de zwaargebouwde priester samen met een acoliet zojuist de kapel voor Nushash geopend.

'Goedemorgen, oude vriend,' zei Vash. 'Hebt u de Gouden Vorst vandaag al gezien? Maakt hij het goed?'

Panhyssir knikte, wat voornamelijk bestond uit het pletten van zijn diverse kinnen. Aangemoedigd door de informaliteit van het leven aan boord was hij gestopt met het dragen van zijn hoge hoofdtooi, behalve tijdens de diensten in de scheepskapel. Daardoor boden zijn hoofd en zijn brede gezicht, slechts bedekt door een simpele kap, een merkwaardige en obsceen naakte aanblik. Verder was hij gehuld in een buitengewoon indrukwekkend, zwart gewaad, met daarop niet de valk van de autarch, noch het gouden rad van Nushash, maar een vlammend gouden oog.

'Wat is dat?' vroeg Vash. 'Dat symbool heb ik nog niet eerder gezien.'

'O, niets,' zei Panhyssir luchtig. 'Een ideetje van de Gouden Vorst. Hij slaapt vandaag uit met de kleine koninginnen.' Daarmee doelde Panhyssir op de honderdelfde en honderdtwaalfde vrouw van Sulepis, twee jonge adellijke zusters, nichten van de koning van Mihan die als schatting naar Xis waren gestuurd. Anders dan in het geval van het ontsnapte tempelmeisje leek de autarch voor hen een normale belangstelling aan de dag te leggen. Normaal naar de maatstaven van de autarch, welteverstaan; de kreten van de jonge vrouwen hadden de overige passagiers op het schip al enkele nachten uit hun slaap gehouden.

'Ach, daar ben ik blij om,' zei Vash. 'Mogen de goden hem zegenen met kracht en gezondheid.'

'Inderdaad, kracht en gezondheid.' Panhyssir wilde alweer verder lopen en liet bij wijze van groet zijn kinnen opnieuw met een licht zuigend geluid op en neer dansen.

'Ach, mijn waarde Panhyssir, ik wilde u nog iets vragen. Hebt u even? Kunnen we misschien ergens uit de wind gaan staan? Mijn oude botten zijn nogal gevoelig voor kou, en ik ben nog altijd niet gewend aan deze noordelijke wateren.'

De hogepriester schonk hem een nietszeggende blik, die echter al snel plaatsmaakte voor een glimlach. 'Natuurlijk, goede vriend. Ga mee naar mijn hut. Dan laat ik mijn slaaf een pot sterke, hete thee voor u zetten.'

De hut van de priester was groter dan die van Vash, maar had geen raam. Na tientallen jaren de cruciale sociale hofboekhouding te hebben gedaan, vroeg Vash zich onwillekeurig af wat dat betekende, en hij kwam tot de geruststellende conclusie dat zijn eigen status niet gevaarlijk was gedaald ondanks de vele tijd die Panhyssir het laatste halfjaar met de autarch had doorgebracht.

De hut van de hogepriester had wel een schoorsteen, en dat was prettig, want daardoor kon er een klein vuur worden gestookt. Een acoliet begon thee te maken, terwijl Vash zich op een bank liet zakken, welbewust het gebruikelijke rituele spel negerend waarbij het erom ging iemand van bijna gelijke sociale status zover te krijgen dat hij als eerste ging zitten. Tenslotte wilde hij de priester van Nushash gunstig stemmen. Vash hoopte op eerlijkheid, of in elk geval iets wat daarbij in de buurt kwam.

'En,' begon Panhyssir toen ze allebei een kom thee in hun hand hielden, 'wat kan ik voor u doen, mijn goede vriend Vash?'

Die schonk de hogepriester een glimlach, denkend aan alle keren dat hij had gespeeld met de gedachte een van zijn verwanten van het platteland naar de stad te halen om een mes in Panhyssirs oog te planten. Het hoofse leven leverde zowel onverwachte vrienden als verrassende vijanden op. Op dit moment betrapte hij zich erop dat hij de priester bijna met een gevoel van dierbaarheid bezag. Panhyssir mocht dan een beroerling zijn die uitsluitend vervuld was van eigenbelang, hij was er ook een van de oude hap, en dat waren er niet zoveel meer, helemaal na de slachting die Sulepis bij zijn aantreden had aangericht. 'U zult begrijpen dat het gaat om de Gouden Vorst,' zei Vash. 'Ik maak me dag en nacht zorgen over de vraag hoe ik hem het best kan dienen.'

Panhyssir knikte wijs. 'Zoals wij allen. Moge de Heer van het Vuur hem voor eeuwig behoeden. Wat kan ik voor u betekenen?'

'Ik wil een beroep doen op uw wijsheid.' Vash nam een slok thee, in een welbewuste poging tijd te rekken. 'En op uw discrctie. Want ik zou niet willen dat u denkt dat ik probeer me te mengen in zaken die louter en alleen u aangaan.'

'Ik luister.'

'Daarmee doel ik natuurlijk op uw relatie met de Gouden Vorst; op de raad die u hem verschaft waar het de goden betreft. Uw rentmeesterschap acht ik van het grootste belang, en nogmaals, daar wil ik me niet in mengen. Trouwens, de wegen van de levende god op aarde zijn soms een raadsel voor me, dus laat staan dat ik de onsterfelijke goden in de hemel zou kunnen begrijpen.'

Panhyssir toonde zich licht geamuseerd. 'Dat kan ik alleen maar onderschrijven. In welk opzicht kan ik u ter wille zijn met mijn... wijsheid?'

'Ik zal eerlijk tegen u zijn, oude vriend, als bewijs van mijn geloof en mijn vertrouwen in u. We weten allebei dat er aan ons hof velen zijn die misbruik zouden maken van het geringste blijk van zwakte of twijfel bij een collega-minister; dat ze hem zouden aangeven of zouden proberen hem te chanteren.'

'Verschrikkelijk, die jonge ministers,' zei Panhyssir ernstig. 'Ze weten niets van trouw of dienstbaarheid.'

'Precies. Maar ik heb er vertrouwen in dat u, met uw wijsheid en uw jarenlange staat van dienst, in staat bent het verschil te zien tussen het in twijfel trekken van de wijsheid van de autarch en een simpele – en volstrekt redelijke – bezorgdheid om zijn welzijn.'

Panhyssir genoot zichtbaar. 'Wat u zegt, klinkt buitengewoon boeiend, Vash. Maar dat verbaast me niets. In uw ijver om te dienen bent u met uw gedachten iedereen – en daartoe reken ik ook mezelf – altijd ver vooruit.'

Vash wuifde zijn woorden weg, want hij wilde niet in een situatie verzeild raken waarin ze probeerden elkaar met complimenten te overtreffen; aan het hof van Xis kon zoiets uren duren. 'Ik heb slechts het welzijn van Xis voor ogen en probeer te leven volgens de wil van de goden, vooral van de machtige Nushash, de koning van alle hemelen, zoals de autarch heer en meester is over de hele aarde. Maar nu komen we bij mijn vraag.' Hij zweeg en nam nog een slok thee, zich voor het eerst ten volle bewust van wat hij deed – en van het risico dat hij daarmee nam. 'Waar gaat deze reis naartoe, mijn waarde Panhyssir? Wat is de autarch van plan? Waarom reizen we met zo'n kleine troepenmacht, zo ver buiten het bereik van ons machtige leger, op weg naar een vreemd land in het verre noorden?'

Nu hij onherroepelijk uiting had gegeven aan zijn twijfels, liet hij zijn thee rondwalsen in zijn kom en keek naar de draaikolk van de blaadjes, een patroon dat even complex en rijk aan schoonheid was als een gedicht, in fraaie letters op perkament geschreven. Heel even zag Vash als in een visioen een ander leven, een leven waarin hij de macht en de rijkdom de rug had toegekeerd en waarin hij zich wijdde aan het markeren van de contouren van de wereld en de eeuwigheid, door de pen ter hand te nemen en de woorden van de grote dichters en denkers te kopiëren, met geen ander doel dan ze zo mooi en indringend mogelijk weer te geven.

Maar de Vash die voor een dergelijk leven zou hebben gekozen, zou door zijn ouders zijn verstoten en allang van honger zijn omgekomen, dacht hij. *Dus dan zou ik dit visioen nooit hebben gehad...* Hij besefte dat zijn gedachten aan het dwalen waren geslagen, nota bene op een cruciaal moment als dit! *Ik begin echt oud te worden.*

'Ach ja, onze reis naar het noorden.' De hogepriester fronste, niet boos of verontwaardigd, maar alsof hij nadacht over een boeiende uitdaging. 'Wat heeft de Gouden Vorst u verteld?'

Niets had Vash bijna gezegd, maar hij wist zich nog net op tijd in te houden. Want dat zou hebben geklonken alsof hij door de autarch was buitengesloten. 'Zo het een en ander. Maar ik ben bang dat ik hem soms niet goed begrijp. Zijn overwegingen zijn zo verheven, en mijn gedachten zo nederig. Ik dacht dat u me misschien enige uitleg zou kunnen verschaffen.'

Panhyssir knikte glimlachend. Arrogante, inhalige pad, dacht Vash. *Dáárom ben je priester geworden. Zodat je je boven iedereen verheven kon voelen en zodat je je erop kon beroemen dat jij als enige weet wat de goden beweegt.*

'Om te beginnen moet u beseffen dat de Gouden Vorst behalve heerser ook geleerde is,' zei de hogepriester. 'Hij heeft talloze boeken met de kennis van eeuwen verzameld en gelezen, waarvan de meeste wijze mannen zelfs de naam niet kennen. Ik kan in alle eerlijkheid verklaren dat hij in zijn studie van de goden en hun bedoelingen zelfs verder is gegaan dan ik, de hogepriester van de allerhoogste god.'

Vash twijfelde er niet aan of het was waar wat Panhyssir zei. De hogepriester was verre van dom, maar zijn liefde voor macht ging oneindig veel verder dan zijn liefde voor kennis en geleerdheid. 'En het resultaat van deze diepgravende... studie... is dat we naar het noorden moeten, naar een ijskoud, door regen geteisterd, barbaars land... Maar waarom?'

'Omdat de Gouden Vorst een plan heeft ontwikkeld dat zo vermetel is, zo adembenemend dat zelfs ik het amper kan begrijpen.' De hogepriester klopte op zijn welgedane middel. 'En er is maar één plek in heel Xand en Eion waar dat plan kan worden verwezenlijkt – een kasteel in een klein Mark Koninkrijk. Het land van de heidense Koning Olin.'

'Maar wat is dat dan voor plan, Panhyssir? Wat moet ik me daarbij voorstellen?'

'De Meester van de Grote Tent, onze gezegende autarch, is voornemens de goden zelf uit hun eeuwenlange slaap te wekken.' De priester dronk zijn kom leeg en hield hem van zich af, zodat de slaaf hem kon aanpakken. 'En de enige prijs zal het leven van de koning uit het noorden zijn. Een onbeduidende prijs wanneer we daarmee de Hemel naar onze verdorven aarde kunnen brengen, mijn waarde eerste minister Vash. Dat zult u toch met me eens zijn...'

Pinimmon Vash wist niet wat hij ervan moest denken. Terwijl hij langzaam de treden beklom die van de hut van de hogepriester naar het bovendek leidden, werd hij overspoeld door een golf van vermoeidheid, zwaar als de ziedende zee. Tegen zoveel dwaasheid kon niemand ook maar iets uitrichten, laat staan een eenzame oude man zoals hij. Natuurlijk waren Panhyssir en zijn priesters volmaakt tevreden met de waanzin van de autarch – hij reageerde gretig op hun vage ideeën, als een kat die achter een stukje touw aanjoeg. Lag daarin de oorzaak van de niet-aflatende veroveringszucht waardoor de autarch steeds dieper Eion in trok? Een veroveringszucht die zoveel van de hulpbronnen van Xis opslokte en die het land had opgezadeld met een leger dat zo groot was, zo hongerig en zo gevaarlijk dat het voortdurend aan het werk moest worden gehouden om te voorkomen dat de soldaten thuis voor problemen zorgden. Maar als dat zo was, vanwaar dan deze plotselinge koersverandering? Vanwaar eerst de geldverslindende aanval op Hierosol, gevolgd door deze vreemde expeditie – grillig als de vingervlugheid van een illusionist – naar de onbekende verten van het noordelijke continent?

Geloofden de autarch en de priesters oprecht dat de goden in het kasteel van de koning uit het noorden lagen te wachten tot ze werden gewekt? Of waren ze op zoek naar iets minder onwaarschijnlijks – een voorwerp dat grote macht bezat of een grote waarde vertegenwoordigde? Maar wat kon voor een man als Sulepis nog zo begeerlijk zijn? Hij was al de machtigste man ter wereld. Zou hij Xis aan de bedelstaf brengen voor een dergelijke gril? Zou hij iedere volwassen man onder de wapenen roepen, misschien zelfs een hele generatie uitroeien, enkel en alleen voor het majesteitelijke equivalent van een glanzender zwaard of een indrukwekkender huis?

En wat is mijn taak? Moet ik hem steunen in zijn dwaasheid, of moet ik hem zien tegen te houden? Maar zelfs als ik zou besluiten me tegen de autarch te verzetten, wat zou ik bereiken, anders dan al protesterend ten onder gaan? Zelfs op dit kleine schip wordt hij voortdurend omringd door voorproevers, bedienden en door zijn Luipaarden. Bovendien is hij veel jonger en sterker dan ik, dus zelfs als ik hem zou weten te isoleren, dan nog zou ik niets kunnen uitrichten. Nee, als eerste minister hoefde hij er niet op te rekenen dat hij de autarch zou kunnen schaden, en als hij het toch probeerde, zou de onvermijdelijke mislukking worden bestraft met gruwelijke martelingen gevolgd door een terechtstelling. Vash dacht aan het lot van Jeddin, de voormalige kapitein van de Luipaarden, en huiverde.

Nee, het zou zinloos zijn om me halsoverkop ergens in te storten...

Hij trof de buitenlandse koning op een bank op het voordek, waar Olin zat te genieten van de koele, maar stralende zonneschijn, zonder hoed en met de kap van zijn mantel naar achteren geschoven. Aan weerskanten van de koning stonden een stuk of tien, twaalf wachten langs de reling, en Vash ontdekte er nog twee boven hem op het gangboord rond de doorgang naar het kanonnendek. Wat Vash echter verbaasde was het gezelschap dat de noorderling scheen te hebben gekozen: op slechts enkele stappen van Olin Eddon zat de kreupele Prusas. De scotarch had het gordijn van zijn draagstoel opengeschoven zodat ook hij van de zon kon genieten. De eerste dagen aan boord was hij ziek geweest, en hij zag er nog steeds uit alsof hij elk moment niet goed kon worden. Zijn hoofd stond onvast op zijn nek, en hij trok met zijn armen en benen. Alleen al zijn aanblik vervulde Vash met angst. In Sulepis' keuze voor zo'n beklagenswaardig schepsel had Vash het eerste teken moeten herkennen van de verontrustende, onbegrijpelijke ideeën die de nieuwe autarch erop nahield.

Vash keerde zich weer naar de koning uit het noorden. Welke waanzinnige plannen de Gouden Vorst ook koesterde, het was duidelijk dat ze zouden leiden tot Olins dood, dus elk gesprek diende te worden gevoerd met dat gegeven in het achterhoofd. Het was te vergelijken met het strelen van een offerdier – dat deed je uitsluitend om het dier te kalmeren, want het was zinloos om een emotionele band op te bouwen.

Vash glimlachte. 'Goedendag, Koning Olin. Ik neem aan dat u van de zon geniet?'

'Hoe kan ik daarvan genieten, wanneer elke zonsondergang mijn laatste kan zijn?'

De eerste minister boog zijn hoofd in een niet onverdienstelijk gespeeld vertoon van spijt. 'Wanhoop niet, Hoogheid. Het is niet ondenkbaar dat de Gouden Vorst besluit uw leven te sparen. Hij is veranderlijk, onze grote meester.' Dat was hij zeker, maar daar werd zelden iemand beter van.

Olin trok een wenkbrauw op. 'Ach, in dat geval... heb ik niets te vrezen, is het wel?' Hij keerde zich opnieuw naar de horizon. Tijdens deze zeereis had hij weer een blos op zijn wangen gekregen en was zijn bleke gevangeniskleur langzaam maar zeker vervangen door bruin. Zelfs de zwakke, rode gloed die over zijn bruine haar lag, leek stralender, vuriger. Vash was zich bewust van de ironie. Hoe dichter Olin Eddon zijn dood naderde, hoe meer hij er weer uit begon te zien als een man in de kracht van zijn leven.

'Kan ik u iets laten brengen?' vroeg Vash.

'Nee, ik geniet van de wind op mijn huid, en daar heb ik op dit mo-

ment genoeg aan. Maar u zou wel een vraag voor me kunnen beantwoorden.' Hij gebaarde naar Prusas onder zijn baldakijn. 'Ik heb het
hem ook gevraagd, maar de... scotarch, geloof ik dat u hem noemt... is
niet echt een prater.'

'Inderdaad Hoogheid, daar hebt u gelijk in.' *Een treurige idioot, dat is
hij. Een kind dat meteen bij de geboorte gedood had moeten worden. De enige reden dat ze hem hebben laten leven, is dat zijn moeder schatrijk was.* Het
was dwaas om zich erover op te winden, maar Vash werd er altijd kribbig van als hij de dwalende blik van Prusas' waterige ogen op zich gericht voelde. 'Als dat in mijn vermogen ligt, zal ik uw vraag beantwoorden.'

'Dank u wel. Wat ís een scotarch? Ik heb begrepen dat hij in zekere
zin de erfgenaam is van de autarch.'

'Ik begrijp de vraag, want het instituut van de scotarch moet inderdaad een vreemde indruk op u maken.' De benen van Vash begonnen
pijn te doen van het lange staan. Hij liep naar de andere kant van de
bank en ging zitten. 'Er wordt beweerd dat de geschiedenis van de sco-
tarchen heel ver teruggaat, naar de tijd toen ons volk nog een nomaden-
bestaan leidde in de woestijn. Eens per jaar kwamen alle families bij elkaar rond de *xawadis*, de plek waar het water nooit helemaal verdween.
Het was een heilige plek, en daar werd een soort hoofdman gekozen –
een Grote Valk. Maar er werd ook een Havik aangewezen, de hoog vliegende jager van de woestijn. Dit was doorgaans een van de oudere mannen, een wijze figuur met verantwoordelijkheidsbesef maar zonder am-
bitie. Hij sloot zich aan bij de familie van de Valk, en als de hoofdman
iets overkwam, werd híj de Valk.

In de loop der eeuwen trok ons volk geleidelijk aan naar de steden en
werd de relatie subtieler en complexer. Soms gebeurde het zelfs dat de
Valk en de Havik, die inmiddels Autarch en Scotarch heetten, bijna met
elkaar in oorlog waren, ieder met zijn eigen aanhangers, zijn eigen groep
families, zijn eigen krijgers. Na de val van het eerste Xissische Rijk kwamen de overlevende familiehoofden bij elkaar op de plek waar nu de
stad Xis ligt. Uit deze bijeenkomst zijn de Wetten van Shakh Xis voort-
gekomen. De belangrijkste van deze wetten behandelt de rol van de autarch en de scotarch. Of vertel ik u dingen die u al wist, Hoogheid?' besloot hij beminnelijk.

'Nee, volstrekt niet. Gaat u alstublieft door.'

'Zoals u wilt. In de Wetten van Shakh Xis werd bepaald dat de autarch te allen tijde een scotarch kiest, en dat de scotarch nooit over Xis

zal heersen, tenzij de autarch sterft. En dan slechts tot het beraad van de adellijke families de volgende autarch heeft gekozen; die overigens bijna altijd de erfgenaam is van de gestorven autarch.'

'Dat klinkt niet al te ongebruikelijk,' merkte Olin op. 'Wij hebben soortgelijke wetten in sommige van de Mark Koninkrijken.'

'Ja, maar het wordt pas interessant wanneer de situatie andersom is,' legde Vash uit. Hij wierp een haastige blik op Prusas, maar de scotarch leek in slaap te zijn gevallen; een dunne sliert kwijl hing van zijn onderlip op zijn kraag. 'Als de scotarch sterft, moet ook de autarch terugtreden tot de raad van edelen bij elkaar komt en bepaalt of hij geschikt is om zijn bewind voort te zetten. In de periode na zijn terugtreden geniet hij niet langer de bescherming van de goden. Hij kan worden afgezet en zelfs terechtgesteld door de edelen. Dat is meer dan eens gebeurd.'

Olin trok een wenkbrauw op. 'Als de scotárch sterft, kan de autarch worden afgezet? Waarom in hemelsnaam?'

Vash haalde zijn schouders op. 'Het was een manier om ervoor te zorgen dat geen van de jaloerse families de macht greep. Voor wie het uitsluitend om de macht te doen is, heeft het geen zin om scotarch te worden, want wanneer de autarch sterft, regeer je slechts tot de verkiezing van een nieuwe autarch. En het heeft geen zin om de autarch te vermoorden, vooral niet voor ongeduldige erfgenamen, want hij wordt in eerste instantie opgevolgd door de scotarch, en de mogelijkheid bestaat dat je nooit op de troon komt.'

'En iedere autarch kiest een nieuwe scotarch,' zei Olin met een blik op Prusas, die inmiddels snurkte maar zelfs in zijn slaap licht beefde, waarbij zijn handen wapperden als klaprozen in een sterke bries. 'Maar als de autarch altijd op z'n minst tijdelijk wordt afgezet na de dood van zijn scotarch, zou het dan niet voor de hand liggen om een zo gezond mogelijke jongeman tot scotarch te kiezen?'

'Natuurlijk, Hoogheid.' Vash knikte. 'En in het verleden hebben autarchen ook grootse ceremoniële wedstrijden georganiseerd in worstelen en hardlopen en de krijgskunsten, met als doel uit de adellijke families de gezondste, sterkste kandidaten te selecteren.'

'Maar deze autarch heeft blijkbaar anders beslist.'

Vash knikte. 'De Gouden Vorst – moge hem een lang leven gegeven zijn – is in heel veel opzichten anders dan zijn voorgangers.' Hij dempte zijn stem zodat de wachten hem niet konden horen. 'Bij de ceremonie waarbij Prusas de Havikskroon ontving, sprak zijne doorluchtige majesteit Sulepis tot ons, zijn gehoor: "Laat iedereen die twijfelt aan mijn besluit afwachten wie de goden als eerste tot zich nemen – Prusas onze nieuwe scotarch, of mijn vijanden."' Vash ging weer rechtop zitten. 'Tot dusverre hebben talloze vijanden van de Gouden Vorst deze aarde verlaten, maar Prusas leeft nog.' Hij werkte zich enigszins moeizaam overeind en besefte dat hij zich beter voelde. Door het verhaal aan de vreemdeling te vertellen had hij tegelijkertijd helderheid geschapen in zijn eigen zorgelijke gedachten. Het was aan de goden om te beslissen of Sulepis moest worden tegengehouden, besloot hij, niet aan Pinimmon Vash. Als de Hemel wilde dat de Gouden Vorst werd neergeslagen, of desnoods alleen maar gedwarsboomd, dan hoefden de goden slechts het dunne riet te breken dat het leven van de gebrekkige Prusas was. En dat zou voor de goden niet moeilijker moeten zijn dan het doodslaan van een vlieg.

'Mag ik nog één vraag stellen?' vroeg Olin.

'Natuurlijk, Hoogheid.'

'Stel dat iemand – en mogen de goden dat verhoeden – Scotarch Prusas overboord zou duwen, zou de autarch dan zijn macht kwijtraken?'

Vash knikte. 'Anderen hebben diezelfde gedachte gehad. En dat is inderdaad mogelijk.'

'Mogelijk? Ik dacht dat de wetten van uw land dat bepaalden.'

'Ja, maar het is ook alom bekend dat Sulepis zelf de wet is. Bovendien vermoed ik dat er nog een reden is waarom niemand het ooit heeft durven proberen.'

'En die is?'

'Wat er verder ook gebeurt, de moordenaar van een scotarch zou worden gestraft, en de straf is erg wreed – de ingewanden van de moordenaar worden in een leeuwenkooi gegooid, nog verbonden met zijn lichaam, als ik me goed herinner. Vandaar dat er nog nooit een scotarch is vermoord, zelfs niet voordat Sulepis de troon besteeg.'

'Dank u wel,' zei Olin. 'U hebt me veel stof tot nadenken gegeven, Minister Vash.'

'Ik ben blij dat ik van dienst heb kunnen zijn, Hoogheid.' Hij maakte een buiging en keerde terug naar zijn hut. Na een onverwacht drukke ochtend en het deprimerende gezelschap van een verdoemde had Vash plotseling behoefte aan iets te eten en aan een glas zoete wijn.

*

De man zonder glimlach stond in de deuropening van de hut. Duif, die zich in bijna elke andere situatie als een trouwe hond voor Qinnitan zou hebben geworpen, kroop achter haar weg onder het slaken van ongearticuleerde, doodsbange geluiden. Qinnitan deed haar uiterste best niet te laten merken dat ze net zo bang was als hij. 'Wat wilt u?' vroeg ze.

De man zonder glimlach keek haar vluchtig aan, toen liet hij zijn blik door de kleine hut gaan. Ondanks het koele weer was het er, doordat de luiken waren dichtgespijkerd, smoorheet en er hing een stank van ongewassen lichamen en van de po, die slechts eens per dag werd geleegd.

'Ik ga de stad in,' zei hij ten slotte. 'En waag het niet rottigheid uit te halen zolang ik weg ben.'

'Welke stad?' Als ze dat wist, zou ze misschien enig idee hebben waar ze waren en hoe ver ze hadden gevaren. Door het veranderde deinen van het schip en door de geluiden die ze had opgevangen, wist ze dat ze het anker hadden laten vallen, en de laatste paar uur was ze doodsbang geweest dat ze het schip van de autarch hadden ingehaald. Maar misschien was er iets anders aan de hand. Ze probeerde echter niet al te veel verwachtingen te koesteren.

Zonder antwoord te geven op haar vraag liet hij zijn blik nog een laatste keer door de hut gaan. 'Als ik tegen zonsondergang nog niet terug ben, geeft de bemanning jullie eten. Ik heb ze gezegd dat ze je niet mogen doden, maar dat ze niet moeten aarzelen dat joch te martelen mocht je proberen rottigheid uit te halen.' Hij richtte zijn bleke, dode ogen op Duif. 'Daarom heb ik hem ook meegenomen. Om te garanderen dat je doet wat je wordt gezegd. Is dat duidelijk?'

Qinnitan slikte. 'Ja.' Toen hij zich weer naar haar toe keerde, zag ze dat zijn ogen zo leeg waren als die van de rode en zilverkleurige vissen in de vijvers in de Afzondering. 'Ik zou graag een bad willen nemen,' zei ze. 'Zelfs u zult toch niet van plan zijn me stinkend aan de autarch over te dragen.'

Hij wendde zich af en liep naar de deur. 'We zullen zien.'

'Waarom wilt u me niet vertellen hoe u heet?'

'Omdat de doden geen namen nodig hebben.' Nadat hij de deur achter zich had laten dichtvallen, hoorde ze dat de zware grendel ervoor werd geschoven.

Iemand sprak hem aan in de gang. Zo te horen de kapitein – een van de beste in de vloot van de autarch, had Qinnitan begrepen van de weinige bemanningsleden die ze had weten af te luisteren. En ze had ook begrepen dat de kapitein met tegenzin orders accepteerde van hun ontvoerder, wie en wat hij ook mocht zijn. Ze maakte zich van Duif los en sloop geruisloos naar de deur, waar ze haar oor tegen de kier drukte.

'... Maar daar is niets aan te doen,' hoorde ze de kapitein tegen de naamloze man zeggen. 'Maakt u zich geen zorgen. Ons schip is sneller. Binnen een paar dagen hebben we de vloot van de autarch ingehaald.'

'Als het moet dan moet het,' zei hun gevangennemer na een lange stilte. Er klonk enige emotie in zijn stem – ongeduld, misschien zelfs woede. 'Ik ben tegen het vallen van de avond terug. Zorg dat we dan weer klaar zijn om uit te varen.'

Nu was het de kapitein die de boosheid niet uit zijn stem wist te weren. 'Het lukt niet altijd onmiddellijk om een nieuw roer te laten installeren, zelfs niet in een havenstad als Agamid. Ik kan niet meer dan mijn best doen. De mensen wikken, de goden beschikken.'

'Daarin vergist u zich,' beet hun gevangennemer hem toe. 'Als het ons niet lukt de autarch in te halen, zullen zelfs de goden u niet kunnen redden. Dat kan ik u verzekeren, kapitein.'

Qinnitan liep op haar tenen terug naar de kooi en kroop naast Duif. De lakens waren klam, de huid van de jongen voelde zweterig aan. Had hij soms koorts? Was hij ziek? Ze hoopte het bijna. Ze zouden hun ontvoerder op macabere wijze te slim af zijn door allebei te bezwijken aan de een of andere alledaagse ziekte voordat hij hen aan hun noodlot had kunnen overleveren.

'Sst,' fluisterde ze tegen het huiverende kind. 'Het komt allemaal goed, ventje. Het komt allemaal goed...' Maar haar gedachten raasden voort als een kar die een heuvel af denderde. Ze waren in Agamid, had ze de kapitein horen zeggen, en door de genade van de heilige bijen van de Korf herkende ze die naam. Agamid was een stad aan de zuidoostkust van Eion, even ten noorden van Devonis. Een van de meisjes in de wasruimte van de Citadel kwam uit Agamid. Qinnitan zocht krampachtig haar geheugen af, maar ze kon zich verder niets herinneren van wat het meisje had gezegd, behalve dat Devonis en Jael elkaar het bezit van de havenstad zo lang hadden betwist, dat de bevolking verscheidene talen sprak. Daar schoot ze verder niets mee op. Waar het op aankwam was een manier bedenken om van het schip af te komen terwijl hun vijand van boord was. Kon ze maar een afleidingsmanoeuvre bedenken...

'Vertrouw je me?' vroeg ze enkele ogenblikken later aan de stomme jongen. 'Duif? Vertrouw je me?'

Even leek hij haar niet te horen, en ze maakte zich ongerust dat hij misschien te ziek was om iets te doen, laat staan zijn leven wagen bij een ontsnappingspoging. Toen deed hij zijn ogen open en knikte.

'Mooi zo. Want ik heb een idee, maar het is wel een beetje eng. Je moet me beloven dat je niet bang zult zijn, wat er ook gebeurt.'

Zijn magere hand kwam onder de tot op de draad versleten deken vandaan en drukte de hare.

'Dan moet je goed naar me luisteren. We hebben maar één kans.' En als het misging, zou een van hen sterven, of misschien zouden ze het avontuur wel allebei met de dood moeten bekopen. Dat zei ze niet, maar Duif wist het. Al sinds het moment dat de man zonder naam hen de loopplank van het vlaggenschip van de autarch op had gesleept, leefden ze op gestolen tijd.

Koorts of vuur, dacht ze. *Wat het ook wordt, ik zal branden voordat de autarch me ook maar met één vinger zal aanraken.*

9
Dood in de buitengangen

'Kobolden, vooral de solitaire, grotere soort, werden ook na de tweede oorlog met de elfen nog in afgelegen delen van Eion aangetroffen. Hier in Kertesdam in de Mark Koninkrijken werd een kobold gedood tijdens het bewind van Koning Ustin. Het kadaver werd geconserveerd en aan bezoekers getoond, die het er allemaal over eens waren dat het geen natuurlijk schepsel was.'

Uit *Een Verhandeling over de Elfenvolken van Eion en Xand*

'Ik moet bekennen dat ik er allemaal niks van begrijp, Chaven.' Ferras Vansen schudde zijn hoofd. 'Goden, halfgoden, monsters, wonderen... en nu ook nog spiegels! Ik dacht dat hekserij werkte met vergif en dampende ketels.'

De glimlach van de dokter leek enigszins geforceerd. 'We hebben het hier niet over hekserij, kapitein, maar over wétenschap,' zei hij. 'Het verschil is dat geleerden zich aan bepaalde regels houden en hun ontdekkingen delen met andere geleerden, zodat er een schat aan kennis wordt opgebouwd. Dat is de reden dat ik uw hulp nodig heb. Dus vertel het me alstublieft nog één keer.'

'Ik heb u alles verteld wat ik me kan herinneren. Ik ben in de Grote Diepten in de duisternis gestort. Mijn val duurde heel lang. En na verloop van tijd was het alsof ik sliep, en droomde. Van die dromen kan ik me slechts flarden herinneren; die heb ik u verteld. Toen liet ik de duisternis achter me – ja, dat kan ik me nog heel duidelijk herinneren. Ik werd omringd door schaduwen, maar ik ben er op mijn eigen benen uit gelopen. En toen bleek dat ik me in het hart van Funderstad bevond, ook al wist ik dat toen natuurlijk niet, want ik was hier nog nooit geweest.'

'Maar u stond op de spiegel, klopt dat? De grote spiegel die het beeld van de god weerkaatst die door de Funderlingen de Heer van de Hete, Natte Steen wordt genoemd – Kernios, bij ons, volgelingen van het Trigonaat?'

Vansen begon moe te worden. Hij begreep niet waarom Chaven maar doorging met vragen stellen over de manier waarop hij naar de Midlands Berg was teruggekeerd. Dat had hij toch direct na zijn komst al uitgelegd?

'Ik stond op de spiegel, ja. En ik wist niet dat de Funderlingen een andere naam voor hem hadden, maar het was duidelijk een beeld van Kernios. Nu ik eraan terugdenk, herinner ik me ineens dat Jikuyin, het eenogige monster, van plan was een deur naar het huis van Kernios te openen. Wat hij daar ook mee mag hebben bedoeld. Ik heb er niet verder over nagedacht, want ik merkte al snel dat er andere dingen waren die mijn aandacht opeisten.' Hij glimlachte vluchtig. 'Zoals een horde Funderlingen gewapend met alle denkbare scherpe voorwerpen. En als ik me goed herinner, was ú degene die de horde aanvoerde, Chaven. Dus ik kan u verder niets vertellen wat u niet al weet.'

'Het klinkt allemaal wel logisch,' zei de dokter langzaam, alsof hij die laatste opmerking niet had gehoord. Sterker nog, hij leek te zijn gestopt met luisteren nadat Vansen het huis van Kernios had genoemd. 'Misschien bevond zich in de duisternis van de mijnen in de Grote Diepten ook een spiegel,' vervolgde hij peinzend. 'Of iets wat op dezelfde manier werkte – we kunnen amper gissen naar de kennis die de Qar nog bezitten, of waarvan de goden hen ooit deelgenoot hebben gemaakt.' Chaven begon door de refter te ijsberen – samen met de heilige kapel een van de weinige vertrekken in de tempel van de Metamorfische Broederschap die zo hoog en zo ruim waren dat de twee mannen er rechtop konden staan en zich vrijelijk konden bewegen. 'En aan het andere uiteinde een heilige plek in Funderstad – gewijd aan dezelfde god, ook al wordt die hier anders genoemd. Als een huis met aan de ene kant een deur naar Eion en aan de andere kant naar het zonnige Xand!'

'Nogmaals, ik begrijp er niets van, dokter.' Ferras Vansen kon het niet opbrengen lang over dit soort dingen te praten en te piekeren. Hij was soldaat – zijn land was in gevaar, en hij snakte ernaar in actie te kunnen komen. 'Maar doet u geen moeite om het me uit te leggen. Ik ben te simpel voor dat soort dingen.'

'U onderschat uzelf, Kapitein Vansen. Zoals altijd.' Chaven lachte. 'De vraag is, hebt u uzelf overtuigd? Let vooral niet op mij. Ik heb veel om over na te denken voordat ik ook maar enigszins licht in deze duisternis kan scheppen. Het afschuwelijke is dat Broeder Okros een van de grootste geesten was op dit gebied, en ik zou dolgraag met hem overleggen en zijn mening horen, terwijl ik hem tegelijkertijd met liefde zijn nek om zou draaien.'

'Die ken ik niet, ben ik bang.'

'Broeder Okros is een verrader, een boosaardige verrader. Ik dacht dat hij een vriend en een vakbroeder was, maar hij blijkt van meet af aan voor Hendon Tollij te hebben gewerkt.' Even leek de dokter zo overweldigd door emoties dat het spreken hem onmogelijk was. Terwijl hij nog worstelde met zijn gevoelens ging de deur open en kwam Cinnaber binnen.

'Goedendag, heren.' Hij hief groetend zijn hand.

Vansen had hem slechts twee keer gesproken, maar hij mocht de kleine man graag en begreep waarom Kiezel zo waarderend over hem sprak. 'We zullen u op uw woord moeten geloven, Magister Cinnaber. Niet dat het een goede dag is, maar dat het dág is! Voordat ik hier kwam, zat ik gevangen in de mijnen van de schaduwlanden. Dus ik kan me de laatste keer niet heugen dat ik de blauwe lucht heb gezien.' En de zon, hij snakte naar de zon! Soms droomde hij ervan, zoals je kon dromen van een dierbaar, gestorven familielid.

'Dat is omdat ze u boven de grond liever met pijlen bestoken dan dat ze u de kans geven een frisse neus te halen, kapitein,' zei de leider van de Funderlingen opgewekt. 'En daar kan ik helaas weinig aan doen. Ik kom eigenlijk voor Kiezel Blauwkwarts, maar ik zie dat ik hem ben misgelopen.'

'Hij is boven, om zijn gezin te helpen een plekje te vinden,' vertelde Vansen. 'En Chaven en ik hebben het over van alles en nog wat gehad. Ik moet bekennen dat ik geen idee had wat hier in Funderstad allemaal te vinden is en wat zich hier heeft afgespeeld – verborgen gangen, Kiezel en Opaal met hun vondeling van achter de Schaduwgrens, magische spiegels... En dan te bedenken dat ik jarenlang boven zo'n exotisch oord heb gewoond zonder het te beseffen!'

'Spiegels? Alweer?' vroeg Cinnaber. 'Vanwaar toch dat gepraat over spiegels?'

'O, dat stelt niets voor,' mengde Chaven zich in het gesprek. 'Spiegels zijn niet belangrijk, magister.' Ondanks zijn eerdere geïnteresseerdheid en zijn vele vragen die Vansen behoorlijk hadden uitgeput, leek Chaven er nu ineens niet meer over te willen praten. 'Waar het om gaat, is dat we hier met erg weinigen zijn, en dat we in de val zitten tussen de Qar buiten de poorten en de verrader Hendon Tollij boven ons in het kasteel. En als de Qar bekend zijn met de gangen van Stormsteen, zoals Kiezel suggereerde, dan zullen ze misschien niet lang meer vóór de poorten staan...'

Voordat de dokter kon uitspreken, ging de deur weer open en kwam Kiezel Blauwkwarts binnen. Hij liep langzaam, alsof hij gebukt ging onder een zware last.

En in zekere zin is dat ook zo, dacht Vansen. Kiezel was bij veel van hun discussies naar voren geschoven, hoewel hij zich duidelijk niet op zijn gemak voelde met die verantwoordelijkheid. Toch had hij indruk op Vansen gemaakt, die in de Funderling iets van zijn oude meester Donald Murrij terugzag, en dan vooral in de wrange kwinkslagen waarmee de kleine man er nauwelijks in slaagde zijn vriendelijke aard te verbergen.

Cinnaber spreidde zijn armen. 'Kiezel, mijn beste! Daar ben je! Ongetwijfeld rechtstreeks van de eettafel. Zijn vrouw is een uitstekende kok, wist u dat?'

'Met wat die ellendige monniken ons geven, zou Opaal al blij zijn als ze stenensoep kon maken,' zei Kiezel. 'De Metamorfische Broeders zien in het feit dat we genieten van ons eten een bewijs dat we afglijden naar decadentie.' Hij rolde met zijn ogen. 'Of zoals Nikkel eens tegen me zei: "Wees dankbaar dat je krekels hebt die je kunt roosteren. Onze acolieten krijgen maar één keer in de week krekelpap, en dat is een feestmaal voor ze ..."'

Even later kwam Nikkel zelf binnen, zoals gebruikelijk met een frons op zijn gezicht. 'Ik kan de broeders maar niet aan het werk krijgen. Ze roddelen liever over het grote volk en de elfen dan dat ze zich inzetten voor de zaak van de Ouden.'

'Het zijn vreemde tijden,' zei Cinnaber. 'Val ze niet te hard, Broeder Nikkel.'

De magistraat van de Kwikzilverfamilie vertegenwoordigde de meesters van het Gilde, en het was het Gilde dat zou besluiten over Nikkels promotie tot abt. Zelfs Ferras Vansen, die toch een buitenstaander was, kon zich niet aan de indruk onttrekken dat de houding van de monnik van het ene op het andere moment omsloeg.

'U hebt gelijk, magister,' viel Nikkel de Grootgildemeester haastig bij. 'Volkomen gelijk.'

Bij het zien van de blik van weerzin op het gezicht van Kiezel Blauwkwarts moest Ferras Vansen op zijn onderlip bijten om niet breed te grijnzen.

'Dus u zegt daarmee eigenlijk dat Funderstad onmogelijk te verdedigen is?' vroeg Vansen.

'Nee kapitein, dat zeg ik niet,' antwoordde Cinnaber. 'Maar dit is geen ommuurde stad, zoals Zuidermark hierboven. Hoe dichter bij Funderstad, hoe meer wegen er zijn – en dan heb ik het over enkele tientallen. Die zouden allemaal verdedigd moeten worden!'

'Dan moeten we het zwaartepunt van onze verdediging bij de tempel leggen,' zei Kiezel plotseling.

'Wat is dat voor onzin, Blauwkwarts?' Nikkel mocht Kiezel net zomin als andersom. 'Dit is een heilige plek, geen slagveld!'

'Een slagveld is elke plek waar wordt gevochten, Broeder Nikkel!' merkte Cinnaber op. 'Maar we proberen juist te voorkomen dat de tempel van de Metamorfische Broeders en Funderstad verworden tot slagvelden. Tenminste, als ik Kiezel goed begrijp.'

'Daar komt het wel op neer, ja.' De kleine man keek om zich heen alsof hij zich plotseling slecht op zijn gemak voelde in het middelpunt van alle aandacht. 'Het is nu eenmaal een gegeven dat de eeuwenoude wegen waarlangs het elfenvolk waarschijnlijk zal optrekken – de wegen die vanaf het vasteland onder de baai hierheen leiden – eerst langs de tempel voeren. En niet alleen dat, die wegen en de andere die daarop uitkomen, splitsen zich hierboven, met als gevolg dat het oorspronkelijke geringe aantal doorgangen zich, eenmaal bij de rand van onze stad, met enkele tientallen heeft verveelvoudigd. Dat maakt het onmogelijk ze stuk voor stuk te verdedigen.'

'Kunnen we ze afsluiten?' vroeg Vansen. 'Stenen genoeg! En in de Grote Diepten heb ik gezien hoe Jikuyins slaven buskruit gebruikten...'

Cinnaber knikte. 'Plofpoeder, zoals wij het noemen. Ja, dat hebben we, en we hebben inderdaad stenen genoeg, maar het zou een jaar delven en tien keer de beschikbare mankracht vergen om alle toegangen tot Funderstad af te sluiten. Vanuit de stad zijn er wegen die naar misschien een stuk of vijf, zes steengroeven leiden, naar poelen met zoet water, naar minstens tien, twaalf buitenwijken, om nog maar te zwijgen van de grotten en gangen die op natuurlijke wijze zijn ontstaan. Die zouden we allemaal moeten verzegelen.' Hij zuchtte. 'Kiezel heeft gelijk. Als het elfenvolk besluit op te rukken via de wegen van Stormsteen onder de baai, dan zullen we de vijand hier moeten tegenhouden. Op dit punt kunnen we het aantal toegangen nog terugbrengen tot een hanteerbare hoeveelheid. Als het hier niet lukt, zijn we verloren.'

'U wilt toch niet serieus beweren dat u de tempel wilt veranderen in een soort legerkamp...' begon Nikkel, maar hij werd onderbroken doordat er luidkeels op de deur werd geklopt. Broeder Antimoon kwam binnen, met een blos van opwinding op zijn gezicht. 'Vergeef me dat ik u stoor, heren!' verontschuldigde hij zich met hese stem. 'Ik vraag dringend om verschoning. Maar sommige van de broeders... denken dat er... Ze hebben geluiden gehoord!'

Cinnaber trok een wenkbrauw op. 'In de naam van de dodelijke steenlawine, kerel! Waar héb je het over? Hoezo, geluiden? Wat voor geluiden? Waar hebben ze die gehoord? En trouwens, wat is er zo vreemd aan het horen van geluiden?'

Antimoon deed duidelijk zijn best om zichzelf weer in de hand te krijgen. 'Bij de Boorgaten in de Buitengangen, magister. Dat zijn kleine grotten, die dienen als cellen, met elkaar verbonden door gangen. Nog voorbij de verste tempeltuinen. Diverse acolieten hebben stemmen gehoord vanuit de diepte. Dus ze hebben iemand hierheen gestuurd om ons te waarschuwen.'

'Waarom zijn ze niet eerst bij mij gekomen?' vroeg Nikkel.

Cinnaber legde met een handgebaar de oudere monnik het zwijgen op. 'Ik weet niet zeker of ik de ongerustheid goed begrijp, Broeder Antimoon. Deze acolieten zitten toch in een periode van vasten, als ik het goed heb begrepen? Volgens mij is het heel gewoon om dingen te horen en te zien wanneer je geruime tijd niet eet.'

Antimoon boog zijn hoofd, maar liet zich niet ontmoedigen. 'Dat klopt, Magister Cinnaber. Ze vasten inderdaad, en dan gebeurt het regelmatig dat ze dingen zien en horen. Maar in dit geval hebben verschillende van de acolieten hetzélfde gehoord: stemmen die fluisterden als de wind, maar bovendien spraken de stemmen een taal die de acolieten niet konden verstaan.'

Kiezel boog zich naar voren. 'Antimoon, raken deze gangen op enig punt aan de Gangen van Stormsteen?'

Antimoon knikte. 'Natuurlijk, Meester Blauwkwarts. Voorbij de Boorgaten. Daaronder loopt een gang die de Zwarte Lanteerne wordt genoemd, en daar voorbij beginnen de wegen van Stormsteen.'

'Dus als de elfen... de Qar... hebben besloten naar de burcht te komen op de manier die we zojuist hebben besproken, dan zouden ze bijvoorbeeld die weg kunnen hebben gekozen,' zei Vansen.

'En we zijn nog niet eens begonnen met het afsluiten van de wegen rond de tempel,' zei Cinnaber grimmig. 'Aardverschuivingen en lawines! Hoe kunnen we al onze gangen verdedigen als het Schemervolk de invasie al heeft ingezet? Het zijn er te veel! Zelfs met alle bovengronders en hun paarden en kanonnen zou het ons nog niet lukken!'

'Toch moet er iemand naar die Boorgaten, zoals u ze noemde. Laten we niet meteen het ergste denken. Misschien is het inderdaad hun verbeelding die de hongerige monniken parten speelt. Maar zo niet, dan moeten we zo snel mogelijk in actie komen.'

'Kapitein Vansen, wij Funderlingen hebben geen leger,' hielp Cinnaber hem herinneren.

'Maar u moet toch mensen hebben die kunnen vechten?' Vansen keek om zich heen. 'Die horde toen ik hier kwam... Wie waren dat? De meesten waren gewapend met spaden en houwelen, maar ik kan me ook een paar jonge, sterke kerels herinneren die volgens mij echte wapens bij zich hadden.'

'Dat was de Gildewacht,' zei Cinnaber. 'Een soort schildwachten... We noemen ze "hoeders". Ze helpen met de bescherming van de gildezaal en andere belangrijke plaatsen en zaken. Maar het is lang geleden dat ze iets ernstigers bij de hand hebben gehad dan kleine vergrijpen als diefstal en openbare dronkenschap, en af en toe een opstootje dat ze de kop in moesten drukken.'

'Dat doet er niet toe.' Vansens hart begon sneller te slaan. Eindelijk zag hij een kans om iets te dóén, een manier waarop hij kon helpen in plaats van alleen maar antwoord geven op Chavens eindeloze spiegelvragen. 'Ik neem aan dat ze daar een training voor hebben gevolgd, en ze zijn in elk geval gewapend. Stuur me een ploeg van deze hoeders, zoveel als u er kunt missen. Met toestemming van het Gilde ga ik met ze op onderzoek uit, om te achterhalen van wie die fluisterende stemmen afkomstig zijn en of er sprake is van spionage.'

'Het duurt uren om een boodschapper naar het Gilde te sturen en terug,' zei Cinnaber met een ongelukkig gezicht.

'Misschien zouden er dan een paar mónniken met Kapitein Vansen mee kunnen gaan,' stelde Kiezel voor.

'Geen sprake van!' zei Nikkel nijdig. 'Wij monniken hebben een heilige eed gezworen om alleen de Ouden te dienen!'

'Ach. En wat denkt u, hoe zouden de Ouden het vinden als de Qar zich in de tempel vestigden en in de Mysteriën ronddartelden?' vroeg Kiezel.

'Zo is het wel genoeg,' verklaarde Magister Cinnaber. 'Er is hier een half dozijn hoeders. Die zijn met me meegekomen als eregarde van de Astion.' De Astion was net zoiets als het koninklijke zegel van het Huis Eddon, wist Vansen – een stenen schijf die bewees dat de drager ervan in opdracht van en namens het Gilde handelde. 'Zij kunnen met Kapitein Vansen meegaan, terwijl ik een boodschap naar Funderstad stuur om het Gilde duidelijk te maken waar we bang voor zijn en dat we meer mankracht nodig hebben.'

'Dat lijkt me een wijze oplossing, magister.' Vansen knikte instemmend. 'Kan de monnik die het nieuws is komen brengen, met ons mee om de weg te wijzen?'

'Hij is de hele dag al in touw,' zei Antimoon. 'Nadat hij de boodschap had overgebracht, waren zijn krachten volledig uitgeput. Dus hij ligt in de ziekenboeg.'

'Dan moeten we iets anders bedenken. Meester Blauwkwarts, kunt u me met de voorbereidingen helpen? Ik weet zo weinig van uw volk en van dit oord.'

Kiezel haalde somber zijn schouders op. 'Natuurlijk. Broeder Antimoon, zou jij naar mijn vrouw willen gaan om te zeggen dat ik misschien niet terug ben voor het avondeten? Hij liever dan ik,' zei hij terwijl hij de jonge monnik nakeek. 'Want dat zal het ouwetje niet leuk vinden.'

Cinnaber stelde de nieuwkomer voor. 'Dit is Moker IJzerkiezel,' zei hij tegen Vansen, met de waakzaamheid van iemand die een gevaarlijke hond aan een wel erg korte riem heeft. 'Hij is de voorman van de ploeg die u meeneemt. En hij wilde graag kennis met u maken.'

De nieuwkomer was niet veel groter dan Cinnaber en reikte dan ook amper tot Vansens middel, maar door zijn enorme gespierdheid was hij bijna net zo breed als hij lang was. Hij had lange armen, zijn handen waren minstens zo groot als die van Vansen. Met zijn geschoren hoofd, zo rond als een kanonskogel, zijn borstelige wenkbrauwen en zijn ruige baard zag hij eruit als de vleesgeworden strijdlust.

'Hebt u ervaring met het commanderen van manschappen?' vroeg hij na een intimiderende blik op Vansen.

'Die heb ik. Ik was... nee, ik ben kapitein van de koninklijke garde van Zuidermark.'

'Hebt u ook ervaring in het gevecht?'

'Jazeker. Meest recentelijk op de Vlakte van Kolkan, maar niet al mijn acties kennen zo'n rampzalige afloop, prijs de goden!' Vansen vond de strenge ondervraging wel vermakelijk, maar hij had lang op de terugkeer van Cinnaber moeten wachten, dus zijn geduld begon op te raken. 'Uw hoeders... Kan ik erop rekenen dat ze doen wat hun wordt opgedragen?'

'Zolang ik er maar bij ben.' Moker keek Vansen nog altijd strak en vurig in de ogen. 'Als ik het zeg, delven ze graniet met hun blote handen. Vandaar dat ik meega. Rest de vraag wie de leiding heeft, u of ik?'

Vansen weigerde zich te laten verleiden tot een krachtmeting met de botte kobold. 'Dat is aan de magister.'

'Kapitein Vansen heeft de leiding, Moker,' zei Cinnaber. 'Dat had ik je al gezegd.'

Vansen verbeet een glimlach. Hij had al zoiets vermoed. 'Maar uw hulp is meer dan welkom, voorman IJzerkiezel. We zullen zorgvuldig omspringen met de veiligheid van uw mannen. En ik verwacht niet dat het tot een gevecht komt. We gaan alleen wat geluiden onderzoeken.'

Moker sloeg snuivend zijn gespierde armen over elkaar voor zijn enorme borstkas. 'Natuurlijk houdt u rekening met de mogelijkheid dat er gevochten gaat worden. Anders nam u wel een stel zwammentelers uit de tempel mee met harken en manden. Wanneer de magister mijn hoeders inschakelt, is de kans groot dat er iemand een klap op zijn bek krijgt.'

'We zullen zien.' Vansen keerde zich naar Cinnaber. 'Ik ben hier ongewapend gekomen, maar zo kan ik niet werken. Trouwens, waar is de rest van de mannen?'

'Die wacht buiten,' antwoordde de magister. 'We zullen zorgen dat u een wapen krijgt, iets om die elfen mee overhoop te steken. En dan kunt u vertrekken zodra u wilt.'

'Kan ik nog even dag zeggen tegen Opaal?' Kiezel stond op.

'Hoezo?' vroeg Vansen. 'U gaat niet mee.'

'Maar u wilde toch weten...'

'Ik wilde antwoord op mijn vragen, en dat hebt u gegeven. Ik krijg Broeder Antimoon mee om als gids op te treden. Hij is jong, hij kent de weg op zijn duimpje en hij heeft geen gezin, zoals u. Dus ik duld geen protest, Meester Blauwkwarts, en ik wil dat u – in elk geval voor vanavond – teruggaat naar uw vrouw en uw zoon.'

Kiezel schonk hem een dankbare blik, niet wetend wat hij moest zeggen. Voordat het gênant kon worden, keerde Vansen hem de rug toe. De hoeders van IJzerkiezel stonden op hem te wachten, mannen die hij het gevaar – sommigen zelfs de dood – tegemoet zou leiden. En daarbij maakte het geen enkel verschil dat ze maar half zo groot waren als hij.

Het was net zo vreemd als wat hij in de Grote Diepten had gezien, dacht Vansen. Nee, vreemder! En dan te bedenken dat dit alles recht onder hem had gelegen, al die jaren dat hij inmiddels in Zuidermark woonde... De Treden van de Waterval waren enorm, een verticale gang in de vorm van een reusachtige, neerwaartse spiraal, alsof het gesteente rond een draaikolk was verhard, gestold, waarna het water was weggelopen. De deinende koraallampen van de mannen die vóór hem in de gang afdaalden, zagen eruit als kleine, stuiterende vonken in een donderwolk.

We hebben hier onze eigen Schaduwgrens, dacht hij. *Maar in plaats van twee landen náást elkaar, ligt hier het ene land – Zuidermark – boven het andere – Funderstad en alles daaromheen.*

'Pas op waar u loopt, kapitein,' bromde IJzerkiezel. 'Hier is het nog niet zo erg als u uw evenwicht verliest, maar een eindje verderop zou een val heel lang duren. Dus u kunt u maar beter nu vast aanwennen voorzichtig te zijn.'

'Bedankt.' Vansen bleef staan en zette het wapen dat Cinnaber hem had bezorgd tegen de muur – een 'pareerbijl', zoals de magister het had genoemd: een eenhandige strijdbijl met een dikke, ronde hamer tegenover de kling. Nadat hij de kleine lantaarn met het gloeiende brok koraal weer goed op zijn voorhoofd had geschoven, pakte hij de bijl op en vervolgde zijn weg. Hij kon niet veel zien bij het ziekelijke, groenachtig gele licht – Funderlingen zagen veel beter in het donker dan hij. Dus hij had gewoon een degelijke, ouderwetse fakkel willen meenemen. Maar toen hij dat tegen de voorman had geopperd, had die hem vol afschuw aangekeken.

'Met een fakkel zou de vijand ons al van ver kunnen ruiken, en hij zou het geknetter van de vlammen horen. Om nog maar te zwijgen van het feit dat het vuur op plekken waar de gangen erg nauw zijn, de zuurstof zou gebruiken die we zelf hard nodig hebben. Nee kapitein, laat het denkwerk maar over aan die ouwe Moker.'

Maar de Funderlingen hebben toch vuren? Om op te koken, en voor de warmte? Dat heb ik zelf gezien. En hoe zit het met hun smidses? Natuurlijk, Chaven had hem verteld dat ze ook een uitgebreid afvoersysteem hadden voor de rook, met loom draaiende ventilatoren als een soort waterraderen die de smerige lucht naar boven brachten en uitstootten boven de rotsachtige heuvel waarop Zuidermark was gebouwd.

Schoorstenen naar waar wij wonen, dacht hij verbijsterd. *Een ondergronds gangenstelsel, wegen die onder de baai door naar het vasteland lopen als het waar is wat Kiezel Blauwkwarts me heeft verteld. De Funderlingen hebben een groter deel van de rots in handen dan wij!*

Aan de voet van de Treden van de Waterval gekomen, tussen stenen wanden die zo hoog boven hen uittorenden dat het zwakke licht uit hun lampen de bovenkant niet kon bereiken, liep Vansen met zijn ploeg door een grote open ruimte, gestut door bleke zuilen die aan de boven- en de onderkant breed uitliepen. Nadat ze enige tijd hadden gelopen bleven ze ten slotte staan voor een muur met daarin de openingen van diverse stenen gangen.

'Dit noemen we de Vijf Bogen,' vertelde IJzerkiezel fluisterend.

Broeder Antimoon sprak een gebed in een taal die Vansen niet verstond, rijk aan harde *kaggghhh-* en *zzz*-klanken, terwijl het dozijn hoeders eerbiedig het hoofd boog.

'Hierachter liggen de Buitengangen,' vertelde de broeder aan Vansen toen hij was uitgebeden. 'Van Wat-Werd-Gebouwd gaan we nu naar Wat-Is-Gegroeid.'

Ferras Vansen begreep er niets van, maar daar was hij inmiddels aan gewend. 'Zijn we ver van... hoe heette het ook alweer... de plek waar de monniken zijn?'

'De Boorgaten? Nee, dat is nu niet ver meer,' aldus Antimoon.

'Sterker nog, we zijn zo dichtbij dat we beter onze mond kunnen houden.' IJzerkiezel stak een lange, harige arm uit om een van zijn hoeders met een stevige pets op het achterhoofd abrupt, midden in een woord, het zwijgen op te leggen. 'En dat geldt voor ons állemaal!' voegde hij er scherp aan toe.

De jonge hoeder die op zijn nummer was gezet, schonk zijn voorman een chagrijnige blik. Ondanks de vurigheid van Moker IJzerkiezel maakte Vansen zich zorgen dat diens hoeders misschien niet opgewassen zouden zijn tegen hun taak.

'Het is voorbij deze bocht,' fluisterde Antimoon. 'Laat mij maar even vooruitgaan, om te zien of ik iemand kan vinden die ons te woord kan staan. We willen hen tenslotte zo min mogelijk storen. Ze zitten midden in hun Wasdom – zo noemen we deze periode van retraite en gebed.'

'U gaat niet alleen. Hé, Gieteling!' zei IJzerkiezel tegen de hoeder die hij zojuist terecht had gewezen. 'Jij gaat met hem mee. Zorg dat hij niet in problemen komt en breng hem veilig terug.'

De aangesprokene toonde zich blij verrast met zo'n mannelijke taak. Hij maakte zich zo lang mogelijk in zijn zware mantel en nam de korte hellebaard van zijn schouder – bij de Funderlingen was die eerder een speer met een spijker op de punt dan een echte hellebaard. Een helm droeg hij niet, net zomin als een wapenrusting. Als hij ongewapend was geweest, had hij voor een monnik kunnen doorgaan.

Hoe kunnen we zelfs maar dénken dat we een eventuele vijand zullen weten tegen te houden, vroeg Vansen zich af. *Ons leger reikt tot mijn knieën en gaat in wol gekleed.*

Het duo haastte zich de kronkelende gang in en was al snel uit het gezicht verdwenen. Vansen, die last had van zijn rug doordat hij een groot deel van de weg min of meer dubbelgeklapt had moeten afleggen, kreeg nauwelijks de kans om op adem te komen voordat het tweetal alweer kwam terugdraven.

'Dood!' Antimoon had zijn ogen zo wijd open, dat het leek alsof ze nooit meer helemaal dicht zouden kunnen. 'Allemaal. In hun cel!'

'Hoe zijn ze gestorven?' vroeg IJzerkiezel voordat Vansen ook maar iets had kunnen zeggen.

'Dat konden we niet zien,' zei Gieteling opgewonden. 'Een van de slachtoffers is Kleine Tin. Die ken ik. Hij is amper dertien!'

'Maar hoe zijn ze aan hun eind gekomen?' vroeg Moker IJzerkiezel nogmaals. 'Hadden ze verwondingen?'

Ferras Vansen was een vreemdeling en IJzerkiezel hun vertrouwde voorman. Dus Vansen begreep dat ze zouden willen vasthouden aan wat vertrouwd was, maar verwarring zou later nog meer levens kunnen kosten. 'Laat mij de vragen stellen, voorman,' zei hij zacht maar beslist. 'Broeder Antimoon, wat hebt u precies gezien? Ik wil alleen maar horen wat u hebt gezien. Niet wat u denkt dat er gebeurd zou kunnen zijn. En laten we vooral niet te hard praten.'

Antimoon haalde diep adem. 'De cellen liggen vlak naast elkaar, met amper een paar stappen ertussen. Ze zijn open aan de voorkant. De doden zijn nog in hun cel, in elkaar gezakt, alsof ze zittend zijn gestorven. Het zijn er vier... nee, vijf. Het zijn er vijf, en de andere cellen waren leeg.' Hij zweeg – Vansen zag dat hij probeerde zichzelf onder controle te krijgen en zijn gedachten te ordenen. 'Voor zover we ze hebben geïnspecteerd, waren de andere cellen leeg. Een stuk of tien, twaalf. Daarna zijn we omgekeerd.'

'Hebt u iets gezien wat hun dood zou kunnen verklaren? Waren ze al koud?'

Antimoon keek verrast. 'Er is, volgens mij, geen druppel bloed gevloeid, maar ze waren allemaal dood. Sommigen hadden hun ogen nog open! We hebben ze niet aangeraakt. Tenslotte wisten we niet of er nog iemand was... en naar ons keek...'

Vansen fronste zijn wenkbrauwen. 'Het klinkt erg vreemd. Als ze allemaal op dezelfde manier zijn gestorven, in hun cel, dan hebben ze blijkbaar geen verzet geboden. Dat wijst erop dat ze zijn verrast. Maar zonder één druppel bloed? Dat is heel vreemd.' Om beter grip te krijgen op zijn pareerbijl veegde hij zijn handen af aan zijn broek. Kiezels vrouw, Opaal, was twee dagen bezig geweest met het verzamelen van Funderkleren om een complete uitmonstering voor hem bij elkaar te sprokkelen. 'Laten we maar eens poolshoogte gaan nemen. Gieteling, jij loopt voorop. Zodra we er zijn, neem ik het van je over.' Hij keerde zich naar de anderen, die hevig verontrust keken; alleen Moker IJzerkiezel grijnsde bijna bloeddorstig. 'Er wordt van nu af aan niet meer gepraat. Als je iets moet zeggen – bij de goden, alleen als het écht moet – doe het dan zachtjes! Als dit het werk is van het Schemervolk, dan is het stiller, en slimmer, en wreder dan wij ons zelfs maar kunnen voorstellen. En dan kunnen ze ons op een afstand van honderd stappen horen fluisteren.' Terwijl hij het zei voelde hij vluchtig een steek van schaamte. Was Gyir tenslotte niet een soort vriend geweest? Maar hij had op de Vlakte van Kolkan, en ook elders, te veel van zijn manschappen verloren om de Qar – minus Gyir – anders te kunnen zien dan als een dodelijke vijand. 'Is dat duidelijk? Akkoord. IJzerkiezel, pal achter me. Laat uw makkers zien hoe een man het gevaar tegemoet gaat.'

Ferras Vansen wilde niet het risico lopen ongetrainde mannen (of in elk geval mannen die niet waren opgeleid tot soldaat) te verliezen zonder dat hij hen te hulp kon komen omdat hij achter hen in de val zat. Dus hij was vastberaden voorop te gaan zodra dat mogelijk was. Dat was echter ook niet zonder risico, want als hij ergens klem kwam te zitten doordat de gang te smal was, zouden zijn mannen hem misschien niet kunnen helpen.

Zoals Murrij altijd zei: als je geen soldaat kunt zijn, maak dan haast met sterven zodat je als schild voor anderen kunt dienen. Als Vansen klem kwam te zitten, zou dat de rest misschien de kans geven zich terug te trekken en Funderstad te waarschuwen.

Toch zou het fijn zijn geweest als hij een echt schild had gehad. Vooral op stukken waar de gangen erg smal waren; trouwens, overal, met zoveel duisternis om hem heen. Hun zachte voetstappen klonken hem als tromslagen in de oren. Hij twijfelde er niet aan of de Qar hadden hen allang gehoord.

Ten slotte kon Vansen met zijn kleine troepenmacht de smalle doorgang achter zich laten en betraden ze de plek die Antimoon de Boorgaten had genoemd: een ondergrondse ruimte als een soort bergvallei waarvan de verticaal geplooide wanden boven hun hoofd in de duisternis buiten het bereik van hun koraallampen verdwenen. De diepe plooien van steen tussen de vouwen waren doorzeefd met gaten, sommige op natuurlijke wijze ontstaan, maar een groot deel welbewust uitgehakt of althans vergroot. Vansen kon niet veel onderscheiden in het zwakke, groenachtige licht, maar wat hij zag deed hem denken aan de hoge rotsen in Segtland waar de oude mystici van het Trigonaat leefden, teruggetrokken en ver weg van de verlokkingen van het gewone leven. Maar het kon niet anders of zelfs de *oniri* zouden het leven in deze drukkende, duistere diepten zonder een lichtbron zwaar hebben gevonden. Vansen had nooit gedacht dat je naar de blote hemel kon snakken zoals iemand die honger leed, naar eten kon snakken. En toch was dat precies hoe hij zich voelde. *Goden in de Hemel, laat me alsjeblieft lang genoeg leven om het daglicht weer te kunnen zien!*

Antimoon wees naar de honingraat van gaten in de dichtstbijzijnde vouw van steen. Voor het eerst was Vansen niet blij met de koraallampen. Als ze zich geconfronteerd zagen met iets wat hier leefde zonder licht, of met vertegenwoordigers van het talrijke Schemervolk dat gedijde in de duisternis, maakten hun lampen, hoe zwak het licht daarvan ook mocht zijn, hen tot traag bewegende doelwitten.

Vansen kwam naar voren en nam de leiding, zorgvuldig de donkere plekken op de grond vermijdend, want hij wilde niet het risico lopen dat het gaten bleken te zijn waar hij in zou kunnen vallen, rechtstreeks naar het hart van de aarde. Toen hij dichterbij kwam, zag hij dat de voorste cel in gebruik was en dat de bewoner er half uit lag, in een verwrongen houding, met zijn armen gespreid. Het gezicht dat hij bij het ziekelijke licht van het koraal kon onderscheiden, was nog heel jong, als van een kind. Vansen liep naar voren en legde zijn hand op de huid van de acoliet. Die was nog warm, maar het lichaam van de dode Funderling was helemaal slap, zijn ogen stonden halfopen. Vansen drukte zijn oor tegen de borst van het slachtoffer, maar hij hoorde niets. De acoliet was dood, maar hoe lang al?

Zoals Antimoon al had gezegd bevonden zich in diverse van de schaars gemeubileerde cellen roerloze gedaanten, een daarvan nog zo klein dat het zelfs de geharde Vansen een steek in zijn hart bezorgde. Terwijl IJzerkiezel en de andere Funderlingen zich op hun hurken lieten zakken en zich onder verontwaardigd gemompel over Kleine Tin bogen, volgde Vansen de rand van de uitstekende rotswand, zich afvragend of er nog meer cellen waren met dode lichamen, en zo ja hoeveel. Bovendien vroeg hij zich af hoe de slachtoffers aan hun eind waren gekomen, want de lichamen vertoonden geen enkel spoor van geweld. Alle doden bevonden zich in hun eigen cel, wat erop leek te wijzen dat het noodlot hen gelijktijdig had getroffen, of in elk geval geruisloos en heel snel.

De eerste cel in de volgende rotshelling was leeg. Vansen wilde al doorlopen toen hij iets zag wat hem in de andere cellen niet was opgevallen: een opening in de achterwand van de kleine ruimte. Hij liep naar binnen. Anders dan in de eerdere cellen die hij had gezien, waar de vloer de aanblik bood alsof die angstvallig schoon was gehouden, lag de grond hier bezaaid met stof en steengruis. Het gat in de muur zag eruit alsof het haastig was geslagen, met een hamer en een beitel. Maar waarom...

Ineens begreep Vansen het. Zo geruisloos mogelijk verliet hij de cel en keerde hij terug naar de plek waar de anderen op hem wachtten, de meesten angstig nu ze lucht hadden gegeven aan hun woede.

'Ik denk dat ik weet waar ze zijn binnengekomen,' zei hij fluisterend. 'Kom maar mee.'

IJzerkiezel was de eerste die gehoor gaf aan zijn oproep, op korte afstand gevolgd door Antimoon, maar de rest aarzelde. Opnieuw voelde Vansen een steek van bezorgdheid. Deze ongetrainde Funderlingen waren geen soldaten, dus hij kon in geen enkel opzicht op hen rekenen. Dat zou hij goed voor ogen moeten houden.

Moker IJzerkiezel draaide zich woedend om naar zijn hoeders, zijn gezicht een grotesk masker in het licht van hun lampen. De mannen krabbelden haastig overeind, zij het met duidelijke tegenzin.

'Dat gat is vanaf de andere kant uitgehakt,' zei Antimoon, starend naar de opening in de achterwand van de lege cel.

'En niet met Fundergereedschap,' bromde IJzerkiezel zacht. 'Noch met Funderkennis. Het is slecht gedaan. Moet je die rafelige randen eens zien.'

'Die gangen waar Kiezel het over had, de gangen van Stormsteen...' zei Vansen tegen Antimoon. 'Loopt er soms een hier vlakbij?'

'Dat weet ik niet. Daar zou ik over na moeten denken,' zei Antimoon, die nog altijd bezig was het gat te inspecteren. Hij richtte zich op. 'Ik denk het wel,' zei hij ten slotte. 'Ook al zouden wij daar nooit via de Boorgaten naartoe gaan. Er is een verbindingsgang veel dichter bij de tempel. Maar inderdaad, een van de gangen van Stormsteen loopt hier vlak achter.'

'Dan is het heel goed mogelijk dat dit het werk is van de Qar,' zei Vansen. 'Misschien is hun invasie al begonnen. We moeten zien dat we aan de andere kant komen om poolshoogte te nemen,' zei hij tegen de hoeders. 'We kunnen geen verslag uitbrengen aan Cinnaber en de anderen als we niet precies weten wat er aan de hand is. Volg me. Blijf dicht bij elkaar. En denk erom, geen woord!'

De lage gang was een ongelijk pad over gruis en losse stenen, hier en daar zelfs zo smal en zo laag dat Vansen zich op zijn knieën moest laten zakken en zich oprecht zorgen begon te maken dat hij vast zou komen te zitten. Tot overmaat van ramp begon zijn lamp te knipperen, het licht werd zwakker en doofde, zodat hij in totale duisternis was gedompeld, tot een van de Funderlingen achter hem een reservebrok koraal naar voren doorgaf. Ten slotte werd de gang breder en kon hij zich eindelijk weer oprichten; een paar honderd strompelende stappen later werkte hij zich opnieuw uit een ruw gat in een rotswand. Aan de andere kant daarvan kon hij weer rechtop staan.

Terwijl de Funderlingen zich in de grote ruimte bij hen voegden, onthulde het licht van hun lampen een gang van misschien zes stappen breed, een toonbeeld van vakmanschap en ambachtelijkheid, waarvan het gewelf, de vloer en de wanden – alles behalve het gat waar ze zojuist door waren gekropen en de stapel puin daarnaast – waren afgewerkt met glad gepolijste steen.

'Een van de wegen van Stormsteen,' zei Antimoon met een zekere eerbied. 'Ik had deze nog nooit gezien, zo ver van de tempel.'

'Van nu af aan zal het Gilde ze beter in de gaten moeten houden,' zei Vansen. 'Het is duidelijk dat iemand hiervandaan een doorbraak heeft geforceerd naar de Boorgaten. Dat moeten we Cinnaber en de anderen gaan melden.'

Hij draaide zich om en ging hen voor de gang weer in, die er na het staaltje vakmanschap dat ze achter zich lieten, nog grover en rommeliger uitzag – bijna als het werk van dieren. Ze hadden nog maar een klein eindje gelopen toen een glimpje licht Vansens aandacht trok. Even dacht hij dat een van de Funderlingen hem op de een of andere manier had weten in te halen, maar dat deel van de gang was zo smal dat zijn schouders de kant raakten.

Weer even later richtte wat het ook was dat hun tegemoet kwam, zich op en blokkeerde het licht. Vansen deinsde strompelend achteruit. Het wezen had de contouren van een mens, maar daarmee hield de gelijkenis op. Het was langer dan hij en had een leerachtige huid bedekt met schubben. Onder een plat, hoekig voorhoofd waren de ogen zo diep weggezonken dat het licht van Vansens lantaarn er nauwelijks door werd weerkaatst. Hij kreeg nog net de kans om te beseffen dat iets in het grote gezicht hem deed denken aan de aapachtige dienaren in de Grote Diepten. Toen haalde het wezen naar hem uit met een enorme vuist, zo groot als de schep van een doodgraver. Vansen slaagde erin zijn bijl op te tillen, maar de krachtige uithaal sloeg het blad daarvan tegen zijn hoofd, zodat hij verdwaasd achteroverviel, boven op de Funderlingen achter hem, die het uitschreeuwden in doodsangst en verwarring.

'Aa-iyah Krjaazel!' krijste iemand. 'Het kan niet waar zijn!'

'Een ettin!' schreeuwde Antimoon. 'Rennen, kapitein. Het is een ettin uit de diepten!'

Maar er viel niks te rennen. Het wezen slaakte een diep gegrom, een geluid dat Vansen voelde in zijn borst. Opnieuw hief hij de bijl, maar terwijl hij dat deed verscheen er van achter de schouder van het monsterlijke schepsel een lange, holle stok, zwaaiend als een serpent. Uit de opening kwam rook of een stofwolk, en plotseling kreeg Vansen geen lucht meer. De bijl viel op de grond, en hij greep naar zijn keel, naar de handen die hem dreigden te wurgen. Maar er waren geen wurgende handen! Er was alleen een groeiende, rode leegte in zijn longen. Terwijl hij hulpeloos in elkaar zakte, besefte Ferras Vansen dat zijn gedachten onrustig flakkerden en doofden, als de vlam van een kaars die in een put valt.

10
De Slapers

'Volgens Kaspar Dyelos zijn er verschillende types kobolden. De kleinste
worden Myanmoi genoemd, "muismannen", de middenmaat heet
aardgeesten, en ten slotte zijn er verscheidene soorten die ongeveer zo
groot zijn als kinderen en die heel erg oud kunnen worden.'

Uit *Een Verhandeling over de Elfenvolken van Eion en Xand*

Aanvankelijk had Barrick al zijn krachten nodig om overeind te blijven.
De bodem op de steile helling was ongelijkmatig, kruipers en doornachtige struiken vormden een warrige massa tussen de bomen, en om
de paar stappen stak er wel een enorme knoest bleke, geelachtige steen,
als een gebroken bot, uit het groen die hem de doorgang versperde. Maar
het leek er inderdaad op dat de spinsels steeds verder achterbleven; in
het gebladerte achter zich kon hij de witte figuren nog wel zien, als
spookachtige apen springend van tak naar tak, maar ze vertoonden niet
meer de haast en de agressie die ze eerder aan de dag hadden gelegd.

De raaf had gelijk, dacht hij. *De spinsels zijn net zo bang voor deze plek
als iedereen.*

Wat waarschijnlijk weinig goeds voorspelde, behalve dat hij misschien
de kans kreeg om weer op krachten te komen en na te denken. De schepsels zouden hem ongetwijfeld opwachten zodra hij weer naar beneden
kwam, en behalve de gebroken speer had hij nog altijd geen wapen waar-

mee hij zich tegen hen zou kunnen verdedigen. En waar was Skurn? Had de raaf hem eindelijk definitief in de steek gelaten?

Door de steile klim kreeg hij pijn in zijn longen en zijn benen. Dus toen hij geen spoor meer van zijn achtervolgers kon ontdekken, hield hij stil om te rusten. Hij kon hun in lappen gewikkelde, lege gezichten met de uitpuilende zwarte ogen echter niet uit zijn gedachten zetten, net zomin als de mogelijkheid dat ze op datzelfde moment geruisloos door de bomen klauterden en bezig waren hem te omsingelen. Vandaar dat hij al snel weer besloot zijn klim te vervolgen, op zoek naar open terrein en een punt met beter zicht.

De helling werd steeds steiler. Barrick moest zich regelmatig omhoogtrekken aan takken en rotsachtige uitsteeksels, waardoor zijn gebrekkige arm zelfs nog meer pijn begon te doen dan zijn longen. Het bonzen en gloeien werd zo erg dat de tranen in zijn ogen sprongen. Bovendien begon het besef van de hopeloosheid van zijn situatie zwaar op hem te drukken. Hij was in een vreemd land – een levensgevaarlijk, onbekend land vol demonen en monsterlijke wezens – en hij was zo goed als alleen. Hoe lang kon hij zo nog doorgaan, zonder hulp, zonder eten of wapens, zelfs zonder een kaart? Hij hoefde maar te vallen en ongelukkig terecht te komen, of hij had geen andere keus dan hulpeloos de dood af te wachten...

Hij had het nog niet gedacht of hij struikelde en belandde zwaar op zijn handen en knieën. De pijn was zo verschrikkelijk dat hij het uitschreeuwde. Voorovergezakt op zijn ellebogen staarde hij naar de grond, zijn blik vertroebeld door zweet en tranen. Ondanks dat besefte hij dat er met die grond iets vreemds aan de hand was. Iets heel erg vreemds.

Er stonden letters op.

Hij werkte zich overeind en ontdekte dat hij geknield lag op een plaat van het inmiddels vertrouwde lichtgele gesteente. In het oppervlak waren onbekende symbolen gekrast, en hoewel ze door de wind en de regen bijna onzichtbaar waren geworden, waren ze onmiskenbaar het werk van een intelligent wezen. Haastig kwam hij overeind. Toen hij omhoogkeek zag hij dat het niet meer zo ver was naar de top van de heuvel als hij had gedacht – zelfs met zijn gestrompel misschien nog een uurtje klimmen. Hij haalde diep adem en keek om zich heen, op zoek naar tekenen van de spinsels. Maar hij zag niets, en het enige geluid was het zuchten van de wind in de bladeren. Dus hij begon weer te klimmen. Zelfs als hem hier op de Vervloekte Hoogte de dood wachtte, zou hij dankbaar zijn eindelijk weer eens over alles heen te kunnen kijken.

Misschien zou de grijze lucht daarboven een iets minder sombere aanblik bieden, en dat was al heel wat. Want Barrick Eddon had tot in het diepst van zijn wezen genoeg van mist en schaduwen.

Terwijl hij zich het laatste stuk naar de top omhoogwerkte, ontdekte hij dat sommige bewoners of bezoekers méér hadden gedaan dan simpelweg symbolen in het gele gesteente kerven: op wat stapelmuurtjes na was er weinig meer van over, maar hij kon zien dat er hier en daar, onder gewelfde, rotsachtige uitstulpingen schuilplaatsen waren ingericht. Toen hij de top naderde, nam het aantal gelige uitsteeksels toe – grote bulten en welvingen van steen waar het groen zich als een ruwe deken aan vastklampte. Bovendien werden de primitieve bouwsels steeds complexer: de verweerde, gladde rotsblokken die uit de heuvel staken, waren met elkaar verbonden door opgestapelde stenen en zelfs wat ruwe houten muren en daken. Maar het lag er allemaal verlaten bij, zo te zien al heel lang; de enige sporen van wie er ooit gebruik van hadden gemaakt, waren wat gekerfde symbolen, dun als mierensporen.

Hier in het altijd groene hoogland was de mist minstens zo dicht en glibberig als aan de voet van de heuvel, maar de stilte was zo mogelijk nog dieper; zelfs de vogelgeluiden die hij beneden nog af en toe had gehoord, ontbraken. Hoewel hij al een uur of langer geen spoor meer van de spinsels had gezien, begon de drukkende stilte hem te ontmoedigen, waardoor zijn plan om hier te blijven hem steeds onzinniger voorkwam. Met inspanning van zijn laatste krachten klom hij verder naar de hoogste top, vlak boven hem, met daarachter slechts de parelgrijze, schemerdonkere hemel.

Toen hij een uitstekende richel had beklommen, zag hij dat zich tussen hem en de top nog een laatste steenhoop bevond, bedekt met groen en modder, en met daarop het vreemdste onderkomen van allemaal: een gewelfde stenen koepel die in een merkwaardige hoek uit de bomen en de warrige struiken stak; een reusachtig, ellipsvormig raam keek uit op het kreupelhout om het bouwsel heen. Vanwaar hij stond, te midden van een wirwar van klim- en kruipranken, slingerde zich een stenen pad het laatste stuk van de helling op, naar een donkere overkapping net onder het ellipsvormige raam. De ring van kapotte stenen die hij al van ver had gezien en die hem had doen denken aan een stel afgebroken tanden, verhief zich op de beboste heuveltop net boven het merkwaardige onderkomen.

Boven de vreemde plek hingen nevelen en mistslierten, waardoor het geheel hem deed denken aan de leliekroon die kinderen droegen bij het feest van Onir Zakkas. De vochtige dampen waren hier niet alleen dichter dan aan de voet van de heuvel, maar leken ook anders van kleur en samenstelling. Barrick stond er al geruime tijd naar te kijken toen hij besefte dat het niet alleen mist was wat hij zag, maar ook rook die tussen de bomen omhoogkringelde.

Rook. Een schoorsteen. Er woonde iemand op deze door de goden vergeten plek. Er woonde iemand op de top van de Vervloekte Hoogte.

Barrick draaide zich om, zijn hart ging nog wilder tekeer dan tijdens de inspannende klim, maar voordat hij ook maar één stap heuvelafwaarts had kunnen zetten, hoorde hij een stem die overal en nergens vandaan leek te komen, een stem die zacht echode in de snerpende wind die over de helling joeg, maar die ook in zijn hoofd weergalmde.

'Kom!' fluisterde die stem. *'We wachten op je.'*

Barrick merkte dat hij geen controle meer had over zijn benen, die weigerden hem weg te voeren van het vreemde huis op de heuveltop; een huis dat op hem wachtte als een verlaten put waar hij in zou kunnen vallen en verdrinken.

'Kom! Kom bij ons! We wachten op je.'

Tot zijn verbazing was hij van het ene op het andere moment nog slechts een passieve waarnemer. Zijn lichaam draaide zich om en begon de uitstekende richel te beklimmen tot zijn voeten op het rotsachtige pad stonden waarover ze hem naar het stenen huis brachten, als een wolk voortgedreven door de wind. Barrick kon slechts hulpeloos toekijken. Het ellipsvormige raam en de schaduwrijke overkapping kwamen steeds dichterbij. Even torende het laatste stuk van de heuveltop hoog boven hem uit, toen liep hij door de opening de duisternis in.

Maar die duisternis loste onmiddellijk op in een zich verspreidende, roodachtige gloed. Barrick had het gevoel alsof zijn hart op hol was geslagen, maar hij kreeg weer enige zeggenschap over zijn benen en slaagde erin te blijven staan. Even maar, toen kon hij de geen moment verslappende aantrekkingskracht van wat voor hem lag, niet langer weerstaan.

'Kom. We wachten al heel lang, mensenkind. We begonnen al te vrezen dat we wat ons was gegeven, niet goed hadden begrepen.'

Nu hij eenmaal binnen was, zag hij boven zijn hoofd een soort koepel en hij besefte dat de vreemde, licht gekleurde, grotachtige ruimte misschien vijf of zes keer manshoog was. Helemaal bovenin was het gewelf bedekt met dezelfde onbegrijpelijke inscripties als hij buiten al had gezien – krullen en symbolen die door een zwarte roetaanslag slechts vaag zichtbaar waren. De rode gloed en de rook waren beide afkomstig van een klein vuur in een kring van stenen op de stoffige, met gruis bedekte vloer. Daarachter bevond zich een lage, stenen verhevenheid met daarop drie ineengedoken gedaanten.

Je bent moe,' klonk de stem. Wie zei dat? Geen van de gedaanten bewoog. *'Ga zitten als je dat prettiger vindt. Helaas kunnen we je niets te eten of te drinken aanbieden. Onze gewoonten en manieren zijn anders dan de jouwe.'*

'We geven hem al genoeg!' snauwde een andere stem. Hij klonk bijna hetzelfde als de eerste en leek ook uit het niets te komen, maar door de scherpte wist Barrick dat hier een andere spreker aan het woord was. *'We geven hem meer dan we een ander ooit hebben gegeven.'*

'Omdat we daartoe zijn geroepen. En wat we hem geven, is bepaald geen gunst, geen blijk van welwillendheid,' zei de eerste stem.

Barrick zou het op een lopen willen zetten. Sterker nog, hij wilde niets liever. Maar hij kon zich nog altijd amper bewegen. De raaf had gelijk gehad; het was dwaas geweest om hierheen te gaan. Eindelijk vond hij zijn spraak terug. 'Wie... wie bent u?'

'Wij?' zei de tweede, de scherpere, stem. *'Er is geen ware naam die we onszelf zouden kunnen geven en die je zou kennen of begrijpen.'*

'Vertel het hem,' zei een derde stem, identiek aan de andere twee maar misschien ouder en zwakker. *'Vertel hem de waarheid. Wij zijn de Slapers. We zijn de verworpenen, de ongewensten. Zij die zien en niet anders kunnen dan zien. Dat zijn wij.'* De stem klonk als een mompelende geest in een verlaten toren. Barrick huiverde krachtig, maar hij kon zijn benen er niet toe bewegen weg te rennen.

Je maakt de kleine zonlander bang,' zei de eerste stem een beetje verwijtend. *'Hij begrijpt je niet.'*

'Ik ben geen kind.' Barrick wilde deze schepselen niet in zijn hoofd. De hele ervaring herinnerde hem te veel aan die laatste ogenblikken voor de grote deur van Kernios; de momenten waarin hij had gevoeld dat Gyir stierf. 'Laat me gaan.'

'Hij begrijpt ons niet,' zei de zwakste van de stemmen. *'Alles is verloren, zoals ik al vreesde. De wereld is te ver gedraaid...'*

'Zwijg!' zei de hardere, tweede stem. *'Hij is een buitenstaander. Een zonlander. Bloed betekent niets onder de morgenster.'*

'Maar in het licht van Zilverglans heeft alle bloed dezelfde kleur,' zei de eerste stem. *'Maak je geen zorgen, kind. We zullen je geen kwaad doen.'*

'Spreek namens jezelf,' zei de tweede stem. *'Ik zou zijn gedachten als*

droog gras kunnen verschroeien. En als hij me bedreigt, doe ik dat ook.'

'Nu ben jij het die zou moeten zwijgen, Hikat,' zei de eerste stem. *Je boosheid is onnodig.'*

'We zijn versmaad door de hele wereld,' zei degene die met Hikat was aangesproken. *'We nestelen in het gebeente van hen die ons wilden vernietigen terwijl ze aarzelen op de grens tussen waak en slaap. En jij zegt dat mijn boosheid onnodig is, Hau? Jijzelf bent hier van geen enkel nut, met je onmogelijke dromen, je onbereikbare oogmerken.'*

'Wanneer komt het kind?' vroeg de trillende derde stem. *Jullie hadden het toch over een kind?'*

'Het kind is er al, Hoorooen,' antwoordde de eerste stem. *'Het is hier bij ons.'*

'Aha.' De zwakke stem produceerde iets wat in Barricks hoofd voelde als een zucht. *'Ik vroeg het me al af...'*

'Waarom doen jullie dit? Wat willen jullie van me?' Barrick probeerde opnieuw zich om te draaien en de koepelvormige grot uit te lopen, maar weer weigerden zijn benen hem te gehoorzamen. 'Zijn jullie krankzinnig? Ik begrijp niets van wat jullie zeggen, helemaal niets. Wie zijn jullie?'

'We zijn broers,' begon Hau. *'Kinderen van de...'*

'Broers?' Dat was Hikat. *'Dwaas! Jij bent mijn moeder — en hij is je vader.'*

'Eens had ik een zoon...' zei Hoorooen met bevende stem.

De middelste van de drie gedaanten kwam langzaam overeind. Zijn gewaden wapperden open, en Barrick ving vluchtig een glimp op van verschrompeld, geslachtsloos, grijs vlees. Zijn hart haperde en leek te verkillen; als hij van de vuurkuil had kunnen wegvluchten had hij het gedaan. De huid van Ueni'ssoh, Jikuyins wrede dienaar, had diezelfde steenachtige kleur gehad, maar dit schepsel leek zo droog en verdord als een lijk.

'Maar we zijn niet die ene, Barrick Eddon,' zei Hau alsof Barrick zijn gedachten hardop had uitgesproken. *'We zijn niet je vijanden.'*

'Hoe weten jullie mijn naam?' Het leek onmogelijk — méér dan onmogelijk — hier aan het eind van de wereld, terwijl hijzelf amper meer wist hoe hij heette. Het vervulde hem met ware doodsangst. 'Mogen de goden jullie vervloeken! Vertel op! Hoe weten jullie mijn naam?'

'Hij valt ons aan!' riep Hikat. *'We moeten hem vernietigen...'*

'Wie is daar?' vroeg Hoorooen met trillende stem.

'Rustig, broeders. Hij is alleen maar bang. Ga zitten, Barrick Eddon. En

luister naar wat we je te zeggen hebben.'

Wat het ook was dat hem ervan weerhield weg te rennen, hielp hem om bij het vuur te gaan zitten. In het licht van de dansende vlammen leken de drie gedaanten te zweven, als een beeld dat je ziet vlak voordat je in slaap valt.

'Wij allen werden lang geleden geboren in de stad Slaap,' begon Hau. *'Hoorooen is de oudste, maar dat is het enige wat we met zekerheid kunnen zeggen. Zelfs Hikat, de jongste, is inmiddels zo oud dat we niet meer weten wanneer hij ter wereld kwam.'*

'Zij,' verbeterde Hikat hem, en voor het eerst had de scherpe, boze ondertoon plaatsgemaakt voor een zweem van weemoed, van verlangen. *'Om de een of andere reden weet ik dat ik een vrouw was. Dat voel ik.'*

'Het doet er niet toe,' zei Hau, maar het klonk welwillend. *'We zijn oud. In onze aderen stroomt hetzelfde bloed. We werden geboren uit de mensen die Droomlozen worden genoemd, in de stad Slaap, maar ze verstootten ons...'*

Barrick voelde dat angst opnieuw de kop opstak. *'De Droomlozen!'*

'Zwijg tot je ons hele verhaal hebt gehoord. Niet allen die lopen onder de nachtlichten van Slaap zijn zo wreed als degenen die jij hebt ontmoet, maar wij zijn anders. Wij zijn de Slapers.'

'Ze hebben ons weggestuurd,' zei Hoorooen. *'Ik ben de enige die zich dat nog herinnert. We sliepen en dat maakte hen bang. We droomden...'*

'Ja,' zei Hau. *'Onder de Droomlozen waren wij de enigen die droomden, en onze dromen waren geen verzinsels maar de ware flakkering van het vuur in de leegte. In onze dromen zagen we de val van de goden en we zagen dat de Droomlozen zich tegen hun meesters in Qul-na-Qar zouden keren. We zagen de komst van de stervelingen in het land. Dat alles zagen we en voorspelden we, maar ons eigen volk luisterde niet naar ons. Het vreesde ons. En het verstootte ons.'*

'Ik heb de nachtlichten nooit gezien,' zei Hikat boos. *'Mijn rechtmatige huis werd me ontstolen.'*

'Je hebt ze wel gezien,' verklaarde Hau. *'Je weet het alleen niet meer. We hebben allemaal zoveel verloren en we hebben zo lang gewacht...'*

'Ik... ik begrijp het niet,' zei Barrick. *'Jullie... jullie zijn Droomlozen? Maar ik dacht dat de Droomlozen nooit sliepen...'*

'Ik zal het je laten zien.' De middelste gedaante gooide zijn kap naar achteren. Net als bij de grijze man in de Grote Diepten, was de huid van zijn magere, ingevallen gezicht zo fijn en zo dun als zijde, maar bij Hau was die huid bovendien doorgroefd met een netwerk van ontelbare dunne rimpels, waardoor hij van spinnenwebben leek te zijn gemaakt.

Maar het grootste verschil was dat in tegenstelling tot Ueni'ssoh, die ogen had gehad als starende, zilverblauwe bollen, dit schepsel onder zijn wenkbrauwen lege oogkassen had, zo droog als een zandwoestijn, slechts gevuld met een voortzetting van rimpels.

'U bent blind...'

'*We zien niet zoals anderen zien,*' verbeterde Hau hem. '*Waren we geweest zoals onze nimmer slapende broeders, dan zouden we inderdaad blind zijn geweest. Maar in onze dromen zien we meer dan wie ook.*'

'*Ik ben het moe zoveel te zien,*' zei Hoorooen verdrietig. '*Daar is nog nooit iemand gelukkig van geworden.*'

'*Van de waarheid is nog nooit iemand gelukkig geworden,*' snauwde Hikat. '*Want alle waarheid eindigt in dood en duisternis.*'

'*Stil, mijn dierbaren.*' Hau ging weer op de grond zitten en strekte zijn handen uit naar zijn metgezellen. Na een korte aarzeling namen die de uitgestoken hand aan, zodat de Slapers een eenheid vormden. Vervolgens strekten Hikat en Hoorooen hun vrije hand uit, aan weerskanten van het kleine vuur. Over de vlammen heen staarde Barrick naar het drietal, zonder te begrijpen, of zonder te willen begrijpen.

'*Neem onze handen,*' zei Hau. '*Je bent hier gekomen met een reden.*'

'Ik ben hier omdat ik was verdwaald – omdat die wezens, die spinsels probeerden me te doden...'

'*Je bent hier gekomen omdat je bent geboren,*' zei Hikat, weer ongeduldig. De uitgestoken handen wachtten nog altijd aan weerskanten van het vuur. '*En misschien ligt het begin zelfs al daarvoor. Maar je bent hier, en dat bewijst dat je hier hoort. Niemand komt zonder reden naar de Heuvel van de Twee Goden.*'

'*Er staat over je geschreven in het* Boek van het Vuur in de Leegte,' zei Hau. '*Laten we daaruit lezen.*'

'*Wacht! Er is een andere ziel die naar je reikt,*' zei Hoorooen. '*Een tweelingziel die je zoekt.*'

Brionie. Dat gaf de doorslag, want hij had haar zo gemist! Barrick schoof iets dichter naar het vuur, zodat hij de uitgestoken grijze handen kon pakken. Het was niet koud in de grot, maar het vuur leek geen enkele warmte te verspreiden, zelfs niet toen hij er dicht naartoe boog. En het flikkerende licht van de vlammen onthulde slechts waar de diepste schaduwen lagen, verder niets. Ondanks een plotselinge doodsangst die ver uitsteeg boven wat de situatie leek te rechtvaardigen, sloot hij zijn handen om de droge, gladde vingers van Hikat en Hoorooen. Even later zakten, zonder dat hij het wilde, zijn oogleden dicht, en plotseling merkte hij dat hij viel – hij viel! Hij stortte naar beneden, hulpeloos de duisternis in, wild maaiend met zijn armen en benen...

Maar waar wáren zijn armen en benen? Hoe kon het dat hij slechts een enkele, loodzware gedachte leek, die door de leegte schoot?

Hij viel. Maar ten slotte glinsterde er iets in de duisternis diep beneden hem. Even dacht hij dat het een uitgestrekte, ronde zee was; toen leek het hem een zilverkleurige vijver met wanden van bleek gesteente. Maar ten slotte zag hij wat het was. Het was de spiegel die hij bij zich droeg voor Gyir, uitgegroeid tot enorme afmetingen. Hij kreeg amper de tijd om zich daarover te verwonderen; om zich te verbazen over het idee dat hij kon vallen in iets wat hij in zijn zak had; toen viel hij dwars door het koude oppervlak.

Hij hield op met bewegen. De spiegel bleef, maar hing nu vóór hem op een veld van het zwartste zwart, als een schilderij in de Portretten Galerij van Kasteel Zuidermark, en in de spiegel zag hij zijn eigen gezicht.

Nee, het was niet zijn eigen gezicht; de gelaatstrekken in de spiegel waren ongemerkt veranderd, ze gleden als kwikzilver in nieuwe posities, ze veranderden van kleur als de torens van Zuidermark terwijl de ochtendzon hoger aan de hemel klom. Het gezicht dat hem aankeek had een donkere huid, met daarboven zwart haar; het was heel jong maar het stond erg zorgelijk, erg vermoeid. Ondanks dat alles vond hij haar prachtig. Want *zij* was het, ze was het echt; hij had haar nog nooit zo duidelijk gezien! Het gezicht in de spiegel behoorde toe aan het meisje met het donkere haar; het meisje dat hem al zo lang achtervolgde in zijn dromen.

'Jij bent het,' zei ze verwonderd – dus ze kon hem ook zien! 'Ik was bang dat je voorgoed verdwenen was.'

'Dat was ik ook bijna.' Hij kon haar beter zien en verstaan dan ooit, maar hun gesprek leek nog altijd sterk op een droom, waarin sommige dingen werden begrepen zonder dat ze waren uitgesproken, en andere dingen onbegrijpelijk bleven, zelfs nadat ze waren gezegd. 'Wie ben je? En waarom... waarom kan ik je zien?'

'Ben je daar dan niet blij om?' vroeg ze met een zweem van geamuseerdheid. Ze was jonger dan hij had gedacht, met in haar gezicht nog altijd een zweem van kinderlijkheid. Maar hoewel haar ogen intelligent en welwillend stonden, was haar blik versluierd, als een erfenis van verwondingen die ze weliswaar had overleefd maar die ze niet was vergeten. Ze leek zo dichtbij dat hij haar zou kunnen aanraken, maar wanneer hij met zijn ogen knipperde, trilde haar beeld en dreigde het te verdwijnen, als iets wat opdoemde uit de mist en er weer in oploste, als een beeld uit een droom.

Het is allemaal een droom. Hij was plotseling doodsbang dat hij zich dit dierbare, inmiddels zo vertrouwde gezicht niet meer zou herinneren wanneer hij wakker werd.

Wanneer hij wakker werd? Maar hij wist niet eens waar hij was, laat staan of hij droomde. Als hij sliep, waar was zijn lichaam dan? En hoe was hij hier gekomen?

'Vertel me je naam, geestenvriend,' zei ze. 'Ik zou je naam moeten weten, maar ik ken hem niet! Ben je een *nafaz* – een geest? Je ziet zo bleek. O, als je een geest bent, dan hoop ik dat je gelukkig bent gestorven.'

'Ik ben niet dood. Ik ben... ik ben absoluut niet dood!'

'Daar ben ik blij om.' Ze glimlachte; haar tanden schitterden in contrast met haar huid. 'En kijk eens! Jouw haar is net zo vurig als mijn heksenlok! Wat zijn dromen toch vreemd!'

Ze had gelijk – de lok in haar haar was net zo vurig rood als het zijne. Dat voelde als meer dan alleen verwantschap. 'Ik denk niet dat ik een droom ben. Slaap je?'

Ze dacht even na. 'Dat weet ik niet. Ik denk het wel. En jij?'

'Ik weet het ook niet zeker.' Maar zodra zijn gedachten wegdwaalden van de spiegel op zijn diepzwarte achtergrond, was hij bang dat hij hem nooit meer terug zou weten te vinden. 'Waarom kunnen we elkaar zien? Waarom móeten we elkaar zien?'

'Ik weet het niet.' Haar blik werd ernstig. 'Maar het moet iets betekenen. De goden geven zo'n geschenk niet zonder reden.'

Dat klonk als iets wat hij zelf ook net had gehoord of gedacht. 'Hoe heet je?' Maar dat wist hij toch? Of niet? Hoe kon ze zo echt voelen, zo dichtbij, zo... belangrijk, en toch geen naam hebben?

Ze lachte en hij voelde die lach als een koele bries die langs zijn gloeiende huid streek. 'Hoe heet jij?'

'Dat kan ik me niet herinneren.'

'Ik ook niet. In dromen is het moeilijk om namen te onthouden. Je bent... Voor mij ben je gewoon *hij*. De jongen met de bleke huid en het rode haar. En ik ben... Nou ja, ik ben gewoon *ik*.'

'Het meisje met het zwarte haar.' Maar terwijl hij het zei werd hij verdrietig. 'Ik wil weten hoe je heet. Ik wil je naam kennen. Ik moet weten dat je echt bent, dat je leeft. De enige ander die me dierbaar is, ben ik kwijtgeraakt.'

'Je zuster.' Haar gezicht stond plotseling verdrietig. 'Hoe wist ik dat?' zei ze toen.

'Misschien heb ik het je verteld. Maar ik wil jou niet ook nog verliezen. Hoe heet je?'

Ze keek hem aan, met haar lippen iets uiteen, alsof ze op het punt stond iets te zeggen. In plaats daarvan bleef ze geruime tijd zwijgen. De spiegel leek te krimpen tegen de duistere achtergrond, ook al kon hij haar nog altijd zien met haar zachte, volle wimpers, haar lange, smalle neus, zelfs de kleine moedervlek op haar bovenlip. Als hij te lang wachtte, als hij te lang bleef zwijgen, was hij bang dat de spiegel nog kleiner zou worden en verdwijnen. Hij wilde iets zeggen, maar ineens begreep hij dat als ze zich nog altijd niet had herinnerd hoe ze heette, als ze hem nog altijd haar naam niet had verteld, ze dat ook nooit zou doen. Hij moest haar vertrouwen.

'Ik was een Priesteres van de Korf,' zei ze ten slotte – langzaam, alsof ze voorlas uit een oud, beschadigd boek. 'Toen kwam ik bij de andere vrouwen terecht. Het waren er zoveel! Ze woonden allemaal bij elkaar, en ze waren allemaal aan het konkelen en manipuleren. Maar het ergste was dat we allemaal... aan hém toebehoorden! Aan die verschrikkelijke man. Dus ik ben weggelopen. O, mogen de goden me bewaren, want ik wil niet naar hem terug!'

Opnieuw snakte hij ernaar om iets te zeggen, maar hij wist – om welke reden dan ook – dat hij dat niet moest doen. Dat ze haar naam zelf moest zien te vinden.

'En ik ga ook niet terug. Ik geef mijn vrijheid niet op. Ik zal doen wat ik wil. Ik sterf nog liever dan dat ik me door hem laat misbruiken, als een stuk speelgoed of een wapen.' Ze zweeg. 'Qinnitan,' zei ze toen. 'Ik heet Qinnitan.'

En op dat moment vond hij een plotselinge bron van kracht, iets wat in hem school ondanks de duisternis waardoor hij was gekomen, iets wat wortelde in zijn bloed, in zijn geschiedenis, in zijn naam. 'En ik ben Barrick. Barrick Eddon.'

'Kom naar me toe, Barrick Eddon. Of anders kom ik naar jou,' zei Qinnitan. 'Want ik ben zo bang om alleen te zijn...'

En toen verdween de spiegel, wegdraaiend in de duisternis als een zilveren munt die in een put valt, als een heldere schelp die terugzinkt in de oceaan, als een vallende ster die verdwijnt in de eindeloze nacht...

'Qinnitan!' Maar hij was alleen in de leegte. Hij probeerde de kracht en de zekerheid terug te vinden die hem zijn naam hadden gegeven; de kennis van zijn bloed, dat vurig als gesmolten metaal door zijn aderen stroomde...

Mijn bloed...

Ineens zag hij het als een rivier, een rode rivier die zich in tweeën splitste. De ene tak verdween in een ondoordringbare, zilverkleurige mist. De andere zocht zich kronkelend een weg, terug naar de duisternis, maar het was een duisternis die leefde, een duisternis vol beweging en suggestie. Het voelde bijna alsof hij zijn hand maar hoefde uit te strekken om die rivier te volgen met zijn vinger, als een verfstreep op een kaart, een streep die beweging betekende, een weg, een spoor, iets wat hem zou brengen naar... naar...

Een flits van zilver, en toen nog een, hij werd verblind. Hij viel in de hete, rode rivier, en even wist hij zeker dat die hem zou vernietigen, dat die alles wat hij was, tot damp zou doen vervluchtigen, zelfs de naam die hij net had teruggevonden.

Barrick, zei hij tegen zichzelf, en het was alsof hij op de oever stond en riep naar een ander deel van zichzelf dat bezig was te verdrinken in de karmozijnrode stroom. *Barrick Eddon. Ik ben Barrick Eddon. Barrick van de Rivier van Bloed...*

En plotseling was er een ander gezicht, een gezicht dat opdoemde uit het rood zoals het gezicht van het meisje uit het zwart tevoorschijn was gekomen. Dit was het gezicht van een man, voor de helft stokoud, voor de andere helft heel jong, met golvend, wit haar en met een doek voor zijn ogen; een gezicht dat hem vaag vertrouwd was, alsof hij het ooit op een oude munt had gezien.

Kom snel, mensenkind, zei de blinde man. *Spoedig zal alles te snel in beroering zijn om de koers nog te kunnen wijzigen. We razen de duisternis tegemoet. We spoeden ons naar het eind van alle dingen.*

Kom snel of je zult moeten leren het niets lief te hebben.

Toen viel alles om hem heen weg in een nog diepere duisternis, en hij viel zelf ook, hij tuimelde opnieuw door de eindeloze, zwarte leegte, waar geen gevoelens bestonden, geen gedachten, waar hij zich slechts bewust was van een harde, kreunende wind en de wegstervende, gefluisterde woorden van de geblinddoekte man:

...Je zult moeten leren het niets lief te hebben...

11
Snijden en stoten

'Lang, heel lang geleden ontvoerden Zmeos en zijn broer Khors Perins dochter, Zoria. De oorlog die daarop volgde, veranderde de vorm van de aarde en zelfs de lengte van dag en nacht. Bijna alle geleerden zijn het erover eens dat de elfen de kant van Zmeos, het Oude Serpent, kozen. Daarom blijft het volk van de Qar voor het Trigonaat "vervloekt en geëxcommuniceerd"...'

Uit *Een Verhandeling over de Elfenvolken van Eion en Xand*

'Prinses Brionie,' zei Vrouwe Ananka terwijl de bedienden afruimden voor de volgende gang. 'Kunt u me iets vertellen over de kinderen in het noorden? Bijvoorbeeld hoe ze worden opgevoed?'

Langs de hele koninklijke tafel klonk hier en daar gefluister en een zacht, gespannen gegniffel. Brionie wenste dat haar vriendin naast haar zat, maar Ivgenia had een plaatsje aan een van de mindere tafels gekregen, helemaal aan de andere kant van de zaal – in een ander land, bijna.

'Neemt u me niet kwalijk, barones, ik heb uw vraag niet goed verstaan.'

'Hoe worden de kinderen in het noorden opgevoed?' herhaalde de geliefde van de koning. 'Mogen ze gaan en staan waar ze willen? Hebben ze dezelfde vrijheid als het volk van de Mark Koninkrijken zijn schapen en andere dieren geeft?'

Brionie glimlachte welwillend en formuleerde haar antwoord zorgvuldig. 'Niet al onze dieren zwerven vrijelijk rond, vrouwe, maar in gebieden waar het gras overvloedig groeit, is het niet meer dan praktisch om gebruik te maken van de rijkdom die de goden ons bieden.'

'Maar het gaat me om de kinderen, m'n beste,' zei Ananka poeslief. 'Ik heb bijvoorbeeld gehoord dat u hebt leren vechten met het zwaard en het schild. Dat is ongetwijfeld erg opwindend, maar in onze ogen lijkt het ietwat... onbeschaafd. Ik hoop niet dat ik u kwets door dat te zeggen.'

Brionie deed haar best om te blijven glimlachen, maar dat viel haar steeds zwaarder. Ze had niet verwacht dat de aanval al zo vroeg op de avond zou worden ingezet – de soepborden waren net weggehaald – maar de enige die de vrouwe een halt kon toeroepen was de koning, en Enander leek aanzienlijk geïnteresseerder in zijn wijn en in zijn gesprek met de aantrekkelijke dame die aan de andere kant naast hem zat.

Je moet het zien als een van Shaso's oefeningen met het mes, zei Brionie tegen zichzelf. *Gecombineerd met het spelen van een door Finh bedachte rol. Daar had ik nooit moeite mee, dus dan moet ik dit ook kunnen.* 'Hoe zou u me ooit kunnen kwetsen, vrouwe?' vroeg ze, zonder een zweem van ironie. 'Ik ben u en Zijne Majesteit zo dankbaar voor uw gastvrijheid, en niet te vergeten voor het onschatbare geschenk van uw vriendschap.'

'Ach, dat spreekt toch vanzelf,' zei Ananka langzaam, alsof ze bezig was haar strategie te heroverwegen. Opnieuw ging er een gefluister langs de tafel. Hovelingen die Brionie om sociale redenen welbewust hadden genegeerd, keken haar nu openlijk aan, eindelijk in staat toe te geven aan hun nieuwsgierigheid. 'Hoe dan ook, ik begin erover vanwege iets anders wat ik u wil vragen. Iets waarvan ik hoop dat u me kunt helpen het te... begrijpen.'

Wat er ook gebeurt, laat je niet tot een krachtmeting verleiden, hield Brionie zichzelf voor. *Zij verkeert in alle opzichten in de gunstigste positie.* 'Ik zal mijn best doen, Vrouwe Ananka.'

Die trok haar knappe, enigszins langgerekte gezicht in de plooi en keek Brionie ernstig aan. 'Is het waar dat u Hendon Tollij hebt uitgedaagd tot een gevecht? Een... zwaardgevecht?'

Het gefluister langs de tafel werd luider, koortsachtiger – er werd gelachen, mensen hielden hun adem in, er klonken geluiden van ongeloof en afschuw. Vrouwen die hun hele leven nooit iets inspannenders hadden gedaan dan borduren, keken Brionie aan alsof ze een bizarre uiting was van goddelijke gramschap – een ram met twee koppen of een kat zonder poten. Bij het zien van hun blikken voelde Brionie diep vanbinnen een vurige woede oplaaien, en ze moest zich tot het uiterste beheersen om niet op te staan en haar bord aan diggelen te smijten.

Er ging geen avond voorbij of de vrouwe wist wel iets te bedenken om haar te treiteren. *Bij de goden, had ik nu mijn zwaard maar...*

Verlies van je zelfbeheersing leidt bijna zeker tot verlies van een gevecht. Ze hoorde het Shaso zeggen, zijn barse stem klonk zo duidelijk in haar hoofd alsof hij naast haar stond. *De krijger die zijn gedachten helder weet te houden, is nooit ongewapend.* Brionie haalde diep adem. *Om kalmte te kunnen spélen moet je aan kalmte dénken.* Dat was een uitspraak van Nevin Hewneij in een van zijn nuchtere momenten. *Je moet het gevoel overbrengen naar je gedachten. Je moet het proeven als een sappige vrucht.* Ze dacht terug aan de dag waarop ze Syan waren binnengereden, aan de enorme uitgestrektheid van de Ester en aan haar gevoel alsof de rivier zijn armen spreidde, als een vriend die haar welkom heette.

'Ik heb hem uitgedaagd, vrouwe,' zei ze luchtig. 'Natuurlijk had ik daar later spijt van. Het was ongepast en het legde een onaanvaardbare druk op mijn andere gasten.' Ze mocht zich op haar beurt toch ook wel een kleine afleidingsmanoeuvre veroorloven? 'De gastvrouw mag haar gasten niet dwingen deelgenoot te worden van haar slechte manieren. Nooit. Onder geen enkele voorwaarde.'

Opnieuw werd er gegniffeld, maar Brionie meende voor het eerst een zweem van sympathie in de algehele hilariteit te bespeuren.

'U hebt hem uw zwaard op de keel gezet, is het niet?' Ananka bleef poeslief, alsof ook zij probeerde het ongelukkige moment te ontdoen van zijn beladenheid.

'Inderdaad, vrouwe.' Brionie merkte tot haar vreugde dat haar woede zo goed als verdwenen was, voorbijgetrokken als een onweer. 'En zoals ik al zei, daar ben ik niet trots op. Maar we mogen niet vergeten dat hij de man is die zich de troon van mijn familie heeft toegeëeigend. Stelt u zich eens voor hoe u zich zou voelen als een van uw loyale edelen' – Brionie liet glimlachend haar blik langs de tafel gaan – 'een verrader bleek te zijn. Het klinkt ongelooflijk, dat besef ik, maar wij dachten ook dat we de Tollijs konden vertrouwen.'

Voor het eerst leek ze Enanders aandacht te hebben getrokken. 'Had u dan geen enkel vermoeden?' vroeg de koning. 'Leefde deze Hertog Hendon niet aan het hof?'

'Dat was zijn broer, Gailon, Majesteit,' verbeterde Brionie hem vriendelijk. 'En Gailon was een beter mens dan ik altijd heb gedacht, moet ik tot mijn schaamte bekennen. Het blijkt dat Hendon ook hem heeft vermoord.'

Inmiddels was alle vrolijkheid uit het gefluister verdwenen. 'Wat verschrikkelijk,' zei een oude hertogin met een pruik als een vogelnest. 'Arm kind. Wat moet u bang zijn geweest!'

Brionie glimlachte weer, zo verlegen en nederig als ze kon opbrengen. Aan het eind van de tafel had Ananka haar gezicht geplooid tot een masker van hoffelijk medeleven, maar Brionie twijfelde er niet aan of de barones was bepaald niet gelukkig met de manier waarop ze de leiding van het gesprek was kwijtgeraakt. 'Ja, natuurlijk was ik bang. Doodsbang zelfs. Maar ik heb gedaan wat iedere jonge edelvrouw zou hebben gedaan wanneer de troon van haar vader in gevaar is. Ik ben gevlucht en op zoek gegaan naar vrienden. Betrouwbare vrienden, zoals Koning Enander. En ik wil hem nogmaals bedanken... en Vrouwe Ananka... voor alles wat ze voor me hebben gedaan.' Ze hief haar glas en boog haar hoofd in de richting van Enander. 'Mogen de Drie Broeders u een lang leven en een goede gezondheid schenken, Majesteit, en moge uw geluk uw grote goedheid evenaren.'

'Majesteit,' herhaalden de anderen bij wijze van heildronk. Enander keek verrast maar niet ongelukkig. Ananka wist haar ergernis goed te verbergen.

Brionie beschouwde die uitkomst als een dubbele overwinning.

Nadat Brionie haar dienstmeisjes had weggestuurd, haalde ze het briefje tevoorschijn en las het nogmaals – al voor de vijfde of de zesde keer sinds ze het de avond tevoren had ontvangen.

Kom naar de tuin in de Hof van de Weerhaan, een uur na zonsondergang op Steendag.

Bij terugkeer in haar vertrekken had het op haar schrijftafel gelegen, niet voorzien van een wassen zegel, maar omwikkeld met een simpel stukje touw. Het handschrift kwam haar niet bekend voor, maar ze dacht dat ze wel kon raden van wie het briefje afkomstig was. Om het zekere voor het onzekere te nemen liep ze echter naar haar reiskist en haalde de jongenskleren eruit die ze had gedragen tijdens haar omzwervingen met Propermans' Troep. Ze had ze laten wassen en vervolgens opgeborgen – het viel tenslotte niet te voorspellen wanneer ze de kleren weer nodig zou hebben. Zelfs Dreefstaete, misschien wel het indrukwekkendste paleis van heel Eion, voelde als een armzalige en onveilige schuilplaats na alles wat er het afgelopen jaar was gebeurd.

Onder de grove, boerse kleren lag de zak met haar Yisti-messen. Puffend en steunend tilde ze haar lange rokken op en bukte ze zich, danig gehinderd door haar keurslijfje, maar toen ze het kleinste van de twee messen aan haar been wilde bevestigen, besefte ze de dwaasheid van wat ze van plan was.

Wat stel ik me hierbij voor? Vraag ik een eventuele vijand even te wachten terwijl ik op de grond ga liggen en probeer over mijn petticoats heen mijn mes te pakken? Wat had Shaso altijd gezegd? *Zoek onder je kleren naar plekken waar je je wapens kunt verbergen... en waar je erbij kunt zonder in je kleding verstrikt te raken!* Wat zou hij hebben gezegd van haar pogingen om met een rood aangelopen gezicht bij haar been te komen?

Ze gaf het op, trok haar mantel aan en had net het kleinste van de twee messen in haar mouw laten glijden toen er op de deur werd geklopt. Brionie reageerde niet meteen, maar bedacht toen dat haar dienstmaagden waren vertrokken en dat Feival naar de eetzaal van de bedienden was gegaan om roddels te verzamelen. Dus ze was alleen. 'Wie is daar?' riep ze.

'Ik ben het maar, Prinses.'

Ze deed de deur open, maar stapte niet opzij om haar vriendin binnen te laten. 'Mogen de goden je behoeden, Ivvie. Ik denk niet dat ik nog beneden kom.'

Ivgenia nam haar uitmonstering taxerend op. 'Gaat u uit, Vrouwe Sneeuwbeer?' De benaming was een grapje – haar vriendin vond het leuk om te doen alsof Brionie uit het verre noorden kwam waar altijd ijs lag.

'Nee, ik heb het gewoon koud.' Het viel niet mee om te liegen tegen iemand die ze als een vriendin was gaan beschouwen, maar ze kon het zich niet veroorloven ook maar iemand aan het hof te vertrouwen, en dat gold zelfs voor zo'n vriendelijk, lief meisje als Ivgenia e'Doursos. 'Ik voel me niet zo lekker. Gewoon een beetje kougevat, denk ik. Breng alsjeblieft mijn beste groeten over aan de koning en Vrouwe Ananka.'

Toen Ivgenia weer weg was, haalde Brionie haar schoenen tevoorschijn en trok ze aan. Het had al een week niet geregend, en daar was ze blij om – dat maakte het vooruitzicht om buiten te moeten wachten aanzienlijk aantrekkelijker. Maar terwijl ze zachtjes de gang uit liep, had ze al kippenvel op haar armen.

De Hof van de Weervaan was genoemd naar een enorme weervaan in de vorm van Perins gevleugelde paard. De vaan stond boven op een hoge toren aan het eind van de binnenplaats en was tot ver in Tessis te zien. Vandaar dat hij in de stad vaak als wegwijzer werd gebruikt. Langs de buitenkant van de hoogste muur van de binnenplaats liep de Lantaarn Dreef, de brede, eeuwenoude straat waaraan het paleis zijn naam dankte. Brionie kon ossen horen loeien, en het geluid van schurende, bonkende karrenwielen drong tot haar door, begeleid door het geroep van straatventers. Heel even vroeg ze zich af hoe het zou zijn om gewoon het paleis uit te lopen, de brede straat op en die simpelweg te volgen om te zien waar die haar bracht; hoe het zou zijn om een leven te leiden zonder hofintriges en familieverplichtingen, zonder monsters, elfen, verraders en gifmengers. Als dat eens zou kunnen...

'Goedenavond, vrouwe,' klonk een diepe stem naast haar oor.

Voordat de tweede lettergreep was uitgesproken had ze zich al omgedraaid en haar mes op zijn keel gezet.

'Moet ik hieruit opmaken dat u niet blij bent me te zien?' Dawet dan-Faar klonk luchtig, zijn stem slechts licht gesmoord door de kling die tegen zijn keel drukte. 'Ik begrijp niet goed waarom, Prinses Brionie, maar ik wil me met alle plezier verontschuldigen zodra u dat fraaie mes van mijn luchtpijp neemt.'

'Daar hebt u zeker wel van genoten?' Ze liet het wapen zakken en deed een stap achteruit. De geur van zijn huid, de diepe klank van zijn stem... Het waren dingen die ze was vergeten, en de ontdekking welke gevoelens ze bij haar losmaakten, was haar verre van welkom. 'Mijn vertrekken binnensluipen om een briefje neer te leggen. Mannen! Wanneer het erop aankomt zijn jullie net kinderen! Kleine jongens, die oorlogje spelen en de spion uithangen, zelfs wanneer dat niet nodig is.'

'Spelen?' Hij trok een wenkbrauw op. 'Het lijkt me dat wat er met uw familie is gebeurd, bewijst dat dit niet alleen maar spel is. Of het moest zijn dat er levens op het spel staan.'

'En hoe komt dat? Door andere mannen.' Ze liet het mes weer in haar mouw glijden. 'Wat gebeurt er als u hier wordt betrapt, Meester Dan-Faar?'

'Wilt u de waarheid weten? Er gebeurt niets onherstelbaars, maar als ik het kan vermijden, besteed ik mijn energie liever niet aan herstelwerkzaamheden.'

'Laten we dan maar op de bank onder die appelboom gaan zitten. Daar zijn we grotendeels uit het zicht van de zuilengaanderijen.' Ze ging

hem voor en zwaaide haar rokken zorgvuldig opzij voordat ze plaats-
nam. Toen klopte ze op gepaste afstand naast zich op de bank. 'Gaat u
zitten. Wat is er allemaal gebeurd sinds we elkaar voor het laatst hebben gezien? Er was destijds in de herberg geen tijd meer om te praten.'

'Ach ja, Het Valse Wijf, met zijn smoezelige waard. Dat was een on-
plezierige middag – ze hadden me bijna te pakken.'

'Hou toch op!' Brionie schudde haar hoofd. 'Ik heb u al gezegd dat
ik geen behoefte heb aan spelletjes. Denkt u nou werkelijk dat ik geloof
dat u helemaal op eigen kracht hebt weten te ontsnappen?'

Hij keek haar stomverbaasd aan. 'Wat bedoelt u, Prinses?'

'Kom nou toch, Meester Dan-Faar. Wat zei u ook alweer tegen de
kapitein van de wacht? "U hebt de verkeerde te pakken! Dat zweer ik
bij Zosim Salamandros!" Zweren bij de Grote Bedrieger, en dan denkt
u nog dat ik u niet doorheb? En dan die... die schertsvertoning van uw
ontsnapping, op een plek waar niemand u kon zien? Ik heb maanden
met een troep toneelspelers rondgetrokken, dus ik laat me geen zand in
de ogen strooien door komedie en schone schijn. De kapitein van de
wacht heeft u welbewust laten gaan.'

In het licht van de fakkels zag ze dat hij trok met zijn mondhoeken,
alsof hij een glimlach verbeet. 'Ik... ik ben sprakeloos,' zei hij ten slotte.

'Ik denk zelfs dat ik wel weet met wie u die afspraak had gemaakt,'
zei ze. 'Met Heer Jino, de spionnenmeester van de koning. Heb ik gelijk of niet? Nee, u hoeft geen antwoord te geven. De enige echte vragen die ik heb, betreffen uw relatie met het hof van Syan, Meester Dan-
Faar. Wat is uw werkelijke rol? Bent u een geheime afgezant van Ludis
Drakava in Hierosol? Of bent u een soort dubbelspion? Werkte u oorspronkelijk voor Koning Enander, maar doet u inmiddels ook alsof u in
dienst staat van Drakava?'

'Ik ben diep onder de indruk, vrouwe,' zei Dawet. 'U hebt veel nagedacht... en alles zorgvuldig overwogen... Maar ik vrees dat u nog niet
de meesteres van de intrige bent die u in uzelf ziet.'

'O?' Het begon fris te worden nu de avond was gevallen. Ze stopte
haar handen in haar mouwen. 'Wat is me ontgaan?'

'U gaat ervan uit dat ik niet uw vijand ben maar uw vriend.'

Hij had het nog niet gezegd of Dawet had haar polsen gepakt en
hield ze met één hand in een onwrikbare greep. Met zijn andere hand
legde hij een mes, langer en slanker dan dat van Brionie, bijna teder tegen haar wang.

'Valse hond! U... u... Verrader! Ik vertrouwde u!'

'Precies, u vertrouwde me. Maar waarom, vrouwe? Vanwege mijn vlei-ende woorden? Vanwege mijn welgevormde benen in mijn wollen knie-broek? Toen we elkaar leerden kennen, werkte ik voor de man die uw vader gevangen heeft genomen! Dat lijkt me een slechte basis voor een vriendschap.'

'Toch heb ik u goed behandeld toen verder niemand daartoe bereid was.' Brionie probeerde onmerkbaar opzij te hellen zodat ze hem tegen zijn been kon schoppen, in de hoop dat hij haar van schrik en pijn zou loslaten zodat ze haar eigen mes kon trekken. Nog liever zou ze hem hoger hebben geschopt – Shaso was buitengewoon grondig geweest in zijn behandeling van de plekken die in lijf-aan-lijfgevechten het groot-ste effect sorteerden – maar zowel de hoek waarin ze die trap zou moe-ten uitdelen, als haar petticoats maakten dat onmogelijk.

'Daar gaat het nu niet om, vrouwe. Ik probeer u iets duidelijk te ma-ken.' Hij boog zich naar haar toe, zodat de slanke kling van zijn mes zich net zo dicht bij zijn gezicht als bij het hare bevond. 'U begaat de vergissing mannen als morele wezens te zien; te denken dat alle man-nen het goed en het kwaad in hun leven tegen elkaar afwegen en hun handelen door de uitkomst van die afweging laten bepalen. U ziet man-nen als onomkoopbare rechters, die volstrekt onkreukbaar vonnis wij-zen.'

Brionie deed haar best niet te laten merken hoe gespannen ze was. 'O, ik weet maar al te goed dat mannen omkoopbaar zijn... en verdor-ven... Maakt u zich geen zorgen.'

Ze haalde uit met haar voet, in de hoop hem te verrassen. Maar Da-wet handhaafde zijn greep om haar polsen, haakte zijn been om het ha-re en schopte tegelijkertijd haar andere voet weg. Ze gleed van de bank en zou gevallen zijn als Dawet haar niet had gered, zodat ze – als een hertenkadaver voor een jachthut – tussen zijn handen en de bank hing. Haar schaamte en woede waren bijna nog groter dan haar angst. 'Laat me los!'

'Zoals u wilt.' Hij liet haar los, met als gevolg dat ze op de grond be-landde.

In een oogwenk stond ze overeind, met haar mes in haar hand. 'Hoe dúrft u! Hoe...'

'Hoe durf ik wat?' Zijn gezicht stond onbewogen, bijna wreed, en dat was maar goed ook. Als hij had gelachen, zou ze misschien hebben ge-probeerd hem te doden. 'U duidelijk maken hoe dwaas u bent? U bent een buitengewoon intelligent meisje, Brionie Eddon, maar nog altijd een meisje. Sterker nog, ik twijfel er niet aan of u bent nog maagd. Begrijpt u wel hoezeer u uw veiligheid en de toekomst van uw familie in de waagschaal hebt gelegd door op deze manier gehoor te geven aan mijn voorstel?'

Het Yisti-mes trilde in haar hand. 'Dus u... u bent er niet op uit me kwaad te doen?'

'Bij de Grote Moeder! Denkt u nu werkelijk dat ik zo dwaas zou zijn om een meisje uit het noorden, een meisje met een blanke huid, iets aan te doen in een noordelijk paleis, binnen gehoorafstand van minstens honderd wachten, zo niet meer, zonder zelfs maar een hand op haar mond te leggen?' Hij schudde zijn hoofd. 'Ga me nou niet vertellen dat ik uw intelligentie zo verkeerd heb ingeschat, of u de mijne.'

'U had anders wel een mes tegen mijn keel gedrukt!'

'Als ik u werkelijk kwaad had willen doen zou ik u hebben ontwapend.' Hij haalde uit – net zo snel als Shaso dat zou hebben gedaan, misschien zelfs sneller – en tikte met zijn mes het hare uit haar hand. Het verdween wervelend in de duisternis en viel geruisloos in een bloemenperk, gehuld in schaduwen. 'Ga het maar terughalen. Ik wacht wel. Het leek me een bijzonder mes, dus ik kan me voorstellen dat u het niet graag zou kwijtraken.'

Toen ze terugkwam had ze het Yisti-mes weer in haar mouw verborgen. 'Het komt door die ellendige jurk! Als ik andere kleren had gedragen, zou ik mijn beide messen hebben getrokken en zou u er op z'n minst één in uw been hebben gehad.'

Hij grijnsde, maar zijn gezicht verried geen enkele vrolijkheid. 'Laten we die jurk dan maar dankbaar zijn, want ik weet bijna zeker dat het anders niet zo simpel was gegaan en zo goed was afgelopen als u denkt.'

'Maar waarom deed u dat?' Ze ging weer zitten, dit keer aanzienlijk meer op haar hoede, maar Dawet maakte geen aanstalten dichterbij te komen. 'U hebt me laten schrikken.'

'Mooi zo. Dat is voor het eerst dat ik u iets hoor zeggen waar ik blij mee ben. Want ik wíl dat u bang bent, vrouwe. Uw leven loopt op gruwelijke wijze gevaar! Beseft u dat dan niet?'

Ze keek hem aan en probeerde krampachtig zich te herinneren wat ze had geleerd, niet over krijgskunsten maar over het spelen van een rol. Vooral geen tranen, dacht ze. Dat zou te... te meisjesachtig zijn. 'Inderdaad, Meester Dan-Faar, dat besef ik wel degelijk, vooral sinds iemand drie dagen geleden heeft geprobeerd me te vergiftigen. Maar ik ben u dankbaar dat u me daar nog even op wijst.'

'Sarcasme zal u niet helpen, Prinses. Integendeel. U kunt me beter bedanken voor mijn eerlijkheid, iets waartoe anderen niet in staat of bereid zijn.' Hij legde vriendelijk een hand op haar arm. 'En ik zou maar al te graag willen dat ik die rol niet hoefde te vervullen. Ik zou willen dat me een fraaiere rol was toebedeeld, een rol waarin ik aardiger zou kunnen zijn...'

Deze keer wist ze hem wel te verrassen. Ze was zo snel dat de punt van haar mes de huid van zijn hand doorboorde voordat hij die kon terugtrekken. Hij schoot overeind, zijn gezicht overschaduwd door boosheid, en rukte zijn handschoen af om de wond te inspecteren. Toch besefte Brionie dat zijn boosheid veel erger had kunnen zijn. 'Wel alle... Waarom deed u dat?'

'U hebt me zelf op het hart gedrukt niemand te vertrouwen, Meester Dan-Faar.' Ze haalde zwaar adem, haar hart bonsde. 'U verklaart nadrukkelijk hoe aardig en attent u bent, en dat u − als enige − het beste met me voorhebt. Dat is mooi. Maar dan zou ik om te beginnen graag antwoord krijgen op deze vraag: *Wat bent u?* Bent u een vijand die een zwak voor me heeft? Of bent u een vriend? Zou u als een broer voor me zijn, of als een minnaar? Ik heb van jongs af aan in het hart van de macht geleefd, in het centrum van de publieke belangstelling. Dus ik ben niet zodanig gevleid door uw aandacht dat ik elk besef van wie ik ben en wat ik nastreef ben kwijtgeraakt, noch ben ik vergeten dat u alles tegelijk schijnt te willen.' Ze keek hem doordringend aan. 'Dus dat is mijn vraag, heer. Welke functie vervult u voor mij?'

Even staarde Dawet haar alleen maar aan, terwijl hij het bloed uit de wond zoog die ze hem had toegebracht. 'Ik weet het niet, Prinses. Ik weet het echt niet. Sterker nog, ik vraag me af of ik nog wel weet wie ú bent. U bent veranderd door uw ballingschap.'

'Dat lijkt me niet zo verrassend.' Ze stopte haar dolk weer weg. 'Als u nog eens besluit dat u me wilt spreken − misschien om me informatie te verschaffen die ik echt kan gebruiken, bijvoorbeeld over mijn vader − dan weet u me te vinden.'

'Wacht even.' Dawet hief zijn hand, een gebaar alsof hij toegaf dat hij een weddenschap had verloren. 'Zo is het wel genoeg, Brionie.'

'Prinsés Brionie, Meester Dan-Faar. Zo goed kennen we elkaar niet, noch hebt u uw vriendschap al bewezen.'

Hij deinsde achteruit. 'U oordeelt wel erg hard, vrouwe. Heb ik u in

Zuidermark al niet gewaarschuwd dat iemand aan het hof u kwaad wilde doen?'

'Kom nou toch! Voor welke vorst of leider, waar ook ter wereld, geldt dat níét? Namen hebt u nooit genoemd, dus wat had ik daaraan? U bent nooit onvriendelijk geweest, Afgezant Dan-Faar, maar voor zover ik weet hebt u me ook nooit een dienst bewezen, of het zou het geschenk van uw gezelschap moeten zijn.' Ze veroorloofde zich een vluchtige glimlach. 'Een geschenk dat zeker niet zonder waarde is, maar dat ik nauwelijks een bewijs van onvoorwaardelijke loyaliteit zou willen noemen.'

Hij schudde zijn hoofd. 'U bent hard geworden, Prinses. Een vrouw, een meisje nog, gehuld in een pantser.'

'Ik ben erin geslaagd in leven te blijven, hoewel velen dat liever anders hadden gezien. Maar genoeg hierover. Vertel me wat u weet over mijn vader, of laten we anders afscheid nemen en de avondkou ontvluchten.'

'Er valt niet veel te vertellen. Toen ik uit Hierosol naar hier vertrok, werd uw vader nog altijd gevangengehouden door Ludis Drakava. Inmiddels heb ik dezelfde geruchten gehoord als u – dat Ludis is gevlucht, dat hij uw vader heeft overgedragen aan de autarch, dat Hierosol elk moment kan vallen...'

'Wát? Overgedragen aan de... aan de autárch? Dat hoor ik voor het eerst... Genadige Zoria, zeg dat het niet waar is! Wat is dit voor waanzin?'

'Maar... dat verhaal moet u toch gehoord hebben? Het doet hier in Tessis voortdurend de ronde. Bij zijn ontsnapping zou Ludis uw vader als onderhandelingsinstrument hebben gebruikt. Maar probeer u niet al te veel zorgen te maken, vrouwe. Tot dusverre is het niet meer dan een gerucht en weten we nog niets zeker...'

Ze zuchtte, blies woedend haar adem uit. 'Bij het Bloed van de Broeders! Geen van die vervloekte Syannezen heeft er ook maar iets over gezegd!' Ze plukte een bloesemtros van een tak net boven haar hoofd en keek ernaar. Geen tranen, zei ze opnieuw tegen zichzelf. Ze vermorzelde de bloemetjes en liet de blaadjes naar de grond dwarrelen. 'Ik wil precies weten wat u hebt gehoord.' De tranen waren weggeëbd voordat ze haar ogen hadden kunnen bereiken. Ze was zich bewust van een harde kilte in haar borst, alsof haar hart was omkleed met ijs.

'Zoals ik al zei, vrouwe, het zijn maar verhalen, producten van de heersende verwarring en...'

'Probeer me niet te sussen, Dan-Faar. Ik ben geen kind meer. Vertel op! Alles wat u weet!' Ze haalde diep adem. Het was alsof de nacht zich naar haar toe boog, en alsof de kille duisternis diep binnen in haar de nacht verwelkomde. 'Ik mag de troon van mijn familie dan zijn kwijtgeraakt, maar ik zal zorgen dat ik hem terugkrijg. Dat zweer ik. Net zoals ik zweer dat onze vijanden zullen boeten voor wat ze hebben gedaan. Dat beloof ik op het hoofd van de goden!' Ze keek op naar Dawets verraste gezicht, net zichtbaar in het licht dat uit een open raam naar buiten viel. 'U staat te staren. Maar u kunt uw tijd beter gebruiken. Vertel me wat ik wil weten.'

12
Een goede vrouw, een goede man en een dichter

'Er wordt beweerd dat slechts één enkele koning en koningin de elfen hebben geregeerd sinds de dagen van de goden, een onsterfelijk paar dat wordt genoemd met vele namen, maar daarvan waren volgens Rhantys, van wie wordt gezegd dat hij vrienden had onder de Qar, Eenur en Sakuri de meest gebruikte. Sommige verhalen beweren zelfs dat deze onsterfelijke heersers broer en zus zijn, net als de monarchen van Xis in vroeger tijden.'

Uit *Een Verhandeling over de Elfenvolken van Eion en Xand*

Mattes Tinslager was wel een tiendaagse of langer naar haar op zoek geweest, gebruikmakend van elk moment dat hij niet aan het hof werd verwacht of Elan moest bijstaan tijdens haar langzame herstel. Dus het was bijna een teleurstelling toen hij haar uiteindelijk vond vlak bij de Jutters Lagune, op korte afstand van de kamer die hij in de buitenburcht had gehuurd. Mattes ontdekte dat ze een reputatie had opgebouwd onder de vluchtelingen die uit de stad waren verdreven en die onder erbarmelijke omstandigheden in het veel te volle, belegerde kasteel leefden.

Toen hij zijn moeder eindelijk had gevonden, stapte hij niet direct op haar af. In plaats daarvan volgde hij haar rijzige, magere gestalte terwijl ze in de Stouwersstraat van de ene smoezelige winkel naar de volgende liep, blijkbaar om eten in te zamelen voor de minder fortuinlijken. Ze had nooit moeite gehad met het vinden van mensen die ze als minder fortuinlijk beschouwde dan zichzelf, dacht Tinslager grimmig. Daar had ze een neus voor, als een jachthond die zijn prooi rook.

En hoewel de zaak waarvoor ze zich inzette onmiskenbaar nobel en eerzaam was, ontging het hem niet dat ze van alle oude broden en bebaarde uien die ze kreeg, ongeveer een kwart, misschien iets minder, voor zichzelf hield. Ze mocht zich dan opwerpen als redster van de minder fortuinlijken, ook als die niet gered wensten te worden, maar Anamesiya Tinslager was altijd minstens zo hardnekkig begaan geweest met haar eigen fortuin.

Uiteindelijk sprak hij haar aan bij de grote tempel op de Grote Markt, waar ze eten uitdeelde aan de ontheemden die daar een treurig bestaan leidden in tenten van stokken en tot op de draad versleten dekens. Kijkend naar haar snelle bewegingen en haar grote, puntige neus moest Tinslager er onwillekeurig aan denken hoe zijn vader haar had genoemd wanneer hij chagrijnig was: *die vervloekte, bemoeizieke specht.*

'Als het zeer doet aan je tanden, dan is dat je eigen schuld,' hoorde Tinslager haar tegen een oude man zeggen. 'En niet van het brood. Daar mankeert niks aan, en je krijgt het nog voor niks ook.'

'Moeder...' begon Tinslager.

Ze draaide zich om. Haar benige hand schoot naar het houten, amandelvormige foedraal met daarin een Zoria-amulet dat ze aan een koord om haar nek droeg. 'Bij de Trigon, wat zullen we nou krijgen? Mattes, bij de gezegende Broeders! Ben je het echt?' Ze nam hem keurend op. 'Mooi jasje, maar het is wel vies, zie ik. "Zorg dat uw gewaad is gerafeld noch gescheurd" staat er in het heilige boek. Ben je weggejaagd van het hof?'

Hij voelde dat hij bloosde van boosheid en frustratie. 'Het is "gerafeld en besmeurd", niet "gerafeld en gescheurd". Nee, Moeder, ik ben erg gezien aan het hof. U ook een heel goede dag. Ik ben blij te zien dat het u goed gaat.'

Ze gebaarde naar het groepje van een stuk of vijf, zes mannen en vrouwen die om haar heen dromden, allemaal danig gerafeld en besmeurd. 'De goden zorgen voor me, opdat ik voor anderen zorg.' Ze vernauwde haar ogen tot spleetjes terwijl ze zich naar de oude man keerde die het dichtst bij haar stond. 'Je moet kauwen!' zei ze streng. 'En niet je eten naar binnen schrokken, in de hoop dat je dan nog meer krijgt.'

'Waar woont u, Moeder?'

'De goden zorgen voor me,' zei ze nogmaals luchtig, en hij vermoedde dat ze de nachten doorbracht waar ze toevallig een plekje wist te vinden, zoals zoveel vluchtelingen van het vasteland in deze dichtbevolkte, stinkende stad-in-een stad. 'Hoezo? Kom je me een kamer in het paleis aanbieden? Begin je je eindelijk te schamen voor je godslasterlijke bestaan vol drank en ontucht? Hoop je weer bij de goden in de gunst te komen door een kleine daad van naastenliefde jegens de vrouw die je het leven heeft geschonken?'

Tinslager haalde diep adem voordat hij antwoord gaf. 'U bent altijd gefascineerd geweest door mijn veronderstelde levenswandel vol drank en ontucht. Is het wel gepast voor een moeder om zo vaak over dat soort dingen te praten?'

Hij smaakte het genoegen haar te zien blozen. 'Je bent een slecht kind – altijd al geweest! Ik doe het alleen om je op je fouten te wijzen, en daarbij vraag ik me niet af in hoeverre ik daarmee mijn eigenbelang schaad. Maar zo gaat het al mijn hele leven; ik ben altijd beschimpt, eerst door je vader, en nu door jou. En toch weiger ik mijn mond te houden wanneer ik zie dat de wil van de goden niet wordt gerespecteerd.'

'Wat is de wil van de goden, Moeder?' Hij mocht dan wanhopig zijn, hij mocht haar hulp dan dringend nodig hebben, maar toch stond hij op het punt zich om te draaien en weg te lopen. Het was een vergissing geweest om naar haar op zoek te gaan. Dat had hij nooit moeten doen, dacht hij. 'Kunt u me vertellen wat de wil van de goden is, Moeder?'

'Natuurlijk, dat lijkt me duidelijk. Het is de hoogste tijd dat je je verkwistende bestaan opgeeft, Mattes. Wijn, vrouwen, dichtkunst – dat kan de goden allemaal niet bekoren. Je moet aan het werk, jongen. Een degelijke, fatsoenlijke baan, dat is wat je nodig hebt. Er staat niet voor niets in het heilige boek: "Wie niet werkt, zullen de ogen worden gesloten".'

Tinslager zuchtte. Het heilige boek waar ze het over had, was natuurlijk *Het Boek van de Trigon*, maar blijkbaar bezat zijn moeder een versie die alleen zij kende. Want hij wist vrij zeker dat het oorspronkelijke gebod luidde: *Wie niet kijkt, zullen de ogen worden geopend*. Het had echter geen enkele zin om met haar over dergelijke dingen in discussie te gaan. 'Mogen de goden mijn getuigen zijn, Moeder, ik was niet van plan om ruzie te maken. Dus laten we opnieuw beginnen, met een schone lei. Ik kwam inderdaad om u te vertellen dat ik een kamer voor u heb. Niet in het paleis, maar het is wel een keurige, schone kamer.'

Ze trok een wenkbrauw op. 'Echt waar? Heb je eindelijk besloten een brave, oppassende zoon te worden?'

Hij zette zijn tanden op elkaar. 'Blijkbaar, Moeder. Gaat u mee? Dan zal ik u de kamer laten zien.'

'Wanneer ik hier klaar ben. Een brave zoon vindt het niet erg om even op zijn moeder te wachten.'

Het was geen wonder dat geen van haar kinderen lang thuis was blijven wonen, dacht Tinslager. Hij leunde tegen een zuil en keek toe terwijl ze haar ronde afmaakte en hard brood en strenge vermaningen uitdeelde aan de armen.

De glimlach die bij het zien van de schone, welvoorziene kamer op het gezicht van zijn moeder was verschenen, verstarde plotseling en werd zo stijf als gedroogde vis toen ze het slapende meisje ontdekte. Haar mond viel open. 'Bij de Heilige Broeders!' Ze maakte het teken van de Drie op haar borst, zo heftig alsof het was bedoeld om zich te beschermen tegen een aansuizende speer. 'O mijn hemelse vaders en moeders, ontferm u! Wat moet dit voorstellen? Wie is dat?'

'Dat is Vrouwe Elan M'Corij, Moeder...' begon hij, maar Anamesiya Tinslager probeerde zich al langs hem heen te werken op weg naar de deur.

'Ik wil hier niets mee te maken hebben!' tierde ze. 'Ik ben een vrome, godvruchtige vrouw!'

'En dat is zij ook!' Bij zijn poging haar arm te grijpen kreeg Tinslager een klap met de rug van een van haar grote handen te incasseren, terwijl ze uit alle macht probeerde weg te komen. 'Wel verdraaid en vervloekt, Moeder, wil je nou alsjeblieft even naar me luisteren?'

'Ik weiger een kamer te delen met je lichtekooi!' krijste ze, zich nog altijd hevig verzettend tegen zijn greep. Sommige voorbijgangers waren geboeid blijven staan om de vertoning gade te slaan. Buren keken toe vanuit de bovenramen. Tinslager slaakte gedempt een verwensing.

'Kom nou maar gewoon binnen en laat het me uitleggen. In naam van de goden die ons liefhebben, Moeder, wil je alsjeblieft ophouden?'

Ze keek hem woedend aan, haar gezicht zag doodsbleek, op twee roze vlekken op haar wangen na. 'Hoereerder! Ik weiger je te helpen het kind van dit meisje te vermoorden! Ik weet hoe ze zijn aan het hof, hoe slecht en verdorven ze door het leven gaan. Het komt allemaal door je vader! En door de boeken die hij je voorlas toen je klein was! Ik heb hem nog zo gewaarschuwd, want ik wist dat je daar alleen maar slechter van zou worden. Ik wist dat je verbeelding zou krijgen; dat je boven je stand zou willen uitstijgen!'

'Mogen de goden deze hele verwarring verwensen en vervloeken! Hou je mond, Moeder! Ik wil dat je naar me luistert!' Hij sleurde haar weer naar binnen, smeet de deur dicht en ging ertegenaan staan om te voorkomen dat ze ontsnapte. 'Vrouwe Elan treft geen enkele blaam. En mij ook niet. Althans, ik heb haar niets misdaan. En er is geen kind. Hoor je wat ik zeg? Er is geen kind!'

Ze keek hem verbaasd aan. 'Wat? Heb je je smerige werk al gedaan? Heb je een onschuldige oogappel van de goden vermoord, en wil je nu dat ik haar verpleeg?'

Hij boog zijn hoofd, biddend om geduld, ook al wist hij niet goed tot wie hij dat verzoek zou moeten richten. Zosim, zijn patroonheer en een van de lagere goden, was berucht om zijn desinteresse voor die bewuste deugd, trouwens, voor álle deugden. Uiteindelijk richtte Tinslager zijn gebed tot de godin Zoria, die een goede naam had als het ging om geduld.

Als ze me tenminste wil aanhoren nu ik het werk aan haar gedicht al zo lang heb uitgesteld. Maar wat kon hij eraan doen dat zijn muze, Prinses Brionie, Zoria's aardse belichaming, was verdwenen? *Dat was het begin van mijn neergang. En ach, mijn opkomst heeft maar zo kort mogen duren! Genadige Zoria, verdien ik geen medelijden? Al is het maar een heel klein beetje?*

Of de godin hem verhoorde wist hij niet, maar hij merkte wel dat hij iets kalmer werd. Elan begon rusteloos te bewegen, alsof ze vanuit een peilloze diepte naar boven zwom. Haar bleke gezicht stond zorgelijk en verward.

'Ik wil dat u goed naar me luistert, Moeder. Ik heb Vrouwe Elan gered uit de handen van iemand die haar kwaad wil doen.' Hij durfde zijn moeder niet te vertellen dat de man uit wiens handen hij Elan had gered, niemand minder was dan Hendon Tollij, de zelfbenoemde beschermer van het kasteel. Zijn moeder koesterde een diepe en herseloze eerbied voor elke autoriteit, dus hij achtte haar in staat rechtstreeks naar Hendon Tollij te lopen en Elan en hem aan te geven. 'Ze is ziek omdat ik haar een drankje heb moeten geven om haar te ontvoeren uit het paleis, weg uit de klauwen van deze man. Maar ze heeft niets verkeerds gedaan. Is dat duidelijk? Ze is een slachtoffer – net als Zoria. Begrijpt u dat? Ze is net als de Gezegende Zoria, die werd verdreven, de sneeuw in, alleen en zonder vrienden.'

Zijn moeder keek vol wantrouwen van hem naar Elan. 'Hoe kan ik dat geloven? Hoe kan ik zeker weten dat je niet weer de spot met me drijft? "De goden helpen hen die hun eigen grond sjouwen" staat er in het boek.'

'"Die hun eigen grond bebouwen" staat er. Maar als u me niet gelooft, dan kunt u het haar zelf vragen wanneer ze wakker wordt.' Hij wees naar het tafeltje in de hoek van de kamer. 'Daar staat een waskom, met een lap. Ze moet gewassen worden en... en het leek me niet gepast als ik dat zou doen. Ik zal wat eten voor jullie meenemen, en nog wat dekens uit het paleis.'

Het was duidelijk dat het vooruitzicht van dekens uit het paleis zijn moeder intrigeerde, maar ze liet zich niet zo gemakkelijk overtuigen. 'En hoe lang wil je dat ik blijf? Trouwens, waar moet ik slapen?'

'In het bed, natuurlijk.' Hij stond al bij de deur, met één voet buiten. 'Het is een groot bed. En het ligt heerlijk. De matras is gevuld met vers, zacht stro.' Hij deed nog een stap naar achteren. Bijna! Hij was bijna buiten...

'Het kost je een zeester,' zei ze. 'Per week.'

'Wat?' Hij kookte van verontwaardiging. 'Een zilveren zeester? Welke moeder zou proberen haar eigen zoon te bestelen?'

'Waarom zou ik het voor niets doen? Als je me niet wilt helpen – mij, je eigen moeder, je eigen bloed – dan vraag je maar een meisje uit een van die taveernes waar je je halve leven hebt rondgehangen.'

Hij staarde haar aan. In haar ogen las hij de blik die hij haatte. Haar eerdere blos van woede was er inmiddels een van triomf, en haar blik verried dat ze wist dat ze haar zin zou krijgen. Spraken de goden echt tot haar? Wist ze dat Brecht had gezworen dat ze hem niet langer zou helpen? Wist ze dat hij geen kant op kon? Wist ze dat hij zijn leven niet zeker was wanneer hij probeerde te ontsnappen?

'Moeder, beseft u dat als op welke manier dan ook uitlekt dat Vrouwe Elan hier is, de... de man die haar zoekt, me ter dood zal laten brengen? Om nog maar te zwijgen van wat hij haar zal aandoen, dit arme, onschuldige meisje.'

Ze had haar lange armen over elkaar geslagen. 'Des te meer reden om me het schijntje dat ik ervoor vraag, niet te misgunnen. Geen prijs is te hoog voor de veiligheid van dit meisje. Ik kan bijna niet geloven dat een kind van mij bezwaar maakt tegen zo'n karige vergoeding.'

Hij keek haar doordringend aan. 'Ik kan u niet eens een zeester per tiendaagse betalen, Moeder. Dat kan ik me simpelweg niet veroorloven.

Dus ik geef u twee zeesterren per maand, tot ze voldoende is aangesterkt om te vertrekken. Daarnaast zorg ik voor uw eten en hebt u een kamer waar u kunt wonen en slapen.'

'Ik heb een bed en een kamer die ik moet delen, zul je bedoelen. Met deze ongelukkige vrouw, van wie alleen de goden weten welke besmetting ze bij zich draagt. Het arme kind. Tweeënhalve zeester per maand, Mattes. De Hemel zal je belonen wanneer je doet wat goed is.'

Hij kon zich niet voorstellen dat de Hemel zich druk maakte om een halve zeester meer per maand, maar hij had haar harder nodig dan zij hem. En dat had ze door, zoals ze altijd alles doorhad.

'Akkoord,' zei hij dan ook. 'Tweeënhalve zeester per maand.'

'En om te laten zien dat je het serieus meent...' Ze hield haar lange, benige hand op.

'M-maar...'

'Je wilt toch dat ik voor haar zorg? En stel je dan eens voor dat ik naar de apotheek moet?'

En dus gaf hij haar zijn laatste zeester.

Hij slenterde langs de gammele pieren aan de noordwestkant van de Jutters Lagune en schopte tegen een brok gedroogd pek. Overal hing de geur van vis en van het zilte nat. Ondanks de gruwel die hij over zich had afgeroepen om bewegingsvrijheid te hebben, had hij geen haast om terug te keren naar de koninklijke residentie.

De vrouw die ik liefheb en voor wie ik mijn leven heb gewaagd, verafschuwt me alsof ik een soort ongedierte ben. Nee, dat zeg ik verkeerd – vergeleken bij mij vindt ze ongedierte waarschijnlijk nog onschuldig. Aan het hof weet ik me alleen staande te houden door de welwillendheid van uitgerekend de man die ik heb beroofd van zijn slachtoffer, en die geen moment zal aarzelen me te laten vermoorden als hij daar ooit achter komt. En inmiddels ben ik ook nog eens gedwongen geweest mijn laatste geld uit te geven om de diensten van mijn eigen moeder in te huren – terwijl ik haar met liefde nog meer had betaald als ik haar had kunnen blijven ontlopen. Wat een leven! Kan het nog ellendiger?

Pas later besefte Mats Tinslager dat de goden zijn uitdagende woorden moesten hebben gehoord en ongetwijfeld in lachen waren uitgebarsten. Want wat hij had uitgekraamd, moest wel de grootste grap zijn die ze sinds de vroege ochtend hadden gehoord.

'Kijk nou eens!' klonk het, en er verscheen voor hem op het looppad iets groots en donkers dat hem de weg versperde. 'Wie hebben we daar!

Dat noem ik nog eens een verrassing. Ik ken jou! Jij bent die slapjanus die ik nog een pak rammel schuldig ben.'

Tinslager knipperde met zijn ogen. Er stonden twee grote kerels voor hem, gekleed als dokwerkers. Ze zagen er allebei buitengewoon onaangenaam uit, en tot overmaat van ramp kwam het bleke, pafferige gezicht van de voorste hem misselijkmakend bekend voor.

Genadige Hemel, hoe heb ik zo dwaas kunnen zijn u te tarten! Dit is die vervloekte wacht uit de Laarzen van de Das – de kerel die me tot moes wilde slaan omdat hij dacht dat ik hem zijn vrouw wilde aftroggelen. De potige, zwaargebouwde kerel was nu echter niet in soldatenuniform. Was dat gunstig? Of maakte dat de situatie juist nog veel erger?

'Ik ben bang dat u me voor de verkeerde aanziet, heer.' Hij sloeg zijn ogen neer en deed een stap opzij. Een hand zo groot als de hammen op het feest van de Dag van de Wees schoot uit, greep hem bij zijn kraag en deed hem verstijven, midden in zijn stap.

'Dat dacht ik niet, maatje. Een gezicht als het jouwe vergeet ik niet. Ook al wist ik niet wie je was toen we erop uit werden gestuurd om je te zoeken. Maar ja, wat doen we? Slaan we je tot moes en riskeren we dat we de beloning mislopen die we krijgen als we je afleveren?' Hij keerde zich naar zijn bijna net zo lelijke metgezel. 'Denk je dat Zijne Krenterigheid ook uitbetaalt als we hem dit stuk ellende komen afleveren met een paar gebroken botten?'

Het leek alsof zijn kameraad er even over moest nadenken. 'De grote baas kan nog wel eens driftig worden, en ik zou hem niet graag boos maken. Hij wilde hem levend, dat is het enige wat ik weet.'

'We kunnen zeggen dat hij een paar keer is gestruikeld en tegen de muur gevallen,' opperde Tinslagers kweller grijnzend. 'Het zal niet voor het eerst zijn dat een van onze gevangenen een ongelukje heeft.'

Gevangene? De grote baas? Wat was hier aan de hand? Tot op dat moment was Tinslager alleen maar misselijk geweest van angst bij het vooruitzicht van een pak slaag, ook al had hij al diverse aframmelingen overleefd. Maar dit klonk alsof hem nog iets veel ergers boven het hoofd hing.

Tollij? Werkten deze kerels in opdracht van Hendon Tollij? Was de man die Elan had misbruikt, erachter gekomen wat hij, Tinslager, had gedaan? Zijn hart begon plotseling zo wild te slaan dat hij er duizelig van werd en pijn in zijn maag kreeg. 'Echt waar, u vergist u.' Hij probeerde zich los te wurmen, maar de wacht sloeg hem met zijn andere grote hand zo hard op zijn hoofd dat hij geruime tijd nog slechts een laaiende, witte gloed zag en niets anders hoorde dan een luid galmen, alsof zijn hoofd was veranderd in een reusachtige klok, die juist op dat moment het uur sloeg. Toen hij weer enigszins helder kon denken, werd hij al tussen de twee mannen door de straten gesleept, struikelend en met zijn schoenen over de keien schurend.

'Nog één woord, en de volgende dreun is twee keer zo hard,' zei de man met het pafferige gezicht. 'Sterker nog, de volgende keer draai ik je aan je ballen tot je het uitgilt als een klein meisje. Hoe vind je dat?'

Tinslager beperkte zich tot zwijgend bidden. Zoria werd door hem aangeroepen, hij richtte zich tot Zosim, tot de Drie Broeders en tot iedere andere godheid die hij kon bedenken, onder wie misschien wel een enkeling die hij voor zijn gedichten had laten ontspruiten aan zijn fantasie.

Maar in plaats van dat de onaangename kerels hem naar het kasteel brachten, werd het Tinslager al snel duidelijk dat hun bestemming een andere was. Ze sleepten hem aan armen en benen door een reeks smalle straten, een brug over naar de oostkant van de lagune, en uiteindelijk kwamen ze bij een taveerne op palen, boven het water. Een naambord ontbrak, er hing alleen een lange, roestige hijshaak boven de deur. Binnen was het donker, en toen de mannen hem ruw over de drempel hesen, had Tinslager het gevoel alsof hij de ijzige troonzaal van Kernios werd binnengedragen. Het rook er echter meer naar iets wat aan diens broer, de zeegod Erivor, toebehoorde, dacht hij onwillekeurig, zich bewust van de kille, klamme dampen – een ongezond geurende rottingswalm van vis en bloed en pekel.

Zo te zien waren alle klanten van de taveerne Jutters. Terwijl hij tussen zijn gevangennemers in door de lage gelagkamer liep, keerden de mannen van het botenvolk zich naar hem toe en volgden hem met hun enigszins uitpuilende, onverschillige ogen, als een vijver vol kikkers die wachtten tot een indringer voorbij was, zodat ze hun kwakende gezang konden hervatten.

Waarom hebben ze me hierheen gebracht, vroeg Tinslager zich af. *Ik weet niets van Jutters. De enige die ik ken is de algenmengster. Ik heb nooit een Jutter ook maar iets misdaan. Dus waarom zouden zij mij kwaad willen doen?*

Een lange Jutter met een gebogen rug kwam voor hen staan. Een oude man, te oordelen naar zijn tanige huid die deed denken aan gelooid leer. Hij droeg een buis met mouwen, wat nogal ongebruikelijk was. De Juttersmannen liepen vaak met ontbloot bovenlijf, zelfs wanneer het erg koud was. 'Heren, wat kan ik voor u doen?' vroeg hij. Zijn stem had een keelachtige klank. Alle ogen in de gelagkamer leken nog altijd op hen gericht, kalm maar indringend.

De wacht met het bleke, pafferige gezicht nam niet eens de moeite eerbiedig te klinken. 'We hebben een afspraak in de achterkamer, viskop. En je hebt je geld al gekregen.'

'Ach, natuurlijk.' De oude Jutter deed een stap opzij. 'Loopt u maar door. Hij zit al op u te wachten.'

De deur naar de achterkamer was zo laag dat Mats Tinslager moest bukken. Zijn gevangennemers hielpen hem door zijn hoofd zo hard naar beneden te duwen dat zijn nek kraakte. Toen hij zich weer mocht oprichten, bleek hij zich in een kleine ruimte te bevinden die werd gedomineerd door een grote man met een baard achter een pokdalige houten tafel.

'Ik zie dat jullie hem gevonden hebben.' De grijns van Avin Brone riep bij Tinslager beelden op van hongerige beren en van wolven met blikkerende tanden. 'Zeker toen hij van zijn... liefdesnestje kwam, hè?'

Toch al doodsbang begon Mats Tinslager bijna te hijgen. Wist Brone het? Maar dat kon helemaal niet! Nee, hij verdacht hem natuurlijk van een smoezelig afspraakje bij de kades.

'Dat weet ik niet, heer,' zei de wacht die had geopperd om Tinslager een paar keer tegen de muur te laten vallen. 'We hebben hem gewoon opgewacht in de straat die u zei, en toen kwam hij langslopen.'

'Mooi zo. Goed werk, mannen. Kom later maar terug, dan krijgen jullie je vindersloon.'

'Dank u wel,' zei de wacht. 'Vanavond? Kunnen we vanavond langskomen?'

'Hè? Wat?' Brone was met zijn gedachten al ergens anders. 'O. Ja, dat is goed. Vertrouwen jullie me niet tot Laatsdag?'

'Natuurlijk, heer. Alleen... We moeten het een en ander aanschaffen.' Het bleke, pafferige hoofd keerde zich naar zijn metgezel. Die knikte.

'Dat is dan afgesproken.' Hij stak zijn hand op, en de twee mannen vertrokken.

Het bleef onbehaaglijk lang stil in het kleine vertrek, terwijl Brone zijn blikken aandachtig over Tinslager liet gaan, als een vleeshouwer die een kadaver inspecteerde dat hij ging uitbenen en tot karbonaden versnijden. Mats Tinslager merkte dat zijn knieën trilden, terwijl hij zich afvroeg of er soms een spelletje met hem werd gespeeld. Werd hij geacht een ontsnappingspoging te doen nu de wachten weg waren? Zocht

Brone een excuus om hem te doden? Nee, dat sneed geen hout. De tijd dat Brone hem had gedreigd, lag ver achter hem, en er was sindsdien veel veranderd. Avin Brone heerste nog slechts in naam over Zuidermark – Tinslager wist dat hij al maanden eerder zijn positie als konstabel was kwijtgeraakt aan een van Tollijs bondgenoten, de wrede Berkan Huif. De baard van de graaf van Landseind was inmiddels eerder grijs dan donker, en zo te zien was hij nog zwaarder geworden. Waarom zou hij de arme Tinslager nog steeds kwaad willen doen?

'Heer, waarom hebben ze me hierheen gebracht?' vroeg hij toen hij eindelijk al zijn moed bij elkaar had geraapt.

Brone bleef hem aanstaren, maar ten slotte boog hij zich naar voren. Zijn gefronste wenkbrauwen zagen eruit alsof ze elk moment van zijn gezicht konden springen en als vleermuizen konden wegvliegen. Hij hief zijn hand en wees met een dikke vinger naar zijn gevangene. 'Ik... hou... niet... van... díchters.'

Tinslager slikte... en slikte... en slikte... 'D-d-dat spijt me,' zei hij ten slotte. 'Het was niet mijn bedoeling om...'

'Hou je kop, Tinslager.' Brone sloeg zo hard met zijn hand op de tafel dat de muren trilden. En Tinslager moest bekennen dat hij misschien een zacht, meisjesachtig gilletje had geslaakt. 'Ik weet alles van je,' vervolgde de grote man. 'Bedrieger. Vleier. Leegloper en nietsnut. Je kleine, bescheiden succesjes heb je bereikt door te slijmen bij anderen die het verder hebben geschopt dan jij, voor het merendeel figuren zoals Nevin Hewneij en zijn mannen. Uitvaagsel, dat zijn ze.' Brone fronste nog dieper. Als hij tegen Tinslager had gezegd dat hij hem levend ging opeten, zoals kwaadaardige reuzen dat deden in kinderverhaaltjes, zou de dichter hem hebben geloofd. In plaats daarvan werd de stem van de graaf van Landseind zachter, dieper, en door de woede die erin doorklonk, verwachtte Mats Tinslager dat wat er ging komen, gruwelijker was dan hij zich zelfs maar kon voorstellen. 'Maar toen kwam je naar het paleis. Je werd gearresteerd. Je was betrokken bij misdadige plannen om misbruik te maken van de koninklijke familie. Maar in plaats dat je hoofd werd afgehakt, zoals een laag-bij-de-grondse verrader als jij verdiende, ontving je een geschenk dat een held zou passen – de patronage van niemand minder dan Prinses Brionie en een plaats aan het hof. Wat zul je gegniffeld hebben.'

'Nee, niet echt... niet gegniffeld, heer...'

'Hou je mond. En wat doe je in ruil voor zoveel verbazingwekkende goedheid? Je ontvoert een hooggeboren vrouwe uit de koninklijke residentie en houdt haar gevangen! Bij de Drie, de beulen zullen avonden zoet zijn met het bedenken van nieuwe manieren om jou het vlees van je botten te rukken!'

Hij weet het! Tinslager kon zich niet langer beheersen en barstte in snikken uit. 'Bij de goden, ik zweer u dat het zo niet is gegaan! Ze was... Ze is... O, Heer Brone, alstublieft, zorg dat ze me niet martelen. Ik ben maar een arme sloeber. De bedoeling was goed. U kent Elan niet. Ze is zo lief, en zo mooi, en Tollij behandelde haar zo wreed...' Hij zweeg, vervuld van afschuw, want misschien had hij het alleen maar erger gemaakt door de tegenwoordige heer van Zuidermark te beschuldigen. 'Nee, ik... Ze... U...' Tinslager wist niets meer te zeggen – zijn noodlot was gruwelijk en compleet. Dus hij zweeg en produceerde slechts een zwak gejammer.

Brone trok een van zijn borstelige wenkbrauwen op. 'Tollij? Wat heeft Tollij ermee te maken? Vertel op, man, of ik begin vast met de voltrekking van het vonnis, en dan laat ik net genoeg van je over om hijgend je bekentenis te doen tegenover de Heer Behoeder.'

En dus begon Tinslager zijn verhaal te doen, de woorden stroomden over zijn lippen, gehaast, zonder zijn gebruikelijke streven naar schoonheid en eruditie; verklaringen en excuses botsten op elkaar, tuimelden over elkaar heen, als schapen die in een wilde jacht over een te steil bergpad werden gedreven. Toen hij was uitgesproken, veegde hij het zweet van zijn gezicht, en ondertussen tuurde hij tussen zijn vingers door naar Brone, die zwijgend, piekerend, maar ook nog altijd dreigend voor zich uit zat te kijken, alsof hij zijn strenge blik niet los wilde laten, wetend dat hij die al snel weer nodig zou hebben.

'Je bent jong, is het niet?' vroeg hij plotseling.

Op slag lagen alle gebruikelijke protesten hem vóór op de tong, maar Tinslager bevochtigde slechts zijn droge lippen. 'Ik ben twintig, heer.'

De graaf schudde zijn hoofd. 'Aan sommige fouten die je hebt gemaakt, had ik me op jouw leeftijd ook schuldig kunnen maken, veronderstel ik.' Hij schonk Tinslager een vluchtige blik. 'Maar dat geldt niet voor de ontvoering van Elan M'Corij. Dat is een halsmisdrijf, knaap. Dat is het blok van de beul.'

Er kwamen opnieuw tranen in Tinslagers ogen. 'Bij de goden! Hoe heeft het zo ver met me kunnen komen?'

'Slecht gezelschap,' antwoordde Brone prompt. 'Omgaan met dichters en toneelschrijvers is je afgeven met dieven en krankzinnigen. Daar kan niets goeds uit voortkomen. Maar misschien is nog niet alles verloren. Als de kwestie van Vrouwe M'Corij verborgen blijft voor de Heer Behoeder, dan zou je nog een eerbiedwaardige hoge leeftijd kunnen bereiken. Maar dan zou ik in jouw belang een risico nemen door mijn mond te houden. Ik zou mezelf medeplichtig maken...' Hij schudde grimmig en verdrietig zijn hoofd. 'Nee, ik ben bang dat ik dat risico niet kan nemen. Ik heb een gezin, landerijen, getrouwen en bedienden. Het zou niet eerlijk zijn...'

'Alstublieft! Graaf Brone!'

Het leek erop dat de graaf ertoe neigde met de hand over het hart te strijken. Tinslager probeerde zo fraai mogelijk te formuleren en zo overtuigend mogelijk te klinken. 'Alstublieft! Ik heb het gedaan om een onschuldig meisje te redden! Dat was mijn enige beweegreden. Ik zal doen wat u vraagt als u me dat gruwelijke lot wilt besparen. Het hart van mijn arme moeder zou breken.' Wat natuurlijk een grove onwaarheid was. Anamesiya Tinslager zou waarschijnlijk verrukt zijn te zien dat haar ijselijkste voorspellingen uitkwamen.

'Misschien, misschien. Maar als ik zo'n risico neem – door je te laten gaan terwijl ik weet wat je hebt gedaan, en door je schuld te verbloemen – dan moet jij ook iets voor mij doen.'

'U zegt het maar. Moet ik boodschappen voor u overbrengen?' Hij had bij gerucht vernomen dat Hewneij en de anderen ook koeriersdiensten voor Brone hadden verricht. 'Moet ik voor u naar een buitenlands hof?' Hij kon heel veel dingen bedenken die erger waren dan zijn moeder, en zijn problemen, en deze hele grimmige stad een paar maanden achter zich laten.

'Nee, ik denk dat ik dichterbij meer aan je kan hebben,' zei Brone. 'Want ik zou een man die toegang heeft tot Hendon Tollij en zijn naaste omgeving goed kunnen gebruiken. Ik heb een aantal vragen waar ik antwoord op wil, en jij, Mats Tinslager, jij wordt mijn spion.'

'Uw spion? Moet ik dan... Hendon Tollij bespioneren?'

'En hem niet alleen. Ik heb vele vragen en vele noden. Bovendien is er een bepaald voorwerp waarvan ik moet weten waar het is – het zou zelfs kunnen zijn dat ik je opdracht geef het voor me te verkrijgen. Ik vermoed dat het zich bevindt in de vertrekken van Okros, de nieuwe heelmeester van het paleis. Kijk maar niet zo zorgelijk, Tinslager. Het is niets kostbaars. Gewoon een spiegel.'

Een spiegel? Zou het de spiegel kunnen zijn die Tollij had gebruikt om Elan mee te kwellen? Maar alleen een dwaas of een krankzinnige zou zich zelfs maar in de buurt wagen van zo'n ding...

Mats Tinslager keek de graaf met stijgende afschuw aan. 'U... u bent nooit van plan geweest Tollij in te lichten. Hij heeft u weggestuurd! U wilde alleen een spion!'

Avin Brone leunde naar achteren en vouwde zijn handen op zijn dikke buik. 'Vermoei je niet met de waarheid, dichter. Daar heb jij geen verstand van.'

Tinslagers hart was op hol geslagen, maar tegelijkertijd was hij boos. Hij voelde zich vernederd en hij was boos omdat hij zich als de eerste de beste sukkel had laten manipuleren. 'En als ik nou eens naar Tollij ga, om te vertellen dat u hebt geprobeerd me in zijn kamp te laten spioneren?'

Brone gooide zijn hoofd achterover en begon te lachen. 'En dan? Wil je soms dat hij dan mijn kant van het verhaal te horen krijgt? De waarheid over Vrouwe Elan? Zelfs als ik daardoor in de problemen zou komen, dan geldt dat ook voor jou. Maar ík heb een landgoed, aangenaam ver van Zuidermark. Daar kan ik me terugtrekken, en daar heb ik mannen die me zullen beschermen. Maar wat heb jij, kleine krabbelaar? Alleen een nek die door de bijl van de beul als een smeuiige worst doormidden zal worden gehakt.'

Ondanks zichzelf bracht Tinslager zijn hand naar zijn keel. 'Maar als Tollij me nou betrapt?' Het scheelde niet veel of hij barstte opnieuw in snikken uit.

'Dan zit je in dezelfde situatie als wanneer ik hem vertel wat je hebt gedaan. Het verschil is alleen dat als je het op mijn manier doet, de keus aan jou is om te zorgen dat je niet in de problemen komt. Als ik alles aan Hendon Tollij vertel, dan komen die problemen vanzelf, en snel ook. Daar hoef je niet aan te twijfelen.'

Tinslager staarde de oude man aan. 'U... u bent een demon.'

'Ik ben politicus. Dat is iets anders, maar je bent nog te jong en te onervaren om dat te begrijpen. Luister goed, dichter, dan zal ik je vertellen wat ik wil dat je voor me doet...'

13
Likken aan een naald

'In de beginjaren van Hierosol, destijds nog een klein kustplaatsje, zou er aan de overkant van de Straat van Kulloa een grote Qar-stad hebben gelegen, Yashmaar. Er wordt beweerd dat de handel tussen het zuidelijke continent en dit elfenbolwerk een van de factoren was die leidden tot Hierosols snelle groei.'

Uit *Een Verhandeling over de Elfenvolken van Eion en Xand*

Barrick Eddon. Wat een vreemde, vreemde naam. Qinnitan begreep niet waarom die maar door haar hoofd bleef spoken terwijl ze in het donker voor zich uit lag te staren; telkens weer kwam de naam in haar gedachten, als de woorden van een van de gebeden die ze van haar vader had geleerd toen ze nog een klein meisje was. *Barrick. Barrick Eddon. Barrick...*

En ineens wist ze het weer: de droom! Ze probeerde rechtop te gaan zitten, maar de kleine Duif lag tegen haar aan, zijn benen waren verstrengeld met de hare, dus het zou niet meevallen zich los te wurmen zonder hem wakker te maken.

Dat visioen... Wat betekende dat? Ze had de jongen met het vurig rode haar al verschillende keren in een droom gezien, maar die laatste keer was het anders geweest. Hoewel ze niet meer precies wist wat ze allemaal tegen elkaar hadden gezegd, was het in haar herinnering toch een echt gesprek geweest dat ze hadden gevoerd. Maar waarom werd haar zo'n geschenk gegeven – tenminste, als het een geschenk was? Wat wilden de goden daarmee zeggen? Als het visioen haar was gezonden door de heilige bijen die ze had gediend, in de Gouden Korf van Nushash, zou het dan niet waarschijnlijker zijn geweest dat een van haar vriendinnen uit die tijd aan haar was verschenen, bijvoorbeeld Duny? Waarom een jongen uit het noorden? Een jongen die ze nog nooit had ontmoet; die ze zelfs nog nooit had gezien?

Het lukte haar niet Barrick Eddon uit haar hoofd te zetten, en dat kwam niet alleen doordat ze nu eindelijk wist hoe hij heette. Ze had gevoeld hoe wanhopig hij was, met een heftigheid alsof ze die wanhoop zelf ervoer – niet zoals ze de gruwel onderging die Duif was aangedaan, maar alsof ze rechtstreeks in het hart van de vreemdeling kon kijken; alsof door hun aderen hetzelfde bloed stroomde. Maar dat kon natuurlijk helemaal niet...

Naast haar bewoog Duif in zijn slaap, en Qinnitan staarde opnieuw de duisternis in. Ze had geen idee van de tijd, sterker nog, ze wist niet eens of het dag of nacht was, want de hut had geen ramen, en uit de geluiden van de bemanning viel nauwelijks iets af te leiden. Ze was nog niet voldoende vertrouwd met de routine aan boord om de stemmen en de kreten van de verschillende wachten te herkennen.

O, wat verlangde ze naar een beetje licht! De zeelui weigerden haar een lamp te geven, uit angst dat ze zichzelf in brand zou steken. Onzin natuurlijk. Ze mocht dan niet veel meer geven om haar eigen leven – daar zou ze zonder aarzelen een eind aan maken als dat de enige manier was om uit handen van Sulepis te blijven – maar zolang er nog een sprankje hoop op redding bestond, zou ze het niet in haar hoofd halen Duif op te offeren.

Met een kaars of een lamp zouden de lange nachten sneller voorbijgaan. Ze kon niet eindeloos blijven slapen – Duif wel, die had daar blijkbaar geen enkele moeite mee. En terwijl ze wakker lag zou Qinnitan het fijn hebben gevonden om iets te hebben waar ze naar kon kijken. Een boek zou helemaal heerlijk zijn geweest – een bundel van Baz'u Jev of van een andere dichter, iets wat haar hielp de harde werkelijkheid althans even te ontvluchten.

Maar daar hoefde ze niet op te rekenen; tenminste, niet zolang hun gevangennemer het voor het zeggen had. Hij was sluw en wreed. En het leek wel alsof hij geen hart had. Ze had alles geprobeerd – onschuld, koketterie, kinderlijke doodsangst – maar niets had hem kunnen raken.

Als hij al een hart had, dan was het van steen. Hoe zou ze zo'n man ooit weten te misleiden? Toch mocht ze de hoop niet opgeven.

Licht. Wanneer ze onbereikbaar waren, leken zelfs de onbeduidendste dingen van levensbelang. Licht. Iets om te lezen. De vrijheid om te gaan en te staan waar ze wilde. Verlossing van de angst om te worden gemarteld en uiteindelijk te sterven in de handen van een krankzinnige monarch. Het waren geschenken waarvan de meeste mensen zich nauwelijks bewust waren dat ze die bezaten, maar voor Qinnitan waren ze meer waard dan al het goud in de hele wereld.

Op dat moment wenste ze echter alleen maar dat ze een lamp had...

Weer moest ze denken aan een idee dat al eerder bij haar was opgekomen. Hoe angstaanjagend het ook was, ze kon het niet meer uit haar hoofd zetten. Duif kreunde in zijn slaap en drukte zich dichter tegen haar aan, alsof hij voelde wat ze dacht, maar Qinnitan merkte het amper. Het schip deinde op en neer aan de ankertros, de planken kraakten, en terwijl Qinnitan in de donkere hut lag, met de kleine Duif dicht tegen zich aan, werkte ze aan een plan dat haar zou bevrijden – of haar dood zou betekenen.

*

Daikonas Vo was, zoals altijd, al voor het aanbreken van de nieuwe dag opgestaan. Hij had nooit veel slaap nodig gehad, en dat was maar goed ook. In het huis van zijn jeugd was het een voortdurend komen en gaan geweest van mannelijke bezoekers en dronken feestvierders, waardoor hij amper aan slapen was toegekomen.

Hij had met de kapitein van het schip gesproken, en met de optimarch, de aanvoerder van de soldaten aan boord. Al voordat het eerste licht van de dageraad de wolken kleurde, had hij hen ervan doordrongen dat zijn woede niet zou onderdoen voor de razernij van de autarch, als het meisje tijdens zijn afwezigheid iets zou overkomen. Hij wist dat de kapitein en de optimarch hem niet mochten, maar dat was hij wel gewend. Het kon hem niet schelen dat mensen hem niet aardig vonden. Zolang ze maar ontzag voor hem hadden. En dat hadden ze, dankzij zijn meester, de autarch. Wat hem bijna nog meer bevrediging schonk, was de glimp van angst in de ogen van beide mannen; angst die de kapitein door hem woedend aan te kijken beter wist te verbergen dan de optimarch, die naar militaire maatstaven gerekend een hogere rang bekleedde dan Vo. Aan die angst ontleende Daikonas Vo zelfs nog meer

vertrouwen dan aan hun ontzag voor de autarch. Want Sulepis was weliswaar ontzagwekkend, hij was ook ver weg. Anders dan hij, en Daikonas Vo had hun maar al te duidelijk gemaakt dat hij vóór het vallen van
de avond terug zou zijn.

Nadat hij uit de roeiboot op de steiger was geklommen, liep hij zonder ook maar één keer achterom te kijken de stad in, waardoor hij niet
zag dat de roeiers hem hoofdschuddend nastaarden en het teken maakten om het kwaad af te wenden. Vo genoot van zijn impopulariteit. In
zijn eigen peloton, waarin hij jaren achtereen met dezelfde mannen
werkte, probeerde hij niet te veel vijandigheid uit te lokken, want hij
moest rekening houden met de mogelijkheid van muiterij, en met de
kans dat hij daarbij in zijn slaap zou worden vermoord. Maar aan boord
van het schip, waar hij officieel gesproken niet de hoogste was in rang
en waar hij zijn gezag uitsluitend ontleende aan de machtiging van de
autarch, hield hij iedereen op afstand. De grootste bedreiging kwam
doorgaans niet van de vijand maar van hen die zich uitgaven als bondgenoten. Zo werd de mens maar al te vaak verrast, en zo vonden koningen en autarchen een gewelddadige dood.

Vóór hem reikte Agamid op drie punten naar de hemel – het drietal
heuvels waar de stad om bekendstond en die neerkeken op de wirwar
van straten en pleinen en op de haven, genesteld in de uitlopers van de
heuvels die uitwaaierden naar de brede baai. Zelfs bij dageraad bruiste
de stad al van de bedrijvigheid. De straten werden verstopt door karren
die van de haven op weg waren naar de markt, beladen met de laatste
visvangst en met de eerste goederen van de koopvaardijschepen die in
de loop van de nacht hadden aangemeerd. Ossen loeiden, mannen riepen naar elkaar, kinderen gilden en lachten wanneer ze werden weggejaagd – het was het soort levendigheid dat bij Vo het verlangen wekte
naar een massale ijsstorm die vanuit het noorden over het land zou neerdalen en die alles zou bevriezen onder een ijzige deken van stilte. Dat
zou hij wel eens willen zien! Al die kakelende hoofden met uitpuilende ogen roerloos als vissen in een bevroren vijver, met als enige geluid
de zoete, niet-menselijke stem van de wind.

Eenmaal op de markt ging Vo van kraam naar kraam, en overal informeerde hij naar een zekere Kimir, een apotheker, wiens naam een van
de bemanningsleden zich had herinnerd van een eerdere zeereis toen er
een pokkenepidemie aan boord was uitgebroken. Sommige marktkoop-
lieden reageerden geërgerd omdat ze tijdens hun voorbereidingen op de
nieuwe dag werden onderbroken door iemand die niet van plan was iets

te kopen, maar bij het zien van de blik in Vo's kille ogen was hun ergernis vervlogen en behandelden ze hem eerbiedig, toonden ze zich zelfs gretig om hem te helpen. Na lang zoeken vond hij de apotheek in een rijtje donkere, met wingerd begroeide huizen achter de markt, op de helling van de eerste heuvel.

De winkel zag er precies zo uit als hij had verwacht. Aan het plafond hingen – behalve spinnenwebben – strengen bladeren, bloemen, vruchten, takken en wortels; de vloer stond vol met manden, kisten en aardewerken potten, sommige verzegeld met was, andere zelfs met lood. Naast de tafel tegen een van de muren stond een meer dan manshoge kast met tientallen kleine laatjes, veruit het kostbaarste meubelstuk in de hele zaak. Op een hoge kruk ernaast zat een slungelachtige, oudere man met een baard, gekleed in een smoezelig gewaad en met op zijn hoofd de zwarte, kegelvormige hoed die in dit deel van de wereld gebruikelijk was. Toen Vo binnenkwam, keek hij vluchtig op van de la die hij inspecteerde, maar hij nam niet de moeite zijn klant te begroeten.

'Bent u Malamenas Kimir?' vroeg Vo.

De oude man knikte traag, alsof hij zelf ook net pas tot die ontdekking kwam. 'Dat zeggen ze. Maar ach, ze zeggen zoveel, en dat is lang niet altijd de waarheid. Wat kan ik voor u doen, vreemdeling?'

Vo trok de deur ferm achter zich dicht, waarop de oude man nogmaals opkeek, dit keer met een zweem van interesse. 'Is er verder nog iemand in de winkel?' vroeg Vo.

'Behalve mijn zuster werkt hier verder niemand,' zei Kimir met een vluchtige glimlach. 'Ze is ouder dan ik, dus als u van plan bent me te beroven of te vermoorden hebt u weinig te vrezen.'

'Is ze er nu ook?'

De oudere man schudde zijn hoofd. 'Nee. Ze zit thuis, want ze had wat last van haar rug. Ik heb haar een aftreksel van waterscheerling gegeven. Uitstekend spul, maar het veroorzaakt buikkrampen en flatulentie, dus ik heb gezegd dat ze niet naar de winkel hoefde te komen.' Met zijn hoofd schuin keek hij naar Vo als een vogel die iets glimmends had ontdekt. 'Dus ik herhaal mijn vraag, heer. Wat kan ik voor u doen?'

Vo deed een stap naar voren. De meeste mensen deinsden onwillekeurig achteruit wanneer Daikonas Vo dichterbij kwam, maar de apotheker was duidelijk niet onder de indruk. 'Ik heb hulp nodig. Er zit iets... Ik heb iets in mijn lichaam. Bedoeld om me te doden als ik niet doe wat mijn meester wil. Ik doe mijn best om hem te dienen, maar ik ben bang dat hij niet van plan is me te genezen, zelfs niet als ik alles doe wat hij me opdraagt.'

Kimir knikte. Zijn blik verried interesse. 'Aha! Werkgevers die dergelijke middelen gebruiken om zeker te kunnen zijn van hun ondergeschikten, blinken vaak niet uit in dankbaarheid achteraf. Gaat het misschien om Rode Slangenwortel? Heeft hij u gedwongen dat te eten en gezegd dat het twee of drie dagen duurt voordat het gif u zal doden?'

'Nee. Wat het ook is, het zit al maanden in mijn lichaam.'

'Zou het Flux Aelianus kunnen zijn? Heeft uw meester u gewaarschuwd dat u onder geen voorwaarde vis mag eten?'

'Ik eet voortdurend vis. En die waarschuwing heb ik niet gekregen.'

'Hm. Interessant. Dan moet ik u vragen me precies te vertellen hoe het is gegaan...'

Daikonas Vo deed verslag van wat er was gebeurd in de troonzaal van de autarch, zonder daarbij de identiteit van zijn meester prijs te geven. Terwijl hij de gruwelijke martelgang van de neef van de autarch beschreef, zette Kimir grote ogen op en er verscheen een brede grijns om zijn mond waardoor zijn gele tanden zichtbaar werden.

'... en toen zei hij dat hij het ook in míjn wijn had gedaan,' besloot Vo. 'Dat het mij net zo zou vergaan als ik niet deed wat hij wilde.'

'Daar twijfel ik niet aan.' Kimir wreef in zijn handen. 'Nee maar! Wat een buitenkans! Alles wijst op een onvervalste *basiphae*. Die is heel zeldzaam. Ik had niet gedacht dat ik dit nog eens zou meemaken!'

'Ik wil ervan af,' zei Vo. 'Voor u mag het een buitenkans zijn, ik moet ervan af! Als u me helpt, zal ik u rijkelijk belonen. Maar als u probeert me te verraden of te belazeren, vermoord ik u en zult u een langzame, pijnlijke dood sterven.'

Kimir lachte vluchtig. 'Ik had niet anders verwacht, Meester...' Toen Vo weigerde zijn naam te noemen, liet de oude man zich van zijn kruk glijden. 'Zo'n... laten we het maar een aanmoediging noemen... zou niet worden gebruikt bij een onbelangrijke dienaar met een onbeduidende taak. Wie de basiphae weet te bemachtigen en zich het gebruik ervan kan veroorloven, zal zijn werk nooit door een onhandige dienaar laten opknappen. Dus ik ben ervan overtuigd dat u een buitengewoon bedreven moordenaar bent. Gaat u hier maar zitten, dan kan ik u onderzoeken.'

Vo nam plaats op de kruk maar hief zijn hand.

'U hoeft niets meer te zeggen,' zei de oude man. 'Ik twijfel er niet aan of er wacht me een gruwelijk lot als ik u ook maar enig ongemak of ongenoegen bezorg.' Hij legde een vinger langs zijn neus. 'U kunt me geloven als ik u zeg dat ik beschik over een jarenlange ervaring met gevaarlijke klanten en hun geheimen.'

Daarop liet Malamenas Kimir zijn handen met snelle bewegingen over de buik van Vo gaan, hier en daar drukkend en knijpend. Van Vo's buik bewoog de oude man zijn handen naar diens gezicht, hij tilde de oogleden op, rook aan Vo's adem, inspecteerde de kleur van zijn tong. Tegen de tijd dat hij klaar was en Vo een reeks vragen had gesteld over zijn ontlasting, zijn urine, zijn speeksel, was er een uur verstreken en hoorde Vo de klokken van de tempel luiden om aan te geven dat de ochtendgebeden voorbij waren. Zijn gevangenen zouden inmiddels wel wakker zijn, en hij twijfelde er niet aan of dat kleine kreng uit de Korf zon alweer op manieren om voor problemen te zorgen.

'Ik heb niet de hele dag de tijd.' Hij ging staan. 'Geef me iets om dat ding in mijn lijf om zeep te brengen.'

De oude man keek hem aan met een sluwe blik in zijn ogen. 'Dat zal niet gaan.'

'Wat?' Vo's hand gleed naar het mes aan zijn riem.

'Ook geweld kent zijn beperkingen,' zei Kimir kalm. 'Maar als u toch van plan bent me te vermoorden, ga ik mijn laatste adem niet aan uitleg verspillen.'

'Vertel op.'

'Neem een besluit.'

Vo nam zijn hand van het mes. 'Vertel op!'

'Wat betreft die beperkingen, ik geef u er twee. Om te beginnen zou het enige gif waarmee u de basiphae zou kunnen doden, ook uzelf noodlottig worden, hoewel de basiphae nauwelijks groter is dan een varenzaad. Dat is nogal een beperking, vindt u ook niet?'

'U zou me er twee noemen. Vertel op. Ik hou niet van spelletjes.'

De oude man schonk hem een zure grijns. 'Als u me vermoordt, zult u nooit weten wat ik wél voor u kan doen.' Hij liep naar de hoge kast en begon de talloze laatjes te doorzoeken. 'Het moet hier ergens zijn,' mompelde hij. 'Vossenklis, perikalskruid... nee, zakkaskruid, zeelook – Aha! Ik vroeg me al af waar die zeelook was gebleven.' Hij draaide zich om. 'Mijn laatste klant die, net als u, naar zijn mes greep, vertrok uiteindelijk met genoeg monnikskap om een hele familie uit te moorden, inclusief grootouders, ooms, neven, nichten en bedienden. Ik heb me vaak afgevraagd hoe dat is afgelopen...' Kimir stopte met rommelen en haalde een brede, zwarte fles uit een van de laden, zo lang als Vo's wijsvinger. 'Dit moeten we hebben. Tijgervenijn uit het verre Yanedan. De boeren daar dopen hun speren erin wanneer er een tijger door het dorp sluipt – tijgers zijn nog groter en gevaarlijker dan leeuwen, wist u dat? Hoe dan ook, tijgervenijn wordt gemaakt van de IJslelie, een bloem die in de bergen groeit. Een paar druppels is genoeg om een man binnen enkele ogenblikken te doen sterven.'

Op dat moment trok Vo alsnog zijn mes. 'Wat is dat voor onzin? Ik wil niet dood. U wel, oude man?'

Kimir schudde zijn hoofd. 'De Yanedani dopen hun speren erin, zoals je een stuk brood in de kekerpasta doopt. Voor een volwassen man, zelfs voor een machtige kerel zoals u, is maar een heel, heel klein beetje nodig.'

'Nodig voor wat? U zei dat die... dat schepsel dat in me zit... dat u dat niet kon doden.'

'Nee, maar we kunnen het wel... in slaap brengen. Het is een levend wezen, geen product van magie, en dus is het gevoelig voor de kunst van de apotheker. Dagelijks een héél klein beetje tijgervenijn zorgt ervoor dat het schepsel... blijft slapen. Als een pad die is weggekropen in de droge modder, wachtend op de lenteregens.'

'Hm. En hoe weet ik dat ik mezelf niet vergiftig?' Vo gebaarde met zijn lange, brede kling naar de oude man. 'Ik wil dat u me laat zien hoeveel ik moet gebruiken. En dat u zelf eerst wat neemt.'

Malamenas Kimir haalde zijn schouders op. 'Met alle plezier. Maar dat heb ik al heel lang niet meer gedaan, dus ik vrees dat het werk vanmiddag zal blijven liggen.' Hij grijnsde opnieuw. 'Maar ik twijfel er niet aan of uw dankbaarheid is zo groot dat ik de winkel de rest van de dag kan sluiten.' Hij werkte de kurk uit de zwarte fles en ging in de winkel op zoek naar iets.

'En hoe weet u zeker dat ik u niet vermoord zodra ik heb wat ik wil?'

De apotheker kwam terug met een zilveren naald tussen duim en wijsvinger. 'Tijgervenijn is heel zeldzaam. Zelfs al ging u naar honderd andere apothekers, u zou het niet vinden. Als u me in leven laat zorg ik dat ik de volgende keer een nieuwe voorraad voor u heb. Ik weet niet wie u bent, en zelfs al wist ik dat wel, ik vertel nooit iets over mijn klanten. Dus waarom zou u me willen vermoorden? Daar hebt u geen enkel belang bij.'

Vo staarde hem aan. 'Ik wil dat u me laat zien hoeveel ik moet nemen,' zei hij ten slotte.

'Niet meer dan een druppel die aan de punt van deze naald blijft hangen. Een druppel niet groter dan een radijszaad.' Kimir doopte de naald in de pot. Toen hij hem er weer uit haalde hing er een glinsterende, oranjerode druppel aan de punt. Kimir legde de naald op zijn tong en zoog eraan. 'Eenmaal daags. Maar pas op! Als u meer neemt, zal zelfs een sterk hart als het uwe eraan bezwijken.'

Vo ging weer op de kruk zitten en keek naar de oude man. Een uur later was er nauwelijks iets aan de apotheker te merken. Met Vo's toestemming begon hij zelfs zijn winkel op te ruimen, waarbij hij misschien iets lomer en lustelozer leek dan daarvoor.

'Het effect is bijna plezierig,' zei Kimir op een gegeven moment. 'Ik heb het al heel lang niet genomen, dus dat was ik vergeten. Maar mijn lippen voelen wel een beetje vreemd.'

Het liet Vo koud hoe de lippen van de oude man voelden. Toen hij lang genoeg had gewacht om er zeker van te kunnen zijn dat hij niet werd belazerd, nam hij zo mogelijk nog minder van het spul dan de apotheker had gedaan en likte de naald schoon.

'En hierdoor blijft dat schepsel in slaap?'

'Precies. Tenminste, als u consequent eenmaal daags een druppeltje neemt,' antwoordde Kimir. 'Wat u daar hebt, zou genoeg moeten zijn tot het eind van de zomer. Het heeft me twee zilveren empirialen gekost.' Weer die grijns, als van een vos die een groepje vette kwartels had ontdekt. 'Daar mag u het voor hebben. Want ik weet zeker dat u terugkomt.'

Vo smeet het geld op de tafel en liep de winkel uit. De oude man keek hem niet eens na. Hij had het veel te druk met het herschikken van de laden in zijn apothekerskast.

Vo voelde zich een beetje vreemd, maar het effect was niet erger dan van een haastig achterovergeslagen kroes bier op een hete dag. Hij zou er wel aan wennen. Zijn waakzaamheid zou er niet onder lijden, daar zou hij wel voor zorgen. En mocht dat toch zo zijn, dan zou hij een zelfs nog kleinere dosis nemen. Er bestond nog altijd een kans dat Sulepis bij aflevering van het meisje zijn waardering zou uitspreken voor Vo's werk en hem zou belonen door het schepsel uit zijn lichaam te verwijderen. Tenslotte waren de wonderen de wereld nog niet uit. Bovendien, als de autarch zich ten doel had gesteld alleenheerser te worden over de twee continenten, zou hij behoefte hebben aan sterke, slimme mannen. En een betere burggraaf dan Daikonas Vo zou hij zich niet kunnen wensen, al was het maar omdat die zich, anders dan de meeste van zijn broeders, niet liet leiden door zijn vleselijke lusten. Een eigen land om te regeren... Dat zou een boeiende ervaring zijn!

Hij bleef abrupt staan, zich ervan bewust dat er iets niet in de haak was. Hij stond op een soort kaap, waar hij vanaf de weg naar de markt vrij zicht had op de haven. De ochtendzon had zijn hoogste punt bereikt, de hemel was stralend blauw... en toch hingen er wolken boven het water.

Rook, besefte Vo.

Op slag was het tevreden gevoel verdwenen, vervangen door woede en iets wat verdacht veel leek op angst.

Beneden hem in de haven stond het schip uit Xis – zíjn schip – in brand.

*

Qinnitan vermoedde dat de zon al een uur op was, en het leek erop dat de man zonder naam niet op het schip was. Hij was tenminste niet bij hen geweest om met die lege blik in zijn ogen de hut te inspecteren, zoals hij dat tot op dat moment nog elke dag bij het eerste licht had gedaan.

Dus misschien was hij van boord gegaan. En als dat zo was, dan zou dit wel eens de laatste keer kunnen zijn dat ze buiten zijn bereik waren, voordat hij hen overdroeg aan de met gouden sluifjes bekroonde handen van de autarch. Dus als ze een ontsnappingspoging wilde doen, dan was dit het moment.

Ze bonsde hard op de deur, zonder zich iets aan te trekken van Duifs angstige gezicht. Na geruime tijd werd de grendel weggeschoven en stak een van de wachten zijn hoofd naar binnen. Ze maakte hem duidelijk wat ze wilde, waarop hij weifelend zijn wenkbrauwen fronste en zich weghaastte om de bevelvoerend officier erbij te halen.

Die kwam, en daarna nog een militair, en uiteindelijk verscheen de kapitein zelf, waardoor Qinnitan zeker wist dat de man zonder naam van boord was gegaan. Door de nerveuze manier waarop hij Qinnitan bejegende, was echter duidelijk dat de kapitein voor hem sidderde. Ze merkte dat hij weinig van haar wist, alleen dat ze naar de autarch werd gebracht.

'Ik ben een priesteres van de Korf,' zei ze voor de derde keer. 'Ik moet vandaag tot Nushash kunnen bidden. Want we vieren de Dag van de Zwarte Zon.' Het was een term die ze zelf had verzonnen en waarvan ze hoopte dat die voldoende onheilspellend klonk.

'U denkt toch niet dat ik u toestemming geef om daarvoor aan dek te komen?' De kapitein schudde zijn hoofd. 'Geen sprake van!'

'Zou u onheil willen afroepen over uw schip door de god zijn gebed te ontzeggen, uitgerekend op deze dag der dagen?'

'Nee, maar als ik u toestemming geef om aan dek te komen, moet ik u rondom laten bewaken. Dat zou te veel machtsvertoon betekenen, en daar waag ik me niet aan zolang we in de haven voor anker liggen. We zijn hier tenslotte niet thuis.' Hij besefte dat hij al te veel had gezegd en schonk haar een dreigende blik, alsof het Qinnitans schuld was dat hij te loslippig was geweest. 'U mag uw keel schor bidden, maar dat doet u dan maar in uw hut.'

'Maar om te bidden moet ik de zon kunnen zien. Anders beledig ik de god! Ik moet het licht van de allesoverwinnende zon kunnen zien... of het licht van een vuur. Maar zelfs dat laatste heb ik hier niet.' In een oprecht gebed smeekte ze in gedachten dat hij zou denken dat het idee van hemzelf afkomstig was.

'Een vuur? Belachelijk! Een lamp, dat moet wel kunnen, neem ik aan. Of een kaars. Ja, dat lijkt me nog veiliger. Is een kaars voldoende om de god zoet te houden?'

'U spot met de goden, maar dat risico is volledig voor uw eigen rekening,' zei ze streng, maar heimelijk duizelig van opluchting. 'Een lamp zou voldoende moeten zijn.'

'Een kaars kunt u krijgen. Het is dat of niks. En wat de goden betreft, ik waag het erop.'

Qinnitan deed haar best de rol van de verwende priesteres te spelen die het gewend was haar zin te krijgen. 'Tja, dat moet dan maar,' zei ze ten slotte. 'Als u niet tot meer bereid bent.'

'Zeg maar tegen de goden dat ik u geen strobreed in de weg heb gelegd,' zei de kapitein. 'Eerlijk is eerlijk! U moet de Hemel altijd de waarheid vertellen.'

Ze wachtte af, nerveus, gefrustreerd, maar uiteindelijk kwam een van de bemanningsleden haar een kaars brengen in een aardewerken kroes. Een stompje, dat was alles, nauwelijks groter dan haar duim, met een vlammetje zo klein als haar nagel. Toen de zeeman weer was vertrokken, zette ze de kaars op de grond en begon ze haar deken in lange repen te scheuren. Duif ging rechtop zitten. Hij nam haar verbaasd op en vormde een vraagteken met zijn vingers. Ze deed haar best geruststellend te glimlachen. 'Ik zal het je zo vertellen. Maar eerst moet je me helpen.

Kijk. De repen moeten ongeveer zo breed zijn.'

Toen de hele deken in repen was gescheurd, haalde ze de waterkan onder het bed vandaan. Ze had er maar heel weinig uit gedronken en het water van de vorige avond zo veel mogelijk opgespaard. Nu gaf ze de kan aan Duif. 'Je moet de repen erin dopen. Kijk, zo.' Ze stopte een reep stof in de kruik, haalde hem er weer uit en wrong het overtollige water eruit boven de lampetkan. 'Nu jij. Niet allemaal. Een paar. De rest moet droog blijven.'

Terwijl Duif niet-begrijpend maar behulpzaam aan het werk ging, haalde Qinnitan een klein flesje parfum tevoorschijn dat ze van een van de meisjes in Hierosol had gekregen. Ze peuterde de kurk eruit en schonk de inhoud op een stuk stof dat ze had achtergehouden en dat ze vervolgens in een kier tussen de planken van het plafond propte. Met stijgende afschuw en doodsangst gadegeslagen door Duif, pakte ze de kaars en hield de vlam bij de in parfum gedrenkte lap. Het duurde niet lang of er dansten doorzichtige, blauwe vuurbloemen langs het plafond.

'Bukken,' zei ze tegen Duif. 'Maak je zo klein mogelijk. En hou dit voor je gezicht. Kijk, zo.' Ze pakte een van de doorweekte repen en drukte die tegen zijn mond. Zoals alle priesteressen van de Korf kende ze het verhaal van de verschrikkelijke brand, zo'n zeventig jaar eerder, toen de wandtapijten in de grote zalen van de Korf vlam hadden gevat en de meeste bijen – en veel van de priesteressen en acolieten – de dood hadden gevonden. De oude Moeder Mudry, die toen nog jong was geweest en die inmiddels de enige overlevende was van de brand, had aan de gruwelijke vuurzee weten te ontsnappen doordat ze net met natte haren uit de badkamer kwam en doordat ze haar natte kleren tegen haar mond had gedrukt. Daardoor had ze zich in de verstikkende, verblindende rook lang genoeg staande weten te houden om naar buiten te vluchten. Maar voor Qinnitan en Duif was de situatie aanzienlijk moeilijker.

'We moeten het zien vol te houden tot de deur wordt ingetrapt,' zei ze tegen Duif. Ze moest hard praten. Anders hoorde hij haar niet omdat haar stem werd gedempt door de natte lap. Op de plek waar de lap tussen de planken was gepropt, begon het vuur het hout zwart te blakeren. Wanneer de vlammen de buitenwand van het schip bereikten, waar de planken met pek waren besmeerd om het schip waterdicht te maken, zou het vuur niet meer te doven zijn, hoopte ze. 'Je moet zo dicht mogelijk bij de grond blijven, en alleen maar ademhalen door de natte lap. Zodra die te droog wordt, zodra je rook proeft, doop je hem weer hierin.' Ze wees op de kan. 'Toe maar. Ga op de grond liggen!

O, onbevreesde Nushash,' fluisterde ze, tot ze besefte dat de god van het vuur misschien niet de beste keuze was, ook al had ze deze brand zelf aangestoken. De autarch was immers een zoon van Nushash? Dus wanneer zij, Qinnitan, tegen de wil van de autarch in ging, zou Nushash daar misschien niet welwillend op reageren.

Suya Bloem van de Dageraad. Natuurlijk – Suya was gestolen uit de armen van haar man en gedwongen over de wereld te zwerven. Van alle goden zou zij bij uitstek begrip hebben voor haar nood.

Bloem van de Dageraad, bad Qinnitan met het huiverende kind tegen zich aan gedrukt terwijl rook het plafond van de kleine hut aan het oog begon te onttrekken. De geur drong al door de natte wol heen, maar ze wilde het water zo veel mogelijk sparen – alleen de goden wisten hoe lang dit ging duren. *Help ons in het uur van onze nood. Schenk me uw genade en uw gunst. Help me dit kind te beschermen. En help ons te ontsnappen aan wie ons kwaad willen doen. Toon ons uw beroemde mededogen...*

Toen ze haar gebed had beëindigd, sloot ze haar ogen omdat ze begonnen te prikken van de rook. Zo wachtte ze op de dingen die komen gingen.

Ze duwde het stukje deken tot op de bodem van de kan, maar het leek er zelfs nog droger uit te komen dan het erin was gegaan. De reep die ze tegen haar eigen gezicht drukte, was ook kurkdroog – rook was het enige waarvan ze zich bewust was. Naast haar zat Duif uit alle macht te hoesten, zijn kleine lijfje verkrampte en schokte, en Qinnitan dacht dat haar hart zou breken. De kolkende grijze wolken waren inmiddels zo dik dat ze de deur niet meer kon zien.

Ik vind het niet erg om dood te gaan... zei ze tegen Suya en eventuele andere goden die meeluisterden en haar goedgezind waren. *Maar als Duif ook moet sterven, zorg dan alstublieft goed voor hem in de Hemel. Hij heeft nooit iets misdaan.*

Arme Duif. Wat een verschrikkelijk leven hadden de goden hem gegeven – zijn tong was hem ontnomen, net als zijn mannelijkheid, en uiteindelijk was hij gedwongen te vluchten voor zijn leven, simpelweg omdat hij er onbedoeld getuige van was geweest toen de autarch een van zijn vijanden vermoordde. *Het is niet... het is niet... eerlijk... Arme...*

Qinnitan schudde haar hoofd. Ze zag bijna niets meer en het kostte haar de grootste moeite nog een beetje lucht in haar longen te krijgen.

Duif bewoog nauwelijks meer. Toen werd ze zich bewust van een soort druk, een dreunende echo in haar hoofd, alsof ze diep onder water was en alsof ergens een eeuwenoud, gezonken koopvaardijschip zijn scheepsbel luidde.

Boemmmmmm. Boemmmmm. Boemmmm.

Wat vreemd om onder water te zijn, dacht Qinnitan. Ademhalen deed pijn, maar op een andere manier dan ze had verwacht. En het water was zo ondoorzichtig. Iemand of iets had de oceaanbodem losgewoeld, waardoor het zand in wolken om haar heen wervelde, doorschoten met gouden vlekjes, lichtpuntjes, kleine sterren, als de hemel bij nacht, de zwarte, wenkende duisternis...

Boemmmm. Toen versplinterde er iets en het water... de lucht... de rook... alles begon te draaien, vlammen overspoelden haar en uit de ondoordringbare duisternis in de hut doemden gedaanten op – donkere, schreeuwende gedaanten met rood licht, als dansende duivels in de hel. Qinnitan was tot niets in staat, ze kon alleen maar staren en zich afvragen wat er gebeurde toen sterke handen haar grepen en van Duif wegtrokken. Ze werd door de ingetrapte deur naar buiten gedragen, de trap op, heftig schommelend als een zadel met een gebroken singel.

Eindelijk vond ze haar stem terug, maar ze kwam niet verder dan een zwakke fluistering. 'Het kind! Duif! Hij is nog in de hut!'

Voordat ze kon zien of de soldaten de stomme kleine jongen ook hadden gered, werd ze ruw op het dek gesmeten. Het vuur was overal, vlammen dansten niet alleen over het dek, maar ook langs de mast en zelfs nog hoger. Ze dartelden als boosaardige demonskinderen over de zeilen, over het want. Sommigen van de zeelui probeerden het hoog oplaaiende vuur te doven met emmers water, maar het was zinloos, als het gooien van kiezels naar een zandstorm.

Een soldaat smeet Duif naast haar neer. De kleine jongen leefde nog, en bewoog, maar hij was buiten kennis. Ze staarde dof naar de chaos, naar de rennende, schreeuwende mannen, naar de stukken brandend want die op het dek vielen, als de hellezweep van Xergal. Toen pas besefte ze wat ze had gedaan, welke gruwelen haar kleine kaars had aangericht. Met moeite werkte ze zich overeind. Het had geen zin te proberen Duif bij te brengen. Dat zou ze aan het water overlaten, of anders zou de zee het werk van de vlammen afmaken.

Deze keer weet ik zeker dat ik zal sterven voordat ik iemand de kans geef hem ook maar een haar te krenken...

Ze wachtte nog een paar haperende hartslagen, tot de mannen die het dichtstbij stonden, een andere kant uit keken, toen tilde ze Duif op, met inspanning van al haar krachten, en ze strompelde met zijn slappe lichaam in haar armen naar de reling. Ze ging er met haar rug tegenaan staan, werkte Duif omhoog tot zijn zwaartepunt zich ter hoogte van haar schouders bevond, en klampte zich aan hem vast, zodat ze in zijn val werd meegesleurd.

Het duurde langer dan ze had gedacht voordat ze het water raakten, en in die tijd vroeg ze zich af of de ijskoude zee een genadiger dood zou betekenen dan de hete vlammen. Toen sloegen ze hard op het water, en een groene duisternis sloot zich als een vuist om hen heen.

14
Drie littekens

'Voordat de Vutten werden verdreven uit de landen die nu achter de Schaduwgrens liggen, was de Vuttische stad Jipmalshemm de noordelijkste voorpost van de mensen. In geschriften uit die stad wordt veelvuldig gesproken over een angstaanjagend oord dat "Ruohttashemm" wordt genoemd, het bolwerk van de "Koude Elfen", ook wel "Het Einde van de Wereld" geheten.'

Uit *Een Verhandeling over de Elfenvolken van Eion en Xand*

Barrick Eddon liet zich meevoeren door de duisternis, als een blad dat dreef op een traag stromende rivier. De gedachten die bepaalden wie en wat hij was, ontleenden hun richting aan die stroom: wat ze verloren aan complexiteit wonnen ze aan samenhang. Het was vredig, zelfs prettig om niets te zijn, om niets te willen, maar het deel van hem dat nog altijd Barrick was, voelde dat een dergelijke vrede niet kon duren.

En dat bleek. Stemmen rezen op uit het niets – drie met elkaar verstrengelde stemmen, drie stemmen die spraken als één en die hem omringden met een wirwar van woorden waarvan heel geleidelijk aan de betekenis tot hem doordrong.

... Lang geleden, toen de Droomlozen zich losmaakten van hun verwanten, deden ze dat omdat hun eeuwige waken hen tot waanzin

had gedreven. De slaap van het Volk had altijd de pijn verzacht van
een lang leven, en zelfs de hoogsten onder het Volk tevens degenen die
het langst leefden, de kinderen van de Vuurbloem, zijn in staat een
vorm van rust te vinden en hun geest ongebonden te laten zwerven.
Maar de pijn van de Droomlozen werd niet verzacht door zulke
momenten van rust en vrede; zij waren voor altijd gevangen in de
weergalmende grot van hun eigen gedachten.

En zo kon het gebeuren dat ze zich tegen hun broeders en zusters
keerden, dat ze zich tegen de rest van het Volk keerden en de wildernis
in trokken op weg naar een nieuw bestaan. In het woud voorbij de
Verloren Landen bouwden ze een grote stad. Ze noemden hem Slaap,
en tot op de huidige dag zijn de meningen verdeeld over de vraag:
was die naam kwaadaardig bedoeld, om de Mensen te tarten die ze de
rug hadden toegekeerd? Of was de naamkeuze een trieste grap die zijn
weerga niet kende?

Niets zo bitter als een verdeelde familie. Terwijl de jaren verstreken,
vergoten het Volk en hun verwanten die nooit sliepen, elkaars bloed.
Afstand werd vijandschap. De Droomlozen stopten zelfs met het
vereren van de goden die ze ooit hadden liefgehad, en uiteindelijk
vervielen de tempels en heilige plaatsen in de stad Slaap tot ruïnes.
In de vele eeuwen die sinds de scheuring zijn verstreken, heeft het
bloed van het Volk uit alle Droomlozen alleen ons drieën
voortgebracht die sluimeren zoals onze voorouders sluimerden. En al
sluimerend hebben we dromen die ons ver weg voeren en die ons
glasheldere beelden voortoveren.

Door iedereen gemeden, werden we uit Slaap verdreven, maar ook in
de zalen van onze voorouders, in het Huis van het Volk, waren we
niet welkom. Dus ook wij trokken de wildernis in, en we leven
inmiddels al zo lang in de woeste verlatenheid dat we ons niet eens
meer kunnen herinneren hoe we hier zijn gekomen, en dat we, zelfs
als we zouden besluiten Huiswaarts te keren, de weg terug niet meer
zouden kunnen vinden.

Maar we slapen nog steeds, en wanneer we slapen dromen we. In die
dromen zien we wat zal zijn, of in elk geval wat zou kúnnen zijn –
elke droom kent schaduwen en verwarring, echte voorspellingen
vermengd met valse. Maar we weten dat er een reden is waarom wij
drieën anders zijn. We weten dat onze dromen een betekenis hebben.
En we weten dat niemand anders, sterveling noch onsterfelijke, de
visioenen ontvangt die ons worden geschonken.

We weten niet van wie dit geschenk – deze bijzondere en ketterse dromen – afkomstig is, of waarom wij werden uitverkoren en vervolgens verdoemd tot eeuwenlang wachten tot we iets met die dromen konden doen. Wat we wel weten, is dat we door het geschenk te negeren onze rug zouden keren naar het enige wat alle werelden en alle tijden verbindt – de geest wiens woorden en gedachten zijn neergelegd in Het Boek van het Vuur in de Leegte *– en tevens het enige wat ons de hoop geeft dat ons bestaan zin heeft...*

Deze woorden, deze gedachten waren Barricks enige metgezellen in de leegte. De drie die spraken als één, ontrafelden zich uiteindelijk weer tot drie afzonderlijke stemmen, elk met zijn eigen, individuele karakter, maar hij bleef omringd door duisternis: alleen de stemmen van de Slapers gaven hem een gevoel van nabijheid.

'*Wat moeten we doen?*' vroeg de eerste stem, de vriendelijkste van de drie. '*Het verhaal ontvouwt zich, maar de personages staan op de verkeerde plaats, of anders zijn hun opkomst en afgang verkeerd berekend.*'

'*Het was allemaal gedoemd om fout te gaan. Ik heb het nog zo gezegd!*' Dat was de knorrige. Hij klonk boos... of bang?

'*Hebben we dit al eerder gezien?*' Deze stem – oud, verward – herinnerde hij zich nog goed. De naam die daarbij hoorde... die naam had iets van wind die blies over een eenzame plek, een klaaglijke zucht. '*Ik kan het me niet herinneren. Ik heb het koud en ik ben bang. Wanneer de groten terugkomen zullen ze woedend zijn, op ons allemaal.*'

'*We doen dit niet voor onszelf, maar voor het verhaal. Zelfs de goden kunnen het verhaal waar we allemaal deel van uitmaken, niet vernietigen...*'

'*Dat is niet waar,*' zei de scherpe, boze stem. '*Ze kunnen het net zo lang terugdringen tot de vorm zijn betekenis verliest. Ze kunnen het zo lang laten duren voordat het verhaal werkelijkheid wordt, dat het niet meer te herkennen is. Het einde kan zo lang worden uitgesteld dat het zelfs het einde der tijden overleeft.*'

'*Alleen als we zwichten,*' zei de eerste Slaper. '*Alleen als we onze eigen dromen verloochenen.*'

'*Ik zou willen dat ik niet droomde,*' zei de oude. '*Het feit dat we dromen, heeft ons alleen maar verdriet gebracht. Ooit hadden we familie, weet je nog...*'

Hoorooen. Dat was de naam van de oude die zo klaaglijk klonk. Hoorooen. Trouwens, de anderen klonken net zo...

'*Stil toch. Het wordt tijd dat we nadenken over wat we kunnen doen. Je hebt de blinde koning gehoord. Die kleine, die jonge zonlander, moet zo snel mogelijk naar hem toe, anders is alles verloren.'*

'*Bespaar je de moeite. Kan de kleine bastaard vliegen? Nee. Dus het is zinloos. Het spel is uit. Het is te laat.'*

Het was Hikat die dat zei, besefte Barrick – een stem als een bijl die in een blok hout werd geslagen. Hikat. En de andere heette... Hau!

'*Het is niet te laat. Het kan nog. Hij kan de wegen van de Manke volgen.'*

'*Maar hij weet niet hoe. En het zou jaren duren om het hem te leren.'*

'*Ik heb het ooit geweten,'* klonk de hoge, zangerige stem van de oude Hoorooen. *Ja, volgens mij heb ik het ooit geweten. Volgens mij kan ik me de wegen van de Manke herinneren. Ze waren koud en eenzaam.'*

'*Dat klopt. Ze zijn koud en eenzaam, maar er zijn ook andere wegen die hij zou kunnen bereizen, met inzet van zijn eigen krachten.'* Hau klonk zacht en welwillend. '*Er is een deur in Slaap.'*

'*Aha!'* zei Hoorooen. '*De nachtlichten! Wat zou ik ze graag weer eens zien.'*

'*Dwazen zijn jullie! Allebei!'* snauwde Hikat. '*De stad Slaap betekent de dood, zowel voor ons als voor dit jong van de stervelingen. Hij heeft geen schijn van kans om de deur te bereiken. En zelfs al wist hij die te vinden, dan zou hij er nooit doorheen komen.'*

'*Tenzij wij hem helpen.'*

'*Dan nog.'* Degene die Hikat werd genoemd, leek een zekere vreugde te putten uit wanhoop. '*Wat we hem kunnen geven, kan hem alleen helpen als hij de deur eenmaal heeft bereikt. Maar dat zal hem nooit lukken in een stad die zich in zijn geheel vervuld van dodelijke haat tegen hem zal keren.'*

'*Er is niets anders wat we kunnen doen. Dit is onze enige kans.'*

'*Zijn bloed zal bevriezen,'* zei Hoorooen somber. '*Als hij over de Wegen van de Manke reist, zal de leegte het leven uit hem zuigen. Hij zal oud worden en hij zal verloren raken... Oud en verloren, net als wij.'*

'*Daar is niets aan te doen. Hij moet de Wegen van de Manke volgen. Een andere manier is er niet. Maar we zullen hem iets geven; iets van onszelf. Het is een gevaarlijke reis, en we moeten hem voorbereiden en wapenen zodat hij die reis kan overleven. Breng hem naar ons toe.'*

'*Het zal ten koste van ons gaan – ons misschien zelfs vernietigen. En hij zal je alleen maar vervloeken om zo'n geschenk.'* Hikat klonk bijna geamuseerd.

'*Het zal ons bijna zeker vernietigen.'* Dat was Hau, verdrietig en berustend tegelijk. '*Maar de hele wereld met al zijn bewoners zal ons vervloeken als we het niet doen...'*

Barrick merkte dat hij zich weer bewust werd van zijn lichaam, en vervolgens van de gloed van het vuur die steeds krachtiger werd, van de koepelvormige ruimte en zelfs van de drie Slapers, maar die waarneming bracht hem geen vrijheid, noch het vermogen om te bewegen. De gedaanten van de Slapers bogen zich over hem heen, met hun hoofd bedekt, als rouwenden die zich over een lijk bogen.

'*We sturen hem naar een land waar droogte heerst,*' zei Hau. '*Dus we moeten doen wat we kunnen. Maar waar doen we dat? In welk deel van hem schenken we onze wateren – ons wezen?*'

'*In zijn hart,*' zei Hikat. '*Dat zal hem sterk maken.*'

'*Maar hij zal er ook een hart van steen door krijgen. En soms is liefde alles wat we hebben.*'

'*Wat wil je daarmee zeggen? Dat zal hem de grootste kans geven te overleven, jij dwaas! Of wil je de wereld verraden waarvan je beweert dat die je zo dierbaar is?*'

'*In zijn ogen,*' zei de oude Hoorooen met bevende stem. '*Zodat hij onbevreesd kan zien wat hij te zien krijgt in de dagen die voor hem liggen.*'

'*Maar angst is soms de eerste stap naar wijsheid,*' opperde Hau. '*Wie nooit bang is, kan niet veranderen en is daardoor traag en besluiteloos. Nee, we zullen hem onze wateren geven en zijn eigen wezen laten besluiten wat het daarmee doet. Hij heeft een gebrekkige arm, waardoor hij uit balans is. Dat is zijn zwakste plek. Dus we doen het daar, want daar is hij toch al beschadigd.*'

Daarop voelde Barrick een gelijkmatige druk, die zich over hem heen bewoog en die hem dwong roerloos te blijven liggen, als een deken van zware maliën. Tegelijkertijd was hij zich bewust van de koele lucht die langs zijn huid streek, van de onregelmatige warmte van het vuur. Een van de drie gedaanten tilde iets op en hield het in het rode licht van de vlammen – een primitief, eeuwenoud mes van grijze steen, duidelijk veelgebruikt.

'*Mensenkind,*' zei degene die Hau heette. '*Neem wat we je geven, de wateren van ons wezen, in je op en laat het je kracht schenken.*'

De druk op zijn linkerarm werd zwaarder – zijn zwakke plek die hij altijd verborgen hield voor vreemde ogen en die hij zo veel mogelijk ontzag. Ook nu probeerde hij wanhopig zijn arm te beschermen, maar wat hij ook deed, het was hem onmogelijk om zelfs maar een vinger op te tillen.

'*Doe het snel,*' zei Hikat. '*Hij is zwak.*'

'*Niet zo zwak als je denkt,*' antwoordde Hau, toen trok er iets over Barricks huid – een gruwelijke pijnscheut die zijn arm in brand leek te zetten. Hij wilde het uitschreeuwen, zich losrukken, maar het was alsof zijn lichaam hem niet langer toebehoorde.

'*Ik geef je mijn tranen,*' zei Hau. '*Ze zullen zorgen dat je ogen helder blijven, zodat je de weg vóór je kunt zien.*' Weer brandde er iets in zijn gebrekkige arm, een gruwelijke pijn, als zout in een open wond. En weer steeg er een kreet op in zijn keel en ging verloren, diep binnen in hem, zonder ooit zijn mond te verlaten.

De tweede schimmige figuur nam het mes over, hief het en bracht het naar Barricks arm, waarop de vurige, martelende pijn zich opnieuw onder zijn huid verspreidde. '*Ik geef je mijn speeksel,*' gromde Hikat. '*Want haat zal zorgen dat je sterk blijft. Denk hieraan wanneer je voor de goden staat, en als je faalt, spuug hen dan in het gezicht, om wat ze ons allen hebben ontnomen.*' En net als even daarvoor werd Barrick overspoeld door een gevoel van wanhoop en verdriet zonder dat hem de mogelijkheid tot ontladen door geluid of beweging werd gegund.

De goden straften hem, dat was duidelijk. Nog meer lijden zou hij niet kunnen verdragen. Zelfs het kleinste ongemak zou zijn hoofd spontaan doen ontvlammen en uiteen doen spatten als een dennenappel in een laaiend vuur.

'*Ik ben zo droog als de botten waar we op zitten,*' zei de oude Hoorooen beverig. '*Tranen en speeksel bezit ik niet, noch andere lichaamssappen. Het enige wat ik nog heb, is mijn bloed, en zelfs dat is droog, kurkdroog.*' Het mes rees en daalde voor een derde keer en beet als een withete tand in Barricks verminkte arm. '*Maar het bloed van dromers zal toch uiteindelijk wel enige waarde hebben...*'

Er viel iets in zijn wond, poederig maar grof en scherp, alsof iemand kleine glasscherven in de bloedende snee had gepropt. De pijn was overal en onverdraaglijk, alsof een kolonie bijtgrage mieren uitzwermde over zijn onbeschermde lichaam. Golven van martelende pijnen spoelden over hem heen, de ene na de andere. Barrick dreef steeds verder weg, als drijfhout op een zee van vurige, donkere golven. Toen begon de pijn eindelijk weg te ebben, en hij besefte dat hij weer stemmen hoorde.

Je bent veranderd – sterker geworden. We hebben je alles gegeven wat we nog hadden, zodat je misschien een kans hebt om onze dromen zin te geven. Maar onze krachten nemen af. We zullen niet lang meer tot je kunnen spreken.' Even werd de harde stem van Hikat bijna teder. '*Luister goed en stel ons niet teleur, kind van twee werelden. Er is maar één weg waarlangs je het Huis van het Volk en de blinde koning kunt bereiken voor het te laat is.*

*Je moet de wegen van de Manke volgen. Die zullen het pad voor je ontvou-
wen, zodat je tussen de muren van de wereld kunt gaan. Om dat te doen moet
je in de stad Slaap de zaal zien te vinden die zijn naam draagt.'*

'De meeste van deze wegen zijn voor je gesloten.' De stem van Hau klonk
verder weg dan daarvoor. *'Er is er maar één die je misschien zult weten te
vinden en te gebruiken, omdat die dichtbij is. Je vindt de weg in de stad Slaap
– waar de onzen wonen. Maar je moet goed beseffen dat de Droomlozen jegens de stervelingen een nog vuriger haat koesteren dan jegens de heren van
Qul-na-Qar.'*

*'Maar zelfs als wat we hem hebben gegeven, hem in staat stelt de koude,
dode plekken waarlangs de Manke reisde, te overleven, dan nog zal blijken
dat alles voor niets is geweest.'* Hikat klonk weer boos. *'Kijk nou eens goed
naar hem. Hoe zou hij de Zaal van de Manke kunnen oversteken? Hoe zou
hij de deur moeten openen?'*

'Het is niet aan ons om dat te weten,' zei Hau. *'We hebben niets meer wat
we hem kunnen geven. Ik voel de buitenwinden al dwars door me heen blazen.'*

'Dan is het allemaal voor niets geweest.'

'Leven is verliezen,' mompelde de oude. *'Vooral wanneer je wint.'*

Barrick hervond iets van zijn kracht, hoewel de verzengende pijn nog
altijd door hem heen wervelde, als gesmolten metaal in een smeltkroes.
'Waar hebben jullie het over?' vroeg hij. 'Ik begrijp het niet! Is dit een
droom?'

Hau's woorden waren weinig meer dan een fluistering. *'Natuurlijk is
het een droom. Maar toch is het waar. En als je eindelijk de Zaal van de
Manke hebt bereikt, denk dan hieraan, kind: geen sterfelijke hand kan de deur
openen. Dat staat geschreven in het* Boek. *Geen sterfelijke hand...'*

'Ik begrijp het niet!'

'Dan zul je sterven, knaap,' zei de verblekende Hikat. *'De wereld wacht
niet tot jij het begrijpt. De wereld zal je vermoorden, en datzelfde lot zal iedereen treffen die is zoals jij. We staan aan de vooravond van de Eon van
het Lijden en jullie zullen allemaal worden gestraft omdat je hen zo lang buiten in de kou hebt laten staan.'*

'Wie? Wie hebben we buiten laten staan?'

'De goden,' sprak de oude Hoorooen kreunend. *'De boze goden.'*

'U zegt dat ik de stad van de Droomlozen moet binnenlopen?' Een
wisse dood tegemoet, alleen voor de kans om tegen niemand minder
dan de goden te vechten? Dat was pure waanzin. 'Waarom zou ik ook
maar íéts van dit alles geloven?'

'*Omdat we de Slapers zijn, de dromers,*' mompelde een van hen – misschien Hau, dacht Barrick. '*En omdat we heel dicht bij hen hebben gewoond. Dichtbij genoeg om hun dromende gedachten te horen, die in onze oren bulderen als de oceaan.*'

'De gedachten van wíé? Van de goden?'

'*Kijk achterom als je vertrekt.*' De stem was zo zwak dat hij niet meer kon horen wie daar sprak. '*Dan zul je het zien. Je zult ze zien en misschien zul je begrijpen... en geloven...*'

Toen deed Barrick zijn ogen open. Hij was alleen. De grot lag er verlaten bij. De fluisterende gedaanten die tegenover hem hadden gezeten waren verdwenen. Het vuur was uit, maar door de enkele, ellipsvormige opening in de wand van de grot viel wat licht naar binnen. Hij keek naar zijn arm. Drie bloederige, rode strepen verrieden waar de huid was opengesneden, maar de wonden leken al bijna genezen, alsof hij dagenlang roerloos op de grond had gelegen, in plaats van slechts enkele uren. Was het allemaal een droom geweest? Had hij zichzelf gesneden, had hij zijn hoofd gestoten, was hij gestruikeld en had hij zich alles alleen maar verbeeld terwijl hij buiten bewustzijn was?

Beverig krabbelde hij overeind. Hij kon dan gedroomd hebben, maar hij had duidelijk niet geslapen – anders zou hij niet zo doodmoe zijn geweest. Nog altijd wanhopig snakkend naar warmte strompelde hij naar het vuur, om te zien of hij nog een smeulend stuk hout kon vinden. Maar tot zijn verbazing en teleurstelling was de as koud en wit, alsof er in geen jaren een vuur in de ring van stenen had gebrand. Hij stond op het punt zich af te wenden toen hij iets ontdekte, half begraven onder de as en het zand. Terwijl hij zich bukte en probeerde zijn gebrekkige arm te ontzien, merkte hij dat die geen pijn deed. (De arm was koud en stijf, maar pijnloos, alsof hij hem zo lang in een bergstroom had gehouden dat het gevoel eruit was geweken.) Hij schraapte de as en het zand weg, en er kwam een haveloze, oude leren buidel tevoorschijn, waarvan het leer keihard was geworden door de lange tijd dat de buidel in de vochtige grond had gelegen. Toen hij hem opendeed, viel er een glimmend, zwart stuk steen uit, bedekt met putjes; na even schudden kwam er bovendien een halvemaanvormig stuk geroest metaal tevoorschijn. Een stuk staal... en een brok vuursteen! Blijkbaar had iemand die hier ooit verloren, en hij had ze gevonden! Hij popelde van ongeduld om te proberen een vuur te maken. Zelfs als al het andere van dit vreemde intermezzo uiteindelijk een soort hallucinatie door uitputting bleek te zijn, dan nog zou alles van nu af aan beter gaan omdat hij vuur kon maken.

Hij vouwde de overblijfselen van de leren buidel om zijn vondst en stopte die tussen zijn riem. Uitgeput als hij was, had hij dringend slaap nodig, maar hij wilde geen moment langer op deze vreemde plek blijven. Als hij de ontmoeting met de drie vreemde Slapers niet had gedroomd, kwamen ze misschien wel terug. Ze hadden hem weliswaar niets aangedaan, op de geheimzinnige rituelen met zijn arm na, maar ze hadden hem wel gevangengehouden en ze hadden onzin uitgekraamd over de goden en over vouwen in de wereld.

En zijn arm... Wat had hij gedroomd over zijn arm? Wat hadden ze ermee gedaan? Hij tilde zijn linkerhand op. Die was niet verkrampt zoals hij dat jaren was geweest, maar gewoon gesloten. Met een beetje inspanning kon hij zijn vingers strekken, iets wat hij jaren niet had gekund. Hij was zo verbijsterd dat hij begon te lachen.

Wat was er met zijn hand gebeurd?

Toen herinnerde hij zich nog iets: hij had weer gedroomd van het meisje met het donkere haar, en deze keer had hij in zijn droom haar naam gehoord – *Qinnitan.* Op de een of andere manier voelde de droom daardoor echt. Maar als die droom echt was geweest, hoe zat het dan met de rest...

Nee, het was gevaarlijk om zo te denken, hield Barrick zichzelf voor. Dat was wat priesters de gelovigen vertelden om hen dom te houden: de leugen dat de goden alles zagen; dat ze met ieder leven een bedoeling hadden. Hoewel... Nu hij erover nadacht, dat was niet wat de Slapers hadden gezegd. Hadden die niet gesuggereerd dat de goden de vijand waren? *We staan aan de vooravond van de Eon van het Lijden. En we zullen allemaal worden gestraft omdat we hen zo lang buiten in de kou hebben laten staan.*

Barrick Eddon liep de koepelachtige ruimte uit, de grijze schemering in. Het was alsof hij in het vage licht ineens subtiele bijzonderheden kon onderscheiden die hij eerder niet had opgemerkt. Misschien kwam het doordat hij zo lang in de donkere grot had gezeten, dacht hij. Maar terwijl hij het pad afliep en aan de ruige afdaling begon, schoot hem te binnen wat een van de Slapers had gezegd op zijn vraag of ze het over de goden hadden – over de goden die hij, Barrick, kende. Het grootste deel van zijn leven had hij geschamperd over de dierbare *onirai* van de mensen om zich heen, over de orakels en de profeten die beweerden de wil van de goden te kennen, maar de vreemde Slapers hadden gezegd dat ze de gedachten van de goden konden hóren. Hoe was dat mogelijk?

Kijk achterom als je vertrekt, had de bevende stem gezegd. *Dan zul je het zien. Je zult ze zien en misschien zul je begrijpen...*

Barrick keek achterom, maar de plek waar hij was geweest werd door een plooi van de helling aan het zicht onttrokken; het enige wat hij zag, waren bomen en hier en daar een glimp van de botergele stenen waarmee de heuvel bezaaid lag. Hij schudde zijn hoofd en hervatte zijn zoektocht naar een plek om zijn kamp op te slaan.

Enige tijd later – hij was het al bijna vergeten – keek hij toevallig opnieuw achterom, en nu bleek dat hij de heuvel voldoende ver was afgedaald om de hele kam te kunnen zien.

Je zult ze zien en misschien zul je begrijpen...

Plotseling zag hij waarvoor hij al zwoegend tijdens de weg naar boven geen oog had gehad, en wat even eerder nog te dichtbij was geweest of aan het gezicht was onttrokken door bomen. Ineens zag hij het! Uit de aarde en tussen het groen verhieven zich rotsachtige uitsteeksels in de kleur van oud ivoor. Maar het waren geen stenen, zoals hij had gedacht. Het waren half begraven...

Botten?

Het was hem ontgaan, want het was niet één simpele vorm, het waren er twee, complex met elkaar verstrengeld – twee enorme skeletten die elkaar liefdevol, of in de dood omhelsden, reusachtige botten die misschien ooit begraven waren geweest, maar die door de eeuwig werkende grond omhoog waren gestuwd, slechts bedekt met een dunne mantel van aarde die hen omhulde als een sluier en die voedsel gaf aan bomen en woekerende ranken. De rotsen op de heuveltop die hem aan tanden hadden doen denken, wáren ook echt tanden, de enorme kaak van een schedel waarvan de rest nog begraven lag – door de aarde gebroken, blootgelegd door wind en regen. En de andere schedel... de andere schedel...

Daar heb ik in gezeten, besefte hij, en een gordijn van duisternis dreigde over zijn geest neer te dalen en hem de leegte in te jagen. *Met de dromers... in de schedel van een god...*

Barrick draaide zich om en vluchtte de heuvel af – glijdend, vaak meer rollend dan rennend, gedwongen over takken te springen die dreigden hem te doen struikelen, en die in zijn koortsachtige verbeelding leken op de vingers van de onsterfelijke doden die dwars door de aardkorst naar hem reikten om hem naar beneden te trekken.

Misschien was het geluk dat hij de vuursteen en het slagijzer niet liet vallen tijdens zijn struikelende, angstige tocht naar beneden, noch toen hij zich aan de voet van de heuvel uitgeput op de grond liet vallen. En misschien was het ook geluk dat het eerste wezen dat hem daar vond, geen spinsel was maar iets met een harde, bekende stem.

'Ons dachten dat u dood was!' Toen hij niet reageerde, pikte er even later iets naar zijn oor. 'U bent toch niet dood, hè?'

Barrick ging kreunend rechtop zitten. Zijn hele lichaam deed pijn van de talloze malen dat hij was gevallen, behalve – merkwaardig genoeg – zijn gebrekkige arm, die nog altijd min of meer verdoofd leek, ook al kon hij hem wel gewoon buigen, misschien zelfs wel gemakkelijker dan vroeger. 'Skurn?' Hij deed zijn ogen open. Een van de onpeilbaar zwarte ogen van de raaf staarde hem aan, terwijl de vogel hem met zijn kop schuin zat op te nemen. 'Bij de goden, je bent het echt.' Hij liet zich weer vallen, maar richtte zich toen opnieuw op. 'Tijd voor een vuurtje! Ik kan vuur maken.'

Haastig ging hij op zoek naar bladeren en droog gras, legde ze op een hoop en ging er op zijn hurken naast zitten. Met het stuk vuursteen sloeg hij op het halvemaanvormige slagijzer. Toen er een paar vonken in het gras vielen, begon hij te blazen. Na een tijdje werd hij beloond met een sliertje rook dat omhoogkringelde, gevolgd door een piepklein, bijna doorzichtig vlammetje. Opgelucht ging hij op de grond zitten en strekte hij zijn handen naar zijn nietige kampvuur. 'We moeten ergens in de buurt ons kamp opslaan, dan kan ik een echt vuur maken.'

'Niet hier.' De raaf dempte zijn harde, krassende stem. 'Hier aan de voet van de heuvel zullen de spinsels ons vinden.'

Barrick schudde zijn hoofd. 'Dat kan me niet schelen. Ik moet rusten, al is het maar even. Want ik ben vandaag helemaal naar de top van de heuvel geklommen, en terug.'

Opnieuw hield de vogel zijn kop schuin en bekeek hem taxerend. 'Is dat wat u al die dagen hebt gedaan? De heuvel op en af klimmen als een Volgeling een boom?'

'Dagen? Eén dag op z'n hoogst.'

De raaf nam hem onderzoekend op, alsof hij zich afvroeg of Barrick een grapje maakte. 'Dagen! Maar Skurn is gebleven. Skurn heeft gewacht!'

Barrick had niet de kracht om ruzie te maken met een gekke vogel. Hij schermde het vuurtje af met wat stenen en ging toen op zoek naar een betere plek om de nacht door te brengen – ergens op degelijke, natuurlijke stenen, niet dat benige, gele spul van de top van de heuvel.

Voorlopig wilde hij niets meer met goden te maken hebben – levende noch dode.

Zelfs nog meer dan het licht gaf het vuur hem nieuwe moed, nieuwe kracht; het was heerlijk om het eindelijk – voor het eerst sinds… hij wist niet meer sinds wanneer – weer warm te hebben. Na misschien een uur zat de kou alleen nog in zijn gebrekkige arm, maar zelfs dat laatste overblijfsel van kou was geen pijnlijke kilte, meer een soort ontbreken van gevoel, alsof de organen waarin het lijden school op de een of andere manier waren verwijderd op het moment dat hij de drie evenwijdige littekens had opgelopen. Die waren inmiddels bedekt met een korstje en bezorgden hem nauwelijks meer last. Zijn arm leek zelfs iets soepeler dan vroeger, ook al had Barrick niet kunnen zeggen of dat kwam doordat hij hem daadwerkelijk verder kon buigen of doordat bewegen simpelweg minder pijn deed. De spieren waren nog zwak, maar ook die zwakte leek anders dan vroeger; zoals bij alle spieren die lang niet zijn gebruikt, had hij het gevoel dat zijn arm door oefening aan kracht zou kunnen winnen.

Al met al voelde hij zich opgewekter en hoopvoller dan in lange tijd. Zelfs in die eerste bedwelmende momenten nadat hij was ontsnapt aan het monster Jikuyin in de Grote Diepten, was zijn geluk overschaduwd geweest door het verlies van zijn twee metgezellen, Gyir en Vansen. Barrick besefte dat hij nog altijd in groot gevaar verkeerde, en dat hem misschien nog veel grotere gevaren wachtten, maar het feit dat hij het warm had en dat hij geen pijn leed, leek hem op dat moment de grootste zegen die de Hemel hem kon schenken.

Hij rekte zich geeuwend uit. 'Wat kun je me vertellen over de stad Slaap?' vroeg hij aan Skurn, die druk bezig was een slakkenhuis stuk te slaan op een steen, als een kleine smid aan zijn aambeeld.

De raaf liet de slak vallen en keerde zich naar hem toe, met de veren rond zijn nek opgezet als de kraag van een hoveling. '*Bah!* Dat zijn smerige naam! Waar hebt u die gehoord?'

'Bespaar me je waarschuwingen en sombere voorspellingen. Vertel me nou maar gewoon wat je weet.'

'Ons weet wat iedereen weet en verder niets. In Slaap, daar wonen de Nachtkastaren, die ooit hoog gestegen waren bij het Schemervolk, tot ze vervielen tot het kwaad en slechte vriendschappen sloten en onderlinge huwelijken enzo. Toen werden ze weggestuurd. Ze stichtten hun eigen stad en bouwden die in de dode landen langs de Kwijn. Dat is een rivier die vanhier stroomafwaarts loopt. Er wordt beweerd dat niemand vrijwillig naar hun stad gaat.'

Het idee dat dat nu juist zijn bedoeling was, leek Barrick zowel vermakelijk als angstaanjagend – vermakelijk, alleen omdat het zo duidelijk een volstrekt belachelijk plan was. Volg de Kwijn! Het klonk als een gedicht van een bard, een vers over dodelijke heroïek. De Slapers mochten dan hebben gezegd dat een deur in Slaap zijn enige toegangsweg was tot de koning van de Qar in zijn koninklijke stad, en hij mocht Gyir dan de belofte hebben gedaan de spiegel daarheen te brengen, dat alles leek nauwelijks voldoende om hem te dwingen naar een oord met zo'n moordzuchtige reputatie te gaan. Waarom waren ze er zo van overtuigd dat hij het zou doen? Waarom zou ook maar íemand, behalve een volslagen idioot, naar een dergelijke plek gaan?

'Is dat alles wat je weet? Hoe ver is het?'

'Ons zou er op vijf of zes maaltijden naartoe kunnen vliegen, maar waarom zou ons dat doen?'

'Ik bedoel niet vliegend. Hoe ver is het voor mij? Gewoon lopend?'

De raaf liet het slakkenhuis weer los, hipte dichterbij en nam Barrick opnieuw onderzoekend op, alsof hij zich plotseling bezorgd afvroeg of hij het kamp deelde met een bedrieger. 'U bent net terug van de top van de Vervloekte Hoogte! Is de jonge meester soms van plan om – als een soort pelgrim – elk dodelijk oord in de schemerlanden te bezoeken?'

Barrick schonk hem een wrange grijns. 'Wat weet je van de goden, Skurn? Wat is er met ze gebeurd? Is het waar dat ze de wereld hebben verlaten?'

Nu werd de raaf pas echt onrustig; hij hipte en fladderde rond het vuur tot hij op een steen sprong, alsof hij plotseling de behoefte had om een eindje van de grond te zijn. 'Waarom zulke vreemde vragen? Ons wil niet te veel denken aan het doen en laten van de goden, laat staan erover praten. Wanneer ze hun naam horen – zelfs in dromen – wordt hun aandacht gewekt.'

'Akkoord. We praten er niet meer over.' Slaap dreigde hem te overmannen, de gloed van het vuur die de voorkant van zijn lichaam als het ware in een warme deken hulde, was troostrijk, bijna knus. 'We hebben het er morgen wel verder over, wanneer we vertrekken.'

'Wanneer we vertrekken?' Er klonk onmiskenbaar een zweem van bezorgdheid in de stem van de raaf. 'Waar gaan we naartoe, jonge meester?'

'Naar de stad Slaap, natuurlijk.' Barrick moest opnieuw een grijns verbijten. Hadden de grote helden van vroeger zich ook zo gevoeld – Hiliometes of Silas of Massilios met het Gouden Haar? Alsof ze deel waren van iets groters, alsof ze hulpeloos werden voortgedreven door iets wat niet hun eigen keuze was... maar tegelijkertijd bijna onverschillig? Het was een vreemd gevoel. Alles wat hem maakte tot wie hij was – en dat gold ook voor zijn gedachten – leek te zijn versterkt, uitvergroot, maar tegelijkertijd net zo gevoelloos als zijn arm. Hij keek naar het opgedroogde bloed dat steeds donkerder werd, naar de drie littekens die eruitzagen alsof hij was gegrepen door een vogel die minstens twee keer zo groot was als Skurn. Wát hadden de Slapers hem gegeven?

Leven is verliezen, vooral wanneer je wint, had de oudste van de drie gezegd. Moest hij daaruit afleiden dat ze hem ook iets hadden ontnomen? Maar wat had hij verloren?

'U meent het toch niet echt, jonge meester? U bent toch niet echt van plan om naar dat oord toe te gaan?'

'Jij hoeft niet mee, Skurn. Het is mijn reis.'

'Maar de spinsels in het woud... en de Droomlozen in die vreeswekkende stad! Ze zullen ons bloed bevriezen en het vel van onze botten stropen!'

'Nogmaals, je hoeft niet mee.'

'Maar dan ben ik hier helemaal alleen. Dan ben ik verloren!'

Barrick deed er het zwijgen toe, maar niet uit medelijden met de raaf. Wanneer hij eenmaal had geslapen, zou hij na het ontwaken op weg gaan. En hij zou net zo lang doorlopen tot hij de stad Slaap had bereikt. Eenmaal daar zou hij wel verder zien. En zo zou hij doorgaan tot alles voorbij was. Op de een of andere manier leek het allemaal zo eenvoudig...

Maar wat hadden de Slapers hem ontnomen in ruil voor die eenvoud? Wat had hij verloren?

Toen eiste de uitputting haar tol en trok hem mee de duisternis in, weg van de flakkerende vlammen naar een plek die stervelingen deelden met goden.

DEEL TWEE

Mantel

15
De besmeurde duif

'Ruohtashemm, waar de Koude Elfen woonden met hun oorlogszuchtige koningin Jittsammes, zou aan de andere kant van het Stallanvolled liggen, een reusachtig, duister woud dat een groot deel van Oud Vutland bedekte.'

Uit *Een Verhandeling over de Elfenvolken van Eion en Xand*

Gehuld in zijn nieuwste, fatterige prachtcreatie wapperde Feival heftig met zijn handen achter het hoofd van de prins, in een wanhopige poging Brionie iets duidelijk te maken.

Hij bedoelt dat ik weer aan het werk moet, besefte Brionie. 'Vertelt u nog eens over de terugtocht vanuit het zuiden; hoe u uw manschappen hierheen hebt geleid,' vroeg ze aan Prins Eneas.

'Hè ja, vertel!' drong ook haar vriendin Ivgenia aan.

'Maar dat verhaal moet u toch onderhand vervelen, dames?' Het sierde de zoon van de koning dat hij slecht op zijn gemak leek. 'Dat heb ik bij elk bezoek verteld, telkens opnieuw. En het einde blijft hetzelfde, hoe vaak ik dat ook doe.'

'Maar het is zo'n mooi einde, Hoogheid.' Het was maar al te duidelijk dat Ivvie zou genieten van elk onderwerp dat Eneas behandelde, desnoods in een taal die ze niet verstond.

'Maar het gaat alleen maar over vechten...' protesteerde de prins. 'Hooggeboren vrouwen zoals u beiden geven ongetwijfeld de voorkeur aan verhalen met een meer verheven thema.'

'Ik niet,' zei Brionie bijna trots. 'Ik ben opgegroeid met broers en – misschien weet u dat nog – we zijn alle drie door Shaso uit Tuan opgeleid in de vechtkunst.'

Eneas glimlachte. 'Dat herinner ik me maar al te goed. Sterker nog, ik hoop dat ik u ooit mag raadplegen over zijn tactieken en lesmethodes. Want ik benijd u om zo'n geweldige, beroemde leermeester.'

'Helaas was die uitmuntende opleiding aan mij verspild. Ik heb nooit de kans gekregen het geleerde in praktijk te brengen, behalve in oefengevechten met mijn broers. Bovendien is Zuidermark al zolang ik leef niet in oorlog geweest. Althans, niet op eigen bodem.'

'Dat is inmiddels helaas veranderd, Prinses. De manschappen van Zuidermark hebben recentelijk diverse malen slag geleverd tegen de elfen.'

'Ja, en met dramatische resultaten.' Ze veroorloofde zich een hapering in haar stem – en haar ontroering was niet helemaal gespeeld. 'We hebben bij die veldslagen veel van onze beste mannen verloren... en ik ben mijn dierbare broer kwijtgeraakt... misschien wel voorgoed.' Ze glimlachte dapper. 'Daarom is het zo heerlijk om verhalen met een gelukkige afloop te horen, zoals dat van u. Dat geeft me hoop. Dus wees zo goed, Prins Eneas, en vertel het ons nog een keer.'

Feival, die nog altijd achter de prins stond, maakte goedkeurende gebaren: hij had haar die dappere, tragische glimlach zelf geleerd.

Eneas zwichtte lachend, maar bescheiden. Het was niet moeilijk om deze prins sympathiek te vinden; bijna iedere man zou tegenover Brionie, haar hofdames en Ivgenia maar al te graag de loftrompet hebben gestoken van zijn roemrijke daden. Gailon Tollij, de hertog van Zomergaarde en een beter mens dan Brionie altijd had gedacht (althans in vergelijking met zijn moordzuchtige broer), was nooit te beroerd geweest om uitvoerig te vertellen over zijn avonturen tijdens de jacht of tijdens zijn omzwervingen, met zo veel verve dat het klonk alsof elke greppel die hij had genomen, een overwinning was op Kernios de Nemer van Zielen.

'Ons leger stak de grens over en hield stil bij het buitenste garnizoen voor Hierosol,' begon de prins. 'Markies Risto van Omaranth, onze bevelhebber, had niet zozeer opdracht om te vechten alswel om de situatie in ogenschouw te nemen en een aanbeveling naar mijn vader te sturen – dat was de reden waarom mijn vader Risto had gestuurd, die bekendstaat als sluw en zorgvuldig. Niemand had vermoed dat de autarch zo snel en met zo'n enorme troepenmacht zou toeslaan. Op hetzelfde moment dat hij een groot invasieleger vanuit zee een landing liet uitvoeren, lanceerde hij een aanval op de muren van Hierosol. Daarnaast stuurde hij gedurende de nacht ook nog eens een tweede, kleinere vloot de Straat van Kulloa op, met gemoffelde riemen en gestreken zeilen. De schepen werden door een verrader uit Hierosol – een zeekapitein die zijn land verkocht voor een zak met goud – door het gevaarlijkste deel van de rotsachtige baai geloodst.' Eneas schudde zijn hoofd in oprecht onbegrip. 'Hoe kan iemand zoiets doen?'

'Inderdaad, onbegrijpelijk,' viel Ivvie hem hartstochtelijk bij.

'Onbegrijpelijk,' herhaalde Feival, die de neiging had zich meer met de gesprekken te bemoeien dan voor een secretaris gepast was. 'Stuitend!'

'Niet iedereen voelt zich zo verbonden met zijn vaderland als u en ik,' zei Brionie welwillend tegen de prins. 'Misschien omdat niet iedereen zich mag verheugen in zo'n veilig en geprivilegieerd bestaan als het onze.'

'Of misschien omdat sommige mensen in aanleg of door hun afkomst neigen naar verraad,' merkte Ivvie op. 'In het land van mijn vader zijn er boeren die niet alleen stropen in onze wouden, maar die bovendien belastinggelden achterhouden en liegen tegen de baljuw door te beweren dat ze meer kinderen hebben of minder land dan waarvoor ze zijn aangeslagen. Ze zijn echt tot alles bereid om niet te hoeven betalen wat ze mijn vader verschuldigd zijn.'

Sommige van de hofdames maakten beleefde geluidjes van instemming. Ze deelden een afkeer van mensen die de grond bewerkten en gewassen oogstten, hoewel ze tegelijkertijd – net als hun mannen – vaak over hen spraken op een manier die Brionie sentimenteel en onoprecht voorkwam. Ze wilde niet beweren dat zij het boerenleven kende, maar tijdens haar omzwervingen met de troep had ze genoeg nachten in koude schuren of in het open veld doorgebracht om zich niet te kunnen voorstellen dat ook maar iemand voor het landleven koos vanwege de pastorale vreugde die dat schonk. Bovendien had ze zoveel machinaties in de rechtspleging en bij de belastinggaarders gezien dat ze wist dat de schuld niet alleen bij de verraderlijke boeren lag.

Het was echter niet raadzaam hierover in discussie te gaan; ze werd aan het hof toch al als een buitenbeentje gezien, en bovendien zou het de stemming van de prins kunnen bederven, juist nu ze probeerde zijn sympathie te verwerven.

Feival stond haar opnieuw woedend aan te kijken, waardoor ze besefte dat ze was afgedwaald van Eneas' beschrijving van de invasie door de troepen van Xis; een invasie die het Syannese leger had verrast, dat zich vervolgens gedwongen had gezien zijn toevlucht te zoeken in een van de Hierosolaanse forten.

'Maar als Markies Risto en de anderen werden belegerd, hoe bent u er dan achter gekomen in welke benarde situatie ze zich bevonden?' vroeg ze. 'Dat hebt u me ongetwijfeld verteld, maar ik vrees dat ik het ben vergeten.' Dat was natuurlijk niet waar, maar het kon geen kwaad om een zekere mate van hulpeloosheid toe te voegen aan het beroep dat ze op hem deed – zonder te overdrijven, zoals ze dat misschien zou hebben gedaan in de rol van molenaarsdochter in het kluchtige *De Geschiedenis van een Plattelandspriester*, maar net genoeg om bij Eneas het beeld te creëren van een behoeftige, jongere zuster voor wier belangen hij moest opkomen.

'Omdat mijn vader hem op een verkenningsmissie had gestuurd, had Risto postduiven bij zich om zijn bevindingen naar Tessis te kunnen sturen. Het laatste paartje was afkomstig uit ons grensfort bij Drijmusa, en het was puur geluk dat ik hem daar trof toen hij het fort passeerde. Ik besloot er veertien dagen te blijven met mijn manschappen, in afwachting van zijn rapportage over de stand van zaken in Hierosol.'

'Wat slim van u, Hoogheid,' zei Ivgenia.

Eneas schonk haar een licht verwijtende blik. 'Zoals ik al zei, vrouwe, het was puur een kwestie van geluk. Ik had geen idee dat Risto in een beleg zou terechtkomen. Xis slaat al jaren dreigende taal uit aan het adres van Hierosol, maar dat werd aan onze kant als louter bluf gezien. Tenslotte viel er voor de autarch van Xis een rijkere buit te halen, ten koste van minder inspanningen, op de welvarende eilanden langs de kust in het zuiden. Hoe dan ook, toen het bericht kwam was ik nog ter plekke, met een compagnie die klaar was voor de strijd. Nogmaals, het geluk was aan onze kant.'

'Een zegen van de goden,' mompelde Brionie.

Eneas knikte. Hij stond bekend om zijn vroomheid en had, zonder er ruchtbaarheid aan te geven, diverse tempels laten bouwen, terwijl zijn jongere broers en zusters hun geld verkwistten aan aardse genoegens. 'Ja, dat was inderdaad een zegen. Weet u echt zeker dat u de rest van het verhaal ook weer wilt horen?'

'Dolgraag,' zei Brionie. 'We krijgen maar zo weinig nieuws uit de eerste hand.'

Hij schonk haar een wrange blik. 'Maar ik hoor dat u een goede kijk op de wereld hebt gekregen, Prinses. Zowel tijdens uw reis hierheen als sinds uw aankomst in Tessis.'

Even was ze met stomheid geslagen, tot ze besefte dat hij verwees naar haar tochtje de stad in, samen met Ivgenia. Maar waarom zou dat hem interesseren? Of zou hij uit belangstelling naar haar hebben geïnformeerd... Ze kon het zich echter niet veroorloven al te zeker te zijn van zichzelf; het was tenslotte ook mogelijk dat zijn belangstelling Ivgenia gold – een knap meisje, levenslustig en met een onberispelijke afkomst.

'Ik heb mezelf al op diverse manieren in de nesten gewerkt, Prins Eneas,' zei ze, zonder acht te slaan op Feivals meesmuilende gezicht. 'Het is wel duidelijk dat ik behoefte heb aan betere raadgevers. Dus ik hoop dat u zich vrij zult voelen me te laten delen in uw wijsheid.'

Hij glimlachte. 'Dat zou ik als een eer beschouwen, Prinses. Maar voor zover ik heb begrepen, hebt u zich uitstekend en dapper weten te handhaven.'

Hij was inderdaad erg knap en aantrekkelijk, dat viel niet te ontkennen. Brionie was ten prooi aan tegenstrijdige gevoelens. Want hoewel ze bepaald niet blind was voor zijn charmes, voelde ze zich tegelijkertijd een verrader – niet zoals de pachters van Ivgenia's vader die probeerden een halve mand gerst achter te houden om de winter door te komen, maar een echte, slechte verrader. Tenslotte was ze van plan hem te gebruiken – niet in zijn belang of in het belang van zijn land, maar voor dat van haar familie – om althans iets van haar eigen fouten goed te maken. Een dergelijk plan was echter niet zo simpel. Om te beginnen was het heel goed mogelijk dat Eneas te slim zou blijken te zijn om zich te laten manipuleren. In dat geval liep ze het risico iemand van zich te vervreemden die een betrouwbare bondgenoot had kunnen worden aan het Syannese hof. Bovendien stond het haar tegen misbruik te maken van een man als de prins. Uit alles wat ze had gehoord – niet van hemzelf, daar was hij veel te bescheiden voor – kwam Eneas naar voren als vriendelijk, intelligent en uitzonderlijk dapper. Hij hield van zijn vader maar was niet blind voor de tekortkomingen van zijn land. Bovendien was haar van alle kanten verzekerd dat hij vurig loyaal was jegens zijn vrienden. Hoe kon ze bij zo'n man haar zogenaamde vrouwelijke listen in de strijd werpen om te krijgen wat ze wilde – iets waarom ze Anissa, haar stiefmoeder, en de andere vrouwen aan het hof van Zuidermark altijd had veracht?

Maar de nood is groot want het gaat om een belangrijke zaak, hield ze zichzelf voor. *Het gaat om het leven van mijn onderdanen. Om de troon van mijn vader.*

En om wraak te nemen op de Tollijs, klonk een sluw stemmetje in haar hoofd. *Doe maar niet alsof dat niet ook een belangrijke drijfveer is.* Geen nobel motief, maar wel een motief dat ze vurig koesterde. Hendon Tollij had haar bijna alles ontnomen. Hij en zijn broer Caradon verdienden niet beter dan te sterven, bij voorkeur na een lange, vernederende lijdensweg. Hendon had niet alleen de troon van haar familie gestolen, hij had er bovendien voor gezorgd dat ze zich hulpeloos en zwak voelde, en alleen al daarom wenste ze hem dood. Soms kwam de gedachte bij haar op dat ze zich pas weer sterk en krachtig zou kunnen voelen wanneer Hendon voor zijn daden was gestraft.

'Prinses?'

Beschaamd sloeg ze haar hand voor haar mond. Hoe lang had ze zitten dromen? Ze durfde Feival niet eens aan te kijken; die moest wel in alle staten zijn. 'Neemt u me niet kwalijk, ik...' Ze kon maar beter gebruikmaken van de situatie. 'Ik moest ineens aan iets... iets pijnlijks denken...'

'En dat is mijn schuld.' Hij keek alsof hij haar geloofde. 'Ik had u niet moeten plagen met uw uitstapje naar de markt op de Bloemengaard. Dat was wreed en onnadenkend. Ik heb er helemaal niet meer aan gedacht dat uw jonge bediende op die dag is gestorven. Dus ik hoop dat u mijn oprechte verontschuldigingen wilt aanvaarden, Prinses.'

De markt? Was het gesprek daar inmiddels bij aangeland? Ze was de draad duidelijk volledig kwijtgeraakt. Alleen al de gedachte aan Hendon Tollij met zijn vossengrijns, terwijl hij pochte hoe hij haar troon had gestolen... 'Nee, nee,' zei ze haastig. 'U treft geen enkele blaam, heer. Gaat u alstublieft verder. U was nog niet klaar met uw verslag van het beleg.'

'Weet u echt zeker dat u zo'n droog relaas voor de zoveelste keer wilt horen?'

'Voor mij is het geen droog relaas, Prins Eneas. Integendeel, het is als water voor een dorstige keel. Gaat u vooral door.'

Hij vervolgde zijn verhaal, terwijl Brionie en Ivgenia en de andere vrouwen aandachtig luisterden; zelfs Feival vergat dat hij werd geacht te doen alsof hij werkte. Of het nu kwam doordat ze gefascineerd waren door de manier waarop de prins het garnizoen in Hierosol had ontzet en veilig met Markies Risto en zijn mannen in Syan had weten terug te keren, of doordat Eneas simpelweg een boeiende figuur was met een rol in de wereld die zo mogelijk nog meer tot de verbeelding sprak, zijn gehoor hing aan zijn lippen.

Toen hij zijn verhaal had besloten, stond de prins op, hij maakte een buiging voor Brionie en vroeg haar toestemming om te vertrekken – een staaltje zuidelijke hofetiquette dat ze vermakelijk vond, alsof de aanwezigheid van een edelvrouwe hetzelfde effect had als de zuigkracht van een draaikolk op een onfortuinlijke zwemmer, een soort doodsgreep waaruit alleen de maalstroom zelf de ongelukkige kon bevrijden.

En als ik hem die toestemming nou eens weigerde, dacht ze terwijl hij haar hand kuste en boog naar Ivgenia en de andere vrouwen. *Als ik hem nou eens opdracht geef te blijven? Moet hij dat dan ook doen?* Wat was etiquette toch iets onzinnigs! Oorspronkelijk was die ongetwijfeld bedoeld geweest om mannen – althans tijdelijk – te weerhouden van het moorden en verkrachten, maar met het verstrijken van de jaren had de etiquette zich ontwikkeld tot iets wat zo dwingend was dat het kon leiden tot de meest belachelijke, meest verwarrende situaties.

Toen Eneas was vertrokken, verbrak Ivgenia al snel de stilte. 'Volgens mij is hij erg in u geïnteresseerd, Prinses Brionie. Dit was al zijn derde bezoek in een week!'

'Ach, ik ben een onderhoudende curiositeit,' zei ze afwerend. 'Een prinses die in vermomming heeft gereisd. Ik ben een soort personage uit een verhaal voor kinderen.' Ze lachte. 'Ik neem aan dat ik dankbaar zou moeten zijn dat ik niet het onderwerp ben van een gruwelijker verhaal – een kind dat alleen is achtergelaten in de bossen, of dat afschuwelijk is behandeld door een wrede stiefmoeder.' Het lachen verging haar al snel. Want beide voorbeelden waren niet eens zo ver bezijden de waarheid.

'U protesteert veel te heftig,' zei Ivgenia. 'Waar of niet, dames?' De anderen – de hofdames en dienstmaagden – knikten. 'Hij koestert een oprechte genegenheid voor u, Hoogheid. Als u niet zo koppig was, zou het misschien zelfs meer kunnen worden!'

'Koppig?' Ze had de indruk dat ze de prins nog net niet om de hals was gevallen om zich te verzekeren van zijn aandacht en zijn welwillendheid. 'Hoezo koppig?'

'Houdt u zich maar niet van de domme, Hoogheid,' zei haar vriendin. 'U bemoeit zich nooit met anderen aan het hof, behalve tijdens de maaltijden. Iedereen denkt dat u daar te trots voor bent. Sommigen beweren dat het komt doordat u zo wreed bent behandeld, maar er zijn er

ook die zeggen... Vergeef me, Brionie, maar ik doe dit voor je bestwil.
Het is belangrijk dat je de waarheid te horen krijgt. Anderen zeggen dat
je jezelf beter vindt dan de mensen aan het hof.'

'Dat ik mezelf beter vind?' herhaalde ze verbaasd. Het ging haar voorstellingsvermogen te boven dat ze aan dit grootse, decadente hof als te
trots werd beschouwd. 'Ik vind mezelf niet beter dan wie ook, en al helemaal niet beter dan deze voorname heren en vrouwen. Ik bemoei me
met niemand omdat ik dat ben verleerd, niet omdat ik op mensen neer-
kijk.'

'Zie je nou wel!' zei Ivgenia triomfantelijk. 'Dat heb ik ook gezegd!
Je voelt je niet op je plaats, maar zeker niet boven anderen verheven.
Toch zou je echt wat meer tijd met de edelen moeten doorbrengen,
Brionie. Ze zijn dol op roddelen, en door je niet te laten zien, geef je
Jenkin Crowel alle kans om misbruik te maken van je afwezigheid.'

De naam van Tollijs afgezant had het effect van een plens ijskoud water. Ze ontliep hem al dagen, en blijkbaar deed hij op zijn beurt met
haar hetzelfde.

'O... ja... Daar zul je wel gelijk in hebben. Bedankt voor je bezorgdheid, Ivvie, maar ik ben moe, en ik zou graag even gaan liggen.'

'Ach, lieverd!' Er kwam een ongelukkige uitdrukking op Ivgenia's gezicht. 'Heb ik je beledigd?'

'Welnee, kindje. Zoals ik al zei, ik ben gewoon moe. Dames, u kunt
ook gaan. Feival, wil jij alsjeblieft nog even blijven? Ik heb het een en
ander met je te bespreken.'

Toen de anderen weg waren, of althans discreet buiten gehoorsaf-
stand, keerde ze zich naar de toneelspeler. 'Ze zei dat Crowel misbruik
maakt van mijn afwezigheid. Wat bedoelde ze daarmee?'

Feival Ulian fronste zijn wenkbrauwen. 'Maar Brionie, dat begrijp je
toch wel? Hij is de rechterhand van je vijand. Wat denk je dat hij doet?
Hij probeert je zo veel mogelijk zwart te maken.'

'Maar hoe dan?' Boosheid nam bezit van haar – boosheid, gecombineerd met angst. Tessis was tenslotte niet haar thuis. Ze was hier omringd door vreemden en het was duidelijk dat er mensen waren die haar
dood wensten. Ze gooide haar borduurwerk van zich af – borduren vond
ze onder normale omstandigheden al een ergerlijke, aanstellerige bezig-
heid. 'Wat doet hij dan?'

'Ik heb geen betrouwbare verhalen gehoord over wat hij precies doet.'
Feival had zich afgewend en bewonderde zichzelf in een spiegel aan de
muur, een gewoonte die Brionie razend maakte, vooral wanneer ze hem

aansprak op serieuze zaken. 'Maar hij belastert je – in zorgvuldig gekozen bewoordingen, en natuurlijk nooit in groot gezelschap. Hij fluistert hier wat, maakt daar een nonchalante toespeling... Je weet hoe dat gaat.'

Ze deed haar best om het vuur van haar boosheid in te dammen; ze schoot er niets mee op wanneer ze zich erdoor liet meeslepen. 'En wat voor lasterpraatjes verspreidt Jenkin Crowel dan wel?' Ze had er schoon genoeg van om naar Feivals rug te kijken. 'Bij de maskers van Zosim, draai je om en praat tegen mij in plaats van tegen de spiegel!'

Zijn gezicht stond verrast, ze meende er zelfs een zweem van boosheid in te zien. 'Hij zegt een heleboel. Tenminste, dat is wat me ter ore is gekomen. Want hij is niet zo dwaas om zijn leugens over jou rechtstreeks tegen mij te verkondigen!' Feival trok een lelijk gezicht en zag eruit als een mokkend kind. 'Het zijn vaak onbeduidende beledigingen – dat je erg jongensachtig bent, dat je het leuk vindt om in mannenkleren rond te lopen, en niet alleen bij wijze van vermomming, dat je akelig driftig bent en sluw...'

'Tot dusverre is het bijna allemaal waar.' Ze glimlachte grimmig.

'Maar de afschuwelijkste laster spreekt hij niet uit, daar zinspeelt hij alleen maar op. Zo laat hij zich in bedekte termen ontvallen dat iedereen aanvankelijk dacht dat de zuiderling Shasto je had ontvoerd...'

'Shaso. Hij heette Shaso.'

'... maar dat ze er in Zuidermark inmiddels van overtuigd zijn dat je niet tegen je wil bent meegenomen. Dat die zogenaamde ontvoering deel uitmaakte van je plan om je de troon van je vader toe te eigenen, en dat alleen de aanwezigheid van Hendon Tollij heeft kunnen voorkomen dat jullie dat plan samen ten uitvoer brachten.' Hij bloosde licht. 'Dat is, denk ik, wel het ergste wat hij verkondigt.'

'Samen? Doelt hij dan op mijn broer Barrick en mij?'

'Nee. In zijn toespelingen is je tweelingbroer ook slachtoffer en heb jij hem weggestuurd om tegen de elfen te vechten, in de hoop dat hij daarbij het leven zou laten. Volgens Crowel was diezelfde zuidelijke generaal Shast... Shaso... je medeplichtige. De man die je andere broer heeft vermoord. En Crowel beweert bovendien dat Shaso... méér was dan alleen je medeplichtige.'

De woede was zo plotseling en zo overweldigend dat alles zwart werd voor Brionies ogen en dat ze even dacht dat ze zou sterven. 'Hoe dúrft hij dat te zeggen? Hoe dúrft hij te zeggen dat ik...' Haar mond leek gevuld met vergif – ze kreeg braakneigingen. 'Hendon, zijn meester, is er niet voor teruggedeinsd om zijn eigen broer te vermoorden! Het kan

niet anders of Crowel weet dat! En dan zegt hij dat Shaso en ik geliéf-
den waren?' Ze schoot overeind. Het liefst zou ze haar borduurwerk
weer hebben gegrepen en de deur uit zijn gestormd om de naald in Jenkin Crowels oog te steken. 'Dat eerloze... zwijn! Het is al erg genoeg
dat hij die goede oude man belastert die is gestorven toen hij probeerde mij in veiligheid te brengen, maar om dan ook nog te suggereren dat
ik... dat ik mijn eigen dierbare bróérs kwaad zou doen!' De adem stokte in haar keel terwijl de tranen over haar wangen liepen. 'Hoe kan hij
zulke leugens over me vertellen? En hoe is het mogelijk dat ook maar
iemand die leugens gelooft?'

'Brionie... Prinses... Wind je alsjeblieft niet zo op!' De toneelspeler
leek bijna geschokt door wat hij had ontketend.

'Wat zegt Finh ervan? Wat zeggen de mensen op straat en in de taveernes?'

'Buiten het hof wordt er amper over gesproken,' vertelde Feival. 'De
Tollijs zijn hier niet bepaald geliefd, maar het zet mensen waarschijnlijk wel aan het denken. Anderzijds, de koning is wél geliefd, en je bent
zijn gast. De meeste Syannezen laten het oordeel over goed en kwaad,
over leugen en waarheid aan hem over.'

'Maar dat geldt niet voor de hovelingen, neem ik aan.'

Feival probeerde haar te kalmeren. 'De meeste mensen aan het hof
kennen je net zomin als de dronken dwazen in de taveernes. En dat
komt omdat je je verstopt, als een soort kluizenaar.'

'Met andere woorden...' Ze zweeg even om haar adem onder controle te krijgen en te wachten tot haar hart weer wat rustiger sloeg. 'Met
andere woorden: ik zou me vaker moeten laten zien en me meer onder
de hovelingen moeten mengen. Ik zou meer tijd moeten doorbrengen
met mensen als Jenkin Crowel, om beledigingen uit te wisselen en leugens op te dissen. Is dat wat je wilt zeggen?'

Feival haalde diep adem en rechtte zijn schouders – het toonbeeld
van een man die onrecht was aangedaan. 'Ik zeg het voor uw eigen bestwil, Prinses. U zou u meer moeten laten zien. U zou simpelweg door
uw aanwezigheid duidelijk moeten maken dat u niets te verbergen heeft.
Op die manier zult u de leugens van Crowel ontzenuwen.'

'Misschien heb je gelijk.' De vurige, razende woede ebde weg, maar
wat ervoor in de plaats kwam, was niet minder venijnig, alleen killer. 'Ja,
je hebt gelijk. Ik moet hoe dan ook iets doen om de verspreiding van
zulke afschuwelijke, verschrikkelijke verhalen tegen te gaan.

En dat zál ik ook.'

*

De tempel van Onir Plessos had niet genoeg bedden om plaats te bieden aan alle nieuwkomers, maar de pelgrims waren de redelijkheid zelve en allang blij dat ze konden schuilen voor de koude lenteregens. Van de meester tempelier kregen ze te horen dat ze hun dekens na het avondmaal in de grote algemene ruimte konden uitspreiden.

'Storen we uw andere gasten dan niet? Of de broeders?' vroeg de leider van de pelgrims, een zwaargebouwde, goedgehumeurde kerel die de rol van gids voor religieuze zoekers en boetelingen in de loop der jaren eerder als een zakelijke onderneming was gaan zien dan als iets wat hij uit roeping deed. 'U hebt ons altijd erg gastvrij ontvangen, meester, en ik zou niet willen dat ik hier een slechte naam kreeg.'

De meester tempelier glimlachte. 'M'n beste Theron, het zijn respectabele pelgrims die je hier brengt. Zonder zulke reizigers zou onze tempel er een harde dobber aan hebben om de waarlijk behoeftigen voedsel en onderdak te verschaffen.' Hij dempte zijn stem. 'Om een voorbeeld te geven van het type pelgrim waar ik minder blij mee ben... Zie je die kerel daar? Die kreupele? Hij is hier al diverse tiendaagsen.' De meester tempelier gebaarde naar een figuur in een lang gewaad die in de schaars beplante tuin zat en die werd bediend door een kleinere gedaante, een jongen van misschien negen of tien zomers. 'Ik moet bekennen dat ik had gehoopt hem te zien vertrekken toen het weer wat warmer werd – het is niet alleen dat er een smerige geur om hem heen hangt, hij is ook vreemd en hij praat met niemand. Tenminste, niet rechtstreeks. Als hij iets wil zeggen, doet hij dat via het kind... en zijn woorden zijn doorgaans beladen met doem en mysterie.'

Therons blik verried dat hij geïnteresseerd was. Ook al was zijn geloof dan wat afgezwakt, of althans zijn geloofsijver, daarom voelde hij zich niet minder aangetrokken door het sterke geloof van anderen – misschien zelfs wel meer, omdat die krachtige overtuiging zorgde voor brood op de plank. 'Misschien is uw kreupele gast wel een orakel. De gezegende Zakkas werd immers ook niet herkend tijdens zijn leven?'

De meester tempelier kon de suggestie niet waarderen. 'Probeer niet een priester te onderwijzen in vroomheid, karavanenmeester. Hij praat niet over heilige zaken, maar over... Ach, dat is moeilijk uit te leggen. U zou hem zelf moeten horen. Of liever gezegd, u zou moeten horen wat hij het kind influistert.'

'Ik betwijfel dat we daar tijd voor hebben,' zei Theron kortaf, toch een beetje gestoken door de terechtwijzing van de priester. 'We moeten morgenochtend al vroeg weer op pad. Er valt in het Witte Woud dit seizoen nog minstens één sneeuwstorm te verwachten, en daar word ik liever niet door verrast. Het noorden is dezer dagen al vreemd genoeg, ook zonder dat we ons moeten verdedigen tegen noodweer. Ik mis de warme bronnen waarvan we hier in Zomergaarde konden genieten toen de koning in Zuidermark nog gewoon op zijn troon zat.'

'Ik mis zoveel uit die tijd,' zei de meester tempelier. Daar konden ze het veilig over eens zijn, en op die gedachte borduurden ze nog enige tijd voort en herstelden ze de vriendschappelijke verhoudingen.

Het vuur in de grote ruimte brandde laag, de meeste pelgrims waren na een lange, koude dag lopen in diepe slaap. Theron praatte op gedempte toon met zijn voerman toen de heilige man – tenminste, zo was Theron hem gaan zien – langzaam kwam binnenhinken, steunend op een smerig, nors kijkend kind met een donkere huid. De kleine jongen hielp de oude man zich te installeren bij de haard, vlak bij de sintels. Toen nam hij de kroes uit de hand van de bedelaar en liep ermee naar de emmer om hem te vullen met water.

Theron gebaarde dat de voerman kon vertrekken, want die had nog het een en ander te doen voordat hij kon gaan slapen, toen keek hij vluchtig in de richting van de broze, heilige man. Er was niet veel van hem te zien; zijn gezicht ging verborgen onder de diepe kap van zijn gevlekte, haveloze mantel, zijn handen waren omwikkeld met smoezelig, oud verband. Op een zwak beven na zat de merkwaardige gedaante roerloos. Terwijl Theron naar de bedelaar keek, werd hij zich bewust van een vreemd gevoel – het had niets met heiligheid te maken, eerder met een plotselinge angst. Niet dat de man er zo dreigend uitzag, maar hij had iets waardoor Theron plotseling moest denken aan oude verhalen, niet over heilige pelgrims, maar over rusteloze geesten en doden die geen vrede konden vinden in hun graf.

Theron streek met zijn vingers door de verzameling bengelende, rinkelende religieuze ornamenten om zijn hals. Sommige had hij als jongere man zelf tijdens zijn bedevaarten naar heilige plaatsen verworven, andere had hij gekregen, als geschenk – of als gedeeltelijke betaling – van de pelgrims die hij als gids begeleidde. Zijn hand bleef even rusten op een houten duif. Het was een van zijn lievelingsornamenten en in de loop der tijden gepolijst tot een diepe glans. De duif was afkomstig van een van zijn eerste bedevaarten, naar een beroemde Zoriatempel in Acaris. Wanneer hij zich zorgen maakte, ervoer hij het als sussend en kalmerend om aan de Reine Dochter te denken.

Toen Theron voelde dat er iemand naast hem stond, keek hij op. Het was de meester tempelier, zag Theron tot zijn verbazing, want de oudere priester had niet de gewoonte om na het 'avondgebed nog naar de grote ruimte te komen. 'U bewijst me een grote eer, meester,' zei hij dan ook. 'Drinkt u een glas wijn met me?'

De meester knikte. 'Graag. Ik wilde je iets vragen, en je zei dat je morgenochtend al vroeg wilde vertrekken.'

Theron schaamde zich een beetje bij de herinnering, want hij had het gezegd in boosheid. Hij schonk wijn uit zijn kruik in een kroes en gaf die aan zijn vriend. 'Natuurlijk, meester. Wat wilt u weten?'

'Een van de leden van uw groep vertelde dat de dochter van Koning Olin in Tessis zou verblijven; dat zou betekenen dat ze nog leeft. Klopt dat?'

'Voor zover ik weet, wel. Ze arriveerde net voordat wij vertrokken. Tenminste, dat hoorde ik om me heen vertellen. Vlak voor ons vertrek was dat het gesprek van de dag in Syan.'

'En is er iemand die weet waarom ze... Hoe heet ze ook alweer? Boterbloem?'

'Brionie – heggenrank, bryonia. Prinses Brionie.'

'Ach natuurlijk. Hoe kon ik dat vergeten? We horen hier niet veel over het reilen en zeilen aan het hof, en ik begin vergeetachtig te worden. Dat zal de leeftijd wel zijn. Brionie. Weet iemand waarom ze naar Syan is gereisd en wat haar verblijf daar te betekenen heeft?'

Het ontging Theron niet dat de bedelaar bij het vuur, wiens gezicht nog altijd schuilging onder zijn kap, zijn hoofd had opgeheven, alsof hij luisterde. Vluchtig vroeg Theron zich af of hij zijn stem moest dempen, maar dat was onzin, besloot hij. Het was tenslotte geen geheim wat hij vertelde. Integendeel, het zou niet lang duren of iedereen zou het erover hebben. Toch leek het hem niet verstandig de Tollijs te noemen, hier in hun eigen hertogdom. 'Er wordt beweerd dat ze is ontsnapt aan haar... aan haar vijanden... en dat ze uit Zuidermark is gevlucht. Anderen ontkennen dat en zeggen dat ze pas is gevlucht nadat ze tevergeefs had geprobeerd zich de troon toe te eigenen, geholpen door een zuiderling – een zwarte krijger die ooit met Olin bevriend zou zijn geweest.'

De meester tempelier schudde verbaasd zijn hoofd. 'Oude tijden herleven. Ik moet denken aan de tijd van Kellick de Tweede, toen er overal spionnen rondslopen en samenzweringen aan de orde van de dag waren.'

'Kunt u zich die tijd dan nog herinneren?' vroeg Theron een beetje verbaasd.

'Dwaas!' De tempelier begon te lachen. 'Dat is anderhalve eeuw geleden? Zie ik er zo oud uit?'

Theron begon ook te lachen, beschaamd om zijn slechte geheugen. Geschiedenis en de handel en wandel van vorsten en koningen waren nooit zijn sterkste punt geweest. 'Van alles wat ik ooit uit boeken heb geleerd, ben ik het meeste weer vergeten...'

Hij werd onderbroken doordat er iemand naast hem kwam staan. Toen hij zich omdraaide, ontdekte hij dat het de kreupele bedelaar was, nog altijd met de kap over zijn hoofd, hoog oprijzend als de schim van de Dood. Hoewel zijn rug en zijn benen gebogen leken, was hij toch net zo lang als Theron en moest hij ooit een indrukwekkende verschijning zijn geweest. Toen hij zijn verbonden handen ophief, klonk er in de duisternis onder de kap een droog, schurend geritsel. Theron deinsde verschrikt achteruit, maar de bedelaar verroerde zich niet en sprak geen woord.

'Waar is die knaap?' vroeg de tempelier geërgerd. 'Aha, daar is hij! Kom eens hier, knaap. Wat wil je meester?'

De jongen, die blijkbaar naar de keuken was geweest om wat te eten bij elkaar te bedelen, kwam gehoorzaam aanlopen, nog kauwend op een homp deeg. Nu Theron het kind met zijn zwarte haar beter bekeek, besefte hij dat diens donkere huidskleur niets te maken had met vuil of met de zon. Het kind had het uiterlijk van een zuiderling, met een huidskleur die doorgaans alleen voorkwam aan de kust van Ooskasteel en Landers Rede. Ja, dat was het, dacht Theron. De kleine jongen zag eruit als een van de straatkinderen die leefden als havenratten en die zich dankzij sluwheid en snelheid in leven wisten te houden.

'Wat zegt de kreupele?' vroeg de meester tempelier.

De jongen bracht zijn hoofd dicht naar de kap. Door het geknetter van het vuur was het voor de anderen onmogelijk ook maar iets te verstaan van wat de bedelaar zei, maar ten slotte richtte de jongen zich op.

'Hij zegt dat de dood zich voorlopig van haar heeft afgekeerd.'

De priester schudde geërgerd zijn hoofd. 'Van wie? Van de prinses? Zeg dat hij moet gaan slapen en dat hij de gesprekken van zijn meerderen niet moet verstoren.' Hij had het nog niet gezegd, of de uitdrukking op zijn gezicht veranderde. 'Nee, dat is niet aardig van me. De goden en de *onirai* zouden niet willen dat we de gebrekkigen zo behandelden.'

De jongen boog zich weer dicht naar de donkere kap. 'Hij zegt dat hij vertrouwd is met de dood; dat hij zelfs enige tijd in het huis van de dood heeft gewoond. Maar dat hij uiteindelijk weer is vrijgelaten.'

'Wat? Hij zegt dat hij in het huis van Kernios heeft gewoond?' Deze godslasterlijke wending van het gesprek kon de priester duidelijk niet bekoren.

De jongen boog zich opnieuw naar het gezicht onder de kap. 'En hij zegt dat hij Brionie moet zien te vinden nu ze is ontsnapt.'

'Wat een onzin!' zei de gastheer. 'Neem de arme dwaas mee naar de stal, knaap. Ik wil hem niet de kou insturen, maar hij moet zien dat hij vannacht elders een plek vindt om te slapen; ergens waar hij onze gasten niet tot last is.' De priester wachtte af terwijl de jongen de boodschap fluisterend doorgaf aan de bedelaar, maar die reageerde niet. Theron was zowel geboeid als verstoord. 'U maakt misbruik van onze goedheid,' zei de meester tempelier waarschuwend. Nog altijd geen reactie. 'Goed. Dan zal ik enkele van de broeders vragen om me te helpen hem naar de stal te brengen. Daar kan hij bij de paarden en de ezels slapen.' Na die woorden beende de priester voortvarend weg.

De bedelaar fluisterde weer iets tegen zijn jeugdige helper.

'Hij wil weten of u naar het noorden gaat,' zei de jongen tegen Theron.

Waarom wilde een oude, kreupele bedelaar dat weten, vroeg de leider van de bedevaart zich verward af. 'We gaan naar het noorden, ja, via Marijnstred. Onze bedevaart is begonnen in Blauwkust, en daar keren we ook weer naar terug.'

De bedelaar trok de jongen naar zich toe alsof hij haast had met zijn volgende woorden.

'Hij wil met u mee,' zei het kind toen het gemompel zweeg.

Theron rolde met zijn ogen. 'Ik wil niet oneerbiedig zijn tegen iemand die de goden toch al een zware last te dragen hebben gegeven, maar de enigen van onze pelgrims die de bedevaart te voet volbrengen, zijn jong en sterk. We houden een hoog tempo aan. Ik heb je meester zien lopen. Hij zou ons niet kunnen bijhouden, en wij zouden het ons niet kunnen veroorloven op hem te wachten.'

Theron vond het volkomen redelijk wat hij had gezegd, maar de jongen keek hem verward aan en keerde zich vervolgens weer naar zijn meester, die plotseling een verbonden hand uitstak. Theron deinsde ge-

schrokken achteruit, toen zag hij iets glinsteren op het smerige verband-
gaas. Een gouden munt.

'Hij zal u betalen voor een plek op een van de paarden,' zei de jongen nadat de bedelaar opnieuw fluisterend iets tegen hem had gezegd.

'Maar dat is... dat is een dolfijn!' zei Theron verbaasd. 'Een hele dolfijn!' Het was tien keer zoveel als hij aan de hele bedevaartskaravaan had
verdiend. De jongen draaide zich om toen de bedelaar hem aan zijn
mouw trok en hem weer iets toefluisterde.

'Hij zegt dat u het geld moet aannemen. Dat de doden geen goud
nodig hebben. '

*

Ze was verdwaald in het woud, toch was ze niet bang – tenminste, niet
heel erg. De boomkruinen wuifden, maar ze voelde geen wind. Wanneer ze langsliep bogen ze zich naar haar toe, alsof ze met borstelige
vingers naar haar reikten. Ze raakten haar echter niet aan. Hoewel de
wereld in nachtelijke duisternis was gehuld, kon ze wel zien – een licht
bewoog met haar mee en bescheen haar pad en wat zich om haar heen
bevond.

Vóór haar op het pad vluchtte iets weg – het was snel, zilverkleurig
en het bevond zich dicht boven de grond. Toen ze van richting veranderde om het te volgen, bewoog het pad met haar mee.

Ik droom, besefte Brionie.

Opnieuw werd het snelle wezen zichtbaar, een eindje vóór haar. Het
was zowel echt als een schim – ze voelde dat het op de een of andere
manier naar haar keek, terwijl het zich voor haar uit haastte. Ze wist dat
het probeerde haar naar iets belangrijks te leiden, dat ze moest zorgen
dat ze het niet uit het oog verloor, maar ze raakte hoe langer hoe verder achterop. Om haar heen groeiden de bomen steeds dichter op elkaar, en het pad werd gaandeweg moeilijker te zien. Een laatste zilverkleurige glimp, inmiddels heel ver vooruit, toen zag ze niets meer.

Brionie werd wakker met een gevoel van mislukking en verlies dat
veel verder ging dan wat er doorgaans van een droom bleef hangen. Ze
kon de akelige gedachte niet van zich afzetten dat ze iets heel belangrijks was misgelopen. Om haar heen waren haar hofdames al druk in de
weer, erop aandringend dat ze voortmaakte en uit bed kwam. Ze had
een afspraak die ze moest nakomen.

Dawet was zoals altijd in het zwart gehuld, met één subtiel verschil: zijn kleren leken deze keer geschikter voor hoofs vermaak dan voor onopgemerkt rondwaren in duistere stegen en ongure oorden. De splitten van zijn mouwen waren stralend rood gevoerd, net als zijn mantel, en ook zijn kniebroek was voorzien van rode en witte biezen.

'Een nieuwe ontmoetingsplaats?' vroeg hij haar, om zich heen kijkend op de Hof van de Fontein.

'Het is hier wat lawaaiiger. Dus we lopen minder risico te worden afgeluisterd.' Brionie liet haar blikken over zijn uitmonstering gaan. 'U ziet er minder steels en heimelijk uit dan anders, Meester Dan-Faar.'

Hij maakte een gespeelde buiging. 'De vrouwe is al te vriendelijk. Het toeval wil dat ik vanavond... nog een afspraak heb, na de onze.'

'Met een vrouw?' Brionie begreep niet waarom, maar het stak een beetje.

Bij wijze van uitzondering was Dawets glimlach veelbetekenend noch spottend. 'Ik hoop dat ik uw vriend ben, Prinses. Niets meer, maar zeker ook niets minder. Ik ben bijvoorbeeld niet uw dienaar. Dus met wie ik heb afgesproken, gaat alleen mij aan.'

Brionie slikte een nijdige repliek in en bracht haar hand naar het buideltje van Zoria dat om haar hals hing, om zichzelf eraan te herinneren wat belangrijk was. Het was waar wat hij zei: ze had geen enkel recht, en trouwens ook geen enkele zinnige reden om zich te interesseren voor wat Dawet uitspookte, en met wie, behalve wanneer haar veiligheid in het geding was. 'Zolang we inderdaad maar vrienden zijn,' zei ze dan ook. 'Ik moet u kunnen vertrouwen, Dawet. Dat meen ik. Ik heb iemand nodig die ik kan vertrouwen.'

Hij schonk haar een merkwaardige blik. 'Ik zou bijna denken dat u bang bent, Prinses.'

'Bang zou ik het niet willen noemen. Ik ben verwikkeld in... moeilijke kwesties. Ik sta op het punt om een reis te aanvaarden. En wanneer die reis eenmaal is begonnen, kan ik niet omkeren en terugzwemmen naar de kust.' Ze bracht haar hand opnieuw naar het buideltje om haar hals, volgde de ovale vorm met haar vingers en dacht aan de reis die de maagdelijke godin had gemaakt. 'Wilt u me helpen?'

'Wat wilt u dat ik doe, Prinses?'

Ze vertelde het hem. 'Kunt u daarvoor zorgen?' vroeg ze ten slotte.

De blik waarmee hij haar aankeek, verried behalve verrassing ook een zweem van bewondering. 'Natuurlijk. Geen probleem. Maar...' Hij haalde zijn schouders op. 'Daar moet wel voor betaald worden. Het soort mannen dat u zoekt, doet niet aan liefdadigheid.'

Ze lachte. En ze hoorde zelf hoe hard het klonk. Het viel niet mee om dit te doen. Ze had het gevoel alsof ze zich in een onbekende wereld begaf. 'Ik heb geld. Prins Eneas was zo vriendelijk me wat te geven – tot mijn zaken geregeld waren, zoals hij zei.'

'Voorwaar een koninklijk gebaar.'

'Is dit genoeg?'

Dawet keek naar het goud en aarzelde even. In de stilte leek het gespetter van de fontein steeds luider te worden. 'Meer dan genoeg,' zei hij ten slotte. 'Wat ik overhoud krijgt u terug.' Hij stond op. 'Ik moet ervandoor. Dan kan ik deze zaak nog in gang zetten voor mijn... voor mijn volgende verplichting.'

'Dank u wel.' Ze hield hem haar hand voor. Na weer een korte aarzeling pakte hij die en bracht hem naar zijn lippen, zonder zijn blik ook maar één moment van de hare los te maken. 'Waarom kijkt u me zo aan?' vroeg ze.

'Dit is een kant die ik niet had verwacht van u te zien, Prinses Brionie. Althans, nog niet.'

Ze voelde dat ze vluchtig bloosde, maar in de vallende avond zou hem dat ongetwijfeld ontgaan. 'Dus de duif van Zoria bewijst dat ze is besmeurd? Is dat een teleurstelling?'

Hij schudde lachend zijn hoofd. 'Ik zou het niet besmeurd willen noemen. Eerder bereid tot het nemen van maatregelen om zichzelf te beschermen. En dat doen zelfs de meest vredelievende onder de kinderen van de Natuur.' Zijn gezicht werd ernstig. 'Ik dacht ten onrechte dat de oude Shaso u van uw gezonde verstand had beroofd met zijn lessen.'

'Ach, Shaso dan-Heza is dood.'

De aanval op Jenkin Crowel, gezant van Zuidermark, in de vorm van een wrede aframmeling door drie onbekende huurmoordenaars, was de volgende dag aan het hele Tessische hof op ieders lippen. Toen hij uit zijn stamkroeg kwam, was Crowel verrast door wat aanvankelijk gewoon drie vervelende dronkenlappen hadden geleken. Maar er waren amper een paar woorden gewisseld of zijn twee wachten waren ontwapend en afgetuigd, waarop Crowel zelf te grazen was genomen.

De aanval op zich was vreemd, maar niet onbegrijpelijk, omdat Crowel in Tessis al een reputatie had opgebouwd vanwege zijn goklust en zijn onaangename, driftige karakter. Wat echter aanleiding gaf tot opgetogen speculatie – kortstondig, want het ontbrak de adel in Tessis nooit aan gespreksstof – was wat een van de afgetuigde wachten verklaarde te hebben gehoord terwijl hij op de grond lag.

Net voordat de aanvallers de benen namen, had een van hen zich op zijn hurken laten zakken naast de bebloede, luid jammerende Jenkin Crowel en hem iets toegebeten, waarvan de wacht alleen de laatste woorden had kunnen verstaan: '... zal je leren je leugens vóór je te houden!'

Maar tegen het eind van de week, toen Crowel opmerkelijk zwijgzaam bleef over het gebeuren en alle gezelschap meed door zich met zijn verwondingen en zijn blauwe plekken schuil te houden in zijn vertrekken, hadden de hovelingen van Dreefstaete allang weer wat anders om schande over te spreken.

16
In de zwammentuin

'Volgens de Vuttische barden wantrouwden de Qar de bewoners van
Ruottashemm, ook al waren ze aan hen verwant, en waren ze voortdurend
in conflict met Jittsammes, de koningin van de Koude Elfen.'

Uit *Een Verhandeling over de Elfenvolken van Eion en Xand*

'Weet je zeker dat je je kunt redden?' Opaal frunnikte aan de zoom van
haar mantel. Ze vond het afschuwelijk dat ze afscheid moest nemen,
maar net als Kiezel wist ze dat het goed was wat ze deed. 'En zul je goed
op de kleine passen?'

'Maak je geen zorgen, lief ouwetje van me. Het is maar voor een paar
dagen.' Hij omhelsde haar en trok haar dicht tegen zich aan. Even verzette ze zich. Want Opaal vond het niet prettig om in haar bewegingen
te worden beperkt, zelfs niet door haar echtgenoot – misschien wel bij
uitstek niet door haar echtgenoot. Haar vader, Zand Looksteen, had
Kiezel ooit bekend dat hij zich volstrekt niet opgewassen voelde tegen
de vrouwen in zijn gezin. *Die Opaal van jou en haar moeder schrijven me
al zo lang de wet voor, dat ik me geen raad zou weten als ik ooit mijn eigen
koers zou mogen bepalen – ik zou waarschijnlijk dood neervallen.*' Kiezel,
die toen hij met Opaal trouwde precies had gekregen wat hij had verwacht, namelijk een vrouw die zowel vurig van hem hield als vurig met
hem kon bekvechten, had slechts lachend geknikt.

'Een paar dagen?' herhaalde ze op dat moment. 'En dat is bedoeld als geruststelling? Als je ze hier hoort praten, kan in een paar dagen de hele wereld wel vergaan.' Maar het was alleen maar uit gewoonte dat ze protesteerde; ze hadden al uitvoerig gepraat en geruzied, en uiteindelijk had ze met zijn voorstel ingestemd. Sterker nog, deze tocht was vooral Opaals idee geweest. Nu steeds duidelijker werd dat de oorlogsdreiging reëel was, werden de mannen uit Funderstad opgeroepen voor de strijd, en Opaal had besloten dat de vrouwen ook hun steentje moesten bijdragen. En dus ging ze terug om de hulp in te schakelen van Vermiljoen Cinnaber en een aantal andere belangrijke vrouwen, zodat ze er samen voor konden zorgen dat de mannen die strijd moesten leveren, werden voorzien van alles wat ze nodig hadden; maar bovendien dat belangrijk werk dat door het vertrek van de mannen bleef liggen, door de vrouwen werd gedaan. Kiezel was trots op haar en wist dat ze zich kranig zou weren. Wanneer Opaal ergens haar zinnen op zette, kwam het voor elkaar. Altijd.

'De wereld vergaat niet terwijl jij weg bent, oudje,' stelde hij haar gerust. 'Ze zou niet durven. Maar je moet me echt beloven dat je bij Agaat blijft; dat je niet naar huis gaat. Mocht je iets van huis nodig hebben, stuur dan iemand anders, voor het geval dat de boel in de gaten wordt gehouden.'

'Als dat zo was, dan zou toch heel Funderstad het weten?'

Kiezel schudde zijn hoofd. 'Je denkt aan soldaten – mensen van het grote volk. Maar ik ben niet zo zeker van onze buren. Tenminste, niet van allemaal. Er zit vast wel iemand bij die in ruil voor geld de heer konstabel zou waarschuwen als hij – of zij – zag dat je weer thuis was. Daarom hebben we ook aan niemand verteld waar we heen gingen, behalve aan onze naaste familie.'

'Niet om het een of ander, maar wie denkt er hier nou dat de wereld ophoudt met draaien als hij niet blijft duwen?' zei ze hatelijk, maar hij hoorde aan haar stem dat ze niet echt boos was. Ze trok hem nog even tegen zich aan, toen liet ze hem los. 'Pas goed op de kleine.'

'Natuurlijk.'

'Ik wou dat ik hem mee kon nemen.'

'Als ze ons inderdaad in de gaten houden, dan zou je met hem erbij veel te veel opvallen. Nee, m'n lief, hij blijft hier en jij komt zo snel mogelijk terug.'

Opaal ging op haar tenen staan om hem op zijn wang te kussen, en toen hij haar terug kuste op haar mond, schonk ze hem een verraste glimlach. Nadat ze haar tas om haar schouder had gehangen keerde ze zich naar Broeder Natron, een vriend van Broeder Antimoon, die op discrete afstand had gewacht terwijl ze afscheid namen. Natron maakte de indruk een intelligente, behoedzame jongeman te zijn, waardoor Kiezel zich iets gerustgesteld voelde; toch zou hij de voorkeur hebben gegeven aan de vertrouwde en betrouwbare Antimoon, maar die was vertrokken met Ferras Vansen en een groepje hoeders, om de invasie in de buitengangen te onderzoeken.

'Kom veilig terug, m'n lief!' riep hij, plotseling benauwd en bezorgd. Maar Opaal en de jonge monnik waren al uit het zicht verdwenen.

'Papa Kiezel, u moet me helpen.'

Even kon hij geen woord uitbrengen en het kind alleen maar verbaasd aankijken, want het was voor het eerst dat Flint hem zo had genoemd. Wat het nog merkwaardiger maakte, was dat hij de laatste dagen amper een woord had gezegd. Maar nu Opaal was vertrokken leek hij weer een van zijn merkwaardige, verontrustende veranderingen te hebben ondergaan.

'Wat moet ik doen?'

Flint ging rechtop zitten en gooide zijn benen over de rand van het bed, toen bukte hij zich naar de stenen vloer om zijn schoenen te zoeken. 'Ik wil met de oude dromer praten.'

Kiezel schudde verbouwereerd zijn hoofd. 'Wie bedoel je?'

'Er is hier een oude man. Iedereen kent hem. Hij ziet dingen in zijn dromen. En ik moet met hem praten.'

Er kwam een vage herinnering bij Kiezel naar boven. 'Grootvader Sulfer? Maar hoe weet jij dat? Je was er niet bij toen Nikkel ons over hem vertelde.'

Flint nam niet de moeite erop in te gaan. 'Wilt u me alstublieft bij hem brengen? Ik moet met hem praten.'

Kiezel keek naar het verwarrende, soms ronduit angstaanjagende kind dat hem tot wanhoop kon drijven, denkend aan dat moment – het leek inmiddels in een ander leven – toen de zak nog dicht was en hij Flint nog nooit had gezien.

Als ik die zak nou eens dicht had gelaten? Als ik Opaal nou eens ferm bij de arm had gepakt en was weggelopen? Als ik het nou eens aan anderen had overgelaten om dat probleem op te lossen? Zou het dan allemaal anders zijn gelopen? Beter... of slechter... Want het was nauwelijks mogelijk om de komst van Flint los te zien van alle andere vreemde dingen die hun leven op zijn kop hadden gezet; trouwens, het leven van iedereen die ze kenden, zowel bij de Funderlingen als bij het grote volk.

Hij zuchtte. *Wie de spade in de grond steekt, moet de hele kuil graven.* 'Akkoord,' zei hij in antwoord op de vraag van Flint. 'Ik zal zien wat ik voor je kan doen.'

'Ik begrijp er niets van,' zei Broeder Nikkel. Hij was een telg uit een machtige familie en pas recentelijk bevorderd van acoliet tot monnik, en hoewel hij een van de velen was, werd hij door iedereen in de tempel – niet in de laatste plaats door zichzelf – beschouwd als degene die door de abt was uitverkoren als zijn opvolger. Met als gevolg dat hij zich gedroeg alsof hij de ceremoniële houweel al had opgenomen. 'Sinds we jullie gastvrijheid hebben verleend, hebben jullie al onze tradities en gewoontes met voeten getreden,' zei hij verontwaardigd. 'Vrouwen, kinderen, vluchtelingen, leden van het grote volk... Iedereen komt hier maar binnenvallen. Als Cinnaber en het Gilde niet hadden gezworen dat de nood hoog is...'

'En dat hebben ze niet voor niets gezworen,' zei Kiezel. 'Je hoeft ons alleen maar te zeggen waar we hem kunnen vinden. We zijn je dankbaar voor je hulp, maar we willen niet langer dan nodig beslag leggen op je tijd...'

'Je dacht toch niet dat ik jullie zonder toezicht hier laat rondzwerven... en dan ook nog onze oudste broeder ondervragen?' Nikkel stond op. 'Nee, ik breng jullie zelf naar hem toe. Hij is oud en zwak. Als jullie hem met jullie vragen van streek maken is het gesprek meteen afgelopen. Is dat duidelijk?'

'Akkoord. Natuurlijk.'

Chaven, de heelmeester, die het gesprek met belangstelling had gevolgd, schraapte zijn keel. 'Ik denk dat ik ook maar meega. Tenminste, als jij dat goedvindt, Kiezel...'

'Als Kíézel dat goedvindt?' Nikkel zag veel te rood voor zijn nog betrekkelijk jeugdige leeftijd. 'En de Metamorfische Broederschap dan? Maar natuurlijk, neem vooral zo veel mogelijk mensen mee! Misschien moeten we een parade organiseren, zoals op de Dag van de Eerste Delving. Roep alle burgers en buitenlui bij elkaar en trek in processie door de tuinen! Wat zal die arme oude man verrast opkijken!'

'Misschien overdrijft u een beetje, Broeder Nikkel,' zei Chaven geduldig. 'Ik ben tenslotte dokter. Wie kunt u er nou beter bij hebben als u bezorgd bent om de gezondheid van Grootvader Sulfer? En Flint is ook bij me in behandeling geweest. Dus ik denk dat het heel verstandig is als ik meega.'

Kiezel glimlachte, maar hoewel zijn taak nog niet eens was begonnen, was hij nu al moe en voelde hij zich behoorlijk ontmoedigd. Waarom leek het toch dat hij voortdurend ánderen hielp hun zin te krijgen?

'In dit gedeelte van de tempel ben ik nog nooit geweest,' zei Chaven terwijl ze het kronkelende pad volgden door een lage grot bestaande uit grillige kalksteenformaties – een pad dat alleen Nikkel herkende.

'Waarom zou u hier geweest moeten zijn?' vroeg de Metamorfische Broeder. 'Er gebeurt hier niets wat voor u en uw soort interessant zou zijn. Hier liggen onze tuinen en boerderijen waar we ons eten verbouwen. Zelfs al voordat u met z'n allen kwam binnenvallen, hadden we hier bijna honderd monden te voeden.'

En er komen er nog veel meer, dacht Kiezel. *Als je geluk hebt Funderlingen, geen elfen.* Maar dat zei hij niet hardop.

'Ach, maar ik ben gewoon geïnteresseerd in dit soort zaken,' zei Chaven. 'Een ware man van de wetenschap houdt nooit op student te zijn. Dus wees alstublieft niet zo streng, Broeder Nikkel. We zijn dankbaar dat u ons onderdak hebt verleend. In deze tijden van oorlog en nog veel vreemdere dingen moeten mensen van goede wil elkaar bijstaan en één front vormen.'

Nikkel snoof maar toen hij opnieuw het woord nam klonk hij iets wellevender. 'Dat daar is de weg naar de zoutmijn. De mijn is niet groot, maar levert voldoende op voor eigen gebruik, en dan kunnen we ook nog wat verhandelen in de stad hierboven.'

Flint leek als enige niet geïnteresseerd in de grot en in de bizarre formaties van levende steen. De gebruikelijke onbewogen uitdrukking was op zijn gezicht teruggekeerd; hij keek strak voor zich uit als een soldaat op weg naar een treffen op leven en dood.

Wie ben je toch, jongen? Wie ben je écht? Kiezel wist ineens niet meer zo zeker of hij het zou begrijpen als iemand die vraag voor hem beantwoordde. *Wat ben je?* Hoe dan ook, het antwoord deed er niet toe. Het enige wat ertoe deed, was dat zijn vrouw van het kind hield, en hij hield van zijn vrouw. Wat hij voor Flint voelde, liet zich moeilijker onder woorden brengen. Maar terwijl hij naar de ernstige jongen keek, met zijn dikke bos bijna spierwit haar, besefte hij dat hij zou doen wat hij kon om te zorgen dat hem niets overkwam.

'Hier moeten we heen.' Nikkel gebaarde naar een zijgang.

Kiezel rook de sterke geur van de zwammentuin, een geur van schimmel, vocht en dierlijke mest, al ruimschoots voordat ze de gang uit kwamen. De grot werd slechts verlicht door een paar fakkels, en het was er dan ook nauwelijks minder schemerig dan in de gang. Chaven, die nog altijd niet helemaal gewend was aan het gedempte licht waarin de Funderlingen leefden, bleef staan en strekte zijn armen voor zich uit, als een blinde; Kiezel pakte hem bij de elleboog.

De zwammentuin was verrassend groot, een natuurlijke, hoge grot die de Funderlingen met hamer en beitel verder hadden bewerkt. Daarbij was de meeste inspanning besteed aan het vrijmaken van het midden, waar lage stenen tafels waren neergezet, maar ook de muren waren grondig aangepakt en voorzien van groeven met daarin rijen en nog eens rijen planken.

Op alle tafels in de uitgestrekte grot stonden bladen met zwart zand, bespikkeld met kleine bleke stippen. Ook de nissen waren gevuld met grond en mest: duizenden tere, waaierachtige paddenstoelen groeiden tegen de muren, vanaf de grond tot vijf, misschien zes keer Funderlinghoogte. Ze werden verzorgd door monniken op ladders. Kiezel begon zich net af te vragen wie van de in lange gewaden gehulde figuren Grootvader Sulfer was, toen hij een gebogen, oude man ontdekte, een magere figuur die in het midden van de ruimte op een kruk zat en een van de bladen bestudeerde met een kijkglas van rotskristal. Flint liep al naar hem toe, tot grote schrik van Broeder Nikkel.

'Wacht eens even! Hier blijven! Ik moet eerst met hem praten...' Nikkel haastte zich achter Flint aan, op zijn beurt weer gevolgd door Kiezel, die bang was dat de situatie zou uitlopen op een handgemeen. Flint was een halve kop groter dan de Funderlingen, met uitzondering van Broeder Antimoon, dus Kiezel maakte zich geen zorgen dat de jongen bezeerd zou raken, maar ze waren tenslotte te gast bij de Metamorfische Broederschap; het zou niet gepast zijn een vechtpartij uit te lokken.

'Kiezel?' hoorde hij de stem van Chaven achter zich. 'Waar ben je gebleven?' De dokter gromde van pijn toen hij zijn scheenbeen tegen een van de stenen tafels stootte.

Kiezel maakte met tegenzin rechtsomkeert om Chaven te helpen. Maar hij was toch al te laat om Nikkel en Flint in te halen.

'Aha, daar ben je!' Chaven omklemde zijn arm. 'Je moet me even de tijd geven; mijn ogen wennen niet meer zo snel aan het donker als toen ik jonger was...'

Tegen de tijd dat ze de schemerige ruimte waren overgestoken, troffen ze Flint afwachtend aan op de kruk naast de oude man; zijn gezicht stond opnieuw uitdrukkingsloos, alsof hij zich had teruggetrokken in de wereld van zijn gedachten. Broeder Nikkel sprak met Sulfer – een waterval van woorden waarvan Kiezel alleen het staartje opving.

'... natuurlijk vreemde tijden. Ik neem aan dat u hebt gehoord van onze bezoekers, grootvader? Deze jongen is een van hen. Hij wil u iets vragen.'

De oude monnik keek van Nikkel naar Flint, en toen weer naar Nikkel. Sulfers gezicht was ingevallen, de gerimpelde huid hing slap om zijn gezicht, alsof zijn schedel met het klimmen van de jaren was gekrompen. Hoewel hij duidelijk blind was door staar, kneep hij zijn ogen wantrouwend tot spleetjes. 'Wil hij iets vragen... of iets meenemen?' De stem klonk gebarsten en droog als een klif van zandsteen.

'Ik heb hun nadrukkelijk duidelijk gemaakt dat ze alleen...' Nikkel zweeg abrupt, zijn ogen werden groot. En ook Kiezel zette grote ogen op. Er ging een huivering door de kap van de oude man, alsof een van zijn oren probeerde zich los te maken van zijn hoofd. Toen verscheen er uit de duisternis naast zijn wang een grotesk klein gezichtje, zodat iedereen behalve Flint verrast zijn adem inhield en een stap naar achteren deed.

'Ai!' zei Sulfer. 'Iktis, af!' Hij klopte met zijn hand op zijn schoot, waarop het slanke, wollige beestje vanuit zijn kap langs zijn arm naar beneden kroop. Toen het zich op de schoot van de monnik had geïnstalleerd, keerde het zich naar zijn publiek en keek met heldere oogjes om zich heen. Het was een bunzing, door bovengronders ook wel 'roofkat' genoemd. Sommige rijke Funderlingen hadden een bunzing als huisdier, om op muizen te jagen, maar Kiezel had er nog nooit een gezien. 'Wat wil deze knaap van me?' vroeg Sulfer.

Flint aarzelde geen moment. 'U droomt,' zei de jongen. 'U hebt angstaanjagende dromen over goden. Ik wil graag dat u me daarover vertelt.'

De oude monnik richtte zich op, waarop de bunzing verontwaardigd begon te kwetteren en zich aan hem vastklampte als een schipbreukeling aan een deinend vlot. 'Wat zou jij kunnen weten van mijn visioenen, *gha'jaz?* De stem van Grootvader Sulfer klonk schor en brommerig – niet alleen boos, maar ook angstig. 'Hoe durf jij, als kind van de bovengronders, me te vragen naar het woord van de goden?'

Nikkel en Kiezel begonnen allebei tegelijk te praten, maar Flint negeerde hen. 'Ik ben uw vriend. Vertel me alstublieft over uw dromen.

Het is in het belang van uw volk dat u me daarover vertelt.'

'Luister eens, knaap,' begon Nikkel weer, maar ook Sulfer negeerde hem. Even leek het Kiezel alsof de reusachtige, muffe ruimte er plotseling verlaten bij lag; alsof de oude man en de jongen met het witte haar alleen waren overgebleven. Er gebeurde iets tussen hen; er werd een taal gesproken zonder woorden, als de kleine, bijna onzichtbare zaden van de paddenstoelen die als ongeziene geesten door de lucht vlogen.

'De schildpad,' zei Grootvader Sulfer abrupt. 'Het begon met de schildpad.'

'Wat?' Nikkel legde zijn hand op de schouder van Flint, als om de jongen weg te trekken. 'Grootvader, u bent moe...'

'De schildpad verscheen aan me in een droom. Hij sprak over de tijden die komen gaan – de tijd waarin slechte mannen zullen proberen de goden te vernietigen. Over de catastrofe die ze over de Funderlingen zullen afroepen. Die droom was de wáárheid – dat wéét ik. Het was de Heer van de Hete Natte Steen zelf.'

'De schildpad...' zei Chaven langzaam, afwezig, alsof hij in zichzelf praatte. Iets in de stem van de heelmeester maakte dat de haren in Kiezels nek overeind gingen staan. 'De schildpad... de spiraalvormige schelp... de dennenboom... de úíl...'

Flint liet zich niet afleiden. 'Wat moest u doen, grootvader? Wat verwachtte de Heer van de Hete Natte Steen dat u deed?'

'Dit is godslastering,' protesteerde Nikkel. 'Deze... bovengronder, deze gha'jaz, zou geen vragen mogen stellen over zulke heilige zaken...'

Maar Grootvader Sulfer scheen het niet erg te vinden. Integendeel, Kiezel had de indruk dat de oude man steeds meer betrokken begon te raken bij het onderwerp. 'Hij zei dat ik mijn volk moest vertellen dat de Oude Nacht aanstaande is en dat deze zondige wereld spoedig ten einde zal zijn. Hij verscheen aan me in mijn dromen. En hij zei dat elk verzet van de mensen tegen zijn wil zinloos is.'

'Hij zei dat u zich niet mocht verzetten tegen de wil van de goden?' vroeg Flint. 'Waarom zou uw god dat zeggen?'

'Godslastering!' zei Nikkel. 'Hoe kan hij zulke vragen stellen aan Sulfer, de uitverkorene van de Heer van de Steen zelf?'

Kiezel legde zijn hand op de arm van de monnik. 'Broeder Sulfer is niet bang om met de jongen te praten, dus laat ze. Toe, Broeder Nikkel, deze zaken zijn voor ons allebei te hoog gegrepen – maar u moet toch ook beseffen dat het een uitzonderlijke tijd is waarin we leven?'

Nikkel kon amper stil blijven staan. 'Daarom hoef ik nog niet toe te staan dat... dat het eerste het beste kind in onze heilige tempel zomaar doet wat hij wil!'

Kiezel zuchtte. 'Wat hij ook is, ik weet al heel lang dat mijn Flint niet zomaar "het eerste het beste kind" is. Heb ik gelijk of niet, Chaven?'

Maar die reageerde niet, want hij luisterde in vervoering naar de oude man en de jongen.

'U hebt altijd gedroomd van de goden.' Het was eerder een constatering van Flint dan een vraag.

'Natuurlijk. Al sinds ik nog jonger was dan jij, knaap,' zei de oude man met een zekere tevredenheid. Hij tilde een hand op als een gevlekte klauw. 'Toen ik amper twee was, zei ik al tegen mijn ouders dat ik zou toetreden tot de Metamorfische Broederschap.'

'Maar deze dromen zijn anders, waar of niet?' zei Flint.

De oude man leunde abrupt naar achteren, alsof hij was geslagen. Opnieuw kneep hij zijn melkwitte ogen tot spleetjes. 'Wat bedoel je?'

'De dromen van de schildpad – de dromen waarin u de stem van de god hoorde. Zulke dromen hebt u níét uw hele leven gehad, is het wel?'

'Ik heb altijd van de goden gedroomd...' bulderde de oude man.

'Wanneer veranderden uw dromen? Sinds wanneer zijn ze... zo krachtig?'

Weer leek er een langdurige, geluidloze uitwisseling plaats te vinden tussen Flint en de oude monnik. Ten slotte was het alsof Sulfers doorgroefde gezicht instortte. 'Sinds een jaar, misschien iets langer, net na het koude seizoen. Toen droomde ik voor het eerst over de schildpad. En toen begon ik Zijn stem te horen.'

'En wat gebeurde er vlak voordat de dromen begonnen?' Flint stelde zijn vragen zo geduldig alsof híj de priester was en de oude man een ongelukkige, verwarde boeteling. 'U vond iets, of iemand gaf u iets. Heb ik gelijk of niet?'

Kiezel slaagde er niet in zijn eigen ongerustheid te sussen over deze nieuwe uitdrukking op het gezicht van het kind op wie Opaal en hij zoveel hoop hadden gevestigd. Wat was de kleine jongen aangedaan daar achter de Schaduwgrens? En wat nog belangrijker was, wás hij wel een jongen, of was hij een bewoner van de schemerlanden die er alleen maar úítzag als een kind? Hadden ze misschien een adder aan hun borst gekoesterd?

'Ja, wat gebeurde er?' vroeg Chaven met een gretige ondertoon in zijn stem. 'Wat werd u gegeven?'

Sulfer gebaarde afwerend met zijn hand. 'Ik weet niet wat u bedoelt.

En ik ben moe. Dus gaat u weg.' Iktis de bunzing, die nog altijd op zijn schoot lag, werd onrustig; onder luid gekwetter verdween het diertje in de mouw van de oude man.

'Genoeg!' zei Nikkel. 'U moet gaan...'

'Niemand zal het u afnemen,' zei Flint alsof hij Nikkel niet had gehoord. 'Dat beloof ik, grootvader. Maar vertel me de waarheid. Zelfs de goden moeten de waarheid respecteren.'

'Weg! Nu meteen...' Nikkel keek alsof hij van plan was Flint bij kop en kont te pakken en weg te sleuren, maar Kiezel greep de monnik bij de arm en hield hem tegen.

Het zwijgen van de oude man was zo volmaakt en zo langdurig, dat ze voor het eerst het gepiep konden horen wanneer de ladders aan de andere kant van de ruimte werden verplaatst, en zelfs het geroezemoes van de gefluisterde gesprekken tussen de andere Metamorfische Broeders, die het niet was ontgaan dat er in het midden van de tuin iets aan de hand was. Sulfer keek neer op zijn handen, die gevouwen in zijn schoot lagen.

'Mijn kleine Iktis heeft het gevonden,' zei hij ten slotte, zo zacht dat behalve Flint iedereen zich naar voren boog. 'Hij heeft het de hele weg naar me toe gesleept. Want hij is dol op alles wat glimt, en soms gaat hij helemaal naar de stad. Ik heb menige armband of ketting moeten terugsturen met een broeder die naar de markt ging. Iktis komt zelfs boven de grond. En soms gaat hij heel... diep.'

'Mag ik het zien?' vroeg Flint. 'Ik beloof u dat niemand het u zal afnemen.'

Weer een langdurige, geladen stilte. Ten slotte reikte Sulfer in zijn zware gewaad, waarvan de plooien waren berijpt met schimmel. Iktis, die zich nog altijd in de mouw van de oude man verborgen hield, begon hevig te kwetteren van protest toen Sulfer iets glimmends tevoorschijn haalde dat aan een gevlochten koord van rattenhuid om zijn hals hing.

'Mijn kijkglas,' zei hij. 'Op het moment dat ik het zag, wist ik dat het voor mij was bedoeld.'

Het was het ding dat hij in zijn hand had gehouden toen ze hem voor het eerst zagen – een kleine, dunne scherf kristal in een onregelmatige, zilverkleurige, metalen lijst die om de natuurlijke vorm van het kristal was gezet en die was versierd met minutieuze inscripties die zelfs Kiezels sterke ogen niet duidelijk konden onderscheiden. Hij herkende het metaal niet, noch de stijl waarin het was bewerkt; zelfs het kristal kwam

hem onbekend voor, hoewel hij ook dat moeilijk kon zien in het schemerige licht van de zwammentuin.

Chaven haalde diep adem. 'Dat is Qar-werk,' zei hij afwezig. 'Ja. De
stem van de schildpad. Een kooi voor de witte uil. Ja, natuurlijk...'

'En toen het diertje u dit had gebracht,' vervolgde Flint nog altijd
heel kalm, 'toen begonnen de dromen over de Heer van de Hete Natte
Steen.'

'Maar ik heb altijd van de goden gedroomd!'

'Mag ik even...' Chaven strekte zijn hand uit zonder dat Sulfer zich
daarvan bewust was; de adem van de heelmeester ging zwaar en hijgend,
zijn ogen stonden wazig als de ogen van een slaapwandelaar. 'Ja, mag ik
even...' Zijn stem was schor geworden, een gedreven fluistering. 'Ik
moet...'

Kiezel had hem eerder zo gezien, zij het maar heel even: Chaven was
weer in de greep van zijn spiegelwaanzin. En Kiezel wist zeker dat de
heelmeester elk moment het kristal uit de handen van de oude man kon
grissen, waarop er een chaos zou losbarsten. Met waarschijnlijk als resultaat dat ze uit de tempel werden weggestuurd en hun schuilplaats
kwijt waren, de laatste en beste mogelijkheid om zich te verbergen.

Kiezel schopte Chaven tegen zijn scheenbeen, precies op de plek waar
de dokter zich eerder zo pijnlijk had gestoten aan een van de tafels. De
heelmeester slaakte een gil en begon op het andere been op en neer te
dansen, grijpend naar de zere plek. Het duurde niet lang of hij viel, waarbij hij een hele stapel gereedschappen meetrok. Geschrokken en wantrouwend stopte de oude monnik zijn scherf kristal weer veilig weg in
zijn beschimmelde gewaad.

'Wat gebeurt er?' schreeuwde Nikkel. 'Zijn jullie nou helemaal gek
geworden?'

'Chaven heeft zijn been weer gestoten,' zei Kiezel. 'Dat is alles. Help
me de arme kerel terug te brengen naar de tempel – zijn scheenbeen
bloedt. Flint, jou heb ik ook nodig. Bedank Grootvader Sulfer voor zijn
hulp, dan gaan we.'

De jongen keek naar de oude man, wiens gezicht weer afwerend en
gesloten stond. Zonder iets te zeggen draaide Flint zich om en liep de
tuin uit, het aan Kiezel en Nikkel overlatend om de hinkende, jammerende dokter tussen zich in te nemen.

*

Het eerste wat Ferras Vansen zag, was een bleke, geelgroene ster die in de duisternis boven hem zweefde. Hij vond het vreemd dat een ster zo beweeglijk kon zijn: ze danste niet alleen heen en weer in een soort lussenpatroon als van een hommel op zoek naar honing, maar ze leek bovendien tegen hem te praten.

Sterren praten niet. Daar was Ferras Vansen vrij zeker van. *En ze... ze hommelen ook niet.*

'Bent u...' vroeg de ster. 'Kunt... horen...'

Hij was een beetje teleurgesteld: als een ster ooit tot hem sprak, dan had hij verwacht dat die iets belangrijkers zou zeggen. Werden sterren niet geacht de zielen te zijn van gevallen helden? Of hingen ze al zo lang aan de hemel dat ze hun verstand waren verloren, zoals dat Vansens vader was overkomen in dat verschrikkelijke laatste jaar van zijn leven?

Even vroeg hij zich af of hij misschien dood was en op de een of andere manier in de hemel was beland – niet dat hij ook maar iets had gedaan om een heldenplek te verdienen – maar bij de gedachte aan zijn vader kwam de vraag bij hem op of de dood zo... wazig kon zijn, zo verwarrend. Dat leek hem niet waarschijnlijk.

'Hij... meer water...' zei de ster.

Vansen probeerde zich te concentreren op het bewegende licht. Al snel deed hij een merkwaardige ontdekking: hij kon daarachter – achter de ster! – iets onderscheiden. Niet het zwarte gordijn van de nacht dat hij zou hebben verwacht, maar iets wat eruitzag als een gezicht. Was het de grote Perin Hemelheer zelf, die zijn gevallen ziel kwam inspecteren? Of was het Kernios, de hoeder van de doden? Een kille huivering trok door hem heen bij de gedachte aan die grimmige god. Maar als het Kernios was, dan zag hij er bekend uit. Sterker nog, de god van de onderwereld zag er net zo uit als... Broeder Antimoon...

Toen eindelijk besefte Vansen dat de geelgroene gloed waar hij zo slaperig naar had gestaard sinds hij bij kennis was gekomen, de koraallamp was die Broeder Antimoon op zijn voorhoofd droeg.

'Dus ik ben... niet... dood?' Zijn mond was kurkdroog. Het kostte hem moeite om te praten.

'Hij slaat geen wartaal meer uit,' zei Antimoon duidelijk opgelucht. 'Nee, Kapitein Vansen, u bent niet dood.'

'Wat is er gebeurd?' Als een donkere wolk kwam er een herinnering bij hem op. 'We hebben ze gevonden. Die wezens...'

'Ze hadden een soort vergif gebruikt,' vertelde Antimoon. 'Een poe-

der dat ze door een buis blazen, net zoals onze voorouders dat deden.
We mogen van geluk spreken dat ze u niet hebben gedood. Bovendien
blokkeerde u de gang, waardoor wij het niet hebben binnengekregen.'
Hij hielp Vansen rechtop te gaan zitten en gaf hem een beetje water te
drinken. De andere Funderlingen hurkten vlakbij – de kale Moker IJ-
zerkiezel en zijn hoeders. Voor zover de nog altijd enigszins versufte
Vansen dat kon zien, waren ze er allemaal. 'Heeft iedereen het overleefd?'

'Ja, prijs de Aard Ouden, we zijn er allemaal nog,' zei Antimoon. 'En
kijk eens!' Hij wees naar een reusachtig brok duisternis tegen de wand
van de tunnel, ongeveer zo groot als een paard. 'Dat is een van de diepte-ettins – we hebben hem gedood!'

'Dat karwei heb ik voornamelijk voor mijn rekening genomen,' zei
IJzerkiezel bijna genietend. 'U moet wel eerlijk blijven, broeder! Ik heb
mijn beitel recht in zijn oog geplant.'

'Wat is het?' Vansen kroop naar het enorme lijk, maar wenste al snel
dat hij dat niet had gedaan; het verspreidde zo'n weerzinwekkende rot-
tingsgeur dat zijn ogen ervan begonnen te tranen. 'Hoe noemde u het...
een ettin?'

'*Krja'azel*,' antwoordde Antimoon. Het woord klonk zo vreemd en zo
hard uit de mond van de vriendelijke jonge Funderling dat hij ineens
een heel ander mens leek. 'Die hebben we niet meer gezien sinds de tijd
van mijn overgrootvader, en zelfs toen zag je ze zelden.'

'Maar in die tijd leefden ze in het wild,' zei IJzerkiezel. 'Deze vocht
aan de kant van de elfen.'

'En wat ligt eronder?' vroeg Vansen, zijn neus dichtknijpend. Aanvankelijk dacht hij dat het een soort vin was op de nek van het schepsel, maar toen hij beter keek zag hij korte, stompe vingers. Hij probeerde de ettin weg te duwen, maar die was vele malen zwaarder dan hij.

'Een van zijn meesters,' zei Moker IJzerkiezel. 'Een van de elfen met
de poederpijpen. We zagen ze allemaal voorbijrennen toen u neerging,
met hun gezicht bedekt door een kap, maar toen ik dat monster in zijn
oog stak, is deze elf er blijkbaar onder terechtgekomen.'

Vansen begon weer tegen het stinkende reusachtige monster te duwen. 'Kan het zijn dat hij nog leeft?'

De aanvoerder van de hoeders begon te lachen, maar het klonk onplezierig. 'U hebt geen idee hoe lang u buiten westen bent geweest, is
het wel?'

Antimoon schoot Vansen te hulp, en nadat IJzerkiezel en zijn mannen hun geworstel enige tijd met grimmige geamuseerdheid hadden gadegeslagen, hielpen ook zij een handje. Ten slotte lukte het hun met vereende krachten het lijk van de ettin weg te rollen. De gedaante die daaronder lag, was kleiner dan Antimoon, en door het gewicht dat hem had verpletterd, was zijn gezicht vermorzeld tot een verwrongen dodenmasker. Toch waren de trekken nog zo duidelijk te onderscheiden dat zelfs Vansen ze herkende.

'Bij de goden!' riep hij. 'Het is een Funderling!'

'Mogen de Aard Ouden ons beschermen,' bracht Antimoon ademloos uit. 'Is het een van ons?'

'Geen sprake van,' snauwde Moker IJzerkiezel. 'Kijk nou eens goed. Kijk naar zijn handen. Heb ik zulke handen? Heb jij ze?' Het kleinste van de twee kadavers had brede, vierkante vingertoppen, en de nagels waren zo lang en zo dik als de klauwen van een mol.

Vansen keek naar het gezicht, waarvan de mond wijd open stond. De onderste helft was bedekt met een dichte, onverzorgde baard, als een soort zwart mos. 'Ik heb zulke schepsels eerder gezien. In de Grote Diepten, achter de Schaduwgrens.'

'Bij het licht van de Poel, hij heeft gelijk,' zei Antimoon zacht. 'Het is een droggel.' Hij maakte een teken op zijn voorhoofd en zijn borst. 'Wie had dat ooit gedacht? Een droggel in Funderstad.'

'Wat is een droggel?'

'Ze zijn aan ons... verwant, kapitein,' antwoordde Antimoon. 'Lang geleden volgden ze de Qar naar het noorden, maar ik dacht eigenlijk dat ze waren uitgestorven.'

'Ik heb er diverse gezien,' vertelde Vansen. 'Blijkbaar zijn deze met het elfenleger meegekomen uit de Schaduwlanden.'

'Dat is ernstig,' zei IJzerkiezel. 'Heel ernstig. Ze zijn onder de grond net zo slim en net zo handig als wij. Als het op een gevecht aankomt, zouden we de bovengronders nog wel weten te ontregelen... maar droggels?'

'En wat belangrijker is,' zei Vansen, 'of het nou droggels zijn of anderen die ze sturen – ook al hoop ik vurig dat we niet nog meer ettins te verwachten hebben – het is duidelijk dat de elfen de aanval op Zuidermark zijn begonnen. Of in elk geval op de gangen hierbeneden. Maar waarom uitgerekend nu, terwijl ze dat al veel eerder hadden kunnen doen? Daar moet toch een reden voor zijn? Waarom hebben ze abrupt een eind gemaakt aan een langdurige periode van rust? Bijna een periode van vrede, als ik u goed heb begrepen?' Hij staarde de gang in alsof hij helemaal tot in de raadskamers van het elfenvolk kon kijken en daar het antwoord zou kunnen vinden dat hij zo wanhopig zocht. 'Bij alle goden, wáárom uitgerekend nú?'

'Niemand begrijpt de beweegredenen van de Ouden,' zei IJzerkiezel. 'En nu sturen ze onze eigen verloren gewaande verwanten op ons af.' Hij richtte zich op en wierp een woedende blik op het bebaarde lijk. 'Ik zal de vijanden van Funderstad met plezier doden – ik zal lachend hun bloed afvegen aan mijn broek – maar het doden van droggels schenkt me geen vreugde.'

'Wacht nou eens even,' zei Antimoon peinzend. 'Dit lijkt inderdaad heel ernstig allemaal, maar misschien is er ook een lichtpuntje. Zelfs met de hulp van Kapitein Vansen zal het niet meevallen het Schemerleger lang tegen te houden. Daarvoor hebben we niet de manschappen, noch de wapens of de deskundigheid. Dus het zal niet lang duren of we worden onder de voet gelopen.'

'Ik heb blijkbaar dat lichtpuntje gemist waar u het over had,' zei Vansen.

Antimoon glimlachte vluchtig. 'Dat is heel eenvoudig. Als we verder met niemand aan de andere kant kunnen praten, dan zou dat wel moeten lukken met onze eigen verwanten, hoe ver de verwantschap ook mag zijn.' Hij keek Vansen aan. 'Begrijpt u wat ik bedoel?'

'Aha! Ja, ik geloof dat ik het begrijp.' Vansen kreeg zo mogelijk nog meer respect voor de jonge monnik. 'En dus zullen we moeten zien dat we een van deze... droggels... levend te pakken krijgen.' Hij fronste zijn wenkbrauwen. 'Maar wat doen we met deze?'

'We zullen hem op gepaste wijze begraven,' zei Antimoon. 'Onder stenen, zoals we dat met onze eigen doden doen. Dus laten we een grafheuvel bouwen.'

'Een grafheuvel?' IJzerkiezel klonk verontwaardigd. 'Voor hém? Maar hij... hij heeft...'

'Op gepaste wijze. Onder stenen.' De jonge monnik sprak zo rustig en met zo veel overtuiging dat zelfs Moker IJzerkiezel uiteindelijk alleen maar kon knikken, verbijsterd en vervuld van afschuw. 'Als zijn verwanten terugkomen, zal dat hun duidelijk maken dat we de oude tradities nog altijd in ere houden; dat we nog altijd één volk zijn, wat het Schemervolk hun ook heeft verteld.'

17
Viskoppen

'Rhantys schreef: "Veel groter dan de mens is de Ettin, een moordzuchtige reus met dikke, klauwachtige handen als een mol die woont in een hol onder de grond." Het is bekend dat ettins tijdens de tweede oorlog tegen de Qar de muren van Kasteel Noordermark hebben ondermijnd, hetgeen leidde tot de nederlaag en de verwoesting van die stad, inmiddels verloren achter de Schaduwgrens.'

Uit *Een Verhandeling over de Elfenvolken van Eion en Xand*

Toen Qinnitan eindelijk een van de pijlers van de steiger te pakken had, was ze geruime tijd tot niets anders in staat dan zich er wanhopig aan vastklampen terwijl de aanrollende golven haar tegen de pier sloegen met zijn pantser van eendenmossels. In het zoute water brandden haar tientallen schrammen en snijwonden als vuur, maar ze kon alleen maar vasthouden en proberen op adem te komen, tot iets anders was ze niet in staat. Toen de armen van Duif van haar nek dreigden te glijden, had ze de slijmerige, houten paal bijna losgelaten om hem te ondersteunen, maar ze was doodsbang dat de stroming hen zou meevoeren en dat ze niet sterk genoeg zou zijn om opnieuw een veilig toevluchtsoord te vinden.

'Wakker worden!' Ze stikte bijna in een grote slok groen water. 'Duif! Vasthouden! Niet loslaten!'

Het kind maakte een keelachtig geluid van uitputting en verstevigde zijn greep zo goed als hij kon. Ze had geluk gehad dat haar voet hem raakte toen ze voor de eerste keer bovenkwamen na hun sprong van het schip, en opnieuw toen een brandend stuk van de mast hen even later op een haar na miste terwijl ze haar hoofd uit het water stak, met het kind in haar armen.

Weer werd ze door een golf – een kleintje vergeleken bij de golven op open zee, maar toch werd ze er onherroepelijk door meegevoerd – tegen de pijler gesmeten. Toen ze haar ogen opendeed, zag ze dat ze diverse nieuwe schrammen had opgelopen op haar arm; een netwerk van kleine, rode strepen die werden uitgewist toen er opnieuw een golf over hen heen spoelde.

Op de planken boven haar hoofd hoorde ze geschreeuw en het geroffel van voeten. Ondertussen begon de rook van het brandende schip zich over het water te verspreiden. Als ze hier bleven hangen, hadden ze geen schijn van kans. Het was slechts een kwestie van tijd voordat ze haar greep verloor of voordat ze opnieuw door de rook werden overweldigd. Haar ademhaling ging al schurend – een geluid als van een kar met een gebroken wiel. Ze was haar leven lang nog nooit zo uitgeput geweest.

Toen ontdekte ze ineens een soort primitieve ladder die helemaal aan de andere kant van de steiger in het water hing. Ze hoopte tenminste dat het een ladder was – het ding bevond zich meer dan honderd el bij haar vandaan en haar ogen prikten door het bloed en het zoute water. Ze dankte Nushash en de Korf dat ze in de Afzondering zoveel tijd had doorgebracht in het diepe bassin en een beetje had leren zwemmen. Maar met één arm kwam ze niet ver.

'Je moet op mijn rug blijven hangen, en wat er ook gebeurt, hou vast!' zei ze tegen Duif. 'Heb je me gehoord?' Ze wachtte tot ze hem hoorde grommen. 'Niet loslaten! Zelfs niet als ik onder water verdwijn.'

Terwijl ze zich afzette van de paal, in de richting van de ladder in de verte, sloeg Duif zijn armen stijf om haar nek. Ze kreeg geen lucht en spartelde wanhopig tot ze erin slaagde zijn armen naar beneden te duwen, naar haar sleutelbeenderen. Toen ze na vier of vijf slagen een ritme te pakken had waarbij ze Duif op haar rug wist te houden, zag ze de eerste driehoekige vin door het water snijden, en even later een tweede. Op slag leek het alsof haar hele lichaam ijskoud werd, en loodzwaar.

Zeewolven, langer en slanker dan de breedgebouwde haaien met hun bijlvormige kop uit de kanalen in Xis, en zo rank als de kling van een mes. Even beperkte ze zich tot watertrappen, want ze durfde voor- noch achteruit. De vinnen kwamen echter niet naar haar toe, maar bewogen bij haar vandaan. Qinnitan sprak een haastig gebed dat ze achter een andere prooi aan joegen.

Binnen enkele ogenblikken na de verdwijning van de eerste twee ontdekte ze echter nog diverse vinnen die grote cirkels door het water trokken, alsof ze twijfelden over hun koers. Er dreven lichamen in het water, besefte Qinnitan met een gruwelijke steek van schuldbesef; bemanningsleden van het schip uit Xis, hetzij gewond, hetzij gedood – mannen die zij de dood in had gejaagd door het schip in brand te steken.

Maar daar mocht ze allemaal niet aan denken – niet aan de bemanning, niet aan de soldaten, en niet aan de haaien. Duif klemde zich vast aan haar rug, en de greep van zijn armen om haar hals verstrakte weer toen het tot hem doordrong waarom ze was gestopt met zwemmen. Nog even, en zijn doodsangst zou ten koste kunnen gaan van zijn vastberadenheid; dan zou hij haar loslaten of zich misschien zelfs tegen haar verzetten. Tijdens haar reis naar Hierosol had ze zeelieden horen praten over de hopeloze strijd die ze hadden gevoerd met een angstige drenkeling. Dus ze begon weer te zwemmen, zo snel als ze kon.

Er streek iets langs haar been, ruw als boombast, een bleke vorm die door het water schoot. Ze hijgde, waardoor ze opnieuw water binnenkreeg, maar de vin zwom bij haar weg. Het was maar een kleine haai, misschien half zo lang als zij. Al ploeterend had ze het gevoel alsof haar krachten uit haar wegsijpelden, als graan uit een kapotte zak. Waar was die ladder? Qinnitan wist niet eens welke kant ze uit was gezwommen. De planken boven haar hoofd waren verdwenen, dus blijkbaar waren ze niet langer onder de pier. Maar waar waren ze dan?

Duif gleed weer van haar rug. Ze greep hem met één hand vast, maar het leek allemaal zinloos, alles was te ver weg. Omgeven door een groene duisternis zonken ze naar de diepte. Terwijl ze het kind wanhopig tegen zich aan drukte schopte ze uit alle macht en met inspanning van haar laatste krachten met haar benen, maar het leek wel alsof ze nauwelijks meer omhooggingen. Net toen ze dacht dat ze haar adem niet langer kon inhouden, kwam ze eindelijk even boven. Maar de lucht die ze gulzig inademde, was niet genoeg om haar armen en benen nieuwe kracht te geven. Uitgeput zakte ze opnieuw onder water.

Toen werd ze plotseling bij haar haren gegrepen. Het gebeurde zo hardhandig en zo onverwacht, dat ze haar mond opensperde en weer een slok water binnenkreeg. Vrijwel onmiddellijk werd ze omhuld door een stralend licht, en ze voelde dat ze ergens tegenaan botste, of dat iets tegen haar botste; iets zwaars. Een haai. Blijkbaar had een haai haar te pakken. Dus dit was het einde... Maar waar was Duif...

Ze had het nog niet gedacht, of hij viel boven op haar. Onder zich voelde ze een hard oppervlak. Duif rolde hoestend, hijgend van haar af, maar het enige wat Qinnitan kon zien, was het waterige braaksel dat ze op de planken van de steiger spuugde.

Ze waren gered! Iemand had hen uit het water gevist.

Haar maag verkrampte weer, maar er kwam niets meer uit. Ze hoestte, en spuugde. Iemand sloeg op haar rug, en er sijpelde nog een klein beetje water op de natte planken. Ze was zich vaag bewust van de geur van rook, en van rennende, schreeuwende mensen niet al te ver weg, maar behalve hun redder was er niemand bij hen. Blindelings strekte ze haar hand uit naar Duif. Zijn magere borstkas ging zwaar op en neer terwijl hij net als zij zeewater uitbraakte, maar hij leefde nog. Hij was veilig. Ze had hem gered. Qinnitan liet zich op haar zij vallen. Inmiddels kon ze een stukje hemel zien, grijszwart door de rook, en de vage gestalte van hun redder, van achteren beschenen door de zon, zodat hij als een donkere schaduw hoog boven hen uittorende – als een berg, als een welwillende god die met een machtige hand in de diepte had gereikt en hen weer tot leven had gewekt. Ze wilde hem bedanken, maar het lukte haar niet ook maar één woord uit haar brandende, door het zoute water aangetaste keel te krijgen. Dus ze tilde haar hand op om zijn arm aan te raken.

Hij sloeg hem weg. 'Ellendig, onnozel kreng!' Het duurde maar heel even voordat ze besefte dat hij Xissisch sprak, haar eigen taal. Ze legde haar hand boven haar ogen om het zonlicht af te weren dat haar verblindde, dwars door de rook heen.

Hun redder was de man zonder naam, de dienaar van de autarch met het onbewogen gezicht. Maar zijn gezicht stond op dat moment niet onbewogen; het was vertrokken van een redeloze, bijna krankzinnige woede.

'Zie je dit?' Hij greep Duif bij zijn pols en beukte de hand van het kind zo hard naast Qinnitans gezicht dat Duif hijgde van pijn, hoewel hij amper bij bewustzijn was. Bij de volgende wrede klap knipperde Duif met zijn ogen. Toen hij zag wie hen uit het water had gevist, werden zijn ogen langzaam groot van afschuw.

'Kijk!' In één vloeiende beweging – vliegensvlug, als een serpent dat toesloeg – trok de man een lang, breed mes van zijn riem en liet het neerdalen op Duifs hand, met het korte, vlezige geluid dat Qinnitan zich herinnerde van vroeger, wanneer haar moeder vissen de kop afhakte. Bloed spoot in haar gezicht toen de topjes van drie van Duifs vingers wegsprongen. Het kind gilde – zo'n gruwelijk, ongearticuleerd geluid dat ook Qinnitan het uitschreeuwde, hulpeloos, ongelovig.

'De volgende keer hak ik zijn hele hand eraf! En zijn neus!' De man zonder naam sloeg Qinnitan met zo'n kracht dat ze dacht dat hij haar kaak had gebroken. Terwijl Duif rochelend over de steiger rolde, wanhopig zijn verminkte hand omklemmend waaruit het bloed op de steiger sijpelde, rukte hun gevangennemer een doek uit zijn zak en bond die ruw, maar strak rond de stompjes om het bloeden te stelpen.

'Overeind, stelletje strontvliegen! Ik wil geen woord meer horen, en waag het niet opnieuw rottigheid uit te halen!' Hij trok Qinnitan overeind en schopte de jammerende Duif tot hij strompelend opkrabbelde, met een gezicht dat grauw zag van de pijn. 'Door jullie moet ik op zoek naar een andere boot.'

*

'Ik had nooit verwacht dat ik koning zou worden.'

Pinimmon Vash verstijfde, van verrassing en van angst. Hij had niet gedacht iemand te horen praten, laat staan dat hij op zo'n uitzonderlijke verklaring had gerekend.

De stem was die van Olin, maar tegen wie práátte de koning uit het noorden? De autarch lag nog in bed, toch klonk de vreemdeling alsof hij het tegen Sulepis had. Een ijzige kilte bekroop Vash. Als bepaalde activiteiten van de autarch hem waren ontgaan, en als hij had nagelaten daarop te anticiperen, dan kwam veel van wat de eerste minister elke dag deed – en vooral wat hij op ditzelfde moment deed – neer op een nogal omslachtige manier van zelfmoord.

Doodsangst joeg als een plotselinge koorts door zijn lichaam. Hij deinsde haastig terug van het gat waarachter hij had staan afluisteren en keek verwilderd om zich heen, ook al wist hij natuurlijk maar al te goed dat hij alleen was in de kleine bergruimte. Idioot! tierde hij tegen zichzelf. Wat er aan de andere kant van het gat gebeurde, was het enige wat ertoe deed. Sprak Olin Eddon inderdaad tegen Sulepis? En hoe had hij, Vash, zich zo kunnen vergissen? Even eerder had hij het vel perkament met zijn ochtendrapportage nog bij de hut van de autarch afgeleverd en van diens persoonlijke slaven te horen gekregen dat de Gouden Vorst nog sliep.

Weer hoorde hij de stem van Olin. 'Niet omdat ik er niet geschikt voor was, of omdat ik terugdeinsde voor de verantwoordelijkheid,' zei de noorderling. 'Ik had alleen nooit gedacht dat ik tot het koningschap zou worden geroepen. Ustin, mijn vader, was zo gezond als een vis en zo sterk als een os. Met Lorick, zijn erfgenaam en mijn oudere broer, scheelde ik maar twee jaar, en ik was altijd een ziekelijk kind geweest. Ik had vaak koorts en was soms wekenlang aan bed gekluisterd. De heelmeesters hadden tegen mijn ouders gezegd dat ik de twintig waarschijnlijk niet zou halen. Een zwakte in het bloed, zeiden ze. Iets wat in ons geslacht al velen had getroffen... iets wat...'

Olin aarzelde zo lang dat Vash zijn oog weer voor het gat hield. De kast was een gelukkige vondst geweest – hij was er veel minder zichtbaar dan op zijn vorige afluisterplek – maar het viel met zijn oude botten niet mee om zich in de nauwe ruimte te wurmen, en als er iemand kwam, zou het bijna onmogelijk zijn om snel weg te komen. Hij had echter besloten dat het de inspanningen en de risico's waard was, vooral wanneer hij daardoor te weten kwam wat de autarch van plan was. Wie zich door Sulepis liet verrassen, leefde doorgaans niet lang – noch gelukkig.

Maar als ik me heb vergist, en als Sulepis me hier vindt, dan wordt deze kast een rechtopstaande doodskist.

Vash kon nog altijd niets ontdekken in zijn beperkte gezichtsveld, dus ook niet of de koning uit het noorden met iemand praatte, en zo ja, met wie. Daarom nam hij zijn oog van het gat en drukte zijn oor ertegenaan. De volgende keer zou hij de binnenkant van het gat afdekken met een donkere lap – tenminste, als hem een volgende keer was gegeven. Met het gat afgedekt was de kans op ontdekking minder groot.

'Hoe dan ook, door mijn ziekelijkheid en door het ijzeren gestel van mijn vader en mijn broer was het onwaarschijnlijk dat ik ooit op de troon zou zitten,' vervolgde Koning Olin eindelijk. 'Dus ik bracht mijn jeugd door met steekspelen en jagen en andere actieve sporten, maar ook met boeken, zodat ik me koesterde in het gezelschap van historici en filosofen. Niet dat er iets mis is met leren om jezelf te verdedigen! Ik heb ervoor gezorgd dat al mijn kinderen hun mannetje konden staan.'

Tegen wie hád hij het? De autarch zou er nooit zo lang het zwijgen toe doen. Sprak hij soms met Panhyssir, de hogepriester? Bij die gedachte voelde Vash een soort machteloze jaloezie opborrelen. Of met antipolemarch Dumin Hauyuz, de commandant van de soldaten aan boord, tevens de hoogste militair in het gezelschap van de autarch? Het moest haast wel een van die twee zijn. Tegen anderen zou de koning van een vreemd land nooit zo openhartig zijn.

Of was Olin simpelweg bezig krankzinnig te worden als gevolg van zijn gevangenschap en praatte hij tegen zichzelf?

'Maar het ging anders dan de meeste mensen dachten,' zei de noorderling. 'Mijn ziekte heeft mijn leven niet bekort – tenminste, tot dusverre niet. Mijn vader werd weliswaar oud, maar kreeg een fatale beroerte toen hij hoorde dat mijn broer Lorick tijdens de jacht van zijn paard was gevallen en die val waarschijnlijk niet zou overleven. Mijn vader is niet meer bij bewustzijn gekomen, maar hij ging ook niet dood. Uiteindelijk had zowel mijn sterke vader als mijn sterke broer heel lang nodig om dood te gaan.

Het was een verschrikkelijk verdrietige tijd voor mijn moeder, en ik had het er ook erg zwaar mee. Mijn vader had voor mij nooit zoveel tijd gehad als voor Lorick, en zo hoorde het ook. Tenslotte werd mijn broer voorbereid op het koningschap – wie had kunnen denken dat de goden zulke afschuwelijke streken voor ons geslacht in petto hadden? Maar mijn vader was op zijn manier wel altijd goed voor me geweest, en ik moest toezien hoe ze zich beiden vastklampten aan het leven, maar zich niet wisten te bevrijden uit het niemandsland tussen leven en dood waarin ze waren terechtgekomen.

Mijn vader stierf als eerste. Er werd feestgevierd aan het hof, onder aanvoering van de Tollijs, de machtigste familie na de onze. Het was hun bedoeling Lorick bewusteloos en op zijn sterfbed tot koning te kronen, waarop Lindon Tollij in zijn naam zou regeren. Mijn jongste broer Hardis was al getrouwd met een van de dochters Tollij, dus ze wilden mij lang genoeg van de troon houden om een manier te vinden waarop Hardis in mijn plaats tot koning kon worden gekroond wanneer Lorick uiteindelijk aan zijn verwondingen bezweek. We hadden net genoeg medestanders aan het hof om die plannen te verijdelen, maar het was kantje boord. Gedurende bijna een jaar verkeerde Zuidermark in een impasse.

Hardis was jong en gemakkelijk te manipuleren. En misschien was hij wel jaloers op zijn oudere broers. Maar ik geloof niet dat hij begreep dat Lindons plan om hem op de troon te zetten, inhield dat ik dan eerst zou moeten sterven. Hardis was niet dom, maar hij vond het ongetwijfeld gemakkelijker om zich maar niet af te vragen waarom de Tollijs zulke hoge verwachtingen van hem hadden. Of misschien was hij er, net als iedereen, van overtuigd dat ik mijn meerderjarigheid niet eens zou halen.

Uiteindelijk overleefde ik hen allemaal. Mijn arme broer Hardis is tien jaar geleden door ziekte overleden, nadat hij zijn hele leven min of meer de gevangene is geweest van de Tollijs, ook al deed hij alsof hij volmaakt gelukkig was aan het hof van Zomergaarde en alsof hij niet terugverlangde naar zijn ouderlijk huis. Arme Hardis.

Lorick stierf ten slotte in het jaar van de troonopvolging, en er kwam een eind aan de treurige schertsvertoning, maar niet voordat het koninkrijk diverse malen bijna uiteen was gevallen. Ik werd tot koning gekroond, en de Tollijs moesten zich tevredenstellen met het behoud van de macht die ze al bezaten.

Wat ben ik een dwaas geweest! Ik had ze moeten uitroeien als een wespennest. Ik zag het gevaar van uw land voor Eion al veel eerder dan mijn medemonarchen – dat gevaar begon al met de wrede vader van deze autarch – maar ik was blind voor de gevaren in mijn eigen huis.'

Aha, dacht Vash, opgelucht maar nog altijd verbijsterd, en hij haalde eindelijk weer diep en ontspannen adem. Dus Olin had het niet tegen Sulepis – maar tegen wie dan? Had de autarch hem een secretaris gegeven? Dicteerde de buitenlandse koning een brief aan zijn familie?

De stem van de noorderling werd luider. 'Die verafschuw ik zelfs nog meer dan het verraad van de Tollijs! Mijn eigen onnozelheid! Bij mijn vertrek heb ik mijn huis overgeleverd aan mijn vijanden, en vervolgens heb ik me om de tuin laten leiden en gevangen laten nemen door Hesper van Jellon, dat zwijn! Dit alles mag ons huis de troon hebben gekost die eeuwenlang in onze familie is geweest, maar de prijs die ik persoonlijk heb betaald, is nog veel hoger. Ik heb mijn oudste zoon verloren, mijn dappere Kendrick, en misschien ook mijn andere twee kinderen.' Zijn stem haperde. 'Ach, genadige Zoria en al haar orakels! Mogen de goden een vloek doen neerdalen op hen die me hebben geholpen mezelf en mijn koninkrijk te verraden!'

Het bleef geruime tijd stil, maar ook al kon Vash hem niet zien, hij voelde dat Olin slechts in zwijgen was vervallen en dat hij niet was weggegaan.

'Ik heb geprobeerd mijn kinderen voor te bereiden op de troon, zodat ze er niet door verrast zouden worden en goed beslagen ten ijs zouden komen, mochten de goden hen tot het koningschap roepen. En ik hield van al mijn kinderen, zoals dat van een vader mag worden verwacht, ook al hield ik misschien niet van allemaal evenveel.

Mijn kinderen waren het laatste wat me verbond met mijn vrouw Meriel. Ze heeft erg geleden bij de geboorte van de tweeling, en daar is ze nooit van hersteld. Integendeel, ze werd geleidelijk aan steeds zwakker, en een maand na de geboorte is ze gestorven. Ik had het gevoel alsof mijn hart uit mijn borst werd gerukt. Hoewel hem geen schuld trof, heb ik de dokter die haar had behandeld verbannen. Want ik kon het niet verdragen hem nog langer om me heen te hebben terwijl mijn lieve vrouw me had verlaten. Alleen dankzij haar durfde ik te hopen dat mijn bezoedelde bloed misschien nog te redden was. Na de geboorte van Kendrick – zo'n blij, mollig, gezond kind – leek het erop dat de smet op mijn bloedlijn door haar lieftalligheid was uitgewist.

Wat ben ik een dwaas geweest!

Ze was zo lieftallig, mijn Meriel, en niet alleen omdat haar huid roomblank was en omdat ze lippen had zo rood als kersen, zoals de barden ze bezingen. Er waren in de Mark Koninkrijken talrijke vrouwen die misschien zelfs mooier waren. Alleen een dichter – en dat ben ik niet – zou u precies kunnen vertellen waarin haar schoonheid school, maar het kwam door haar ogen. Haar leven lang, tot het moment waarop ze haar ogen voor het laatst sloot, lag daarin de blik van een kind. Niet onschuldig, niet dwaas of simpel, maar open, eerlijk – zo recht als een vlucht van een pijl. Ze keek naar de wereld zonder te oordelen, of althans zonder dat overhaast te doen. Ze kon niet vleien maar ze was altijd vriendelijk. Ze loog niet, maar ze sprak ook geen ondoordachte waarheden wanneer die zonder reden zouden kwetsen...'

Olin zweeg weer. Voor het eerst luisterde Vash met oprechte belangstelling. De buitenlander was een goede spreker, zoals dat van een koning mocht worden verwacht. Sommige van de autarchen die Vash had gediend, hadden van poëzie gehouden, maar geen van allen had bij het declameren of schrijven daarvan blijk gegeven van enige aanleg. In zijn jonge jaren had de eerste minister zelf af en toe een paar regels aan het perkament toevertrouwd, maar die had hij nooit aan iemand laten lezen.

'Meriel was zoals ik me een godin voorstelde, een zachtmoedige godin, want ze stond niet boven de pijn en het verdriet van anderen,' vervolgde Olin. 'Ach, waarom moest ze uit het leven worden weggerukt? Waarom namen de goden mij niet, met mijn besmette erfgoed en mijn overdreven eigenliefde! Toen ze stierf ging het hele kasteel, tot en met de laatste bediende, de laatste hoveling, in de rouw en weigerde die af te leggen. Na een jaar moesten de priesters erop aandringen dat ieder-

een zijn rouwkleding wegborg, en verklaren dat wie zelfs na de officiële periode bleef rouwen, de goden beledigde. Kunt u zich dat voorstellen? We hielden allemaal van haar. Het was het ergste wat mijn kinderen had kunnen overkomen. Het feit dat ze hun moeder nooit hebben
gekend was erger dan het verlies van de troon, zelfs erger dan de dood
van Kendrick. Ze was de liefste vrouw die ooit heeft geleefd. Ik heb altijd gedacht dat ik haar niet waard was en nooit kunnen geloven dat ze
echt de mijne was.

Dat was ze natuurlijk ook niet. Dat hebben de goden me maar al te
duidelijk gemaakt... zoals ze dat zo graag doen.'

Olin lachte, en het klonk zo pijnlijk dat zelfs Vash (die tientallen mannen gillend en smekend had horen sterven, vaak in zijn opdracht) moest
vechten tegen de aandrang om zijn vingers in zijn oren te stoppen.

'Ik weet eigenlijk niet meer wat ik wilde zeggen,' hervatte de koning
ten slotte zijn betoog. 'Ik begon te vertellen over mijn familie. Het is
bijna een jaar geleden dat ik mijn kinderen voor het laatst heb gezien.
Kendrick is dood, waarschijnlijk vermoord door de Tollijs, maar het kan
ook zijn dat iemand anders het heeft gedaan. Mijn dappere zoon. Hij
probeerde alleen maar te doen wat goed was. Hij werd altijd zo kwaad
wanneer anderen zich niet aan de regels hielden. Dat kon hij zelfs van
zijn jongere broer en zus niet accepteren! Als ze verstoppertje met hem
speelden, kropen ze soms weg op een plek waarvan ze hadden beloofd
dat ze er niet naartoe zouden gaan. En dan lachten ze hem uit wanneer
hij daarachter kwam. Hij kon zich er gewoon niet toe brengen ook vals
te spelen. In plaats daarvan probeerde hij hen ervan te overtuigen dat
het spel bedorven was wanneer de spelers zich niet aan de regels hielden. Kendrick zou een geweldige koning zijn geweest – misschien met
mijn andere zoon als kanselier, al was het maar om hem eraan te herinneren dat hij er niet op moest rekenen dat, alleen omdat hij dat deed,
ook anderen de regels zouden respecteren. Want Barrick leeft in een
heel andere wereld – als hij nog leeft; mogen de goden hem behoeden.

Barrick is altijd een tobber geweest, altijd nukkig, maar toen de aandoening zich voor het eerst manifesteerde – mijn aandoening, die ik op
hem heb overgedragen zoals een vervuilde rivier besmettingen overdraagt – zwoer hij het vertrouwen in de goedheid van het Lot volledig
af. En wie zou het hem kwalijk nemen? Toen hij nog klein was volgde
de ziekte dezelfde koers als bij mij. Hij viel op de grond in aanvallen
van razernij; dan stikte hij bijna, hij lag te trillen, hij kon nauwelijks
lucht krijgen en hij ging zo woest tekeer dat er twee sterke mannen no-

dig waren om hem in bedwang te houden, zo klein als hij was. Natuurlijk had ik er veel verdriet van, maar ik dacht dat ik hem zou kunnen leren hoe hij met de ziekte moest omgaan, door hem te laten zien dat ik me opsloot wanneer ik voelde dat er een aanval naderde. Maar toen veranderde zijn ziekte, in elk geval het verloop daarvan.

Barrick kreeg niet langer aanvallen waarbij hij als een krankzinnige om zich heen sloeg en tekeerging. In plaats daarvan werd hij er vanbinnen langzaam maar zeker door vergiftigd. Zijn kijk op de wereld werd steeds zwarter en somberder, zoals de aarde zelf bij een maansverduistering het licht van de zon blokkeert. In mijn dwaasheid dacht ik aanvankelijk dat het beter met hem ging toen de gewelddadige aanvallen stopten; dat hij de vloek die mijn leven zo had vergiftigd, op de een of andere manier beter wist af te weren dan ik. Daarin vergiste ik me, maar tegen de tijd dat ik dat besefte had hij zich al zo ver teruggetrokken in de schaduwen dat ik hem niet meer kon bereiken. Hij was slim, geestig, maar hij leed zo onder mijn vergiftigde bloed dat hij volgens mij alleen nog aan de liefde voor zijn zuster de kracht ontleende om door te gaan.

Want hij was dol op haar, en andersom gold hetzelfde. Ze zijn een tweeling – had ik dat al gezegd? – en vanaf het moment dat ze ter wereld kwamen – ze zijn binnen een uur geboren – zijn ze altijd intens met elkaar verbonden geweest. Misschien kwam dat ook wel door de dood van hun moeder. Ach, ik weet het niet meer! Het is allemaal al heel lang geleden, maar de pijn voelt nog net zo vers als die van gisterochtend, toen ik me heb gesneden met mijn scheermes.

En dan moet ik nog iets beschamends bekennen. Ik hield het meest van Brionie. Nee, dat zeg ik verkeerd. Ik hóú het meest van Brionie. Mogen de goden geven dat ze nog leeft! Ik hield van Kendrick om zijn eerzaamheid, om zijn vriendelijkheid, om zijn plichtsgetrouwe natuur, en omdat hij mijn eerstgeborene was. En van Barrick hou ik ook, ondanks alle pijn die we elkaar hebben bezorgd... Maar mijn liefde voor Brionie schenkt me zo'n troost en is zo onvoorwaardelijk dat ik het niet onder woorden kan brengen. Ze heeft mijn goede eigenschappen geërfd, en ook heel veel van wat bijzonder en voortreffelijk was in haar moeder. En dan te bedenken dat zo'n machtige liefde zo is tekortgeschoten – dat ik tegenover hen allemaal zo ben tekortgeschoten...'

Opnieuw zweeg de noordelijke koning. Toen hij weer begon te praten, klonk zijn stem anders – somber, bijna emotieloos.

'Ik heb u lang genoeg verveeld. Dank u wel dat u naar me hebt willen luisteren. Ik denk dat ik op het dek van mijn gevangenis maar wat op en neer ga lopen en naar de meeuwen luisteren.'

De eerste minister van Xis luisterde naar het geluid van Olins laarzen op het dek, naar zijn voetstappen die zich verwijderden. Toen Olin weg was, bleef alles doodstil. Er was niemand die bewoog, niemand die iets zei. Had de koning uit het noorden dan toch in zichzelf staan praten, of tegen de bewolkte lentehemel? Vash glipte de kast uit, zo steels als hij kon met zijn stijve, oude botten, en hobbelde de trap af naar het dek, naar de plek waar Olin had gestaan. De koning was inderdaad verdwenen – Vash kon de bovenkant van zijn hoofd zien, helemaal aan de andere kant van het schip, waar hij bij de reling stond onder het wantrouwend oog van een stel wachten – en van de autarch, of Panhyssir, of Dumin Hauyuz – iémand met een normaal verstand – was geen spoor te bekennen. De enige die hij zag, was Prusas, de halfgekke scotarch, onderuitgezakt in zijn stoel, schokkerig bewegend met zijn handen en zijn hoofd, en met een draad spuug die van zijn kin op zijn kleren droop. Even had Vash het gevoel dat Prusas de Kreupele zijn blik beantwoordde, maar toen hij naar de scotarch toe liep, werd de uitdrukking in de oude ogen ineens leeg, alsof de eerste minister in rook was opgegaan.

Voor de trillende gedaante bleef Pinimmon Vash staan, en hij nam de scotarch onderzoekend op, verdiept in gedachten... en vragen...

De wereld is van zijn meerplaats losgeslagen, dacht hij. *Ja, de wereld zoals ik haar ken, is op drift geraakt en weggedreven uit de vertrouwde wateren. Maar alleen goden en krankzinnigen kunnen gissen waar het met de wereld naartoe gaat.*

*

'We worden gevolgd,' fluisterde Barrick.

'Dat weet ons allang.' Wanneer de raaf zachtjes praatte viel het niet mee woorden te onderscheiden in de brij van rasp- en fluitklanken die hij produceerde. Hij streek neer op een steen, boorde zijn klauwen in de dikke laag mos waarmee die was begroeid, liet zijn kop tussen zijn schouders zakken en maakte zich groter door zijn veren op te zetten. 'Spinsels!' kraste hij. 'Ons zag ze toen ons boven de bomen vloog. Een stuk of vijf, zes, denkt ons.'

'Laat ze maar komen.' Ondanks zijn angst was Barrick vervuld van een vreemde zekerheid dat hij niet zo ver was gekomen en niet zoveel beproevingen had overleefd om vervolgens het onderspit te delven tegen de spichtige, met lappen omwikkelde gruwelwezens. Hij voelde zich sterk, op een heel merkwaardige manier, alsof er iets machtigs in hem opborrelde, als het schuim op een kroes bier. Het was een gevoel dat hem bijna vrolijk maakte, zodat hij de neiging had in lachen uit te barsten.

'Laat maar komen? Ze zullen ons allebei doden. Of erger nog. Ze zullen ons meenemen naar hun hangende nesten en onze buik vullen met maden.' De raaf fladderde een eindje verder en streek neer op een boomtak. 'Ons heeft het met Volgelingen zien gebeuren. Ze waren nog niet eens dood toen de jongen uit het ei kwamen...'

'Dat zal mij niet overkomen. Want daar krijgen ze de kans niet voor.'

De zwarte vogel huiverde en zette opnieuw zijn veren op. 'Hebt u op die ijselijke heuvel soms een klap op uw hoofd gehad? U bent sindsdien niet meer helemaal uzelf.'

Barrick kon een glimlach niet verbijten. Hoe het kwam wist hij niet, maar de raaf had gelijk. Hij voelde zich anders – sterker, zelfverzekerder... beter. Zelfs de voortdurende, doffe pijn in zijn gebrekkige linkerarm, een pijn die hem het grootste deel van zijn leven had gekweld, was verdwenen; de huid tintelde slechts af en toe, alsof hij erop had geslapen.

Barrick hield de fakkel dicht bij zijn arm. De littekens die de Slapers hem hadden toegebracht, waren zo goed als verdwenen; er zaten alleen nog drie witte strepen die eruitzagen alsof ze al jaren oud waren, hoewel er amper twee dagen waren verstreken sinds hij de Vervloekte Hoogte weer was afgedaald. Zelfs zijn hand, de afstotelijke, krabachtige klauw die hij altijd had geprobeerd te verstoppen, was nauwelijks meer van zijn andere hand te onderscheiden. Welke magie hadden de blinde wezens op hem toegepast? Het leek erop dat het effect alleen maar gunstig was, maar ergens knaagde een herinnering dat ze hadden gesproken over een prijs die moest worden betaald...

Hij struikelde over een wortel, en het kostte hem de grootste moeite om niet onderuit te gaan. De grond was glibberig van de mist die het schemerwoud omhulde. Een gezonde arm zou hem er niet van weerhouden te vallen en zijn hoofd te stoten.

'Ons moet op zoek naar een plek waar het veiliger is, meester,' zei Skurn vleiend. 'Een plek om te rusten. U bent moe, en wie moe is maakt fouten, zoals ons moeder altijd zei.'

Barrick keek om zich heen. Hij was alweer bijna een hele dag onderweg – tenminste, zo voelde het – en volgde de aanwijzingen van de raaf, die uit zijn geheugen putte voor de beste route naar Slaap en zijn angstige inwoners – de Nachtkastaren, zoals Skurn ze noemde. Het zou geen kwaad kunnen om even stil te houden en te rusten, vooral wanneer ze werden gevolgd door een groep spinsels. Hij kon de wortels roosteren die hij die ochtend had uitgegraven. Hij had ontdekt dat er in het woud verschillende planten en knollen groeiden die zijn maag kon verdragen, maar het maakte een enorm verschil wanneer hij ze roosterde boven een vuurtje.

'Goed,' zei hij dan ook. 'Ga maar op zoek naar een plek bij een rots, waar ik rugdekking heb.'

'Ach, u bent wijs, erg wijs. Ons gaat op zoek naar een bruikbare plek.' De raaf vloog op en verdween met krachtige vleugelslag onder de baldakijn van bomen uit het zicht.

Door de bleke, zompige wortels te roosteren smaakten ze weliswaar meer als echt voedsel, peinsde Barrick al kauwend, maar lekker waren ze nog steeds niet.

'Kun je niet een paar eieren gaan zoeken of zoiets?' vroeg hij aan de raaf. 'Van een vogel?' Hij had geleerd dat het belangrijk was om geen ruimte te laten voor misverstanden.

De raaf keerde zich naar hem toe, uit zijn snavel staken de wriemelende poten van een of ander kruipend schepsel dat hij onder een boomstronk vandaan had gepeuterd. Hij boog zijn kop achterover om het op te slokken, toen wierp hij Barrick een verwijtende blik toe.

'Heeft Skurn niet gezocht... en nog eens gezocht? Heeft ons u niet het beste aangeboden van wat ons heeft gevonden, zonder ook maar iets voor onszelf te houden?'

Het 'beste' was een grote, zachte worm geweest, zo groot als Barricks duim, een bleek schepsel dat eruitzag alsof het was gemaakt van kaarsenwas; op de plek waar Skurn het in zijn snavel klemde, lekte er een groenig vocht uit. Barrick had de raaf bedankt voor zijn gulheid, én voor de worm.

'Laat ook maar. Die wortels zijn prima.' Hij legde nog drie stukken hout die naast het vuur te drogen hadden gelegen, in de vlammen en begon de punt van zijn gebroken speer te scherpen met een ronde steen. Hij was nog altijd verbijsterd, maar euforisch over het feit dat hij ineens twee gezonde, pijnloze armen had.

'Vertel me nog eens een verhaal,' zei hij na een tijdje. 'Wat is er met de Manke gebeurd nadat hij de goden had verbannen naar het land van zijn grootmoeder?'

'Overgrootmoeder,' verbeterde de raaf hem, ondertussen om zich heen kijkend of er nog iets eetbaars kwam langskruipen. 'De Leegte was zijn overgrootmoeder. Ze leerde de Manke al haar listen en handigheden om te komen en te gaan.'

Ga op zoek naar de Zaal van de Manke, hadden de Slapers gezegd. De Zaal van de Manke, de Wegen van de Manke, de Deur van de Manke – verwachtten ze nou echt dat hij, Barrick, zou reizen zoals de goden dat deden? 'En wat gebeurde er toen? Werd hij de koning van de goden?' Maar de Manke, die Barrick tot op dat moment had gekend als Kupilas, was toch maar een lage god? *Het Boek van de Trigon* noemde Kupilas alleen als de beschermheer van smeden en bouwmeesters. En van de heelmeesters, herinnerde hij zich. *Chaven had een beeld van hem staan.* 'Wat gebeurde er nadat hij Kernios had gedood?'

'Is ons een Nachtkastaar, vol geheimen?' vroeg de vogel met een zweem van verontwaardiging. 'Weet ons alles wat de Eerstgeborenen weten? Hoe dan ook, de Manke doodde niemand – hij verbande de Aardheer en de anderen naar de plek waar ze voor altijd slapen.'

'Maar wat gebeurde er met Kupilas? Met de Manke? Hoe is het met hem afgelopen?'

Skurn haalde zijn schouders op, wat erop neerkwam dat hij zijn plooikraag van veren optilde, en wiebelde met zijn kop. 'Ik weet het niet. Hem was ernstig gewond door de speer van de Aardheer. Stervende, zoals sommigen zeggen. De rest van het verhaal kent ons niet. Dat heeft ons moeder nooit verteld.'

En daar moest Barrick het mee doen.

Hij begon weg te zweven en was al half in slaap, toen er iets in zijn hand prikte – iets scherps en hards. Een snavel.

'Pst!' De raaf hurkte naast hem, zijn smoezelige veren stonden overeind, zodat hij meer leek op een egel dan op een vogel. 'Ik hoor wat...'

Barrick ging rechtop zitten, maar zei niets en luisterde. Geleidelijk aan werd hij zich bewust van iets scherps, iets wat in zijn nek prikte, en deze keer was het niet Skurn. Hij sloeg ernaar maar het pijnlijke ding bleef in zijn huid prikken. Toen viel er nog iets uit de takken, iets wat zich in zijn rechterarm boorde – een doornachtige tak, gebogen als een haak, aan het eind van een bleke streng zijde.

Voordat hij kon bedenken wat hem te doen stond, werden er vanuit de schaduwen boven zijn hoofd nog diverse strengen als zweepslagen op hem afgeslingerd. Sommige schoten langs hem heen, zonder hem te

raken, twee haakten zich vast in zijn haveloze kleren, net als de doornachtige weerhaken die zich al in zijn nek en zijn arm hadden vastgebe-
ten. Verspreid over zijn hele lichaam voelde hij een venijnige, stekende
pijn.

'Ze komen eraan, meester!' krijste Skurn, net op tijd opfladderend om
een volgende weerhaak te ontwijken. 'Spinsels!'

Inmiddels kon Barrick ze zien; boven zijn hoofd schoten ijle, grijs-
witte gedaanten door de hoogste takken. Ze gooiden hun verzwaarde,
van weerhaken voorziene strengen naar hem toe om hem erin te verstrikken. Hij probeerde de gebroken speer los te maken van zijn riem,
maar een van de schepsels rukte aan de streng die zich in zijn arm had
vastgehaakt, waardoor Barrick niet bij zijn wapen kon komen. Hij greep
de zijden streng, trok eraan tot die slap hing en greep de speerpunt alsnog. Toen haalde hij uit met zijn linkerarm, en hij sneed de streng door
die zijn rechterarm gevangenhield, in stilte de goden dankend dat hij de
speerpunt net had geslepen. Om de weerhaak in zijn nek los te krijgen
had hij meer tijd nodig, en toen hij naar zijn hand keek, ontdekte hij
dat zijn vingers onder het bloed zaten.

Twee van de larfachtige wezens kwamen uit de bomen tuimelen, stil
als geesten in de schemering. Ze zwaaiden als paardenvangers met hun
zijden strengen, terwijl de vochtige plekken waarvan Barrick veronderstelde dat het ogen waren, glommen door de weerkaatsing van het schemerige licht. Toen hij onder een zwiepende zijden streng door dook,
voelde hij dat de weerhaken zich vastzetten in de huid op zijn schedeldak en die openreten. Hij rukte zich los, net op het moment dat het wezen naar voren schoot. Het omhulde hem met zijn vreemde, beender-
loze ledematen, en ook al was het gewicht te verwaarlozen, het wezen
was sterk genoeg om Barrick tegen de grond te werken. Hij viel, rolde
weg, maar de spinsel bleef zich aan hem vastklampen tot ze samen tot
stilstand kwamen. Barrick besefte dat zijn rechterarm gevangenzat onder zijn lichaam. Er werd een streng om zijn nek geslingerd en strak-
getrokken. Met alleen zijn nutteloze linkerarm tot zijn beschikking was
hij ervan overtuigd dat zijn laatste uur had geslagen.

Maar zijn linkerarm was niet langer nutteloos. Hij reikte omhoog,
kreeg de rug van het vreemde, glibberige maar tegelijkertijd kleverige
schepsel te pakken en boorde zijn vingers erin. Even werd de streng rond
zijn hals nog strakker getrokken, toen wist Barrick zich van het schepsel te bevrijden en het tegen de modderige bosgrond te drukken.

Ik ben sterk! Hij had het willen uitschreeuwen – de vreugde diep vanbinnen was als een laaiend vuur. *Ik ben sterk!*

Het lukte hem niet echt greep op zijn belager te krijgen, maar terwijl die zich op zijn hurken overeind werkte, stortte Barrick zich op het wezen en duwde het achteruit in het vuur; en dat hield hij vol, zelfs toen er een tweede bleke, half-menselijke gedaante op zijn rug sprong.

Het wezen dat hij in het vuur had geduwd slaakte een gruwelijk, fluitend gekrijs. Brandend strompelde de spinsel de vuurkuil uit. Bleke, gele vlammen dansten over zijn ledematen en zijn lijf, door het verterende vuur begon de zwarte substantie onder de mummificerende windsels te lekken en te borrelen. Binnen enkele ogenblikken brandde het wezen als een fakkel; de gillende kreten waarmee het de schemering verscheurde, waren zo hoog dat Barrick ze amper kon horen.

Ineens begreep hij wat hij moest doen om de aanval te doorstaan. Hij sprong naar het vuur, de tweede spinsel met zich meeslepend, en greep een brandend stuk hout. Met de gebroken speer in zijn ene hand en de vlammende tak in de andere keerde hij zich naar de spinsel die zich aan zijn enkels vastklampte, en hij duwde de brandende toorts in het lege gezicht tot het begon te sissen en te borrelen. Onder het slaken van hoge, gekwelde kreten rukte het wezen zich los en vluchtte weg, verblind naar zijn kop grijpend, tot het met een harde dreun tegen een boom liep. Even lag het te stuiptrekken, toen verdween het kruipend tussen het kreupelhout, wankel en onvast als een dronkenlap.

Met de speerpunt in zijn hand geklemd sloeg Barrick met zijn andere hand op zijn borst. 'Kom op dan!' schreeuwde hij naar de spookachtige schimmen die nog in de takken boven zijn hoofd zwermden. 'Kom op als je durft!'

En weer sprongen er twee naar beneden, gevolgd door een derde. Skurn verscheen uit het niets en haalde met zijn klauwen uit naar de spinsel die zich het dichtst bij Barrick bevond, waardoor die de kans kreeg uit te halen met zijn fakkel. Het scheelde niet veel of hij had de veren van de raaf geschroeid, die onder luid gekrijs weer opfladderde. De windsels van de spinsels wilden geen vlam vatten, maar Barrick stak toe met zijn speer, zodat er zwart vocht uit de wonden sijpelde. Toen draaide hij zich om en hij duwde de fakkel in het gezicht van zijn volgende belager, die op het punt had gestaan zich op hem te storten. Hij had geen idee door hoeveel spinsels hij was omsingeld, net zomin als hij wist hoe zijn kansen ervoor stonden, maar hij rook de gruwelijke, zilte stank van de brandende wezens. Lachend zwaaide hij met zijn speerpunt en zijn fakkel, uithalend naar alles wat bewoog. Vanuit zijn ooghoeken zag hij dat Skurn opfladderde om zichzelf in veiligheid te brengen. Maar Barrick begon alleen maar nog harder te lachen.

Misschien had de aanval een uur geduurd, misschien slechts enkele ogenblikken – hij wist het niet. De laatste spinsel die nog bewoog, lag aan zijn voeten en probeerde zijn druipende ingewanden naar binnen te duwen door het gapende gat dat Barrick in zijn buik had gesneden. In een roes van euforische razernij liet Barrick zijn speer op de grond vallen, hij greep de kop van het schepsel en drukte die in elkaar als een rotte meloen. Toen trok hij het wezen overeind, en drukte de fakkel in het opengesperde, kleverige oog.

'Sterf, smerig gedrocht!' Hij smeet het wezen weer tegen de grond en zette zijn voet erop, tot het zo vurig brandde dat de vlammen hem te heet werden. Er lagen nog drie roerloze gedaanten aan zijn voeten. Vocht sijpelde uit hun wonden. In de bomen bewoog niets meer.

Barrick tilde zijn handen op en staarde ernaar. Hij had geweten dat hij zou winnen – hij had het geweten! Wat een wonder om twee sterke armen te hebben! Om net zo te zijn als iedereen! Hij gaf een schop tegen het smeulende lijk van de spinsel en wendde zich af.

Ik heb een geschenk gekregen. En wat heb ik ervoor betaald? Niets.

Hij voelde geen pijn meer. Helemaal niets. Zelfs van zijn oude verdriet, van de oude verliezen – zijn zuster, zijn ontvoerde vader, zijn vermoorde broer – had hij geen last meer; hij had de laatste dagen nauwelijks aan hen gedacht. Met de pijn in zijn arm waren ook al zijn pijnlijke gevoelens verdwenen.

Toen Skurn eindelijk de moed opbracht om weer uit de bomen naar beneden te komen, stond Barrick nog altijd zacht te lachen.

Want ik ben voor het eerst compleet, dacht hij. *Voor het eerst volledig. Eindelijk ben ik de echte Barrick Eddon.*

18
Koning Hesper is onwel

'De meeste ettins zijn volledig bedekt met schubben, zoals hagedissen en schildpadden, en ze worden vaak "Diepte-Ettins" genoemd omdat ze voortdurend aan het graven zijn. Sommige zouden echter een gladde bontvacht hebben die hen in staat stelt zich snel door gangen te bewegen die andere ettins hebben gegraven. Van deze "Gangen-Ettins" wordt bovendien beweerd dat ze blind zijn.'

Uit *Een Verhandeling over de Elfenvolken van Eion en Xand*

'Ik ben bang dat ik het niet begrijp, Gouden Vorst.' Pinimmon Vash keek op. Hij had zich op zijn pijnlijke oude knieën laten zakken; wanneer de autarch in een van zijn onvoorspelbare stemmingen verkeerde, was de conservatieve benadering de veiligste, wist hij uit ervaring. 'Ik dacht dat we op weg waren naar... Ik ben de naam van het oord vergeten. Dat kleine koninkrijk van uw... uw gast. Daar ergens in het noorden.'

'Zuidermark. En dat zijn we ook.' Sulepis strekte zijn arm om zijn lange, gespreide vingers te bewonderen, stuk voor stuk bekroond met goud dat straalde als de honing van Nushash' bijen. 'Maar eerst brengen we een bezoekje aan een andere heerser. Mag ik misschien zelf bepalen hoe ik mijn tijd doorbreng, Eerste Minister Vash? Het leven is toch veel te mooi om altijd maar haast te hebben!' De autarch plooide zijn lippen in zijn lome krokodillenglimlach.

'Natuurlijk mag u dat... Gouden Vorst! Dat spreekt vanzelf! Zelfs de sterren aan de hemel onderbreken hun baan, in afwachting van uw voornemens.' Vash drukte zich nog iets dichter tegen de grond, ondanks de pijnscheuten in zijn schenen en zijn heupen. 'Wij allen leven slechts om u te dienen. Ik zou alleen willen... dat ik meer wist van uw voornemens... zodat we beter in uw behoeften kunnen voorzien.' Hij probeerde te lachen, maar in plaats van een veelbetekenend gegrinnik bracht hij een soort bibberig gepiep voort. 'Het is u vergund! Maar u neemt uw oudste en meest toegewijde dienaar bij de neus, meester! En dat terwijl ik zou sterven om uw onbeduidendste wens in vervulling te doen gaan.'

'Dat zou ik wel eens willen zien.' De lach van Sulepis was overtuigender dan die van Vash. 'Maar vanochtend liever niet, dunkt me. Regel boten om aan land te gaan en dragers voor de geschenken. En zeg tegen de antipolemarch dat hij zijn soldaten kan laten inrukken. Ik neem alleen dragers mee, mijn tapijtslaven, en u. O, en ik denk dat Koning Olin het bezoek ook wel vermakelijk zal vinden. Vier wachten zou genoeg voor hem moeten zijn.'

'Geen soldaten?' Vash besefte dat hij wederom de beslissingen van zijn monarch ter discussie stelde, maar zelfs de autarch zou toch niet zo gek zijn een buitenlands hof te betreden met slechts vier wachten? 'Ik ben oud, Gouden Vorst. Heb ik u verkeerd verstaan?'

'Nee. Zeg tegen Dumin Hauyuz dat zijn mannen aan boord moeten blijven en dat het schip op elk door mij gewenst moment moet kunnen vertrekken. Voor het overige mag hij doen wat hij wil.'

'Daar is hij u ongetwijfeld innig dankbaar voor, Gouden Vorst.' Vash probeerde achterwaarts en op zijn knieën de hut te verlaten, maar hij had al snel in de gaten dat hij daar niet meer de soepelheid voor had. Nadat hij ver genoeg achteruit was geschuifeld, werkte hij zich langzaam overeind, en vervolgens verliet hij – nog steeds achterwaarts – de hut van de ondoorgrondelijke, onbegrijpelijke levende god op aarde.

Het leek erop dat de hele bevolking van Gremos Pitra, de hoofdstad van Jellon en Jael, langs de steile weg van de haven naar het paleis stond om de vreemde optocht te zien langstrekken. Het was een kleine stoet, zoals Sulepis had opgedragen, met de autarch zelf voorop (behalve wanneer de tapijtslaven zich naar voren haastten om het volgende, met gouddraad geborduurde, tapijt neer te leggen, zodat zijn heilige voeten geen moment de grond raakten). Vash liep achter de autarch en probeerde manmoedig op het volgende tapijt te stappen, voordat de zwetende slaven het voorgaande oppakten om het voor de god-koning neer te leggen. De eerste minister was zo doodsbang dat een van de toeschouwers iets ongepasts zou doen – iemand kon wel een steen naar de autarch gooien! – dat zijn maag pijn deed.

Achter Vash liep Olin met zijn wachten, gewoon op straat zoals dat voor gewone mannen gepast was; ze werden gevolgd door de zwijgende priester die Vash aan boord wel had gezien maar wiens naam hij niet kende. De man had de donkere, tanige huid van de stammen uit het hart van de woestijn. Zijn lichaam was bedekt met tatoeages in de vorm van vlammen. Hoewel hij nog niet zo oud was, waren zijn ogen grijs door staar. Aan zijn staf bungelden de rinkelende, rammelende skeletten van wel een stuk of tien slangen. Vash werd kribbig van hem – van alles wat hij zei en deed, zelfs van hoe hij eruitzag – en hij was dan ook dankbaar dat de priester zich het grootste deel van de reis niet aan dek had vertoond.

De slangenpriester werd gevolgd door enkele tientallen gespierde slaven met reusachtige manden op hun rug waarin de geschenken zaten. Te oordelen naar de verkrampte, ongemakkelijke uitdrukking op het gezicht van de dragers, waren de manden niet alleen reusachtig maar bovendien loodzwaar.

De toeschouwers die langs de weg waren samengedromd, zagen de stoet verbouwereerd aan zich voorbijtrekken en er werd druk gefluisterd, zowel over de verschijning van de rijzige god-koning uit het zuiden in zijn glanzende, gouden wapenrusting als over het bijna volledig ontbreken van soldaten om hem te bewaken. Vash was duidelijk niet de enige die zich erover verbaasde dat de beroemde vijand van heel Eion ongewapend door een hem niet gunstig gezinde stad liep.

Pinimmon Vash kreeg de laatste tijd niet veel kans om te bidden, maar op dat moment sprak hij in gedachten een gebed.

Nushash, ik volg uw erfgenaam. Mijn hele leven is me geleerd dat de autarch uw bloed in zijn aderen heeft. Nu volg ik hem bij het betreden van een vijandelijk land waar gruwelijke gevaren dreigen. Ik heb drie autarchen gediend en ik heb altijd mijn best gedaan om de Valken Troon te steunen en ter wille te zijn. Nushash, ik smeek u, laat me niet sterven in dit achterlijke land! En laat de autarch niet sterven onder mijn bescherming!

Hij knipperde het stof uit zijn ogen. Gelukkig was scotarch Prusas aan boord gebleven, beschermd door de soldaten. Zelfs als het ergst denkbare gebeurde, zouden de eeuwenoude wetten zijn gerespecteerd, en zou de Valken Troon niet leeg blijven.

Maar Prusas is een kreupele oude man, dacht Vash. *Een kwijlende halvegare.* Anderzijds, volgens de verhalen waren sommige autarchen in het verleden, vooral in de periode vóór de Oorlog van het Negende Jaar, niet veel beter. Het ging om de traditie. De scotarch zat tenslotte slechts op de troon totdat de raad van adellijke families een nieuwe autarch had gekozen. En Sulepis had diverse zoons bij diverse vrouwen. Dus de lijn zou niet uitsterven.

De eerste minister schrok op uit zijn sombere overwegingen toen er beroering ontstond in de menigte. De stoet van de Gouden Vorst had de stadspoorten van Gremos Pitra bereikt, waar het bezoek werd opgewacht door een troep gewapende soldaten. Vash haastte zich naar voren, zo snel als zijn pijnlijke benen hem wilden dragen. De autarch sprak niet rechtstreeks tegen minderen, en Vash ging ervan uit dat de wereld niet dusdanig op zijn kop stond – althans, nog niet – dat hij dat in deze situatie wel zou doen.

'Mijn naam is Niccol Opanour, poortheraut van Gremos Pitra en van Zijne Majesteit Hesper, Koning van Jellon en Jael,' sprak de leider van de soldaten, een man met een vossengezicht, een korte baard en de oogopslag van een bedreven gokker. 'Wat brengt u hier, naar het hof van Koning Hesper? Wenst u zaken met hem te doen?'

'Záken?' Vash was door de autarch zorgvuldig geïnstrueerd. 'Een groot koning als Sulepis heeft toch zeker geen kleinzielig excuus nodig om een medemonarch te bezoeken? We brengen uw meester gaven uit het zuiden, als gebaar van goede wil. U wilt mijn monarch toch niet als een koopman voor de poort laten wachten? Zoals u ziet gaan we niet vergezeld door soldaten. We zijn overgeleverd aan Hespers genade.'

Wat er, zoals de meeste andere koningen van het noordelijke continent konden getuigen, op neerkwam dat ze geen enkele hoop hoefden te koesteren. Het was algemeen bekend dat Hesper slechts genade toonde als hij daar zelf beter van werd, en dat hij andere vorsten uitsluitend vriendschappelijk bejegende wanneer hem dat uitkwam.

Poortheraut Opanour fronste zijn wenkbrauwen. 'Ik wil uw koning niet beledigen, maar uw bezoek komt volslagen onverwacht. We zijn hier niet op voorbereid. Bovendien is Koning Hesper... onwel.'

'Ach, dat spijt ons,' zei Vash. 'Maar ik ben ervan overtuigd dat onze gaven ervoor zullen zorgen dat hij zich althans enigszins beter gaat voelen.' Hij had al lang geen Hierosolaans gesproken, de taal van het noorden, en het deed hem plezier te ontdekken dat de subtiele nuances en

formuleringen hem nog niet waren ontschoten. Nadat hij een van de
zwetende dragers had gewenkt, nam hij het deksel van diens mand. 'Aan-
schouw de gulheid van Xis.'

Het handjevol soldaten boog zich naar voren in het zadel. Hun ogen
werden groot toen ze zagen dat de mand was gevuld met goud en edelstenen.

'Dat... dat is buitengewoon indrukwekkend,' zei de poortheraut. 'Toch
zullen we de koning om toestemming moeten vragen...'

Op dat moment stapte de autarch zelf onverwacht naar voren, zodat
de tapijtslaven zich haastten om een kleed neer te leggen voordat zijn
voet, gestoken in een sandaal, de onbedekte grond zou raken (waardoor,
zo werd gezegd, de wereld zou wankelen en vergaan). De paarden van
de soldaten deinsden achteruit alsof Sulepis een schepsel was dat ze
nooit eerder hadden gezien – en dat was ook zo, dacht Vash, die hoe
langer hoe meer tot de overtuiging kwam dat de hele wereld nog nooit
een mens had gezien die te vergelijken was met zijn meester.

'Eerste Minister, wees zo goed deze mannen van Jellon één ding heel
duidelijk te maken,' zei Sulepis in het Hierosolaans, bedrieglijk zacht
want zijn stem droeg heel ver. 'Namelijk dat zelfs het geduld van een
welwillend vorst niet onbegrensd is. Ons schip dat hier net buiten de
haven voor anker ligt, is bewapend met kanonnen, en tegen de avond
zullen er nog meer schepen van onze oorlogsvloot arriveren.' Sulepis
glimlachte naar de mannen uit Jellon en sloeg met een zacht gerinkel
van zijn gouden wapenrusting zijn armen over elkaar. 'We komen in vrede en we zouden het afschuwelijk vinden wanneer een vonk van wantrouwen zou leiden tot een brand die maar moeilijk te blussen zou zijn.'

Daarop werd ijlings besloten dat een van de soldaten zou terugrijden
naar het paleis om Hesper en het hof te verwittigen dat de autarch in
aantocht was.

Het paleis van Gremos Pitra stond op de top van een klif, hoog boven de haven, maar in de vele jaren dat het land niet meer in oorlog was
geweest, was het steile, smalle pad dat omhoogvoerde, omgelegd en
voorzien van een reeks brede haarspeldbochten. Zelfs de oude Vash met
zijn pijnlijke gewrichten had er niet al te veel moeite mee om van de
haven naar de paleispoorten te klimmen, ook al begreep hij nog steeds
niet waarom ze zoveel tijd staken in zo'n merkwaardige exercitie.

Bij de nadering van de stoet zwaaiden de poorten open en werden de
bezoekers onthaald op Hespers volle machtsvertoon in de gedaante van
gewapende soldaten op alle borstweringen en enkele tientallen gewa-

pende mannen aan weerskanten van de toegang tot het paleis. De autarch passeerde hen kalm en minzaam, alsof ze zijn eigen loyale onderdanen waren, zonder naar links of naar rechts te kijken en met afgemeten tred, maar niet overdreven langzaam, zodat de tapijtslaven zich moesten haasten om hem voor te blijven. De stoet stak een formele binnenplaats over die in hoog tempo volstroomde met hovelingen en bedienden uit Jellon. De mensen op de achterste rijen gingen op hun tenen staan of vertrapten de zorgvuldig geschoren hagen, in hun gretigheid een glimp op te vangen van de beruchte Krankzinnige Autarch van Xis.

Een aanzienlijk aantal van de soldaten sloot achter de slaven met de manden aan en marcheerde de grote zaal binnen, zodat de autarch aan alle kanten was ingesloten door gewapende mannen in ceremoniële groene mantels met de blauwe haan en de gouden ringen van Hespers Huis van Jael. De hoge, van een baldakijn voorziene troon van de koning stond helemaal aan de andere kant van de indrukwekkende zaal, omringd door tientallen hovelingen die de nieuw aangekomenen met open mond aanstaarden, zo geboeid dat ze vergaten onderling te fluisteren. Vash kneep zijn ogen tot spleetjes – de zaal was erg lang – en probeerde de kleine gedaante te onderscheiden die onder de baldakijn in de reusachtige troon hing en die de aanblik bood van een zak kleren, klaar voor de was. Zoals de heraut al had gesuggereerd, zag de koning van Jellon er behalve oud ook ziek uit; zijn huid was bleek, en er lagen donkere kringen onder zijn diepliggende ogen. Zijn volledig witte kleding had het onzalige effect dat hij de aanblik bood van een dode, gewikkeld in een lijkwade.

Sulepis liep met krachtige tred naar hem toe, nog altijd voorafgegaan door de koortsachtig zwoegende tapijtslaven. Op korte afstand van de treden naar de troon bleef hij staan. Vash verwachtte dat zijn meester ontstemd zou zijn omdat hij werd gedwongen lager te staan dan een minder machtige vorst, maar de autarch vertoonde geen zweem van geïrriteerdheid. De wachten uit Jellon grepen nerveus naar hun wapen, maar hun vorst hief bevend een hand op.

'Kijk eens aan,' zei hij schor. 'De gevreesde Monarch van het Zuiden. U bent jonger dan ik had gedacht, heer. Wat is de reden van uw bezoek?'

'Ik heb gehoord dat u zich niet goed voelt,' zei Sulepis eenvoudig en op zakelijke toon. 'Het is erg vriendelijk van u dat u uw bed hebt verlaten om me te ontvangen.'

'Vriendelijk?' Hesper richtte zich iets op. 'Wat is dat voor idioterie?

U hebt me gedreigd met uw oorlogsschepen als ik weigerde u te ontvangen!' Zijn stem, die krachtig had moeten zijn, verried in zijn zwakte nog slechts geprikkeldheid. Toch kon Vash zien dat hij ooit een indrukwekkend man moest zijn geweest.

'Misschien hebt u gelijk,' zei Sulepis. 'Misschien moeten we de maskers afleggen. Ik ben niet alleen gekomen om u geschenken te brengen – ook al zijn ze werkelijk schitterend.' Hij gebaarde met zijn gouden vingers naar de slaven, die hun manden nog altijd hoog op de schouders droegen, alsof de troonzaal te smerig was om zulke waardevolle schatten neer te zetten. 'Maar ook om u te informeren dat ik ontstemd over u ben.'

'Ontstemd? Over mij?' Hesper schudde geërgerd zijn hoofd. Vash kon zijn ogen niet van hem afhouden. De koning van Jellon was nog geen zestig – aanzienlijk jonger dan Pinimmon Vash zelf – maar hij leek wel honderd, of nog ouder; en bovendien zag hij eruit alsof zijn honderdjarige leven bepaald niet gemakkelijk was geweest. 'En waarom zou ik me dat aantrekken? Ik ben geen kind meer! Ik ben ook ontstemd. Omdat u mijn rust hebt verstoord. Dus zeg wat u te zeggen hebt en vertrek.'

'U had me iets beloofd, Hesper.' De autarch klonk als een strenge, liefdevolle maar teleurgestelde vader. 'U bezat iets waar ik mijn zinnen op had gezet – iets wat ik u nadrukkelijk heb gevraagd voor me te verwerven. Maar u hebt het aan iemand anders verkocht.'

Er ontstond geroezemoes onder de hovelingen. Ook al wist hij niet wat zijn meester bedoelde, Vash vermoedde dat ze al snel nog veel meer aanleiding zouden hebben om zich te verwonderen.

'Wat bazelt u?' vroeg Hesper, maar hij zag eruit als iemand die zich betrapt voelde op een leugen.

'Zoals u ziet, heb ik het ondanks uw gebrek aan medewerking alsnog weten te verwerven.' De autarch klapte in zijn handen, waarop zijn wachten Koning Olin naar voren duwden. Het geroezemoes onder de hovelingen werd luider, maar het was wel duidelijk dat de meesten de heerser van de Mark Koninkrijken niet herkenden.

'Wat... wat...' stotterde Hesper. 'Wat is dit voor dwaasheid...'

'Ik denk eerder dat wie mij iets belooft en zich niet aan zijn belofte houdt, dwaas dient te worden genoemd,' zei Sulepis kalm. 'Ik had u gezegd dat ik Olin van Zuidermark wilde. Ik heb u zelfs goud gegeven om mijn goede wil te tonen. Mijn goud hebt u gehouden, Hesper, maar Olin hebt u verkocht aan Ludis van Hierosol. Dat is niet de manier om me gunstig te stemmen.'

Vash begon nu echt bang te worden. Hesper mocht dan oud en ziek zijn, en de oorlogsschepen van Sulepis mochten dan even buiten de haven liggen, maar op dat moment werden de mannen uit Xis omringd door gewapende vijandelijke soldaten en was de haven mijlenver weg. Waarom lokte Sulepis een confrontatie uit? Was hij het concept van zijn eigen goddelijkheid te serieus gaan nemen? Dacht hij oprecht dat de mannen van Jellon hem niet zouden durven aanraken, laat staan hem in stukken hakken? Geloofde de autarch dat deze noorderlingen hem net zo zagen als zijn eigen onderdanen, die generaties lang waren grootgebracht met eerbied voor hun god-koning?

'En, Koning Olin?' Sulepis leek volmaakt op zijn gemak, alsof hij in zijn eigen troonzaal stond, omringd door zijn Luipaarden en zijn onderdanen die hem aanbaden. 'Hebt u niets te zeggen tegen uw verrader, nu u eindelijk oog in oog met hem staat? Dit is de man die u bij uw gezin heeft weggehaald en die u als een beest heeft doorverkocht.'

Olin keek van Sulepis naar Hesper en sloeg toen zijn ogen weer neer. 'Ik heb niets te zeggen. Ik ben een gevangene, en dus ben ik hier niet uit vrije wil.'

Hesper probeerde op te staan, maar het was tevergeefs. Hij zakte hijgend terug in de reusachtige zetel en stak een beschuldigende vinger uit naar de autarch. 'Waarom wilt u me vernederen voor de ogen van mijn onderdanen? U mag dan heersen over een miljoen zwarten, maar hier in Jellon bent u niets anders dan een dwaas, uitgedost als een pauw met gouden veren. U hebt zich aan me opgedrongen. U bent geen gast en ik ben u geen vrijgeleide verschuldigd.' Hij probeerde nog iets te zeggen, maar het werd hem onmogelijk gemaakt door een langdurige hoestaanval. Toen hij zichzelf weer in de hand had, raspte zijn stem als een los karrenwiel. 'Ik twijfel nog of ik u gevangen moet nemen en losgeld voor u moet vragen, of u simpelweg uit de weg moet laten ruimen.'

'Alles zal gaan zoals de Hemel het heeft voorzien,' zei de autarch glimlachend. 'Olin, weet u zeker dat u niets meer te zeggen hebt? Ik geef u de kans uw vijand ter verantwoording te roepen.'

Vash voelde een gruwelijke druk op zijn blaas, zijn hart bonsde zo gejaagd dat hij vreesde in zwijm te vallen voor het oog van al deze buitenlanders.

'Hesper heeft me onrecht aangedaan,' zei Olin. 'Maar u hebt me hier gebracht als de zoveelste mand met geschenken – om te pronken met uw macht en uw rijkdom. Ik weiger uw spel mee te spelen, Sulepis.'

'Genoeg!' zei Hesper, en hij begon opnieuw te hoesten. 'Ik... ik heb...'

'Wat spijtig dat u niet beseft wat ik allemaal voor u doe, Olin,' zei de autarch. 'Ik verhef u van een vernederend lot tot het heldhaftigst denkbare eind. En dan dit...' Hij keerde zich weer naar de troon. 'Hesper, u bent al geruime tijd ziek. Volgens mij al... al bijna een jaar. Het is begonnen toen u Olin doorverkocht aan Ludis Drakava, is het niet?'

De ogen van Hesper puilden van pijn en frustratie uit hun kassen toen hij probeerde op te houden met hoesten. Zijn witte gewaad werd besproeid met fijne rode bloeddruppeltjes. Een van zijn bedienden kwam naar voren met een beker, maar Hesper wuifde hem weg. 'Ja, ik ben ziek,' wist hij ten slotte ademloos en fluisterend uit te brengen. 'En bovendien ben ik in mijn ellende verlaten door die hoer! Ze was niets, en ik heb haar verheven! Maar ze heeft me verraden. Ze heeft me verlaten voor Enander, die valse hond...' Toen zweeg hij, en hij keek verward om zich heen, alsof hij uit een diepe slaap ontwaakte. Hij knipperde met zijn ogen terwijl hij het rode speeksel van zijn kin veegde. 'Het doet er niet toe,' zei hij toen. 'Maar ik zal lang genoeg leven om te zien dat ú krijsend in de Hel wordt gestort, Xandiër.'

'U begrijpt het nog steeds niet, is het wel?' Sulepis glimlachte. 'U bent stervende, Hesper, want u bent vergiftigd. Zo ver reikt mijn arm!' Hij grijnsde, waardoor hij er nog meer uitzag als een roofdier. 'Het is allemaal nog erger dan u denkt. Ananka heeft u niet alleen verlaten, ze nam mijn goud en heeft u de beker des doods te drinken gegeven voordat ze vertrok.' De autarch negeerde de geschokte kreten van de hovelingen terwijl hij zich van de ademloze koning van Jellon met zijn uitpuilende ogen weer naar Olin keerde. 'U ziet hoe u bent gewroken,' zei hij tegen zijn gevangene. 'En Koning Hesper leert welke prijs er moet worden betaald voor het verraad van een levende god.'

Hesper herstelde zich voldoende om woest naar Sulepis te gebaren. 'Wachten!' bracht hij uit. Maar op het moment dat de soldaten naar voren kwamen – aarzelender dan Vash zou hebben verwacht bij zo'n minimale tegenstand – hief de autarch zijn hand, en de soldaten van Jellon verstarden, alsof niet de bloed opgevende Hesper hun koning was, maar Sulepis.

'Nee, wacht!' riep de autarch, en hij begon te lachen. Het klonk zo vreemd en zo onverwacht dat zelfs de tot de tanden gewapende soldaten ineenkrompen. 'U hebt de geschenken nog niet gezien die ik u breng!' Sulepis knipte met zijn vingers.

De dragers tilden hun manden hoog boven hun hoofd en smeten ze op de grond. Goud en juwelen stroomden op de tegels, maar de man-

den bleken niet alleen schatten te bevatten. Zodra ze op de grond ka-
potvielen, steeg er uit elke mand een zwerm zwarte wespen op, kermend
als een wervelwind. De kwaadaardig zoemende insecten waren reusachtig, zo groot als een mannenduim. En het geschreeuw onder de hovelingen was amper losgebarsten, of de wespen werden gevolgd door honderden giftige cobra's, die alle kanten uit glibberden en alles aanvielen
wat bewoog, inclusief de hulpeloze dragers. Er brak chaos uit in de enorme troonzaal terwijl hovelingen en bedienden krijsend een goed heen-
komen zochten. Velen hielden hun handen voor hun gezicht om zich
te beschermen tegen de wespen, met als gevolg dat ze struikelden over
de slangen en gillend op de grond belandden, waar ze hulpeloos om zich
heen sloegen tot het slangengif hun het zwijgen oplegde.

Vash was zo verbijsterd dat hij tot niets in staat was en als verlamd
naar de gruwelen keek, terwijl de wespen langs hem heen schoten als
gekatapulteerde stenen en terwijl de eerste woedende slangen bijna de
plek hadden bereikt waar hij zich angstig en onderdanig staande hield
naast de autarch.

'A'lat!' riep Sulepis.

De priester met de donkere huid kwam naar voren en hief zijn staf
met de ratelende slangenskeletten, stampte ermee op de grond en riep
iets wat Vash niet kon verstaan. Op slag werd de lucht rond de priester
schemerig als een luchtspiegeling, waarop de vreemde heiigheid zich
uitbreidde en de autarch, Vash, Olin Eddon en de wachten omhulde.

Vash had het gevoel alsof hij in een mistbank was terechtgekomen;
hij kon de contouren van de vluchtende, wankelende hovelingen en soldaten nog wel onderscheiden, maar ze leken vaag en ver weg, als scha-
duwpoppen die te ver van het scherm werden gehouden. De bezwering
van de priester – Vash ging er tenminste van uit dat die een bezwering
had uitgesproken – had echter geen invloed op de geluiden in de grote
zaal, en die werden alleen maar erger toen het gereutel en gekreun van
de stervenden de kreten van de levenden begon te overstemmen die nog
wanhopig probeerden te ontkomen.

'A'lat,' zei de autarch. 'Wat rook zou bijdragen aan het effect en ons
vertrek zelfs nog indrukwekkender maken.' Hij zei het kalm, alsof hij
een voorstel deed over bomen die hij geplant wilde zien in de tuinen
van het Warande Paleis. 'Vash, de situatie zal nogal verwarrend zijn wanneer we de zaal verlaten. Zeg tegen de tapijtslaven extra goed op te letten.'

Vash kon geen woord uitbrengen en keek met open mond toe terwijl

A'lat, de donkere priester, een ronde bal zo groot als een kleine kanonskogel omhooghield en begon op te wrijven onder het zangerig prevelen
van enkele zachte woorden, tot de bal rook begon af te geven in de kleur
van dadelpruimen. Daarop rolde de priester de bal over de grond naar
de uitgang van de grote zaal, gevolgd door de autarch en zijn tapijtslaven.

De deur naar de binnenplaats stond open, de binnenplaats zelf lag
bezaaid met lichamen; er klonk gekreun, hier en daar bewogen de slachtoffers nog, maar de meeste lagen roerloos. Sommige hovelingen die in
de bomen waren geklommen om aan de cobra's te ontsnappen, hingen
met een hand aan een tak terwijl ze met hun andere hand probeerden
de woedende wespen weg te slaan, maar hun wanhoopskreten en de lijken aan de voet van de bomen, waarvan het gezicht was bedekt met
glanzende, zwarte insecten, verrieden duidelijk – ondanks het vreemde
waas dat de priester had geschapen – de uitzichtloosheid van hun situatie. De magische mist leek de autarch overal waar hij ging te beschermen, vergelijkbaar met de koninklijke baldakijn die slaven op bijzonder
hete dagen boven zijn hoofd hielden. De wachten van Jellon die zich
naar de troonzaal haastten om hun monarch te beschermen, wekten de
indruk de kleine stoet niet te zien terwijl ze voorbijstormden.

Vash had wel eens cobra's gezien, zij het nooit in zulke grote aantallen, maar de reusachtige wespen waren nieuw voor hem – wezens die
geen ander verlangen leken te hebben dan alles te steken wat bewoog,
en te blijven steken tot elke beweging was verstild. Zelfs omringd door
waanzin en dood kon Vash het niet laten zich af te vragen waar ze vandaan kwamen.

Toen de kleine stoet de poort bereikte, richtte Sulepis zich tot de
priester. 'Volgens mij hebben we meer rook nodig. Om de menigte af
te leiden.' Daarop wachtte hij kalm terwijl zijn wachten het enorme valhek optrokken en de poort ontgrendelden. A'lat wreef een volgende
rookvrucht tot leven, en met de kolkende bol hoog geheven leidde hij
Sulepis en de zich voorthaastende tapijtslaven naar de paleispoort. Ook
onder de toeschouwers die langs de weg hadden gestaan, was chaos uitgebroken, met als gevolg dat ze de doorgang versperden.

A'lat ontstak een tweede rookbol, zodat hij er in elke hand een hield.
De Jelloniërs deinsden achteruit, schreeuwend van angst en verbijstering. Sulepis hief zijn handen.

'De grote god van het vuur heeft uw slechte koning vernietigd!' bulderde hij. Uit de menigte steeg geroep en gegil op, maar ook verward

gemompel. 'Hij heeft het noodlot uit de Hemel over Hesper afgeroepen – stekende insecten, vurige serpenten, leeuwen en draken! Vlucht! Vlucht, en misschien zal uw leven worden gespaard!'

Terwijl de Jelloniërs hem verbijsterd gadesloegen – en terwijl sommigen terugdeinsden, maar anderen zich woedend en vol wantrouwen op de autarch dreigden te storten – kwamen de eerste wespen de paleispoort uit. Ze joegen langs de autarch en zijn gevolg alsof ze hen niet zagen, en vielen als een dodelijke wolk aan op de mensenmassa. Het gekrijs dat daarop losbarstte, was voor anderen het signaal om het alsnog op een lopen te zetten. Even later glibberden een stuk of tien, twaalf reusachtige slangen door de paleispoort het zonlicht tegemoet, waarop redeloze doodsangst de massa in zijn greep kreeg, zoals dat eerder met de hovelingen was gebeurd. Ondertussen vervolgden de autarch en zijn escorte hun weg naar de haven, voorafgegaan door de tapijtslaven die zich haastten om geen hapering te laten ontstaan in het gouden pad voor hun meester.

'Leeuwen en draken?' Vash keek ongerust om zich heen.

'Het verhaal van wat hier is gebeurd, zal met elke keer dat het wordt doorverteld, mooier worden,' zei de autarch. 'Ik heb simpelweg wat details toegevoegd om de uiteindelijke versie nog beeldender te maken.'

Olin Eddon bood de bloedeloze aanblik van een man die in een nachtmerrie was terechtgekomen. Zijn tred was enigszins onvast, zodat zijn bewakers dichter naast hem gingen lopen om te voorkomen dat hij viel.

'Is Hesper dood?' vroeg Vash.

'Ik hoop het niet!' Sulepis schudde zijn hoofd. 'Ik hoop dat hij zijn laatste maanden, voordat het gif hem fataal wordt, doorbrengt in het besef van de prijs die hij heeft betaald voor zijn bedrog, maar bovendien in het besef dat ik op een moment dat het mij uitkomt, zal terugkeren en zijn nietige land zal opslokken als een stuk suikergoed.' Hij bleef staan en draaide zich om voor een laatste blik op Gremos Pitra. Er lag een volmaakt kalme, vredige uitdrukking op zijn lange gezicht. 'Na wat er vandaag is gebeurd, zullen de bewoners van Jellon bij mijn terugkeer voor me kruipen. Ze zullen smeken slaven van Xis te mogen worden.'

'Niet iedereen in het noorden zal u smeken uw slaaf te mogen worden,' zei Olin somber. 'Ik denk dat u zult ontdekken dat velen liever sterven dan hun knie voor u te buigen.'

'Ook dat kan worden geregeld,' zei de autarch. 'Vooruit! Tempo! We hebben een drukke ochtend achter de rug, en uw god-koning heeft honger.'

*

Het duizelde Qinnitan nog toen de man zonder naam haar het zonlicht in sleurde en haar meevoerde over de kaden. De arme Duif strompelde naast hen. Bloed druppelde door het provisorische verband om zijn hand, de blik in zijn ogen was leeg door de schok van wat er was gebeurd.

Hoe was het mogelijk? Hoe was het mogelijk dat al hun beproevingen hun slechts enkele ogenblikken van vrijheid hadden opgeleverd? Hadden de goden dan zelfs geen greintje mededogen?

Spaar ons, grote Nushash, bad ze. *Ik was priesteres in uw heilige Korf. Ik heb alleen maar geprobeerd te doen wat goed was. Hemelse bijen, bescherm ons!*

Maar er waren geen bijen, alleen rook en brandende stukken zeildoek meegevoerd door de wind. Van het schip dat hen hier had gebracht, was zo goed als niets meer over. Alleen een stukje van het brandende vooronder stak nog boven het water uit, de mast was allang zwartgeblakerd in zee verdwenen. Honderden mensen dromden samen langs de waterkant; ze schreeuwden naar elkaar over wat ze hadden gezien en gehoord, en keken toe terwijl mannen in kleine bootjes overlevenden uit het water visten.

Sommige van de slachtoffers waren onschuldige zeelieden, besefte Qinnitan. *Net als de mannen op Dorza's schip. Sommigen waren misschien wel goede mensen. En nu zijn ze dood, en dat is mijn schuld...*

Het was zinloos om daaraan te denken. Trouwens, alles was zinloos geworden. De autarch zou haar zo gruwelijk straffen dat ze zich daar maar beter geen voorstelling van kon maken. Haar enige hoop om te ontsnappen bleek een illusie te zijn geweest. Zelfs als ze in het water zou springen, zou de meedogenloze moordenaar zonder naam haar achterna springen en haar weer op de kant trekken. Misschien als ze probeerde zo veel mogelijk water binnen te krijgen...

Maar dan was Duif alleen, besefte ze. *En dan zou dit monster hem aan de autarch geven om hem te martelen... en uiteindelijk te vermoorden.*

Plotseling voelde Qinnitan een gruwelijke, stekende pijn in haar arm. Ze gilde, zette wankelend nog een paar stappen naar voren en viel toen op haar knieën. Even dacht ze dat haar gevangennemer haar elleboog had gebroken, maar hij liep aan haar andere kant en probeerde haar weer overeind te trekken. Niet alleen haar armen, ook haar benen waren echter zo slap en zo week als nat touw.

Het werd zwart voor haar ogen, en ze boog haar hoofd, met een gevoel alsof ze moest overgeven. De pijn werd zo vurig dat het leek alsof
een stuk van het brandende schip haar arm binnendrong, als een nagel
die in zacht hout werd geslagen; alsof iemand een scherp mes in haar
elleboog stak.

'Bij de goden! Laat het ophouden!' riep ze uit. Tenminste, ze dacht
dat ze het riep. Maar terwijl ze in een gapend zwart gat stortte, wist ze
niets meer zeker.

Schaduwen bewogen om haar heen, oogloze wezens mompelden
woorden die ze amper kon verstaan.

'*Tranen...*' fluisterde er een.

'*Speeksel...*' zei een ander.

'*Bloed...*' klonk een derde stem, beverig en zo zacht dat ze die nauwelijks kon onderscheiden.

Haar arm brandde alsof het bot was veranderd in een withete pook.
De duisternis wervelde om haar heen in een wilde dans, en even zag ze
het gezicht van de jongen met het rode haar... Barrick...! Maar het was
wel duidelijk dat hij haar niet zag, ook al probeerde ze hem te roepen.
Iets bedekte hem en schermde hem van haar af – een bevroren waterval, een glazen koepel – en haar woorden konden hem niet bereiken.
IJs. Ondoordringbare schaduwen. Verwijdering...

Toen keerde de werkelijkheid terug, en om haar heen klonken het geroep van de meeuwen en het geschreeuw van de mensen als stukjes van
een puzzel die weer op hun plaats vielen. Onder haar handen en haar
knieën zag ze de harde, grijze planken van de steiger. Iemand trok haar
ruw overeind, maar ze was er nog niet klaar voor en viel bijna weer; het
was alleen aan die machtige arm, hard als ijzer, te danken dat ze overeind bleef. De pijn in haar eigen arm ebde weg, maar de herinnering
benam haar nog altijd de adem.

'Wat denk je hiermee te bereiken?' Haar gevangennemer, de man zonder naam, schudde haar hardhandig door elkaar. Hij keek om zich heen
alsof hij bang was dat iemand het zou opmerken, maar er was niemand
zo dichtbij dat hij hen zou kunnen horen, ervan uitgaande dat iemand
zich voor hen zou interesseren. We zien eruit als een vader met twee
koppige kinderen, dacht ze. *Twee stoute, koppige kinderen.*

En ineens werd ze zich van iets bewust – geen pijn, maar een inzicht
dat tot haar doordrong: als ze op deze weg doorging was er geen enkele hoop meer. Ze voelde het; ze voelde dat het net zich sloot, dat haar
mogelijkheden uitgeput raakten, met als gevolg dat haar aan het eind

van de weg nog slechts de dood restte. Alleen de dood, niets anders. Het wacht, besefte ze, ook al wist ze niet wat *het* was. Iets wat naar haar hongerde, dat was het enige wat ze wist, en het wachtte op haar in de duisternis aan het eind van haar reis.

Ze hervond haar evenwicht en wachtte tot de man haar losliet om Duif te grijpen. Toen draaide ze zich om en ze rende zo snel als haar benen haar wilden dragen, naar de rand van de steiger, zonder ook maar één moment te aarzelen toen haar gevangennemer begon te schreeuwen. De planken waren nat, en het scheelde niet veel of ze was uitgegleden en in het water gevallen, maar ze wist het te voorkomen door een paal te grijpen. Met een ruk kwam ze tot stilstand, en ze hief haar hand op toen de man naar haar toe kwam, Duif achter zich aan slepend.

'Nee!' zei ze met alle kracht die ze kon opbrengen. Haar keel was ruw geworden van het zoute water, dus ze wist niet veel meer uit te brengen dan een gekras. 'Nee. Als u nog één stap naar voren doet, spring ik in het water. Ik zwem naar de bodem en ik drink zo veel water dat ik dood ben voordat u me hebt weten te bereiken.'

Hij bleef staan, de woede op zijn strakke gezicht maakte plaats voor iets anders... iets kouds... iets berekenends...

'Ik weet dat ik niet aan u kan ontkomen,' vervolgde ze. 'Als u het kind laat gaan, zal ik doen wat u wilt. Als u erop staat hem mee te nemen, maak ik mezelf van kant, en dan kunt u de autarch alleen mijn lichaam brengen.'

'Er valt met mij niet te onderhandelen,' zei de man zonder naam.

'Duif, rennen!' schreeuwde Qinnitan. 'Je moet vluchten! Toe! Hij zal niet achter je aan komen! Ren zo ver weg als je kunt en verstop je dan!'

Het kind staarde haar alleen maar aan, de schok door zijn verwondingen maakte plaats voor een blik die nog hartverscheurender was. De man hield hem nog altijd bij zijn pols. Duif schudde zijn hoofd.

'Je moet hier weg!' riep ze. 'Anders zal hij je blijven pijnigen, alleen maar om mij te dwingen te doen wat hij wil! Je moet vluchten!'

De man zonder naam keek van haar naar de jongen. Toen bukte hij zich, en hij raapte een grof stuk touw op dat in willekeurige lussen op de steiger lag, als een uitgeputte slang. 'Bind het uiteinde om je middel, dan zal ik het kind laten gaan.' Hij slingerde een lus van het touw naar haar toe.

'Duif! Achteruit!' Ze bukte zich om het touw op te rapen, maar Duif bleef haar alleen maar aanstaren, zijn blik een en al wanhoop en hulpeloosheid. 'Achteruit!' Ze keerde zich naar haar gevangennemer. 'Wanneer hij bij de rand van de steiger is, bind ik het om mijn middel. Dat zweer ik als acoliet van de Korven van Nushash.'

Toen begon de man tot haar verrassing te lachen, een hard, schurend geluid. Er was iets met hem, besefte ze. Hij leek op een merkwaardige manier veranderd, alsof hij althans iets van zijn pantser van onbewogenheid had afgelegd. Hij was echter nog altijd angstaanjagend.

'Ga dan!' De man knikte en riep over zijn schouder naar Duif. 'Vooruit, rennen! Wanneer ze dat touw eenmaal om haar middel heeft en je bent nog steeds op de steiger, snij ik de rest van je vingers ook af.'

Duif schudde opnieuw krachtig zijn hoofd, maar Qinnitan meende te zien dat het niet zozeer een ontkenning was als een uiting van wanhoop. 'Ga weg!' riep ze. Aan de andere kant van de steiger keerde een enkeling zich naar hen toe, eindelijk afgeleid van de brand in de haven. 'Ik kan het niet verdragen als jij moet lijden, Duif. Alsjeblieft, ga weg! Dat is het beste wat je voor me kunt doen! Ga alsjeblieft weg!'

Duif aarzelde misschien nog vijf, zes hartenkloppen, toen barstte hij in snikken uit, hij draaide zich om en rende weg over de brede steiger, zijn blote voeten roffelden over de planken. Qinnitan overwoog om alsnog in het groene water te springen, maar of het kwam door de gruwelijke ervaring van even daarvoor toen ze bijna was verdronken, of door het gevoel dat ze haar toekomst op de een of andere manier had weten te veranderen, hoe minuscuul die verandering ook mocht zijn, hoe dan ook, ze deed het niet. In plaats daarvan bond ze het touw rond haar middel en verzette ze zich niet toen de man zonder naam haar naar zich toe trok. Duif was nergens meer te bekennen, zag ze tot haar opluchting.

Hij was nog de enige in de hele wereld die van me hield, dacht ze. *En nu is hij weg.*

Als een offerdier liet ze zich meevoeren, weg van de haven waar de vonken nog altijd van het brandende schip spatten, terug naar de schaduwrijke stegen tussen de smalle gebouwen die zich verdrongen langs de kaden van Agamid.

19
Dromen van bliksem en zwarte aarde

'Een Diepte-Ettin die in Noordermark werd gedood met kokende olie en daarna uit zijn ondergrondse hol werd gehaald, was meer dan tweemaal manshoog. Koning Lander bracht de beenderen als trofee mee terug naar Syan. Er wordt beweerd dat de hand van het monster net zo groot was als het reusachtige schild van de koning.'

Uit *Een Verhandeling over de Elfenvolken van Eion en Xand*

Ze groef wanhopig door de donkere aarde, maar telkens wanneer ze een glimp opving van het bleke, slapende gezicht van haar broer zonk hij dieper weg in de grond en kon ze hem niet meer bereiken.

Een paar keer slaagde ze erin zijn kleren aan te raken voordat hij wegzonk, maar hoe hard ze ook ploeterde, en hoe vlug ze de aarde ook opzijgooide, het lukte haar niet hem vast te pakken. Barrick zag eruit alsof hij leefde, maar hij was zich duidelijk niet van haar bewust terwijl hij rusteloos bewoog alsof hij werd gekweld door een angstaanjagende droom. Ze riep zijn naam, telkens weer, maar hij kon of wilde geen antwoord geven.

Eindelijk had ze iets te pakken, haar vingers krulden zich om zijn klamme buis, maar toen ze zich schrap zette en trok, was het niet het bleke gezicht van haar broer dat als de hoed van een paddenstoel uit de zwarte leem naar boven kwam, maar dat van Ferras Vansen. Geschokt en verbijsterd liet ze los, maar toen de soldaat weer wegzakte, opende de grond zich onder haar voeten en stortte ze in een verstikkende, gruizige duisternis.

Ze bevond zich in een onderaardse gang, witte wortels hingen als wurmen uit de rotsachtige bodem boven haar hoofd. Een eindje vóór zich zag ze een flits van zilver – een glimp, meer niet, maar het was genoeg om te beseffen wat het was; iets wat ze eerder had nagejaagd... in een ander...

Wanneer? Ze kon het zich niet herinneren. Maar ze wist dat het de waarheid was, en ze wist dat het zilverachtige ding haar opnieuw was ontglipt. Vastbesloten dat haar dat niet nog eens zou gebeuren, zette ze de achtervolging in. Maar hoe ze ook haar best deed, ze was niet gemaakt om zich op handen en voeten voort te bewegen, en datgene wat ze najaagde, duidelijk wel: het bleef haar altijd een bocht voor, zodat ze slechts af en toe een glimp opving van een bleke, wapperende, borstelige staart.

Ten slotte struikelde ze, en ze viel tegen de wand van de gang, waarop die instortte. Toen schrok Brionie Eddon wakker.

Ze schudde haar hoofd, ontmoedigd toen ze besefte dat ze een zware hoofdtooi droeg – waarom hield ze zo'n ding op in bed? Maar toen ze haar ogen opendeed, zag ze dat ze op de bank in haar salon zat. Haar hofdames zaten te borduren, ondertussen zacht met elkaar pratend. Ze was zittend in slaap gevallen, midden op de dag, en waarschijnlijk had ze zichzelf ook nog als een oud wijf ondergekwijld.

Haar vriendin Ivgenia schonk haar een vluchtige glimlach. Haastig veegde Brionie over haar kin. 'Wat ben ik afschuwelijk onbeleefd!' Ze ging rechtop zitten. 'Ik moet zijn weggedoezeld. Waarom kijk je me zo aan, Ivvie? Heb ik iets ergs gezegd in mijn slaap?'

'Nee, Hoogheid. Maakt u zich geen zorgen.' De glimlach werd breder. 'Arm kind. Dat komt ervan als je avond aan avond te laat naar bed gaat.'

'Ja, ja, plaag me maar. Ik ben één avond laat naar bed gegaan, dat is alles. De laatste avond van Groot Zosimia. Je zegt nota bene zelf dat ik me vaker moet laten zien en dat ik me onder de hovelingen moet mengen.'

'En je hébt je laten zien. Je hebt zelfs gedanst! Niemand zal je ooit nog kunnen verwijten dat je je afzijdig houdt, m'n lieve.'

'Gedanst?' Brionie kromp ineen. Ze was het helemaal niet van plan geweest, maar het bal werd gehouden na een lange, vermoeiende dag, en blijkbaar had ze in elk geval één glas wijn te veel gedronken. 'Zoals je het zegt, klinkt het verschrikkelijk. Heb ik me belachelijk gemaakt?'

Ivvie glimlachte opnieuw. 'Je hebt vooral de aandacht getrokken, maar ik denk dat veel van de andere vrouwen en meisjes je daarom hebben benijd.'

'Hou op. Je bent wreed.'

'Wacht maar af. Je secretaris heeft je het een en ander te laten zien.'

'O? Wat dan?' Ze voelde zich wanhopig traag van begrip. De onrustige nachten en de vreemde dromen – dromen waarin ze door het woud zwierf, in de grond groef en door donkere gangen vol wortels dwaalde – begonnen hun tol te eisen. Dat was echter geen excuus voor onnozel gedrag.

Feival stond met zijn armen over elkaar in de deuropening. Hij had zich snel aangepast aan het leven aan het hof; er was in heel Dreefstaete geen andere secretaris of priester die zich zo fraai en kleurig kleedde. 'Zijn we klaar met ons schoonheidsslaapje? Want ik heb diverse boodschappen die op antwoord wachten. En ook nog een paar pakketjes.' Hij rolde met zijn ogen. 'Een ervan is geadresseerd aan "De Lieftallige Dansprinses" – ik neem aan dat jij dat bent.'

'O hemel. Laat eens zien.' Ze pakte het kleine, met stof beklede kistje van hem aan. 'Wat is het?'

Ivgenia giechelde. 'Gansje! Maak het open, dan weet je het!'

'Is het een cadeau? Er staat dat het afkomstig is van Heer Nikomakos.' Met enige moeite maakte ze het kistje open, en ze haalde er een klein fluwelen buideltje uit.

'Hij is de zoon van een graaf – die man met dat stroblonde haar met wie u gisteravond zo vaak hebt gedanst.' Ivgenia lachte. 'Uwe Koninklijke Hoogheid heeft toch niet zo veel wijn gedronken dat u zich dat niet meer kunt herinneren?'

'Nee, dat weet ik nog. Hij deed me een beetje denken aan Kendrick, mijn... mijn broer. Maar hij praatte maar door over zijn haviken. Ik moest het ene na het andere verhaal aanhoren... Waarom zou hij me...' Ze stak haar hand in de fluwelen buidel. 'Zoria, bewaar me! Waarom zou hij me een gouden armband sturen?' De armband was prachtig, zij het een beetje opzichtig. Ze droeg dat soort sieraden alleen als het niet anders kon – een verstrengelde witte roos, waarvan de bloemblaadjes werden gevormd door lichte edelstenen. 'Genadige godin, zijn dat diamánten? Wat wil hij van me?' Vervuld van afschuw nam ze zich voor nooit meer wijn te drinken in gezelschap. In plaats van de stemming te peilen onder de edelen die misschien sympathiek tegenover de zaak van haar familie stonden en die haar zouden kunnen helpen Koning Enander onder druk te zetten, had ze zichzelf blijkbaar zo te kijk gezet dat het zelfs de grootste provinciaal met schaamte zou vervullen.

'Bent u nou echt zo onnozel, Hoogheid?' vroeg Ivvie.

'Nee, ik... Natuurlijk begrijp ik wel wat hij wil, en ik neem aan dat ik me gevleid zou moeten voelen, maar...' Ze wierp een angstige blik op de armband. 'Ik moet hem terugsturen.' Ze kon bijna hóren dat Feival vol afschuw zijn lippen tuitte. 'Is die hele stapel geschenken van hem?'

'En van anderen,' antwoordde haar vriendin.

'Dan moet ik ze allemaal terugsturen.'

'Echt waar? Allemaal?' Ivgenia hield een groot pak omhoog, omwikkeld met stof. 'Zelfs dit, van niemand minder dan Prins Eneas...'

Brionie pakte het van haar aan en maakte het open. 'Het is een boek – *Een Kroniek van het Leven van Iola, Koningin van Syan, Tolos en Perikal*. Ach, wat aardig! De prins en ik hebben het laatst over haar gehad.'

'Wat romantisch,' zei Feival met een scherpe ondertoon in zijn stem. 'Dus dat houdt u wel?'

'Het is een erg attent geschenk, Ivvie. Hij weet dat ik me interesseer voor dat soort onderwerpen. Toen ze jong was heeft Iola zich jarenlang schuil moeten houden, omdat haar familie van de troon was gestoten tijdens de Oorlog van de Drie Blazoenen.'

'En dus wilt u het boek houden, Prinses? En de armband dan? Blijft u erbij dat u die wilt terugsturen?'

'Natuurlijk. Ik ken Heer Nikomakos amper.'

'Dus het boek wilt u houden, en een armband bezet met edelstenen stuurt u terug. En dan vraagt u zich nog af waarom de ene helft van het hof denkt dat u uw zinnen op Eneas hebt gezet, en de andere helft dat u niet goed bij uw hoofd bent?'

Haar woorden raakten een pijnlijke snaar. Natuurlijk zat er een kern van waarheid in wat Ivvie zei – Brionie had inderdaad bepaalde gevoelens voor de prins, en het feit dat hij haar een boek had gegeven in plaats van een sieraad, bewees zijn wijsheid. Eneas begreep dat ze anders was dan andere meisjes.

En dat maakte wat ze voornemens was hem aan te doen, zo mogelijk nog erger.

'En wat doen we met de rest? Er zijn nog een stuk of vijf, zes brieven en cadeaus.' Ivgenia hield haar een rijk bewerkt houten kistje voor. 'Dit is mooi!'

'Ik wil het allemaal niet hebben.' Brionie schudde haar hoofd. 'Maak jij het maar open.'

'Echt waar? Mag ik dan houden wat erin zit...'

'Ivvie! Je bent verschrikkelijk! Maar goed, vertel het me maar – wat zit erin?'

'Het is... leeg,' zei haar vriendin, maar haar stem klonk merkwaardig. 'Au! Ik heb me bezeerd. Aan het slotje.' Ivgenia hield haar vinger omhoog waaruit een druppel bloed opwelde, als een kraal van agaat. Toen zakte ze opzij en viel op de grond.

Het formele karakter van de Grote Tuin van Dreefstaete sprak Brionie onder de gunstigste omstandigheden al niet aan, maar vandaag ervoer ze dat als regelrecht dor en benauwend.

Het kwam niet door de afmetingen, ook al besloeg de tuin diverse morgens, maar door de manier waarop de natuur was getemd en gekortwiekt. De hagen van sierbomen reikten maximaal manshoog, maar de meeste waren lager; daartussen groeiden kleine buksboompjes in geometrische patronen en pijnlijk nauwkeurige, concentrische bloemenperken. Waar je ook stond, bijna overal kon je de hele tuin overzien, inclusief wie zich in die tuin bevond. Misschien dat Tessiërs dat konden waarderen, maar Brionie gaf de voorkeur aan een beetje meer afzondering, vooral op een moment als dit, waarop ze het gevoel had alsof ze overal werd gevolgd door kwaadaardige blikken. De veel kleinere tuin van de residentie in Zuidermark had diverse lage heuvels en groepjes hoge bomen waardoor het gebied in een reeks afzonderlijke gebiedjes werd verdeeld – een soort schaalmodel van de wereld, had haar vader eens gezegd. (Hij doelde enigszins cynisch op het feit dat sommige delen van de tuin er verwaarloosd bij lagen, maar dat maakte zijn uitspraak niet minder waar.)

'Het spijt me dat ik u heb laten wachten, Prinses.' Toen Eneas vanuit het scriptorium de tuin betrad ving Brionie een glimp op van een legioen kever-zwarte priesters die aan lange tafels ijverig zaten te schrijven. 'En het spijt me zelfs nog meer dat ik u laat wachten op zo'n ongelukkig moment. Woorden schieten tekort om uiting te geven aan mijn verdriet en schaamte over het feit dat zulke dingen kunnen gebeuren aan het hof van mijn vader – tot twee keer toe nog wel! Hoe is het met Vrouwe E'Doursos?'

'Volgens de heelmeester gaat ze het redden, en daar dank ik de goden voor... Maar het zal geruime tijd duren voordat ze weer helemaal de oude is.' Brionie moest vechten tegen haar tranen, voor de zoveelste keer in de laatste paar uur. Ze was zo moe dat ze het gevoel had alsof ze van broos glas was gemaakt. 'Het was kantje boord. Ik heb de hele nacht bij haar gezeten terwijl ze voortdurend bijkwam en weer wegzakte door de koorts. Diverse keren dacht ik dat we haar gingen verliezen, maar blijkbaar heeft het scherpe gedeelte van het slotje de huid maar heel oppervlakkig doorboord, of misschien was het gif te zwak.' Brionie had nog altijd geen flauw idee wie het brein achter deze nieuwe moordaanslag kon zijn. Ze twijfelde er niet aan of Jenkin Crowel zou geen smerige streken meer durven uithalen, maar als de gezant van de Tollijs niet de schuldige was, wie dan wel?

'Dan moeten we de Drie Broeders loven en prijzen voor de goede afloop.' Eneas bood Brionie zijn arm. 'Zullen we een eindje wandelen? Ik ben doodmoe van al dat pennengekras, want ik heb brieven gestuurd naar alle garnizoenen tussen Tessis en Hierosol over de aanval van de autarch. Een dekselse hoeveelheid werk.' Hij bloosde licht. 'Niet dat ik al het kopiëren zelf hoefde te doen, gedankt zijn de goden!' Hij sprak snel, alsof hij bang was een stilte te laten vallen. 'Ik moet zien dat ik zo'n schrijfapparaat bemachtig zoals pamfletschrijvers en dichters gebruiken – of een stempelapparaat, moet ik waarschijnlijk zeggen, want zo'n apparaat stempelt letters en woorden op dezelfde manier als een koninklijk zegel een afdruk maakt in was. Daardoor zou het geven van orders aan onze veldcommandanten beslist sneller gaan...' Hij schudde zijn hoofd. 'Wat loop ik te bazelen! Terwijl u nota bene net bent ontsnapt aan een aanslag op uw leven!'

'Zonder ook maar één schrammetje op te lopen.'

Hij fronste zijn wenkbrauwen. 'U zegt het alsof u zou willen dat de aanslag was gelukt.'

Brionie schudde haar hoofd, hoewel zelfs zo'n vluchtige beweging haar al te veel kracht leek te kosten. 'Nee, natuurlijk niet. Maar ik vind het afschuwelijk dat anderen voor mij moeten lijden.'

'U bent een bewonderenswaardige vrouw, Brionie Eddon. En ik beloof u dat ik zal doen wat in mijn vermogen ligt, om te zorgen dat u hier veilig bent. Ik zal zorgen dat u een nog groter escorte krijgt van mijn persoonlijke lijfwacht. Loyalere mannen zijn er in heel Syan niet te vinden.'

'Daar twijfel ik niet aan, Hoogheid. Maar zelfs de beste soldaten kunnen een mens niet beschermen tegen vergif.'

Hij leek nog meer van streek dan Brionie zelf. 'Toch moeten we íéts doen. Dit is schandalig, Prinses. Een dodelijke belediging jegens de naam en de troon van mijn vader. Aan ons eigen hof, nota bene!' Hij bleef staan, midden op het pad, keerde zich naar haar toe en nam haar rechterhand in zijn handen. 'En voor mij is het ook buitengewoon schokkend, Prinses Brionie, want ik koester grote waardering voor u. Voor u ben ik tot alles bereid.'

Ze knipperde met haar ogen. Zijn handen waren warm. Hij had zijn handschoenen uitgetrokken.

'Dat kan toch geen verrassing voor u zijn?' Zijn gezicht stond verward. 'Vergis ik me? Ben ik een dwaas wanneer ik vermoed dat u misschien ook bepaalde gevoelens voor mij koestert?'

Even hield Brionie haar adem in. Ze had weken naar dit moment toegewerkt, maar nu het eenmaal zover was, wist ze zich niet goed raad. Ze koesterde inderdaad bewondering voor hem, hij was aardig en slim, en zijn dapperheid werd alom geroemd. Terwijl ze naar zijn krachtige, regelmatige gelaatstrekken keek, besefte ze dat hij misschien niet kon bogen op goddelijke schoonheid, maar dat iedere vrouw blij zou mogen zijn met zo'n man, ook als hij geen prins en erfgenaam van de troon van het machtige Syan was geweest. Maar dat was hij wel. En daarom had ze hem wanhopig nodig om zijn macht aan te wenden zodat ze haar volk kon redden; haar volk en de troon van haar familie. Dus waarom was ze plotseling zo in de war? Waarom wist ze ineens niet wat ze moest zeggen?

'Ik heb u met stomheid geslagen, Prinses. Terwijl u er toch de vrouw niet naar bent om te zwijgen in aanwezigheid van mannen. Heb ik u ergens mee gekwetst?'

'Nee. Nee, Koninklijke Hoogheid... Prins Eneas... Integendeel, u hebt me een grote eer bewezen.' Even lagen haar bedrog en de waarheid diep in haar hart zo dicht bij elkaar dat ze het onderscheid niet meer kon maken. 'Ik denk erg vaak aan u. In dit hele indrukwekkende koninkrijk is er geen man die ik zo bewonder...'

Hij trok zachtjes zijn hand uit de hare en streek zijn donkere haar uit zijn gezicht om zichzelf een houding te geven. 'Ik hoor een "maar" aankomen. Is er iemand anders aan wie u uw hart hebt geschonken? Is uw trouwbelofte zelfs al gewijd in de tempel?'

'Nee!' Maar het was niet helemaal onwaar wat hij zei – ze had inderdaad gevoelens voor een ander, hoe verwarrend en ongepast en zelfs belachelijk die gevoelens ook mochten zijn. Helaas kon die 'ander' haar koninkrijk niet redden. Eneas wel. Tenminste, als haar koninkrijk door menselijke bemiddeling te redden was. 'Nee, dat is het niet. Alleen... Ik kan het me niet veroorloven gevoelens te hebben voor een ander, zelfs niet voor een man zoals u, ook al bent u de droom van iedere weldenkende vrouw. Ik kan het niet.' Ze probeerde zich terug te trekken, maar ze voelde zich gevangen in het moment, als een blad in de wind.

'Maar waarom dan niet?' Eneas weigerde haar te laten gaan. Hij was sterk. Hij zou een krachtige meester zijn voor wie daar behoefte aan had – vooral voor een vrouw, besefte ze. 'Waarom kunt u zich niet laten leiden door uw hart?'

Ze had naar dit moment toegewerkt – het zich bijna genietend voorgesteld, zoals een jager droomt van het moment waarop de hertenbok nietsvermoedend in het volle zicht op een helling staat, de borst een gewillig doelwit voor de dodelijke schacht. Maar nu het moment daar was, vervulde het haar met onbehagen. Hoe kon ze misbruik maken van een goed mens zoals de prins, ook al zou ze dat doen om de troon van haar familie te redden? Hoe kon ze doen alsof ze van hem hield, alleen om zich van zijn hulp te verzekeren?

En wat nog erger was, wat moest ze beginnen als ze níét deed alsof?

'Ik... U... U moet me de tijd geven om na te denken,' zei ze. 'Want ik had dit niet verwacht. Ik had gehoopt bondgenoten te vinden aan het hof van uw vader, mensen die me zouden kunnen steunen in mijn strijd tegen de vijanden van mijn familie; tegen de schurkachtige Tollijs. Ik had niet verwacht dat ik iemand zou vinden... van wie ik zou kunnen houden. Daar moet ik over nadenken.' Ze wendde zich af en liet haar blik over de geordende planten en struiken gaan. Gedaanten in de verte speelden hun eigen rol, in hun eigen drama, maar ze waren te ver weg om hen te herkennen. En allemaal waren ze net zo hulpeloos in hun daden als personages geschapen uit lucht en rook door Nevin Hewneij of Finh Teodoros, die hun ideeën toevertrouwden aan het papier en op de planken brachten voor de prijs van een goede maaltijd en een bed om in te slapen. Hoe was ze in zo'n vreemde situatie terechtgekomen? Bepaalde ze haar eigen rol of speelde ze een rol die een ander voor haar had bedacht?

'Natuurlijk,' zei Eneas ten slotte, maar het was duidelijk dat haar reactie hem teleurstelde. 'Natuurlijk geef ik u tijd om na te denken, vrouwe. U moet trouw blijven aan uzelf.'

Uitgeput als ze was, had ze die nacht moeten slapen als de spreekwoordelijke roos, maar in plaats daarvan lag ze te draaien en te woelen, opnieuw gekweld door nachtmerries over instortende gangen en eindeloze hoeveelheden zand die ze probeerde weg te scheppen. Deze keer was er geen zilverkleurige glimp die haar leidde, en hoe langer de dromen duurden, hoe dieper ze afdaalde in de verstikkende duisternis.

Ten slotte was ze zo diep afgedaald dat ze begreep dat ze op de een of andere manier aan de andere kant van de wereld moest zijn terechtgekomen; dat de zwarte leegte die zich uitstrekte voorbij het kleine stukje grond waarop ze stond, een hemel was zonder sterren, en dat een enkele misstap ertoe zou kunnen leiden dat ze voor eeuwig door die zwarte leegte zou vallen. En daar, in het hart van die duistere, andere wereld, vond ze haar broer.

Hij zag bleek en was buiten bewustzijn, zoals hij dat eerder ook was geweest. En hoewel het leek alsof hij lag opgebaard, zoals Kendrick opgebaard had gelegen terwijl de bedienden zijn lichaam in gereedheid brachten voor zijn begrafenis, was Barrick niet dood. Ze wist niet hoe ze dat wist, maar ze wist het.

De drie gedaanten die zich over hem heen bogen waren geen bedienden of priesters, maar wat ze dan wel waren... donkere schimmen zonder ogen, schimmen die liederen zonder woorden zongen terwijl ze hun handen over hem heen bewogen. Een van hen tilde Barricks gebrekkige arm op naar de leegte op zijn schimmengezicht, en ze zag dat het beeld van haar broer begon te verbleken.

Tranen, fluisterde een van de gedaanten, en de echo werd opgeslokt door de vochtige, duistere aarde die overal om de gedaanten heen was.

Speeksel, zei een ander.

Bloed, zei een derde.

Ze probeerde haar tweelingbroer te roepen; ze probeerde hem te wekken, om hem te waarschuwen voor wat deze verschrikkelijke schimmen deden. Maar ze kon het niet. Ze voelde dat de verandering zich als vuur door Barricks lichaam verspreidde, een spoor van vlammen van zijn arm naar zijn hoofd en zijn hart; een spoor dat ook als een vurige marteling door háár lichaam trok. Ze probeerde zich naar voren te werpen, maar een onzichtbare hand hield haar tegen.

Barrick! Het was alsof ze het uitschreeuwde, ook al wist ze dat er geen geluid uit haar mond kwam. *Barrick! Kom terug!*

Zorg dat ze je niet meenemen! Dat mag je niet laten gebeuren!

Op het allerlaatste moment, net voordat het wezen van spinnenwebschimmen dat haar broer was geweest, te vaag werd om het nog te kunnen onderscheiden, deed Barrick zijn ogen open en keek haar aan. Zijn blik was leeg, doodser dan doods en leeg.

Ze werd snikkend wakker, bijna stikkend in haar tranen, met het gevoel alsof het allerbelangrijkste deel van haar met een bot mes uit haar was gesneden. Heel lang was ze tot niets anders in staat dan hulpeloos snikken. *Barrick*... Zou ze hem echt nooit meer zien? De droom had zo gruwelijk gevoeld, zo definitief. Was hem iets overkomen... iets ergs? Was hij...

'O, bij de goden, nee...' kreunde ze.

Met moeite werkte ze zich overeind. Ze kon zelfs de gedachte niet verdragen. Deze dromen – deze nachtmerries – achtervolgden haar alsof ze hun prooi was. Zou ze nooit meer kunnen slapen zonder een ware stoet van gruwelen aan zich voorbij te zien trekken? Zo uitgeput dat ze amper een voet voor de andere kon zetten, strompelde ze naar de kist die ze had meegebracht van haar tijd met de troep toneelspelers; de afsluitbare kist met daarin de kleren die ze had gedragen, en de weinige voorwerpen die ze tijdens haar reis naar het zuiden had verzameld.

Ze deed het deksel open en begon door de inhoud van de kist te rommelen – de jongensbroeken, de verzameling pamfletten – zonder te weten wat ze zocht, tot haar vingers het vonden en ze de broze vogelschedel voelde met de kleine, gedroogde bloemetjes.

Met de amulet van Lisiya in haar hand sloop ze de donkere kamer door en kroop ze weer in bed. Ze hield de amulet stijf tegen haar borst gedrukt en probeerde niet te denken aan de dode ogen van de Barrick in haar dromen. Een van de dienstmeisjes jammerde zacht in haar slaap. Dat was het laatste wat Brionie zich herinnerde, voordat de duisternis haar opnieuw overweldigde.

Ze was weer in het woud, maar deze keer kon ze zien wat ze zo lang had nagejaagd. Het was een vos; hij had een zwarte buik, maar zijn rug was zilvergrijs net als zijn scherpe snuit en zijn staart. Terwijl hij wegrende keek hij achterom, met zijn tanden ontbloot in een grijns die een uiting van vermoeidheid zou kunnen zijn, maar die er in Brionies ogen vooral spottend uitzag. Op een smalle oranje ring na waren zijn ogen net zo zwart als zijn buik.

De vos sprong moeiteloos over uitstekende boomwortels, maar zelfs in een droom kon Brionie zich niet zo soepel en gemakkelijk bewegen.

Blijkbaar was ze gestruikeld, want ze besefte dat ze vooroverviel, terwijl de bomen plotseling veranderden in wervelende draaikolken van duisternis. Even dacht ze dat ze opnieuw werd omhuld door gruwelijke, kruimelende aarde, maar toen liet ze de wervelende duisternis achter zich en betrad ze een open plek in een bos. De zilverkleurige vos zat met zijn rug naar haar toe voor een eeuwenoud, omgevallen stenen altaar.

Brionie strompelde ernaartoe en liet zich op haar knieën vallen. Het was een merkwaardig pijnlijke droom, besefte ze, want ze voelde takjes en stenen in haar huid dringen.

'Wie... wie ben je?' bracht ze hijgend uit.

De vos draaide zich om. Deze keer was er geen twijfel over mogelijk: de grijns was er een van spot en weerzin. Het dier schudde zijn kop. 'Ik heb het al eerder gezegd, en ik zeg het weer: ik vrees voor de soort.'

Het kleine dier sprong lichtvoetig op het vervallen altaar, boog zijn kop en begon te snuiven. Donderslagen rommelden in de verte. 'Moet je dit nou eens zien,' zei de vos, en iets in de stem van het dier kwam Brionie bekend voor en sneed door de mist van haar droomgedachten. 'Denken de mensen nog maar zo weinig aan me dat mijn gewijde plekken niet langer verzorgd worden? Zelfs hier niet, in de droomlanden?'

'Lisiya?' fluisterde Brionie. 'Bent u het?' Ze had het nog niet gezegd of ze wist dat het waar was.

De vos draaide zich om, en een moment later was het zwart-met-zilveren dier verdwenen en zat de oude vrouw op het altaar; als een kind liet ze haar knokige, blote voeten bengelen. 'Lisiya Melana van het Zilveren Moeras, bedoel je?' zei ze, duidelijk geërgerd. 'Het is al erg genoeg dat je een godin oproept en dan niet komt opdagen, maar om dan ook nog haar naam te vergeten...'

'Maar... maar ik heb u niet opgeroepen.'

'Nou en of, kindje. Drie nachten achter elkaar, ook al kon ik je de eerste twee keer amper horen. Je stem was zo zwak als van een pasgeboren katje, maar vannacht kon ik je eindelijk zo duidelijk horen dat ik je wist te vinden.' Donder bulderde opnieuw boven het woud, alsof het onweer Lisiya's ergernis weerkaatste.

Brionie kon het gevoel niet van zich afzetten dat ze iets verkeerd begreep. 'Ik... ik heb van u gedroomd – of tenminste, ik heb achter u aan gejaagd. Door het woud. En door gangen in de aarde. Maar ik kreeg u niet te zien. Alleen uw... staart.'

Lisiya werkte zich van de rand van het altaar en liet zich op de grond vallen; Brionie kromp bijna ineen, bang dat de magere oude benen van de halfgodin als twijgen doormidden zouden breken. Het was vreemd om zo klaarwakker te zijn en tegelijkertijd te weten dat ze droomde! Behalve dat ze een beetje licht in haar hoofd was, zoals wanneer ze te veel wijn had gedronken, voelde ze zich heel gewoon.

'Kom mee, kindje. Ik neem aan dat het er niet toe doet waarom je me hebt geroepen. Blijkbaar wist je in je hart dat je mijn hulp nodig had.' Brionie volgde de halfgodin langs het altaar naar het eind van de open plek, waar Lisiya tussen de bomen verdween. Opnieuw rommelde de donder, en een zwakke bliksemschicht verlichtte de hemel. 'Rusteloos,' merkte Lisiya op, zonder zich nader te verklaren.

In veel opzichten was de reis door het woud net zo'n droom als de achtervolging van Barrick door de kruimelende aarde, maar tegelijkertijd leek alles gekmakend gewoon. Brionie was zich bewust van elke stap, elke ademtocht, zelfs van een moment van ongemak toen ze haar arm openhaalde aan de stam van een eik.

'Waar zijn we?' vroeg ze ten slotte.

'Op dit moment? Of bedoel je het in een groter verband?' Lisiya hield een stevig tempo aan, zodat Brionie zich moest haasten om haar bij te houden. 'We zijn hier heel dicht bij het land van de dromende goden – alle oude goden die de Manke in slaap heeft gebracht. Jullie noemen hem Kupilas. Trouwens, zelfs wij hebben hem niet altijd de Manke genoemd – dat kwam pas nadat de drie broeders en hun clan hem hadden gemarteld. Toen de Manke werd geboren heette hij de Stralende – zoon van de dageraad en het maanlicht. Dus je begrijpt waarom hij als een mooi kind werd beschouwd. Geen wonder dat hij zijn ooms zo haat om wat ze hem hebben aangedaan, om nog maar te zwijgen van de listen en de wreedheden – zelfs moord – waarmee ze de rest van zijn familie hebben geteisterd.'

Lisiya zweeg terwijl een bliksem de hemel even schoonwaste, maar voordat Brionie nog meer vragen had kunnen stellen, gaf Lisiya al antwoord.

'We zijn hier niet op de wegen van de Manke – die zijn voor een sterveling niet veilig – maar we trekken door een deel van het land dat de wegen van de Manke doorkruisen. Zulke wegen behoren natuurlijk toe aan zijn overgrootmoeder de Leegte, maar zij gaf hem een vrijgeleide om er gebruik van te maken en van die vrijheid maakte hij veelvuldig gebruik.'

Voordat Brionie kon vragen of Lisiya dat wilde herhalen omdat ze er geen woord van had begrepen, bleef de halfgodin abrupt staan.

'We zijn er,' zei ze. 'Dus vertel me maar wat je nodig hebt.'

Ze stonden voor een klein, primitief huis gemaakt van ruwe boomstammen. Het dak was belegd met bladerrijke takken en modder. Toen er een harde donderslag weerklonk leek het huis heel even net zo vlak en bleek als de achtergronddecors die Propermans' Troep gebruikte. Scheuten groen gras groeiden tussen de dode bladeren op de grond, maar het huis zelf leek oud en zag eruit alsof het al lang niet meer werd bewoond.

'Sta daar niet te kijken, kindje. Kom mee.' Lisiya bukte zich en werkte zich door de lage deuropening naar binnen.

Het regende inmiddels pijpenstelen, maar binnen was het droog en verrassend warm. Brionie ging op een van de dierenvellen zitten waarmee de aarden vloer was bedekt. Het zag er bijna gezellig uit, toch leek het huis niet helemaal natuurlijk: telkens wanneer Brionie langdurig naar iets keek, was het alsof dat steeds verder van haar weg raakte, wat haar een duizelig gevoel bezorgde. Ze schrok een beetje toen er opnieuw een donderslag langs de hemel rolde die de muren deed schudden.

'Niet alleen rusteloos.' Lisiya fronste afkeurend. 'Meer als een slapende beer die de lente ruikt. Vlug, kindje, we hebben niet veel tijd. Vertel, waar heb je het zo moeilijk mee?'

Brionie vertelde haar over de dromen, om te beginnen die over Barrick, en dan vooral de meest recente die het meest angstaanjagend waren. Ze kon nog altijd niet terugdenken aan de blik in zijn ogen zonder dat een kille hand zich om haar hart sloot.

'Daar kan ik je nauwelijks mee helpen, ben ik bang,' zei Lisiya na lang nadenken. 'Je broer is voor me verborgen. Ik weet niet of dat komt door de plek waar hij is, of door degenen die bij hem zijn. Maar iets zegt me dat hij niet dood is.'

'Prijs de goden! Zolang hij nog leeft, is er hoop,' zei Brionie, en ze meende het. Haar hart voelde al minder bezwaard. 'Dank u wel.'

'Een godin bedank je met een offer,' zei Lisiya. 'Honing zou lekker zijn – bij voorkeur klaver of appelbloesem – maar een mooie steen is ook goed. Leg die maar op een van mijn altaren...' Ze keek op, plotseling afgeleid.

Brionie wilde niet tegen de halfgodin zeggen dat ze nog nooit had gehoord van een altaar voor Lisiya – tenminste, niet in de wakende wereld. 'Dat zal ik doen. Mag ik nog een vraag stellen?'

Lisiya richtte haar aandacht langzaam weer op Brionie. 'Dat neem ik aan. Maar je moet snel zijn, kindje. Het weer begint vreemd te worden.'

Brionie vertelde haastig over haar dilemma – hoe haar gevoelens van genegenheid voor Eneas in botsing kwamen met haar voornemen om zijn hulp in te roepen. 'Hij is een goed mens! Een echt goed mens. Hoe kan ik hem zoiets aandoen? Ook al zou het voor een goede zaak zijn?'

De halfgodin trok een natte wenkbrauw op. 'Dat mag dan zo zijn, maar hij is ook een man – een volwassen man en een prins. Dus hij zal zijn eigen keuzes maken – om je te steunen of niet, om te doen wat je van hem verwacht of niet. Heb je hem iets beloofd – "als je me helpt, trouw ik met je" of misschien zelfs "als je me helpt ontvang ik je in mijn bed"?'

'Nee, natuurlijk niet!'

Lisiya lachte vluchtig. 'Doe maar niet zo ontsteld, kindje. Je mag jezelf dan nog geen vrouw noemen, maar je bent het wel. En als de daad zoiets verschrikkelijks was, zouden er volgens mij heel wat minder stervelingen op de wereld rondlopen.'

'Nee, ik bedoelde niet te zeggen... nou ja, eigenlijk wel, maar... Hoe dan ook, ik ben nog maagd!'

'Je bent niet de enige, kindje. Dus dat is niet iets om over op te scheppen.'

'Maar dat is...' Brionie haalde diep adem toen er tijdens een bliksemschicht een felle gloed door alle kieren in de muren en het dak van de hut drong. Enkele ogenblikken later klonk er weer een dreunende donderslag, zo dichtbij dat het leek alsof het onweer recht boven hun hoofd hing. 'Dat bedoel ik niet! Ik bedoel dat ik bereid zou zijn alles te geven, zelfs mijn maagdelijkheid, als ik daarmee mijn familie zou kunnen redden. Die zou ik zelfs onder valse voorwendselen geven. Maar ik wil niet onoprecht zijn tegen een... tegen een man die echt aardig is. Een man om wie ik onder andere omstandigheden oprecht zou kunnen geven.' Ze schudde haar hoofd. 'Klinkt dat ook maar enigszins redelijk en begrijpelijk?'

De uitdrukking op Lisiya's gezicht werd zachter. 'Ja hoor, kindje. Maar ik denk niet dat je me de volledige waarheid vertelt.'

'Jawel! Echt waar!'

'Ik denk dat je al om hem geeft. Hoe heet hij?'

'Eneas, Prins van Syan. Maar... Er is een ander waar ik echt om geef. Tenminste, vroeger... inmiddels weet ik het niet meer.' Brionie begon te lachen, maar tegelijkertijd kon ze wel huilen. Toch zette de lach door en borrelde naar buiten. 'Eneas en hij zijn totaal verschillend, behalve dat ze allebei aardig zijn. Het zijn allebei goede mensen. Die ander heeft alleen geen connecties, van hem hoef ik niets te verwachten. Hij is een gewone burger. Trouwens, ik denk niet eens dat hij nog leeft. Hij is al heel lang geleden weggegaan, en bijna iedereen die met hem meeging is inmiddels dood.'

'Je probleem is te vergelijken met een appel aan een hoge, dunne tak,' zei de halfgodin. 'Een tak die te hoog is om er vanaf de grond bij te kunnen, maar te dun om ernaartoe te klimmen zodat je de appel kunt pakken. Soms kan zo'n appel toch worden geplukt – met een beetje hulp. Je kunt bijvoorbeeld de boom inklimmen naar het begin van de tak en die zo ver laten doorbuigen, dat iemand die op de grond staat kan op-springen om de appel te plukken...'

Brionie wilde haar al vragen wat ze in Zoria's naam aan moest met al die onzin over appels en takken, toen de ongekend vurige gloed van een bliksemschicht door de kieren naar binnen drong, bijna tegelijker-tijd vergezeld van zo'n knetterende donderslag dat Brionie en Lisiya door elkaar werden geschud als droge erwten in een kom.

Alleen, het was geen donderslag, besefte Brionie in doodsangst ter-wijl ze probeerde haar evenwicht te hervinden. Wat ze hoorde was een stem, zo luid en zo diep dat ze niet kon verstaan wat hij zei; wat ze hoorde, was een getier en gebulder alsof er een reus boven het huis stond; een reus wiens stem uit de diepte van de grootste longen ter wereld schalde.

'Je moet hier weg, kindje!' riep Lisiya. 'Nu meteen!' Ze greep Brionie bij de arm en trok haar mee naar de deur. De droom sloeg om in een gruwelijke nachtmerrie: hoe Brionie ook worstelde en strompelde om de hut uit te komen, de deur, die amper twee stappen bij haar vandaan had moeten zijn, bleef hardnekkig buiten haar bereik. Lisiya was ver-dwenen, en de hut was veranderd in een enorme, zwarte ruimte, gebars-ten als een gebroken pot, slechts verlicht door gekartelde lichtflitsen.

'Lisiya, waar ben je?' gilde Brionie.

'Híér ben ik! Híér!'

Toen voelde Brionie de eeltige hand van de oude vrouw weer om de hare. Ze werd naar voren getrokken, er volgde een tuimeling door het duister, omhuld door plotselinge windvlagen, maar uiteindelijk werd het weer licht om hen heen en waren ze in het door striemende regen ge-teisterde woud. Boven hun hoofd joegen bliksemschichten in snelle op-eenvolging langs de hemel en deden het uitspansel oplichten, verander-den de bomen in broze, dansende silhouetten. De donderende stem –

nog altijd onverstaanbaar en nog altijd angstaanjagend dichtbij – drong zich van alle kanten aan Brionie op en bezorgde haar het gevoel alsof haar hoofd zou barsten als de schaal van een ei.

'Wat is dat?' gilde ze, tevergeefs haar handen tegen haar oren drukkend.

'Hij begint te ontwaken!' Lisiya's zwakke stem was nauwelijks hoorbaar door het diepe gebulder zonder woorden. 'Rennen!'

'Wie?' riep Brionie. Ze wankelde en viel bijna door de krachtige wind en door het donderende geweld van de stem.

'Rennen!' riep Lisiya. 'Het is later dan ik dacht! Ik had het je moeten vertellen...'

'Wat had u me moeten vertellen?'

'Daar is het nu te laat voor. Ga naar het Steen Volk... Zeg dat ze je bij hun eeuwenoude trom brengen... hun stenen trom...'

Toen was de halfgodin verdwenen. Wervelende bladeren en takken die van de bomen waren gestroopt, dansten door de lucht; ze leken als boze handen naar haar te reiken, ze krabden haar huid open en dreigden haar te verblinden. In de kortstondige, vurige bliksemflitsen kon ze echter duidelijk één beeld onderscheiden. Het beeld van een reusachtige donkere gedaante die hoog boven haar uittorende, zelfs hoog boven de bomen, en die de hemel verduisterde.

Met haar handen beschermend boven haar hoofd zette Brionie het op een rennen; voort ging het, steeds maar voort, tussen vallende bomen en zwiepende takken, terwijl om haar heen de lucht zinderde en dreunde door het gebulder van een diepe, donderende lach.

Deze keer schreeuwde ze niet toen ze wakker werd, maar ze baadde in het zweet, en haar hart ging zo tekeer dat het pijn deed. Met de amulet van Lisiya in haar hand geklemd sprak ze een gebed voor haar broer, voor zichzelf en voor iedereen die haar dierbaar was. Ze was zo moe dat ze zich ouder en zwakker voelde dan de eeuwenoude halfgodin, maar zelfs toen haar hart was gekalmeerd en weer rustig sloeg kon ze de slaap niet vatten, en ze lag wakker tot de nieuwe dag al bijna weer zijn opwachting maakte.

20

De Brug van Doornen

'Er wordt beweerd dat de meeste ettins tegenwoordig in de Eerste Diepten leven, de grote stad ver achter de Schaduwgrens in wat eens West Vutland was, maar vóór de Grote Plaag schijnen ze ten minste zo ver zuidelijk als het Eliuin Gebergte in Syan te zijn gekomen en zich ook in de bergen van Segtland en Perikal te hebben gevestigd.'

Uit *Een Verhandeling over de Elfenvolken van Eion en Xand*

Ik ben de slechtste spion die de goden ooit hebben geschapen, moest Mattes Tinslager tegenover zichzelf bekennen. *Zodra iemand me vraagt wat ik hier te zoeken heb, begin ik te jammeren als een klein kind en val ik in zwijm.*

Voor zover hij wist, was hij nog nooit in dit deel van de koninklijke residentie geweest; in de onbekende, weergalmende zalen met hun eeuwenoude wandtapijten die van de vloer tot het plafond reikten en waarop allerlei monsters met grote ogen stonden afgebeeld, waande hij zich bijna in de grot van een mensenverslindende reus, diep in het woud. Het enige wat ontbrak, waren de beenderen van nietsvermoedende reizigers. Hij had het gevoel alsof om elke bocht het noodlot op hem loerde.

Mogen de goden je vervloeken, Avin Brone, dacht hij voor misschien wel de honderdste keer. *Je bent geen mens, je bent een monster.*

De enige reden dat Tinslager zich op dit angstaanjagende, onbekende terrein had gewaagd, was dat bijna de volledige huishouding op de kasteelmuren stond om getuige te zijn van de een of andere hekserij waarmee de elfen aan de overkant van het water waren begonnen. Natuurlijk zou Tinslager ook graag zijn gaan kijken, maar hij besefte dat hij deze kans niet mocht laten lopen. Dat kon hij zich niet veroorloven. Tot dusverre had Brone geschamperd bij alle informatie die Tinslager hem had gebracht; een lijst met alle spiegels die Mattes in de residentie had aangetroffen, had hij afgedaan als 'volstrekt en compleet nutteloos' waarna hij had gedreigd de dichter te laten villen en van zijn huid een hoed te laten maken. En hoewel Mattes Tinslager niet echt geloofde dat hij in het atelier van een hoedenmaakster zou eindigen, was het maar al te duidelijk dat het geduld van de graaf van Landseind begon op te raken. Bij hun laatste gesprek hadden diens vernietigende woorden Tinslager doen huiveren tot in het diepst van zijn vezels.

Inmiddels zwierf hij al meer dan een uur door de zalen en gangen van de residentie. Hij had zich genoodzaakt gezien diverse nieuwsgierige bedienden wijs te maken dat hij was verdwaald, hij had valse redenen moeten verzinnen voor zijn aanwezigheid, en met elke keer dat hij was aangesproken, had de angst hem meer in zijn greep gekregen. Wat zou er gebeuren als hij werd betrapt en naar Hendon Tollij gebracht? Wat zou er gebeuren als hij in die gruwelijke, doordringende ogen moest kijken terwijl hij zijn leugens debiteerde? Dan zou hij zich nooit staande kunnen houden. Mattes Tinslager wist al heel lang dat hij weliswaar gedichten kon schrijven over helden als Caijlor, dat hij in roerende bewoordingen kon vertellen hoe ze de ijselijkste vijanden te lijf gingen met een hart vol vertrouwen en met een glimlach om hun lippen, maar dat hij zelf bepaald geen held was.

Nee, ik zal mijn gevangennemers alles vertellen, sprak hij met zichzelf af. *Ruimschoots voordat het roodgloeiende brandijzer mijn huid nadert. Ik zal hun vertellen dat Brone me hiertoe heeft gedwongen. En dan zal ik hun smeken mijn leven te sparen.*

Genadige goden, hoe heb ik ooit in deze boosaardige val kunnen lopen?

Toen hij uit een gewelfde doorgang kwam, bleef Mattes Tinslager staan, en hij liet zijn blik over de gezichten aan de muren gaan. Hij bevond zich in de koninklijke Portretten Galerij, besefte hij, maar hoe was hij hier, in deze verre uithoek van de residentie, beland? De koningen en koninginnen keken op hem neer, sommige glimlachten, de meeste keken dreigend en chagrijnig, alsof ze ontstemd waren door de aanwezigheid van een onbeduidende indringer in hun midden. De oudste portretten, die met Anglin uit Conordh waren meegekomen en die waren geschilderd in de primitieve stijl van de vroegste periode van het Trigonaat, waren met hun grote, starende ogen en starre, maskerachtige gezichten nauwelijks menselijker dan de beesten op de wandtapijten...

Plotseling klonken er stemmen in de gang die naar de zaal leidde. In paniek keek Tinslager om zich heen. Hij stond midden in de grote ruimte en kon nergens heen. Tegen de tijd dat hij bij de deur aan de andere kant was, zou het te laat zijn. Zou hij opnieuw geluk hebben? Zouden het ook nu weer slechts bedienden blijken te zijn, en zou hij zich voor de zoveelste keer met bluf uit de situatie weten te redden? De stemmen kwamen nog altijd dichterbij en klonken luid en gebiedend. Tinslagers hart begon zo mogelijk nog sneller te slaan.

Daar! Tegenover hem bevond zich een opening in de muur, met daarachter een trappenhuis. Hij rende over de plavuizen vloer en stond net op de onderste tree toen de mannen die hij had horen aankomen, de ruimte betraden. Dat kon hij horen doordat hun stemmen plotseling nog krachtiger werden en weergalmden onder het hoge plafond. Mattes Tinslager liet zich op zijn hurken zakken en drukte zich tegen de muur, zodat ze hem niet konden zien, ook al kon hij daardoor ook niet zien aan wie de stemmen toebehoorden.

'... heb in een van de oude werken – ik geloof Phayallos – een verwijzing gevonden naar dergelijke dingen. Hij spreekt over Grotere Tegels, vanwege hun afmetingen, en naar zijn overtuiging waren het – hoe zei hij dat ook alweer – "Ramen en Deuren, ook al zijn weinigen in staat over de drempel te stappen".' De stem kwam Mattes Tinslager erg bekend voor. Hij wist zeker dat hij die eerder had gehoord – schor van ouderdom, met veel ademgeruis, maar tegelijkertijd scherp.

'Dat vertelt ons weinig wat we niet al wisten,' zei de andere stem. Mattes Tinslager drukte zich nog dieper in de schaduwen van de trap en hield angstig zijn adem in. Want de tweede stem behoorde toe aan Hendon Tollij. 'Kijk nou toch eens naar al die koeogige dwazen!' Tollij had het blijkbaar over de portretten van de Eddons. 'Generaties koningen die nauwelijks méér waren dan schaapherders en die al tevreden waren wanneer ze zich om hun kleine grasland konden bekommeren.'

'Het zijn ook uw voorouders, Heer Tollij,' zei de andere stem eerbiedig.

Mattes Tinslager besefte met stijgende afschuw dat het paar midden in de ruimte was blijven staan, niet ver van de plek waar hij zich verborgen hield. *Waarom ben ik zo stom geweest om me te verstoppen? Als ze me betrappen ben ik erbij!*

'Ja, maar ik deel hun ideaal niet,' zei Tollij. 'Het eens zo machtige Syan in het zuiden is de laatste honderd jaar verzwakt; nog altijd prachtig, maar vanbinnen zo rot als een mispel. Brenhland en de andere staten zijn niet veel meer dan boerendorpen met een muur eromheen. Als we maar een klein beetje vastberadenheid aan de dag hadden gelegd, hadden we over heel Eion kunnen heersen.' Mattes Tinslager hoorde dat hij op de grond spuugde. 'Maar er is verandering op komst.' Er kwam een diepere klank in zijn stem – een koude, harde toon. 'Ik kan toch op u rekenen, Okros?'

'Natuurlijk, Heer Tollij, maakt u zich geen zorgen! We hebben het merendeel van de raadsels inmiddels opgelost, op het raadsel van de vervloekte Godensteen na. Eerlijk gezegd begin ik te geloven dat die helemaal niet bestaat.'

'Zei u niet dat we de Godensteen niet echt nodig hadden?'

'Voor zover ik dat nu kan zeggen, klopt dat inderdaad, heer. Toch zou ik hem er graag bij willen hebben voordat we een poging wagen...' De heelmeester schraapte zijn keel. 'U moet niet vergeten dat het om een buitengewoon complexe materie gaat. We hebben het hier niet over een simpele bouwmeesterskwestie zoals het in stelling brengen van belegeringsinstrumenten.'

'Dat besef ik. Dus behandel me niet als een dwaas.' De gevaarlijke kilte in de stem van Hendon Tollij werd nog dreigender.

'Heer, dat zou niet bij me opkomen!' Tinslager was Okros Dioketian in de residentie regelmatig tegengekomen, een voortvarende man met een strak gezicht, die altijd met enige minachting op zijn omgeving leek neer te kijken, hoewel hij dat maskeerde door hoffelijkheid. Maar op dit moment was er van minachting niets te bespeuren. Zijn stem verried slechts sidderend ontzag voor zijn meester. Iets waarin Tinslager met hem kon meevoelen. 'Nee heer, ik zeg het alleen om u eraan te herinneren dat er nog heel veel gedaan moet worden. Ik werk dag en nacht om...'

'U zei dat we de amulet tijdens de Zonnewende moesten gebruiken omdat we anders onze kans zouden mislopen. Geldt dat niet nog steeds?'

'Ja... ja, dat heb ik gezegd...'

'Dan kunnen we de zaak niet langer uitstellen. U moet me laten zien hoe het allemaal in zijn werk gaat, en wel op zeer korte termijn. Als u daar niet in slaagt... ga ik op zoek naar een andere geleerde.'

Okros zweeg geruime tijd. Het was duidelijk dat hij worstelde om zijn stem onder controle te krijgen, maar daar slaagde hij niet helemaal in, getuige zijn volgende, beverige woorden. 'Natuurlijk, Heer Tollij. Ik... ik denk dat ik de belangrijkste onderdelen van het ritueel inmiddels op orde heb – eigenlijk bijna alles! Ik moet alleen nog de betekenis van sommige formuleringen deduceren, omdat Phayallos en de andere geleerden uit de oudheid het niet altijd met elkaar eens zijn. Zo beweert een van hen bijvoorbeeld zeer nadrukkelijk dat voor een succesvol gebruik van de amulet "de Tegel moet zijn bewolkt door bloed".'

Hendon Tollij lachte. 'Dat zou geen probleem moeten zijn, lijkt me. Een paar monden minder te voeden in deze door de goden vervloekte mierenhoop... Dat kan ik alleen maar toejuichen.' Zijn stem werd zwakker toen hij weer in beweging kwam. Tinslager richtte een stilzwijgend dankgebed tot Zosim dat hij niet veel langer gehurkt verborgen zou hoeven te blijven; zijn rug en zijn billen begonnen pijn te doen.

'Maar ik zit met de vraag wat dat betekent – "bewolkt"?' Okros klonk alsof hij Hendon Tollij volgde. 'Ik heb drie vertalingen gecontroleerd, en in alle drie komt een soortgelijke formulering voor. Bewolkt, versluierd, maar nergens staat "besmeurd" of "ingesmeerd". Het gaat om een spiegel, heer. Hoe bewolk je een spiegel met bloed?'

'Bij de goden!' Tollij klonk onmiskenbaar gefrustreerd. 'Snijd een paar maagden de strot door, zou ik denken. Dat willen de ouden immers altijd? Offers? Zelfs in deze verwoeste stad moeten we toch nog wel een paar maagden kunnen vinden. Kinderen zijn er altijd, overal.'

Terwijl de gruwelijke betekenis van die woorden tot hem doordrong, besefte Tinslager plotseling dat de stemmen opnieuw zijn kant uit kwamen; dat Hendon Tollij rechtsomkeert had gemaakt en in de richting van het trappenhuis liep waar hij, Mats Tinslager, zich verborgen hield! Zonder zich zelfs maar de tijd te gunnen overeind te komen, draaide hij zich om, en hij begon op handen en knieën de trap op te klauteren. Bij de eerste bocht aangekomen richtte hij zich op en vervolgde hij haastig zijn weg, zo snel en zo onopvallend mogelijk. Beneden kon hij Tollij en de heelmeester nog horen discussiëren, maar hij ving slechts flarden op van hun gesprek; en tot zijn grote opluchting volgden de twee mannen hem niet naar boven.

'Fantomen... Landen die niet...' De stem van Okros was zwak als de wind rond de torentjes van het kasteel. '... we kunnen niet het risico nemen...'

'... de goden zelf...' Tollij lachte weer, zijn stem werd luider in zijn vrolijkheid. 'De hele wereld zal zich op de knieën werpen en het uitschrééuwen...'

Toen hij de bovenkant van de trap bereikte, haastte Tinslager zich de deur door, de overloop op, niet langer alleen maar bang om te worden betrapt. Want bij die laatste woorden was er iets veranderd in de stem van Hendon Tollij. Sterker nog, die laatste woorden hadden geklonken als de kreet van iets, een wezen, dat niet helemaal menselijk was.

Hij bleef nog geruime tijd staan en probeerde geluidloos adem te halen terwijl hij met gespitste oren luisterde of er voetstappen de trap op kwamen. Maar hij hoorde niets, zelfs de stemmen beneden waren weggestorven. Dat kon echter ook betekenen dat Okros en de Heer Behoeder niet verder waren gelopen dan naar de aangrenzende ruimte. Dus Tinslager besloot net zo lang te wachten tot hij zeker wist dat hij veilig naar beneden kon. Tollij vervulde hem onder de gunstigste omstandigheden al met doodsangst, maar om hem zo onverschillig over bloedoffers te horen praten... en dan die lach, die gruwelijke lach... Nee, hij zou desnoods tot het vallen van de avond blijven wachten om zekerheid te hebben dat hij de heer van Kasteel Zuidermark niet tegen het lijf liep.

Toen hij na enige tijd behoefte kreeg om de benen te strekken, maar nog niet zover was dat hij naar beneden durfde, wandelde hij op zijn gemakje de gang door, langs de openstaande deuren van voorraadkamers die werden leeggehaald om onderdak te kunnen bieden aan vluchtelingen van hoge komaf. Aan het eind van de gang bevond zich een raam dat uitkeek op het zuiden, over de tuin naar de poort van de binnenburcht. Sterker nog, door de kleine ruitjes kon Tinslager helemaal tot dat gedeelte van de baai kijken waar de heirweg ooit de stad Zuidermark had verbonden met het kasteel op het eiland. De andere kust bood op de een of andere manier een vreemde aanblik. Al starend herinnerde Tinslager zich de angstige gesprekken van die ochtend, gesprekken tussen hovelingen die fluisterend hadden gesproken over de een of andere hekserij die de elfen in hun schild voerden, na een lange periode van betrekkelijke rust.

'*Er worden vreemde geluiden gehoord,*' hadden sommigen gezegd, en ze hadden verteld dat ze in het holst van de nacht wakker waren geworden. '*Het klinkt alsof er wordt gezongen, misschien zelfs gebeden.*' Anderen hadden het over mist gehad. '*Overal ontwikkelt zich een dichte mist. En het is geen natuurlijke mist.*'

Tinslager zag dat er aan de kant van het vasteland inderdaad een uitgestrekte mistbank lag langs de baai. Aanvankelijk dacht hij dat de donkere, traag bewegende vormen die hij in de heiigheid kon onderscheiden, pluimen zwarte rook waren; dat het elfenvolk reusachtige vuren had ontstoken op het strand. Maar hoewel de mist draaikolken vormde in de wind, gold dat niet voor de donkere tentakels. Er... er gróéide iets uit de mist. Maar wat? En waarom?

Tinslager schudde zijn hoofd, hij begreep er niets van. Nadat het maanden rustig was geweest, had hij bijna kunnen vergeten dat de Qar er nog steeds waren, nog altijd even kwaadaardig en heimelijk als een onzichtbare koorts. Was de langdurige, onrustige vrede voorbij?

We zitten in de val, tussen de elfen en de Tollijs, dacht hij. *Ik kan net zo goed meteen mijn strot doorsnijden.*

Mattes Tinslager besloot dat hij zich lang genoeg had verstopt – veiliger zou het waarschijnlijk niet meer worden, dus hij kon net zo goed naar beneden gaan. Avin Brone zou willen weten wat hij had gehoord. Bovendien had Tinslager ook nog zijn verantwoordelijkheid jegens een andere, even angstaanjagende autoriteit.

'Het is buitengewoon onbevredigend om voor haar te zorgen,' verklaarde zijn moeder. 'Ik haal degelijke kost voor haar op de markt, maar ze trekt haar neus ervoor op. Er staat immers in het boek "De armen moeten worden gevoerd"?'

Gevoed, had hij bijna gezegd, maar wat had het voor zin? Proberen zijn moeder ergens van te overtuigen had hetzelfde effect als praten tegen het beeld van Koningin Ealga in de tuin van het kasteel. Een erg opzichtig beeld, trouwens. 'Waarom eet u niet?' vroeg hij de patiënte.

Elan M'Corij zat rechtop in de kussens. Ze had weer wat kleur op haar wangen, maar voor het overige leek ze nog erg slap, als de lappenpop van een kind. Tinslager moest een vlaag van ergernis verdringen vanwege het feit dat de jonge edelvrouwe nog in bed lag. Ze was tenslotte niet in orde. Ze was vergiftigd – ook al was dat een daad van liefde geweest. Ze had tijd nodig om weer helemaal de oude te worden. 'Ik eet wat ik kan,' zei Elan zacht. 'Ik... ik wil niet ondankbaar lijken... maar sommige stukken van het eten dat ze meebrengt...' Er trok een lichte huivering door haar heen. 'Er zaten tórren in het brood.'

'Dat waren geen torren, maar doodgewone, gezonde korenwormen.' Anamesiya Tinslager klakte vol afschuw met haar tong. 'En trouwens, ze doet alsof ze nog leefden! Terwijl ze gewoon waren meegebakken. Lekker. Een beetje knapperig. Als geroosterde pijnboompitten.'

Elans schouders schokten en ze sloeg een hand voor haar mond.

'Natuurlijk, Moeder. U hebt ongetwijfeld gelijk dat er niets aan dat brood mankeerde. Maar Vrouwe M'Corij is ander eten gewend. Alstublieft, hier hebt u een Brenhlandse tweekrab – nee, ik geef u er twee.' Hij had in opdracht wat liefdesbrieven geschreven, want met de zomer voor de deur en met de Qar weliswaar voor de poorten, maar die hielden zich – nog – rustig, verkeerde het hof in de ban van een soort roekeloze frivoliteit. Bovendien had Brone hem een zilveren zeester betaald voor zijn informatie over Okros en Hendon Tollij, die hij zonder noemenswaardig razen en tieren in ontvangst had genomen. Dus Mats Tinslager voelde zich ongebruikelijk welvoorzien. 'Ga wat lekker brood voor Elan halen, gemaakt van goed meel. Zonder korenwormen. En wat fruit.'

Zijn moeder snoof. 'Fruit? Dan wens ik je succes. Je bent te lang opgetrokken met de deftigheid, zoon. Weet je wel hoeveel mensen er op straat slapen? En weet je wel hoe hongerig ze zijn? Je mag van geluk spreken als het je lukt in heel Zuidermark één wormstekige appel te vinden.'

Elan keek hem smekend aan.

'Probeer nou maar iets lekkers voor haar te vinden, Moeder. Het beste wat u voor die twee koperstukken kunt krijgen. Dan blijf ik bij Vrouwe M'Corij tot u terug bent.'

'En ik dan? Welke zoon stuurt haar moeder weg als een pelgrim uit Krace zonder zelfs maar een krab voor zichzelf?'

Tinslager deed zijn best om niet met zijn ogen te rollen. Hij haalde nog een munt uit zijn zak. 'Vooruit dan maar. Koop een kroes bier voor uzelf, Moeder. Dat is goed voor het bloed.'

Ze keek hem doordringend aan. 'Bier? Waar zit je verstand? Het bier van Zakkas is goed genoeg voor mij. Dat geld leg ik in de offerschaal voor de goden, om althans iets van de stank van jouw zondige leven van mijn handen te wassen.' Voordat hij zelfs maar kon proberen zijn koperstuk te redden van een reis naar de vergetelheid, was ze de deur al uit.

Hij keerde zich naar het bed. Elan lag met haar ogen gesloten.

'Slaapt u?'

'Nee. Ach, ik weet het niet,' zei ze zonder haar ogen open te doen. 'Soms vraag ik me af of ik toch niet ben gestorven toen ik het gif nam, en of dit alles misschien slechts een fantoom is van mijn stervende gedachten. Want als dit de echte wereld is, waarom kan het me allemaal dan niets schelen? Waarom zou ik willen dat alles verdwijnt, zodat ik me weer kan laten wegzinken in die duisternis zonder dromen?'

Hij ging op het voeteneind van het bed zitten en wenste dat hij haar hand durfde te pakken. Ondanks het feit dat hij haar had gered uit de klauwen van Hendon Tollij, en dat ze dan wel niet van hem was, maar ook van niemand anders, had Tinslager het gevoel dat Elan op de een of andere manier verder van hem weg stond dan ooit. 'Als uw stervende gedachten een gargouille zoals mijn moeder kunnen voortbrengen, dan bent u een betere dichter dan ik ooit zal zijn.'

Met een vluchtige glimlach deed ze haar ogen open, maar ze weigerde nog altijd hem rechtstreeks aan te kijken. Ergens boven in het huis hoorde hij een kind huilen. 'Je bent grappig, Meester Tinslager, maar je doet je moeder onrecht. Ze is een goede vrouw... op haar manier. Ze heeft haar best gedaan om het me naar de zin te maken, ook al zijn we het er niet altijd over eens hoe dat zou moeten.' Ze trok een ontstemd gezicht. 'En ze is wel heel erg op de penning. De gedroogde vis waar ze mee thuiskwam... De woorden ontbreken me om te beschrijven waar die naar rook. Het kan niet anders of hij was gevangen op de plek waar de privaten van de residentie lozen in de lagune.'

Tinslager kon een glimlach niet verbijten. 'U hebt gehoord wat ze zei. Ze probeert geld over te houden, zodat ze wat extra munten in de offerschalen kan leggen. Voor een vrouw die zo gelovig is, lijkt ze te denken dat de goden net zo onnozel zijn als onhandelbare kinderen en dat ze voortdurend aan haar toewijding moeten worden herinnerd.'

De uitdrukking op Elans gezicht veranderde. 'Misschien heeft ze gelijk en hebben wij het mis – de goden lijken in elk geval niet veel aandacht te besteden aan hun sterfelijke kinderen. Ik zou de goden niet dwaas of onnozel durven te noemen, Meester Tinslager, maar ik moet bekennen dat ik me al heel lang afvraag of ze soms te veel zijn afgeleid om hier de orde te bewaren.'

Het was een interessante gedachte. Tinslager voelde een plotselinge drang in zich opkomen om er dieper in te duiken – om verder na te denken over de vraag wat de aandacht van de goden zou kunnen afleiden van hun menselijke scheppingen, zodat ze de mens in verwondering over hun bedoelingen lieten lijden zonder sturing. Misschien zou hij er zelfs een gedicht aan wijden.

Met een titel in de trant van *'De Zwervende Goden'*, dacht hij. Of nee, misschien *'De Slapende Goden'*...

De deur vloog zo plotseling open dat hij ervan schrok. Elan slaakte een kreet van verrassing. Anamesiya Tinslager gooide de deur met zo mogelijk nog meer geweld weer in het slot, toen liet ze zich op haar knieën vallen en begon luid te bidden tot de Trigon. Blijkbaar was de zuigeling boven ook geschrokken van de herrie, want hij begon weer te huilen.

'Wat is er?' vroeg Tinslager, in het ontmoedigende besef dat er iets verschrikkelijks moest zijn gebeurd: zijn moeder was doorgaans langer bezig om de grond schoon te vegen waarop ze ging knielen, dan met bidden. 'Moeder! Wat is er aan de hand?'

Ze keek op, en hij was geschokt te zien hoe bleek haar vertrouwde, hoekige gezicht was geworden. 'Ik had gehoopt dat je de tijd zou krijgen om boete te doen voor je zonden voordat het einde kwam,' zei ze schor. 'Mijn arme, dolende zoon!'

'Waar hebt u het over?'

'Het einde, het einde. Ik heb het zien naderen! Demonen die zijn gestuurd om ons te vernietigen omdat we de woede van de goden hebben gewekt.' Ze boog haar hoofd opnieuw in gebed en weigerde zich te laten onderbreken, hoezeer hij haar ook bestookte met vragen.

'Ik zal eens gaan kijken wat er aan de hand is,' zei hij ten slotte tegen Elan.

Nadat hij zich ervan had overtuigd dat de deur stevig op slot zat, liep hij de straat op. Aanvankelijk volgde hij de nerveuze mensenmassa's die koers leken te zetten naar de haven, naar het dichtstbijzijnde gedeelte van de stadsmuren, maar al spoedig besloot hij tegen de stroom in te lopen en sloeg hij de weg in naar de Markt-Straatbrug, die het water tussen de lagunes overspande. Als er iets aan de hand was aan de overkant van het water, in de stad Zuidermark, had hij net zo'n goed zicht vanaf de buitenmuur achter De Laarzen van de Das, een taveerne aan het eind van de Noordelijke Lagune, waar hij menige avond had doorgebracht met Hewneij en de anderen. De steeg die achter de taveerne langsliep, was bij slechts weinigen bekend, en dat was dan ook de reden dat zijn drinkmaten en hij daar maar al te graag de taveernehoeren mee naartoe hadden genomen.

Terwijl hij in oostelijke richting liep, ving hij flarden van gesprekken op van de mensen die hem passeerden. De meesten hadden alleen geruchten gehoord en waren ook op weg om te zien wat er aan de hand was. Sommigen waren doodsbang, mompelden gebeden en riepen verwensingen, anderen leken nauwelijks ongeruster dan als ze op weg waren geweest naar de viering van Groot Zosimia.

'Het is een teken!' klonk het uit vele monden. 'De aarde heeft zich tegen ons gekeerd!'

'We zullen ze wel weten terug te slaan!' riepen anderen. 'En we zullen ze laten kennismaken met de mannen van Zuidermark!' Sommige woordenwisselingen ontaardden in vuistgevechten, vooral als de strijdende partijen dronken waren. De zon die schuilging achter hoge wolken, had zijn hoogste punt nauwelijks bereikt, maar het leek erop dat veel meer mensen dan anders al waren begonnen met drinken.

Ging het er zo aan toe wanneer de goden hun grote oorlog uitvochten, vroeg Mats Tinslager zich af. *Trokken sommige stervelingen alleen maar naar het slagveld om het gebeuren gade te slaan, zonder zich zelfs maar af te vragen of het einde der tijden wel eens aanstaande zou kunnen zijn?*

Ook dat was een vreemde, maar boeiende gedachte – al de tweede in één dag die hij zou kunnen uitwerken tot een gedicht. Even vergat hij bijna dat wáárheen hij ook op weg was, het zijn moeder – een draak in mensengestalte – pure, naakte doodsangst had aangejaagd.

Maar wat kon het zijn? Hij zag niets, alleen mist en rook. Waarom zou dat tot zoveel angst en paniek leiden?

Hij glipte langs De Laarzen, waar zo te horen werd geruzied en gejammerd, zodat de herrie nog groter was dan gebruikelijk. Even kwam hij ernstig in de verleiding om naar binnen te gaan en de rest van het geld dat Brone hem had gegeven, in drank om te zetten – als het einde der tijden nabij was, kon hij daar dan niet beter doorheen slapen? Voor zover hij wist stond er nergens iets in het *Boek van de Trigon* waaruit bleek dat het verboden was dronken te zijn op de Dag van het Grote Oordeel.

Maar als hij nou eens heel lang zou moeten wachten op dat oordeel? Bij algehele rampspoed zouden er ongetwijfeld reusachtige menigten zijn die geoordeeld wilden worden, vergelijkbaar met de menigten wanneer de koning graan uitdeelde in tijden van hongersnood. *Dus zelfs dronkenschap is me niet vergund – tegen de tijd dat het zover is, zal ik ontnuchterd zijn, met een droge mond en een bonkend hoofd.* Bij de goden, het was al erg genoeg om Brones gebulder met een helder hoofd te moeten aanhoren; hoeveel erger moest het dan zijn om voor Perin zelf te staan, de heer der stormen, die met zijn hamer de donderslagen maakte!

Via de steeg achter de taveerne liep hij heuvelopwaarts naar de voet van de hoog oprijzende muur en sloop langs de borstwering naar de verlaten wachtpost. Tot zijn verrassing ontdekte hij dat ten minste tien, twaalf anderen blijkbaar hetzelfde idee hadden gehad. Een van hen, een jongeman met een grimmig gezicht en een leren schort voor, bukte zich om Tinslager de kapotte treden op te helpen.

Vanaf de borstwering hadden ze een onbelemmerd zicht op de noordkant van het vasteland. De grootste bedrijvigheid leek zich echter te concentreren in het dichtstbijzijnde gedeelte van de stad, op het strand naast de overblijfselen van de vernielde heirweg. De duisternis die Mats Tinslager eerder had gezien, had zich verspreid en in de diepten daarvan kon hij hier en daar iets zien glinsteren – oplichtende vonken die niet afkomstig leken van laaiende vlammen maar van de gloed van gesmolten metaal. En wat hij had aangezien voor zuilen van merkwaardig verstarde, zwarte rook bleek helemaal geen rook te zijn.

Uit de duisternis groeiden monsterlijke zwarte bomen, met takken als benige vingers, alsof reusachtige handen vanuit de mist naar de stadsmuren reikten aan de andere kant van de smalle baai. Ze zagen eruit als klauwen die zich bijna zijwaarts gebogen uitstrekten over het water, naar het kasteel, waar Tinslager en de anderen toekeken, met stomheid geslagen door angst.

'Wat zijn die door de goden vervloekte dingen?' vroeg iemand ten slotte. Een jongeman die te oud had moeten zijn om te huilen, deed het toch, met lang uithalende, verscheurende snikken, als een slopende hoest.

'Nee!' Mats Tinslager wist niets anders uit te brengen terwijl hij naar de overkant van het water staarde. De dingen – bomen of wat het ook mochten zijn – waren twee of drie keer zo groot geworden sinds hij er voor het eerst een glimp van had opgevangen, vanuit het raam in de residentie. Maar er was in de hele wereld niets wat zo snel groeide! 'Dat kan gewoon niet!' Maar het kon natuurlijk wel.

Niemand zei nog iets, alleen om te bidden.

*

De mist op zich was al angstaanjagend – hij leek overal vandaan te komen, zonder dat duidelijk was waar de oorsprong lag, en hij veranderde de wereld buiten hun gevangenis in een ontmoedigend landschap, net zo ontmoedigend als de schemerige, doodse velden rond de imposante burcht van Kernios uit de verhalen die Utta als meisje waren verteld. Maar het waren vooral de geluiden die haar de koude rillingen bezorgden: een diep gekreun en geknars dat haar deed huiveren tot in het diepst van haar wezen, alsof een reusachtig schip, duizend keer zo groot als enig menselijk vaartuig, langs hun raam zeilde, onder handbereik maar onzichtbaar in de dichte, kille nevelen.

'Wat is dat verschrikkelijke geluid?' Utta begon weer te ijsberen. 'Heb-

ben ze een soort – hoe heten die dingen – belegeringsinstrumenten gebouwd? Zo'n monsterlijke toren die ze naar de kasteelmuren kunnen
rijden? Maar waarom duwen ze die dan de hele nacht heen en weer over
het strand? Door al dat lawaai heb ik afschuwelijk gedroomd!' In een
van die dromen had haar familie, die ze al jaren niet meer had gezien,
aan de reling van een langgerekte, grijze boot gestaan, haar smekend om
aan boord te komen en zich bij hen te voegen; maar zelfs in haar droom
had Utta door de doffe blik in hun ogen beseft dat ze dood waren, dat
ze haar vroegen hun te vergezellen op hun reis naar de onderwereld.
Haar hart bonsde zo toen ze wakker werd, dat ze even bang was geweest dat ze echt stervende was.

'Zuster, u drijft me tot waanzin met dat heen en weer geloop!' klaag-
de Merolanna. Na hun gevangenneming in dit verlaten koopmanshuis
aan Brenh's Baai was ze dagen in de weer geweest met schoonmaken,
alsof ze hen met elk vuiltje dat ze verwijderde, een beetje meer onttrok
aan de macht van de elfen en hun duistere meesteres. Anderzijds was
het door al het schoonmaakwerk van de hertogin steeds moeilijker te
ontkennen dat ze gevangenen waren en bleven, ook wanneer alles glom
en blonk. Inmiddels was het zover. Schoner werd het niet, en Merolanna leek in een diepe, gedeprimeerde lusteloosheid te zijn weggezonken.
Ze kwam nauwelijks meer uit haar stoel, ook al had ze nog wel de kracht
te klagen over Utta's heen en weer geloop en over wat ze beschouwde
als een ongepaste hoeveelheid lawaai.

Gezegende Zoria, geef ons kracht, bad Utta. *Het komt door alle beproevingen dat we zo op elkaar vitten.*

Niet alleen hadden ze tot dusverre aan executie weten te ontkomen,
maar bovendien waren ze gehuisvest in een royaal onderkomen van drie
verdiepingen en voorzien van de spullen en de ingrediënten om heel
aanvaardbare maaltijden te kunnen bereiden. Er kon echter geen misverstand over bestaan dat ze gevangen werden gehouden: voor de deur
stonden twee zwijgende wachten, vreemde, dreigende figuren als demonen op een voorstelling in een tempel. Op het dak stond er ook een, zoals Utta op een dag tot haar afschuw had ontdekt, toen ze had besloten
van een waterig zonnetje te profiteren door wat kleren te drogen te leggen. Op het moment dat ze naar buiten kwam met een armvol vochtig
wasgoed, was het onnatuurlijke schepsel naar beneden gesprongen op
het balkon. Ze was zo geschrokken dat ze had gedacht ter plekke dood
neer te vallen.

De elf verschilde echter van de andere wachten; hij zag er minder menselijk uit, meer als een geschoren aap of een gladde hagedis, met klauwen aan het eind van zijn vingers die door zijn handschoenen staken, een grote, spitse neus en een mond die deed denken aan de snuit van een hond. Zijn goudbruine ogen hadden geen pupil. De elfenwacht had zo'n boos gegrom voortgebracht en zo krachtig met zijn bladvormige mes gezwaaid, dat Utta niet eens de moeite had genomen hem duidelijk te maken hoe onschuldig haar bedoelingen waren. Ze had simpelweg rechtsomkeert gemaakt en was weer naar binnen gevlucht.

Wat denken ze dat we van plan zijn, had ze zich afgevraagd terwijl ze de trap weer afstrompelde naar de woonkamer. *Van het balkon springen en wegvliegen? En zou hij me hebben gedood om me daarvan te weerhouden?*

Met een gevoel van onbehagen besefte ze dat hij dat ongetwijfeld zou hebben gedaan.

'Waarom houden ze ons hier vast?' vroeg Utta terwijl de gruwelijke geluiden maar doorgingen. 'Als die vrouw in het zwart – hun koningin of wat ze ook mag zijn – onze soort zo haat, waarom laat ze ons dan niet gewoon uit de weg ruimen?'

Merolanna maakte het teken van de Drie op haar boezem. 'Zulke dingen moet u niet zeggen! Misschien is ze van plan losgeld voor ons te vragen. Onder normale omstandigheden zou ik daar mordicus tegen zijn, maar ik zou er toch wel erg veel voor overhebben om weer in mijn eigen bed te liggen, en om de kleine Ellis en de anderen terug te zien. Ik ben bang, Zuster.'

Utta was ook bang, maar ze verwachtte niet dat ze in ruil voor losgeld zouden worden vrijgelaten. Wat konden de bloeddorstige Qar in hemelsnaam willen, als prijs voor een douairière hertogin en een non van Zoria?

Er werd op de deur geklopt, en onmiddellijk daarop kwam de vreemde halfelf, halfmens binnen die zich had voorgesteld als Kayyin.

'Wat wilt u?' Merolanna klonk boos, maar Utta wist dat die boosheid was bedoeld om haar schrik te maskeren. 'Wil uw meesteres de zekerheid dat we er slecht aan toe zijn? Zeg dan maar dat het huis nog tochtiger had kunnen zijn. Niet veel, maar het had erger gekund.'

Hij glimlachte, een van de weinige gelaatsuitdrukkingen waarmee hij er bijna volledig menselijk uitzag. 'Ze vindt u tenminste nog belangrijk genoeg om u gevangen te zetten. Om mij geeft ze zo weinig dat ik mag gaan en staan waar ik wil, als een hagedis op de muur.'

'Wat is er aan de hand, Kayyin?' vroeg Utta. 'We horen de hele ochtend al de verschrikkelijkste geluiden, maar door de mist kunnen we niets zien.'

Kayyin haalde zijn schouders op. 'Weet u wel zeker dat u het wilt zien? Het is een grimmig schouwspel. Want we leven in een grimmige tijd.'

'Wat bedoelt u? Ja, natuurlijk willen we het zien!'

'Komt u dan maar mee,' zei hij op een toon alsof hij zwichtte voor dwaasheid.

Ze volgden hem terwijl hij vloeiend en soepel de trap beklom naar het balkon op de bovenste verdieping, waar Utta nooit meer was geweest sinds de reptielachtige wacht haar had weggejaagd. Ook hier kolkte en wervelde de mist, maar van deze hoogte konden ze zien hoe laag die hing, als een donzen dek dat nonchalant op een bed was gegooid. De krakende geluiden leken hier zelfs nog luider, en even was Utta zo overweldigd door het uitzicht – de enorme mistwolk met daarachter de baai en in de verte de torens van Kasteel Zuidermark, haar onbereikbare thuis – dat ze de onsterfelijke wacht was vergeten. Tot hij van het dak naar beneden sprong, op het balkon.

Merolanna gilde het uit van schrik en doodsangst. Ze zou misschien zijn gevallen als Utta haar niet had ondersteund. De wacht zwaaide grauwend met zijn brede, korte zwaard; het was moeilijk te zeggen of hij een vreemde taal sprak of simpelweg dreigende geluiden maakte. Zijn tanden waren lang en scherp, als de tanden van een wolf.

Kayyin was niet onder de indruk. 'Wegwezen, Gok. Zeg maar tegen je meesteres dat ik deze dames mee naar buiten neem voor een frisse neus. Als ze me daarom wenst te doden, dan moet ze dat maar doen. En anders, wegwezen.'

Het wezen staarde hen aan met vurig schitterende ogen, maar de blik daarin was meer dan die van een woedend dier.

Wat zijn dit voor wezens, vroeg Utta zich onwillekeurig af. *Deze... elfen? Hebben de goden hen gemaakt? Zijn ze demonen, of hebben ze een ziel, net als wij?*

Het schepsel snoof dreigend, toen vluchtte het naar het dak, net zo snel als het was gekomen. Binnen enkele ogenblikken was het verdwenen.

'O, wat ben ík geschrokken!' Merolanna maakte zich los uit Utta's omhelzing en wapperde zichzelf koelte toe met haar handen. 'Wat was dat voor gruwelijk schepsel?'

Kayyin maakte een geamuseerde indruk. 'Een discipel van de clan van de Deugdzame Krijgers – familie van me. Maar hij weet dat hij me niets kan maken, en blijkbaar valt u ook onder mijn bescherming.' Hij klonk alsof hij niet helemaal zeker had geweten dat het schepsel hem zou gehoorzamen. Daarom vroeg Utta zich af hoe groot het risico was geweest dat ze waren teruggestuurd... of erger.

'Hoe kunt u zeggen dat zo'n monsterlijk wezen familie van u is?' Merolanna stond nog altijd vastberaden te wapperen, alsof ze niet alleen probeerde lucht te verplaatsen, maar ook de akelige herinnering te verdrijven. 'U lijkt er helemaal niet op, Kayyin. U bent bijna... bijna net zoals wij.'

'Dat is omdat ik zo ben gemaakt, hertogin.' Kayyin boog zijn hoofd. 'Mijn meester wist dat ik lange tijd bij uw soort zou doorbrengen, dus hij gaf me het talent om te veranderen, om mezelf... het is moeilijk uit te leggen... zo zacht te maken als brooddeeg, zodat ik de gelijkenis kon aannemen van de schepselen om me heen. Zo ben ik jarenlang gebleven – een armzalige kopie, maar het voldeed – tot ik weer werd gewekt.'

'Gewekt waarvoor?' Het was voor het eerst dat Utta dit hoorde. Ze had altijd gedacht dat Kayyin simpelweg een speling van de natuur was, of een product van de combinatie elf en mens.

Kayyin schudde zijn slanke hoofd. Nu ze erop lette, kon Utta niet ontkennen dat hij inderdaad iets vreemds had, een gebrek aan duidelijke kenmerken. Wanneer hij niet in de buurt was, kon ze zich hem niet voor de geest halen. 'Dat weet ik niet,' antwoordde hij op haar vraag. 'Mijn koning wilde voorkomen dat er oorlog kwam tussen uw soort en de mijne, maar ik geloof niet dat hij erg veel aan me heeft gehad. Als ik eerlijk ben, moet ik bekennen dat het ook voor mij een raadsel is.' Hij hield zijn hoofd schuin. 'Ach, daar is het weer... Hoort u dat? Het begint weer.'

Hij liep naar de leuning, Utta volgde zijn voorbeeld. Ze hoorde het ook – een hervatting van de diepe, knarsende geluiden die hen de hele dag al hadden gekweld. Onder hun balkon, diep verborgen in de kolkende mistflarden, gloeide een licht op. Het werd weer zwakker, maar doofde niet volledig, alsof iemand op het verborgen strand een enorm vuur had aangestoken met blauwe en gele vlammen.

'Wat is er? Waar is je volk mee bezig?'

'Ik weet niet zeker of het nog mijn volk is,' zei Kayyin met een merkwaardige, verdrietige glimlach. 'Maar het is natuurlijk wel mijn vrouwe, en het zijn haar kluizenaars die daar aan het werk zijn. Ze bouwen de Brug van Doornen.'

'Gezegende goden!' mompelde Merolanna. Utta keerde zich naar een zwart *iets* dat langzaam opdoemde uit de duisternis, als een tentakel van een ontzagwekkend zeemonster. In de korte tijd voordat de wind het schouwspel weer in nevelen hulde, kon ze geen verklaring bedenken voor wat ze zag. Het was een soort plant, besefte ze ten slotte – een of andere monsterlijke, zwarte klimrank, zo groot als een schaapskooi en bedekt met doornen zo lang als zwaarden. Opnieuw trok een bries vanuit de onzichtbare baai aan de mist; deze keer zag ze dat het ging om niet één, maar ettelijke tentakels die vanuit de mistige diepten omhoogkronkelden. Het afschuwelijk gerommel en het schurende gekrijs, zo diep en luid dat de planken van het balkon waarop ze stonden meetrilden, waren de geluiden van het groeien van het monsterlijke gewas, dat vanaf de kust beneden hen zijn hebzuchtige tentakels uitstrekte naar Kasteel Zuidermark aan de overkant van het water.

'De Brug van Doornen...' herhaalde Utta langzaam.

'Maar wat is dat dan?' vroeg Merolanna. 'Alleen al de aanblik maakt me ziek. Maar wat is het?'

'Ze... ze gaan via die brug het kasteel aanvallen.' Pas terwijl ze het zei drong de betekenis daarvan volledig tot Utta door. 'Ze gebruiken de takken als belegeringsladders, om over de baai en de kasteelmuren te komen. Ze zullen er als mieren overheen zwermen en iedereen doden. Zo is het toch?'

'Ja.' Kayyin klonk bijna verdrietig. 'Ik denk inderdaad dat ze iedereen zal doden die ze op haar pad vindt. Ik heb haar nog nooit zo woedend gezien.'

'O!' zei de hertogin. Even was Utta bang dat de vrouwe, die al op leeftijd was, opnieuw zou vallen. 'O, u bent een monster! Hoe kunt u... hoe kunt u daar zelfs maar over práten, alsof... alsof...' Ze draaide zich om en liep strompelend de kamer weer in. Even later hoorde Utta haar langzaam de trap afdalen.

'Ik zou met haar mee moeten gaan,' zei ze aarzelend. 'Is er dan niemand die uw meesteres tot andere gedachten kan brengen? Is er niemand die haar kan overhalen deze gruwelijke aanval af te blazen?'

'Ze is niet mijn meesteres, wat slechts een klein deel van het probleem is. Mijn meester is de koning, en als er iets is wat Yasammez haat, dan is het trouweloosheid, vooral van haar familie.'

'Familie?'

'Heb ik u dat nooit verteld? Vrouwe Yasammez is mijn moeder. Het is al heel lang geleden dat ze mij het leven schonk, en we hebben jaren en nog eens jaren geen contact gehad.' Zijn nietszeggende gezicht weer-spiegelde geen diepere emotie dan die van een verteller met een inte-ressant maar niet echt aangrijpend verhaal. Toch voelde Utta dat er meer achter zijn woorden schuilging – dat kón niet anders. 'Ik ben bij lange na niet haar enige kind, maar bijna zeker wel haar laatste kind dat nog leeft.'

'En u zei dat ze u op een dag ter dood zou brengen? Hoe zou een moeder dat kunnen?'

'Mijn volk is anders dan het uwe, maar zelfs bij ons is Vrouwe Ya-sammez een uitzondering, een vreemde eend in de bijt. De liefde die ze in zich draagt, is niet voor haar eigen kroost, maar voor dat van haar zuster. En hoewel ze de Vuurbloem draagt, draagt ze die als enige in onze geschiedenis alleen.'

Utta kon slechts verward haar hoofd schudden. 'Ik begrijp er niets van. Wat is een Vuurbloem?'

'De Vuurbloem. Er is er maar een. De Vuurbloem is het geschenk van de Manke, onze grote heer, aan de Eerstgeborene, vanwege zijn lief-de voor een sterfelijke vrouw – Summu, de moeder van mijn moeder. De Vuurbloem is het erfgoed van de kinderen die hij bij haar verwek-te.' Bij het zien van haar gezicht aarzelde hij even. 'Ach, natuurlijk, uw volk kent de Manke als Kupilas, de Genezer.'

Onder andere omstandigheden zou Utta zijn woorden hebben afge-daan als het gebazel van een krankzinnige, en er was ook wel iets in Kayyins doffe, vlakke stem waardoor hij gestoord leek, maar Utta had de afschrikwekkende Yasammez ontmoet. Die ervaring, in combinatie met de aanblik van de doornachtige toverij van de donkere vrouwe, maakte het moeilijk zijn beweringen naast zich neer te leggen. 'U zegt... dat uw moeder, Yasammez, is verwekt door een gód?'

'Dat is uw formulering, niet de mijne – maar inderdaad. In dat verre verleden waren degenen die u goden noemt, de machtige meesters; uw volk en het mijne dienden hen en soms deelden ze ook het bed. Af en toe gebeurde het dat er oprechte vriendschap en zelfs liefde groeide tus-sen de groten en hun sterfelijke volgelingen. Maar los van de vraag of de nakomelingen in liefde werden verwekt, de producten van dergelij-ke eenwordingen waren helden en monsters, die door u halfgoden en -godinnen worden genoemd.'

'Maar Kupilas...'

'Wat de Manke voor Summu voelde, zal niemand ooit weten, want ze zijn beiden heengegaan, maar ik geloof niet dat we onwaarheid spreken wanneer we het liefde noemen. En de kinderen die ze kregen, waren uniek – zij werden de heersers van mijn soort. Allen die door de Manke werden verwekt, hadden de gave van de Vuurbloem – het vuur van de onsterfelijkheid zoals ook de goden dat droegen. In Yasammez en haar tweelingzus Yasudra brandde het vuur hartstochtelijk, en dat doet het in Yasammez nog steeds, omdat ze het niet aan een ander heeft overgedragen. Sterker nog, alle drie eerstgeboren kinderen van Summu – mijn moeder, haar tweelingzus Yasudra en hun broer, Ayann – wilden niet dat hun gave zwakker zou worden.

Yasammez behield haar Vuurbloem door de eenzame eeuwen, en dat heeft haar tot de langstlevende en misschien ook de machtigste van ons volk gemaakt. Yasudra en Ayann hielden de Vuurbloem niet zoals zij voor zichzelf, maar gaven die door aan de kinderen die ze samen kregen – de koningen en koninginnen van mijn volk. Zo bleef de Vuurbloem zuiver en onverzwakt behouden in hun bloed...'

'Wacht eens even, Kayyin. Zegt u daarmee dat uw eerste koning en koningin broer en zus waren?'

'Ja, en de hele koninklijke lijn sindsdien stamt af van dat ene paar, van Yasudra en Ayann, zodat de zuiverheid van de Vuurbloem door de generaties heen bewaard is gebleven.'

Utta moest het even op zich laten inwerken. 'Dus... dus u hebt deze Vuurbloem ook?' vroeg ze ten slotte.

Hij lachte, ogenschijnlijk zonder wrevel. 'Nee, ik niet. Mijn moeder, Yasammez, weigerde haar gave af te zwakken door die met me te delen. Daarom leeft ze zo lang. Ze heeft haar kinderen de Vuurbloem onthouden. In plaats daarvan heeft ze zich tot taak gesteld om haar hele, oneindige leven te waken over de lijn van haar zuster Yasudra. Inmiddels is een kind van Yasudra, onze koningin Saqri, stervende. Uit wraak besloot Yasammez ten strijde te trekken om uw soort te vernietigen, maar mijn meester de koning wist een overeenkomst af te dwingen, het Pact van de Spiegel. Die overeenkomst heeft blijkbaar geen standgehouden, en daardoor heeft Yasammez opnieuw haar handen vrij om oorlog te voeren tegen uw gehate volk.'

'Gehaat? Maar waarom dan? U had het over wraak. Waarom is ze er zo op gebrand om ons te vernietigen?'

'Waarom?' De blik waarmee Kayyin haar aankeek, was onmogelijk te peilen. 'Omdat het de schuld is van uw volk – en in het bijzonder van het volk van Zuidermark – dat onze koningin stervende is.'

21
De vijfde lantaarn

'In vroeger tijden werden alle Funderlingen door de bewoners van het
noordwesten – vooral in Segtland, waar ze veel voorkwamen – aangeduid
met "droggel". Inmiddels wordt die benaming doorgaans uitsluitend
gebruikt voor de kleine steenbewerkers in het domein van de Qar, achter
de Schaduwgrens.'

Uit *Een Verhandeling over de Elfenvolken van Eion en Xand*

Ferras Vansen hield zijn hand op de schouder van IJzerkiezel terwijl ze
de gang uit liepen, ook al werd hij daardoor gedwongen tot een ongemakkelijke, gebogen houding. Te oordelen naar de weidse echo hadden
ze de grot bereikt die de Grote Danszaal werd genoemd, maar dat kon
hij natuurlijk niet zeker weten. Vansen voelde zich als een kind, of een
hulpbehoevende – hoe konden de Funderlingen zien in deze duisternis? En hoe kon hij zelfs maar hopen schouder aan schouder met hen
te strijden, laat staan hen te leiden, wanneer hij zo goed als blind was
op plekken waar zowel de Funderlingen als hun vijanden zich moeiteloos wisten te redden? O, wat verlangde hij naar het moment waarop
hij de luiken van zijn lantaarn kon openen!

'De lucht voelt hier los,' zei Moker IJzerkiezel met zijn mond bijna
tegen Vansens oor. 'Maar helemaal aan het eind weer stomp, dus je zou
zeggen dat er dwarsop een gat zit – maar dat is er niet. Kortom, ik sta
voor een raadsel.'

Dat gold ook voor Vansen, maar dat kwam omdat hij geen Funderling was – de aanvoerder van de hoeders had net zo goed oud Ulosisch kunnen spreken. 'Losse lucht? Stompe lucht? Dwarsop? Wat betekent dat allemaal?'

'Sst!' fluisterde IJzerkiezel.

Vansen had amper de tijd om zich te verbazen voordat IJzerkiezel hem naar voren trok en op zijn knieën duwde. Het volgende moment sloeg er iets metaligs met kracht tegen de rots achter hen; er was iets snels en scherps langs hen gesuisd en tegen de wand geslagen, precies op de plek waar ze even eerder nog hadden gestaan.

'Wat is er?' siste Vansen zo luid als hij durfde. 'Wat...'

'Een val!' Hij werd weer meegetrokken, deze keer naar beneden, terwijl ook IJzerkiezel naar de grond dook. De greep van de Funderling was verbazend machtig, in aanmerking genomen dat hij nauwelijks groter was dan een kind. 'Hou je hoofd naar beneden!'

'Ik doe de lantaarn open,' zei Vansen. 'Dan heb ik misschien enig idee van wat er aan de hand is...'

'Niet te dicht bij je hoofd!' gromde IJzerkiezel. 'Trouwens, ook niet te dicht bij ons.' De rest van het groepje Funderlingen kwam achter hen aan kruipen. Vansen strekte zijn arm en zette de lantaarn een eindje verderop en iets hoger op de ongelijke grond. Waar was hij? Ze hadden het over de Grote Danszaal gehad, maar voor zijn gevoel bevond hij zich eerder in een grinduitgraving dan in een balzaal. Hij schoof het luikje van de lantaarn omhoog; het licht dat naar buiten stroomde gaf op slag vorm en diepte aan wat een oneindige, angstaanjagende duisternis was geweest.

Hij had amper de tijd om zijn hand terug te trekken, toen een regen van pijlen de lucht naast de lantaarn doorboorde. Een van de pijlen schampte de lantaarn, met als gevolg dat de cilinder van metaal en hard zeeglas om zijn as draaide en dreigde te kantelen, maar het licht doofde niet.

Vansen waagde het erop zijn hoofd op te tillen om een snelle blik om zich heen te werpen. Een handvol gedaanten, sommige gewapend met korte bogen, zocht haastig dekking aan het eind van de ruimte, als ratten die waren opgeschrikt in een provisiekamer. In het licht van de enkele, zwak brandende lantaarn wierpen ze gigantische, langgerekte, dansende schaduwen.

Ferras Vansen had niet gedacht dat hij zich tegen pijlen zou moeten verweren – in de nauwe ondergrondse gangen leken ze een onwaarschijnlijk wapen – maar hij was in een klassieke infanteristennachtmerrie beland, belaagd door een vijand die hij amper kon zien, en met geen andere optie om terug te vechten dan een – hopeloze – frontale aanval. De Funderlingen en hij mochten van geluk spreken dat ze niet ter plekke waren afgeslacht; blijkbaar hadden ze de Qar verrast. Het enige wat ze konden doen, was hopen op de komst van Cinnaber en de reserves uit Funderstad. Maar hoe moesten ze voorkomen dat die in dezelfde val liepen?

'Heel simpel,' zei Moker IJzerkiezel nadat Vansen hem fluisterend deelgenoot had gemaakt van zijn bezorgdheid. 'Als er vanhier naar de tempel van de Broeders een ader tromsteen loopt, is er geen enkel probleem. Langschachten – zo hielden we in de mijnen contact met elkaar, en zelfs daarbuiten, maar dat is lang geleden. Hoe dan ook, we blijven er gewoon op hameren tot iemand ons hoort. Maar wat je wilt zeggen, moet wel klip en klaar zijn.'

Tromsteen. Dat was nieuw voor hem. Vansen hief opnieuw zijn hoofd en tuurde naar de andere kant van de ruimte, waar de vijand zich schuilhield achter een woud van stenen torens, de meeste niet langer dan een grote Funderling. Een van de Qar had hem in de gaten en vuurde een pijl af; het projectiel suisde vlak langs hem heen en sloeg stuk op de rotswand, maar een rondvliegende splinter boorde zich in zijn hand. Vansen gromde van pijn en begon het bloed uit de wond te zuigen. 'Twee woorden, zou ik zeggen,' stelde hij IJzerkiezel voor. '"Help" en "val". Is dat klip-en-klaar genoeg?'

Ze stuurden een paar mannen terug naar de ader die het pad kruiste dat ze hadden gevolgd naar de Danszaal. De waarschuwing had succes. Cinnaber kwam met zijn troep van twee dozijn mannen snel maar heel voorzichtig de grote grot binnen, gewapend met slingers en andere langeafstandswapens. Ondanks de onervarenheid van de nieuwe krijgers, van wie velen zelfs de rudimentaire blootstelling aan geweld misten waarop de hoeders konden bogen, slaagden ze erin om samen met Vansen en IJzerkiezel de tien, twaalf gewapende Qar uit de Grote Danszaal te verdrijven. De overwinning eiste wel een prijs: twee Funderlingen vonden de dood, onder wie een hoeder die Veldspaat heette. Het was dan ook een sombere stoet die de terugweg naar de tempel van de Metamorfische Broeders aanvaardde.

Vansen en Cinnaber liepen achter de mannen die de lichamen droegen. Ferras Vansen deed zijn best om zijn aandacht te verdelen tussen complexe overwegingen betreffende hun verliezen en de lessen van die dag, en de noodzaak om zijn hoofd te beschermen tegen de lage gewelven. Hij was inmiddels lang genoeg bij de Funderlingen om te weten dat ze soms vergaten dat hij twee keer zo lang was als zij en dat zijn zicht zich niet met het hunne kon meten, met als gevolg dat ze hem niet altijd waarschuwden wanneer er een lage doorgang naderde.

'Ik wou dat ik eerder van die "tromsteen" had geweten,' zei hij.

'Er zijn maar een paar kleine aderen die delen van Funderstad met elkaar verbinden,' zci Cinnaber. 'Het was puur geluk dat IJzerkiezel die ader had gezien. Tromsteen werd vooral gebruikt over langere afstanden, maar ook dat wordt sinds zo'n honderd jaar niet meer gedaan, eigenlijk niet meer sinds we het contact met andere dorpen en steden zijn kwijtgeraakt.'

'Toch moet het geweldig zijn – tenminste, als ik IJzerkiezel goed heb begrepen – om over zulke enorme afstanden ondergrondse signalen te kunnen doorgeven! Heeft het... het grote volk, zoals u ons noemt... hier ooit van geweten?'

Cinnaber begon te lachen. 'Nee, ik kan u verzekeren van niet. U neemt het me ongetwijfeld niet kwalijk als ik zeg dat het ons waarschijnlijker leek dat we ons tegen het grote volk zouden moeten beschermen dan dat we het ooit te hulp zouden moeten komen.'

'Dat lijkt me alleszins redelijk. En ik beloof u dat ik het geheim zal bewaren – dat is wel het minste wat ik uw volk verschuldigd ben. Maar het lijkt me het zoveelste voorbeeld van misplaatst vertrouwen om mij te vragen uw aanvoerder te zijn. Zelfs al had ik ervaring als bevelhebber, zoals u – ten onrechte – veronderstelt, dan nog weet ik veel te weinig over deze ondergrondse wereld waarin we strijd moeten leveren. Het heeft me volledig verrast dat de Qar die grot eerder hadden bereikt dan wij. Hoe hebben ze dat voor elkaar gekregen?'

Zelfs in het gedempte licht van Vansens lantaarn was te zien dat er een verraste uitdrukking op Cinnabers welwillende, verweerde gezicht verscheen. 'Maar volgens IJzerkiezel heeft hij u dat verteld! De lucht had daar stomp moeten zijn, maar de geur verried dat er een tweede opening was gemaakt, dus dat betekent dat er een nieuwe gang dwarsop moet zijn, van het stompe gedeelte helemaal aan het eind van de Grote Danszaal...'

'Dat is nou precies wat ik bedoel! Ik kan er geen touw aan vastknopen.' Hij hief zijn hand. 'Nee, probeer het me maar niet uit te leggen, magister. Dat zou te ver voeren. Maar wanneer we terug zijn in de tempel, wil ik u en Kiezel en de anderen vragen me te helpen. Want we moeten een remedie zien te vinden voor mijn onwetendheid, vóórdat we door mijn schuld allemaal de dood vinden.'

De Funderlingen en de twee mannen van het grote volk verzamelden zich rond een van de lange tafels in de refter van de tempel, die Vansen was gaan beschouwen als het militaire hoofdkwartier van de Funderlingen – voornamelijk omdat alleen de refter en de kapel plaats konden bieden aan zo'n groot gezelschap.

In de dagen daarvoor had Ferras Vansen zijn betrokkenheid bij de kleine mannen en vrouwen soms bijna amusant gevonden, alsof hem was gevraagd een leger kinderen aan te voeren, maar daar was na de eerste aanval door de Qar een eind aan gekomen. Wie nog twijfelde aan de ernst van de situatie, hoefde maar af te dalen naar de diepe, koude ruimte onder het hoofdaltaar, waar de lichamen van Veldspaat en Schist, de twee gesneuvelde Funderlingen, lagen te wachten tot er een grafheuvel voor hen kon worden opgeworpen.

Over de tafel heen richtte Vansen zijn blik op IJzerkiezel, Magister Cinnaber en Broeder Nikkel. Nikkels macht binnen de Broederschap leek met de dag groter te worden; er was nog geen officiële bevestiging binnengekomen dat hij de abt zou opvolgen, maar de andere monniken leken daar al van uit te gaan. Chaven zat ook aan tafel – de enige die net zo groot was als Vansen – maar de heelmeester leek nerveus en in gedachten verzonken. Naast hem zat Malachiet Koper, ook een belangrijke figuur in het Gilde. De uitzonderlijk lange, slanke Funderling had een contingent vrijwilligers meegenomen uit de stad om te helpen bij de verdediging van de lagere gangen. Hoewel er onder de grotbewoners niet zoiets bestond als een hogere stand, kwam Malachiet Koper nog het dichtst bij wat Vansen in zijn eigen wereld een edelman zou hebben genoemd. Te oordelen naar zijn kleren was hij zonder twijfel de rijkste van allemaal. De jeugdige Broeder Antimoon maakte de groep compleet. Vansen had gehoord dat Kiezel Blauwkwarts en zijn vreemde aangenomen zoon voor privézaken op pad waren en daardoor niet aanwezig konden zijn.

'Ik moet u om vergiffenis vragen,' zei Vansen tegen de anderen. 'Ik kan simpelweg niet wennen aan de termen die u gebruikt – *dwarsop, wasgoot, schraapwerk, losse en stompe lucht.* Ik begrijp er niets van, laat staan dat ik snel genoeg kan reageren om uw mensen aan te voeren in de strijd. Ik ben gewend te vechten op stevige grond die zich als een deken voor me uitspreidt, maar hier heb ik het gevoel alsof die deken rond mijn hoofd is gewikkeld. Dus ik vind dat u het leiderschap aan iemand als Cinnaber of Koper moet toevertrouwen.'

'Ik vind het niet prettig om mijn hoofd te moeten vullen met details.' Malachiet Koper sprak heel langzaam, alsof zelfs praten hem al bijna te veel moeite kostte. 'Ik ben tevreden met de leiding over mijn eigen ploeg schrapers. Dus ik bedank voor de eer.'

Ook Cinnaber schudde zijn hoofd. 'Ik weet niets van het krijgsbedrijf, Kapitein Vansen, maar ik zal mijn best doen om u te helpen net zo te leren denken als wij.'

'Maar hoe zou ik alles wat uw volk weet, ooit kunnen leren? Tromstenen, de Wegen van Stormsteen... Zelfs al had ik er de hersens voor, ik heb niet de tijd om me al die kennis eigen te maken.'

'Waarschijnlijk zijn we geen van allen geschikt om de volledige verantwoordelijkheid op ons te nemen,' zei Chaven. 'Om dit te overleven zullen we moeten samenwerken en moeten proberen uit onze afzonderlijke bijdragen één aanvoerder te creëren – een soldaat van aan elkaar gesmede onderdelen, zoals in het oude verhaal van Koning Kreas.'

'Blijft het feit dat we, al zou de machtige Steenheer zelf uit de diepten oprijzen om ons te helpen, een tekort aan manschappen hebben,' zei Malachiet Koper. 'Cinnaber, mijn beste, stuur een boodschap naar het Gilde dat ze iedere gezonde kerel die gemist kan worden, opdracht moeten geven zich bij ons aan te sluiten. Jammer genoeg kunnen we de mensen die aan het werk zijn voor Hendon Tollij, niet terugtrekken zonder wantrouwen te wekken. Al met al zouden we nog duizend man moeten kunnen optrommelen. Op dit moment hebben we er op z'n hoogst vier halfhonderden, en daar zit maar een enkele ervaren vechter tussen. Hoe groot is het leger van de Qar aan de overkant van de baai?'

Vansen schudde zijn hoofd. 'We hebben nooit geweten met hoevelen ze waren, zelfs niet toen we tegen hen vochten. Dat was een deel van de beproeving – dat ze ons in verwarring konden brengen met hun aantallen en hun posities. Maar ik heb hen zien marcheren, ook al is dat inmiddels lang geleden, en ik ga ervan uit dat hun troepenmacht vele malen groter is dan de onze.'

'En op basis van wat u hebt verteld, denk ik dat we hen zelfs met gelijke aantallen niet de baas zouden kunnen,' zei Cinnaber.

'Het is de Mark Koninkrijken niet gelukt met een troepenmacht van vele duizenden – onder wie honderden veteranen en gepantserde cavaleristen – en met inzet van kanonnen. Maar we waren te zeker van onzelf.' Vansen glimlachte verdrietig. 'Dat zal ons nooit meer gebeuren.'

'Bestaat er ook maar enige kans dat de bovengronders – ik bedoel uw volk, Kapitein Vansen – ons te hulp zouden komen? Hendon Tollij zal ongetwijfeld niet willen dat de Qar vrij rondzwermen onder zijn kasteel!'

'Nee, maar dan zou u hem eerst moeten overtuigen,' zei Vansen peinzend. 'Dat moet mogelijk zijn... Maar als hij ermee instemt u te helpen, hoeft u niet te verwachten dat hij u de controle over Funderstad teruggeeft wanneer alles weer achter de rug is. Als hij eenmaal weet van de gangen van Stormsteen en wat zich verder onder de grond bevindt, zullen hij en zijn soldaten hier nooit meer weggaan.'

Malachiet Koper verbrak de langdurige, sombere stilte. 'Maar die elfenwezens zullen eerst hierbeneden tegen ons moeten vechten,' merkte hij op. 'En dat moet in ons voordeel zijn, al was het maar omdat we daardoor de tijd krijgen onze sterkte op te voeren.'

'Vergeet niet dat ze onze verwanten aan hun kant hebben,' zei Cinnaber. 'En behalve een soort Funderlingen zijn er ook nog andere schepselen, zoals ettins, waarvan we er sommige alleen kennen uit oude verhalen...'

'Dus de situatie is hopeloos? Is dat wat u wilt zeggen?' Nikkel stond op. 'Dan moeten we ons voorbereiden op de ontmoeting met onze Maker. De Heer van de Hete, Natte Steen zal ons redden als Hem dat juist lijkt – als we Hem hebben behaagd. Zo niet, dan zal Hij met ons doen wat Hij wil. Al deze krijgslustige ijdelheid zal voor niets blijken te zijn. De Negen Steden van de Funderlingen zullen worden ontvolkt tot slechts stof en schaduwen resten.'

'Op dat soort praatjes zitten we niet te wachten,' zei Cinnaber boos. 'Of bent u er soms op uit onze mensen zo bang te maken dat ze roekeloos worden? U zou op z'n minst aan onze vrouwen en kinderen moeten denken, Nikkel. Ach, maar hoe kan ik dat vergeten? Als Metamorfische Broeders hebben jullie geen tijd voor dat soort beuzelarijen...'

'Het werk dat we doen is heilig!' tierde Nikkel, waarop de ruzie pas echt goed losbarstte. Zelfs Malachiet Koper bemoeide zich ermee, maar Ferras Vansen luisterde niet meer.

'Genoeg!' zei hij ten slotte. Toen ze niet reageerden, verhief hij zijn stem, dieper en krachtiger dan de hunne. 'Genóég! Mond dicht! Allemaal!' Iedereen keerde zich naar hem toe en staarde hem verrast aan. 'Hou op met dat gekibbel, in het belang van de vrouwen en de kinderen – trouwens, in het belang van ons allemaal! Broeder Nikkel, u had het over "de Negen Steden van de Funderlingen". Wat bedoelde u daarmee?'

Nikkel maakte een afwerend gebaar. 'Het is maar een uitdrukking. Daarmee worden alle Funderlingen bedoeld, waar ze ook wonen, niet alleen hier in Funderstad.'

'Dus er zijn nog meer Funderlingen? Waar dan? Magister Cinnaber, u zei eerder iets over steden en dorpen, maar ik dacht dat u daarmee dorpen bedoelde zoals Eerstvoorde en Ooskasteel en dergelijke.'

Cinnaber schudde zijn hoofd. 'Ik begrijp uw belangstelling, Kapitein Vansen, maar als u visioenen hebt van duizenden Funderlingen die vanuit heel Eion opmarcheren om ons te hulp te komen, dan vrees ik dat ik u moet teleurstellen. Sommige van de zogenaamde Steden bestaan al lang niet meer, en van de meeste andere is nog maar weinig over – voor zover ze binnen ons bereik liggen. Twee bevinden zich achter de Schaduwgrens en er ligt er een in Xand, het zuidelijke continent.'

'Maar zijn er nog Funderlingen die buiten Zuidermark wonen?'

'Ja, natuurlijk. Zelfs lang na onze glorietijd zijn er nog altijd Funderlingen in de meeste grote steden, waar ze voor het grote volk aan steen- en metaalbewerking doen. Hun aantal is echter wel steeds kleiner geworden. Hier ook. Amper honderd jaar geleden waren we met bijna twee keer zoveel als nu.' Cinnaber haalde zijn schouders op. 'Er is nog altijd een aanzienlijke populatie Funderlingen in Tessis, en in de bergen van Syan waar aan mijnbouw wordt gedaan – die twee samen komen misschien op hetzelfde aantal als de populatie hier. En ik heb gehoord dat er ook nog altijd wat Funderlingen wonen in Westkaap, de oude stad in Segtland, inmiddels niet veel meer dan een dorp. Misschien wonen er nog enkele honderden, misschien zelfs duizend, verspreid over de andere steden van Eion. Aan het eind van het jaar komen we bij elkaar voor een groot festival, de Gilde Markt, maar ik denk niet dat we ons lang genoeg staande zullen weten te houden om daarop te wachten voor het rekruteren van hulp.' Hij haalde zijn schouders op. 'Vergis ik me, of was dat wat u in gedachten had, kapitein?'

'U slaat de spijker op zijn kop, magister.' Vansen fronste zijn wenkbrauwen. 'Toch vraag ik me nog steeds af of de tromstenen tot in Syan te horen zijn.'

'Vroeger wel,' antwoordde Malachiet Koper. 'Maar de stenen tussen Syan en Funderstad zijn al lang geleden stilgevallen.'

'U zei dat er in Syan net zoveel Funderlingen wonen als hier.' Vansen keerde zich naar Cinnaber. 'Misschien willen zij ons helpen. Wanneer we onze aantallen zouden kunnen verdubbelen, zullen we aanzienlijk langer stand kunnen houden.'

Cinnaber knikte traag. 'Ik neem aan dat we het ons niet kunnen veroorloven om die mogelijkheid, hoe onwaarschijnlijk ook, buiten beschouwing te laten. Vroeger was er een aaneenschakeling van tromstenen tussen Funderstad en wat het grote volk Neerbrugge noemt, de vestiging van de Funderlingen in Syan. Tenzij de grond sindsdien ernstig is verschoven, zie ik geen reden waarom die stenen niet nog altijd zouden werken.'

'Verschoning,' zei Malachiet Koper. 'Maar ik moet deze vraag echt stellen. Wat schieten we ermee op als we misschien zelfs vijf keer onze troepensterkte van elders halen? Dan nog zijn we kansloos tegen de Qar, als alles wat ik vandaag heb gehoord waar is. Wat is het nut van zo'n operatie? Het zal weken duren voordat eventuele hulptroepen uit Neerbrugge hier zijn – op z'n vroegst rond de Zonnewende. Ervan uitgaande dat Neerbrugge hulp stuurt, wat ik betwijfel. Maar goed, zelfs als ze komen, zou dat echt iets uitmaken?'

'U hebt gelijk,' zei Vansen. Hij had nagedacht, langzaam en zorgvuldig zoals zijn gewoonte was, en hij zag geen andere mogelijkheid. 'U hebt gelijk. We kunnen de Qar niet verslaan. Behalve dat het vurige krijgers zijn, hebben ze een gruwel en een waanzin aan hun kant die alles overstijgen wat ik ooit heb gezien of ervaren. Maar ik ben ook helemaal niet van plan om hen te verslaan.'

Broeder Nikkel snoof afkeurend. 'Waarom geven we ons dan niet gewoon meteen over? Dan kunnen we tenminste kiezen hoe we dood willen gaan.'

Koper schonk hem een nijdige blik. 'Hou je mond! Een laffe priester zoals jij zou natuurlijk diep wegkruipen in je hol. Maar ik wil sterven met een strijdhamer in mijn hand, zonder mezelf op mijn hoofd te slaan en de Aard Ouden om vergeving te vragen!'

'Heren... Broeders.' Cinnaber hief zijn gespreide armen. 'Laten we ons niet op deze manier...'

'Wacht even! U laat me niet uitspreken, Broeder Nikkel,' zei Vansen luid. Hij wenste dat het overtuigen van de anderen, hoe zwaar hem dat ook zou vallen, het moeilijkste was wat hem nog te wachten stond. 'Ik ben niet van plan de Qar te verslaan, want zoals ik al zei, dat zal ons niet lukken. We mogen er zelfs niet op hopen dat we lang weerstand kunnen bieden. Maar ik heb wel een vermoeden van wat ze hier te zoeken hebben, en misschien beschik ik over informatie die zelfs hun lei-der nog niet heeft – belangrijke informatie.' Ondanks zijn zelfverzeker-de woorden bezorgde alleen al de gedachte aan de donkere vrouwe van de Qar hem knikkende knieën van angst. Hij had haar in zoveel nacht-merries gezien, in visioenen die door de gedachten van Gyir aan hem waren geopenbaard, als schaduwen die op de muur van een grot wer-den geworpen. Hij sidderde om haar onder ogen te komen, maar wat kon hij anders doen? Hij was soldaat, en hij had dezelfde loyaliteit aan deze Funderlingen beloofd als aan het Huis Eddon en zijn troon toen hij toetrad tot de koninklijke garde. 'Daarom heb ik iets anders bedacht,' kondigde hij aan toen eindelijk iedereen zweeg. 'Ik wil proberen vrede te sluiten.'

'Vrede!' bulderde Koper. 'Met het Schemervolk? Met ettins en ge-daantewisselaars? Dat is waanzin.'

Vansen glimlachte grimmig. 'Als dat zo is, dan is waanzin het enige wat ons kan redden.'

*

Een eenzame maansikkel hing aan de hemel toen ze via de zijdeur Cha-vens sterrenwacht naast de oude muren uit slopen. Kiezel was in geen weken meer in de buitenlucht geweest, en even was de scherpe frisheid ervan bijna overweldigend. Licht in zijn hoofd zette hij een paar wan-kele stappen voordat hij zijn evenwicht had hervonden. De nacht leek zo... groot!

Flint had blijkbaar niets in de gaten. Hij keek vluchtig naar weers-kanten en daalde toen op een drafje de treden af. Aan de voet van de trap sloeg hij rechts af, en hij zette dicht langs de muur koers naar de Jutters Lagune, zo vastberaden alsof hij die al kon zien. Kiezel kon een huivering van angst niet onderdrukken. Hoe wíst die jongen dit soort dingen? Het was niet te verklaren – sterker nog, het druiste volledig in tegen het gezonde verstand.

Maar verstandig of niet, als Kiezel de jongen kwijtraakte, kon hij er-op rekenen dat Opaal hem de wind van voren zou geven. Dus hij haast-te zich achter Flint aan.

'Waar gaan we heen?' vroeg hij fluisterend toen Flint hem over de Schaapsheuvelweg naar de voet van de Nieuwe Muren loodste, langs het ogenschijnlijk eindeloze vluchtelingenkamp waar de ongelukkigen dicht bij elkaar rond kleine vuren zaten. Een enkeling keek op toen ze langsliepen – Kiezel hoopte vurig dat ze hem ook voor een kind aanzagen. Hij pakte Flint bij de arm. 'Probeer in de schaduwen te blijven, zoon!'

Het was de inwoners van Funderstad verboden om na het vallen van de avond nog bovengronds te komen en in Zuidermark rond te lopen. Dat verbod was voor een belangrijk deel aan Kiezel zelf te wijten. Niet alleen rustte er een prijs op zijn hoofd, het simpele feit dat hij een Funderling was zou genoeg zijn om hem in het cachot te doen belanden. Dus als de wachten hem te pakken kregen, zag het er hoe dan ook niet best voor hem uit.

Wat bezielt me? Hoe heb ik me hiertoe laten overhalen? Opaal zou me vermoorden als ze het wist. Plotseling werd hij overvallen door doodsangst. Wat zou er gebeuren als zijn vrouw tijdens zijn afwezigheid terugkwam naar de tempel? Wat moest hij dan tegen haar zeggen? Ze zou hem stevig de mantel uitvegen. Maar ik mag blij zijn als er dan nog een mantel uit te vegen valt, dacht hij somber. *Dus ik kan maar beter zorgen dat er niet nog meer problemen bij komen.* 'Flint, waar gaan we heen?' vroeg hij nogmaals.

'We steken de Markt-Straatbrug over, dan slaan we af naar de wachttoren en daar moeten we bij de vijfde lantaarn zijn.'

'Hoe weet je dat? Wie heeft je dat verteld?'

Het kind keek hem aan alsof Kiezel hem had gevraagd waarom hij doorging met ademhalen. 'Dat heeft niemand me verteld, Vader. Ik heb het gezien.'

Terwijl ze de brug naderden, deed Kiezel zijn best om zijn gezicht te verbergen voor iedereen die ze tegenkwamen. De Markt-Straatbrug was een korte, hoge overspanning over het water tussen de twee lagunes van de buitenburcht. Waar het kanaal een modderig veld kruiste en zich bij de Noordelijke Lagune voegde, lag een kleine delta. Doorgaans nestelden er veel vogels, maar in deze tijd van ontberingen en met zoveel hongerige magen in het kasteel, waren de meeste vogels allang gevangen en opgegeten. De fakkel op de brug was uitgegaan; de kleine watervlakte met gras en modder lag er aan weerskanten verlaten bij, zo goed als onzichtbaar, zelfs voor de scherpe ogen van de Funderling. Het was alsof ze door een leegte tussen de sterren trokken.

Aan de andere kant van de brug verlieten ze de weg en sloegen ze een smal, bijna onzichtbaar pad in van ruwe houten vlonders langs de waterrand. Ze volgden dit donkere spoor tot ze de zwakke lichtkring betraden van een lantaarn van vishuiden, opgehangen aan een pilaar langs de rand van het kanaal. Via nog drie lantaarns kwamen ze langs een deel van de Lagune dat er grotendeels verlaten bij lag. Maar in het licht van de vijfde en laatste lantaarn konden ze iets meer onderscheiden dan alleen zwart water en het pad langs de kade. Er werd een gammele loopplank zichtbaar van planken en touwen. Die leidde van de poel van lantaarnlicht over de donkere lagune naar een donker, grillig silhouet met hier en daar een klein, roodachtig lichtje, als de sintels van een smeulend kampvuur. Vlak bij hun voeten klotsten kleine golfjes tegen de rand van de loopplank.

'Wat doen we hier?' vroeg Kiezel fluisterend. 'Hoe weet je dat we hier moeten zijn? Ik zet geen stap verder als ik geen antwoord krijg, zoon.'

Flint keek hem aan, zijn gezicht zag bleek in het licht dat door de vissenhuiden scheen. Plotseling werd Kiezel bang, niet voor het kind, maar voor wat hij ging zeggen, voor de veranderingen die dat zou brengen. Maar Flint schudde slechts zijn hoofd.

'Ik kan u geen antwoorden geven, Vader, want ik ken ze niet. Ik heb deze plek gezien in mijn slaap, en toen wist ik dat ik hierheen moest. U zult me moeten vertrouwen. Ik weet wat me te doen staat.'

Kiezel staarde naar zijn kindergezicht, zo vertrouwd en tegelijkertijd zo vreemd en ondoorgrondelijk.

'Goed dan. Ik zal je vertrouwen. Maar als ik zeg dat we weggaan, dan gaan we. Begrepen?'

Flint gaf geen antwoord, maar draaide zich om en liep verder de zwaaiende loopplank af.

De schuit aan het eind daarvan was laag, maar breed, met op het dek een verzameling dicht op elkaar staande hutten en aanbouwsels – het leek meer op een soort opslagplaats dan op een zeewaardig vaartuig. Achter verschillende van de kleine raampjes flakkerde licht, maar Flint zette zonder aarzelen koers naar de inktzwarte duisternis aan de zijkant van de schuit. Tegen de tijd dat Kiezel hem inhaalde, had Flint al twee keer snel op de deur van een hut geklopt.

Die ging op een kier open. 'Wat is er van uw dienst?' vroeg een zachte stem.

'Ik moet uw hoofdman spreken.'

'En wie mag ik zeggen dat er is?'

'Een boodschapper van Kioy-a-pous.'

Kiezel keek het kind verbijsterd aan. Kioy-a-pous? Wie – of wat – was dat nou weer? In de naam van de Aard Ouden, wat was er gaande?

De deur zwaaide open, warm, goudgeel licht viel naar buiten. In de deuropening stond een Juttersmeisje dat hen afwachtend opnam. Kiezel had nog nooit iemand van haar stam van dichtbij gezien. Haar ernstige gezicht deed hem denken aan eeuwenoude taferelen in de rotsplateaus onder Funderstad. Wonderlijk genoeg, want waarom zouden de oude Funderlingen beeltenissen van Jutters in de steen hebben gesneden?

Het meisje ging hen voor door een lange, donkere gang. Kiezel voelde het schip bewegen onder zijn voeten; het was een angstaanjagende ervaring voor iemand die zijn hele leven op een massief rotsfundament had gewoond. Ze ging hen voor een lage, brede hut binnen. Een stuk of vijf, zes Juttersmannen zaten rond een tafel, waarvan de hoogte werd bepaald door het lage plafond: de Jutters zaten op de grond, met opgetrokken knieën, en toen ze zich naar de nieuwkomers keerden, deden ze met hun grote, wijd uit elkaar staande ogen en hun onbehaarde gezichten denken aan kikkers in een poel.

'Dat is mijn vader, Turleij Langvinger.' Het meisje wees naar een van de mannen. 'Hij is de hoofdman van onze mensen.'

'Dochter, wat moet dit voorstellen?' Turleij leek uit zijn doen door de onverwachte storing – bijna beschaamd, alsof hij en de anderen werden betrapt bij het smeden van snode plannen.

'Hij zegt dat hij een boodschap heeft van Kioy-a-pous. Vraag me verder niets, want meer weet ik er ook niet van. Ik zal u iets te drinken brengen.' Ze haalde haar schouders op, maakte enigszins nors een kleine reverence en liep de hut uit.

'Waarom maak je je bekend met zo'n naam, jongeman?' vroeg Turleij. 'De stank van de noordelijke koning hangt om je heen – de oude Ynnir Grijswind. We dienen hem noch zijn stervende meester. Er liggen te veel gebroken beloften tussen onze volkeren. Wij zijn de kinderen van Egye-Var, Heer van de Zeeën, dus wat geven we om Kioy-a-pous? Wat geven we om hem die de Manke wordt genoemd?'

Flint reageerde heel vreemd op de woorden van de Jutter: voor het eerst sinds hij en Opaal het kind in een zak bij de Schaduwgrens hadden gevonden, zag Kiezel een blik van woede op zijn jonge gezicht verschijnen. Het duurde maar heel even, als een witte bliksemschicht die langs een donkere hemel trok, maar gedurende dat korte moment merkte Kiezel dat hij oprecht bang was voor het kind dat hij in zijn huis had opgenomen.

'Dat zijn oude ideeën, hoofdman,' zei Flint tegen de Jutter; zijn boosheid was weer verdwenen, of althans niet langer zichtbaar. 'De kant kiezen van de Groten tegen een ander – dat is een strategie uit de tijd dat de wereld nog jong was en dat de stervelingen niet meer bezaten dan wat de Groten hun toewezen. Maar er is veel veranderd. Egye-Var en de rest werden niet voor niets verbannen, en u en de andere erfgenamen zouden niet gelukkig zijn als ze terugkwamen om opnieuw op te eisen wat van hen was.'

'Wat bedoel je?' vroeg de Juttershoofdman. 'Wat is de reden van je komst? Wat heb je ons te vertellen?'

'Het gaat niet om wat ik te vertellen heb, maar om wat ik moet vragen,' zei de jongen met onverstoorbare kalmte. 'Breng me bij de houders van de Schaal.'

De hoofdman van de Jutters schrok zo dat hij achteruitdeinsde alsof dit merkwaardige kind hem had geslagen. Even bewoog zijn mond zonder dat er geluid uit kwam. 'Wat... wat bedoel je?' vroeg hij ten slotte, maar het klonk als een zwakke poging tot bluf.

'Ik heb het over de twee zusters, maar dat wist u al,' zei Flint. 'Hier kan heel veel van afhangen. Breng me bij hen, hoofdman, en verspil niet nog meer tijd.'

Turleij Langvinger keek hulpeloos naar de andere Juttersmannen, maar die leken zo mogelijk nog geschokter dan hij; hun ogen puilden bijna uit hun kassen.

'Dat... dat kunnen we niet doen,' zei hun leider uiteindelijk. Van zijn verzet was niets meer over. En zijn ontkenning was een bekentenis, geen weigering. 'Het is een man die de initiatie door onderdompeling heeft ondergaan, niet toegestaan de zusters te bezoeken...'

'Ze moeten erheen, en Rafe is er niet,' zei zijn dochter. 'Dus als u ze er niet naartoe kan brengen, dan doe ik het, Vader.'

Als Kiezel had verwacht dat Turleij Langvinger woedend zou worden, dat hij haar zou slaan of de kamer uit jagen, dan had hij zich vergist. Zijn stem kreeg een bijna verontschuldigende klank. 'Maar Dochter, dit is geen dag om de zusters te benaderen... Het is geen dag van boetedoening, er is geen zout gestrooid...'

'Onzin, Vader.' Ze schudde haar hoofd alsof ze tegen een klein kind praatte dat rommel had gemaakt. 'Hebt u wel gehoord wat hij zei? Hij heeft het over dingen waar geen enkele buitenstaander weet van heeft, laat staan een kind met landbenen. Hij heeft het over de Schaal! We wisten tenslotte al heel lang dat er verandering op til was.'

'Maar Ena, we kunnen niet...'

'U mag me later straffen als u dat wilt.' Ze stond op. 'Maar ik breng ze naar de droogschuur.'

Dat opende ten slotte de sluisdeuren: de andere Juttersmannen begonnen allemaal door elkaar te praten, ruziënd, afkeurend mompelend, strijdend om Turleijs aandacht, met hun lange vingers naar de dochter van de hoofdman wijzend alsof ze naakt de kamer was komen binnenlopen. Het geluid zwol aan tot Turleij met zijn lange handen om stilte wapperde, maar het was niet zijn stem die hun het zwijgen oplegde.

'Ja, breng ons erheen,' zei Flint. 'We hebben geen tijd te verspillen. De Zonnewende is al over minder dan één omloop van de maan.'

'Kom maar mee.' Zonder acht te slaan op de verontwaardigde en verbijsterde blikken van de Juttersmannen nam het meisje een sjaal van een haak aan de muur en sloeg die om haar schouders. 'Maar jullie moeten voorzichtig lopen; de weg is hier en daar gevaarlijk.'

Tot Kiezels verrassing gingen ze niet verder dan het drijvende dok dat aan de achtersteven van de gammele schuit was gebonden. De maan was achter de buitenmuren van het kasteel verdwenen, en het was zo'n donkere nacht dat ze, op de flonkering van de sterren na wanneer de wind de wolken wegblies, in een van de diepe gangen van de Mysteriën hadden kunnen zijn.

Ena wees naar een roeiboot die naast het dok op en neer deinde. 'Stap maar in.'

In Kiezels ogen was er niets zo angstaanjagend als in een boot stappen, met boven zijn hoofd slechts de blote hemel en met onder hem alleen maar water. Hij kwam er echter al snel achter dat hij zich daarin vergiste.

'Doe dit om.' Ena gaf Kiezel en Flint een reep stof. 'Bind die voor uw ogen.'

'Moeten we onszelf blinddoeken?' Kiezel dacht dat hij stikte. 'Ben je soms gek geworden?'

'Ik breng jullie alleen als jullie die doek voordoen. De weg naar de droogschuur is niet voor landbeners, zelfs niet voor landbeners die beweren Kioy-a-pous te dienen.'

'Doe het nou maar, Vader,' zei Flint. 'Alstublieft. Het komt allemaal goed.'

O natuurlijk, dacht Kiezel. *Waarom ook niet? En als we in het water vallen, betovert hij de haaien, alsof hij een van de heilige orakels is.* Met grote tegenzin bond hij de stijve, zilte lap voor zijn ogen; even later voelde hij dat de boot begon te bewegen. *Wat is er toch met dit kind gebeurd achter de Schaduwgrens – en bij de Lichtende Man?*

De Lichtende Man. Kiezel kon het beeld niet verdringen van de jongen aan de voeten van de enorme gedaante. Net als alle Funderlingen was Kiezel verteld dat de Lichtende Man het beeld was van hun schepper, de Heer van de Hete Natte Steen. Tijdens hun verblijf in de Mysteriën was er tegenover hem en de anderen die de drempel overgingen naar de volwassenheid, zelfs op gezinspeeld dat de grote kristallijnen gedaante in zekere zin levend was – dat de macht van hun god in hem leefde. Dus waarom was de jongen er alleen opuit getrokken, op zoek naar dat beeld? En wat had hij gedaan met die vreemde spiegel – de spiegel die Kiezel later met gevaar voor eigen leven bij de angstaanjagende Qar-vrouwe had afgeleverd? En minstens zo belangrijk: wat was de jongen op dit moment van plan? Bij de Aard Ouden! Flint had de stokoude Broeder Sulfer ondervraagd tot de oude man een woedeaanval had gekregen, en nu had hij toegang geëist – een eis die was ingewilligd – tot de een of andere schat van de geheimzinnige Jutters. Zusters, schalen – Kiezel had geen idee wat het allemaal te betekenen kon hebben, maar hij wist wel dat hij geen enkele controle meer had over de gebeurtenissen; dat hij net zo machteloos was als een man op het hoogste punt van een aardverschuiving. Hij kon niets anders doen dan zich krampachtig vasthouden en bidden...

Behalve die gedachten schoten er nog tientallen andere door zijn hoofd terwijl de riemen knarsten en de golven bijna liefkozend tegen de zijkant van de boot klotsten. Op enig punt voeren ze door een lange tunnel, waar de echo's werden weerkaatst door stenen wanden. Toen de echo's weer verstomden begon het water, dat zo rustig was geweest als viel te verwachten in een lagune binnen kasteelmuren, de boot plotseling zo krachtig te wiegen dat Kiezel in paniek aan zijn blinddoek trok.

'Niet doen!' zei Ena. Ze klonk buiten adem, alsof het roeien haar erg veel inspanning kostte. 'Hou die lap voor uw ogen of ik keer de boot.'

'Wat gebeurt er?'

'Dat doet er niet toe, Funderling. Blijf nou maar gewoon rustig zitten.'

Kiezel voelde dat Flint een hand op zijn arm legde, dus hij liet met tegenzin de lap voor zijn ogen zitten. Wat was er gaande? Waren ze op open zee? Maar hoe waren ze de haven uit gekomen? Hoe waren ze erin geslaagd de havenketting te passeren? En hoe zat het met de belegerende Qar? Het was allemaal niet te bevatten.

Na misschien een uur of langer op het water – tijdens de laatste helft van die tijd was de boot op misselijkmakende wijze heen en weer en op en neer geslingerd – voelde Kiezel dat de boeg tegen iets massiefs stootte. Het meisje sprong van boord. Ze hielp hen op een kade en vandaar op droge grond.

'Hou de blinddoek voor,' zei ze. 'Ik zeg het wel als jullie hem af mogen doen.'

Eindelijk hoorde Kiezel een deur opengaan. Flint en hij werden erdoor geleid, zorgvuldig gestuurd door Ena's eeltige handen. Bijtende, zilte rook drong in zijn neusgaten en vulde zijn longen.

'Jullie mogen de blinddoek nu afdoen,' zei Ena.

Toen hij uitgehoest was, deed Kiezel wat ze had gezegd. Ze stonden in een soort schuur, ergens bovengronds. In een stenen kuil in het midden van de ruimte bulderde een laaiend vuur. Vlammen die twee keer zo hoog waren als Kiezel kleurden alles met een doffe rood-oranje gloed. Aan weerskanten van het vuur liepen lange palen van de ene kant van de hoge, rechthoekige ruimte naar de andere, op regelmatige afstanden ondersteund door ruw bewerkte, houten zuilen. Aan de palen waren honderden dode vissen gespiest.

'Bij de Ouden, het is echt een droogschuur,' mompelde Kiezel, en hij begon meteen weer te hoesten van de rook, die zijn ogen pijnlijk deed branden.

'*O? Wie is daar, wie hebben we daar?*' De stem klonk heel zacht, maar tegelijkertijd alsof hij recht in zijn oor sprak. Kiezel schrok en draaide zich met een ruk om, maar de enigen die hij zag, waren Ena en de zwijgende Flint; als hij niet beter wist, zou hij zeggen dat het de gespleten viskadavers waren die tot hem hadden gesproken. '*Tut, tut, het lijkt erop dat we Papa Sprot bang hebben gemaakt.*' De onzichtbare stem lachte – een gebarsten ezelgebalk. '*Kom eens bij ons, lieverds. In de droogschuur heb je niets te vrezen – tenzij je een vis bent. Waar of niet, Meve?*'

Kiezel aarzelde, maar Flint liep al naar het vuur. Terwijl hij om de vuurkuil liep ontdekte Kiezel twee kleine gedaanten op een bank vlak bij de vlammen. Een van de twee, een oude Juttersvrouw, stond op toen Flint dichterbij kwam. Ze was klein, nauwelijks groter dan Kiezel, en hoewel het hele vissersvolk wel enige gelijkenis met een kikker vertoonde, zag dit stokoude mensje eruit als de begraven padden of modderspringers die de Funderlingen soms aantroffen bij het uitgraven van funderingen – verschrompelde, ogenschijnlijk levenloze schepsels die weer tot leven kwamen wanneer ze in water werden gedompeld, zelfs al hadden ze eeuwenlang in de klei liggen slapen.

'Goedenavond,' zei de stokoude Juttersvrouw. 'Ik ben Gulda, en dit is mijn lieve zuster Meve.' Gulda gebaarde naar de andere gedaante, nog kleiner dan zij, ineengedoken in een ruw gewaad waarvan ze de kap diep over haar gezicht had getrokken, alsof Meve het zelfs vlak naast het vuur onaangenaam koud had. 'Ze praat niet zoveel meer als vroeger, maar wat ze zegt is wijs – waar of niet, lieverd?'

'Wijs,' kraste de andere vrouw zonder op te kijken.

'Jij ook gegroet, dochter van Turleij,' zei Gulda tegen Ena. 'Je kunt hier wachten met je zeepaardje. De groten hebben jou vanavond niets te zeggen, maar een andere keer ongetwijfeld weer wel.'

'Een andere keer,' herhaalde Meve. Haar droge, raspende stem suggereerde dat ze al heel lang in de rookschuur zat.

Ena keek teleurgesteld maar protesteerde niet. Ze maakte een reverence naar de zusters en liep naar de deur.

'U bent de hoedsters van de Schaal,' zei Flint toen het meisje was verdwenen.

'En waarom zouden we dat niet zijn?' Gulda's tanige gezicht en haar uitpuilende ogen stonden bijna vrolijk, ook al hoorde Kiezel een zweem van irritatie in haar stem. 'We hebben de kennis van onze moeder mogen ontvangen, zoals zij die van haar moeder heeft ontvangen, en dat gaat helemaal terug tot de tijd dat de eerste kiel hier aan de grond liep. Dus wie anders zou de Schaal bewaren en opwrijven? Wie anders zou de geheimen van de Schaal kennen?'

'En de god spreekt tot u door de Schaal,' zei Flint, alsof dat volstrekt redelijk was. Voor Gulda was het dat blijkbaar ook, want ze knikte kortaf.

'Wanneer hij denkt dat het gepast is.'

'Wanneer hij denkt,' voegde Meve eraan toe, heel voorzichtig knikkend, alsof een al te heftige beweging – zelfs hoesten, waar Kiezel zich weer aan te buiten ging – iets zou kunnen losschudden. Hoe oud waren deze schepsels?

'De god heeft de laatste tijd veel tot u gesproken,' zei Flint.

Voor het eerst aarzelde Gulda. 'Ja... en nee...'

'Nee,' zei Meve. 'Ja.'

'Hij spreekt tot ons.' Gulda schudde haar hoofd. 'Maar soms lijkt het alsof de dromen hem hebben veranderd. Hij leek vroeger minder boos dan nu. Het lijkt wel alsof iets hem in zijn slaap heeft getroffen en hem pijn heeft gedaan.'

'Slaap en pijn,' voegde Meve eraan toe.

'Misschien herinnert hij zich hoe hij de wereld verliet,' zei Flint. Met elk woord dat het kind sprak, voelde Kiezel zich verder van zijn zoon verwijderd. Hij kreeg hoe langer hoe meer het gevoel alsof er op de hele aarde nergens meer vaste grond was om op te staan. 'Misschien herinnert hij het zich eindelijk.'

'Dat zou kunnen,' zei Gulda. 'Maar toch lijkt hij veranderd.'

'En wat zegt de Heer van de Groene Diepten tot u?'

Gulda nam hem enige tijd onderzoekend op voordat ze antwoord gaf. 'Dat de dag waarop de goden terugkeren nadert. Dat onze heer wil dat we doen wat we kunnen om hem te helpen bij ons terug te keren.'

Flint knikte. 'Om Egye-Var te helpen om terug te komen. Maar u zei dat hij veranderd lijkt wanneer hij tegenwoordig tot u spreekt.'

Gulda knikte. 'Ik zou bijna zeggen, dichterbij. En vroeger was hij nooit zo boos, zelfs niet in de tijd van onze grootmoeders. Heet, niet koud. Ongeduldig, heet, reikend, als een man die verdorst.'

'Dorst,' zei Meve; toen begon ze zich langzaam en met veel moeite overeind te werken. Ze wankelde, een kleine, broze gedaante, als een gedroogd vogelnest – modder en twijgjes, meer niet. Gulda wilde haar helpen, maar Meve joeg haar zuster weg met een kleine, bevende hand. Toen ze zich weer naar hen toe keerde, zag Kiezel dat ze leed aan pareloog, waardoor haar ogen wit waren. Waarschijnlijk was ze blind, dacht hij.

'Dromen... veranderd...' zei ze met raspende stem, en ze gebaarde met haar hand in Kiezels richting alsof hij iets van haar had gestolen. 'Heet. Hete slaap! Koude tijd. Boos!'

Hij deinsde achteruit, maar Flint kwam naar voren en nam haar benige vingers in de zijne. De kleine oude vrouw beefde over haar hele lichaam, alsof ze koorts had.

Haar zuster haastte zich om haar op haar gemak te stellen. 'Rustig maar, kindje. Rustig maar, liefje.' Ze kuste de schaarse witte haren op het hoofd van haar zuster. 'Wees maar niet bang. Gulda is bij je. Ik ben bij je.'

'Bang,' zei Meve fluisterend en met raspende stem. 'Hier.'

'Wat bedoel je, liefje? Wat is hier?'

De kleine oude vrouw sprak zo zacht dat Kiezel haar nauwelijks kon verstaan. *'Boos...'*

Ena, Langvingers dochter, bracht hen terug naar de vijfde lantaarn langs het pad door de delta en zei dat ze hun blinddoeken af mochten doen. Kiezel was opgelucht dat hij weer kon zien, maar hij was nog opgeluchter geweest toen hij kon ontsnappen aan de zilte, rokerige lucht in de droogschuur.

'En, heb je gevonden wat je zocht, kleine man?' vroeg het meisje aan Flint.

'Ik weet het niet,' zei die. 'Ik voel onbekende dingen in het donker, en ik probeer hun vorm te onderscheiden.'

'Volgens mij ben je een vreemde jongen.' Het Juttersmeisje keerde zich naar Kiezel. 'Nu weet ik weer wie u bent. U bent Kiezel van de Blauwkwartsfamilie.'

Kiezel had gedacht dat de lange nacht vol vreemde verrassingen voorbij was. Verbouwereerd staarde hij haar aan. 'Hoe komt het dat je weet wie ik ben?'

'Dat doet er niet toe. Daar kunnen we beter niet over praten. Maar u bent een vriend van Chaven, de Ulosiër, is het niet?'

Ook al had ze hen geholpen – en omdat Kiezel geen idee had wat Flint had gedaan, wist hij dat niet eens zeker – toch was hij niet zo dwaas om iemand die bijna een vreemde voor hem was, ook maar iets te vertellen over de voortvluchtige dokter. 'Ik ging regelmatig bij hem langs, ja. Dat weet iedereen. Hoezo?'

'Ik heb een boodschap voor hem. We hebben hem geholpen, en hij had beloofd dat hij ons daarvoor zou betalen. Dagenlang zijn we voor hem aan het werk geweest, maar omdat hij ons niet betaalt waar we recht op hebben, drijven anderen de spot met mijn vader. Zeg hem dat als u hem ziet. Zeg hem dat de Jutters hun betaling willen.'

Terwijl Kiezel en Flint door Chavens huis naar de verborgen deur liepen waarachter de gang lag naar Funderstad, hoorden ze geluiden – voetstappen en verre stemmen, als van geesten. Kiezels bijgelovige angst maakte al snel plaats voor regelrechte doodsangst toen de stemmen duidelijker werden en hij besefte dat er wachten van Hendon Tollij in het huis waren, ongetwijfeld op zoek naar hem.

Blijkbaar hebben ze het huis in de gaten gehouden, dacht hij, vechtend tegen een paniekaanval. *Maar we zijn in het donker gebleven. Misschien weten ze niet zeker of we naar binnen zijn gegaan. Genadige Aard Ouden, maak dat ik gelijk heb!*

Kiezel kende het huis beter dan iedere willekeurige wacht, zeker de onderste verdiepingen, dus ze slaagden erin beneden te komen zonder dat ze werden betrapt. Eenmaal buiten zette Kiezel de deur vast met stukken rots, in de hoop dat de wachten zouden denken dat die al heel lang verzegeld was als ze achter het wandtapijt keken. Maar hij wist nu dat Chavens sterrenwacht nauwlettend in de gaten werd gehouden. En dat het er dus niet veilig meer was.

De wegen waarlangs we uit Funderstad kunnen ontsnappen, raken uitgeput, dacht hij terwijl hij achter de jongen aan terugliep naar de tempel. *Het wordt steeds moeilijker om zelfs maar de blote hemel te kunnen zien. Nog even en we zitten als konijnen in ons hol, gevangen door de jagers. Wat Stormsteen vreesde, dreigt werkelijkheid te worden.*

22
De lappenman

'De Droomlozen behoren tot de Qar. Sommigen beweren dat ze verwant zijn aan de Koude Elfen. Van hen is slechts bekend dat ze in de tijd van de Godenstrijd of net daarna de andere Qar-stammen de rug toekeerden en een eigen stad stichtten die ze Slaap noemden.'

Uit *Een Verhandeling over de Elfenvolken van Eion en Xand*

De talrijke stroompjes die Barrick was tegengekomen en in sommige gevallen zelfs overgestoken tijdens de afdaling van de Vervloekte Hoogte, begonnen zich samen te voegen – dof zilveren linten die zich in de eeuwige schemering door de grijsgroene heidevlakten slingerden, en die hun wateren telkens opnieuw in het volgende beekje of riviertje loosden zodat ze uiteindelijk aanzwollen tot één machtige, kolkende, bulderende stroom, zo breed dat oversteken ondenkbaar was.

'Dit moet de Kwijn zijn.' Barrick bleef staan om even uit te rusten op een hoog, rotsachtig gedeelte van de oever, terwijl beneden hem het water schuimend langsstroomde. Zijn kleren werden nat door opspattende waterdruppeltjes, maar dat vond hij in dit geval niet erg. 'Blijft het water zo wild? Helemaal tot we in Slaap zijn?'

'Nee, verderop valt het wel mee.' Skurn fladderde heen en weer omdat hij niet op de natte rotsen wilde neerstrijken. 'Aan de voet van de heuvels wordt het water rustiger, en de rivier nog breder. Maar hij

stroomt wel helemaal naar dat slechte oord, ja. Hebt u zich soms bedacht?' vroeg hij hoopvol.

Barrick schudde zijn hoofd. 'Nee, ik moet erheen.' Het was natuurlijk een dwaze onderneming, bijna zeker tot mislukken gedoemd, maar
hij werd gedreven door een nieuwsgierig borrelen in zijn bloed, een gevoel dat hij niet kende, maar dat hij niet kon negeren. Zonder te weten
waaraan hij die zekerheid ontleende, was hij ervan overtuigd dat zich
een oplossing zou aandienen voor zijn problemen wanneer de tijd daarvoor rijp was.

Is dat hoe het is om je goed te voelen, vroeg hij zich af. *Maak je je
dan alleen maar zorgen over wat je rechtstreeks aangaat, en zelfs dat niet
buitensporig?*

Een belangrijk aspect in zijn gevoel van welbevinden was het feit dat
hij over een gezond lichaam beschikte; dat hij niet langer werd gehinderd door een arm die hem bijna zo lang hij zich kon heugen, alleen
maar last en pijn had bezorgd en die tegelijkertijd had gevoeld als iets
wat niet bij hem hoorde. Sterker nog, hij had het gevoel alsof die arm
inmiddels net zo sterk was als de andere, ook al klopte dat niet helemaal, zoals hij door het doen van kleine experimenten had kunnen vaststellen. Door jarenlange verwaarlozing waren de spieren gekrompen,
met als gevolg dat zijn greep nog niet zo krachtig was als die van zijn
andere hand. Toch was de verbetering opmerkelijk.

'Ik ben veranderd,' zei hij tegen de schemering. 'Ik ben bevrijd.'

'Pardon?' Skurn keerde terug van een verkenningsvlucht en streek neer
op zijn schouder. Voor zover dat mogelijk was, was de stank die hij verspreidde, nog gruwelijker dan anders.

'Niks. Wat heb je gegeten?'

'Vis. Die vond ik op de rotsen daarbeneden. Blijkbaar was hij uit het
water gesprongen en op de stenen ernaast terechtgekomen. Zo te proeven heeft hij dagen liggen rijpen. Smelt in de snavel!'

'Ga alsjeblieft weg. Je stinkt.'

'Denk maar niet dat u naar bloemetjes ruikt!' zei de raaf gekwetst terwijl hij wegfladderde.

De woeste gronden lagen er groen maar verlaten bij, lege vlakten die
duidelijk sporen van bewoning verrieden, ook al had Barrick geen idee
wanneer en door wie; hij kwam langs met gras begroeide ruïnes, langs
woekerende braamstruiken omringd door leegte, langs huisjes in alle
soorten en maten – van stenen bouwsels die tegen de hellingen van de

heuvels leunden en waarvan sommige groot genoeg leken om onderdak te bieden aan de legendarische Brambinag en zijn hele familie, tot zorgvuldig vormgegeven miniatuurdorpen waarvan de hoogste gebouwen amper tot Barricks middel reikten en waren opgetrokken uit boombast, graszoden en door de rivier gladgepolijste kiezels. Als hij niet oog in oog had gestaan met het Alver Volkje, zou hij hebben gedacht dat het een soort poppenhuizen waren, zoals zijn zusje er vroeger een had gehad, bedoeld als vermaak voor kinderen. Maar waarom hadden de kleine mensen een beschaafd bestaan in de steek gelaten en verruild voor een leven in de wildernis van het nabijgelegen, maar gevaarlijke Zijdewoud? Wat had hen uit dit groene land verdreven, en met hen alle anderen die hier hadden gewoond, met achterlating van slechts deze stille, trieste sporen?

'Hoe ver is het nog?' vroeg hij voor de zoveelste keer aan Skurn. Hij trok inmiddels al drie dagen door de verlatenheid, en zijn kersverse zelfvertrouwen begon af te brokkelen onder de druk van de meedogenloze eentonigheid van de rivier die zich eindeloos door de heidegronden en de eenzame graslanden leek te slingeren. De wind die nauwelijks ook maar één moment afzwakte, bezorgde hem een gevoel alsof hij heuvelopwaarts ploeterde, ook al liep hij bijna voortdurend over vlak terrein. Bovendien kostte het hem moeite warm te blijven in zijn haveloze kleren.

'Naar de stad van de Nachtkastaren? Naar dat slechte oord?' Skurn schudde in vermoeide afkeuring zijn glimmende kop. 'Vreeswekkend ver. Nog zeker dagen en dagen lopen.'

Barrick fronste zijn wenkbrauwen. Wat had de blinde koning gezegd in de droom die de Slapers hem hadden gestuurd? *Kom snel, mensenkind. We razen de duisternis tegemoet.* De tijd begon te dringen, dat was duidelijk... Maar wat was die duisternis waar de elfenkoning zo bang voor was?

Niet alles aan het weideland langs de rivier was slaapverwekkend. Anders dan in het verstikte en verstikkende woud kon hij hier op de vlakte de grijze hemel van de schaduwlanden zien, zodat hij die voor het eerst sinds lange tijd de hele dag kon volgen. Ondanks de eeuwigdurende schemering bood de hemel niet voortdurend dezelfde aanblik: de wolkenbewegingen waren afhankelijk van het aanwakkeren en afzwakken van de wind, de hemel was nu eens donker, dan weer lichter, van een bleke, parelgrijze mistkleur tot het grimmige, gekneusde blauw van een onweerslucht. Vluchten vogels trokken voorbij, te hoog om ze duidelijk te kunnen onderscheiden, maar zo te zien net zo natuurlijk als de vogels die Barrick zich herinnerde uit minder onheilspellende oorden. En de rivier stroomde weliswaar trager dan in de hooglanden die achter hem lagen, maar nog altijd snel genoeg om hem voor het eerst sinds hij de Schaduwgrens was overgestoken, een besef te geven van de vorderingen die hij maakte.

Soms was het bijna alsof hij terug was in het land van de zon. Want ondanks het ontbreken van volslagen duisternis en stralend daglicht, bruisten de oevers van de Kwijn van leven. Op laagliggend terrein vertakte de rivier zich langs grazige oevers en schiep moerassen vol wuivende rietstengels, bleek als dunne beenderen; elders lieten treurwilgen hun takken in het water hangen, als vrouwen die hun haren wasten. Opgeblazen zwarte kikkers die een hoog, vragend gekwaak voortbrachten, zwegen wanneer Barrick langskwam, maar hervatten hun gezang zodra hij voorbij was. Af en toe ritselde er iets groters in het riet, en een keer zag hij zelfs een reusachtige hertenbok die op de oever van de rivier stond te drinken en die opkeek toen hij Barrick hoorde aankomen; een donker dier met een schitterend zilvergrijs gewei, zo indrukwekkend dat Barrick ondanks zijn voortdurend rammelende maag pas bedacht dat hij het zou kunnen doden toen het hert allang verdwenen was.

En ook in de rivier zelf krioelde het van de bedrijvigheid; van kleine scholen glinsterende vissen in de ondiepe poelen tot grotere vormen van leven die Barrick niet duidelijk kon zien en waarvan soms alleen een stekelige rug boven het oppervlak uitstak, of die als langgerekte schaduwen door het water gleden.

Toch leverde al dat gedierte hem aan eetbaars weinig op. Na twee uur door het koude water te hebben gewaad moest hij tot de conclusie komen dat de glimmende vissen hem te snel af waren; wat de vogels in het moerassige gebied betrof, kwam hij niet verder dan af en toe een nest met kleine, merkwaardig gekleurde eieren. Samen met de eetbare wortels en rietstengels die Skurn als zoet en sappig benoemde, vormden ze Barricks enige voedsel. Hoewel hij inmiddels vuur kon maken en eten kon bereiden, had hij daar weinig aan zolang er niets te bereiden viel. En na een week – tenminste, dat vermoedde hij – de loop van de rivier te hebben gevolgd door ogenschijnlijk eindeloze graslanden, begon zelfs het nieuwtje van zijn genezen arm te slijten. Met voortdurende maagpijn van de honger viel het niet mee om te blijven juichen over het feit dat hij zijn arm weer vrijelijk kon bewegen. En hoewel zijn vingers, ooit verkrampt tot een soort vogelklauw, wonderbaarlijk soepel waren geworden, zagen ze voortdurend rood van de kou en waren ze tot bloedens toe verweerd door de niet-aflatende wind.

Toen er ook verder van de rivieroever bomen begonnen te groeien, eerst in kleine groepjes, later in steeds dichtere bosschages van berken en beuken, afgewisseld met groenblijvers en andere bomen die hij niet herkende, ervoer Barrick dat aanvankelijk als een verlichting. Onder de baldakijn van bladeren leek het iets minder koud, en hij was er in elk geval beschut tegen de ergste wind. Maar de bomen maakten het hem wel moeilijker om de rivier te blijven volgen, en bovendien riepen ze onaangename herinneringen op aan de spinsels. Zou hij in dit nieuwe woud de bleke schepsels met hun gruwelijk vochtige ogen ook weer tegenkomen? Of bood het misschien zelfs onderdak aan nog verschrikkelijker wezens – slangen, of wolven, of schepselen die nooit een naam hadden gekregen omdat geen sterveling de ontmoeting had kunnen navertellen?

Aan Skurn had hij zo mogelijk nog minder dan anders. Naarmate de bossen dichter werden, was de raaf steeds vaker afgeleid door het vooruitzicht van nieuwe lekkere hapjes, en ook al had Barrick daar in sommige gevallen ook profijt van – bijvoorbeeld dankzij de overvloed aan vogelnesten – het meeste waar Skurn mee kwam aanzetten, was voor hem onverteerbaar, zoals de gevlekte grijze slakken die volgens de raaf 'aangenaam zoetig en zacht slurpbaar' waren. Hongerig als hij was, had Barrick één hapje van het lillende vlees geprobeerd, maar geen macht ter wereld zou hem hebben kunnen overhalen tot een tweede hap.

Zo kwam het dat hij uitgeput, diep ongelukkig en uitgehongerd was toen hij na een voetreis van vele dagen, nog altijd op weg naar de stad Slaap, de lappenman tegenkwam.

Regendruppels roffelden op de bladeren boven zijn hoofd, met zo'n geweld dat ze het geruis van de rivier overstemden. Barrick had geruime tijd getobd met vochtige takken, voordat het hem eindelijk was gelukt een vuurtje te maken. Inmiddels laaiden de vlammen zo hoog op dat hij er niet meer in hoefde te blazen. Toen hij opkeek omdat hij een vreemd geluid hoorde, ontdekte hij een eindje verderop een rechtopgaande gedaante tussen het riet op de rivieroever. De indringer deed nauwelijks moeite zich te verbergen. Sterker nog, hij maakte behoorlijk veel lawaai. Toch gingen de haren in Barricks nek overeind staan. Eenmaal opgekrabbeld tot een hurkende houding trok hij de gebroken speer van zijn riem.

Zo bleef hij waakzaam en roerloos zitten, terwijl de gedaante strom-pelend dichterbij kwam. Het leek erop dat de onbekende Barricks aan-wezigheid niet in de gaten had – of misschien probeerde hij hem te mis-leiden, hield Barrick zichzelf voor. Met ingehouden adem zag hij de gedaante uit het riet tevoorschijn komen en zijn groteske hoofd naar hem toe keren. Even had Barrick het gevoel dat zijn grootste angst wer-kelijkheid was geworden; het wezen zag eruit als een soort monster, een sjokkende, vreemd gekleurde berg bedekt met wuivende varenbladeren.

Barrick werkte zich overeind en aarzelde nog of hij zou aanvallen of vluchten, toen hij besefte dat wat hij voor het hoofd had aangezien, de kap was van een mantel, ver naar voren getrokken tegen de regen. En de varenbladeren bleken haveloze kleren, waarvan de kleuren verrassend fris en opzichtig waren, zodat de vreemde gedaante er meer uitzag als een deelnemer aan een religieuze processie dan als een wildeman uit het woud.

Barrick schrok toen Skurn abrupt op zijn schouder neerstreek. 'Niet goed,' zei de raaf zacht en met nerveus raspende stem. 'Ons heeft zo-iets nooit eerder gezien. Niet in de buurt komen. Het bevalt ons hele-maal niet.'

Het wezen had het vuur ontdekt en kwam haastig naar hen toe, zwaai-end met zijn armen en schor een reeks onverstaanbare kreten slakend. *'Gawai hu-ao! Gawai!'*

Barrick sprong achteruit, met zijn speerpunt geheven. 'Blijf staan!' schreeuwde hij. 'Skurn, zeg eens wat in elfentaal! Zeg dat hij niet dich-terbij mag komen!'

De in lompen gehulde gedaante bleef staan en schoof zijn kap naar achteren. Daaronder kwam een bleek, met modder besmeurd gezicht tevoorschijn dat er eigenlijk heel gewoon, om niet te zeggen menselijk uitzag. 'Wat... wat zei u?' vroeg de nieuwkomer. 'Spreekt u de taal van de zonlanders?'

Het duurde even voordat Barrick de benaming herkende die de in-woners van het land achter de Schaduwgrens gebruikten. 'Ja,' antwoord-de hij, nog altijd met zijn speer geheven. 'Ja... Daar kom ik vandaan. Spreek je mijn taal?'

'Ja! Het is wel lang geleden, maar ik ben hem nog niet vergeten!' De vreemdeling zette een paar wankele stappen in Barricks richting. 'O, bij de Zwarte Haard! U hebt een vuur! Mogen de goden u zegenen, heer!'

Barrick gebaarde hem met de speerpunt niet dichterbij te komen.

'Blijf staan! Wat wil je? En wie ben je?' Hij nam de merkwaardige gedaante onderzoekend op. 'Zo te zien ben je geen elf. Je ziet eruit als een
mens.'

De vreemdeling reageerde verschrikt, er verscheen een komische, na-
denkende uitdrukking op zijn gezicht. Zijn gelaatstrekken misten het
hoekige, benige van de Qar. Zijn ingevallen wangen waren smerig, het
vuil was tot in de rimpels gedrongen, en in zijn verwarde, natte haren
staken takjes en blaadjes. Hoewel hij een aanzienlijk aantal tanden miste, leek hij toch niet veel ouder dan Barrick.

'Mens? Een mens?' Hij knikte traag, waarbij zijn veelkleurige vodden
om hem heen dansten. 'Ja, dat is een woord! Dat woord ken ik!'

'Waar kom je vandaan?' Barrick keek om zich heen, bang dat de smoezelige kerel misschien niet alleen was en dat zijn trawanten elk moment
tevoorschijn konden springen om hem te beroven. Er was echter niets
wat daarop wees.

'Uit... Ja, uit de zonlanden,' zei de vreemdeling ten slotte – heel langzaam, alsof dat de uitkomst was van een bijna onoplosbaar raadsel. 'Maar
daar herinner ik me niet veel meer van,' voegde hij er verdrietig aan toe.
'Het is allemaal al zo lang geleden.'

'Hoe heet je?'

De lappenman glimlachte mat. 'De meester noemt me "Bik".'

Barrick deed een stap naar achteren om de weg vrij te maken naar
het vuur, waarop Bik zich langs hem heen haastte en gretig zijn handen
uitstrekte naar de laag brandende vlammen. Zijn hele lichaam schokte
van de kou.

'Wat doe je hier?' vroeg Barrick ten slotte. 'Ben je verdwaald? Of was
je van plan me te beroven?'

De onbekende, die zich had voorgesteld als Bik, dook ineen alsof Barrick hem had geslagen. 'O nee! Ik smeek u, doe me geen pijn! Ik ben al
zo lang op zoek naar iemand die me kan helpen. Mijn meester... O, mijn
arme meester...'

Al Barricks instincten zeiden hem weg te lopen van deze haveloze
gek – Skurn was al weggefladderd, alsof 's mans dwaasheid besmettelijk
zou kunnen zijn. 'Wat bedoel je?'

'Een van de blemmy's is overboord geslagen. Ik heb geprobeerd hem
te redden, maar toen viel ik ook in het water. Het was op het nippertje.
Ik was bijna verdronken! Sindsdien ben ik al uren op zoek naar hulp.
Maar mijn arme, zieke meester...'

'Blemmy's...?'

'Alstublieft! Ga met me mee!' Hoewel het water nog uit zijn kleren droop, keerde de lappenman het vuur de rug toe en begon zich terug te haasten naar de rivier, waarbij hij als een gretige hond telkens na een paar stappen omkeek, om te zien of Barrick hem volgde. 'Kom mee, dan kunt u het zelf zien!'

Skurn fladderde boven zijn hoofd en deed de gruwelijkste voorspellingen terwijl Barrick door het wuivende riet op de rivieroever het modderige pad volgde waar Bik het groen al had platgetrapt. 'Zo is het wel genoeg,' zei Barrick ten slotte tegen de raaf. 'Doe iets nuttigs. Vlieg alvast vooruit en kijk of hij me bij het water soms staat op te wachten met een knuppel.'

Het duurde niet lang of de raaf kwam alweer terug. 'Hij staat uit te kijken over het water. Er ligt daar een boot in het water, maar het bevalt ons helemaal niet. Er is iets niet pluis met die boot. Er is iets heel erg niet pluis.'

Toen Barrick bij de rivieroever kwam zag hij dat Bik inderdaad op een stukje vertrapt onkruid stond te staren naar een plek waar de rivier zich verbreedde tot een soort binnenwater. In het midden daarvan werd, op een steenworp van de oever, een zwarte boot traag in het rond gerocid door een vreemde, voorovergebogen gedaante.

Het duurde even voordat Barrick besef had van de afmetingen en de afstand. 'Die roeier... Hij is reusachtig. Is dat je meester?'

Bik keek hem aan alsof wat Barrick had gezegd kant noch wal raakte. 'Dat is de andere blemmy. Hij heeft maar één roeiriem.'

'Maar je kunt toch roepen dat hij de boot met die ene riem naar de kant toe kan bomen?' opperde Barrick, zich afvragend waarom Biks meester zulke onnozele roeiers had ingehuurd.

'Hij is...' De lappenman wapperde met zijn hand naast zijn hoofd. 'Hij hoort niets,' zei hij ten slotte.

'Bij de goden...' Barrick keek naar de ineengedoken gedaante en naar de langgerekte, zwarte boot die eindeloos rondjes draaide. 'Zwem dan naar hem toe!'

Bik trok een paar strengen zoetwaterwier uit zijn haren. 'Ik kan niet zwemmen. Ik was bijna verdronken toen ik in het water viel, maar gelukkig vond ik een plek waar de rivier niet zo diep was, het Grote Tussen zij geprezen!'

Barrick keek hem aan en keerde zich toen weer naar de rivier. 'Zit er iets in dat water waar ik misschien voor op mijn hoede moet zijn? Iets met scherpe tanden, bijvoorbeeld?'

'Ik ben er ook uit gekomen,' zei Bik. 'Zij het na veel gespartel en geploeter.'

Onder het slaken van een gedempte verwensing waadde Barrick het water in. Halverwege de boot viel de modderige bodem weg onder zijn voeten en moest hij verder zwemmen. Terwijl hij de nog altijd traag cirkelende boot naderde, verwachtte hij dat de roeier zich naar hem toe zou keren, maar die volhardde in zijn merkwaardige, gebogen houding, alsof hij last had van duizelingen. Ondertussen bleven de spieren in zijn rug zich spannen en ontspannen, terwijl hij met zijn brede arm de enkele roeiriem onvermoeibaar door het water trok.

Pas toen Barrick zijn vingers om de houten dolboord klemde en zich aan boord hees, merkte de roeier hem eindelijk op. Barrick kreeg amper de tijd om tot zich te laten doordringen dat zowel de boot als de roeier groter was dan hij vanaf de oever had gemeend te zien, en dat er op het dek onder een kleine tent een lange, bleke figuur lag, voordat de roeier zich naar hem toekeerde, nog altijd zonder zijn hoofd op te heffen.

Dat kwam omdat hij helemaal geen hoofd hád, zag Barrick. Hij had alleen twee grote, vochtige ogen, die Barrick aankeken vanuit zijn borst. Met een kreet van afschuw liet Barrick zich weer in het water vallen, waarbij hij bijna zijn hoofd stootte aan de andere roeiriem die daar dreef. Even verdween hij onder water, maar hij kwam bijna onmiddellijk weer boven, waarbij hij in zijn angst een grote slok groen rivierwater binnenkreeg.

'Bij alle goden, wat is dat voor demon!' bracht hij proestend uit.

'Dat is geen demon, maar een blemmy!' riep Bik vanuit het riet op de oever. 'U hoeft niet bang te zijn. Hij doet niets!'

Op de kant zou Barrick aanzienlijk langer nodig hebben gehad om zijn moed te verzamelen, maar hij kon niet eeuwig blijven watertrappen. Toen hij opnieuw aan boord klom, keerde het wezen zich wederom naar hem toe, maar voor het overige vertoonde het geen enkele reactie. Met zijn gespierde armen bleef het de riem door het water halen, gestaag als de schoepen van een molenrad, zodat de boot nog altijd in grote, lome kringen rondging.

Toen ze dicht genoeg langs de andere riem voeren, viste Barrick die uit het water en hield hem de blemmy voor, waarbij hij probeerde niet al te nadrukkelijk naar de doffe, starende ogen te kijken, of naar de lege plek tussen de schouders, waar een nek en een hoofd hadden moeten zitten. Het schepsel leek het niet te merken, maar toen Barrick de riem weer in de dol liet glijden, omklemde de blemmy die zonder aarzelen en begon weer met beide riemen te roeien. De boot zette echter koers naar het midden van de rivier.

'Hoe zorg ik dat hij naar de kant roeit?' riep Barrick. 'Heeft dat vervloekte schepsel wel oren?'

'U moet uw hand op zijn schouder leggen en *"s'yar!"* zeggen!' riep Bik terug. 'Luid en duidelijk, zodat hij u kan voelen!'

Barrick deed wat hij zei; de schouder van de blemmy voelde erg groot aan maar voor het overige heel gewoon. Zodra Barrick het bewuste commando had gegeven, doopte het monsterlijke wezen een riem in het water tot de punt van de kleine boot in de richting van de oever wees. Toen begon de blemmy weer met beide riemen te roeien, en het duurde niet lang of de smalle, zwarte kiel van de boot schoof het modderige woud van riet in en Barrick sprong van boord. Toen de boot niet verder wilde, stopte de blemmy met roeien. De blik waarmee hij met de ogen in zijn borst naar Barrick en Bik staarde, was die van een slechts matig geïnteresseerde koe in de wei.

De lappenman klauterde aan boord, klapte de tent naar achteren en knielde naast de roerloze figuur; zijn opwinding week al snel voor wanhoop, en hij begon zacht te snikken. 'Zijn toestand is nog verder verslechterd. Hij haalt het nooit om nog levend in Slaap aan te komen!'

Barrick probeerde niet geschokt te reageren. 'Komt je meester... uit Slaap?'

'Qu'arus is een groot man,' zei Bik alsof Barrick iets anders had gesuggereerd. 'Alle Droomlozen zullen om hem rouwen.'

'Kwu-arus.' Barrick proefde de klanken op zijn tong. 'En hij is een van hen? Hij is een Droomloze?'

Bik veegde over zijn ogen, maar het was zinloos; de tranen bleven stromen. 'Ja... Hij heeft me gered! Zonder hem was ik dood geweest. En hij sloeg me bijna nooit...' Met schokkende schouders liet hij zijn hoofd op de borst van de roerloze gedaante zakken, terwijl Barrick weer aan boord klom en voorzichtig om de zwijgende blemmy heen liep om een blik te kunnen werpen op Biks meester.

Hoewel hij het min of meer had verwacht, was de aanblik van het ingevallen gelaat met de zijdeachtige, grijze huid dat zo sterk deed denken aan Ueni'ssoh, de moordzuchtige, favoriete magiër van Jikuyin, toch een schok. Het was Biks meester aan te zien dat hij koorts had, waardoor hij leed aan wanen en waardoor hij te zwak was om zich te bewegen. Zijn starende ogen rolden in hun kassen; de blik daarin was wazig, en ze hadden dezelfde vreemde tint als de ogen van Ueni'ssoh – blauw-achtig groen als jade uit Xand, zonder ook maar een zweem van wit. Geconfronteerd met zijn gruwelijke herinneringen aan de Grote Diepten, kostte het Barrick de grootste moeite om zijn kling niet in het hart van het schepsel te steken. De gevoelens van de haveloze bediende waren duidelijk anders; toen Bik opkeek zagen zijn ogen rood van het huilen en was zijn gezicht nat van de tranen.

'De andere bedienden zijn gevlucht toen de meester werd neergeslagen. Ik kon me niet over hem ontfermen en tegelijkertijd de blemmy's in bedwang houden. Ga met me mee. Help me alstublieft! Samen moet het ons lukken hem terug te brengen naar Slaap!'

'Ons wil dat niet!' kraste Skurn vanaf de hoge achtersteven, geagiteerd met zijn vleugels klapperend.

'Hou je snavel!' Barrick keek van de broodmagere bediende naar diens stervende meester. Tijdens zijn gevecht met de spinsels had hij een moment gekend waarop alles hem ineens duidelijk was geworden: hij was voorbestemd om dit te doen. Net als Hiliometes of Caijlor zou hij voor elk probleem een oplossing weten te vinden. En dit was zo'n oplossing: een boot die hem naar Slaap zou brengen, compleet met een gids die hem zou helpen in dat vreemde oord onopgemerkt te blijven. Misschien hadden de Slapers het gevaar overschat – misschien woonden er tegenwoordig tussen de Droomlozen nog veel meer stervelingen zoals Bik.

Toch joeg het vooruitzicht hem angst aan. Het leek zo verraderlijk simpel, als een glimmende, geboende wortel die in een lus van touw bij een konijnenhol lag. Anderzijds, misschien was dit het gevoel dat bezit van je nam wanneer je bestemming zich aan je openbaarde. Hij wierp nog een laatste blik op de blemmy, er ging een vluchtige huivering door hem heen, toen knikte hij.

'Akkoord. We reizen samen. In elk geval voorlopig.'

Met in elke enorme vuist een riem roeide de hoofdloze blemmy hen in snelle vaart over de rivier. De gematigde stroming droeg in belangrijke mate bij aan het tempo en het vreemde schepsel bleek beter te kunnen zien dan Barrick zou hebben verwacht; het manoeuvreerde de langgerekte boot langs opdoemende obstakels met een behendigheid die zijn hulpeloze gecirkel in het binnenwater al snel deed vergeten. Terwijl Bik de man met het grijze gezicht verzorgde, die in een vredige slaap was weggezakt, zat Skurn mokkend op de hoge achtersteven of fladderde achter de boot aan.

'Je zei dat je meester was neergeslagen. Wat is er gebeurd?' vroeg Barrick aan de lappenman.

'We zijn in de Biddemanslanden overvallen door bandieten.' Hij bette het grijze voorhoofd van zijn meester met een vochtige lap. 'Schoters, zoals ze worden genoemd. Op het eerste gezicht zagen ze er heel gewoon uit, maar ze waren griezelig mager – als palingen met benen – en hun mond staat altijd open, met gele tanden zo lang en zo dun als spijkers.' Hij huiverde in zijn kleurige, haveloze ratjetoe van kleren. 'De eerste die sneuvelde, was een van de wachten van de meester, en toen t-trof een van de Schoters de m-meester met een pijl. Ik heb hem samen met een andere bediende... uit het lichaam van de meester getrokken... maar toen werd ook de andere wacht door pijlen gedood. De rest van de bedienden sprong overboord, maar er is er niet een weer boven gekomen. Het was verschrikkelijk! De blemmy's roeiden uit alle macht. De Schoters bleven op de oever, dus het lukte ons weg te komen. Maar toen werd de andere bediende in zijn rug geschoten, met een beschilderde pijl die eruitzag als een slang. Hij heeft het niet overleefd. En ondertussen ging het met de m-meester... steeds slechter...' Bik kon niet verder praten. Barrick wendde zich af, gegeneerd door 's mans huilerigheid, en keek naar de met riet begroeide oever die aan hem voorbijtrok. Ten slotte had Bik zichzelf weer in de hand. 'Volgens de tijdschrijn van de meester was dat drie keer slapen geleden. Uiteindelijk liep de boot op een rots, waarbij de andere blemmy overboord sloeg en verdronk. De rest weet u.'

Barrick fronste licht zijn wenkbrauwen. 'Hoe kan het dat ze verdrinken? Ze hebben geen mond.'

'Jawel, heel laag op hun buik. Wanneer ze gewond of bang zijn maken ze zelfs geluid – een soort krassend gefluit...'

'Laat maar.' Barrick wilde zich er niets bij voorstellen; het klonk hem allemaal veel te tegennatuurlijk. 'Wat gebeurt er wanneer we in Slaap aankomen? Je meester is stervende, dat lijkt me duidelijk. Wat gebeurt er dan met jou... en – niet te vergeten – met mij?'

'O, wij hoeven... we hebben niks te vrezen. Dat weet ik zeker.' Bik klonk alsof hij over die vraag nog geen moment had nagedacht. 'De meester is altijd goed voor me geweest. Net als voor de *wimmuai*. Hij gunt ze de tijd om oud te worden en een natuurlijke dood te sterven!'

'De wim-mu-aj? Wat zijn dat? Een soort werkdieren?'

Bik boog zijn hoofd. 'Dat zijn... mannen zoals u en ik, maar geboren en getogen in Slaap. Het zijn de nakomelingen van mensen die in de loop der jaren bij de Schaduwgrens gevangen zijn genomen. De meester heeft er doorgaans een stuk of tien, twaalf in dienst.'

Met andere woorden, slaven. Menselijke slaven. Maar dat was niet echt een verrassing. Barrick was er geen moment van uitgegaan dat de stervelingen in Slaap dezelfde privileges zouden hebben als de Droomlozen.

Qu'arus praatte in zijn slaap, een brabbelend gemompel dat klonk als woorden, maar dat voor Barrick net zo onverstaanbaar was als het zuchten van de wind.

'Hoe ben je in dienst van zo'n schepsel gekomen?' vroeg Barrick.

Bik keek op, zijn gezicht was vertrokken van verdriet. 'Ik... ik was verdwaald. Hij heeft me gevonden. En hij is altijd goed voor me geweest.'

'Goed? Dat... dat wezen? Daar kan ik me niks bij voorstellen.'

Bik keek hem verbouwereerd aan. 'Maar hij was... hij is...'

Barrick haalde zijn schouders op. 'Als jij het zegt, zal het wel zo zijn.' De enige andere herinneringen die hij bewaarde aan een Droomloze, waren verbonden met het harteloze monster Ueni'ssoh. Was het mogelijk dat dit schepsel echt zo anders was, of was Bik simpelweg in de war door zijn ervaringen achter de Schaduwgrens?

'Ik heb trek!' riep Skurn plotseling. De raaf vloog op van de achtersteven en fladderde met zware vleugelslagen over de rietstengels op de oever in de richting van het bos.

Wat mankeert dat beest, vroeg Barrick zich af. *Hij heeft al ik weet niet hoe lang geen woord meer gezegd, terwijl hij me anders de oren van mijn hoofd kletst.*

Naarmate de tocht over de rivier voortduurde, werd het Barrick hoe langer hoe duidelijker dat Skurn niet alleen geen woord zei, maar dat hij bovendien elk gezelschap uit de weg ging; hij bracht grote delen van de dag in de lucht door, en zelfs wanneer hij terugkeerde van zijn eenzame vluchten, streek hij doorgaans neer op de achtersteven – een gewelfd, zwartgevlekt stuk hout dat boven Barrick uitstak – en liet hij zwijgend de rivier en de oever aan zich voorbijtrekken.

Misschien mag hij de blemmy niet, dacht Barrick. *Bij de goden, zo'n lelijk schepsel zou iedereen de stuipen op het lijf jagen!*

De blemmy was inderdaad lelijk, maar ook erg sterk, zodat hij zich moeiteloos wist aan te passen aan plotselinge veranderingen in de stroming, zodat hij rotsachtige obstakels wist te ontwijken met slechts een vluchtige beweging van een van de riemen. Barrick stelde zich voor hoe snel ze vooruit zouden zijn gekomen als ze twee van die hoofdloze wezens aan de riemen hadden gehad.

Toen de blemmy de boot op een ruw gedeelte van de rivier tussen twee grote rotsen door laveerde, slechts zichtbaar door het schuim dat ze in het water veroorzaakten, verloor Barrick bijna de spiegel die Gyir hem had gegeven. Terwijl hij meehelde met de plotselinge koersverandering van de boot, viel de leren buidel uit zijn buis en stuiterde van de bank. Vliegensvlug schoot Barricks linkerhand uit – de hand die ooit gebrekkig was geweest – en griste hem uit de lucht als een havik die een mus verschalkt.

Starend naar de buidel verwonderde hij zich over zijn nieuwe mogelijkheden, maar tegelijkertijd huiverde hij bij de gedachte aan wat er had kunnen gebeuren. Het was dwaas om zo zorgeloos met de spiegel om te springen – tenslotte was die inmiddels zijn doel in dit leven geworden. Dus hij doorzocht de hele boot en besloot uiteindelijk dat het verrassend slanke ankertouw wel een stukje kon missen. Met zijn gebroken speer zaagde hij het af. Toen maakte hij een gat in de buidel, haalde het touw erdoorheen, deed er een knoop in en hing het om zijn nek, waarbij hij de buidel weer onder zijn buis stopte.

Niet veel later begonnen ze andere boten tegen te komen – voornamelijk smalle, langgerekte vissersschepen bemand door een of twee haveloos ogende Droomlozen. Op de oevers ontdekte Barrick af en toe een huis, en zelfs hier en daar een kleine nederzetting, waarvan hij veronderstelde dat ook die werden bewoond door de grijshuidige wezens. Sommige boten waren aanzienlijk groter dan de hunne – schuiten met brede, donkerblauwe, bijna paarse zeilen en zelfs lange galeien met minimaal zes, en soms meer, blemmy's aan de riemen.

'Zijn we al bijna in Slaap?' vroeg hij nadat ze door zo'n galei waren ingehaald en deinden in de hekgolven.

'Nog een dag varen, denk ik. Hoewel, nee, waarschijnlijk iets langer,' zei de in lompen gehulde Bik verstrooid. Zijn meester leefde nog, maar daar was dan ook alles mee gezegd. Bik week geen moment van zijn zijde.

Later die lange, grijze middag kwam Qu'arus weer even bij uit zijn diepe slaap; deze keer hield hij zijn glanzende ogen open en keek hij om zich heen, hoewel hij verder geen poging deed zich te verroeren.

'Neem wat water, meester,' zei de lappenman, en hij kneep een paar druppels uit een natte lap die hij boven de mond van Qu'arus hield.

'Bhhiikkkhh, ik zie... je... niet...' bracht de grijze man moeizaam uit, en het was voor het eerst dat Barrick hem de taal van de zonlanders hoorde spreken; door zijn zware accent was hij moeilijk te verstaan.

'Maar ik ben bij u, meester.'

'Ik voel... mijn thuis...'

'We zijn er bijna, meester. Nog even, en u bent weer thuis. Hou vol!'

'Het einde komt nu spoedig, kleine Bhhiikkkhh,' fluisterde de Droomloze. In de hoeken van zijn asgrauwe mond verscheen een kloddertje roze spuug.

'Niet bang zijn, meester. U gaat het halen, u zult uw huis weerzien.'

'Niet het eind... voor míj,' fluisterde Qu'arus, zo zacht dat zelfs Barrick zich vooroverboog om hem beter te kunnen verstaan. 'Daar geef ik... weinig om. Het eind van alle dingen. Ik voel... voel dat het nadert. Als een koude wind.' Hij zuchtte, zijn oogleden vielen trillend dicht, maar hij sprak nog een laatste keer voordat hij opnieuw door slaap werd overmand. 'Als wind uit een land van doden.'

Qu'arus kwam in de loop van de dag nog diverse keren bij kennis, maar volgens Bik sloeg hij slechts wartaal uit. Hij verroerde zich nauwelijks, alleen zijn ogen en zijn mond bewogen: de stervende Droomloze leek naar hen te kijken met een soort angstig verlangen, alsof hij wachtte tot ze hem genazen of doodden. Barrick moest onwillekeurig denken aan het hoofd van Brennas, het orakel van het Trigonaat, waarvan werd beweerd dat het nog drie jaar nadat de Xandiërs Brennas ter dood hadden gebracht, in een kist was blijven leven en spreken.

Uiteindelijk werkte Barrick zich langs de reusachtige blemmy, die met zijn gebruikelijke zwijgende vastberadenheid de riemen door het water haalde, en klauterde naar de voorkant van de boot, op zoek naar Skurn. Zich vastklampend aan de hoge boeg om zijn evenwicht te bewaren, tuurde hij in de verte, in de hoop een glimp van de raaf op te vangen. Hij ontdekte inderdaad iets donkers aan de horizon, maar dat kon Skurn niet zijn, daar was het veel te groot voor.

'Wat is dat... Is er storm op komst?' vroeg hij aan Bik. Wat het ook was, het leek te dicht boven de aarde te hangen, een enorme duistere massa die zich over de rivier uitstrekte, zwaar en zwart aan de onderkant en naar boven toe geleidelijk aan steeds vluchtiger, tot het zich vermengde met de grauwe hemel van het schemerland, als een klodder inkt die werd opgezogen door een vloeiblad.

Bik schudde zijn hoofd. 'Dat is Slaap,' zei hij.

'Is dat de stad? Echt waar? Maar alles is zwart – als onweerswolken!'

'Dat komt door de nachtlichten. De mensen van Slaap moeten niets hebben van het felle licht van deze schemerwereld onder de Mantel. Dankzij de nachtlichten leven ze in een nacht zonder einde.'

Barrick staarde naar de zwarte klodder aan de horizon, die hem leek op te wachten als een spin, grimmig loerend in zijn web. 'Dus ze zorgen zelf voor nog méér duisternis? Dit door de goden vervloekte, eeuwige schemerlicht is nog niet donker genoeg voor ze?'

'De Droomlozen houden van het duister,' zei Bik ernstig. 'Het kan ze niet donker genoeg zijn.'

Toen de raaf eindelijk terugkeerde, streek hij neer op de reling van de kleine boot en begon zwijgend, bijna ongeïnteresseerd zijn gevlekte stoppelveren te poetsen.

'Heb je dat gezien? Daarginds?' vroeg Barrick. 'Volgens Bik is dat Slaap.'

'Jazeker, ons heeft het gezien.' De raaf pikte naar iets onzichtbaars. 'Ons heeft daar gevlogen!'

'Is het echt een stad? En hoe groot is het?'

'O ja, het is een stad. Angstwekkend groot. Angstwekkend donker.' Skurn hield zijn kop schuin om Barrick aan te staren.

'U hebt niet naar ons geluisterd, hè? En nou gaan ons er allebei heen.' De raaf floot als teken van weerzin, toen hipte hij over de reling in de richting van de achtersteven. 'Het zijn een slechte plek, die stad van de Nachtkastaren,' riep hij naar achteren. 'Het is maar goed dat ons vleugels heeft. En jammer dat sommige anderen het zonder moeten doen.'

23
Het Gilde van de
Kallikanters van Neerbrugge

'De Huiverende Vlakte, een van de laatste grote veldslagen tijdens de godenstrijd, was ook de laatste gelegenheid waarvan bekend is dat elfen en stervelingen aan dezelfde kant streden, hoewel er wordt beweerd dat er veel meer Qar dan mensen meevochten en dat er ook veel meer Qar sneuvelden.'

Uit *Een Verhandeling over de Elfenvolken van Eion en Xand*

'Ik heb de geschenken gekozen die me het meest geschikt leken.' Dawet was nog gehuld in zijn reismantel, alsof hij zojuist van zijn paard was gestapt. Brionie en hij hadden deze keer afgesproken in de Rivier Tuin, door de vochtige lucht een van de minder bezochte locaties in Paleis Dreefstaete. 'Door de oorlogen in het noorden en het zuiden zijn sommige goederen schaars, vooral voor zulke uitzonderlijke gebruikers. Ik ben alleen wel bang dat het meer dan een paar krabben heeft gekost, zoals het gezegde luidt.'

'Ik hoop dat ik u voldoende had meegegeven.' Brionie was bijna door het geld heen dat Eneas haar had geleend.

'Het was voldoende, maar ik heb niets meer over om u terug te geven.'

Ze zuchtte. 'Woorden schieten tekort om u te bedanken, Meester

Dan-Faar. Zovelen die me trouw verschuldigd waren, hebben me in de steek gelaten... of zijn me ontnomen. Ik heb nog maar één vriend over.' Ze glimlachte. 'Had u ooit kunnen raden dat u dat zou zijn?'

Hij beantwoordde haar glimlach, maar ze had hem wel eens vrolijker gezien. 'Ik ben inderdaad uw vriend, Prinses. Maar de enige? Dat betwijfel ik. U hebt vele vrienden en bondgenoten in Zuidermark die zich voor u zouden uitspreken – en die het niet alleen bij woorden zouden laten – als u daar zou zijn.'

Ze fronste haar wenkbrauwen. 'Ze moeten inmiddels toch weten dat ik nog leef? Dat nieuws zal zich ongetwijfeld hebben verspreid. Ik ben hier al maanden, in alle openheid.'

Dawet knikte. 'Inderdaad, Hoogheid. Maar het is één ding om te weten dat je soeverein nog leeft, en een ander om je leven voor haar te wagen in haar afwezigheid. Hoe zouden zelfs uw trouwste aanhangers kunnen weten wanneer u terugkomt? Afstand schept onzekerheid. Zorg dat u veilig in Zuidermark komt, en ik weet bijna zeker dat u daar een grote schare volgelingen zult aantreffen.'

Ze knikte, toen stak ze hem haar geschoeide hand toe. 'Ik heb geen geld meer om u te betalen, Meester Dan-Faar,' zei ze spijtig. 'Hoe lang kan ik nog blijven rekenen op uw vriendschap wanneer ik daar niets voor terug kan doen?'

Hij kuste haar hand, maar de blik in zijn bruine ogen bleef ondertussen strak op de hare gericht. 'U kunt op mijn vriendschap rekenen, vrouwe, ongeacht de omstandigheden. En denkt u vooral niet dat de huidige ongelijkwaardigheid in mijn nadeel is. U moet het er maar op houden dat ik een gokje waag – ik sta erom bekend dat ik daar bepaald niet vies van ben – door hier en daar kleine opdrachten uit te voeren, stuk voor stuk zonder er zwaar op te moeten toeleggen, maar ook stuk voor stuk met de potentie van een rijke beloning in de toekomst.' Hij liet haar hand los en boog spottend. 'Ja, dat lijkt me de beste manier om tegen onze – gecompliceerde, dat geef ik toe – relatie aan te kijken.'

Zijn glimlach had veel van de roofdierachtige grijns die ze zich nog van vroeger herinnerde, en ze betrapte zichzelf erop dat de adem stokte in haar keel. Heel even maar.

'Dat gezegd hebbend,' vervolgde hij terwijl hij zich oprichtte, 'kan ik u melden dat u uw blijken van waardering kunt vinden in een kamer boven deze taveerne vlak bij Neerbrugge' – hij gaf haar een stukje perkament – 'samen met twee mannen die discretie weten te betrachten en die ze voor u zullen vervoeren.' Hij boog opnieuw. 'Ik hoop dat uw noden daarmee vervuld zijn, Prinses. Eerlijk gezegd, is het volgen van uw avonturen al bijna beloning genoeg. Vergeef me de vraag, maar waarom de Kallikanters?'

'Het is de wil van de goden.'

'Als u het me niet wilt vertellen...'

'Dat is geen beleefde formulering om een antwoord uit de weg te gaan, Meester Dan-Faar. Een godin heeft tot me gesproken in mijn droom... of eigenlijk een halfgodin...' Ze zag dat hij glimlachte. 'U gelooft me niet.'

'Integendeel, vrouwe. Ik geloof volledig dat er dingen gebeuren die sinds de dagen van de goden zonder precedent zijn. U en uw familie vormen duidelijk de spil van dit alles. Verder houd ik mijn diepste overtuigingen zelfs tegenover u verborgen, vrouwe.'

'Dat lijkt me alleszins redelijk.'

'En dan moet ik u nu verlaten.' Hij streek een paar spatjes nachtdauw van zijn broek, waarbij de schede van zijn zwaard tegen de bank stootte. 'Ik weet niet wanneer we elkaar weerzien, Hoogheid. Er zijn andere plichten die me roepen.'

'U moet... u gaat de stad uit?' De paniek die haar overviel, verraste haar.

'Sterker nog, ik ben bang dat ik Syan verlaat, Prinses.'

'Maar u... u bent mijn enige echte bondgenoot, Meester Dawet. Waar gaat u heen?'

'Daar kan ik geen uitspraken over doen. Ik vraag u om vergiffenis voor mijn geheimzinnigheid, maar de goede naam van een vrouwe staat op het spel. U kunt er echter op vertrouwen dat we elkaar weerzien, Prinses. Ik hoef niet in vreemde machten en krachten te geloven om dáár althans zeker van te zijn.' Hij nam haar hand toen ze opstond, plotseling verward en slecht op haar gemak. 'Mijn gedachten zullen bij u zijn, Brionie Eddon. Twijfel nooit aan uzelf. U hebt een bestemming en die is nog lang niet vervuld. Daar kunt u op vertrouwen, ook wanneer er verder niets anders is om vertrouwen in te hebben.'

Hij bracht haar hand naar zijn lippen en kuste die nogmaals; toen draaide hij zich om, en binnen enkele ogenblikken was hij verdwenen in de schaduwen van het pad.

'Ik begrijp nog altijd niet wat u van plan bent, Prinses Brionie,' zei Eneas terwijl ze over een smalle weg liepen, evenwijdig aan de Lantaarn Dreef. Tot op dat moment hadden ze inderdaad veel minder aandacht getrokken dan dat op de grote weg het geval zou zijn geweest, en dat was precies wat Brionie wilde. Toch was het in Tessis onmogelijk om op stap te gaan met de troonopvolger, zijn wachten en een stel ossenkarren zonder opzien te baren.

'Dan voel ik me bijzonder gevleid dat u toch bereid bent me te vertrouwen.' Ze had het nog niet gezegd, of Brionie vroeg zich bezorgd af of het klonk alsof ze probeerde hem te charmeren. *Hij is een goed mens, dus ik ben hem wel wat meer verschuldigd dan hoofse beleefdheden.* 'Maar ik heb alles gezegd wat ik erover kwijt wil. Als ik u ook maar iets meer vertel, zult u niet langer vrézen dat ik mijn verstand heb verloren, maar ervan overtuigd zijn!'

Eneas begon te lachen. 'Een alledaags gesprek is met u niet mogelijk, Brionie Eddon! Alleen al daarom had ik u met het grootste plezier naar alle uithoeken van de wereld willen vergezellen. Helaas is me slechts gevraagd u te escorteren naar een deel van mijn stad waar ik zelden kom, moet ik bekennen. Neerbrugge heeft lange tijd de naam gehad dat de inwoners nogal vreemd zijn, om nog maar te zwijgen over wat er allemaal gebeurt.'

'Als lengte uw enige maatstaf is, dan zijn de inwoners inderdaad vreemd,' zei Brionie. 'Maar als ze lijken op onze Funderlingen in Zuidermark, dan denk ik dat het eerlijke burgers zijn, Hoogheid. Of misschien moet ik zeggen, net zo eerlijk als de meeste anderen.'

Eneas knikte. 'Dat laatste is zeker niet onbelangrijk. Maar laten we hen niet te snel vervloeken met de wandaden van hen die groter zijn. Misschien neemt oneerlijkheid, net als de prijs van vis en vlees, toe met het toenemen van het gewicht.'

Ondanks zichzelf moest Brionie lachen.

Zoals ze van hem had leren verwachten, had Dawet dan-Faar hun bezoek op bewonderenswaardige wijze voorbereid: bij haar aankomst in Neerbrugge openden de Kallikanters onmiddellijk de poorten van hun gildehuis en nodigden het gezelschap, compleet met ossenwagens, uit om binnen te komen. De ruimte die ze betraden, was laag en donker. Een groep kleine stalknechten schoot toe om de ossen mee te nemen naar de stal en de karren uit te laden. Op zijn manier was het gildehuis van de Kallikanters net zozeer een wereld op zich als Paleis Dreefstaete – zij het natuurlijk op veel kleinere schaal.

Een groepje Kallikanters in wapenrusting stond gereed om het bezoek naar de ontvangstzaal te begeleiden. De staf die ze droegen, zag eruit als een ceremonieel graafwerktuig.

'Verschoning, vrouwe... en heer,' zei een van de wachten met een buiging. 'Wilt u ons volgen, alstublieft?'

De hoffelijke kleine man deed haar plotseling denken aan de Funderling die bijna onder haar paard was gekomen, op de dag van de jacht op de wyvern. Later zou blijken dat op die dag alle narigheid was begonnen, meteen bij hun terugkeer van de jacht, met de boodschap van de gevangennemer van haar vader waarin die om Brionies hand had gevraagd. Maar er was nog iets wat ze zich van die dag herinnerde... iets wat te maken had met haar tweelingbroer, van wie ze vreesde dat ze hem had verloren.

O Barrick, waar ben je toch? Het deed pijn om aan hem te denken, maar toch ging er nauwelijks een uur voorbij dat hij niet in haar gedachten was. De dromen waarin ze door ondergrondse gangen rende, waren gestopt, maar het gemis van haar broer was nog net zo hevig als onmiddellijk na zijn verdwijning.

Op die dag van de jacht – lang, lang geleden – had Shaso hen gered van het monster van achter de Schaduwgrens en was Kendrick onder zijn dode paard vandaan gesleept, wonderbaarlijk genoeg ongedeerd op een paar schrammen en blauwe plekken na. Talloze hovelingen en jagers waren toegesneld om haar oudere broer te hulp te komen, maar Brionie had zich meer zorgen gemaakt over haar tweelingbroer met zijn gebrekkige arm. Barrick had zich echter boos afgewend toen ze hem wilde helpen, waarop Brionie hem verontwaardigd had gevraagd waarom hij zich toch altijd verzette tegen de mensen die van hem hielden.

'Wanneer ik vecht om met rust gelaten te worden, dan is dat omdat mijn leven nog iets voor me betekent,' had hij geantwoord. *Je moet je pas zorgen gaan maken wanneer ik niet meer vecht; wanneer ik niet meer de kracht heb om me kwaad te maken.'*

O, dierbare, genadige Zoria, bad ze. *Waar hij ook is, laat mijn broer alstublieft nog vechten. Laat hem kwaad blijven.*

Het Gilde van de Kallikanters van Neerbrugge, zoals Dawet hen had genoemd, had zich al in de grote zaal verzameld, waar de leden rij na rij op lange banken hadden plaatsgenomen. De kleine mensen keken aandachtig en voor het merendeel zwijgend toe terwijl Brionie binnenkwam met haar gevolg, wat haar gevoel nog versterkte dat de prins en zij toneelspelers waren in een ongebruikelijke maskerade. Net als de inwoners van Neerbrugge was de ruimte niet groot, met een laag plafond. In het midden van de dichtstbijzijnde bank zat een buitengewoon gezette, kleine man met een enorme, krullende baard. Op zijn hoofd droeg hij een hoge hoed. Terwijl de wachten de bezoekers naar hun plaats dirigeerden, hief deze indrukwekkende gedaante zijn hand.

'Welkom, Prinses Brionie van Zuidermark!' Hij sprak met hetzelfde, nadrukkelijke accent als de Syannezen en was duidelijk verstaanbaar. Tot Brionies grote opluchting, want ze was bang geweest dat de Kallikanters hun eigen taal hadden. 'Ik ben Grootgildemeester Bitterkalk.'

Ze maakte een hoffelijke reverence. 'Ik dank u, grootgildemeester. Het is erg vriendelijk van u om me op zo'n korte termijn audiëntie te verlenen.'

'En u bent erg vriendelijk dat u ons zulke schitterende geschenken komt brengen.' Hij glimlachte terwijl enkele wachten naar voren kwamen om hem de verzamelstaat te geven. 'Twee dozijn Yisti-houweelpunten,' las hij, waarop hij een waarderend gefluit liet horen. 'Dat zijn de beste! Zo scherp als glas en zo sterk als de beenderen van de aarde zelf! En vijftig centenaren marmer uit Ulos.' Vervuld van ontzag schudde hij zijn hoofd. 'Dat zijn voorwaar rijke geschenken – we hebben al meer dan een jaar niet meer zulke prachtige materialen gehad om mee te werken! We zijn onder de indruk van uw gulheid, Prinses.' Hij keek naar de gildeleden die aan weerskanten van hem zaten, toen richtte hij zijn scherpe ogen weer op Brionie. 'Maar, als ik zo vrij mag zijn, wat is de reden voor zoveel gulheid? Zelfs onze verwanten van buiten Tessis bezoeken ons niet meer, laat staan dat ze ons zulke fraaie geschenken brengen.'

'Het gaat natuurlijk om een gunst.' Brionie had deze dans van plagende vleierij en strenge vragen talloze malen eerder gedanst. 'Maar wijs als u bent, wist u dat ongetwijfeld al.'

'We hadden inderdaad zo'n vermoeden.' Bitterkalks glimlach verried dat hij op zijn hoede was. 'En het spreekt vanzelf dat we buitengewoon geïnteresseerd zijn om te horen welke nood een belangrijke vrouw als u naar ons nederige gildehuis brengt. Maar eerst zou ik u nog iets anders willen vragen.' De grootmeester keek naar Eneas, die nog altijd was gehuld in zijn reismantel. 'Wie is de man die zo zwijgend en waakzaam naast u staat? Waarom houdt hij onder ons dak zijn kap op, als was hij een vogelvrijverklaarde?'

Er klonk boos gemor onder de wacht van de prins, een enkeling maakte aanstalten zijn wapen te trekken, maar Brionie zag dat Eneas hen met een gefluisterd woord wist te kalmeren.

'Bedoelt u... dat u dat niet weet?' In stilte vervloekte Brionie haar ei-

gen onnozelheid. Blijkbaar had Dawet tegen de Kallikanters niets ge-
zegd over haar metgezel, hoewel ze hem dat nadrukkelijk had gevraagd.
Was dat per ongeluk gebeurd, of had Dawet het met opzet nagelaten?
'Nee. Waarom zouden we dat moeten weten?' vroeg Bitterkalk.

'Omdat hij uw heer is!' riep een van de wachten van de prins, wiens
verontwaardiging zich niet liet beteugelen door het bevel van zijn meester dat hij zijn mond moest houden. Er brak verschrikt geroezemoes uit
onder de Kallikanters. 'Dit is Prins Eneas, zoon en erfgenaam van uw
koning, Enander!'

Moge Zoria me bewaren voor mijn eigen onnozelheid! Brionie voelde
zich afschuwelijk. Ze had Eneas moeten vóórstellen. Sterker nog, ze had
hem helemaal niet mee moeten nemen. Gedreven door haar eigen zwak-
heid had ze een sterke man bij zich willen hebben, in plaats van gewoon
zelf haar plan uit te voeren. En nu wisten alleen de goden wat er ging
gebeuren.

Eneas schoof zijn kap naar achteren, hetgeen aanleiding was tot nog
meer geschokte zuchten en tot opgewonden geroezemoes onder de Kallikanters, die reageerden als een vlucht opgeschrikte vogels. Een groot
aantal kwam uit zijn bank en wierp zich op de grond; zelfs de grootmeester nam zijn hoed af en stond op om een buiging te maken voor
de prins.

'Vergeef ons, Hoogheid!' sprak hij met luide stem. 'Dat wisten we
niet. Het was niet onze bedoeling oneerbiedig te zijn jegens uw vader!'

Brionie voelde een lichte misselijkheid bij het zien van de verandering die zich voltrok aan mensen die even eerder nog zo kalm, zo zorgvuldig en zo fijnbesnaard waren geweest. 'Dit is allemaal mijn schuld!'
zei ze.

'Nee, het is mijn schuld,' protesteerde Eneas. 'Het leek me verstandig erbuiten te blijven en Prinses Brionie het woord te laten doen. Maar
ik had mijn gezicht niet mogen verbergen voor de onderdanen van mijn
vader. Ik vraag u om verschoning.'

De Kallikanters toonden zich duidelijk opgelucht over zijn woorden.
Sommigen knikten zelfs en namen glimlachend hun plaats weer in, alsof de hele kwestie een vermakelijke, zij het licht angstaanjagende grap
was gebleken.

'Dat is erg vriendelijk van u, Prins Eneas. Erg vriendelijk.' Bitterkalk
keek nerveus van Brionie naar Eneas en weer terug. 'Het spreekt vanzelf dat we alles zullen doen wat de prinses ons vraagt, Hoogheid.'

Dat bezorgde Brionie pas echt een gevoel alsof ze een steen in haar maag had. Door Eneas mee te nemen had ze de Kallikanters met de rug tegen de muur gedreven. Het was een probate manier om te krijgen wat ze wilde, maar niet om zich van oprechte bondgenoten te verzekeren.

Ze richtte zich tot Bitterkalk en de andere Kallikanters. 'Ik zal eerlijk tegen u zijn. De enige reden dat ik de prins heb gevraagd me te vergezellen, is dat hij een van mijn vrienden is hier in Syan. Bovendien kan ik het paleis niet verlaten zonder escorte.'

'Het grote volk in Dreefstaete denkt toch niet dat wij een gevaar zouden kunnen betekenen voor hooggeboren vrouwen zoals u?' opperde een bijzonder gerimpelde kleine Kallikanter die naast Bitterkalk zat. Hij klonk bijna alsof hij het idee wel vleiend vond.

'Ik ben ervan overtuigd dat u een gevaar zou kunnen betekenen voor de vijanden van Syan,' zei Brionie. 'Maar het zijn niet uw mensen die ik vrees. Een van mijn landgenoten is nog maar kortgeleden in de straten van Tessis overvallen, dus mijn vrienden willen niet dat ik zonder begeleiding reis, zelfs niet in de stad.'

'En wie zou een betere metgezel zijn voor een jonge vrouw zoals u dan onze beroemde prins?' zei Bitterkalk. 'Het vervult ons met schaamte dat we u niet herkenden, Hoogheid.'

'En ik had me onmiddellijk bekend moeten maken, Grootgildemeester Bitterkalk. Hoe dan ook, ik ben blij dat we elkaar eindelijk leren kennen. Ik heb alleen maar goede berichten over u gehoord, afkomstig van mannen aan wier oordeel ik grote waarde hecht.'

'Uwe Majesteit is al te vriendelijk.' Bitterkalk zag eruit alsof hij ging opzwellen en brullen van trots, als een kikker tijdens de lenteregens.

Brionie slaakte onopvallend een diepe zucht, als ontlading van de spanning. Ondanks de fouten die ze had gemaakt, was het eerste obstakel uit de weg geruimd. 'Laat ik vooral niet nog meer van uw tijd verspillen, Grootgildemeester, en meteen met de deur in huis vallen,' zei ze. 'Zou u me, alstublieft, uw oudste trommel kunnen laten zien?'

'Onze oudste trommel?' De glimlach op Bitterkalks gezicht begon te verbleken. Hij keek haar oprecht verrast en verward aan. 'Onze oudste... trommel?'

'Meer weet ik ook niet. Ik heb van... van een belangrijk iemand te horen gekregen dat ik daarom moest vragen.'

De stilte werd opnieuw verstoord door gedempt geroezemoes, ook onder de Kallikanters die op de eerste rij rond de grootgildemeester zaten. De algemene indruk was er een van verwarring.

Het kleine gerimpelde mannetje naast de grootgildemeester wiebelde plotseling opgewonden met zijn opgestoken vinger. 'Wacht eens! Hamer en beitel! Ik heb een idee,' begon hij, maar toen verscheen er zo'n diepe frons op zijn voorhoofd dat zijn gezicht bijna in zijn baard verdween. 'Nee, dat zou dwaas zijn! Of zou het misschien... Nee... nee, dat zal toch niet...'

'Bij de Aard Oudsten!' zei Bitterkalk verontwaardigd. 'Zou je zo goed willen zijn ons deelgenoot te maken van dat idee, Loodwit?'

'Ach... Ik dacht gewoon...' De oude Kallikanter begon nog sneller met zijn vingers naast zijn gezicht te wiebelen, zodat hij eruitzag als een moddersnoek. Toen werd hij zich bewust van wat hij deed, en hij staakte abrupt zijn gewiebel. 'Dat ze... Misschien bedoelt ze... Die trommel... Zou ze misschien de tromstenen bedoelen?'

Na die woorden stierf zelfs het laatste gefluister weg en daalde er een doodse stilte neer over de zaal. Alle ogen keerden zich verbaasd naar Brionie.

Het kan niet anders of ik drijf zelfs de goden tot wanhoop, dacht ze. *Wat heb ik nu weer gedaan?*

*

De dagen begonnen te lengen, constateerde Theron Bedevaarder tevreden; zelfs uren na het avondmaal stond de ondergaande zon nog hoog genoeg boven de heuvels aan de andere kant van de rivier om de hele Pellos in een stralende, koperen gloed te dompelen. Daar was hij blij om, want hij streefde ernaar om de Sluier van Onsilpia, het belangrijkste bedevaartsoord in het noorden, ruimschoots voor het begin van het Penitentiefeest op de dag van de Zonnewende te bereiken – hetgeen zou resulteren in tevreden klanten. Al sinds hij een jonge kerel was, leidde hij karavanen van pelgrims, maar ondanks zijn jarenlange ervaring stuitte hij nog altijd op verrassingen. Om die reden had hij voor deze karavaan een route ver ten zuiden van Brenh's Baai gekozen. Hij wilde niets te maken hebben met de waanzin die regeerde in Zuidermark, dat werd belegerd door elfen en waar de koninklijke familie naar alle windrichtingen was verstrooid.

Hij had net een bespreking over de voedselvoorraden afgerond met Avidel, zijn leerling, toen de jongen die de kreupele oude man begeleidde, bij hem kwam staan. 'Hij wil met u praten,' zei het kind.

Theron keek onder het slaken van een binnensmondse verwensing om zich heen, op zoek naar de haveloze, onzalige bedelaar. Nee, zo mocht hij hem niet blijven noemen, hield hij zichzelf voor; iemand die een hele gouden dolfijn had betaald om zich aan te sluiten bij je bedevaart, was geen bedelaar. Een hele gouden dolfijn, voor slechts een klein gedeelte van de reis!

Theron volgde de jongen naar de lage heuvel waar de kreupele stond te wachten, op ruime afstand van de rest van de pelgrims. De oude man, wiens zwarte, verbonden gezicht dat Theron nooit echt goed te zien had gekregen, ook nu weer schuilging onder de kap van zijn gewaad, toonde niet de minste belangstelling voor zijn medereizigers, behalve om zich te warmen aan hun vuur en om deel te nemen aan de maaltijden waarbij ze allemaal samen uit één grote gamel aten. Hij sprak uitsluitend via het kind, en ook dat maar zelden, dus Theron was verrast dat de bedelaar met hem wilde praten.

De kreupele leek over het glooiende land naar de brede uitgestrektheid van de Pellos te kijken. In de verte – zo ver weg dat hij eruitzag als een mier op een tak – trok een os over het jaagpad een schuit door de rivier, en in een binnenwater bij een bocht in de brede stroom deinden diverse kleine roeiboten op het water, van vissers uit Zilverzijde die hun netten uitwierpen.

'Is het geen prachtige avond?' opende Theron het gesprek. Hij verlangde naar zijn slaaprol; naar de veldfles met wijn die hij in zijn reiskist bewaarde en die hij alle eer zou aandoen. Het was niet zo dat de andere pelgrims het drinken van wijn afkeurden, maar zolang hij zijn voorraadje verborgen hield, hoefde hij het niet te delen. Tenslotte zou hij zijn fles pas weer kunnen bijvullen wanneer ze de Sluier van Onsilpia hadden bereikt, en daarvoor hadden ze nog diverse dagreizen te gaan.

De kreupele gebaarde met zijn verbonden hand, waarop zijn jeugdige dienaar op zijn tenen ging staan om zijn gemompelde woorden te kunnen verstaan. 'Hoe ver is het van hier naar Zuidermark?' vroeg de jongen.

'Naar Zuidermark?' Theron fronste zijn wenkbrauwen. 'Minstens een tiendaagse, en dan heb ik het over dagen van zonsopgang tot zonsondergang. Voor een groep als de onze zou de reis waarschijnlijk bijna een maand in beslag nemen. Maar op de route die we nemen, komen we niet eens in de buurt van Zuidermark.'

De gebogen figuur mompelde weer wat, de jongen luisterde. 'Hij wil dat u hem daarheen brengt.'

'Wat?' Theron begon te lachen. 'Ik dacht dat je meester alleen maar kreupel was en niet ook nog simpel van geest, maar blijkbaar heb ik me vergist! We hebben het hierover gehad toen hij zich bij Onir Plessos bij ons aansloot. Deze karavaan gaat niet naar Zuidermark. Nogmaals, we komen er niet eens in de buurt! Sterker nog, we komen er niet dichterbij dan waar we nu zijn.' Hij gebaarde afwerend. 'Als je meester op eigen gelegenheid naar Zuidermark wil, hou ik hem niet tegen. Ik zal zelfs voor hem bidden, en de goden weten dat hij dat nodig zal hebben. Trouwens, dat geldt ook voor jou, knaap. Vanhier naar Zuidermark wordt het gebied niet alleen geteisterd door de gebruikelijke beurzensnijders en bandieten, heb ik gehoord, maar door nog veel ergere beproevingen. Echt veel erger!' Hij boog zich naar het kind. 'Er doen verhalen de ronde over kobolden. Over elfen en dwergen. Over wezens die niet alleen je geld stelen maar ook je ziel.' Theron richtte zich op. 'Dus als hij net zoveel verstand heeft als geld, dan blijft hij tot de Sluier bij ons. Ik weet dat hij niet wil praten over wat hem mankeert, maar ik heb mijn vermoedens. Zeg maar tegen hem dat er bij de Sluier een leprozenhuis is waar de zieken liefdevol worden verpleegd.'

Het kind luisterde terwijl er uit de duisternis onder de kap opnieuw een stroom van gefluisterde woorden klonk, toen keerde het zich weer naar Theron. 'Hij zegt dat hij niet aan lepra lijdt. Hij was dood. Maar de goden hebben hem teruggehaald. Dat is geen ziekte, zegt hij.'

Theron maakte het teken tegen het kwaad, maar gezien zijn positie veranderde hij dat haastig in het teken van de Drie. 'Het is onzin wat hij beweert. Doden komen niet terug. Alleen de Wees, maar die was dan ook de lieveling van de goden.'

Zowel Theron als het kind wachtte op antwoord, maar de kreupele zei verder niets en staarde slechts naar de vallei waarover de duisternis neerdaalde, en naar het ondoordringbare zilveren lint van de Pellos.

'Hoe dan ook, ik kan hier niet eeuwig blijven staan,' zei de karavaanmeester ten slotte. 'Aangenaam met u gesproken te hebben,' voegde hij eraan toe, indachtig het buitensporige bedrag dat de bedelaar hem had betaald. 'Hebt u al rapenstoof gehad? Ik kan hem aanbevelen. Met stukken schapenvlees, vooral onderin. Niks zeggen, dan is er niemand die het merkt. Ik moet ervandoor, want ik heb nog een hoop te doen.' *Zoals de fles wijn uit mijn reiskist opdiepen.* De gedachte bezorgde hem een warm gevoel. Hij was misschien niet meer zo vroom als vroeger, maar hij deed nog altijd het werk van de goden. Dus hij twijfelde er niet aan of ze bekeken hem met welwillendheid, en ze wensten Theron de bedevaarder, zoon van Lukos de pottenbakker, alle goeds. Tenslotte hadden ze hem al de kans gegeven hoog op te klimmen!

De kreupele trok iets uit zijn gewaad en bewoog met zijn stompe, verbonden hand tot de jongen het van hem aanpakte. Na een gefluisterde instructie liep het kind ermee naar Theron.

'Dit is alles wat hij nog heeft, zegt hij. U mag het allemaal hebben.'

Even keek Theron niet-begrijpend in het smoezelige kindergezicht, toen pakte hij de buidel aan. Die was zwaar, en Therons hand beefde toen hij hem omkeerde, niet van het gewicht maar in het plotselinge besef van wat hij te zien zou krijgen.

Gouden munten. Minstens een dozijn. En zilveren en koperen geld-stukken met een waarde van nog eens twee of drie dolfijnen. Theron keek verbaasd op, maar de kreupele staarde alweer zwijgend naar de val-lei, alsof hij niet net een som geld had betaald waarmee Theron van een niet onbemiddelde maar hardwerkende karavaanmeester zou kunnen veranderen in een rijk man die zich een huis, landerijen, vee en bedien-den kon permitteren.

'Wat is de bedoeling? Waarom laat hij me dit zien?'

'Hij zegt dat hij naar Zuidermark moet,' zei de jongen na opnieuw een korte, gefluisterde woordenwisseling. 'Daarom hebben de goden hem weer tot leven gewekt. Maar hij heeft iemand nodig om hem de weg te wijzen. Alleen lukt het hem niet Zuidermark te bereiken. Zelfs niet... zelfs niet met mijn hulp,' besloot de jongen met een beteuterd ge-zicht; het was duidelijk dat hij zich gekwetst voelde. 'Zijn ogen zien de wereld van de doden nog net zo duidelijk als die van de levenden. Hij is bang dat hij verdwaalt en daardoor te laat komt.'

Theron besefte dat zijn mond openhing, als een deur die iemand was vergeten te sluiten. Hij klapte hem dicht, maar deed hem onmiddellijk weer open. 'Te laat?'

'Na de Zonnewende. Dan is hij te laat. In de nacht van de Zonne-wende zullen al wie slapen ontwaken. Dat heeft hij gehoord toen hij in het rijk van de goden was.'

De karavaanmeester kon slechts zijn hoofd schudden. Toen hij ein-delijk begon te praten, struikelde hij over zijn eigen woorden. 'Even v-v-voor alle duidelijkheid, knaap...' Hij had nooit gedacht dat hij nog eens zoveel geld in zijn handen zou houden, en hij betwijfelde dat ie-mand van de pelgrims ooit zoveel geld bij elkaar had gezien. Voor zo-ver hij wist waren het allemaal brave, godvrezende zielen, maar hij wil-de hun eerlijkheid niet al te zeer op de proef stellen. '... Je meester wil een enorm geldbedrag betalen... voor wat eigenlijk precies?'

'Om in Zuidermark te komen,' antwoordde de jongen na opnieuw een kort gefluisterd gesprek. 'Met een gids en bescherming onderweg. Met iemand die voor zijn eten zorgt en voor een paard, zodat hij kan rijden.' Het kind keerde zich naar de kreupele toen die nadrukkelijk iets mompelde. 'Hij wil niet naar het vasteland van Zuidermark, maar naar het kasteel. Naar het eiland in de baai.'

Zelfs met de ongelooflijke rijkdom die hij in zijn handen hield, bleef Theron aarzelen – niet dat hij terugschrok voor het idee om de pelgrims aan hun lot over te laten. Het vooruitzicht om naar het noorden te trekken, door een gebied vol onbekende gevaren, en om zich in het heetst van de strijd te wagen van een oorlog tussen het volk van de Mark Koninkrijken en de legendarische elfen, joeg hem echter danig schrik aan. Het gewicht van het goud vormde echter een krachtig argument bij de afweging die hij moest maken.

'Avidel!' riep hij. 'Kom eens hier!'

Theron liet de munten weer in de buidel glijden en bond die aan zijn riem, met voor de zekerheid een extra knoop. Zijn leerling stond op het punt te worden bevorderd tot karavaanmeester.

*

Het was een lange processie die zich door de gangen voorbij de Gildezaal bewoog. Brionie, Eneas en de wachten van de prins werden voorafgegaan door Grootgildemeester Bitterkalk en diverse andere vertegenwoordigers van het gilde, onder wie zich – tot Brionies aangename verrassing – tenminste één vrouw bevond. Ook de gerimpelde kleine Loodwit, die een soort priester bleek te zijn, maakte deel uit van de stoet. Hij werd vergezeld door twee – naar de maatstaven van de Kallikanters reusachtige – acolieten, die achter hem liepen en een voorwerp droegen waarvan een bescheiden hoeveelheid damp afsloeg en dat bestond uit diverse potten en slappe leren pijpen. Toen Brionie beleefd informeerde wat het was, vertelde Loodwit haar opgewekt dat het een ceremoniële replica was van de Heilige Blaasbalg.

'De Heilige Blaasbalg?'

'Ja.' Loodwit knikte krachtig. 'Die werd door de god gebruikt om al het leven op aarde te scheppen.'

'Welke god?'

Hij keek haar even ernstig aan, toen glimlachte hij en knipoogde. 'Ik mag dit niet hardop zeggen, Hoogheid... maar de Syannezen eren hem elk jaar tijdens de Kerneia.' Hij knipoogde opnieuw, en grijnsde zelfs nog breder, om er zeker van te zijn dat ze het begreep.

De vreemde stoet slingerde zich door een reeks van gangen achter de Gilde Zaal. Tenminste, dat was Brionies aanvankelijke indruk, maar ze merkte al spoedig dat de vele bochten en lussen te royaal waren om zich binnen de muren van een gebouw te bevinden, hoe groot dat ook mocht zijn. Bovendien voelde ze dat het pad op diverse plekken behoorlijk steil naar beneden liep.

Eneas had het ook in de gaten. 'Hoe lang zou dit nog doorgaan?' vroeg hij zacht. 'Sommige van mijn voorouders hebben geprobeerd te voorkomen dat de Kallikanters hun gangen groeven in de rotsen onder Tessis, maar ik krijg sterk de indruk dat ze daar niet in zijn geslaagd. Dit moet het werk van jaren zijn!'

En inderdaad, de muren, die in de directe omgeving van de Gilde Zaal betimmerd waren geweest met donker hout, waren hier kaal, de rotswand was fraai gepolijst en bewerkt, soms ingelegd met diverse steensoorten – zelfs bij lamplicht kon Brionie het uitzonderlijke vakwerk herkennen.

'Bij de Drie Broeders,' zei Eneas verwonderd nadat ze opnieuw een flink stuk hadden afgelegd. 'Lopen die gangen soms helemaal door tot Esterian?'

'Denk erom dat u dat niet tegen hen zegt!' Het was er nog niet uit of Brionie schaamde zich al. 'Neemt u me niet kwalijk, ik heb niet het recht u te vertellen hoe u uw onderdanen moet behandelen. Maar ik heb hen gedwongen ons mee hierheen te nemen, en ik zou het afschuwelijk vinden als ik hen als dank voor hun moeite in problemen breng.'

Eneas begon te lachen, maar het klonk niet echt vrolijk. 'Maakt u zich geen zorgen, Prinses. Ik zal het hun niet lastig maken, maar het zet me wel aan het denken. Als de zachtmoedige Kallikanters in staat zijn onze voorschriften dusdanig te negeren, recht onder onze ogen, welke verrassingen staan me dan nog meer te wachten op de dag dat het mijn taak wordt om orde op zaken te stellen in Syan?'

Terwijl ze in zijn gezicht keek en terwijl het licht van de lamp op zijn scherpe gelaatstrekken viel, op de gedreven uitdrukking daarop, voelde ze zich opnieuw ten prooi aan vreemde, tegenstrijdige gevoelens.

Ferras Vansen. Hoe echt ben je? Heb ik gezien wat ik meende te zien? Waren de gevoelens die ik bij je dacht te herkennen, er echt? Of was het allemaal maar een spookbeeld, een product van mijn eigen gedachten en gevoelens? En zelfs als dat niet zo was, wat moest ze met Eneas, een goed mens die uit alle macht probeerde eerlijk te zijn? Hij koesterde gevoelens voor haar – dat had hij gezegd – en hij was precies wat Zuidermark op dat moment nodig had... Het was te veel om over na te denken. Haar gevoelens waren als de luchtbellen in een ketel met kokend water – dan kwam de een boven, dan de ander, dan weer borrelden ze allebei tegelijk naar de oppervlakte, vergezeld door nog minstens tien andere.

Na een lange wandeling met talloze bochten, waarbij ze voor Brionies gevoel minstens tien vadem onder de Gilde Zaal waren afgedaald, bereikte de stoet een plek waar de gang zich verbreedde tot een soort trappenhuis met royale, maar ondiepe treden, duidelijk gemaakt voor Kallikantervoeten. De treden leidden naar een metalen deur waarvan de versiering in het flakkerende lamplicht op een merkwaardige manier rekbaar leek. Brionie kon de beeltenis van een man op de rug van een vis onderscheiden, en van een held die een enorm serpent in een gecompliceerde knoop legde, maar de meeste voorstellingen waren moeilijker te zien.

Diverse vertegenwoordigers van het volk van Neerbrugge liepen naar voren en beukten met stokken op de deur. Na lang wachten zwaaide de enorme deur open. Daarachter brandden nog meer lampen. Grootgildemeester Bitterkalk nam de leiding en ging hen voor door de deuropening.

Terwijl de staart van de stoet een ruimte betrad die niet veel kleiner was dan de enorme hal daarvoor, en terwijl de deur dreunend achter hen dichtviel, verscheen er uit een gang achter in de ruimte een groep Kallikanters die net als Loodwit in het zwart waren gehuld. Scherend en glijdend over de gepolijste stenen kwamen ze naar voren, als schaatsers op een bevroren meer. Voor de grootgildemeester en de priester wierpen ze zich op de grond, waarna een van hen zich oprichtte en een reeks rituele gebaren maakte, zij het met een zekere nerveuze gejaagdheid. Hij was bijna net zo klein als Loodwit maar veel jonger, broodmager, en zijn ogen puilden uit hun kassen alsof hij doodsbang was.

Toen hij het ritueel had voltooid en van Bitterkalk en Loodwit naar de anderen keek die stonden te wachten, werden zijn ogen alleen maar groter. Hij liet zijn blik verbijsterd over Brionie, Eneas en de wachten van de prins gaan, die als reuzen boven de Kallikanters uittorenden. Even dacht Brionie dat de kleine man ter plekke zou flauwvallen. 'O, Groot Aambeeld,' zei hij ten slotte tegen Bitterkalk, 'Groot Aambeeld van de Heer, hoe wist u het? Hoe is het mogelijk dat u het wist?'

De grootgildemeester nam hem onderzoekend op, toen snoof hij geërgerd. 'Hoe wist ik wát, Krijt? Bij de Groeve, wat bazel je nou? We zijn hier om de tromstenen te gebruiken. In opdracht van niemand minder dan de prins van Syan!'

Degene die met Krijt was aangesproken, keek hem verrast aan, toen gleed zijn blik weer naar het indrukwekkende bezoek, en ten slotte barstte hij van het ene op het andere moment in snikken uit.

Toen hij zichzelf weer in de hand had, ging hij zijn bezoekers voor naar het inwendige van wat duidelijk een soort tempel was, ook al waren de Kallikanters erg weigerachtig om erover te praten.

'Ach... Hoe moet ik het uitleggen... We... we hebben in geen tientallen jaren meer een boodschap via de stenen ontvangen. Waarschijnlijk voor het laatst in de tijd dat mijn vader nog een kleine jongen was,' legde Krijt uit. 'Dus u kunt zich voorstellen, Groot Aambeeld, dat we... toen we hoorden... Nou ja, ik wilde net op weg gaan om u en de anderen in te lichten...'

'Wacht eens even, jongeman. Hou eens even je mond. Het duizelt me,' zei de grootgildemeester. 'Probeer je me nu te vertellen dat iemand anders de tromstenen heeft gebruikt?'

'En wie is dat geweest? Zonder toestemming?' vroeg Loodwit verontwaardigd. De haren van zijn kleine baard gingen rechtop staan, als de verenkraag van een boze haan. 'We dagen hem onmiddellijk voor het Gilde!'

'Nee, nee, heren!' Krijt klonk zo ongelukkig dat Brionie vreesde dat de kleine kerel opnieuw zou gaan huilen. 'De tromstenen hebben gesproken! Ze hebben tot ons gesproken! Voor het eerst sinds de tijd van mijn vader!'

'Wat? Wat vertel je me daar?' vroeg Bitterkalk, voor het eerst oprecht verrast. De onthulling ontlokte de andere Kallikanters een geschokt en fluisterend geroezemoes. 'Wie spreekt tot ons?'

Krijt duwde de deur open naar een laatste ruimte, waar het donkerder was dan in alle voorgaande zalen en gangen. De hoge muur vóór hen werd gedomineerd door een grote cirkel van gladgepolijste, maar voor het overige onbewerkte, steen, met daaromheen diverse andere steensoorten waarin fantastische figuren waren uitgehouwen. 'Het volk van het Huis van de Heer – onze verwanten in Zuidermark.'

Brionie kon zich niet langer inhouden. 'Wilt u daarmee zeggen dat u een boodschap hebt ontvangen van de Funderlingen in Zuidermark? De liefde van de goden zij geprezen! Wat zeiden ze?' Een ijzige kilte overspoelde haar, die bijna – maar niet helemaal – werd verjaagd door een bedwelmend gevoel van opwinding. Ze moest denken aan de woorden van Dawet; dat er zoveel vreemde dingen gebeurden – en het leek wel alsof ze met elk moment dat verstreek, vreemder werden. Ze had gedroomd over een halfgodin en haar droom nam een concrete vorm aan in de wakende wereld.

Krijt keek zijn meesters aan, vragend om goedkeuring. Toen gaf hij antwoord op Brionies vraag. 'De anderen... onze verwanten in Zuidermark zeiden... Het valt niet mee om het nauwkeurig te formuleren in gewone bewoordingen, want de tromstenen spreken een eigen taal – onze oude taal, maar dan bondiger.' Hij fronste zijn bleke voorhoofd en staarde naar zijn handen terwijl hij zijn best deed het zich zo goed mogelijk te herinneren. 'De boodschap luidde: "Een Grootgildemeester van het grote volk is levend teruggekeerd uit de Oude, Duistere Landen. Hij voert ons aan. We worden bestookt door de Ouden buiten de muren, en we kunnen niet lang meer standhouden. We roepen u op ons gedeelde bloed en onze gedeelde geschiedenis te respecteren. En we vragen u ons hulp te sturen."' Hij keek op, knipperend met zijn grote ogen. 'Dat was min of meer het hele verhaal.'

Brionie schudde haar hoofd. 'Maar wat betekent het? "Grootgildemeester van het grote volk." Het grote volk, dat zijn wij, hè? Zo noemt u ons toch? Maar we hebben geen grootgildemeester, alleen een koning.' Haar hart begon sneller te slaan. 'Bedoelen ze mijn vader? Is mijn vader teruggekomen? Waar zijn de Oude Landen?' Nog sneller klopte haar hart, maar Bitterkalk schudde zijn hoofd.

'Ik denk niet dat hij uw vader bedoelt, Prinses. Iedereen weet dat hij gevangen wordt gehouden in het zuiden, in Hierosol. De Oude Landen is ons woord voor het gebied achter de Schaduwgrens. Het domein van degenen die u het elfenvolk noemt. De Qar.'

Even voelde ze slechts teleurstelling, maar ineens begreep ze het, en het besef was schokkend als een plotseling trompetsalvo. 'Een Grootgildemeester van het grote volk is teruggekeerd uit het gebied dat wordt geregeerd door de elfen?' Haar hart ging opnieuw wild tekeer. 'Mijn broer! Daarmee kan alleen mijn broer Barrick worden bedoeld! Hij is naar Zuidermark teruggekeerd! Hij is teruggekomen! Zoria zij geprezen!' Tot Krijts verrassing en dodelijke schrik bukte ze zich en kuste ze de kleine man op zijn voorhoofd. Prins Eneas begon te lachen, maar de rest van de Kallikanters reageerde hevig verbaasd. 'Vlug, vlug!' zei Brionie tegen Bitterkalk en Loodwit. 'Kunnen we een antwoord sturen? Om te zeggen dat ik hier ben! En dat ik met mijn broer moet praten!'

Met toestemming van hun leiders, haalden Krijt en zijn kameraden

ladders en lange stokken tevoorschijn, die blijkbaar al geruime tijd alleen maar werden gebruikt voor ceremoniële doeleinden (en zelfs dat
niet te vaak, zoals bleek uit het feit dat ze wel erg ver waren weggeborgen). Krijt begon weer te snotteren, nu van dodelijke schaamte, terwijl
de hele tempel werd uitgekamd op zoek naar de laatste ladder, die was
gebruikt om een lantaarn aan het plafond bij te vullen en daarna niet
meer op zijn vaste plaats was teruggezet. Eindelijk was alles in gereedheid gebracht. Krijt ging met een kleitablet en een schrijfstift aan Brionies voeten zitten en terwijl hij haar boodschap opschreef, probeerde hij
die te vertalen in formuleringen die de tromstenen konden overbrengen.

Neerbrugge aan het Huis van de Heer. Wees Gegroet! We hebben uw
woorden gehoord en prijzen ze! Onze Grootgildemeester en Hiërofant
zijn aanwezig, en tevens een Grootgildemoeder van het grote volk
van het Huis van de Heer. Ze is hier, maar ze zoekt haar broer die
daar is. Wees zo goed ons zijn woorden te trommelen. Broeders, we
groeten u, en we zullen proberen u te helpen. Maar dan moeten we
eerst meer weten.

'Grootgildemoeder?' vroeg Brionie toen Krijt deze woorden overbracht
aan zijn ondergeschikten, die vervolgens op de stenen cirkel in de muur
begonnen te roffelen alsof het een echte trommel was; met hun houten
stokken, voorzien van een kop van steen, sloegen en trommelden ze een
vreemde, aritmische muziek. 'Is dat niet een beetje verwarrend?'

'Ze hebben schijnbaar geen woord voor "prinses",' zei Eneas geamuseerd. 'Ik durf er nauwelijks aan te denken hoe ze mij zouden noemen.'

Toen de boodschap was doorgetrommeld, en daarna nogmaals ver-
zonden, wachtten ze af. Het duurde en het duurde, en uiteindelijk zochten ze allemaal een plekje om te zitten, maar er kwam geen antwoord.

'Of ze zijn weg,' zei de hiërofant, 'maar dat lijkt me vreemd als ze net
een boodschap naar ons hebben gestuurd. Of iets heeft de keten van de
tromstenen verbroken. We zullen proberen hen vanavond weer te trommelen en het u laten weten wanneer we iets horen.'

'Dank u wel. Dat is erg vriendelijk van u,' zei Brionie, maar het dui-
zeligmakende geluksgevoel van even daarvoor begon al weg te ebben.
Misschien had ze zich vergist in de betekenis van de boodschap. Of misschien hadden de Kallikanters die de boodschap hadden ontvangen, deze helemaal verkeerd uitgelegd.

'Kom, Prinses,' zei Eneas. 'Het is tijd om terug te gaan.'

Ze liet zich door de doolhof van gangen terugbrengen naar de echte wereld waar de late middagzon aan de hemel stond.

24

Het falen van duizend dichters

'Het *Boek van de Trigon* verklaart dat de Godenstrijd zich afspeelde tijdens
het bewind van de Xissische Zee-Koningen, vele eeuwen voor de stichting
van Hierosol. Bij de slag op de Huiverende Vlakte wordt voor het eerst in
de geschiedenis melding gemaakt van de legendarische Koningin
Ghasamez (Jittsammes, zoals ze bij de Vutten wordt genoemd), die een
leger aanvoerde dat streed namens Zmeos en de andere afvallige goden.'

Uit *Een Verhandeling over de Elfenvolken van Eion en Xand*

'Ze zijn doorgebroken! Het Schemervolk is doorgebroken!' Een van de
hoeders van Moker IJzerkiezel kwam bloedend en wankelend als een
dronkaard de ruimte met de tromstenen binnenstormen.

Ferras Vansen sprong zo haastig overeind dat hij bijna de monnik die
naast hem stond, omverduwde. Gelukkig had de Funderling zijn geroffel op de muur met de tromstenen net beëindigd, met iets wat eruitzag
als de laadstok van een kanon. Vansens boodschap was de aarde ingestuurd en op weg naar de Funderlingen in Tessis, zoals hij vurig hoopte. 'Wanneer is dat gebeurd?' vroeg hij. 'En met hoeveel man zijn ze
doorgebroken?'

De bloedende wacht werd inmiddels ondersteund door twee tempelbroeders. 'Net boven de Zalen der Vieringen,' bracht de gewonde man hijgend uit. 'Maar ze hebben de tempelgrot al bijna bereikt. Voorman IJzerkiezel en de anderen zijn teruggedreven naar de nauwe doorgang voor de Gordijnval en ze zullen... niet lang... stand weten te houden... U moet... u moet...' Hij wankelde, toen zakte zijn hoofd op zijn borst.

'Breng hem naar de oudere Broeders om te worden verzorgd,' zei Vansen. 'Geef hem de tijd om op adem te komen. En stuur hem terug zodra hij zich weer goed genoeg voelt. We hebben elk paar handen hard nodig. Waar is Magister Cinnaber?'

'Met een troep hoeders op inspectie naar een verdachte instorting beneden de Vijf Bogen,' antwoordde Broeder Nikkel. 'Dus die is nog in geen uren terug.'

'Dan maar iemand anders. Ik heb mannen nodig om met me mee te gaan naar de Zalen der Vieringen. En zonder een Funderling om de weg te wijzen verdwaal ik.' Hij had met schade en schande geleerd dat zijn richtingsgevoel en zijn spoorzoekerstalent het in de onverlichte gangen lieten afweten. Zich omdraaiend liet hij zijn blik door de zaal met de tromstenen gaan. 'Ik ben bang dat we alle aanwezige mannen nodig hebben, Broeder Nikkel. De helft van onze wachten – misschien zelfs meer – bevindt zich buiten de tempel, en dat geldt ook voor Koper en het merendeel van de manschappen die hij heeft meegebracht. Als de Qar doorbreken, zullen we van hen worden gescheiden en geen kant meer uit kunnen.'

'Onze Broeders dienen de goden, het zijn geen vechters,' zei Nikkel boos, gebarend naar de vijf, zes Broeders die de discussie angstig volgden. 'En zeker nu we net een boodschap hebben gestuurd is het hun taak om de tromstenen in de gaten te houden! Want wat doen we anders als onze verwanten in Neerbrugge of Westkaap een antwoord sturen?'

'Dan blijft er één Broeder hier, bij voorkeur een die te zwak is om te vechten. Stuur de rest naar mij toe en zeg dat ze een wapen meenemen. Het maakt niet uit wat, desnoods een schoffel of een spade als ze niks anders hebben. We verzamelen vóór de tempel. Zeg dat ze zich haasten. Want we hebben geen moment te verliezen.'

Het was een zootje ongeregeld dat zich bij Ferras Vansen meldde; tien mannen van wie de meesten te oud of te jong waren voor de gewapende strijd. Bovendien zagen ze er geen van allen uit alsof ze ooit eerder hadden gevochten. Vansen droeg de wapenrusting die de Funderlingen voor hem hadden gemaakt, maar zijn vrijwilligers hadden geen andere bescherming dan de mica brillen, de leren helmen en de zware, kielachtige jassen die ze droegen bij het delven in natte, gevaarlijke diepten.

'Niks aan te doen,' mompelde Vansen, maar hij had er een zwaar hoofd in. Was er met dit soort strijders ooit een slag gewonnen? Dit waren geen soldaten, maar slachtvee. 'Waar is Kiezel Blauwkwarts?'

'Hier,' klonk het vanuit de ingang van de tempel. De kleine man haastte zich de treden af. 'Wat kan ik voor u doen, kapitein?'

Vansen boog zich zo dicht naar hem toe dat alleen Kiezel hem kon verstaan. 'Er moet als de wiedeweerga iemand naar Cinnaber, onder de Vijf Bogen. Als hij en zijn mannen niet snel hierheen komen, zijn we verloren. De Qar zijn doorgebroken boven de Zalen der Vieringen. Maar ik wil niet dat u zelf gaat. Ik heb u hier nodig om te zorgen dat Koper en alle anderen die terugkomen, ook zo snel mogelijk als versterkingen achter ons aan worden gestuurd. Daar zult u voor moeten zorgen. Want volgens mij zijn de priesters nog altijd niet doordrongen van het gevaar.'

Kiezel fronste peinzend zijn voorhoofd. 'Ik zal onmiddellijk iemand naar Cinnaber sturen, kapitein. Daar kunt u op rekenen. Maar zelfs als hij direct na ontvangst van de boodschap de terugtocht aanvaardt, gaat het nog uren duren voordat hij zich bij u kan voegen op de Treden.'

'Daar is dan niets aan te doen.' Vansen schudde zijn hoofd. 'Ach, dat vergat ik bijna. Ik wil dat u naar Chaven gaat en hem vraagt... Kom eens wat dichterbij, ik wil niet dat de anderen dit horen.'

Toen Vansen was uitgesproken keek Kiezel hem met grote ogen aan. 'Echt waar? Met vergif?'

'Sst! Ja, ik ben bang van wel.'

'Dan moeten we bidden dat de Aard Ouden niet meer slapen; dat ze wakker worden en ons te hulp komen.'

Impulsief stak Vansen de kleine man zijn hand toe, en Kiezel schudde die verrast. 'Vaarwel, Meester Blauwkwarts. Ik hoop dat we elkaar weerzien, maar als de goden anders beschikken, zorg dan goed voor uw gezin. En vooral voor die zoon van u. Ik weet bijna zeker dat hij nog een belangrijke taak te vervullen krijgt voordat dit alles voorbij is.'

Kiezel knikte. 'En denk erom dat u zuinig bent op uw leven, Kapitein Vansen. We hebben u nodig. Verkoop uzelf niet voor de eerste brokken uit de bedding.'

Ferras Vansen had geen idee wat dat betekende, maar nadat Kiezel en hij elkaar nogmaals de hand hadden geschud, draaide hij zich om en gebaarde zijn sjofele compagnie hem te volgen.

'Mogen de Aard Ouden u beschermen!' riep Kiezel hem na. Verscheidene oudere Broeders die zich op de treden hadden verzameld, herhaalden zijn zegenwens. Hun droge fluisterstemmen klonken als het geritsel van muizen in een hooischuur.

*

Kiezel slaagde erin een jonge acoliet te vinden die leek gezegend met meer verstand dan sommige van zijn makkers. 'Ik wil dat je naar Magister Cinnaber gaat, onder de Vijf Bogen. Je moet zeggen dat de elfen zijn doorgebroken bij de Zalen der Vieringen en dat Vansen alle versterkingen nodig heeft die hij kan krijgen. Vooruit! Maak voort!'

Toen hij, op weg naar Chaven, langs de kapittelzaal kwam, werd Kiezel opgewacht door een razende Broeder Nikkel.

'Waar haal je het lef vandaan? Het is niet aan jou om orders uit te delen aan mijn acolieten. Het gezag is in deze crisis aan mij toevertrouwd, dus ík treed op als abt, niet jij!'

'Kapitein Vansen heeft de leiding bij de verdediging van de tempel en de rest van Funderstad,' snauwde Kiezel. 'Dat is je door Cinnaber en het gilde nadrukkelijk te verstaan gegeven. De Qar zijn doorgebroken en Vansen moest dringend een boodschap versturen. Ik had geen tijd om eerst naar jou op zoek te gaan en om toestemming te vragen.'

Nikkel trok een lelijk gezicht, maar wist even geen woord uit te brengen. 'Pas op dat je het niet te hoog in de bol krijgt, Blauwkwarts,' zei hij ten slotte. 'Met je stadse kapsones. Tenslotte zijn alle problemen begonnen met jou en die bastaardzoon van je – het kleine volkje, elfen, oningewijden in onze Mysteriën. Anderen zijn dat misschien vergeten, maar ik niet. En dat monsterlijke kind van je schijnt inmiddels nog meer problemen te hebben veroorzaakt.' Hij hief dreigend een benige vinger. 'Als het inderdaad zo erg is als ik vermoed, zal ik er persoonlijk voor zorgen dat hij wordt teruggestuurd naar Funderstad, en jij ook, wát het gilde en die Kapitein Vansen van je ook mogen beweren.' De monnik beende driftig weg, alsof hij vastberaden was elk insect dat zijn pad kruiste te vermorzelen.

Kiezel moest zo snel mogelijk heelmeester Chaven zien te vinden, maar blijkbaar was Flint – bij wijze van spreken – weer op een gruishelling beland. Kon de boodschap voor Chaven nog even wachten? Hij wilde niet dat het kind door Nikkel werd gekoeioneerd, of erger. Het was maar al te duidelijk dat de monnik bezig was een flinke aversie tegen hem te ontwikkelen. Het leek Kiezel niet ondenkbaar dat Broeder

Nikkel het kind dusdanig de stuipen op het lijf zou jagen dat Flint de benen nam. Met het risico dat hij de tempel ontvluchtte. Maar daarbuiten was het veel te gevaarlijk voor een kind alleen.

'Breuk en scheur!' Kiezel sloeg gefrustreerd zijn handen in elkaar. Vansens boodschap zou – althans even – moeten wachten. Haastig zette hij de achtervolging in van Broeder Nikkel.

De luide stemmen leken uit de bibliotheek te komen, en ze klonken boos, woedend zelfs. Terwijl Kiezel de grote hal door liep, kreeg hij plotseling een voorgevoel van wat hij zou aantreffen.

Helaas bleek zijn gevoel hem niet te hebben bedrogen: daar stond Flint, omringd door een zee van donkere gewaden. Het kind stak bijna een kop boven de meeste monniken uit en maakte een kalme, serene indruk, als een hoge steen omspoeld door een wild stromende rivier. Even ontmoetten zijn ogen die van Kiezel, toen liet hij zijn blik weer over de muren gaan, alsof hij het materiaal taxeerde voordat hij ging beginnen met het uithakken van een sierlijst.

'Wat is er aan de hand?' Het kostte Kiezel de grootste moeite kalm te blijven. Hij wist maar al te goed dat de jongen een vreemde eend in de bijt was – soms kreeg hij een knoop in zijn maag wanneer hij eraan dacht hoe onbekommerd Opaal en hij het kind in huis hadden genomen – maar hij had Flint nooit op ook maar een zweem van kwaadaardigheid kunnen betrappen. De woede van de Metamorfische Broeders suggereerde dat ze een dief of een moordenaar te pakken hadden.

Broeder Nikkel keerde zich met rood aangelopen gezicht naar Kiezel. 'Dit gaat werkelijk alle perken te buiten, zelfs voor jou, Blauwkwarts! Het kind is de bibliotheek binnengedrongen – de grootste nog bestaande boekenverzameling van ons volk in de hele wereld! – en heeft zich aan verschillende teksten vergrepen! Terwijl zijn handen onder het vuil zitten!'

Ondanks zijn woede was Kiezel geschokt: de bibliotheek binnendringen was niet zomaar een kwajongensstreek. Het was nog erger dan het betreden van de Mysteriën, want de boeken en teksten in de bibliotheek waren zeldzaam en buitengewoon kwetsbaar. Sommige bevatten eeuwenoude gebeden, in breekbare leitabletten gekrast, met letters die door de tand des tijds bijna onleesbaar waren geworden. Er waren ook teksten geëtst in mica, zo dun als perkament. De grote bibliotheek van de Funderlingen in Nedersteen, een vestiging die eeuwenlang onder het eeuwenoude Hierosol had bestaan, was tijdens de grote overstroming van vierhonderd jaar geleden volledig verloren gegaan, samen met het grootste deel van de stad en bijna de helft van de inwoners. Al sinds hij kon lopen had Kiezel de verhalen gehoord over de verschrikkelijke tol die de Watersnood van Nedersteen had geëist – veruit de grootste tragedie in de geschiedenis van de Funderlingen. Dus het was geen wonder dat de monniken zo van streek waren.

'Flint,' zei hij zo rustig mogelijk. 'Ben je de bibliotheek binnengegaan? Heb je aan de boeken gezeten?'

De jongen met de witte haren keek hem aan alsof Kiezel had gevraagd of het verstandig was te eten als je honger had. 'Ja.'

'Zie je nou wel!' riep Nikkel. 'Hij schaamt zich niet eens! Hij dringt de Mysteriën binnen, en alsof dat nog niet erg genoeg is, leeft hij zijn kwaadaardigheid ook nog uit in het hart van het geheugen van ons volk!'

Kiezel deed zijn uiterste best zich te beheersen. 'Met al die grote woorden zul je het ongetwijfeld tot abt schoppen, Broeder Nikkel, maar laten we proberen althans enigszins redelijk te blijven. Flint, waarom heb je dat gedaan?'

Het kind keek daadwerkelijk verrast, een emotie waarop Kiezel hem nog maar zelden had kunnen betrappen. 'Ik moest iets weten. En dus wilde ik in de oudste boeken kijken. Het is belangrijk.'

'Wat dan? Wat moest je weten?'

'Dat kan ik niet zeggen.' Hij zei het met zoveel overtuiging dat elke discussie verder zinloos was, wist Kiezel. De verzamelde monniken beperkten zich niet langer tot verontwaardigd gemompel, maar drongen naar voren alsof ze van plan waren Flint te grijpen en hem te straffen. Kiezel ging voor het kind staan en hief zijn handen.

'Hij wist het niet. En hij heeft geen kwaad in de zin. Hij is gewoon... anders.' Hij schaamde zich dat hij zo gemakkelijk zwichtte voor de monniken, maar hij had nu eenmaal geen ogenblik te verspillen. 'Ik neem hem mee. U zult geen last meer van hem hebben. Dat zweer ik op mijn eer als gildeman. Dus ik zou u willen verzoeken... allemaal weer over te gaan tot de orde van de dag.'

'Waarom zouden we je geloven?' vroeg Nikkel. 'Je hebt hem vrij laten rondzwerven, je hebt hem geen strobreed in de weg gelegd toen hij zich mengde in de zaken van heilige mannen...'

'Funderstad en de tempel worden aangevallen,' zei Kiezel met luide stem. 'We hebben wel ergere dingen te vrezen dan een ondeugend kind. Dus in plaats van een kleine jongen te intimideren kun je beter zorgen dat de Broeders zich voorbereiden op de verdediging van de tempel,

Nikkel! Zo, en wil je me dan nu verontschuldigen? Het spijt me buitengewoon dat Flint met zijn vingers aan de boeken heeft gezeten, maar
zo te zien is er niets beschadigd. Ik neem hem mee en zorg dat hij verder geen kattenkwaad meer uithaalt. Laten we ons alsjeblieft concentreren op wat echt belangrijk is.'

Nikkel trok een lelijk gezicht, maar een van de andere monniken nam
het voor Kiezel op. 'Broeder Antimoon zei dat Kiezel Blauwkwarts een
goed mens is.'

'En hij heeft gelijk als hij zegt dat we de tempel moeten verdedigen!'
zei een ander. 'Kiezel heeft zijn woord gegeven, dus misschien moeten
we hem een kans geven.'

'Dank u wel.' Kiezel keek om zich heen. De boosheid op de gezichten van de monniken begon weg te ebben, als de verdwijnende glans
van water dat verdampte op een rotsblok. Door de aanval ter sprake te
brengen had hij hen herinnerd aan het werkelijke gevaar. Nikkel leek
echter niet tevreden. 'Kom, Flint,' zei Kiezel. 'Zeg dat het je spijt, dan
kunnen we gaan. Ik moet een dringende boodschap overbrengen van
Kapitein Vansen.' Hij pakte de jongen bij de hand en trok hem weg van
de bibliotheek.

Natuurlijk zei Flint niet dat het hem speet, maar Kiezel hoopte dat
niemand dat in de gaten had in het drukke geroezemoes dat onder de
monniken losbarstte.

Hij trof de heelmeester boven, in zijn slaapcel, en vertelde hem wat Vansen had gevraagd. Chaven dacht even na voordat hij antwoord gaf. 'Volgens mij is de beste oplossing op de korte termijn simpelweg een natte
lap voor hun gezicht. Alles wat meer werk vereist, kost ook meer tijd.'

'Een natte lap!' Kiezel was verbijsterd door zijn eigen onnozelheid. 'Bij
de Ouden, ik word blijkbaar zo in beslag genomen door mijn eigen gedachten dat het amper tot me is doorgedrongen wat Vansen zei. Als er
nou één ding is dat wij Funderlingen in ruime mate tot onze beschikking hebben, dan zijn het stofmaskers! Wanneer we de randen goed
dichtstoppen, zouden we daarmee veilig moeten zijn voor het giftige poeder van de Qar.' Hij begon door de cel te ijsberen. 'Trouwens, de am-
bachtslieden die de afwerking doen – het schuren en polijsten – dragen
zelfs kappen met mica ruitjes voor hun ogen. Wat ben ik een sukkel!'

'Val jezelf niet te hard,' zei Chaven. 'We zijn allemaal uit ons doen.
Is er verder nog iets waar ik mee kan helpen? Zo niet, dan heb ik zelf
nog het een en ander...'

'Tja, ik ben bang van wel.' Kiezel pakte Flint bij zijn arm. 'Het zou fijn zijn als u een oogje op deze jonge deugniet kunt houden. Ik moet zien dat ik wat stofmaskers opscharrel voor Vansen. Misschien hebt u het nog niet gehoord, maar hij probeert, samen met IJzerkiezel en zijn mannen, de Qar uit de Zalen der Vieringen te houden. Zorg dat u Flint niet uit het oog verliest. Hij heeft allerlei schandaligs op zijn geweten, volgens Broeder Nikkel. En zorg vooral dat hij niet in de buurt van de bibliotheek komt.'

Het leek wel alsof Chaven het kind op dat moment pas in de gaten kreeg. Er verscheen een glimlach op zijn ronde gezicht, maar Kiezel meende achter die glimlach iets minder welwillends te zien, iets... berekenends, zou hij bijna zeggen. 'Kijk eens aan, Meester Flint. Ik hoor dat u allerlei interessante dingen hebt gedaan sinds wij elkaar voor het laatst hebben gezien. U bent bij de Jutters geweest, is het niet? En nu weer in de bibliotheek. Ik stel voor dat u me er alles over vertelt terwijl we elkaar gezelschap houden.'

Met de moeiteloze souplesse van een kat die van een hoge plek waar hij zich had genesteld, naar beneden werd gelokt, liet Flint zich de cel binnen tronen.

'Denk erom! U mag hem niet uit het oog verliezen!' zei Kiezel nogmaals vanuit de deuropening. De heelmeester stak in een geruststellend, bevestigend gebaar zijn hand op.

Kiezels inspectie van de kleine smederij waar de tempelsmid gereedschappen en simpele huishoudelijke voorwerpen repareerde, leverde twee vuurkappen op, waarvan er een in gebruik was bij de smid zelf, naar achteren geschoven op zijn kale, zwetende hoofd. De breedgeschouderde monnik reageerde boos en verontwaardigd toen hij te horen kreeg dat hij er een van de twee moest afstaan. Maar Kiezel liet zijn gezag gelden, hem verleend door Ferras Vansen, hij greep de ongebruikte kap en haastte zich weg, voordat de smid zijn woede niet meer zou kunnen beheersen.

In de crypte van de tempel vond Kiezel wat zware stofmaskers van doek, overblijfselen van een verbouwing in het verleden. Twaalf, meer waren het er niet, maar ze zouden althans degenen in de voorste linies beschermen tegen het gif van de elfen. Hij wilde net weer vertrekken, toen zijn oog viel op een stenen kist met een zwaar houten deksel. Toen hij het deksel had opgetild, staarde hij peinzend naar de wigvormige, ijzeren voorwerpen die daaronder op keurige stapels lagen.

Waarom ook niet, zei hij tegen zichzelf, en hij tilde er voorzichtig een uit en stopte het achter zijn riem. Het zware ding drukte onaangenaam in zijn buik, maar Kiezel bond zijn riem strakker en besloot dat hij het ermee zou moeten doen. Nadat hij het deksel weer had teruggelegd, sneed hij een stuk touw van een rol die op een pin aan de muur hing en trok de deur van de opslagruimte achter zich dicht.

Hij vulde een emmer met water voor de stofmaskers en haastte zich terug, de tempel door, naar buiten via de grote hal, waar hij tot zijn opluchting zag dat de monniken blijkbaar eindelijk doordrongen waren geraakt van het gevaar: een stuk of vijf, zes Broeders waren bezig de kostbaarste beelden naar binnen te slepen, en de eeuwenoude, ijzeren belegeringsdeuren van de tempel werden op hun plaats gehangen. Kiezel betwijfelde of de tempel ooit was belegerd – in elk geval niet zolang hij zich kon heugen – maar de aangeboren afkeer die de Funderlingen hadden van ramen en soortgelijke bovengrondse opschik, zou hun nu goed van pas komen. Net als in de meeste grote gebouwen in Funderstad werden ook in de tempel lucht en water aangevoerd via buizen die een eind verderop in het enorme kalksteenlabyrint onder Zuidermark boven de grond kwamen, en waren de opslagruimtes zelfs in magere tijden rijkelijk gevuld met voedsel. Een vijand zou merken dat ze zich niet zo een, twee, drie lieten verdrijven.

Aan de andere kant van de Gordijnval stuitte Kiezel op twee van IJzerkiezels hoeders. Een van de twee was zo goed als buiten bewustzijn en werd voortgesleept door zijn kameraad, die bloedde uit minstens vijf, zes wonden.

'Ga terug!' bracht die laatste hijgend uit, terwijl hij het bloed uit zijn ogen schudde. 'Onze voorman en die grote kerel, die bovengronder, zijn omsingeld. De elfen hebben hen omhuld met een ondoordringbare wolk. Ze kunnen elk moment bij de tempel zijn. En dan zullen ze ons allemaal doden!'

Meer kon Kiezel niet uit hem krijgen, dus hij liet hem zijn weg vervolgen om zijn gewonde makker naar de tempel te brengen. In pure doodsangst om wat hem te wachten stond, kwam hij even in de verleiding achter hen aan te gaan. Maar de klotsende emmer die hij al zo'n eind had meegezeuld, bracht hem tot bezinning. Kapitein Vansen zat in de problemen. En tot Cinnaber kwam met versterkingen, kon alleen hij, Kiezel, hulp bieden.

Tegen de tijd dat hij weer een paar honderd stappen was gevorderd, hoorde hij in de verte kreten van pijn en woede. Zijn hart begon wild te slaan, sneller dan de hamer van een handwerksman.

Vergeef me, Opaal, dacht hij, en het gemis van zijn vrouw was ineens zo verschrikkelijk dat het voelde als een leegte, een gat waar een ijzige wind dwars doorheen blies. *Vergeef me, ouwetje. Nu doe ik het alwéér!*

*

Ferras Vansen had het gevoel alsof hij in een nachtmerrie was beland – vreemde gedaanten, keelachtige kreten en krankzinnige schaduwen in het flakkerende licht van fakkels. Vansen, Moker IJzerkiezel en vijf van de overblijvende hoeders hadden zich zo goed mogelijk gebarricadeerd in de smalle gang tussen de laatste twee Zalen der Vieringen in een poging te voorkomen dat de aanvallers doorbraken. Vansen wist bijna zeker dat het om minstens twintig, misschien zelfs dertig Qar ging, ook al was hun aantal in de donkere gangen moeilijk te schatten. Blijkbaar hadden de elfen op weinig verzet gerekend, anders zouden ze zich niet tot zo'n relatief kleine verkenningseenheid hebben beperkt. Maar het aantal van de indringers deed er niet toe: als bleek dat de inspanningen van Vansen en de anderen vergeefs waren, stond er geen enkel obstakel meer tussen het bovengrondse Qar-leger en de tempelgrotten.

En dan gaan ze door, naar Funderstad, dacht Vansen. Hij veegde over zijn brandende ogen. *Zoveel onschuldige slachtoffers – vrouwen, kinderen...* En vandaar zou het elfenvolk moeiteloos kunnen doorbreken naar het kasteel boven de stad.

We zijn met ons vijven. Zelfs als we hen op welke manier dan ook althans even weten tegen te houden, hebben we geen enkele garantie dat ze van boven geen versterkingen sturen. Vansen probeerde zijn ademhaling onder controle te krijgen terwijl hij hurkte achter de barrière van rotsblokken die IJzerkiezel en zijn mannen in de smalle doorgang hadden opgeworpen, als bescherming tegen de pijlen die met enige regelmaat fluitend op hen afsuisden vanuit de ruimte daarachter. *Vanwaar al die inspanningen om het ondergrondse deel van het kasteel in te nemen? Ze moeten hier de afgelopen dagen al zeker honderd man hebben verloren.* Die dag was de strijd urenlang doorgegaan, maar de Funderlingen en Vansen hadden het voordeel dat de gangen die ze verdedigden, erg smal waren; zo kwam het dat hun verliezen aanzienlijk kleiner waren dan het aantal slachtoffers dat ze hadden gemaakt. *Het kan niet anders of de Qar weten dat de poorten van Funderstad kunnen worden vergrendeld aan de kant van het kasteel, waardoor de stad wordt afgesloten van de rest van Zuidermark.* Hadden de Qar oprecht verwacht dat ze via Funderstad ongehinderd het kasteel konden bereiken? Dat leek niet aannemelijk.

Vansen veegde opnieuw over zijn ogen. De indringers, voornamelijk de lelijke, kleine verwanten die door de Funderlingen 'droggels' werden genoemd, hadden de ruimte verderop bijna helemaal gevuld met het verstikkende poeder dat ze door dunne pijpen bliezen; het ging om een zwakkere concentratie dan die welke ze tegen de acolieten in de Boorgaten hadden gebruikt, maar het spul was nog altijd sterk genoeg om Vansen en zijn medestrijders het vechten te bemoeilijken. Zelfs afgezwakt deed het hun ogen tranen, hun hoofd tollen, en bezorgde het hun bij elke ademtocht pijn in de borst. Vansen hoopte vurig dat Chaven iets zou weten te bedenken, ook al was de kans gering dat ze daar nog hun voordeel mee konden doen. Want het zou niet lang meer duren of de Qar braken definitief door.

Hij haalde diep adem en begon te hoesten, zijn keel brandde. 'Is het mogelijk om nog meer van uw mannen hierheen te halen zodat we deze gang volledig kunnen afsluiten?' vroeg hij fluisterend aan IJzerkiezel.

Die deed zijn mond open om antwoord te geven, maar boog vliegensvlug zijn kale hoofd toen er een pijl kwam langssuizen die ver achter hen verbrijzelde tegen de rotswand. 'Dat zal niet gaan, kapitein. Alle barricades die we zo haastig opwerpen, zouden ze in een oogwenk hebben neergehaald. We hebben te maken met droggels, en ik vermoed dat die bijna net zoveel van steen weten als wij.'

'Perins Hamer,' vloekte Vansen verbitterd. 'Wat een verschrikkelijk oord om te sterven!'

IJzerkiezel begon te lachen – een hard geblaf dat ontaardde in gehoest. 'Een betere plek is er niet, kapitein. Aan alle kanten omringd door de aarde.'

'Voorman!' Een van de hoeders maakte gebruik van het feit dat er even geen pijlen werden afgeschoten en tuurde over de provisorische barrière. Toen hij zich naar IJzerkiezel keerde, waren zijn ogen groot en wit in zijn besmeurde gezicht. 'Volgens mij bereiden ze een nieuwe aanval voor.'

'De pijlen zijn op.' IJzerkiezel werkte zich omhoog tot een hurkzit. 'Dus nu proberen ze het karwei af te maken. Vooruit mannen, we zullen ze eens wat laten zien! En als we sterven, dan sterven we als steenhouwers!'

Vansen wachtte zo lang mogelijk tot hij zich oprichtte. De gangen waren toch al laag voor hem, en achter de barricade had hij minder last van de ijle wolk van het giftige poeder die nog altijd in de lucht hing.

Hij ging op zijn knieën zitten en tuurde door de kier tussen de geïmproviseerde barricade en de gangwand. Niet alle Qar konden net zo goed zien in het donker als droggels en Funderlingen, en daar was hij dankbaar voor: sommige van de aanvallers droegen fakkels, waardoor Vansen in staat was te zien wat er gaande was. Hij kon zich niet voorstellen hoe het zou zijn om in volslagen duisternis voor zijn leven te moeten vechten.

De fakkels deinden en bewogen onrustig heen en weer, maar hun schijnsel werd voor het grootste deel geblokkeerd door de donkere schaduwen van de oprukkende Qar. Ze wisten dat Vansen en zijn mannen niet over pijlen beschikten; en daarom waren ze niet bang om zichzelf tot doelwit te maken.

Ze gaan over tot een bestorming en vertrouwen op hun numerieke overmacht, besefte hij. *Het is alles of niets.*

'Vecht voor huis en haard!' brulde hij, en hij richtte zich op tot zijn hoofd bijna de bovenkant van de gang raakte. 'Voor je volk en je stad!' Toen kwam de vijand aanstormen onder het slaken van woeste, huilende kreten, en Vansen kon aan niets anders meer denken.

Hij hijgde, zijn ogen prikten nog steeds, niet langer van het gif van de Qar maar van zijn eigen bloed dat uit een snee op zijn voorhoofd stroomde. De eerste stormloop van de vijanden had niets opgeleverd – de aanvallers hadden diverse rotsblokken van de geïmproviseerde muur weten los te wrikken, maar Vansen en de hoeders hadden een groot aantal slachtoffers weten te maken en hun bloedige lijken vormden evenzovele obstakels aan de Qar-zijde van de barricade, die het de aanvallers moeilijk maakten staande te blijven. Wanneer de berg lichamen echter hoger werd – als Vansen en zijn mannen lang genoeg stand wisten te houden om nog meer slachtoffers te maken – zouden de indringers simpelweg via hun eigen doden over de stenen muur kunnen klimmen.

'Ze vallen weer aan, kapitein!' Het gezicht van Moker IJzerkiezel zat onder het vuil en de sneden; een lelijk masker wat hem nog grotesker maakte, als een kwaadaardige trol uit een oude mythe. 'Ik kan horen dat ze dichterbij komen.'

Vansen veegde over zijn ogen en hief zijn bijl. Hij wilde dat hij een kort zwaard had, of een speer. De bijl was nuttig om de vijand op een armlengte afstand te houden, maar de zwaarte ging ten koste van zijn krachten. Funderlingen waren duidelijk sterker dan ze eruitzagen; twee van de hoeders zwaaiden nog altijd onverminderd krachtig met hun bijl, ook al droeg IJzerkiezel in plaats daarvan twee scherpe houwelen – in elke hand een.

'Ik ben er klaar voor.' Vansen veegde bloed van zijn gezicht en wapperde het weg. 'Laat ze maar komen.'

'U bent een goede vent, kapitein,' zei IJzerkiezel kortaf, met zijn blik op de duisternis aan de andere kant van de barricade gericht. 'Ik moet bekennen dat ik u verkeerd heb beoordeeld. U bent bijna een Funderling, zij het wat aan de lange kant. Ik heb er geen enkel bezwaar tegen om samen met u te sterven.'

'Dat is geheel wederzijds, voorman.' Vansen wenste dat hij iets te drinken had. Ze hadden hun waterhuiden een uur eerder al geleegd, en zijn mond was zo droog als de woestijn van Xand. 'Maar laten we eerst zorgen dat we een paar van die onnatuurlijke schepsels meenemen als we gaan...'

IJzerkiezels antwoord ging verloren in de chaos van de aanval. Een kleine, donkere gedaante sprong boven op de barricade, maar viel jankend weer naar achteren, zijn buik opengereten door de bijl van een van de hoeders, zodat de ingewanden eruit hingen. Twee of drie anderen namen de plaats in van de eerste aanvaller; een van hen duwde een laaiende fakkel in het gezicht van Moker IJzerkiezel zodat die ver naar achteren moest leunen om geen brandwonden op te lopen. Vansen beukte het blad van zijn bijl in het lijf van de fakkeldrager en meende te voelen dat het dwars door een leren wapenrusting sneed in de huid daaronder, maar het was onmogelijk te zeggen of de slag dodelijk was of niet. Bijna onmiddellijk worstelde hij samen met een van de andere hoeders met de zoveelste vijandelijke krijger die de barricade had weten te beklimmen – een droggel met een lang, puntig mes dat hij in Vansens onderarm stak op de plek waar zijn maliën ophielden. Het scheelde niet veel of hij had ook Vansens gezicht toegetakeld, maar die wist nog net op tijd de arm van zijn tegenstander te omklemmen. Hij kneep zo hard als hij kon, tot er boven het tumult uit een ijle kreet klonk toen de pols van de droggel brak in zijn greep. Het wezen liet zijn mes vallen, maar voordat Vansen het naar zich toe kon trekken en de nek van zijn tegenstander kon breken, worstelde de droggel zich los, hij viel over de barricade heen en belandde op de grond, aan de kant van de verdedigers.

Er doemde iets groots voor Vansen op, iets wat het licht van de fakkels blokkeerde. IJzerkiezel bukte zich en bewerkte de droggel aan hun voeten met een van zijn houwelen. Vansen voelde dat het schepsel slap werd, maar zijn aandacht werd bijna volledig in beslag genomen door het wezen vóór hem: een reusachtige ettin. Het diepe grommen van het schepsel trilde door tot in zijn botten. Vansen liet zijn bijl uit alle macht neerdalen op het hoofd van het wezen, op hetzelfde moment dat de ettin IJzerkiezel wilde grijpen, maar de bijl schampte af van de gepantserde schedel zonder die enige zichtbare schade toe te brengen. Onverstoorbaar sloeg de ettin een van zijn reusachtige, beerachtige klauwen om IJzerkiezel, hij tilde de Funderling van de grond en bracht hem naar zijn muil. Vansen greep naar de gespierde armen, maar de ettin sloeg hem weg, zodat hij tegen de muur van de gang werd geslingerd, als een pop die door een kind werd weggegooid. Daar zakte hij naar de grond. Terwijl hij uit alle macht probeerde overeind te komen om IJzerkiezel te hulp te schieten, werd de hele gang door een felle bliksemschicht, vergezeld van een bulderende, krakende donderslag, in oogverblindend daglicht gehuld – een flits van het helderste, stralendste licht, een doordringende, pijnlijke dreun, alsof er twee reusachtige handen voor zijn oren werden geslagen, toen werd alles zwart voor de ogen van Ferras Vansen.

*

Nog geen duizend schilders zouden een dergelijke gruwel kunnen schilderen, dacht Mattes Tinslager, hurkend in een deuropening. Duizend dichters, ieder voor zich duizend keer zo groot als hij, zouden het nooit allemaal kunnen vertellen. Zuidermark werd aangevallen. Een groot deel van de gebouwen rond de Grote Markt stond in brand, maar er was niemand die een poging deed tot blussen. Vanwaar hij stond, kon Tinslager al minstens tien lichamen zien liggen, met pijlen in hun rug. Overal hing rook, maar hij was zich ook bewust van een andere, onbekende geur, misselijkmakend zoet als van rottend vlees. Zijn ogen begonnen te branden, zijn keel en zijn borst deden pijn.

Vanaf de reusachtige, doornachtige, zwarte stammen die zich over het water en de stadsmuren hadden geslingerd, vuurden tientallen vreemde, gewapende gedaanten onafgebroken pijlen af op het plein. Andere indringers hadden zich langs touwen naar beneden laten zakken en al tientallen onfortuinlijke Zuidermarkers afgeslacht, voordat Durstin Crowel en zijn wachten erin waren geslaagd hen terug te drijven; over het hele plein werd in kleine groepjes gevochten, mannen en monsters die op elkaar inhakten in een vreemde, onvolmaakte stilte; maar zelfs de kreten van de gewonden en de stervenden klonken gedempt, alsof de rook die in de lucht hing alle geluiden smoorde.

Hendon Tollij was ook naar de Grote Markt gekomen en leverde vurig strijd; zijn zwarte overjas met de rode ever was duidelijk zichtbaar aan de andere kant van het plein, de wuivende, zwarte verenbos op zijn helm zag eruit als de zoveelste rookpluim. De Heer Behoeder van het kasteel stond hoog in de stijgbeugels van zijn grote strijdros, wild maaiend met zijn zwaard en schreeuwend naar zijn medestrijders die in de chaos van het gevecht om hem heen zwermden. Ze hadden de meeste aanvallers teruggedreven naar de schaduwen van de reusachtige doornen, schaduwen die groter werden naarmate de zon dieper wegzonk achter de westelijke stadsmuren, maar ze slaagden er niet in de Qar tot de aftocht te dwingen, en vanaf het vasteland zwermden er steeds meer elfenkrijgers over de met doorns bezette bruggen naar het eiland.

Opnieuw steeg er een ijle kreet op uit de gelederen van het kasteelvolk, dat net als Tinslager uit alle macht probeerde de strijd te ontvluchten. Een enorme gedaante op een zware hengst was onder metaalgekletter het plein op komen rijden, begeleid door een troep soldaten wier karmozijnrood-met-gouden wapenrusting en dekkleden verrieden dat ze de graaf van Landseind dienden. Het was Avin Brone, die ondanks zijn leeftijd en zijn zwakke gezondheid het strijdtoneel betrad. In het enorme kuras dat zijn buik omspande, leek hij een beetje op een theepot; zijn baard hing tot halverwege zijn borst. De oude man zwaaide met een eeuwenoud tweehandig zwaard terwijl hij zich in de kluwen van elfen rond Hendon Tollij stortte, met zijn manschappen dicht achter zich, de vijand dwingend hun aanval af te blazen en zich te verspreiden. Onder de Zuidermarkers ging een bescheiden gejuich op.

Maar de situatie leek zo goed als hopeloos. Tinslager besefte dat hij zich ook bij de troepen had moeten aansluiten, maar hij bezat geen wapen, noch wist hij hoe hij dat zou moeten hanteren. Bovendien was hij doodsbang.

Ik ben een dichter. En een lafaard. Ik weet niets van oorlog! Ik had nooit terug moeten komen! Maar Elan M'Corij en Tinslagers moeder hadden alles achtergelaten toen ze naar de beschutting van de binnenburcht waren gevlucht, ook het geld dat hij hun had gegeven; en Mats Tinslager kon zich niet veroorloven dat geld kwijt te raken. *Maar die paar zeesterren gaan me mijn leven kosten. Waarom ben ik niet rijk geboren...*

Nog meer krijgers van het Schemervolk lieten zich van de reusachtige zwarte stammen vallen, als torren die uit een rottend stuk hout vielen. Even leek het alsof de nieuwkomers de paar honderd soldaten van Zuidermark zouden overweldigen, maar Hendon Tollij mocht dan zijn tekortkomingen hebben, hij was geen lafaard; samen met zijn manschappen hield hij de aanvallers op een afstand, terwijl Berkan Huif, de heer konstabel, een zekere mate van orde schiep in de rest van de verdediging en de vijand begon terug te drijven over het plein. Hij dwong de elfen tot een langzame terugtrekking, waarbij zijn mannen hun schild geheven hielden zodat de elfenpijlen erop afketsten zonder schade aan te richten.

'Ga terug!' klonk de stem van Brone gedempt. 'Ga terug naar de Raven Poort!'

Sommigen die niet aan het gevecht deelnamen, beseften wat er ging gebeuren en renden door de zuilengaanderijen langs de Grote Markt om iedereen die zich daar verborgen hield, op te roepen over de Markt-Straatbrug naar de binnenburcht te vluchten, voordat de wachten de poort sloten en vergrendelden.

Zie ik het goed? Tinslager had het gevoel alsof zijn hart als een brok lood in zijn borst rustte. *Gaan ze de buitenburcht prijsgeven?*

Toen drong het tot hem door dat hij snel moest zijn, als hij nog uit het prijs te geven gedeelte wilde ontsnappen. De zuilengaanderij aan deze kant van het plein werd geblokkeerd door in de steek gelaten karren en andere spullen die daar bij het begin van de inval door doodsbange stedelingen waren achtergelaten; Tinslager had geen andere keus dan met zijn armen om zijn hoofd zo snel mogelijk over de open keienvlakte te rennen, ervan overtuigd dat hij elk moment de gruwelijke pijn kon voelen van de pijl die hem van het leven zou beroven.

Een paar gemiste schoten ketsten achter hem af op de stenen, maar hij wist de menigte op de brug te bereiken en dook langs een kar die de een of andere idioot naar de overkant probeerde te krijgen terwijl schreeuwende soldaten de krakende wagen uit alle macht terugduwden. Profiterend van de tijdelijke bescherming van het kolossale gevaarte voegde Mattes Tinslager zich bij de doodsbange massa, die in paniek de brug overstak en de heuvel beklom naar de poort die toegang gaf tot de binnenburcht; de mensen liepen zo dicht op elkaar dat Tinslager de scherpe, akelige stank van hun angst kon ruiken.

25
Slaap

'Er wordt beweerd dat de elfen die bekendstaan als de Droomlozen, zich alleen bij nacht buiten wagen en dat ze de dromen van stervelingen stelen omdat ze zelf geen dromen hebben. Er wordt ook beweerd dat de Droomlozen de geesten van stervelingen die zijn gestorven zonder de zegen van de Trigon, als huisdieren houden en gebruiken als jachthonden.'

Uit *Een Verhandeling over de Elfenvolken van Eion en Xand*

Tegen de tijd dat Barrick de eerste bruggen over de Kwijn in zicht kreeg en besefte dat hij eindelijk in de buurt kwam van de stad, besloeg de wolk van duisternis een aanzienlijk deel van de hemel boven de rivier. Aanvankelijk had hij niet eens in de gaten dat de asymmetrische silhouetten bruggen waren, want ze zagen eruit als grillige rotsmassa's, geërodeerd door wind en water. Maar naarmate hij meer van Slaap te zien kreeg, drong het tot hem door dat dit een kenmerk was van de Droomlozen: zelfs hun meest geraffineerde constructies boden de aanblik van een belachelijke samenloop van toevalligheden en bezaten zelden ook maar één rechte lijn.

Op de rivier werd het steeds drukker, ook al leken alle boten en schepen die ze tegenkwamen – zowel klein als groot, met grijshuidige Droomlozen of met blemmy's zonder hoofd aan de riemen – in doodse stilte de rivier op en af te varen, alsof ze op weg waren naar een begrafenis. Het was echter boven elke twijfel verheven dat Barrick en Bik door passagiers en bemanning nadrukkelijk werden nagekeken: zelfs de nederigste Droomloze vissers gaapten de zonlanders aan alsof ze hun hele lange leven nog nooit zoiets merkwaardigs en onaangenaams hadden gezien.

'Waarom kijken ze zo naar ons?' vroeg Barrick fluisterend. 'Het lijkt wel alsof ze ons haten.'

Bik haalde zijn schouders op en hield zijn kroes in de stroom om nog wat water te scheppen voor zijn meester. 'Ze moeten niks van onze soort hebben. Dat lijkt me duidelijk.'

'Maar je zei dat er in Slaap velen van ons zijn die als bedienden bij de Droomlozen werken.'

'Dat is ook zo. De meester heeft er een heleboel in dienst. En niet alleen wimmuai. Sommigen komen net als u en ik uit de zonlanden.'

'Waarom gapen de Droomlozen ons dan zo aan?'

Bik gaf niet meteen antwoord terwijl hij weer in de tent op het dek kroop. 'Volgens mij kijken ze naar onze boot. Ze weten dat die van Qu'arus is. Misschien vragen ze zich af waarom ze hem niet zien. Hij is een bekende figuur in Slaap.'

Na die woorden keerde de in vodden gehulde man zich weer naar zijn stervende heer en weigerde hij verdere vragen te beantwoorden.

Het duurde niet lang of ze bereikten het eerste nachtlicht, een baken op een hooggewelfde brug als een ketel waaruit inktzwarte duisternis dampte – geen wolken, zoals dat bij rook het geval zou zijn, maar iets wat dunner was, minder tastbaar, een vlek die zich uitspreidde over de grijze dag. De vlek strekte zich boven hen uit toen ze de brug naderden en passeerden. Barrick had het gevoel alsof zich een ijzige vuist om zijn hart sloot.

Naarmate ze dieper in het labyrint van de stad doordrongen werd de duisternis dieper. Ze kwamen langs het ene nachtlicht na het andere, op bruggen of dampend in houders tegen ruwe, ongepolijste muren. De wereld werd hoe langer hoe duisterder, alsof de nacht eindelijk was neergedaald over de schaduwlanden. Het was echter een merkwaardige nacht, niet overal even donker maar in duistere poelen geconcentreerd rond de nachtlichten. Nog heel lang voeren ze door de schemering en leek de grijze hemel die door de ruimten tussen de sombere nachtlichten gluurde, stralend als op een zonnige middag. Maar uiteindelijk waren er geen tussenruimten meer en verdween het schemerlicht, verborgen achter een gordijn van inktzwarte duisternis.

En met die volledige duisternis kwamen de Droomlozen zelf; ze stroomden naar buiten als termieten uit een gespleten boomstam, ook al kon Barrick aanvankelijk nauwelijks méér onderscheiden dan wat vage vormen die zich door de straten aan weerskanten van de rivier en over de bruggen boven zijn hoofd bewogen – grijze gedaanten, onduidelijk als geesten. Maar terwijl zijn ogen gewend raakten aan de nachtlichten, begon hij meer te zien. Ze leken allemaal dezelfde grijze huid te hebben, maar voor het overige waren de Droomlozen onderling net zo verschillend als de Qar die hij op de Vlakte van Kalkan had gezien: sommigen konden gemakkelijk doorgaan voor mensen, maar bij anderen was hun verschijning zo verontrustend dat Barrick de goden dankte voor de lange gewaden die ze droegen. Bovendien kon hij het gevoel niet van zich afzetten dat alle Droomlozen hem aanstaarden, niet één uitgezonderd.

De Kwijn werd een brede, door stenen wallen ommuurde gracht, met aan weerskanten kaden en onafgebroken rijen gebouwen waarvan sommige zo hoog waren dat Barrick in de duisternis boven de nachtlichten niet kon zien tot hoe ver ze precies reikten. Terwijl ze steeds dieper de stad in voeren, met de onvermoeibare blemmy nog altijd aan de riemen, had Barrick het gevoel alsof hij door iets werd opgeslokt.

De Kwijn splitste zich al snel in een reeks smallere waterwegen. De blemmy koos zonder aarzelen de ene aftakking na de andere, alsof hij precies wist waar hij heen moest. Hoe smaller het water, hoe minder voorbijgangers, totdat Barrick uiteindelijk – op hun eigen boot na – niets meer zag bewegen in dit deel van de sombere steenwoestenij.

Ze voeren langs stille, marmeren gebouwen die in de duisternis nauwelijks te onderscheiden waren. Reusachtige wilgen omzoomden het water, hun lange armen zwaaiden in de bries, maar voor het overige leek de buurt even doods als een mausoleum. Uiteindelijk ging de blemmy langzamer varen en bracht hij de boot tot stilstand bij een rijkversierde steiger die ver uitstak in het water. Terwijl Barrick op de achtersteven hurkte, verrast door het plotselinge einde van hun reis, kwam er vanuit de duisternis een menigte schimmige figuren naar hen toe; de menigte vulde de hele steiger maar maakte niet meer geluid dan een troep katten. Het waren misschien tien, twaalf Droomlozen, zowel mannen als vrouwen, allemaal volledig in het zwart. Ze werden gevolgd door een laatste figuur, voor wie ze ruim baan maakten toen deze de steiger betrad. Aan het eind daarvan bleef de figuur staan, met de armen voor zich uitgestrekt, als een slaapwandelaar. Bik had het dak van de tent teruggeslagen, zodat de gedaante kon neerkijken op Qu'arus, die nog altijd op de bodem van de boot lag. Barricks eerste indruk was dat de Droomloze vrouw – want dat was het – een soort monnikskap droeg, maar toen hij beter keek besefte hij dat de bovenkant van haar onbehaarde hoofd was bedekt met platen, als het schild van een tor. Haar gelaatstrekken waren fijngetekend en beweeglijk – op haar lijkachtige bleekte na zag haar gezicht er bijna menselijk uit – maar voor zover Barrick haar huid kon zien, was die bedekt met een soort benig pantser. Door haar vreemde, Droomloze ogen wist hij het niet zeker, maar hij kreeg de indruk dat ze had gehuild.

Toen ze begon te praten, bleek dat ze een zachte stem had, maar wat ze zei klonk hard. Barrick kon het niet verstaan, dus misschien sprak ze een zegenwens uit, maar het kon ook een verwensing zijn.

Bik keek naar haar op met een merkwaardige uitdrukking van voldaanheid op zijn gezicht. 'Ik heb hem thuisgebracht, vrouwe.'

Nog even bleef ze zwijgend staan, toen draaide ze zich om en ze liep de steiger weer af, waarbij haar ragdunne zwarte gewaad als mist opbolde rond haar enkels. Verscheidene anderen schoten Bik te hulp om Qu'arus uit de boot te tillen en hem over de steiger te dragen, de treden op naar een grote, donkere massa waarvan Barrick besefte dat het een huis was.

'Kom vlug mee naar binnen,' fluisterde Bik. 'Het is bijna tijd voor de Verpozing. Dan komen de skrijters tevoorschijn.' Na deze onbegrijpelijke waarschuwing haastte hij zich over de steiger achter het lichaam van zijn meester aan. Een andere bediende, wiens grijze huid zo gerimpeld was dat zijn gezicht leek op een wespennest, had een touw rond het middel van de blemmy gebonden en leidde hem weg tussen de wilgenbomen en langs de zijkant van het lage, brede huis dat er niet bepaald gastvrij uitzag. Barricks blik gleed naar de plek waar Qu'arus had gelegen en ontdekte daar een opgevouwen grijze wollen mantel, die Bik blijkbaar had neergelegd om zijn meester te beschermen tegen de harde planken. Toen Barrick de mantel optilde viel er iets uit; iets wat met veel lawaai op het dek kletterde. Geschrokken keek Barrick om zich heen, maar de steiger lag er verlaten bij. Het voorwerp dat uit de mantel was gevallen, bleek een kort zwaard te zijn, in een onbewerkte, zwarte schede. Toen hij het wapen trok, ontdekte hij tot zijn vreugde dat de snijvlakken zo scherp waren als een scheermes. Een dergelijk wapen had hij niet meer gehad sinds hij met Tyne Aldricht tegen de Qar had gevochten. Hij wikkelde het zwaard weer in de mantel en keek om zich heen, op zoek naar een plek waar hij het kon verstoppen. Naast hem klonk geritsel. Barrick schrok zo dat hij mantel en zwaard bijna in de rivier had laten vallen.

'Ons hoopt dat de meester niet naar binnen gaat...' kraste Skurn, terwijl hij zijn vleugels dichtvouwde. '... in het huis van een Nachtkastaar.'

'Wat moet ik anders? Misschien krijg ik een aanwijzing waar ik de Zaal van de Manke kan vinden. En misschien krijg ik zelfs wel iets te eten wat niet veel te veel poten heeft.'

'Dan moet u het zelf maar weten.' De raaf streek neer op de reling van de loom op en neer deinende boot en keerde Barrick de rug toe. 'Ons blijft hier buiten. Ons waagt ons niet in zo'n akelig, doolhofferig oord.'

In overeenstemming met de eerste indrukken die Barrick van Slaap had gekregen, was ook het huis van Qu'arus zo complex als het inwendige van een zeeschelp – een opeenvolging van gangen, waarvan de meeste geen ramen hadden en waarvan de muren soms ruw, soms glad waren, maar altijd vochtig. De grijze stenen waren begroeid met mos, en in de hoeken droop hier en daar vocht langs de muren dat werd afgevoerd door ondiepe afwateringskanalen. Maar er groeide ook mos op ongelooflijk fraai gedetailleerde beelden van wit marmer, en de afwateringskanalen liepen langs weelderige tapijten met schitterende, in gitzwart en spierwit uitgevoerde patronen. Dat Barrick dit alles kon zien, kwam door groene halve bollen, glanzend als parels, die laag boven de grond aan de muur waren bevestigd en hier en daar ook in de grond zelf. Barrick zag ze aanvankelijk aan voor lichtgevende stenen, maar hij kreeg al snel in de gaten dat het paddenstoelen waren.

Hij haastte zich om de dienaren in te halen die het lichaam van Qu'arus de grote gang indroegen. Er hing een onaangename sfeer in het huis, de bijna volmaakte stilte was verontrustend, de duisternis drukkend. Zonder de veranderingen die de Slapers in hem hadden bewerkstelligd, zou hij misschien de benen hebben genomen. Er was in dit hele huis niets wat hem ook maar enigszins op zijn gemak stelde. Amper binnen zou hij het liefst rechtsomkeert hebben gemaakt. En dan, zei hij tegen zichzelf. Hij wist niets van de stad, laat staan dat hij wist waar hij heen moest. Wat hadden de Slapers gezegd?

Er is maar één weg waarlangs je het Huis van het Volk en de blinde koning kunt bereiken voordat het te laat is. Je moet de wegen van de Manke volgen. Die zullen het pad voor je ontvouwen, zodat je tussen de muren van de wereld kunt gaan. Om dat te doen moet je in de stad Slaap de zaal zien te vinden die zijn naam draagt.

Bik had nooit gehoord van een plek die de Zaal van de Manke heette, maar een van de andere bedienden misschien wel, hoopte hij. Want hij kon zich niet voorstellen dat hij de vrouw des huizes met haar starre, maskerachtige gezicht zou storen in haar rouw om haar naar de weg te vragen.

In het verleden zou hij misschien hebben gewanhoopt, maar dankzij de kracht die er in zijn gebrekkige arm was gestroomd waardoor hij die pijnloos kon bewegen, slaagde hij erin zichzelf voor te houden dat alles mogelijk was. *Ik ben een personage uit een verhaal geworden, zoals Anglin de Eilander, en niemand kan voorspellen hoe dat verhaal zal eindigen, zelfs deze monsterlijke wezens niet die nooit slapen...*

'Kom mee!' Bik had zich afgewend van de anderen en trok aan Barricks arm. 'Dan gaan we naar beneden, naar de bediendenvertrekken. Daar valt u minder op.'

'Hoezo, dan val ik minder op? Ik dacht dat ze gewend waren aan zonlanders?'

Bik trok hem haastig mee door een spiraalvormige gang. 'De toestand is... vreemd. Anders dan ik had verwacht.'

'De heer des huizes is zojuist dood thuisgebracht. Wat had je dan verwacht? Een hoerastemming?'

Bocht na bocht daalden ze steeds dieper af, door een tuin met bleke varens – een zee van planten die eruitzagen alsof ze op de bodem van een rivier thuishoorden. Misschien kwam het door het licht van de paddenstoelen, maar het leek wel alsof niets in het huis ook maar enige kleur had.

'Hierheen.' Bik deed een zware, houten deur open en trok Barrick haastig mee, een reusachtige, lage ruimte binnen. Er hing een merkwaardige, zure stank, maar voor het eerst sinds hij in Slaap was aangekomen, zag Barrick een vorm van natuurlijk licht – de rode en gele gloed van een laaiend vuur dat in het midden van een brede stenen vlakte brandde, omringd door iets wat eruitzag als een drooggevallen slotgracht. Daarbinnen bevonden zich minstens tien reusachtige hagedissen, zo groot als een jachthond, uitgestrekt op houtblokken of gezeten op stapels stenen.

'Bij de Drie, ik dacht dat we naar de bediendenvertrekken gingen!'

Bik trok weer aan zijn arm. 'We delen het vuur. Kijk maar. De Droomlozen vinden te veel licht en warmte niet prettig.'

En inderdaad, aan het eind van de brede ruimte zat een groepje van misschien tien, twaalf mannen in de schaduwen. Net als Barricks gids droegen ze kleren die waren gemaakt van vodden en lappen, en het drong tot Barrick door dat Bik zich niet uit vrije wil zo kleedde; blijkbaar kregen de menselijke bedienden de afdankers van het huishouden en hadden ze daar hun eigen kleren van moeten maken. Ondanks de hitte in de stinkende ruimte liepen de koude rillingen over Barricks rug. 'Je zei toch dat Qu'arus zijn zonlanders waardeerde?'

'Dat is ook zo! Geen enkele andere Droomloze wil ze zelfs maar in dienst hebben.'

Barrick keerde zich met een ruk naar hem toe. 'Maar je zei dat er hier heel veel waren zoals wij!'

Er verscheen een uitdrukking van angst op Biks gezicht. 'Dat is ook zo. In het huis van Qu'arus.'

'Je hebt tegen me gelogen.'

'Ik... ik heb u niet de volledige waarheid verteld. Ik was bang om alleen terug te gaan.' Hij dempte zijn stem. 'Wees alstublieft niet boos, goede vriend.'

Barrick kon hem slechts verbaasd aankijken. Het liefst zou hij hem hebben geslagen, maar hij hield zichzelf voor dat het allemaal nog veel erger had gekund. Misschien had het lot hem wel naar het enige huis in heel Slaap gebracht dat hij kon binnengaan zonder te worden vermoord.

Er kwam beweging in een van de gedaanten langs de muur. 'Wie heb je daar bij je, Beck?'

Barrick trok een wenkbrauw op. 'Beck? Dus je hebt ook gelogen over je naam?'

'"Bik" is de naam die de meester gebruikt. Zo noemt hij me. Ik heb niet gelogen.'

'Wie heb je daar bij je?' vroeg de man in de hoek nogmaals. 'Kom eens in het licht, zodat we jullie kunnen zien.'

De man die Beck bleek te heten, liep naar de anderen. Terwijl die onderling fluisterden, volgde Barrick hoofdschuddend. De andere zonlanders zaten op los stro, waar ze een soort nest van hadden gemaakt. Behalve degene die met Beck praatte, zagen ze eruit alsof ze half in slaap waren. Ze hadden een lege blik in hun ogen, hun gezichten stonden apathisch; een enkele keek onverschillig op toen Barrick dichterbij kwam, maar de meesten namen niet eens de moeite hun ogen op te slaan.

'Aha, het water stroomt minder dicht, zie ik,' zei de man naast Beck.

Hij nam Barrick van onder zijn borstelige wenkbrauwen taxerend op. 'En de vogels vliegen verder.'

'Wat betekent dat?' Barrick ging in het stro zitten. De onbekende had een lange, pluizige, grijze baard; de diepe lijnen in zijn gezicht riepen beelden op van zacht hout dat was bewerkt met een scherp mes.

'Dat de goden alles zien.' De oude man knikte kordaat. 'En alles wat ze zien, zal zijn.'

'Finlae was vroeger priester,' zei Beck. 'Hij weet veel.'

'Te veel,' zei Finlae. 'En daarom hebben de goden een pijl in mijn hersens geschoten om mijn gedachten in brand te steken. Omdat ik hun listen doorzag en de verhalen zong voor het volk. Ik heb de mensen gewaarschuwd. Maar ze lachten me uit en gooiden met stenen en botten. Met stenen en botten!'

Barrick schudde zijn hoofd. Het was geen wonder dat Beck had gelogen om hem mee te krijgen; het gezelschap van deze oude krankzinnige was op z'n zachtst gezegd weinig bevredigend. Hij liet zijn blik over de andere bedienden gaan – slaven, verbeterde hij zichzelf – en zag in hun starende blikken nauwelijks iets wat wees op een zekere mate van intelligentie. Als ze waren gefokt als vee, zoals Beck had gesuggereerd, dan had de fokker goed werk geleverd. Ze zagen er net zo vredig en onnozel uit als een stal vol melkkoeien.

'Waar is Marwin?' vroeg Beck.

Finlae schudde zijn hoofd. 'Die sjouwt kruiken en kannen van de kelder naar boven. De vrouwe heeft de hele dag gehuild, maar ik was de enige die het kon horen. Inmiddels zijn ze een feestmaal aan het bereiden. Om de ziel van de meester met tranen en rook naar de overkant te sturen.' Hij keerde zich naar Barrick en keek hem aan met zijn merkwaardig stralende ogen. 'U bent slapend naar de tussenwereld gereisd. Hij zal zonder te slapen naar de wereld voorbij de onze reizen.'

Barrick leunde met zijn hoofd tegen de muur en sloot zijn ogen. Het enige waar hij naar verlangde was rust, misschien een paar uur slaap, en dan dit hol vol krankzinnigen achter zich laten. Want er was hier niets of niemand om hem te helpen – van Beck of de raaskallende oude Finlae hoefde hij al helemaal niets te verwachten.

Hij kwam moeizaam weer boven uit een diepe duisternis toen hij iets op zijn gezicht voelde. Onmiddellijk vloog zijn hand – de hand die ooit gebrekkig was geweest – omhoog en sloten zijn vingers zich om wat het ook was dat hem had aangeraakt. Iemand – Beck, besefte hij – jammerde van pijn.

'Alstublieft... Laat me los...'

'Waarom zit je aan me?'

'Ik... ik ken u.'

Barrick deed zijn ogen wijd open. Beck hurkte voor hem in het stro. De oude Finlae was in slaap gevallen. 'Wat bedoel je? Natuurlijk ken je me. We zijn hier samen naartoe gereisd.'

'Ik ken u... van vroeger... Hoe heet u?'

Barrick kneep zijn ogen tot spleetjes. 'Waarom zou ik jou vertellen hoe ik heet?'

'Ik ken u! Ik heb u eerder gezien. We hebben... Volgens mij hebben we elkaar eerder ontmoet. In het... in het leven vóór dit leven...'

Barrick besefte dat zijn vingers zich nog altijd om die van Beck sloten, en dat hij zo hard kneep dat die zijn gezicht vertrok van pijn. 'In het leven voor dit leven?' Hij ontspande zijn greep. 'Je bedoelt voordat je hier bent terechtgekomen?' Dat was ongetwijfeld niet ondenkbaar. Tenslotte was hij geen onbekende geweest in de wereld aan de andere kant van de Schaduwgrens. Wat kon het voor kwaad om dat toe te geven? 'Ik heet Barrick. Barrick Eddon. Denk je nu nog steeds dat we elkaar kennen?'

Er gleed een blik van pure dankbaarheid over Becks gezicht. 'Bij de goden, nu weet ik het weer! Natuurlijk! U bent... u bent de prins! Bij de Drie! Ja, u bent de prins!'

'Niet zo hard! Ja, dat ben ik.' Maar vreemd genoeg voelde hij zich niet echt een prins. In het verleden, vóór alle narigheid, had hij er nooit aan getwijfeld of hij was een koningszoon. Nu leek dat leven aan een ander toe te behoren; een verhaal dat hem was verteld maar dat hij nooit zelf had geleefd.

'U en uw zuster...' Beck gebaarde opgewonden met zijn handen. 'U hebt met me gesproken. En me vragen gesteld. Na de eerste keer...' Er kwam een moedeloze uitdrukking op zijn gezicht. 'Na mijn eerste ontmoeting met het Schemervolk.'

'Als jij het zegt, dan zal het wel zo zijn.' Barrick kon zich er niets van herinneren.

'Weet u dat echt niet meer? Ik ben...' Hij zweeg even en kneep zijn ogen tot spleetjes. Het was duidelijk dat de herinnering heel diep was weggezakt. 'Ik ben Raemon Beck.'

De naam zei Barrick niets, maar daar was hij eigenlijk alleen maar blij om. Hij had er geen behoefte aan om aan het verleden te worden herinnerd. Hoewel hij zich nog veel voor de geest kon halen van 'het leven voor dit leven' zoals Beck het noemde – namen, gezichten – leek dat alles heel ver weg en waren de herinneringen merkwaardig vlak, nauwelijks verbonden met gevoelens, als de sterk afgenomen pijn van een oude wond. Zelfs de gedachten aan zijn zuster, waarvan hij het gevoel had dat ze meer voor hem zouden moeten betekenen, leken iets wat te lang weggeborgen was geweest waardoor het alle smaak had verloren. En Barrick vond het prima zo.

'Wat zijn dat?' vroeg hij plotseling, wijzend naar de zwarte hagedissen die dicht bij elkaar rond de vlammen in het midden van de kuil lagen, als de slaven van Kernios in de onderwereld. 'Wat doen ze hier?'

'Het zijn salamanders... vuurhagedissen. De meester houdt ze als huisdier. Hij vindt het leuk... om ze te voeren.'

En hij voert ze beter dan jullie, wil ik wedden, dacht Barrick, maar dat zei hij niet.

Raemon Beck zat vol vragen en wilde weten hoe de prins aan de andere kant van de Schaduwgrens was terechtgekomen, maar Barrick weigerde zich te laten verleiden tot zinloos gepraat, dus uiteindelijk gaf Beck het op. Het duurde niet lang of de enige geluiden waren het geknetter van het vuur en het ijle gesnurk van de oude Finlae.

In zijn droom – want het moest een droom zijn, besefte hij, ook al kon hij zich niet herinneren dat hij in slaap was gevallen – waren de ogen van de hagedis net zo helder als de vlammen eromheen. Het zwart gepantserde schepsel zat niet náást het vuur maar erín, gehurkt in een gespleten boomstam die in het heetst van de vlammen brandde en zwart blakerde.

'*Wie ben je dat je hier komt zonder Poel of Tegel?*' vroeg het beest hem met een stem die de woorden deed klinken als muziek.

'Ik ben een prins, een zoon van een koning,' antwoordde hij.

'*Je bent een mier, en de zoon van een mier,*' sprak de salamander loom. '*Een insect met een bescheiden gave van macht in je aderen, maar je blijft een insect. Je haast je van hier naar ginder en je zult spoedig sterven. Misschien zul je mijn terugkeer meemaken. De luister daarvan zou je kleine leven althans een greintje betekenis kunnen geven.*'

Hij wilde het wrede, arrogante schepsel vervloeken, maar de blik van de hagedis hield hem gevangen en maakte hem volslagen hulpeloos, alsof hij inderdaad het kleine, kruipende schepsel was waarmee hij was vergeleken. Zijn hart lag als een ijzige klomp in zijn borst. 'En wat ben jij?'

'*Ik ben. En ik ben er altijd geweest. Namen doen er voor mijn soort niet toe. We weten wie we zijn. Alleen jouw soort, met zijn misleide zintuigen en snelle levens, staat op de tirannie van namen. Maar wat jullie wijzen ook mogen geloven, je kunt iets niet commanderen door het simpelweg een naam te geven.'*

'Als we er zo weinig toe doen, waarom praat je dan tegen me?'

'Omdat je een rariteit bent, en hoewel ik niet lang meer hoef te wachten, ben ik toch gedwongen tot langer nietsdoen dan ik zou willen. Ik verveel me, en dan kan zelfs een kruipende mier voor vermaak zorgen.' Hij zwiepte wat met zijn staart, zodat er een fontein van vonken opspatte. Het knetteren van de vlammen leek luider te worden; Barrick kon de laatste woorden van de salamander nauwelijks verstaan.

'Ik zou je doden als ik dat kon,' zei hij tegen het schepsel.

De lach was net zo mooi als de stem – zangerig, als zilveren klokjes. *'Kun je de duisternis doden? Kun je de massieve aarde vernietigen of een vlam vermoorden? Ach, je bent werkelijk kostelijk...'*

Inmiddels was het geluid van de vlammen zo luid geworden dat het leek alsof er nóg iemand sprak – nee, alsof er nog diverse anderen spraken. Het vuur sprak met vele stemmen, de tongen van rossig licht laaiden hoog op en omhulden de zwarte hagedis volledig.

'... wanneer een arme sloeber probeert te slapen...' zei een van de stemmen. '... geleuter en gepruttel...'

'Hou je mond, Finlae,' zei Beck.

'Maar waarom zouden ze dat willen?' zei een stem die Barrick nog niet had gehoord. 'Ze doen geen kwaad...'

Barrick deed zijn ogen open. Raemon Beck en de stokoude Finlae waren in gesprek met een derde man, een grote kerel wiens haar met ongelijke happen was afgeknipt, als haastig gesneden hooi.

'Je hebt het vast verkeerd verstaan,' zei Beck tegen de nieuwkomer, en toen hij zag dat Barrick rechtop ging zitten: 'Dit is Marwin.'

'Ik heb iemand gekénd die Marwin heette,' zei de grote man langzaam. Hij had een accent dat Barrick een beetje deed denken aan dat van Qu'arus. 'Meer heb ik niet gezegd. Het kan zijn dat ik dat was, maar ik kan het me niet herinneren.'

'Precies,' zei Beck. 'Je geheugen is slecht en je oren zijn niet veel beter, dus je hebt je vast vergist.'

Degene die Marwin was genoemd, keerde zich naar Barrick. 'Nee. Ik heb me niet vergist. Ze hadden het met de vrouwe over de hagedissen – de zoons en de broer van de meester. "Zorg dat ze verdwijnen," zei ze. "Ik kan hun geur en hun manier van praten niet uitstaan." Toen gingen de zoons en de broer weg om knuppels en speren te halen.'

'Hoor je dat?' zei Beck. 'Marwin is een sufferd en hij begrijpt altijd alles verkeerd. Waarom zou ze dat zeggen? Hagedissen kunnen niet praten.'

Vluchtig herinnerde Barrick zich iets over een pratende hagedis – had hij dat gedroomd? Toen begonnen de haren in zijn nek te prikken. 'Heb je ze "hagedissen" horen zeggen?' vroeg hij.

Marwin haalde zijn brede, hangende schouders op. 'Ze hadden het over de "o hasyaak k'rin sandfarshen". Dat betekent "de beesten in de kelder".' Hij keek fronsend om zich heen in de grote, door het vuur verlichte ruimte. 'En dit is de kelder.'

'Idioten!' Barrick kwam haastig overeind. Zijn hart bonsde. 'Ze hadden het niet over een stelletje smerige hagedissen! Ze hadden het over ons!'

'Ze zouden ons nooit kwaad doen!' Becks smerige gezicht was doodsbleek geworden. 'De meester hield van ons!'

'Dat betwijfel ik, maar het doet er niet toe,' zei Barrick. 'Help me hier weg te komen, Beck. Jullie moeten zelf weten wat je doet! Ik laat me niet afslachten.'

'Maar ik ben zo móé,' zei Marwin als een dwars kind. 'Ik heb de hele dag gewerkt. Ik wil slapen.'

'Moe, ja, ik ben ook moe.' Finlae krabde aan zijn bebaarde kin. 'De dagen zijn lang sinds Zmeos werd verbannen...'

Barrick had geen energie en geen tijd te verspillen. Hij greep Raemon Beck bij zijn kraag en trok hem overeind. 'Geniet dan maar van je slaap. Ik vrees alleen dat je niet meer wakker wordt.'

Becks gezicht stond nog altijd verward terwijl Barrick hem naar de deur sleepte; het leek wel alsof hij niet helemaal begreep wat er aan de hand was. Maar Barrick nam niet de moeite het hem nog eens uit te leggen. De reusachtige zwarte hagedissen verroerden zich niet eens toen ze langskwamen, maar bij de herinnering aan de vurige blik uit zijn droom liep Barrick zo snel als hij kon aan de monsters voorbij.

Kun je de duisternis doden... had het schepsel hem gevraagd.

'Welke kant moeten we uit?' vroeg hij fluisterend toen ze eenmaal in de gang waren. Beck antwoordde niet meteen, maar Barrick meende zachte voetstappen te horen naderen, dus hij trok zijn haveloze metgezel mee de andere kant uit. 'De boot!' zei hij in het oor van Beck. 'Ik wil dat je me naar de boot brengt.'

Raemon Beck leek eindelijk doordrongen van de situatie. Hij schudde Barricks hand af en ging hem voor door de ondergrondse doolhof van het huis. Terwijl ze zich door een lange gang haastten met aan weerskanten deuren, stuk voor stuk gemarkeerd met verschillende symbolen, werden ze ingehaald door de echo van een gruwelijke, rauwe kreet – een gil van pijn en pure doodsangst. Beck bleef staan alsof iemand een dolk in zijn hart had gestoten. Barrick duwde hem vooruit.

'Dat is de familie van je liefhebbende meester! Het is begonnen,' zei hij. 'Vooruit! Vlugger! Anders zijn wij er ook geweest!'

Zacht jammerend loodste Beck hen een ongemerkte deur door, een enorm houten gebouw binnen dat op een enkele rij gloeiende paddenstoelen na in duisternis was gehuld. Barrick schrok toen hij zag dat er iemand op het plankenpad vóór hen stond, maar het was een blemmy, besefte hij vrijwel onmiddellijk. Toen ze langsliepen keerde het schepsel, dat met een zware ketting aan een paal was geklonken, zich naar hen toe, maar het maakte geen aanstalten hen tegen te houden. De grote, doffe ogen glommen in het licht van de paddenstoelen; de kleine, ronde mond, laag op de buik, tuitte zich en ontspande weer alsof het schepsel probeerde iets te zeggen. Barrick meende daarin de blemmy te herkennen die hen naar het huis van Qu'arus had geroeid.

'Dit... dit is het boothuis,' vertelde Beck. 'Maar ik weet niet hoe we de deur naar de rivier open moeten krijgen.'

Ineens schoten Barrick de mantel en het zwaard te binnen die hij had achtergelaten in de boot, aan de voorkant van het huis. 'Ligt de boot er nog? De boot waarmee we hier zijn aangekomen?'

'De boot van de meester? Het zou kunnen.' Het was duidelijk dat Beck, ondanks zijn doodsangst, zijn best deed om na te denken. 'Gezien alles wat er is gebeurd, kan het best zijn dat ze die nog niet hebben binnengehaald.'

'Laten we het erop wagen. Kunnen we daar komen?'

Bij wijze van uitzondering verspilde Raemon Beck geen tijd aan protesten. Hij loodste Barrick het botenhuis uit naar de nog diepere duisternis buiten en naar het door nachtlichten beschenen wilgenbosje langs de rivier. Terwijl ze de hoek van het huis rondden en naar de steiger renden, dankte Barrick de goden, die blijkbaar eindelijk hadden besloten welwillend op hem neer te zien, voor het feit dat de Droomlozen hun huizen bouwden zonder ramen. Daardoor hadden Beck en hij tenminste een kans om te ontsnappen voordat de familie van Qu'arus kon raden waar ze naartoe waren gegaan.

Het mocht echter niet zo zijn. Net toen hij de mantel en het zwaard uit hun geheime bergplaats tevoorschijn haalde, hoorde Barrick stemmen naderen langs de zijkant van het huis: op de een of andere manier waren de Droomlozen hen op het spoor gekomen. Hij haastte zich naar de steiger, met Beck dicht achter zich. De zwarte boot lag er nog.

'Dank de goden, dank de goden, dank de goden,' mompelde Barrick. Hij maakte de boot los en schoof de riemen zo snel en zo geruisloos mogelijk in de dollen. Door de wilgen achter hen scheen deinend een zwakke groene gloed – waarschijnlijk de lantaarn van de mannen die hen zochten. Nog twee lichten voegden zich bij het eerste.

'We zitten midden in de Verpozing!' zei Beck wanhopig. 'De skrijters...'

'Hou je mond! En stap in als je mee wilt!' Toen Beck bleef aarzelen, begon Barrick met zijn handen de boot af te duwen. Dat hielp Raemon Beck om tot een besluit te komen. Hij sprong onbeholpen in de boot, waardoor die zo hevig begon te kantelen dat Barrick de grootste moeite had te voorkomen dat zijn metgezel overboord sloeg. Hij sloeg hem weinig zachtzinnig op zijn hoofd.

'Naar de grond, idioot!' beet hij hem toe. Met Beck ineengedoken aan zijn voeten doopte Barrick de riemen in het water en begon hij zo geruisloos mogelijk te roeien. De donkere schaduwmassa van het huis van Qu'arus en de flakkerende lichten van hun achtervolgers werden steeds kleiner.

Barrick stopte niet met roeien en vertraagde geen moment tot ze na een reeks van vertakkingen in een deel van de stad kwamen waar zelfs de nachtlichten begonnen te verbleken en waar de schemering weer de overhand kreeg. Terwijl hij op de riemen leunde om op adem te komen, uitgeput maar verbijsterd over de kracht in zijn vroeger zo gebrekkige arm, zag hij dat Raemon Beck lag te huilen.

'Bij de Drie! Je kunt er toch niet rouwig om zijn dat je bij die lui weg bent!' snauwde hij. 'Ze hadden je vermoord! En waarschijnlijk hebben ze dat met je vrienden al gedaan.' Zelf voelde hij nauwelijks iets van spijt. Hij zou nooit in staat zijn geweest Finlae en de onnozele Marwin op tijd het huis uit te krijgen. Met als gevolg dat ze allemaal in de val hadden gezeten en dat zijn missie zou zijn mislukt. Dus de keuze was simpel geweest. 'Beck? Waarom huil je? We zijn vrij!'

Beck keek op, de tranen stroomden over zijn smerige ingevallen wangen. 'U begrijpt het niet, hè? We zijn niet vrij! We zijn vogelvrij!'

Barrick schudde zijn hoofd. 'Nee, ik begrijp jou niet.'

'Het is Verpozing. De tijd dat de Droomlozen zich in huis opsluiten.'

'Des te beter. Hoe lang duurt die Verpozing? Misschien lukt het ons de Zaal van de Manke te vinden voordat ze weer naar buiten komen...'

'Dwaas!' Becks ogen vulden zich opnieuw met tranen. 'Tijdens de Verpozing zwerven de skrijters door de stad. En die zijn nog duizend keer erger dan de ergste Droomlozen!' Hij greep Barricks arm. 'Begrijpt u wat ik wil zeggen? We hadden ons beter kunnen laten doodslaan door de zoons van Qu'arus, dan in handen te vallen van de Eenzamen!' Hij liet zijn blik over het water gaan. 'En het was nog veel beter geweest als we nooit waren geboren.'

DEEL DRIE
Lijkwade

26
Uit het niets ontsproten

'Er wordt beweerd dat van de vele Qar-stammen de Schimmen misschien
wel de machtigste zijn, hoewel nog geen sterveling ooit een Schim heeft
gezien. Ze zijn verre van talrijk, aldus Ximander, Rhantys en anderen, maar
volgens de verhalen zo onzichtbaar als de wind en in staat tot listen en
bedrieglijkheden die geen enkele andere elfenstam beheerst...'

Uit *Een Verhandeling over de Elfenvolken van Eion en Xand*

Bij de grote deur van Paleis Dreefstaete nam Prins Eneas afscheid van
Brionie. 'Ik hoop dat u me wilt verontschuldigen, want ik heb verplichtingen jegens mijn mannen. En we zijn al langer weggebleven dan ik
had verwacht.'

'Natuurlijk. Ik ben u heel erg dankbaar dat u met me mee hebt willen gaan, Hoogheid. Ik hoop dat het niet te veel moeite was en dat ik
u niet in problemen heb gebracht.'

Zijn gezicht stond inderdaad een beetje bezorgd, maar hij deed zijn
best om te glimlachen voordat hij zich bukte om haar hand te kussen.
'U bent een heel uitzonderlijke vrouw, Brionie Eddon. Ik weet niet precies wat u ons hebt gebracht, maar mijn gevoel zegt me dat er hier in
Tessis definitief iets is veranderd.'

O hemel, dacht ze. 'Ach, ik probeer alleen maar om me zo goed mogelijk in te zetten voor mijn familie en mijn volk.'

'Doen we dat niet allemaal? Maar uw pad lijkt toch vreemder dan dat van de meeste anderen.' Hij glimlachte weer, en deze keer leek zijn glimlach oprechter. 'Vreemder, maar ook boeiender. Ik zou graag wat uitvoeriger met u willen praten, hierover en... over andere zaken. Zie ik u vanavond aan het diner? Misschien kunnen we daarna nog wat door de tuin wandelen?'

'Zoals u wilt, Prins Eneas,' zei ze, hoewel ze eigenlijk snakte naar wat tijd voor zichzelf – tijd om na te denken. Kon het echt zo zijn dat haar broer nog leefde? Of zocht ze te veel achter een vreemde boodschap in de in onbruik geraakte trommeltaal van de Funderlingen? Maar als het waar was, wat deed zij dan hier, in een vreemd land? Dan zou ze in Zuidermark moeten zijn, om samen met hem het land te regeren of om schouder aan schouder te vechten tegen de schurkachtige Tollijs. Dawet dan-Faar had gelijk: de Eddons konden alleen maar loyaliteit verwachten van hun onderdanen als die met hun eigen ogen konden zien dat de Eddons ook loyaal waren jegens hen. Maar teruggaan zonder leger, simpelweg vanwege een enkele, verwarrende boodschap? Zou ze dat risico durven nemen?

Natuurlijk niet. Dat soort dwaasheden kan ik me niet veroorloven. Er zijn te veel mensen die op me rekenen. Ik moet geduld hebben. Maar dat viel niet mee, zeker niet nu de kans bestond dat Barrick in Zuidermark op haar wachtte.

'*Het is niet genoeg om te denken dat je een leider bent,*' had haar vader altijd gezegd. '*Je moet denken als een leider. En je moet de mensen die hun leven voor je wagen, in ere houden – elke dag weer, in je gedachten en met je daden.*'

De herinnering maakte dat ze zich beschaamd voelde. Ze was de hele dag nog niet bij Ivvie geweest, terwijl haar vriendin door háár toedoen de dood in de ogen had gekeken. Uitgeput als ze was, had ze weinig zin om te gaan, maar een ware leider kon een dergelijk offer niet negeren.

Ivgenia e'Doursos had een eigen kamer gekregen om weer op krachten te komen – een klein, zonnig vertrek in de zuidvleugel van het paleis. Brionie vermoedde dat Eneas daarvoor had gezorgd, en hoewel ze liever niet te zwaar bij de prins in het krijt wilde staan, was ze hem voor deze gunst erg dankbaar.

Ivvie zag bleek, er lagen donkere kringen onder haar ogen, en haar handen trilden toen ze naar Brionie reikte terwijl die zich bukte om haar te kussen. 'Wat lief van u om langs te komen, Hoogheid.'

'Doe niet zo mal.' Brionie ging naast het bed zitten en nam een van de koude handen van het meisje in de hare. 'Leun maar lekker naar achteren. Kan ik iets voor je maken? Waar is je dienstmaagd?'

'Die haalt nog wat koud water,' zei Ivvie. 'Soms heb ik het ijzig koud, maar even later krijg ik het weer zo heet dat ik het gevoel heb dat ik in brand sta! Het helpt een beetje als ze mijn voorhoofd bet met koud water.'

'Ik neem het mezelf zo kwalijk dat ik dit heb laten gebeuren.'

Ivgenia schonk haar een matte glimlach. 'Daar kunt u toch niets aan doen, Prinses. Iemand heeft geprobeerd u te vermoorden.' Haar ogen werden groot. 'Hebben ze hem al te pakken?'

Het kon natuurlijk net zo goed een 'haar' zijn, dacht Brionie. 'Nee. Maar ik weet zeker dat ze hem vinden, de schurk, en dan zal hij zijn verdiende straf niet ontlopen. Ik zou er alleen alles voor overhebben als jou dit niet had hoeven overkomen.' Brionie wilde er niet te veel over praten, uit angst dat het meisje er weer akelig van werd. Daarom stuurde ze het gesprek een andere kant uit en ze vertelde Ivvie over haar vreemde expeditie naar de Kallikanters. Tegen de tijd dat Brionie was uitgesproken, had Ivvie opnieuw grote ogen opgezet.

'Wie zou dat ooit hebben kunnen vermoeden! Gangen die diep de aarde ingaan? Op dezelfde plek waar ik u mee naartoe heb genomen?'

'Precies dezelfde plek.'- Brionie moest lachen. 'Ik begin te beseffen hoeveel waarheid er schuilt in het oude gezegde over orakels in haveloze gewaden.'

'En ze hadden echt een boodschap voor u? Van thuis, uit Zuidermark? Hoe luidde die boodschap?'

Brionie vroeg zich plotseling af of ze te veel had gezegd. 'Misschien heb ik een beetje overdreven toen ik zei dat die speciaal voor mij was. Eerlijk gezegd was het onmogelijk met zekerheid te zeggen wat de boodschap betekende. Ik kan me niet eens meer alle woorden herinneren. Iets over de Ouden. En dat het elfenvolk het kasteel belegert. En nog iets over monsters die mijn huis aanvallen. Alleen al de gedachte is onverdraaglijk.'

'Wat moet Uwe Hoogheid toch wanhopig zijn, om zo ver weg te zitten van uw familie en uw onderdanen! En dat heb ik ook gezegd tegen al die onnozele vrouwen.'

'Welke vrouwen?'

'O, u weet wel, Seris, de dochter van de Hertog van Gela, Erinna e'-

Herayas... het groepje dat altijd rond Vrouwe Ananka fladdert. Ze zijn bij me geweest.' Ivvie fronste haar wenkbrauwen. Ze zag eruit alsof het bezoek haar nu al begon te vermoeien. 'Ze praatten en praatten maar, over alles en iedereen – dat die vrouwe zo dik is dat ze drie dienstmaagden nodig heeft om haar baleinen aan te trekken, en dat een andere vrouwe nooit haar hoed afneemt omdat ze haar haren al begint te verliezen. Heel onplezierig allemaal. Ze weten dat u mijn vriendin bent, dus ze zeiden niets akeligs over u – tenminste, niet rechtstreeks – maar ze gingen ervan uit dat u wel heel gelukkig moest zijn hier, in zo'n beschaafde omgeving, ver van alle vreselijke dingen die er in Zuidermark gebeuren. En ze zeiden dat u natuurlijk zo lang mogelijk zou willen blijven, vooral omdat Prins Eneas zoveel aandacht aan u schenkt.'

Brionie betrapte zichzelf erop dat ze knarsetandde van woede. 'Terwijl het mijn enige wens is zo snel mogelijk te kunnen terugkeren naar mijn volk!'

'Dat weet ik, Hoogheid. Dat weet ik!' Nu was het de beurt aan Ivvie om bezorgd te kijken, alsof ze bang was dat ze iets verkeerds had gezegd. Brionie moest zich beheersen om de ziekenkamer niet uit te lopen, rechtstreeks naar Vrouwe Ananka en haar heksenkring, om dat stel eens flink de waarheid te zeggen. In plaats daarvan bracht ze het gesprek weer op minder heftige zaken.

Toen Ivgenia's dienstmaagd – hijgend en puffend en zo te zien vol zelfbeklag omdat ze zo ver en zo zwaar moest sjouwen – terugkwam met een emmer water, stond Brionie op en nam met een kus afscheid van Ivvie. Op de trap kwam ze de heelmeester van de prins tegen, een benige, al wat oudere man met een voortvarende, verstrooide manier van doen. Hij was blijkbaar op weg naar Ivgenia. 'Ach, Prinses!' begroette hij haar met een buiging. 'Mag ik u even lastigvallen?'

'Natuurlijk. Zegt u het maar. Ze wordt toch wel weer beter?'

'Wie? O, de jonge Meesteres E'Doursos. Ja, maakt u zich geen zorgen. Nee, ik wilde u iets vragen over Chaven uit Ulos. U was zijn beschermvrouwe, begrijp ik. Weet u waar hij op dit moment verblijft?'

'Ik heb hem niet meer gezien en niets meer van hem gehoord sinds de nacht dat ik Zuidermark heb verlaten.'

'Hm. Dat is spijtig. Ik heb hem verscheidene brieven gestuurd maar nooit antwoord gekregen.'

'Het kasteel wordt belegerd,' legde ze uit.

'O, natuurlijk. Dat weet ik. Maar er leggen nog altijd schepen aan; en van anderen heb ik wel brieven gekregen. Amper een maand geleden nog, van een oude vriend daar, Okros Dioketian.'

Brionie herinnerde zich hem vaag; Okros was een collega van Chaven en had haar broer behandeld toen die aan hevige koortsen leed. 'Het spijt me dat ik u niet kan helpen.'

'En het spijt mij dat ik u lastigval, Hoogheid. Ik hoop dat Chaven het goed maakt, maar ik maak me zorgen. Hij was altijd erg betrouwbaar wanneer ik hem raadpleegde; erg stipt.'

Tegen de tijd dat ze haar eigen vertrekken had bereikt, voelde Brionie zich hevig gefrustreerd over haar lot, en haar handen jeukten om iets te ondernemen. Ze kwam zo onverwacht bij Feival binnenvallen dat die een gil slaakte van schrik en de brief die hij zat te lezen, op de grond liet vallen. 'Ik moet Finh spreken,' verklaarde ze.

Feival raapte de vellen papier op. 'Waarover? Bij het vuur van Zosim, wat laat je me schrikken.'

'Maak nou maar voort en ga hem halen. Ik moet met hem praten.' Ze wierp een nijdige blik op de brief. 'Wat is dat? Weer een bewonderaar soms? Of een doodsbedreiging misschien?'

'Niets wat u zou kunnen boeien, Hoogheid.' Hij liet de vellen papier in zijn mouw glijden en stond op. In zijn schitterende groene wambuis waarvan de splitten met goud waren gevoerd, zag hij er op en top uit als een jeugdige Tessische edelman. 'Ik ga hem halen. Hebt u al gegeten? Er staat nog wat kip onder een deksel en lekker bruin brood. Misschien zijn er ook nog wat druiven...'

Maar Brionie luisterde niet terwijl ze door de kamer ijsbeerde.

'Denkt iedereen in deze vervloekte stad dat ik mijn zinnen op de prins heb gezet?' vroeg ze gebiedend.

Finh keek Feival aan. 'Wat heb je tegen haar gezegd?'

'Niks! Zo kwam ze thuis! Met een rotbui.'

'Niet om het een of ander, maar het is wel zo beleefd om niet over me te praten alsof ik er niet bij ben.' Ze stopte met ijsberen, liet zich in haar stoel vallen en keek naar Finh, die enigszins wankel balanceerde op de kleine bank waarop doorgaans haar frêle hofdames zaten. 'Wat denken de mensen?'

'Van u, Hoogheid? Eerlijk gezegd bent u voor dit volk van cultuurbarbaren nauwelijks onderwerp van gesprek; tenminste, niet in de buurt waar u ons in uw goedertierenheid hebt ondergebracht. Er wordt natuurlijk wel veel over Zuidermark gesproken, maar dat komt door het beleg en door de aanwezigheid van de elfen. Het laatste nieuws is dat de elfen eindelijk serieus werk beginnen te maken van het beleg; dat ze proberen een bres te slaan in de muren. Dus mogen de goden Zuidermark beschermen!'

'Inderdaad. Mogen ze onze gebeden verhoren.' Brionie maakte het teken van de Drie. 'Maar dat suggereerde de boodschap van de Funderlingen al; dat de Qar niet langer genoegen namen met werkeloos toezien en afwachten.' Ze was zich bewust van een vluchtige opwinding, van een gevoel van bevestiging; als de boodschap in dat opzicht juist was geweest, dan klopte het misschien ook dat Barrick was teruggekeerd!

Finh knikte. 'Maar dwazen zijn er altijd. Zelfs nu zijn er nog mensen in Syan die niet geloven dat het elfenvolk is teruggekomen en die de hele oorlog afdoen als een vorm van overdrijving.'

Brionie trok een lelijk gezicht. 'Hadden ze maar gezien wat er tijdens de Winterwende is gebeurd, in mijn laatste nacht in Zuidermark. Konden ze de verhalen maar horen die de soldaten vertelden...' De herinneringen aan die nacht achtervolgden haar nog altijd, maar ondanks alle vreemde dingen die er waren gebeurd, was er iets veel onbeduidenders wat haar aan het denken zette.

Die dokter zei vandaag dat Chaven altijd zo stipt en betrouwbaar is. Maar die nacht kwam hij terug, na bijna een tiendaagse weg te zijn geweest, zonder een verklaring te geven voor zijn afwezigheid. Waar was hij geweest? Had Brone gelijk toen hij zijn loyaliteit in twijfel trok? Waarom zou iemand tijdens zulke ijselijke gebeurtenissen verdwijnen en pas dagen later terugkomen...

'U moet er maar geen aandacht aan besteden, Hoogheid,' zei Finh. 'Mensen die zulke dingen beweren, zijn dwazen; daar zijn we allemaal van doordrongen. Maar u hebt ons gevraagd onze ogen en oren open te houden, dus ik vertel u alles wat we hebben gehoord.'

'En hoe zit het met jou?' Brionie keerde zich naar Feival. 'Je zwerft een groot deel van je tijd door het paleis; soms ben je urenlang weg. Ik hoop dat mijn eigenzinnige secretaris meer doet dan achter knappe jonge pages aan lopen.'

Het sierde Feival dat hij licht bloosde, dacht ze onwillekeurig. 'Ik... ik hoor natuurlijk heel veel, Hoogheid. Maar zoals Finh al zei, het meeste is gewauwel, onnozele praat van een stelletje dwazen...'

'Je hoeft het me niet uit te leggen, ik wil alleen maar weten wat ze zeggen. Wat zijn het voor praatjes die de ronde doen onder de hovelingen?'

'Dat u... dat u vastbesloten bent om Eneas aan de haak te slaan. En dat zijn nog de meer... eerzame geruchten.' Hij rolde met zijn ogen. 'Ik meen het, Hoogheid, het is allemaal onzin...'

'Ga door.'

'Nou ja, er zijn er ook die zeggen dat u... nog hogere ambities koestert.'

'Namelijk?'

'Dat u het op de koning hebt voorzien.'

Brionie sprong op uit haar stoel, waarbij ze met haar wijde rokken bijna de bordjes en kopjes van de lage tafel zwaaide. 'Wát? Zijn ze nou helemaal gek geworden? Koning Enánder? Wat zou ik van de koning willen?'

'Ach, in de ogen van mensen die zulke dingen beweren, hebt u de meeste kans om uw troon terug te krijgen... wanneer u... nou ja, wanneer u de koning zou weten te charmeren. Vergeef me dat ik het zeg, Brionie – Hoogheid... Ik vertel alleen maar wat ik hoor!'

'Ga... door.' Ze kneep zo krampachtig in de stof van haar jurk dat ze het fluweel ruïneerde.

'Feival heeft gelijk,' zei Finh. 'Je zou je niet moeten bezighouden met zulk afschuwelijk geroddel...'

Ze hief haar hand om hem het zwijgen op te leggen. 'Ik zei, ga dóór, Feival.'

Die keek merkwaardig verstoord omdat hij de brenger moest zijn van deze boodschap. 'Sommige hovelingen suggereren dat het van meet af aan uw plan is geweest om Vrouwe Ananka van haar plaats te verdringen, om uw jeugd en uw positie te gebruiken om de aandacht van de koning op u te vestigen. En er zijn nog kwaadaardiger geruchten; daar hebt u er al diverse van gehoord. Dat u samen met Shaso zou hebben geprobeerd u de troon van Zuidermark toe te eigenen. En dat u de hand zou hebben gehad in... de dood van uw broer Kendrick.' Hij sloeg krampachtig zijn armen over elkaar, als een boos kind. 'Waarom dwingt u me zulke dingen te zeggen? U weet toch welk gif mensen kunnen spuien?'

Brionie liet zich weer in haar stoel vallen. 'Ik haat ze! Allemaal! De koning? Ik trouw nog liever met Ludis Drakava. Dat is ook een schurk, maar die komt er tenminste eerlijk voor uit!'

Finh Teodoros stond op van de bank en liet zich naast haar op een knie zakken – iets wat bepaald niet zonder slag of stoot ging. 'Hoogheid, ik smeek u, pas op uw woorden! U bent omringd door spionnen en vijanden. Dus u weet niet wie er meeluistert.'

'Ik zou mijn lieve Kendrick hebben vermoord?' Ze moest vechten tegen haar tranen. 'Bij de goden! Ik wou dat ík in zijn plaats had kunnen sterven!'

Nadat Finh Teodoros was vertrokken leek Feival bijna net zo van streek als Brionie zelf. Hij liep naar de schrijftafel, staarde een tijdje naar de huishoudelijke verslagen, maar stond al snel weer op om dingen te ordenen die niet geordend hoefden te worden.

Brionie, die eindelijk weer een beetje tot zichzelf begon te komen, was niet in de stemming om Feival door de kleine zitkamer heen en weer te zien marcheren. Met haar verwarrende gevoelens jegens Eneas, de boodschap van de Funderlingen, Ivvies ziekte en nog een tiental andere kwesties had ze meer dan genoeg wat haar rust verstoorde. Ze overwoog net een wandeling te gaan maken in de paleistuinen, om te genieten van het laatste avondlicht, toen Feival tegenover haar kwam zitten.

'Hoogheid, kan ik u even spreken? Er is iets wat ik u moet zeggen.' Hij haalde diep adem. 'Ik denk... ik zou willen... ik denk dat u Tessis moet verlaten.'

'Wat? Waarom?'

Hij trok zijn kousen recht. 'Omdat het hier te gevaarlijk voor u is. Omdat er al twee pogingen zijn gedaan om u te vermoorden. Omdat de hovelingen leugenaars en verraders zijn... Er is hier niemand die u kunt vertrouwen.'

'Ik vertrouw jou. En ik vertrouw Finh.'

'U kunt niemand vertrouwen.' Hij stond op en begon door de kamer te lopen, hier en daar spullen oppakkend en verplaatsend die hij al diverse malen op een andere plek had gezet. 'Iedereen is te koop.'

Brionie reageerde verbaasd. 'Probeer je me soms iets duidelijk te maken over Finh?'

Hij draaide zich om, zijn gezicht zag rood, alsof hij boos was. 'Nee! Ik probeer u duidelijk te maken dat dit paleis een slangennest is! En ik kan het weten! Ik hoor ze praten, ik zie wat ze doen, elke dag weer! Je bent hier te... te goed voor, Brionie Eddon. Ga weg. Had je geen familie in Brenhland? Ga daarheen, in plaats van hier te blijven. Het is een klein hof – ik ken het, ik ben er geweest. Dus de mensen zijn er niet zo... ambitieus.'

Ze schudde haar hoofd. 'Ik begrijp je niet. Als ik je niet zo goed ken-

de, zou ik denken dat je je verstand had verloren. Ik zou naar Brenhland moeten? Naar de familie van mijn moeder? Die ken ik amper...'

'Ga dan ergens anders heen.' Feival kwam weer voor haar staan, zijn
gezicht verried hoezeer hij van streek was. 'Want hier is het verschrikkelijk.'

Hij liep de deur uit en sloot zich op in de kleine kamer – een soort
grote kast – waar zijn bed stond. Uitleggen waarom hij zo van streek
was, wilde hij niet, en de volgende dag leek hij te gegegeneerd om er
zelfs nog over te praten.

*

Qinnitan voelde zich duizelig toen ze wakker werd; ze was diep ongelukkig en had een akelig gevoel in haar maag. Er was een halve tiendaagse verstreken sinds zij en de man zonder naam Agamid hadden verlaten, en haar leven had zich gevoegd in een vertrouwde, maar ellendige
cyclus.

Er zat een kort stuk touw om haar enkel geknoopt dat was vastge-
bonden aan een van de klampen op de reling. Ze kon staan en zich uit-
rekken en met enige moeite op het dolboord gaan zitten om te plassen,
maar als ze zich overboord zou laten vallen, zou ze een eindje boven het
water blijven hangen en daar hulpeloos bengelen tot iemand haar weer
omhoogtrok. Nu Duif weg was en haar gevangennemer haar niet meer
met hem kon chanteren, zorgde hij er op een andere manier voor dat
ze zich niet van het leven kon beroven. Of ze wilde of niet, ze zou levend aan de autarch worden overgedragen.

Haar kweller had nu bovendien bondgenoten. De overlevenden van
de brand – gedecimeerd en zonder schip – wachtten in Agamid op de
komst van de rest van de vloot van de autarch. Dus haar gevangennemer was gedwongen geweest een andere regeling te treffen. Hij had een
vissersboot gehuurd, compleet met een chagrijnige kapitein, Vilas, en
zijn twee dikke zoons. Alle drie waren ze bruinverbrand door voortdurende blootstelling aan de zon, maar op de een of andere manier hadden ze iets glibberigs, iets klefs, als iets wat in een getijdepoel onder een
steen vandaan was gekropen. Zware, doorlopende wenkbrauwen waren
blijkbaar een familietrek, want die hadden ze alle drie, en ze spraken
uitsluitend vulgair Perikalees, een taal die haar gevangennemer kon verstaan maar die in Qinnitans oren klonk alsof ze voortdurend hun keel
schraapten om te rochelen. Behalve dat ze haar wellustig aangaapten

wanneer de man zonder naam het niet zag, leken de drie vissers volstrekt niet in haar geïnteresseerd te zijn: het feit dat ze duidelijk een gevangene was en als zodanig werd behandeld, stoorde hen niet in het minst.

Dus terwijl de kustlijn aan haar voorbijtrok, had Qinnitan niets anders te doen dan kijken en wachten... en nadenken. Knagend op een stuk scheepsbeschuit dat een van de zonen van Vilas haar onverschillig had toegeworpen alsof ze een hond was, vroeg ze zich af hoe lang het nog zou duren voordat de man zonder naam haar aan de autarch overdroeg. Agamid lag inmiddels dagen achter hen, maar de landtongen van Jellon waren nog niet in zicht. Waar gingen ze heen? Als ze de autarch volgden, waarom reisde Sulepis dan zo ver naar het noorden? In het uitgestrekte Hierosol met al zijn schatten en zijn controle over het noordelijke gedeelte van de Zee van Osteia was ongetwijfeld meer te halen. Dus waarom zeilde de machtigste monarch ter wereld helemaal noordwaarts, naar het beboste achterland van Eion?

En trouwens, waarom had de autarch destijds de moeite genomen om haar, Qinnitan, bij haar ouders weg te halen? Dat had ze nooit begrepen. Waarom had hij, een machtig vorst, een meisje tot vrouw genomen wier vader slechts een lage priester was? Waarom had hij nooit iets met haar gedaan, behalve haar een soort bizarre, religieuze leerschool laten doorlopen?

En waarom had Olin, de koning uit het noorden, ook belangstelling voor haar aan de dag gelegd? Hij was een vriendelijke man, maar dat was geen reden om uitgerekend haar uit te kiezen uit alle andere meisjes die in de burcht van Hierosol werkten.

Wacht eens even. Qinnitan stond op, plotseling opgewonden door een gedachte die bij haar opkwam, maar na twee stappen trok het touw al strak. Ze slikte haar frustratie in, vastbesloten om de gedachte niet te laten ontsnappen. De autarch had haar uitgekozen om een reden die ze nooit had begrepen. Inmiddels was hij op weg naar het noorden, langs de kust van Eion. De buitenlandse koning die door de autarch gevangen werd gehouden, had gemeend iets in Qinnitan te herkennen – had hij het niet over een gelijkenis gehad? Was dat het reisdoel van de autarch? Het land van koning Olin? Was dat de bestemming waar iedereen naar op weg was?

Het sneed nog altijd geen hout, maar omringd door vijanden en door de onafzienbare, verlaten vlakte van de oceaan, had ze het gevoel alsof ze op iets wezenlijks was gestuit.

Zonder bewegingsvrijheid en met een voortdurend rammelende maag sliep Qinnitan niet goed. 's Nachts lag ze vaak urenlang wakker onder haar dunne deken en probeerde ze zich niet te laten meeslepen door haar verbeelding over wat de autarch voor haar in petto had, terwijl ze wachtte op de verlossing van de slaap. Wanneer de nieuwe dag was aangebroken, hield ze na het ontwaken haar ogen nog lang gesloten, luisterend naar het gekrijs van de zeevogels en vurig wensend dat ze weer in slaap zou vallen; dat ze terug kon vluchten in de vergetelheid, al was het maar even. Helaas gebeurde dat maar zelden. Vaak was ze al wakker terwijl iedereen aan boord nog sliep, zelfs haar gevangennemer, en met alleen Vilas of een van zijn zoons aan het roer.

Nadat ze de man zonder naam enige dagen had geobserveerd kwam Qinnitan tot het besef dat hij een man van vaste patronen was: hij werd elke morgen om dezelfde tijd wakker, wanneer het eerste koperen licht van de dageraad de horizon in het oosten rood kleurde. Na het wakker worden deed hij een reeks rek- en strekoefeningen, even secuur en voorspelbaar als de grote klok in de hoofdtoren van het Warande Paleis, alsof hij geen man was van vlees en bloed, maar een mechanisme van radertjes en aandrijfriemen. Vervolgens zag Qinnitan, terwijl ze nog altijd deed alsof ze sliep, door haar wimpers heen dat de bleke, onopvallende man die haar leven in zijn handen hield, een zwart flesje uit zijn mantel haalde. Hij trok de kurk eraf, doopte iets wat eruitzag als een naald of een dun takje in de vloeistof en likte dat vervolgens af. Daarna duwde hij de kurk zorgvuldig weer op zijn plaats en verdwenen fles en naald in zijn mantel. Dan ontbeet hij met wat gedroogde vis, weggespoeld met water. Ochtend na ochtend voltrokken de oefeningen en het ritueel met de fles zich volgens hetzelfde vaste patroon.

Wat zat er in die fles? Qinnitan had geen idee. Het zag eruit als vergif, maar waarom zou iemand vrijwillig vergif innemen? Misschien was het een krachtig elixer van het een of ander. Maar ook al begreep ze er niets van, het ritueel was toch iets om over na te denken, en dat deed ze dan ook, lang en zorgvuldig. Omdat denken het enige was wat ze kon doen, was ze begonnen ideeën te sparen zoals een vrek geldstukken oppotte.

Ze lag doodstil, met haar ogen dicht, maar ze was zo gevoelig geworden voor veranderingen in tijd en temperatuur dat ze de eerste warmte van de naderende ochtend al op haar huid voelde, die nog kil was van de nacht.

Hoe kon ze aan haar gevangenhouder ontsnappen? En als ze daar niet in slaagde, hoe kon ze een eind aan haar leven maken voordat haar gevangenhouder haar overdroeg aan de autarch? Ze zou het einde verwelkomen, zelfs een gruwelijke dood als die van Luian – de wurger had zijn werk tenminste betrekkelijk snel gedaan. Wat haar angst aanjoeg, was wat de bedienden van de autarch haar zouden aandoen zolang ze nog leefde...

Ze werd opgeschrikt uit haar gedachten door het zachte geluid van de kurk die weer in de hals van de zwarte fles werd geduwd, gevolgd door – en dat verraste haar – de stem van haar gevangennemer.

'Ik weet heus wel dat je niet slaapt. Je ademhaling is anders. Dus hou maar op met doen alsof.'

Qinnitan deed haar ogen open. Hij stond naar haar te kijken, met een glinstering in zijn merkwaardig heldere ogen, alsof hij een binnenpretje had. Terwijl hij de fles in zijn mantel stopte, zag ze de pezige spieren in zijn onderarmen als slangen onder de huid bewegen. Hij was gruwelijk sterk, wist ze, en zo snel als een kat. Hoe kon ze zelfs maar de illusie koesteren dat ze aan hem zou weten te ontsnappen?

'Hoe heet u?' vroeg ze, misschien wel voor de honderdste keer. Hij keek haar aan, zijn bovenlip gekruld in geamuseerdheid of minachting.

'Vo,' zei hij kortaf. 'Dat betekent "van". Maar ik ben niet "van" iets. Ik ben het eind, niet het begin.'

Qinnitan schrok zo van zijn reactie – bijna een korte toespraak – dat ze even geen woord kon uitbrengen. 'Ik... ik begrijp niet wat u bedoelt,' zei ze ten slotte. Het kostte haar de grootste moeite om rustig te praten, alsof het niets bijzonders was dat deze zwijgzame moordenaar iets over zichzelf vertelde. 'Vo?'

'Mijn vader kwam uit Perikal. Zijn vader was een baron. De familienaam was "Vo Jovandil" maar mijn vader maakte die naam te schande.' Hij lachte. Er was iets niet in orde, dacht ze; hij had ineens iets vreemds, iets koortsachtigs. Qinnitan durfde nauwelijks verder te denken. 'Dus hij legde die laatste naam af en werd soldaat. Nadat hij door de autarch gevangen was genomen, werd hij een Witte Hond.'

Zelfs voor Qinnitan, die een groot deel van haar leven had doorgebracht in de geïsoleerde wereld van de Korf en de Afzondering, was het noemen van het uit noorderlingen bestaande moordcommando van de autarch genoeg om haar hartkloppingen te bezorgen. Dus dáárom sprak een blanke man uit Eion zo perfect Xissisch. 'En... en uw moeder?'

'Mijn moeder was een hoer.' Hij zei het luchtig, maar voor het eerst sinds hij haar had aangesproken, wendde hij zijn hoofd af en liet hij zijn blik naar de horizon gaan, waar de zon stralend opkwam, als een branddende olievlek. 'Alle vrouwen zijn hoeren, maar zij maakte er geen geheim van. Hij heeft haar vermoord.'

'Wat? Uw vader heeft uw moeder gedood?'

Toen hij zich weer naar haar toe keerde, zag ze dat zijn ogen dof waren geworden van minachting. 'Ze vroeg erom. Ze sloeg hem, en dus sloeg hij haar de hersens in.'

Qinnitan wilde dat hij ophield met praten. Maar ze kon slechts haar bevende handen heffen, als om zijn woorden af te weren.

'Ik zou hetzelfde hebben gedaan,' zei Vo. Toen richtte hij zich op en hij liep over het licht deinende dek naar de oude Vilas die aan het roer stond.

Qinnitan bleef nog zo lang mogelijk gehurkt zitten in de krachtige, kille bries, toen trok ze zich aan de bank op naar de reling en ze braakte de schamele inhoud van haar maag uit. Daarna ging ze liggen, met haar wang tegen het koude, natte hout van het dek. De kustlijn was bijna onzichtbaar, versluierd door mist, zodat de boot door een eenzaam niemandsland tussen twee werelden leek te varen.

Er had zich onmiskenbaar een verandering in hem voltrokken. In de daaropvolgende dagen werd Vo ronduit spraakzaam – althans, vergeleken met hoe hij daarvoor was geweest. Terwijl de boot langs de kust in noordelijke richting vorderde, maakte hij er een gewoonte van om na zijn ochtendritueel een praatje met haar te maken. Af en toe noemde hij plaatsen die hij had bezocht, dingen die hij had gezien, fragmenten uit zijn leven en zijn geschiedenis, hoewel hij met geen woord meer over zijn ouders sprak. Qinnitan probeerde aandachtig te luisteren, ook al viel dat soms niet mee; Vo sprak met hetzelfde gemak over iets lekkers wat hij had gegeten als over iemand die hij had vermoord. Van welwillendheid was geen moment sprake, net zomin als van een normale uitwisseling van informatie. In plaats daarvan leek zijn spraakzaamheid een soort drang die hem overviel wanneer hij aan de naald had gelikt, alsof wat er ook in het gifflesje school, hem zo extatisch maakte dat hij niet kon blijven zwijgen. De koorts duurde nooit lang, en vaak bejegende hij haar daarna boos en met een zekere wrok; dan gaf hij haar nog minder te eten en behandelde hij haar zonder aanleiding nog ruwer dan anders, alsof zij hem tot zijn spraakzaamheid had verleid.

'Waarom zegt u dat alle vrouwen hoeren zijn?' vroeg ze op een ochtend zacht. 'Want wat de autarch u over mij ook verteld heeft, dat geldt niet voor mij. Ik ben nog maagd. En ik leerde voor priesteres. De autarch heeft me weggehaald uit de Korf en me ondergebracht in de Afzondering.'

Vo rolde met zijn ogen. De ijzeren controle die doorgaans alles wat hij zei of deed regeerde, leek tijdens dat eerste uur van de dag te verslappen. 'De hoer uithangen heeft niets te maken met... paren.' Hij sprak het woord uit alsof het een vieze smaak had. 'Een hoer verkoopt zichzelf in ruil voor bescherming, of eten, of kostbaarheden.' Hij nam Qinnitan taxerend op, maar tegelijkertijd met een volledig gebrek aan belangstelling. 'Vrouwen hebben niets anders aan te bieden dan zichzelf, dus dat is wat ze verkopen.'

'En u? Wat verkoopt u?'

'O, ik ben ook een hoer. Daar hoef je geen moment aan te twijfelen.' Hij begon te lachen, en het was duidelijk dat hij dat niet vaak deed, want het klonk boos, ongemakkelijk. 'En dat geldt voor de meeste mannen die bij hun geboorte geen macht en rijkdom hebben meegekregen. Mannen met macht en rijkdom zijn de kopers. Alle anderen zijn hun hoeren en schandknapen.'

'Dus u bent de hoer van de autarch?' Ze legde alle verachting in haar stem die ze kon opbrengen. 'U bent bereid me aan hem over te dragen, in het besef dat ik zal worden gemarteld en vermoord, enkel en alleen om het geld?'

Hij staarde zwijgend naar zijn hand, toen hield hij die naar haar op. 'Zie je dit? Ik zou in een oogwenk je nek kunnen breken, of mijn vingers in je ogen steken of tussen je ribben, zonder dat jij daar ook maar iets tegen zou kunnen doen. Dus ik bezit jóú. Maar hier, diep binnen in me, zit iets wat van de autarch is. Als ik niet doe wat hij me opdraagt, zal dat iets me doden. Op een heel pijnlijke manier. Dus híj bezit míj.' Vo richtte zich op en zwaaide licht op zijn benen toen de deining de boot deed rollen. Zijn ogen stonden leeg terwijl hij op haar neerkeek, zijn koortsachtige stemming begon alweer te verbleken. 'Zoals de meeste mensen verspil je je tijd aan pogingen om de dingen te doorgronden.

De wereld is een mestbal, en wij zijn de wormen die daarin leven en elkaar opvreten.' Hij keerde haar de rug toe, zweeg even en voegde er ten slotte aan toe: 'Wie erin slaagt alle anderen op te vreten, is de winnaar – maar dan nog is hij niet meer dan de laatst levende worm in een brok stront.'

27
Eendagsvliegen

'Sommige geleerden geloven dat de Schimmen tot een geheel andere,
zelfs nog minder natuurlijke soort behoren dan de elfen.'

Uit *Een Verhandeling over de Elfenvolken van Eion en Xand*

Ferras Vansen kon geruime tijd alleen roerloos voor zich uit staren naar
de bijna volmaakte duisternis, terwijl hij probeerde te begrijpen wat er
was gebeurd. Hij voelde zich slap, misselijk, zijn hoofd galmde als een
klok, het enige wat hij hoorde was één onafgebroken schallende dreun.
Kiezel Blauwkwarts stond over hem heen gebogen, en hoewel Vansen
zag dat hij nadrukkelijk zijn mond bewoog, hoorde hij niets.

Ik ben doof, dacht hij. *Ik ben doof!* Toen herinnerde hij zich de don-
derklap die hem tegen de grond had geslagen; een enorme dreun, luider dan alles wat hij had gehoord sinds de ontploffing in de groeven van
de Grote Diepten.

Hij verdrong de afschuwelijke herinnering en sloot zijn ogen weer.
Een gevoel van duizeligheid overspoelde hem, alsof hij een boot was in
een wilde stroomversnelling, en wervelde hem in het rond, telkens opnieuw in het rond. Voor het eerst in dagen werd hij zich ervan bewust
dat hij onder de grond zat! Dat hij zich in een diep gat onder de wereld bevond, met onvoorstelbaar zware steenmassa's tussen hem en de
zon. En hij wenste dat iemand met een enorme stok een gat door de

grond zou prikken, zodat hij het daglicht weer kon zien, in plaats van hier verdwaald te zijn in het duister... verdwaald, verward, verbijsterd...

'... verder hebben gegooi...' fluisterde iemand. '... wist niet...'

Vansen deed zijn ogen weer open. Kiezel praatte nog steeds, maar nu kon hij hem horen, ook al klonk de kleine man alsof hij meer dan honderd stappen ver weg stond. Maar dat hij iets hoorde, betekende dat zijn gehoor bezig was terug te keren.

Er waren ook andere Funderlingen in de grot, levende Funderlingen, van wie Vansen niemand herkende tot Cinnaber naar hem toe kwam, gekleed in een soort wapenrusting zoals Vansen die nooit eerder had gezien; de kleine man was bedekt met ronde platen waarmee hij eruitzag als een kruising tussen een schildpad en een stapel afgedankte borden.

'Hoe is het met hem?' vroeg de Fundermagister aan Kiezel. Waar kwam Cinnaber ineens vandaan? Het enige wat Vansen zich kon herinneren, was dat hij hem niet zo snel had verwacht. En trouwens, het was ook vreemd dat Kiezel Blauwkwarts er was.

'Ik denk dat hij doof is geworden door de uitbarsting.' De stem van Kiezel klonk nog altijd gedempt.

'Ik ben niet doof,' zei Vansen, maar uit niets bleek dat de Funderlingen hem hadden gehoord. Dus hij herhaalde wat hij had gezegd, waarbij hij probeerde zijn stem meer kracht te geven. Blijkbaar met succes, want de twee keerden zich als één man naar hem toe. 'Mijn gehoor komt terug,' legde hij uit. 'Wat is er gebeurd?'

'Het is allemaal mijn schuld.' Kiezels gezicht was gerimpeld van bezorgdheid. 'Ik vond in de opslag wat hulzen met plofpoeder – die gebruiken we om rotsen te splijten – en ik dacht... Nou ja, ik had geen wapen, en misschien zou het de Qar verjagen. Dus ik heb er een meegenomen. En toen ik hier kwam en zag dat jullie danig in het nauw waren gedreven, heb ik hem aangestoken, ik ben achter jullie gaan staan en ik heb de huls zo ver mogelijk weggeslingerd.' Zijn gezicht stond verdrietig. 'Mijn armen zijn niet meer zo sterk als vroeger...'

'Onzin!' zei Cinnaber. 'Mijn mannen en ik zouden nooit op tijd zijn gekomen. Het is aan jou te danken dat de opmars van de elfen haperde en dat ze volslagen verward waren toen wij op het toneel verschenen. Dus toen wisten ze niet hoe snel ze zich uit de voeten moesten maken. Je hebt Kapitein Vansen gered, Blauwkwarts, en misschien zelfs de tempel!'

Kiezel keek hem verrast aan. 'Echt waar...'

Plotseling herinnerde Vansen zich die laatste ogenblikken voordat alles zwart was geworden voor zijn ogen. 'Waar is Moker IJzerkiezel? Is hij...'

'Die heeft het ook overleefd,' stelde Cinnaber hem gerust. 'Zijn oren tuiten net als de uwe, maar je hoort hem niet klagen. Trouwens, daar is hij te zwak voor. Mijn mannen zijn met hem bezig – hij heeft nogal wat bloed verloren, maar hij komt er wel overheen. Dat is nog eens een vechter die de Ouden met trots zou vervullen!'

Vansen kon het gevoel niet helemaal van zich afzetten dat hij was begraven onder tonnen en nog eens tonnen massief gesteente. Hij kon zich bewegen, maar het leek wel alsof zijn hele lichaam misvormd was geraakt, alsof het hem vreemd was geworden, en zijn denken verliep erg traag. 'U zei dat die... stamper... was gevuld met poeder waarmee jullie rotsen splijten. Is dat serpentijn of buskruit? Hetzelfde zwarte poeder dat wij in onze kanonnen gebruiken? En is er nog meer van?'

'O ja, veel meer,' antwoordde Kiezel. 'Er ligt nog bijna een dozijn hulzen in de opslag, en er is waarschijnlijk nog veel meer plofpoeder. Maar we hebben hier beneden geen kanonnen, noch de ruimte om ze af te schieten...'

Een jonge Funderling in wapenrusting kwam aanrennen. 'Magister Cinnaber, een van de vijanden die zijn verpletterd door het plofpoeder... een van die droggels...'

'Ja? Wat is daarmee? Vertel op, man, voor de draad ermee!'

'Hij leeft nog.'

Vreemd genoeg herkende Vansen de gevangene. De smerige, kleine man die hem wrokkend aankeek was degene die had geprobeerd hem te steken en wiens pols hij had gebroken. En inderdaad, het harige wezen koesterde zijn arm, die inmiddels blauw en dik was geworden.

'Kunnen we met hem praten?' vroeg Vansen.

Cinnaber haalde zijn schouders op. 'Mijn mannen hebben het geprobeerd. Hij weigert antwoord te geven op hun vragen. We weten niet welke taal hij spreekt. Het kan best zijn dat hij ons niet verstaat.'

'Maak hem dan maar af!' zei Vansen luid. 'Want dan hebben we niks aan hem. Hak hem zijn hoofd af.'

'Wat?' Kiezel keek hem geschokt aan. Zelfs Cinnaber leek vervuld te zijn van afschuw.

Vansen had de gevangene aandachtig in de gaten gehouden; en hij had gezien dat de kleine man niet ineenkromp; sterker nog, hij keek niet eens op. 'Dat meende ik niet,' zei hij dan ook. 'Ik was alleen nieuwsgierig of hij misschien alleen maar deed alsóf hij ons niet verstond. We moeten een manier zien te vinden om uit hem te krijgen wat hij weet over de plannen van zijn meesteres.'

Kiezel nam hem wantrouwend op. 'Wat wilt u daarmee zeggen? Dat we hem moeten martelen?'

Vansen lachte spijtig. 'Ik zou geen moment aarzelen als ik dacht dat we daarmee uw gezin en mijn mensen bovengronds konden redden. Maar de antwoorden van een man die wordt gemarteld, zijn zelden nuttig, en dat geldt zeker als we zijn taal niet voldoende spreken. Dus als u een beter idee hebt, hoor ik het graag. Zo niet, dan verander ik misschien alsnog van gedachten.'

Magister Cinnaber gaf aanwijzingen dat de gevangene naar de tempel moest worden gebracht, toen haastte hij zich weg om toezicht te houden op de voortgang van andere opdrachten die hij had gegeven. Voor zover de mannen van zijn versterkingseenheid niet bezig waren lichamen te bergen of gewonden te helpen, waren ze naar de bres gestuurd die de Qar hadden geslagen bij de Zalen der Vieringen.

Vansen wreef over zijn pijnlijke hoofd. Het liefst zou hij een poos gaan slapen. Hij was al uitgeput geweest, ruimschoots vóórdat Kiezels ontplofte huls hem bijna doof had gemaakt, en hoewel zijn wonden waren schoongemaakt en verbonden terwijl hij bewusteloos was, had hij verschrikkelijk veel pijn, in zijn hele lijf. Hij had behoefte aan een stevige borrel en minstens een uur rust, maar omdat hij nu eenmaal de leiding had over de operatie – althans, min of meer – zou hij nog even geduld moeten hebben.

'U zei dat u misschien wel een dozijn of meer hulzen met buskruit had, en ook nog meer poeder,' zei hij tegen Kiezel.

'Ja, in de tempel. En in Funderstad hebben we nog meer. Veel meer. We gebruiken het om steen te splijten wanneer we snel moeten werken – wanneer we niet de tijd hebben om ons werk op de oude, gepaste manier te doen...'

Vansen had in de afgelopen maand meer geleerd dan hem lief was over de goede oude tijd van nat-kloven en zand-polijsten. 'Laten we met Cinnaber overleggen,' zei hij gejaagd. 'Misschien kunnen we de duistere vrouwe een welkom bereiden, waardoor ze de volgende keer zich nog driemaal bedenkt voordat ze onuitgenodigd komt binnenvallen met haar soldaten.'

*

Kiezel probeerde Vansen zover te krijgen dat hij wat rust nam – de kapitein zat onder de schrammen en de snijwonden, en het was duidelijk dat hij nog altijd niet goed hoorde – maar de grote krijger liet zich niet weghouden van het slagveld. Zo kwam het dat Kiezel alleen terugkeerde naar de tempel. De Metamorfische Broeders hadden het nieuws dat er strijd was geleverd al gehoord, en bijna allemaal wilden ze precies weten wat er was gebeurd. En dat niet alleen, veel van de Broeders schenen Kiezel als een soort held te beschouwen. Onder andere omstandigheden zou hij misschien van alle aandacht hebben genoten, maar nu was hij daar te angstig en te moe voor en wilde hij alleen maar naar zijn kamer. Hij had – weliswaar vluchtig – een deel van de Qar-troepen gezien, en hij wist dat er nog eens duizenden bovengronds gelegerd waren die een beleg hadden geslagen voor Zuidermark. Dankzij het plofpoeder had hij een heel klein aantal van hun aanvallers bij verrassing weten uit te schakelen, maar de volgende keer zou het verrassingselement niet gelden. Sterker nog, misschien hadden de droggels zelf ook wel steensplijtend poeder.

Kiezel had zijn kamer bijna bereikt, toen Flint hem te binnen schoot. Hij had het kind bij de heelmeester achtergelaten. Vermoeid maakte hij rechtsomkeert en liep hij de gang weer uit, maar toen hij op Chavens deur klopte kreeg hij geen antwoord. De deur bleek niet op slot te zitten, hij stond zelfs op een kier. Plotseling angstig geworden, duwde Kiezel hem open.

Chaven lag languit op de grond, alsof hij was neergeslagen; van Flint was geen spoor te bekennen. Gedurende een afschuwelijk moment dacht Kiezel dat de heelmeester dood was, maar toen hij naast hem knielde hoorde hij Chaven zacht kreunen. Dus hij pakte een kom met koud water en een lap en spetterde een paar druppels op het brede, bleke voorhoofd van de dokter.

'Word eens wakker!' Hij probeerde Chaven door elkaar te schudden, maar die was twee keer zo groot als hij. 'Waar is mijn zoon? Waar is Flint?'

Chaven rolde kreunend op zijn zij en werkte zich moeizaam overeind tot zit. 'Wat?' De dokter keek zijn kamer rond alsof hij die voor het eerst zag. 'Flint?'

'Ja, Flint! Ik heb hem bij u gelaten. Waar is hij? Wat is er gebeurd?'

Chaven keek hem wezenloos aan. 'Gebeurd? Er is niets gebeurd. Flint,

zeg je? Was die hier?' Hij schudde langzaam zijn hoofd, als een vermoeid paard dat probeerde een steekvlieg kwijt te raken. 'Of wacht
eens... Ja, hij was hier inderdaad. Natuurlijk was hij hier. Maar... maar
ik kan me niet herinneren wat er is gebeurd. Is hij weg?'

Van frustratie had Kiezel hem bijna de natte lap in zijn gezicht gesmeten. Haastig doorzocht hij de kleine kamer om zich ervan te overtuigen dat het kind zich niet ergens had verstopt. Flint vond hij nergens, maar op de grond in een hoek van de kamer ontdekte hij een kleine
handspiegel en een stompje kaars. Hij rook aan de lont. De kaars was
nog niet zo lang daarvoor uitgeblazen.

'Wat is dit?' vroeg hij de verwarde dokter. 'Hebt u soms uw spiegel-
toverij met hem gedaan? Hebt u hem bang gemaakt, en heeft hij daarom de benen genomen?'

Chaven keek zowel beledigd als nerveus. 'Eerlijk gezegd kan ik het
me niet herinneren. Maar ik zou nooit een kind pijn doen of bang maken, Kiezel. Dat zou je toch moeten weten.'

Kiezel herinnerde zich de angstige kreten van het kind, de laatste keer
dat de dikke dokter zijn spiegelmagie had beoefend. 'Het mocht wat!
Hij is verdwenen, dat is het enige wat ik weet. Hebt u geen enkel idee
waar hij zou kunnen zijn? Hoe lang is hij al weg?'

Maar Chaven stond voor een raadsel en kon op geen van Kiezels vragen antwoord geven. Hij kon alleen maar om zich heen kijken, terwijl
hij in zijn ogen wreef alsof zelfs het gedempte licht in de kamer hem
nog te fel was.

Kiezel haastte zich de gangen door toen hij plotseling aan de bibliotheek moest denken. Flint had hen al eerder in de problemen gebracht
door daar binnen te dringen. Lag het niet voor de hand dat hij daar ook
nu weer naartoe was gegaan?

Tot zijn enorme opluchting vond Kiezel zijn zoon in diepe rust – als
een doodgewoon kind, door slaap overmand – op een van de eeuwenoude tafels, met zijn hoofd op een onvervangbaar boek, een eeuwenoude tekst gegraveerd in bladen mica, dunner dan perkament. Toen Kiezel het hoofd van het kind optilde om het boek eronder vandaan te
halen, gleed zijn blik over het antieke handschrift. Hij kon het niet lezen – het was te oud, te onbekend – maar het deed hem denken aan de
inscripties op de muren, diep in de Mysteriën. Wat moest die jongen
ermee? Besefte hij ook maar enigszins wat hij deed? Flint leek soms tien
keer zo oud als zijn werkelijke leeftijd, en andere keren gedroeg hij zich

weer als de kleine jongen die hij was.

'Wakker worden, jochie,' zei Kiezel teder. Hij kon Flint bijna alles vergeven zolang hij Opaal maar niet hoefde te vertellen dat hij hun kind was kwijtgeraakt. 'Kom mee.'

Flint tilde zijn hoofd op, keek om zich heen en sloot zijn ogen weer alsof hij onmiddellijk verder sliep. Hij was inmiddels langer dan zijn stiefvader, dus Kiezel kon hem niet dragen en moest hem aan zijn arm trekken tot hij op zijn benen stond en zich met tegenzin de bibliotheek uit liet leiden, door de tempel, naar de kamer die ze deelden. Ze hadden geluk bij een ongeluk: blijkbaar hield Vansen Broeder Nikkel en de andere monniken aan het werk met de verdediging van de tempel, zodat Flints terugkeer naar de bibliotheek door niemand was opgemerkt.

'Waarom dóé je dat nou?' vroeg Kiezel. 'De Broeders hebben nog zo gezegd dat je daar niet mocht komen! En wat doe jij? Trouwens, wat is er gebeurd in Chavens kamer?'

Flint schudde slaperig zijn hoofd. 'Ik weet het niet.' Hij liep even zwijgend verder, toen zei hij plotseling: 'Soms... soms denk ik dat ik dingen weet. Soms wéét ik dingen – belangrijke dingen! En dan... dan weet ik het niet.' Tot Kiezels verbazing barstte de jongen abrupt in tranen uit, iets wat Kiezel hem nog nooit had zien doen. 'Ik weet het gewoon niet, Vader! Ik begrijp het niet!'

Kiezel sloeg zijn armen om hem heen, en terwijl hij dit vreemde jonge wezen, dit bijzondere kind omhelsde, voelde hij dat de jongen beefde van machteloos verdriet. Maar er was niets wat Kiezel voor hem kon doen.

Hij had Flint net in bed gestopt toen er nadrukkelijk op de deur werd geroffeld. Vermoeid kwam Kiezel overeind. Chaven stond in de donkere gang en keek hem met grote ogen aan.

'Heb je de jongen gevonden?'

'Ja. Alles is goed met hem. Hij zat in de bibliotheek. Ik heb hem net in bed gestopt.' Kiezel deed een stap naar achteren en gebaarde uitnodigend. 'Kom binnen, dan zal ik eens zien of ik nog wat mosbier voor ons heb. Weet u inmiddels weer wat er is gebeurd?'

'Nee, ik herinner me niets. Ik kom je een boodschap brengen. Ferras Vansen stuurt me om je te zeggen dat ze erachter zijn hoe ze met de gevangengenomen Funderling kunnen communiceren.'

Kiezel trok een wenkbrauw op. 'Ik ben een Funderling. Dat moordzuchtige schepsel is een droggel.'

Chaven gebaarde nonchalant. 'Natuurlijk, neem me niet kwalijk. Hoe dan ook, Kapitein Vansen vraagt naar je.'

Kiezel schudde zijn hoofd. 'Nee, ik moet bij mijn zoon blijven. Ik heb hem al te vaak alleen gelaten. Bovendien kan ik niets doen om Vansen te helpen. Als hij me echt nodig heeft kom ik morgen.' Hij glimlachte wrang. 'Tenzij de Qar ons voor die tijd al hebben vermoord.'

De dokter wist niet goed hoe hij dat moest opvatten. 'Dat begrijp ik,' was alles wat hij zei.

Toen Chaven weer was vertrokken ging Kiezel bij Flint kijken. In zijn slaap was zijn gezicht ontspannen, zijn lippen waren iets uiteengeweken, zijn warrige haren leken nog lichter dan citroenkwarts. Wat bedoelde hij daarmee, vroeg Kiezel zich af. *Hij weet het, maar hij weet het niet?*

Zoals altijd kon Kiezel zich alleen maar verbazen over het vreemde wezen dat Opaal en hij in huis hadden gehaald, dit wisselkind... dit wandelende mysterie.

*

Utta trok aan de arm van de oudere vrouw, in een poging haar tegen te houden, maar haar inspanningen hadden weinig effect. Samen gleden en glibberden ze door de modderige hoofdstraat. Kayyin maakte traag aanstalten hen te helpen, maar ze wisten hun evenwicht te hervinden.

'Ik laat me niet tegenhouden, zuster.' Merolanna's ademhaling ging zwaar, zowel van de inspanning als van de kou. Vóór het ontstaan van de Brug van Doornen was het nog aangenaam warm geweest, maar sinds het monsterlijke project van start was gegaan, was de hele kustlijn rond Zuidermark gehuld in een sluier van kille, natte mist, alsof de zomer volledig aan hen voorbij was getrokken en alsof ze abrupt in Dekamene – of zelfs in een latere maand – waren terechtgekomen.

'Kayyin, je moet me helpen,' smeekte Utta. 'De donkere vrouwe zal haar doden.'

'Misschien,' zei de Qar. 'Maar... we leven nog. Het lijkt erop dat mijn moeder in deze laatste verdrietige dagen iets van haar bloeddorstigheid is kwijtgeraakt.'

'Je lijkt wel gek, halfling!' zei Merolanna. 'Hoezo, haar bloeddorstigheid kwijtgeraakt? Ze is op ditzelfde moment bezig slachtoffers te maken! Ik kan hun kreten horen!'

Kayyin haalde zijn schouders op. 'Ik heb toch ook niet gezegd dat ze volledig was verànderd.'

Merolanna liep vastberaden verder en sloeg Utta's hand weg toen de Zuster van Zoria probeerde haar af te remmen. 'Nee! Ze zál naar me luisteren! Ik laat me niet tegenhouden!'

'Als Gok en zijn medewachten niet naar het beleg waren geroepen, zou u de voordeur niet eens uit zijn gekomen,' zei Kayyin opgewekt.

Merolanna liet slechts haar tanden zien in een grimas die bij ieder ander dan een respectabele douairière waarschijnlijk een dierlijke grauw zou zijn genoemd.

De verzameling steigers en havengebouwen langs de ondergelopen heirweg naar het kasteel vormden een chaotisch tafereel dat afkomstig leek uit een nachtmerrie. Schepsels in tientallen verschijningsvormen en van uiteenlopende afmetingen haastten zich heen en weer door de mist, terwijl de enorm langgerekte, krakende, boomachtige takken van de Brug van Doornen boven alles uittorenden als de misvormde beenderen van een ingestorte tempel. Merolanna, wier rok inmiddels tot halverwege onder de modderspatten zat, deinsde zelfs niet terug voor de meest groteske schepselen die opdoemden uit de duisternis. Ze stapte als een vastberaden soldaat kordaat voort, recht op de zwart-met-gouden tent af die als een eiland in het hart van de bedrijvigheid troonde.

Ze is wel dapper, dacht Utta. *Dat moet ik haar nageven. Maar degene met wie ze wil praten, is geen gewoon mens en zal zich niet laten intimideren door een woedende oude vrouw. Als het waar is wat Kayyin zei, dan is de duistere vrouwe ouder dan wij ons kunnen voorstellen – de dochter van een god. En de genadige Zoria weet dat ze bovendien wordt beheerst door een woede en een wraakzucht die de verbeelding tarten.*

Als het jaar dat ze achter de rug hadden niet zo vreemd was geweest, en als ze niet met eigen ogen zoveel krankzinnigs had gezien, zou Utta het gepraat van de Qar over goden en Vuurbloemen en onsterfelijke broers en zusters hebben afgedaan als onzin... Maar op wat ze had gezien en op wat er ditzelfde moment aan alle kanten om haar heen gebeurde, pasten geen andere antwoorden. Voor Utta Fornsdodir, die zichzelf als een ontwikkelde vrouw beschouwde, een vrouw die ondanks haar roeping het verschil kon zien tussen de belangrijke waarheden in de oude verhalen en het bijgeloof en de dwaasheid daarin, was het een schokkende en zelfs ontmoedigende tijd.

Yasammez stond voor haar tent als de vleesgeworden nachtmerrie, van top tot teen gehuld in haar met stekels bezette, zwarte wapenrusting; aan haar riem hing een ivoorwit zwaard, ontbloot, zonder schede. Ze keek naar iets wat Utta niet kon zien in de bewolkte hoogten van de doorns en keerde zich niet eens om toen Hertogin Merolanna strompelend voor haar tot stilstand kwam en zich langzaam, pijnlijk op haar knieën liet zakken. Een ijl gekrijs weerklonk, dat afkomstig had kunnen zijn van de wind die over het stille tafereel blies, maar Utta wist dat het niet de wind was. Binnen de muren van kasteel Zuidermark richtten de elfen een slachting aan onder mannen, vrouwen en kinderen.

'Ik kan deze wreedheid niet langer verdragen!' De stem van Merolanna, die slechts enkele ogenblikken daarvoor nog zo ferm had geklonken, haperde; niet alleen uit angst, besefte Utta. De duistere vrouwe Yasammez had iets waardoor de woorden in ieders keel bleven steken. 'Waarom vermoordt u mijn volk? Wat hebben we u misdaan? Er zijn tweehonderd jaar verstreken sinds we voor het laatst in oorlog zijn geweest. We waren uw bestaan al bijna vergeten!'

Langzaam keerde Yasammez haar gezicht naar Merolanna – een emotieloos masker, bleek en griezelig mooi ondanks de niet-menselijke gelaatstrekken. 'Tweehonderd jaar?' herhaalde de elfenvrouwe met een stem waarvan de melodie hard en wreed klonk. 'Enkele ogenblikken, meer is het niet! Alleen wie, zoals ik, de eeuwen als vogels voorbij heeft zien trekken, mag over de tijd spreken alsof die iets betekent. Uw volk heeft het mijne verdoemd, en nu is het mijn beurt. U kunt toekijken bij het einde, of u kunt ervoor wegkruipen, zolang u mijn tijd maar niet verspilt.'

'Dood me dan,' zei Merolanna. De hapering was uit haar stem verdwenen.

'Hertogin! Nee!' riep Utta, maar haar benen voelden plotseling zo slap als lentebiezen, en ze kon geen stap verzetten.

'Zwijg, Zuster Utta!' De hertogin keerde zich weer naar de hoekige, schaduwachtige verschijning van Yasammez. 'Ik kan niet werkeloos toezien terwijl mijn dierbaren sterven – mijn nichten, mijn neven, mijn vrienden – maar ik kan me er ook niet voor verbergen. Als u weet wat lijden is, zoals u beweert, maak dan een eind aan het mijne.' Ze boog haar hoofd. Neem mijn leven, u, de vleesgeworden kilte. Martelen is een grootse vrouwe zoals u onwaardig.'

Yasammez keek haar aan, en het leek alsof er een kille glimlach om haar mond speelde. Ze stonden roerloos, als personages in een toneelstuk, een angstaanjagende veroveraar en een hulpeloos slachtoffer, of een beul en een veroordeelde gevangene – maar de schijn bedroog; zo simpel was het niet, besefte Utta.

'Spreek me niet van lijden,' zei Yasammez ten slotte. Haar stem klonk nog altijd ruw en vreemd, maar ook dieper, zachter. 'Waag het niet! Zelfs als ik uw dierbaren een voor een voor uw ogen ter dood zou brengen, dan nog hebt u niet het recht dat woord tegenover mij te gebruiken.'

'Ik weet niet wat...' begon Merolanna.

'Zwijg!' Het woord siste als een roodgloeiende kling die in koud water wordt gestoken. 'Weet u wat u en uw ellendige soort mijn volk hebben aangedaan? U hebt ons opgejaagd, uitgemoord, als ongedierte vergiftigd. U hebt de overlevenden verbannen naar de koude landen in het noorden, u hebt hen gedwongen de mantel van de schemering over zich heen te trekken, als een kind dat zich verbergt onder een deken. Ja, u hebt ons zelfs de zon ontstolen! Maar – en dat was de wreedste manier waarop u ons kon bespotten – u hebt onze soort tot aan de rand van de vernietiging gedreven en toen ook onze laatste kans op overleving weggegrist.' Ze boog haar bleke gezicht naar voren, kneep haar zwarte ogen tot spleten. 'Martelen? Als ik dat kon zou ik uw hele soort – alle zachte, sterfelijke ellendelingen, niet één uitgezonderd – martelen en dan het vet van uw lichaam branden terwijl u het uitgilde. Stapels zwartgeblakerde botten zouden het enige zijn wat nog aan u herinnerde.'

De haat van de duistere vrouwe was als een ijzige windvlaag die van een berghelling naar beneden joeg. Ongewild slaakte Utta een zachte kreet van doodsangst.

Yasammez keerde zich naar haar toe alsof ze zich tot op dat moment niet bewust was geweest van haar aanwezigheid. 'En dan u. U noemt zich een dienares van Zoria. Wat weet u, behalve wat sentimentele onzin, van de witte duif – van de wáre Bloem van de Dageraad? Wat weet u van de manier waarop haar vader en zijn clan haar kwelden, haar geliefde doodden, en haar toen aan een van de triomferende broeders gaven, alsof de godin van het eerste licht niet méér was dan oorlogsbuit? Wat weet u van de manier waarop ze haar zoon, de Manke, martelden – degene die jullie, eendagsvliegen, Kupilas noemen – tot hij bereid was zijn leven te geven om de wereld van hen te bevrijden? Duizenden jaren heeft hij geleden om te zorgen dat de wereld veilig was, een kwelling waarvan u en ik ons geen voorstelling kunnen maken. En dan nog iets... U noemt hem een god... Ik noem hem *Vader*.' Haar gezicht, een masker van woede, werd plotseling slap als het gezicht van een dode. 'En nu is hij stervende. Mijn vader is stervende, mijn familie is stervende, mijn hele soort is stervende – en u praat tegen mij over lijden?'

Utta's benen lieten haar eindelijk in de steek, en ze zakte naast Merolanna in de modder. In de korte stilte die viel, hoorde ze opnieuw de kreten van de slachtoffers van Yasammez aan de overkant van de baai, een koor van gruwelen dat klonk als het gekrijs van zeevogels in de verte.

De duistere vrouwe keerde hun de rug toe. 'Kayyin, haal ze hier weg, deze... insecten. Ik heb een oorlog te voeren. Vertel hun hoe hun soort de Vuurbloem stal en mijn familie vermoordde. Als ze dan nog steeds willen sterven, zal ik hun met alle plezier ter wille zijn.'

28
De Eenzamen

'In *Ximanders Boek* staat geschreven dat een van de Schimmengeslachten – het Smaragd Vuur – zich lang geleden aansloot bij de Qar. Volgens Ximander gaat het om een soort koninklijke garde in dienst van de koning en de koningin van de elfen, vergelijkbaar met de Luipaarden van de autarch in Xis.'

Uit *Een Verhandeling over de Elfenvolken van Eion en Xand*

'De Verpozing... skrijters... Ik begrijp er allemaal niks van.' Barrick nam de zware riemen op en begon weer te roeien. De vreemde duisternis van de nachtlichten kapselde de rivier in als een prieel van oude bomen. De lichten stonden dicht op elkaar aan weerskanten van het water, de duisternis die ze verspreidden, begon pas heel hoog boven het hoofd van Barrick en Beck af te zwakken. 'Het snijdt geen hout,' zei hij nors tegen Raemon Beck, waarbij hij zijn uiterste best deed zo zacht mogelijk te praten. 'Waarom zouden de Droomlozen zichzelf elke dag urenlang opsluiten als ze toch niet slapen? En waarom zouden ze die skrijterschepselen door de straten laten patrouilleren terwijl iedereen binnen is? Waar moet de stad tegen beschermd worden?'

Beck had zijn tranen gedroogd, maar hij keek alsof hij elk moment opnieuw in snikken kon uitbarsten; zijn weinig wilskrachtige, enigszins pafferige gezicht riep Barricks ergernis op. 'De Droomlozen zijn elfen,' zei Beck zacht, 'en op mijn meester na zijn ze niet goedaardig. Ze vertrouwen niemand – zelfs hun eigen soort niet. En wat de Verpozing betreft, het is regel dat ze zichzelf insluiten, en de skrijters zien erop toe dat die regel wordt gehandhaafd. Qu'arus, mijn meester, zei altijd dat zijn soort zichzelf moest insluiten omdat hun denken en voelen werd aangetast door een te grote waakzaamheid. Vóór het invoeren van de Regel der Verpozing raakten velen zo beschadigd en zo geneigd tot het koesteren van geheimen dat ze hun buren en zelfs hun eigen familie afslachtten. Hier en daar zijn nog altijd de zwartgeblakerde ruïnes te zien van landhuizen die eeuwen geleden tot de grond toe zijn afgebrand met de bewoners en hun bedienden erin; lijkstapels die werden aangestoken door Droomlozen die het leven moe waren...'

Even was Barrick zich bewust van een verontrustende verwantschap met de Droomlozen. Hoe vaak had hij er niet van gedroomd zijn huis in brand te steken? Hoe vaak had hij niet gebeden om een ramp die een einde zou maken aan zijn kwelling, zich er nauwelijks om bekommerend wie daar nog meer het slachtoffer van zouden worden?

Hij roeide zo geruisloos mogelijk, maar de stilte in de stad was die van een graftombe; het kon bijna niet anders of zelfs het vluchtigste gespetter trok de aandacht. De kleine waterweg waarin ze zich bevonden, liep dood, zodat ze geen andere keus hadden dan een brede afsplitsing van een van de hoofdkanalen in te varen. Er waren nog drie of vier andere boten zichtbaar, zij het ver weg, maar Barrick trok uit alle macht aan de riemen, zodat ze in snelle vaart de brede waterweg overstaken en weer een van de kleinere vertakkingen in konden schieten.

Het hoge tempo was echter wel vermoeiend; de boot was dubbel zo groot als de tweemanssloepen die Barrick kende uit Zuidermark. Onwillekeurig moest hij denken aan de blemmy zonder hoofd, die hen naar Slaap had geroeid; wanneer hij zich daardoor de slopende inspanning kon besparen, zou dat de aanblik van het gruwelijke wezen bijna compenseren.

Barrick ontdekte al spoedig dat hij vrij aardig kon zien zolang hij zorgde dat hij enige afstand hield van de nachtlichten op de oever, maar het algehele effect bleef verontrustend. In het midden van de grotere doorvaarten heerste het soort schemering waaraan hij in de schaduwlanden gewend was geraakt, maar de oevers leken gehuld in inktzwarte rook. Om althans enigszins te kunnen zien waar ze langsvoeren, moest hij er dicht naartoe varen, tot ze zich in de halfschaduw van de nachtlichten bevonden en zijn ogen gewend raakten aan de diepe schaduwen.

Maar hij had geen idee of zij op hun beurt dan ook werden gezien, noch door wie of door wat.

'We moeten een plek zien te vinden waar we ons kunnen verbergen,' zei hij tegen Beck. 'Een plek waar we – al is het maar even – de tijd hebben om te besluiten wat ons te doen staat.'

'Zo'n plek is er niet,' zei Beck somber. 'Die zult u hier, in Slaap, niet vinden.'

Barrick trok een lelijk gezicht. 'En je weet ook niet waar de Zaal van de Manke is. Kortom, je bent net zo nutteloos als de tepels van een mannetjesever...'

Op dat moment viel er iets uit de duisternis naar beneden, alsof de nachtlichten een deel van hun kern hadden uitgespuugd. Raemon Beck wierp zich voorover en drukte zijn gezicht tegen het dek, maar Barrick herkende het brok schaduw en de manier van arriveren.

'Ik had niet gedacht dat ik je nog zou zien,' zei hij tegen de raaf.

'Ons had ook niet verwacht u nog te zien... althans, niet levend.' De vogel boog zijn kop om zijn borstveren te ordenen. 'Maar vertel, hoe was het om te gast te zijn bij die aardige mensen met hun blauwe ogen?'

Barrick begon bijna te lachen. 'Je ziet het, we hebben besloten verder te gaan. Het probleem is dat Beck geen idee heeft waar de Zaal van de Manke zou kunnen zijn. Dus we moeten een plek zien te vinden waar we veilig zijn voor de Nachtkastaren. En voor die andere lui... Hoe noemde je ze ook alweer, Beck? Skrijters?'

'Sst!' De lappenman keek zenuwachtig en doodsbang om zich heen. 'Gebruik dat woord niet, zo dicht bij de oever! Dan roept u ze op!'

Skurn, die op één poot op de boeg van de boot stond en iets tussen zijn tenen vandaan pikte, schudde zijn veren en fladderde iets dichter naar Barrick toe. 'Ons zou misschien vooruit kunnen vliegen en proberen de boel voor u te verkennen,' zei hij onverschillig. 'Let wel, misschien.'

De uitgestoken hand – of in dit geval poot – ontging Barrick niet. 'Dat zou fijn zijn, Skurn. Dank je wel.' Hij keek naar de pekzwarte wolken van nachtlicht langs de oevers. 'Probeer een plek te vinden waar de duisternis niet zo dicht is. Misschien een eiland. Bij voorkeur onbewoond. Een plek waar nooit iemand komt.'

De zwarte vogel fladderde op, cirkelde steeds hoger en vloog toen in de richting van de dichtstbijzijnde oever.

'Ik heb een lege maag,' zei Barrick terwijl hij de raaf uit het zicht zag verdwijnen. 'Denk je dat de vis in deze wateren giftig is?'

Beck schudde zijn hoofd. 'Nee, dat denk ik niet. Maar er is eten aan boord. Ik verwacht niet dat iemand het heeft aangeraakt nadat we de meester thuis hebben gebracht. Door de zware verliezen tijdens onze expeditie en door de verwondingen van mijn meester heeft niemand meer aan eten gedacht. Dus er zou nog een flinke voorraad gedroogd vlees en noten-rozijnenbrood moeten zijn.' Hij kroop naar voren en haalde een grote, waterdichte zak onder de voorste bank vandaan. 'Kijk maar!'

Het eten had een vreemde, muffe smaak, maar Barrick was te uitgeput en hij had te veel honger om zich daaraan te storen. Ze deelden een handvol gedroogd vlees en twee stukken brood zo hard als schoenleer, dat Barrick deed denken aan het roggetarwebrood thuis.

'Dus u bent werkelijk Prins Barrick!' Raemon Becks moreel was weer enigszins opgevijzeld. 'Ik had niet kunnen denken dat ik u ooit zou weerzien, heer! En dan nog wel hier!'

'Het zal best waar zijn dat we elkaar al eerder hebben ontmoet, maar ik herinner me er niets van.' Barrick wílde zich vooral niet te veel herinneren. Dat had niets te maken met Raemon Beck in zijn haveloze kleren. Barrick had het als een intense opluchting ervaren dat hij alles achter zich had gelaten – zijn verleden, zijn erfenis, zijn pijn – en hij had volstrekt geen haast om er ook maar iets van terug te halen.

Beck begon haperend te vertellen over zijn karavaan die was overvallen door de Qar; dat hij, als enige overlevende, verslag had gedaan voor een koninklijke raad en vervolgens naar de plek des onheils langs de Segtlandse Weg was teruggestuurd. Het vertellen nam veel tijd in beslag – Becks geheugen was verward doordat hij al zo lang – zelfs nog langer dan Barrick – achter de Schaduwgrens zat. En terwijl elke naam die hij uit zijn geheugen wist op te diepen, voor hem een overwinning betekende, bezorgde die Barrick alleen maar pijn.

'En toen zei uw zuster tegen Kapitein... Hoe heette hij ook alweer? Zo'n lange kerel?'

'Vansen,' zei Barrick met vlakke stem. De kapitein van de garde was in de duisternis gestort tijdens zijn pogingen om hem te verdedigen, en dat nadat Barrick hem talloze malen had vervloekt. Kwam er dan nooit een eind aan deze stoet van ellendige, zinloze herinneringen?

'Ja, uw zuster gaf hem opdracht met me terug te gaan naar de plek waar de karavaan was overvallen. Maar daar zijn we nooit aangekomen – tenminste, ik niet. Ik werd midden in de nacht wakker, omringd door mist. Ik was verdwaald. Dus ik heb geroepen en geroepen, maar er kwam niemand. Dat wil zeggen, niemand van de mensen met wie ik erheen was gereisd...' Raemon Beck zweeg. Hij huiverde en weigerde nog meer te vertellen over wat hem sindsdien was overkomen totdat Qu'arus uit Slaap zich over hem had ontfermd. 'Mijn meester heeft me altijd goed behandeld. Hij gaf me te eten, en hij sloeg me niet, tenzij ik het verdiende. En nu is hij dood...' Becks schouders schokten. 'Maar ik denk niet dat uw zuster – mogen de goden haar zegenen... Vergeef me, heer, ik zou moeten zeggen "Prinses Brionie"... Ik denk niet dat ze het slecht met me voorhad. Ze was kwaad, maar niet op mij, had ik de indruk...'

'Zo is het wel genoeg. Laten we er maar over ophouden.' Barrick had al meer gehoord dan hem lief was.

Beck verviel in stilzwijgen. Barrick zat ineengedoken in de mantel die onder Qu'arus had gelegen op diens laatste reis. Hij nam de riemen weer op en roeide net genoeg om te zorgen dat ze in het midden van het stille binnenwater bleven, in afwachting van de terugkeer van de raaf. Aan weerskanten van het smalle kanaal rezen huizen op, nauwelijks te onderscheiden van de ruwe, kale kliffen waaruit ze waren gehakt, slechts herkenbaar als huizen aan hier en daar een klein raam en aan de reusachtige, poortachtige deuren net boven de waterlijn.

Deuren, dacht hij. *Er zijn in deze stad meer deuren dan ik kan tellen. En daar moet ik de juiste uit zien te kiezen!*

Skurn dook recht uit de schemergrijze hemel en spreidde zijn vleugels om neer te strijken op de hoge achtersteven. Barrick besefte dat hij soms vergat hoe groot de raaf was; zijn vleugelwijdte evenaarde bijna de armspanne van een volwassen man. In plaats van rechtstreeks verslag uit te brengen, begon de vogel naar zijn veren te pikken en ze te ordenen. Het was duidelijk dat Skurn wilde dat hij naar zijn bevindingen werd geváágd.

'En, heb je iets gevonden? Een plek waar we naartoe kunnen?'

'Misschien. Misschien ook niet.'

Barrick zuchtte. Het was geen wonder dat hij meestal alleen door het leven ging en daar ook de voorkeur aan gaf. 'Verklaar je nader, alsjeblieft,' zei hij overdreven beleefd. 'En ik zal je overladen met mijn dankbaarheid.'

Gevleid zette de raaf zijn veren op en rekte zijn hals. 'Skurn is hier bij toeval op gestuit – een rif op enige afstand van de grote doorvaart, midden in het water. Bomen en dat soort groeisels. En verder alleen ruïnes. Ons zag geen spoor van iets wat op twee benen loopt.'

'Mooi,' zei Barrick. 'Zoals gezegd, ik ben je bijzonder dankbaar. Welke kant moeten we uit?'

'Volg ons.' De raaf vloog weer op.

Terwijl Barrick achter de traag fladderende raaf aan roeide, zei Raemon Beck plotseling: 'Niet alle dieren hier kunnen praten. En bij sommige die dat wel kunnen, doe je er beter aan niet te luisteren.' Bestookt door akelige herinneringen schudde hij zich als een natte hond. 'Vooral als ze je thuis uitnodigen. Want dan gaat het anders dan in de verhalen die je als kind worden verteld.'

'Ik zal het onthouden.'

Het eiland was inderdaad zoals Skurn het had beschreven – een kleine, overwoekerde rots midden in een van de waterwegen, ver genoeg van de nachtlichten om zich te koesteren in een poel van schemergrijs. Ooit had er tussen de donkere pijnbomen een gebouw gestaan dat het grootste deel van het kleine eiland in beslag had genomen, maar daar waren nog slechts afbrokkelende muren van over en een cirkelvormige ruïne van wat zo te zien ooit een toren was geweest.

Er was nergens iets wat op een strand leek, en van de steiger die eens als aanlegpunt had gediend, stonden alleen nog een paar verbleekte pijlers overeind als enorme ribben, die Barrick onaangenaam herinnerden aan de Slapers en hun berg van beenderen. Ze legden zo dicht mogelijk bij de resterende pijlers aan en waadden tot hun borst door het water naar de rotsachtige kust. Tegen de tijd dat ze droge grond en de beschutting van de pijnbomen bereikten, huiverden ze van de kou.

'We moeten een vuur aanleggen,' zei Barrick. 'Het kan me niet schelen wie het ziet.' Hij stond op en ging Beck door het dichte struikgewas vóór naar de overblijfselen van de toren. 'Hier wordt het licht van de vlammen althans afgeschermd,' zei hij. 'Tegen de rook valt niets te doen.'

'Neem deze.' Beck begon afgewaaide takken op te rapen. 'Dit is een goede houtsoort; die geeft minder rook af dan groene takken.'

Barrick knikte. Dus zijn metgezel was niet helemaal nutteloos.

Toen hij een vuurtje had aangelegd en zich eindelijk de tijd gunde om te gaan zitten en zijn handen te warmen, besefte Barrick dat Skurn was verdwenen. Maar voordat hij de kans kreeg om zich af te vragen waar hij was gebleven, kwam de raaf alweer terug; hij fladderde door de hoogste takken en hipte in de lagere wirwar van het gebladerte van twijg naar twijg naar beneden. Er bengelde iets uit zijn snavel, iets donkers wat hij met veel ceremonieel voor Barricks voeten liet vallen.

'Ons dacht dat u wel honger zou hebben!'

Barrick inspecteerde het lijkje dat slechts zeer primitief ontwikkelde ogen had; het leek op een grote mol, maar de poten waren langer, met fijner gevormde vingers. 'Dank je wel,' zei hij, en dat meende hij, want hij rammelde van de honger. Behalve het weinige dat hij met Raemon Beck had gedeeld, had hij in dagen niet gegeten – tenminste, zo voelde het.

'Laat mij maar,' zei Beck. 'Hebt u een mes?'

Met enige tegenzin haalde Barrick het korte zwaard van Qu'arus tevoorschijn. Beck bekeek het en trok een wenkbrauw op, maar hij zei niets. De vroegere koopman wijdde zich aan het villen en schoonmaken van het beest, terwijl Barrick het vuur opstookte en de ingewanden en het vel als vanzelfsprekend aan Skurn gaf. De raaf slokte ze op, hipte op een steen en begon zijn verenpak te fatsoeneren.

'Wat weet je van deze stad?' vroeg Barrick toen hun avondeten aan een dennentak boven het vuur hing te roosteren. De geur was weliswaar muskusachtig, maar toch liep het water hem in de mond. 'Waar zijn we? En hoe is deze stad ontstaan?'

Er verscheen een peinzende frons op Becks smoezelige gezicht. 'Eerlijk gezegd weet ik er ook weinig van. De enige keer dat mijn meester me mee uit heeft genomen vóór die laatste jachtexpeditie, was voor een bezoek aan de Hertog van Spinnenzijde. Mijn meester nam diverse sterfelijke bedienden mee – volgens mij alleen om de hertog de ogen uit te steken.' Er gleed vluchtig een verdrietige glimlach over zijn gezicht. 'We moesten heel ver de stad in, en onderweg wees hij me op van alles. Eens even denken...' Hij pakte een dennentak en begon ermee in de vochtige, donkere grond te tekenen. 'Volgens mij ziet de plattegrond er ongeveer zo uit.' Hij krabbelde een wat ongemakkelijke spiraal. 'Dit is de *K'-ze-shehaoui*, de grote doorvaart; zo wordt de Kwijn hier genoemd.' Hij trok een lange streep. 'Maar door de hele stad zijn er andere waterwegen die de Kwijn kruisen.' Hij begon dwarsstrepen te trekken, waardoor de plattegrond eruit begon te zien als een gehalveerde nautilusschelp, zoals de priesters van Erivor die op hun borst droegen, als het symbool van hun god.

'Maar waar zijn we?' vroeg Barrick.

Raemon Beck wreef over zijn gezicht. 'Volgens mij moet het huis van Qu'arus ongeveer hier zijn.' Hij prikte zijn stok ergens halverwege de buitenste spiraal in de grond. 'De meester was er altijd trots op dat hij buiten het centrum van de stad woonde, weg van de andere rijke, belangrijke families. En dit eiland ligt waarschijnlijk ongeveer... hier.' Hij stak de stok opnieuw in de grond en kraste een iets groter kruisje op de tweede en derde spiraal. 'Ik weet niet precies hoe ver we zijn gevaren, maar ik weet wel dat dit deel van de stad rijk is aan eilanden.'

Barrick fronste zijn wenkbrauwen. Hij nam het vlees van het vuur, legde het op een schoon rotsblok en begon het in twee porties te verdelen, wat niet eenvoudig was met zo'n groot mes en zo'n bescheiden maal. Het stuk van Beck liet hij op het rotsblok liggen, terwijl hij met zijn vingers het vlees van zijn eigen helft begon te trekken. 'Ik moet meer weten. Want ik heb een taak te vervullen.'

'Wat voor taak?' vroeg Beck.

Zelfs het menselijke gezelschap dat hij zo lang had moeten ontberen, en de troost van een warme maaltijd waren niet voldoende om Barrick ertoe te verleiden zijn geheimen te delen met iemand die tenslotte zo goed als een vreemde voor hem was. 'Dat doet er niet toe. Zoals ik al zei, ik moet een bepaalde deur zien te vinden, maar ik heb geen idee waar ik die zou moeten zoeken. De enige aanwijzing die ik heb is de "Zaal van de Manke". Wat kun je me nog meer vertellen? Als je niet weet waar die Zaal van de Manke zou kunnen zijn, is er dan misschien een beroemde deur ergens in Slaap? Een belangrijke poort? Een bewaakte doorgang?'

'Alles wordt bewaakt,' zei Beck grimmig. 'Wat niet door de skrijters in de gaten wordt gehouden, bevindt zich in de huizen van de Droomlozen, veilig achter slot en grendel.'

'Je had het over iemand bij wie je meester op bezoek ging, en waar hij jou mee naartoe nam... de Heer van de Spinnenwebben of zoiets?'

'De Hertog van Spinnenzijde. Hij is verschrikkelijk oud. Volgens mijn meester een van de oudste inwoners van de stad. Alleen de leden van de Raad van de Smalende Lach zijn nog ouder.'

Ondanks zichzelf knipperde Barrick met zijn ogen. 'De Raad van de Smalende Lach? Wat is dat nou weer?'

'Ik weet het niet, heer. Mijn meester haatte de leden ervan. Hij zei dat iemand hen tot de laatste druppel zou moeten leegzuigen, en dat we dan met een schone lei konden beginnen. En hij zei ook dat de lach een geluid zou moeten hebben, wat dat ook moge betekenen.'

Barrick begon ongeduldig te worden. 'Die hertog... die... eh... Spinnenzijde... Waar zit die? Kunnen we naar hem toe? En kunnen we hem eventueel naar de weg vragen?'

Raemon Beck keek hem met grote ogen van afschuw aan. 'Naar de hertog? Nee! We moeten zelfs zorgen dat we niet eens bij hem in de buurt komen! Hij zou ons vernietigen, zonder ook maar een vinger naar ons uit te steken!'

'Maar waar woonde hij? Kun je me dat dan tenminste vertellen?'

'Dat weet ik niet zeker. Ergens vlak bij het hart van de stad. Dat herinner ik me omdat we langs veel van de oudste plekken kwamen, sommige platgebrand, andere vervallen tot ruïnes, weer andere zo omhuld door nachtlicht dat ik ze zelfs van dichtbij amper kon onderscheiden. Mijn meester wees me van alles aan – met zulke vreemde namen! De Tuin der Handen, de Vijf Rode Stenen, de Bibliotheek van Smartelijke Muziek... O nee, Jammerlijke Muziek...' Hij haalde diep adem. 'Het waren zoveel namen die hij noemde! De Toren van Syu'maa, de Verraders Poort, het Veld van het Eerste Waken...'

'Wacht eens even,' zei Barrick, plotseling alert. 'De Verraders Poort? Wat was dat?'

'Ik... ik weet het niet meer...'

Barricks linkerhand schoot uit en hij greep Beck bij de arm. Pas toen die het uit jammerde, besefte Barrick dat hij hem pijn deed. 'Neem me niet kwalijk,' verontschuldigde hij zich. 'Maar ik moet het weten. Denk goed na. Die Verraders Poort, wat was dat?'

'Ik doe mijn best, heer. Het was... het was een van de plekken die zo in duisternis waren gehuld dat ik ze amper kon zien. Maar mijn meester zei iets...' Beck kneep zijn ogen tot spleetjes terwijl hij ingespannen nadacht en over zijn pijnlijke arm wreef. 'Hij zei dat het een *lek* was.'

'Een lek?' Barrick moest zich beheersen om de kleine, smoezelige kerel niet opnieuw vast te grijpen en door elkaar te schudden. 'Is dat alles?'

'Ik weet dat het merkwaardig klinkt, maar dat is het woord dat hij gebruikte. Een lek. Hoe noemde hij het ook alweer? Een lek dat zelfs de goden niet konden... niet konden...' Zijn gezicht klaarde op. 'Een lek dat zelfs de goden niet konden dichten.'

Barricks hart begon sneller te slaan. Na alles wat hij over de Manke had gehoord, wist hij zeker dat dit iets was wat hij niet kon negeren. 'Ik wil dat je me de weg erheen wijst.'

De voldane uitdrukking verdween van Becks gezicht. 'Wat? Maar... maar heer, dat is in het hart van de stad – in de Stilte; daar mag niemand komen, alleen op uitnodiging. Zelfs mijn meester zou er geen voet hebben gezet als Spinnenzijde hem niet had gevraagd langs te komen...' Hij schrok van een luid gekraak, maar het was Skurn die een slakkenhuis op een rotsblok kapotsloeg.

'Mijn meester was erg verstandig,' zei Beck. 'Als hij daar niet op eigen houtje heen wilde, zouden wij dat ook niet moeten willen. U weet niet hoe ze zijn, Prins Barrick... Deze schepselen kennen geen enkele genade! Ze zullen ons villen, puur voor hun vermaak, en bovendien aanzienlijk minder zorgvuldig dan ik deze fluithaas heb gevild!'

'Ik zal je niet dwingen om mee te gaan, maar ik kan deze kans niet laten lopen.' Barrick veegde zijn handen af aan zijn haveloze kleren en begon een plek vrij te maken om te gaan liggen. 'Ik moet erheen, Beck. Ik moet weten of dit... dit lek dat zelfs de goden niet kunnen dichten, is wat ik zoek. Zoals ik al zei, ik heb een taak te vervullen.' Hij reikte in zijn buis en voelde aan de spiegel in zijn buidel. 'Maar jij bent natuurlijk vrij om te doen en te laten wat je wilt.'

'Maar als u me in de steek laat, word ik gevangengenomen! Een weggelopen bediende, en dan ook nog een zonlander!' Zijn ogen vulden zich met tranen. 'Ze zullen me gruwelijk straffen!'

Iets van de kilte was teruggekeerd in zijn hart. Barrick was plotseling doodmoe en wilde niet langer luisteren naar het gejammer van deze zwakkeling – hij kon bijna voelen dat hij verhardde, als een brok klei dat veranderde in een baksteen. Hij ging in de holte tussen twee dennenwortels liggen en rolde de kap van de mantel van Qu'arus op tot een soort kussen. 'Ik kan niet voor jou besluiten, koopman. Mijn verantwoordelijkheden reiken verder dan voor kindermeisje spelen en op jou passen.' Hij sloot zijn ogen.

Het had hem de grootste moeite moeten kosten om in slaap te vallen terwijl Beck op amper een armlengte afstand zacht zat te snikken, maar Barrick had in het huis van de Droomlozen bijna geen oog dichtgedaan – zonder de herinnering aan de vreemde hagedissendroom zou hij hebben gezegd dat hij helemaal niet had geslapen. Dus het duurde niet lang of de wereld verdween naar de achtergrond en Barrick zakte weg.

In zijn droom stond hij op een heuveltop, een merkwaardig kale, verlaten plek met de kleur van oud ivoor. Op de helling beneden hem had zich een menigte mensen verzameld – hun starende gezichten boden de aanblik van een perk met ongebruikelijke bloemen. Sommige herkende hij onmiddellijk – het gezicht van zijn vader de koning, van Shaso, van broer Kendrick – maar sommige waren minder bekend. Een van de gezichten zou aan Ferras Vansen kunnen toebehoren, besefte hij na enige tijd, ook al ging het om een al wat oudere man met een grijzende baard en dunnend haar – zo zou Vansen er nooit uit komen te zien, want de kapitein van de koninklijke garde was gestorven in de Grote Diepten toen hij in de eindeloze duisternis was gestort. De meeste andere gezichten waren hem vreemd; sommige van hun bezitters droegen gewaden die er antiek uitzagen, andere leken zo vreemd en misvormd als de schepsels die hij had ontmoet in de slavencellen van de halfgod Jikuyin. Het enige gemeenschappelijke in de vreemde verzameling leek de stilte en de aandacht.

Barrick probeerde iets te zeggen, probeerde te vragen wat ze van hem wilden, maar zijn mond weigerde hem te gehoorzamen. Zijn gezicht voelde als verdoofd, en hoewel hij een soort zenuwtrek leek te hebben in zijn kaak en zijn tong, was er iets wat hem het spreken belette. Hij reikte naar zijn lippen. Tot zijn afschuw voelde hij daar slechts huid, zo stijf als oud leer. Zijn mond was verdwenen.

Barrick? Ben je daar?

De stem klonk ergens achter hem en was pijnlijk bekend; het was de stem van het meisje met het donkere haar – Qinnitan, zo heette ze – maar hij slaagde er niet in haar te antwoorden, hoe hij ook zijn best deed. Hij probeerde uit alle macht zich naar haar toe te keren, maar bewegen lukte ook niet – zijn lichaam was net zo hard en gevoelloos geworden als zijn gezicht.

Waarom zeg je niets? vroeg ze. *Ik kan je zien! Ik wil al zo lang met je praten! Waarom geef je geen antwoord? Ben je boos op me? En zo ja, waarom?*

Barrick concentreerde zich wanhopig, tot alles voor zijn ogen begon te draaien. Hij deed wat hij kon om beweging in zijn versteende spieren te krijgen, maar het was zinloos. Hij stond roerloos, als een standbeeld. De gezichten keken nog altijd verwachtingsvol naar hem op, maar sommige begonnen ongeduldig te worden, aan verwarring ten prooi. Terwijl hij op hen neerkeek verduisterde de hemel en begon het te regenen – koude druppels die hij amper voelde, alsof zelfs zijn vlees zo dik en zo stijf was geworden als boombast. Opnieuw hoorde hij de stem van Qinnitan, maar die werd geleidelijk aan steeds zwakker tot hij ten slotte was weggestorven. De menigte begon zich te verspreiden, voor een deel boos omdat hij niets deed, voor een ander deel slechts verward, tot hij uiteindelijk alleen achterbleef op de kale heuveltop, druipend van de regen maar niet in staat de druppels weg te vegen.

'Prins Barrick, als u echt... aaaaggghhh!' Raemon Beck, die Barrick maar één keer aan zijn schouder had geschud, schrok hevig toen hij de kling van Qu'arus op zijn keel voelde.

'Wat is er?'

Beck slikte krampachtig. 'Wilt u... zoudt u... Dood me alstublieft niet, heer!'

Barrick trok de kling terug en liet die weer in de schede glijden. 'Hoe lang heb ik geslapen?'

Beck wreef over zijn keel. 'Dat is hier altijd moeilijk te zeggen, maar ik hoorde net de klok het kwart slaan. We hebben niet lang meer totdat de Verpozing voorbij is en de Droomlozen weer naar buiten komen.' De jonge koopman zag bleek, en de donkere kringen onder zijn ogen leken te verraden dat hij helemaal niet had geslapen. 'Als u echt op zoek wilt naar de plek die u noemde, wordt het tijd dat we gaan.'

'*We?* Dus je gaat mee?'

Beck knikte met een ongelukkig gezicht. 'Ik heb geen keus. Wat ik ook doe, ze zullen me hoe dan ook doden.' Hij tuitte zijn lippen, worstelend om kalm te blijven. 'Ik heb voor het eerst in heel lang weer aan mijn vrouw en mijn kinderen gedacht... en dat ik ze waarschijnlijk nooit meer terugzie...'

'Daar moet je mee ophouden. Want daar schieten we helemaal niks mee op, geen van beiden.' Barrick ging rechtop zitten en rekte zich uit. 'Hoe lang hebben we nog totdat de Verpozing voorbij is?'

Beck haalde somber zijn schouders op. 'Zoals ik al zei, het kwart heeft geslagen. Dat betekent dat drie kwart van de Verpozing erop zit. Ik ben mijn gevoel voor tijd kwijtgeraakt. Wat zal het zijn? Een uur? Twee uur? Zeker niet langer.'

'Dan moeten we zo snel mogelijk op zoek naar het hart van de stad. Hoe zit het met die skrijters? Hebben we daar op de rivier ook last van?'

'Lást?' Beck begon te lachen; het klonk hol als geroffel op een rotte boomstam. 'U begrijpt het nog steeds niet, heer. De Eenzamen zijn geen wachters of hoeders zoals we die in Helmswater hadden. Ze zullen ons geen "last" bezorgen, ze zullen het merg in uw botten doen bevriezen. Ze zullen uw hart uit uw lijf rukken en het in één hap verzwelgen. Als u op het water bent wanneer u hun stemmen hoort, zult u zichzelf verdrinken om aan hen te ontsnappen.'

'Hou op met die raadsels! Wat zijn het precies?'

'Ik weet het niet! Zelfs mijn meester was bang voor ze. Hij zei dat zijn mensen ze nooit naar Slaap hadden moeten halen. Dat is het woord dat hij gebruikte – "halen". Ik weet niet of ze hen hebben gevonden, of gefokt, of als een soort demonen uit Xand hebben opgeroepen – zelfs de Droomlozen spreken slechts fluisterend over de skrijters. Ik hoorde een van de zonen van Qu'arus ooit tegen zijn broer zeggen dat ze leken op witte vodden in de greep van de wind, met de stem van een vrouw. De Droomlozen noemen ze ook wel "De Ogen van de Lege Plek". Ik weet niet wat dat betekent. En mogen de goden me genadig zijn, ik hoop het ook nooit te weten.' Het leek erop dat hij opnieuw in huilen zou uitbarsten.

'Hou op met dat gesnotter. Kom, laten we nog eens naar je kaart kijken.' Barrick hurkte bij de spiraal die de koopman had getekend. 'We kunnen het er niet op wagen rechtstreeks de grote doorgang af te varen, zeker niet wanneer de Verpozing bijna voorbij is, zoals je zegt. Dus je moet me helpen om via kleinere waterwegen in het hart van de stad te komen.'

'Maar de kleine kanalen... Die zijn allemaal gehuld in nachtlicht,' zei Beck. 'Dus daar kunnen we niets zien. Bovendien zijn sommige geblokkeerd door waterpoorten. En ook al zijn wij met blindheid geslagen, zij kunnen óns wel zien...'

Barrick kreunde van frustratie. 'Toch moet er een manier zijn om er te komen, desnoods rechtstreeks door het grootste kanaal...'

'Net een slakkenhuis,' zei Skurn plotseling. De vogel keek op van de kleverige inhoud van genoemd voorwerp waaraan hij zich met smaak te goed deed. 'Ons heeft het gezien. Vanboven.'

'Ja. We willen naar het hart van de stad, maar Beck zegt dat we de kleine waterwegen niet kunnen nemen zonder te worden opgemerkt.'

'Ons zou wel een weg kunnen vinden,' zei Skurn. 'Van eiland naar eiland, waar het donker niet reikt.'

'Dan wil ik dat je dat doet!' zei Barrick. 'En als het je lukt, beloof ik je het dikste, grootste konijn dat je ooit hebt gezien. Helemaal alleen voor jou. Ik zal het voor je schieten en er zelf geen hap van nemen.'

De vogel keek hem aan met zijn kop schuin; zijn zwarte veren schitterden door het licht van het vuur dat erin werd weerspiegeld. 'Afgesproken.' Hij spreidde zijn vleugels. 'Probeer ons zo goed mogelijk bij te houden.'

Alvorens terug te gaan naar de boot, doofde Barrick het vuur. Maar eerst hield hij een sappige dennentak in de vlammen en wachtte tot die brandde voordat hij met zand en stof het vuur uitmaakte.

'U kunt geen brandende fakkel meenemen!' protesteerde Beck.

'Het is daar zo donker als de nacht. Ik ben niet van plan op de tast, op handen en knieën, mijn weg te zoeken door deze vervloekte stad. Bovendien, als de Droomlozen niet van schemerlicht houden, zijn ze misschien wel doodsbang voor echt vuur.'

'Ze haten het licht, maar ze zijn er niet bang voor. En ze zullen het al van ver kunnen zien. Als we een brandende fakkel meenemen, kunnen we de skrijters net zo goed rechtstreeks toeschreeuwen waar ze ons kunnen vinden.'

Barrick keek hem aan en probeerde te peilen of het angst of redelijkheid was wat Beck bewoog. Ten slotte gooide hij de fakkel in de rivier; een wolk van stoom dreef achter hen aan toen ze de boot afduwden.

Barrick had de duistere stad al bij binnenkomst een onaangenaam oord gevonden, maar dat gevoel werd alleen maar sterker naarmate ze dieper in het hart ervan doordrongen. Misschien zou Slaap een minder onheilspellende aanblik bieden wanneer de Verpozing eenmaal voorbij was en er weer volk op straat liep, maar het kostte Barrick moeite zich de stad vrolijk – of zelfs maar normaal – voor te stellen. De waterwegen met hun hoge, hellende zijkanten, hun steigers als scheve tanden, hun bruggen die hier en daar laag boven het water hingen, deden hem denken aan ingewanden, alsof de stad een enorm herseloos schepsel was, zoals een zeester, dat indringers als het ware langzaam absorbeerde. De huizen, zelfs de grootste, maakten een benauwende, gesloten indruk, met kleine ramen als de mistige ogen van blinde mannen. Barrick zag verder weinig wat leek op openbare ruimte – of wat hij als zodanig herkende – alleen de grillig gevormde bruggen en hier en daar een kale vlakte die er niet zozeer uitzag als een plein of een markt, maar meer als een plek waar ooit gebouwen hadden gestaan die waren verdwenen en nooit vervangen. Het ergst van alles was echter de broeierige stilte die in de donkere doolhof heerste. De inwoners mochten dan Droomlozen heten, in plaats van eeuwig wakend leken de gebouwen die Barrick en Beck passeerden producten van een soort nachtmerrie – harde omhulsels die in hun diepten het zaad van een sluimerende kwaadaardigheid verborgen, alsof Slaap geen stad was maar een mausoleum voor doden die geen rust konden vinden.

Ze hadden net de beschutting van een van de eilanden midden in een kanaal verlaten en roeiden over open water naar een volgend rif met rotsen, bomen en schemerlicht, toen de laatste klok van de Verpozing werd geluid – een doffe galm die Barrick niet zozeer hoorde, maar vooral voelde, tot diep in zijn botten.

'Nu komen ze naar buiten,' zei Beck zacht. Het was duidelijk dat hij zijn uiterste best deed om kalm te blijven. 'En nu zal het niet lang duren of iemand ziet ons.'

'Als je zo zenuwachtig blijft bewegen, zien ze ons zeker. Dus zit stil. En trek een gezicht alsof je hier hoort.' Barrick trok zijn kap dieper over zijn gezicht. 'Als je niks hebt om je hoofd te bedekken, ga dan liggen.'

Beck viste een stuk opgelapt zeildoek van de grond en wikkelde dat om zich heen. 'Ik ken ze. Daar komt het door. Ze zijn wreed, de Droomlozen – zonder enige reden! Net als jongens die vliegen hun poten uittrekken.'

'Dan zullen we ervoor moeten zorgen dat ze onze poten niet te pakken krijgen. Waar is die vervloekte raaf gebleven?'

Barrick was nog altijd op zoek naar Skurn toen ze onder een kruispunt van diverse eeuwenoude bruggen doorvoeren, die elkaar op verschillende hoogten overspanden, als de doornachtige takken van een rozenstruik, en die de verbinding vormden tussen een reeks vervallen, met klimop begroeide en met tegels bedekte torens aan weerskanten van het schaduwrijke kanaal. Barricks blik werd getrokken door een vluchtige, grijze schim op een van de bruggen, alsof daar iemand stond die met een zakdoek naar hem wuifde. Hij keek op. En hij voelde dat zijn blik werd beantwoord. Door de druipende nachtlichten kon hij nauwelijks iets onderscheiden, maar hij had het gevoel alsof zich een ijzige klauw om zijn hart sloot.

'Wat doet u nou?' fluisterde Beck bezwerend. 'U hebt de roeiriem laten vallen!'

Barrick hoorde het gespetter op hetzelfde moment dat zijn metgezel de riem weer aan boord trok, maar het geluid leek van de andere oever te komen. 'Waar... waar is het gebleven?' vroeg hij ten slotte, nauwelijks in staat de woorden over zijn lippen te krijgen. 'Of is het er nog?'

'Wat bedoelt u? Waar hebt u het over?'

'Die ogen... Ze waren rood. Volgens mij was het een levend wezen, maar... maar het... het was niet...' Zijn mond was droog als zand, als stof, maar toch slikte hij. 'Het kéék me aan...'

'Mogen de goden ons helpen,' zei Beck kreunend. 'Was het een skrijter? Moge de Hemel ons behoeden. Ik wil het niet zien...' Hij sloeg als een angstig kind zijn handen voor zijn gezicht.

Uiteindelijk wist Barrick met bonzend hart voldoende moed te verzamelen om weer op te kijken. De wirwar van bruggen raakte steeds verder achter hen, en hoewel hij gedurende een ijzig moment meende iets bleeks te zien fladderen op de hoogste daarvan, was het verdwenen toen hij met zijn ogen knipperde en opnieuw keek. Toch slaagde hij er niet in het beeld uit zijn hoofd te zetten, ook al zou hij niet hebben kunnen zeggen wat hem precies zo'n angst had aangejaagd.

Als witte vodden in de greep van de wind...

De stad leek terug te zinken in een gedempt, morbide waken. Barrick zag gedaanten bewegen in de door nachtlichten beschenen schaduwen, maar ze waren gehuld in zulke zware, wijdvallende mantels dat hij behalve beweging verder weinig kon onderscheiden. De meeste waren alleen en liepen langzaam langs de kanalen of staken boven hun hoofd het water over via een van de merkwaardig hoge bruggen, niet zelden gewapend met een fakkel nachtlicht zodat ze zich verplaatsten in een kleine zwarte wolk die met hen meebewoog. Barrick wilde niets liever dan dit oord zo snel mogelijk achter zich laten. Wat waren deze Droomlozen voor onnatuurlijke wezens? Haatten ze het licht echt zo verschrikkelijk, of zat er meer achter? Hij was Raemon Beck plotseling dankbaar dat die hem had ontraden echt vuur mee te nemen.

Onder leiding van Skurn, die met traag klapperende vleugels voor hen uit vloog, staken ze het breedste deel van de Kwijn over. Ze gleden een smalle waterweg in die zich krulde als een dode duizendpoot en zich door een ogenschijnlijk vergeten deel van de stad slingerde dat ondanks de nabijheid van het centrum een lege, verlaten aanblik bood. De helft van de gebouwen was vervallen tot ruïnes, in veel gevallen weinig meer dan wat zwartgeblakerd puin. Raemon Beck zat kaarsrecht voor in de boot, zijn gezicht verkrampt van angst en waakzaamheid. 'Hier is het,' zei hij ten slotte. 'Dit is de plek waar de meester ons mee naartoe heeft genomen. Ik herinner me die boom.' Hij wees naar een knoestige, eeuwenoude els die eenzaam op een rotsachtig eilandje stond; de stam was misvormd door de wind en de tijd, de takken reikten en spreidden zich over het kanaal als de hand van een verdrinkende reus. 'Volgens mij is de Verraders Poort hier vlakbij.'

'Laten we het hopen.' Barrick kneep zijn ogen tot spleetjes. Er waren in dit gebied minder nachtlichten; slechts hier en daar wierp een toorts in een houder langs het water een poel van inktzwarte duisternis. Toch waren de schaduwen nog zo diep dat details van wat zich op de kant bevond moeilijk te onderscheiden waren. Een moment later ging Barrick rechtop zitten en wees. 'Is dat het?'

Wat het ook ooit mocht zijn geweest, het stenen bouwwerk was nu nog slechts een ruïne, de buitengebouwen waren ingestort en wat er nog van de hoge muren overeind stond, was overwoekerd door bomen en klimplanten. Het geheel bood de aanblik van een van de tomben op de begraafplaats bij de Troon Zaal in Zuidermark, alleen zou deze tombe plaats hebben kunnen bieden aan een dode reus.

'Volgens mij... volgens mij is dit het.' Beck dempte zijn stem tot een gefluister. 'Moge de Hemel ons behoeden! Ik vond het hier toen al verschrikkelijk, en dat vind ik het nog steeds. Wat mijn meester zei over de vloek, joeg me de stuipen op het lijf.'

'Waar heb je het over? Dat had je me wel eens eerder kunnen vertellen.' Heuvels, ruïnes... Was er ook maar íéts in deze duistere schaduwlanden waarop géén vloek rustte?

'Ik was het vergeten.' Beck staarde met grote ogen voor zich uit. De hand die hij boven zijn ogen hield, als om ze te beschermen tegen een niet-bestaande zon, beefde hevig. 'De meester zei dat deze plek verboden terrein was – en dat alle bewoners van deze landen, zowel Droomlozen als Dromers, vervloekt waren door wat de Manke de goden heeft aangedaan.' Hij streek met zijn hand over zijn gezicht. 'Ik weet het niet meer. Ik was hier toen nog maar net. En het was allemaal zo vreemd...'

Barrick voelde dat een kille minachting bezit van hem nam. Loos gepraat! Wat schoten ze ermee op? 'Ik ga naar binnen. Je hoeft niet mee als je niet wilt.'

Raemon Beck keek verwilderd om zich heen. 'Doet u dat alstublieft niet, heer! Ziet u dan niet hoe erg het is? Ik wil daar niet naar binnen!'

'Dat is je eigen keus.' Terwijl de boot zacht naar de kant gleed en tot stilstand kwam tegen de rottende, houten steiger, richtte Barrick zich op, waardoor de boot zo scheef kwam te liggen dat Beck zich aan de rand moest vastgrijpen. Skurn was nergens te bekennen, maar hij zou de boot ongetwijfeld zien en begrijpen waar Barrick naartoe was gegaan.

Beck zei niets meer, maar toen Barrick voorzichtig op de steiger klom, die weliswaar ver doorzakte maar standhield, krabbelde Beck overeind om zijn voorbeeld te volgen; zijn gezicht was verkrampt van angst en ellende.

'Bind de boot goed vast zodat hij niet wegdrijft.' Barrick had zo'n akelig vermoeden dat ze misschien weer heel schielijk zouden moeten vertrekken.

Eenmaal tussen de bomen, weg van de enkele fakkel met nachtlicht aan een paal langs de rand van het kanaal, kon Barrick het gebouw beter zien. Het was groter dan hij had gedacht en het terrein eromheen was breder en dieper dan het vanaf het water had geleken. Bovendien leek het onmetelijk oud; de bleke, door klimop overwoekerde muren waren bedekt met diepe groeven – teksten, misschien zelfs mystieke bezweringen, maar zo ruw van vorm dat ze het werk leken van een reuzenkind. Elke voorzichtige stap die ze zetten op bladeren en afgewaaide takken, leek een waar tromgeroffel van lawaai te veroorzaken. Terwijl Barrick zich door het struikgewas een weg baande naar de enorme ruïne, langs reusachtige brokken muur die waren losgeraakt en naar beneden gevallen, schonk het hem een soort kille bevrediging om Beck achter zich te horen, ongelukkig in zichzelf mompelend.

Plotseling kwam er iets zwarts tussen de bomen op hen afstormen.

'Rennen!' krijste Skurn, die in vliegende vaart langs hen joeg. 'Er dreigt gevaar!'

Barrick bleef even verward staan nadat de raaf weer was verdwenen. Toen zag hij een tweetal bleke gedaanten vanuit de ruïnes op zich afkomen; ze scheerden over de ongelijke grond als bladeren die door de wind werden voortgeblazen.

'Skrijters!' riep Raemon Beck gesmoord. Hij maakte rechtsomkeert om terug te rennen naar de boot, maar struikelde en viel voorover in een stel doornstruiken.

De schepsels verplaatsten zich met een gruwelijke snelheid, hun wapperende gewaden rimpelden en stroomden als nevelslierten, hun gezicht ging schuil in de duisternis van hun kap terwijl ze over obstakels sprongen of glibberden die ze nauwelijks leken te raken. In een oogwenk hadden ze een afstand van honderd stappen afgelegd, zodat Barrick amper tijd had om Raemon Beck overeind te sleuren, voordat een van de schepsels zich op hem stortte. Zonder nadenken haalde hij met het zwaard van Qu'arus uit naar het hoofd van het wezen – of althans, naar de plek waar dat hoofd zich zou moeten bevinden. Het wezen deinsde achteruit, sissend als een opgeschrikte slang, en Barrick ving een glimp op van een gezicht – rode ogen en een spinnenweb van doffe, scharlakenrode aderen in een lijkbleke huid. Toen begon het schepsel te lachen. Een gruwelijk, verloren hijgen, maar nog veel gruwelijker was het dat hij in het niet-menselijke geluid de stem van een vrouw herkende.

Barricks benen voelden zo stijf en zo zwak als waskaarsen, alsof ze elk moment onder zijn gewicht konden bezwijken. Het andere bleke schepsel zweefde langs hem heen, ongetwijfeld in een poging om hem van achteren te belagen. Barrick deed wankelend een stap achteruit en moest Raemon Beck loslaten, waarop de jonge koopman onder berustend gejammer in elkaar zakte. De boot lag enkele tientallen stappen achter hen, maar het hadden net zo goed enkele tientallen mijlen kunnen zijn. De gedaanten in hun opbollende gewaden kwamen dichterbij, hun rauwe stemmen verstrengelden zich in een gebarsten lied van honger en triomf.

De skrijters zongen.

29

Alle reden tot haat

'De enige nog bestaande stad van de elfen ligt in het uiterste noorden van Eion, zelfs nog ten noorden van wat eens Vutland was. Ximander schrijft over "Qul-na-Qar" of "Elfenthuis", maar of dat de namen zijn die de elfen zelf gebruiken, is niet bekend. De Vutten noemden de stad "Alvshemm" en beweerden dat er net zoveel torens waren als bomen in een woud.'

Uit *Een Verhandeling over de Elfenvolken van Eion en Xand*

De zon was bijna achter de horizon verdwenen, en in heel Dreefstaete werden de lampen ontstoken. Brionie was op de terugweg van een bezoekje aan Ivvie, die zich voorzichtig weer wat beter begon te voelen. Haar handen trilden echter nog altijd hevig, en haar maag verdroeg nog steeds niets sterkers dan heldere bouillon. In de gang voor haar vertrekken werd Brionie opgewacht door twee gewapende, gehelmde soldaten getooid met het koninklijke wapen van Syan. Er hing zo'n sfeer van gespannen verwachting dat Brionie even bang was dat de mannen opdracht hadden haar te doden. Maar tot haar – kortstondige – opluchting verklaarde een van hen: 'Prinses Brionie Eddon, de koning verwacht u.'

'Dan wil ik me graag eerst even omkleden.'

De wacht schudde zijn hoofd. Bij het zien van de uitdrukking op zijn gezicht had Brionie het gevoel alsof haar maag veranderde in een klomp ijs. 'Verschoning, Hoogheid, maar dat zal niet gaan.'

In gedachten ging ze alle mogelijkheden langs terwijl ze naar de troonzaal werd geëscorteerd. Zou de koning haar willen spreken vanwege haar bemoeienissen met de Kallikanters? Of was de overval op Jenkin Crowel hem ter ore gekomen? In dat geval zou ze haar betrokkenheid moeiteloos kunnen ontkennen; Dawet was te slim om slordig werk af te leveren.

Toen ze de grote troonzaal betrad, nog altijd tussen de twee lange soldaten, vroeg ze zich onwillekeurig af of de steelse blikken van de hovelingen eenzelfde overdreven scrupuleuze fascinatie verrieden als ze misschien voor een beroemde misdadiger aan de dag zouden hebben gelegd.

O Zoria, genadige vrouwe, waarmee heb ik mezelf nu weer in de nesten gewerkt?

Koning Enander en zijn raadslieden wachtten op haar in de Kapel van Perin, een hoge, langgerekte ruimte. De koning zat op een stoel vóór het grote altaar, aan de voeten van het reusachtige marmeren standbeeld van Perin Hemelheer. In zijn hand hield de god zijn grote hamer, Donderschicht, waarvan het enorme blad op de grond rustte, net achter de stoel van Vrouwe Ananka, de maîtresse van de koning en tevens de laatste die Brionie op dat moment wilde zien. Minstens even stuitend was de aanwezigheid van Jenkin Crowel, de afgezant van de Tollijs aan het hof van Syan, ook al suggereerde die dat haar vermoeden juist was: een van de door Dawet ingehuurde bullebakken had waarschijnlijk zijn mond voorbijgepraat. Crowel nam haar op met een zelfgenoegzame grijns; met zijn reusachtige witte plooikraag zag hij eruit als een uitzonderlijk lelijke bloem. Brionie moest zich beheersen om hem niet recht in zijn brutale, roze gezicht te slaan. Ze probeerde uit alle macht kalm te blijven. Met succes. Ze had haar lesje geleerd sinds Hendon Tollij haar aan haar eigen tafel dusdanig had geprovoceerd dat ze bijna de controle over zichzelf was kwijtgeraakt.

Met gebogen hoofd knielde ze voor de koning. 'Majesteit, u hebt me ontboden, dus ik ben gekomen.'

'Maar zonder de haast die gepast zou zijn geweest,' zei Ananka. 'De koning zit al heel lang op u te wachten.'

Brionie beet op haar lip. 'Dat spijt me. Ik was bij Vrouwe Ivgenia e'Doursos. Uw mannen hebben me net pas getroffen. Ik ben gekomen zodra ik de boodschap kreeg.' Ze keek op naar de koning en probeerde zijn stemming te peilen, maar Enanders gezicht was een onbewogen, ondoorgrondelijk masker. 'Waarmee kan ik u dienen?'

'U zegt Koning Enander te dienen?' vroeg Ananka. 'Merkwaardig, want dat blijkt uit niets.'

Wat hier ook gaande was, het voorspelde niet veel goeds. Als Vrouwe Ananka als haar ondervrager optrad, was de zaak al verloren voordat Brionie zelfs maar wist wat er op het spel stond.

'We hebben u verwelkomd aan ons hof.' Brionie besefte ineens dat Enanders gezicht rood was aangelopen, alsof hij op dit vroege uur al zwaar had gedronken. 'Of niet soms? Hebben we u, als Olins dochter, niet met open armen ontvangen?'

'Dat hebt u zeker, Majesteit, en daar ben ik u innig dankbaar voor...'

'En het enige wat ik van u heb gevraagd, is dat u dit hof niet zou confronteren met de kuiperijen en intriges van uw vaderland dat zo... hevig in beroering is.' De koning fronste zijn wenkbrauwen, maar hij leek zowel verward als boos. Brionie kreeg een sprankje hoop. Misschien was het allemaal een misverstand – iets wat ze kon uitleggen. Ze zou zich berouwvol en dankbaar tonen. Ze zou zich verontschuldigen voor haar jeugd en haar koppigheid. Ze zou alles zeggen wat de koning wilde horen, hoe onzinnig misschien ook, en zoals ze dat van Feival had geleerd, een monoloog van meisjesachtige onschuld afsteken. Daarna zou ze naar haar vertrekken kunnen terugkeren om eindelijk wat dringend noodzakelijke rust te nemen...

Ze zag beweging vanuit haar ooghoeken. Het was Feival, die de grote kapel zo zacht was binnengekomen dat Brionie hem niet had gehoord. Ze was opgelucht althans één bekend gezicht te zien.

'U hebt haar extreem royaal bejegend, mijn heer,' zei Ananka. Was ze de enige die hoorde dat het venijn ervan afdroop, vroeg Brionie zich af. Wat baatte schoonheid – Ananka was geen jonge vrouw meer, maar nog altijd beeldschoon – als daaronder zo'n verraderlijke ziel schuilging?

Genadige Zoria, help me om kalm te blijven, bad Brionie. *Help me mijn trots in te slikken die me al zo vaak in problemen heeft gebracht.*

'Als u dat erkent, waarom hebt u mijn gastvrijheid dan verraden, Brionie Eddon?' vroeg Enander plotseling. 'Waarom hebt u mij verraden? Gewone intriges zou ik nog kunnen begrijpen, maar dít... U hebt me recht in mijn hart geraakt!' De pijn in zijn stem was oprecht.

Verraden? Brionie voelde zich plotseling in de greep van een verkillende angst. Ze keek op, maar de koning weigerde haar blik te ontmoeten. 'Majesteit, ik...' Het spreken viel haar zwaar. 'Wat heb ik gedaan? Alstublieft, zeg me wat ik u heb misdaan. Ik zweer u dat ik nooit...'

'De lijst van uw wandaden is lang, kindje.' De hoge kraag van haar rijkelijk met kralen geborduurde gewaad gaf Ananka de aanblik van een Xandische cobra. 'Als u een gewone burger was, zouden ze stuk voor stuk ernstig genoeg zijn om u in het Huis der Tranen te doen belanden. Heer Jenkin, wees zo goed de koning nogmaals te vertellen wat ze u heeft aangedaan.'

Jenkin Crowel, met nog altijd een vage blauwe plek onder één oog, schraapte zijn keel. 'Koning Enander, slechts enkele dagen na mijn aankomst als wettelijk gezant aan uw gastvrije hof, ben ik op de openbare weg door schurken overvallen en bijna doodgeslagen. Terwijl ik op de grond lag, in een plas van mijn eigen bloed, boog een van de bruten zich over me heen. "Dit is wat er gebeurt met wie zich tegen de Eddons keert," beet hij me toe.'

'Dat is gelogen!' riep Brionie. En dat was ook zo, althans, gedeeltelijk. Nadat ze tot de overtuiging was gekomen dat Crowel haar piepjonge dienstmaagd had vergiftigd bij een poging om haar, Brionie, te vermoorden, had ze Dawet opdracht gegeven een stel bullebakken in te huren om Crowel een koekje van eigen deeg te geven, en om hem te waarschuwen dat hij aanzienlijk zwaarder zou boeten als hij nog eens zo'n smerige streek uithaalde. Het was echter ondenkbaar dat de naam Eddon was gevallen, want Dawet had tegenover de mannen die hij had ingehuurd, zelfs niet de geringste toespeling gemaakt over hun werkelijke opdrachtgever.

'Ik heb het zelf gehoord!' Crowel deed zijn best er zowel lijdend als nobel uit te zien. 'Sterker nog, ik dacht dat ik stervende was en dat het de laatste woorden waren die ik ooit zou horen.'

'U bent net zo'n leugenaar als de heer die u dient.' Brionie dwong zichzelf diep in te ademen. 'Zelfs al hád ik opdracht gegeven tot zo'n gruwelijke daad, dan zou ik er toch wel voor hebben gezorgd dat mijn naam niet werd genoemd?' Alleen al de aanblik van Crowels vlezige, zelfverzekerde gezicht wakkerde haar woede aan tot de vlammen diep vanbinnen hoog oplaaiden. 'Als ik wraak zou hebben genomen voor het verraad van uw meester jegens mijn familie, dan zou de naam Eddon inderdaad het laatste zijn geweest wat u had gehoord! Zwijn dat u bent! Maar u zou nooit meer zijn opgestaan!' Brionie besefte dat ze door iedereen werd aangestaard, ook door de koning. Ze slikte. 'Ik ben onschuldig aan deze aantijging, Koning Enander. U wilt toch niet beweren dat u méér waarde hecht aan het woord van deze... deze parvenu dan aan dat van de dochter van een broedervorst?'

De koning vernauwde zijn ogen tot spleetjes. 'Als dit de enige aantijging was, en u de enige getuige, dan zou ik niet twijfelen aan uw onschuld, Prinses. Maar er is meer.'

'Ik ben onschuldig aan alle aantijgingen, Majesteit. Dat zweer ik. Laat uw getuigen maar komen.'

'Heb ik het niet gezegd, mijn heer?' vroeg Ananka triomfantelijk. 'Ze weet heel overtuigend de vermoorde onschuld te spelen. Terwijl ze nota bene heeft geprobeerd uw zoon te stelen! En dat niet alleen, ze had ook haar zinnen gezet op uw troon!'

Enanders troon? Bij de goden, dat was hoogverraad! Daarvoor konden zelfs prinsessen ter dood worden veroordeeld. Tot een langzame, pijnlijke dood. Het kostte haar de grootste moeite de woorden over haar lippen te krijgen. 'Ik heb geen idee waar u op doelt, Vrouwe Ananka. Maar ik zweer bij Perin en bij alle andere goden dat ik onschuldig ben!'

'U hebt geprobeerd Prins Eneas te strikken, kindje. Dat is algemeen bekend. U hebt hem het hof gemaakt, u hebt de blozende maagd uitgehangen en geprobeerd hem uw bed in te lokken en hem naar uw pijpen te laten dansen! En dat was nog maar het begin!'

'Maar dat is een afschuwelijke leugen!' riep Brionie. 'Waar is de prins? Waarom vraagt u het hemzelf niet? Onze contacten zijn altijd eerzaam geweest. Wat ik niet kan zeggen van hetgeen u mij op dit moment aandoet!'

'Het zal u niet lukken de prins voor uw karretje te spannen.' Het was duidelijk dat Ananka van de situatie genoot. 'Die is buiten het bereik van uw leugens en kuiperijen. Eneas is zojuist met een opdracht uit Tessis vertrokken, samen met zijn manschappen. Dus de betovering waarin u hem hebt verstrikt, zal u niet kunnen helpen.'

Brionie vocht zo wanhopig tegen haar woede dat de hele kapel in duisternis leek te verdwijnen, op de koning en diens uitverkorene na. Ze wankelde even toen ze zich weer naar Enander keerde. 'Majesteit, uw zoon heeft niets misdaan, en voor mij geldt hetzelfde. We zijn goede vrienden, meer niet. En het enige wat ik van hem, of van u, hoop te ontvangen is hulp voor mijn land, voor mijn volk... uw bondgenoten!'

Enander nam haar verward op. 'Ik... ik heb iets anders gehoord.'

'Maar van wie dan?' vroeg Brionie. 'Met alle respect, Koning Enander, maar Vrouwe Ananka mag me niet, dat is duidelijk, ook al heb ik geen idee hoe dat komt...' Terwijl ze het zei, zag ze dat Ananka en Jenkin Crowel een geamuseerde samenzweerdersblik wisselden, en ze besefte dat de betrokkenheid van de gemalin van de koning verderging dan die van stiefmoeder. Ze speelt onder één hoedje met de Tollijs, dacht Brionie. *Het loeder heeft haar eigen plannen.* Zelfs haar oplaaiende woede kon de kilte niet verdrijven die zich nog steviger in haar nestelde toen ze inzag hoe grondig de samenzwering tegen haar was voorbereid. 'Maar... maar dat kan toch geen basis zijn voor een veroordeling?' maakte ze haar zin af. 'Ik smeek u uw zoon terug te roepen. En hem naar zijn mening te vragen.'

'Mijn zoon heeft de belangen van het rijk die hij moet dienen,' zei Enander. 'Maar zoals ik al zei, er zijn meer getuigen. Feival uit Ulos, kom naar voren en vertel ons wat u weet.'

'Feival...' Brionie nam hem verbaasd op. 'Wat moet dit voorstellen?'

De jeugdige toneelspeler had althans het fatsoen – of het talent – om bekommerd te kijken terwijl hij naar voren kwam en voor de koning knielde. 'Dit... dit valt me zwaar, Majesteit. Ze is de dochter van mijn koning. We hebben lange tijd samen gereisd en we waren vrienden...'

'*Waren?* Dat zijn we nog steeds! Wat wil je hiermee zeggen?'

'... maar ik kan niet langer zwijgen over wat ze heeft gedaan. Alle beschuldigingen zijn waar. Ze heeft er met mij herhaalde malen over gesproken. Ze had maar één gedachte, en dat was het hart veroveren van Prins Eneas, zodat ze via hem uiteindelijk controle zou hebben over de troon van Syan. Om te beginnen vroeg ze mij om voor haar te werken, en uiteindelijk heeft ze ook alle andere spelers ingehuurd als spion. Ik kan u de verslagen laten zien. Vervolgens zette ze haar zinnen op de prins. Ze maakte van elke gelegenheid gebruik om hem het hoofd op hol te brengen, ze verleidde hem met de ene zoete belofte na de andere, maar ondertussen vertelde ze mij onder vier ogen dat ze niets om hem gaf, dat het haar alleen om de troon van Syan ging.'

Brionies mond viel open, toen schoot ze overeind. Een van de soldaten greep haar arm en dwong haar te blijven waar ze was. 'Genadige Zoria! Feival, hoe kun je me dit aandoen? Waarom vertel je zulke verschrikkelijke, pertinente leugens...' Maar toen besefte ze ineens hoe weelderig hij gekleed ging, hoe rijk de juwelen waren die hij droeg en die hij niet van haar had gekregen, maar waarover ze zich nooit had verwonderd, simpelweg omdat zulke dingen haar niet interesseerden. En het drong tot haar door dat ze vanaf het moment dat ze het hof van Tessis had betreden, een verloren strijd had gestreden. Ananka had een zwak riet gevonden en dat in haar voordeel gebogen. 'Koning Enander, het is allemaal niet waar!' Brionie keerde zich naar de troon. 'Het is... een samenzwering. Ik begrijp niet waarom ik word zwartgemaakt, maar

ik ben onschuldig! Vraagt u het alstublieft aan Eneas. Roep hem terug!'
De koning schudde zijn hoofd. 'Zoals mijn vrouwe al zei, we kunnen
hem niet bereiken.'
'Maar waarom zou ik zulke dingen doen? Waarom zou ik Eneas mis-
leiden? Uw zoon heeft bepaalde gevoelens voor me. Dat heeft hij zelf
gezegd...'
'Zie je wel?' In haar triomf schoot Ananka bijna overeind in haar zetel, maar ze bedacht zich halverwege. 'Ze geeft het zelf toe!'
'Maar ik heb hem afgewezen, waarbij ik nadrukkelijk wil verklaren
dat hij in zijn bejegening altijd eerzaam is gebleven! Vraagt u hem alstublieft naar zijn getuigenis. Veroordeel me niet op basis van de verklaring van een enkele verraderlijke dienaar, zonder uw eigen zoon te hebben gehoord! Mijn dienstmaagd en mijn vriendin zijn beiden in uw
paleis vergiftigd. Ziet u dan niet dat iemand hier probeert me kapot te
maken...'
'Vertel de rest, Ulosiër,' viel Ananka haar met luide stem in de rede.
'Vertel de koning wat dit achterbakse schepsel zei dat ze zou doen wanneer ze de zoon van de koning tot een huwelijk had verleid.'
Brionie wilde opnieuw protesteren, maar de koning hief zijn hand om
haar het zwijgen op te leggen. 'Laat de bediende spreken.'
Feival ontweek Brionies blik. 'Ze zei... ze zei dat ze er alles aan zou
doen om te zorgen dat Eneas op de troon van zijn vader kwam te zitten.' Hij zuchtte, en hoewel dat misschien te danken was aan zijn schuldgevoel over de grove leugens die hij opdiste, speelde hij zijn groeiende
ongemak buitengewoon overtuigend.
Brionie kon slechts hulpeloos haar hoofd schudden. 'Het is je reinste
waanzin... allemaal...'
'Vooruit!' commandeerde Ananka de jonge toneelspeler. 'Je hebt nog
meer te vertellen. Wees maar niet bang. Vertel de koning wat je mij hebt
verteld. Heeft ze niet gezegd dat ze er niet voor zou terugdeinzen om
zonodig hekserij te gebruiken om de troonopvolging te bespoedigen...'
Brionie had het gevoel alsof haar benen ineens van rubber waren. Een
van de soldaten moest haar opvangen om te voorkomen dat ze in elkaar
zakte. Hekserij... gericht tegen het leven van de koning? Ananka wilde
haar niet slechts van het hof verbannen, ze wilde haar dood hebben! 'Allemaal leugens!' zei ze, maar haar stem klonk zwak.
Zelfs Feival leek met stomheid geslagen, alsof dit verraad ook hem te
ver ging. 'H-hekserij?'
'Vooruit! Vertel het de koning maar!' Ananka leek op het punt te staan

het desnoods uit hem te schudden.

Feival slikte. 'Ik... Eerlijk gezegd, vrouwe... Dat herinner ik me niet...'

'Hij is natuurlijk bang om erover te praten, Majesteit,' zei Ananka tegen Enander. 'Om het te zeggen waar ze bij is. Omdat hij bang is dat ze een vloek over hem zal uitspreken.' De maîtresse van de koning ging weer zitten, maar de blik die ze Feival schonk, suggereerde dat zijn nieuwe meesteres bepaald niet gelukkig was met zijn optreden. 'Maar u ziet hoe ernstig de samenzwering was die we hebben ontdekt; en hoe groot het gevaar was waarin u en uw zoon hebben verkeerd!'

Enander schudde zijn hoofd. Was het de drank waardoor hij zo'n vurige blos op zijn wangen had? Of kwam het door iets anders? Was Ananka hem soms ook aan het vergiftigen?

'Dit zijn verschrikkelijke beschuldigingen, Brionie Eddon,' zei de koning langzaam. 'En als uw vader niet zo'n goede vriend van ons was, zou ik in de verleiding komen om hier en nu vonnis te wijzen.' Hij zweeg even terwijl de vrouw naast hem zich niet kon beheersen en een zacht gesis slaakte van gefrustreerdheid. 'Maar vanwege de jarenlange broederschap tussen onze volkeren zal ik u met dezelfde zorgvuldigheid behandelen als ik dat met mijn eigen vlees en bloed zou hebben gedaan. U mag uw vertrekken niet verlaten tot ik deze zaak heb onderzocht met de grondigheid die ze verdient.' Hij haalde beverig adem. 'Dit is voor ons net zo zwaar als voor u, Prinses, maar u hebt het over uzelf afgeroepen.'

'Nee!' Brionie beefde van woede en kon zich nauwelijks beheersen. De verraderlijke Feival, de wrede Ananka, zelfs Jenkin Crowel, dat zwijn – achter die zorgvuldig in de plooi gehouden gezichten lachten ze haar allemaal uit! 'Zult u toestaan dat Jellon mijn familie opnieuw verraadt, Koning Enander? Bent u echt zo blind voor wat er gaande is aan uw eigen hof?'

Velen hielden geschokt hun adem in bij die laatste woorden, maar de koning keek slechts verward. 'Jellon? Wat is dat voor onzin? Of bent u soms vergeten waar u bent?'

'Jellon! Waar Hesper mijn vader heeft verkocht aan Ludis Drakava, de usurpator van Hierosol! Zij is uit Jellon hierheen gekomen, door haar minnaar geschoold in het verraad om mijn koninkrijk ten val te brengen – en misschien ook wel het uwe! Ziet u dat dan niet? Uit Jellon komen slechts leugens en verraad!'

'Vrouwe, u bent van streek.' Enander zag er plotseling oud en moe uit. 'Jellon is onze bondgenoot en het heeft de wereld veel geschonken.

Het volk van Jellon telt uitzonderlijk goede wevers.'

Brionie staarde hem aan. De gedachten van de koning waren buitengewoon traag en hopeloos verward – redeneren had geen zin meer. Ze probeerde uit alle macht om niet te laten merken hoe ellendig ze zich voelde – ze gunde het Ananka, dat loeder, niet om haar te zien huilen. 'U doet me groot onrecht,' was het enige wat ze zei, toen draaide ze zich om en ze liep de kapel uit, vurig wensend dat haar benen haar niet opnieuw in de steek zouden laten. De wachten aan weerskanten liepen zwijgend met haar mee. Ze zou geen stap meer alleen mogen zetten, dat was duidelijk.

Eenmaal in de troonzaal kwam Erasmias Jino, de raadsman van de koning, naar haar toe. 'Ik moet u mijn verontschuldigingen aanbieden, Prinses,' zei hij zacht. 'Ik was me er niet van bewust dat er iets dergelijks werd voorbereid.'

'Ik ook niet. Wat denkt u? Wie was er meer verrast? U of ik?' Daarop liet ze zich door de wachten wegvoeren.

*

Zuster Utta kon zich er niet toe brengen op te staan, ook al eiste de storm die in haar hoofd raasde, op z'n minst énige fysieke ontlading. Het liefst zou ze zo hard en zo ver mogelijk wegrennen om te ontsnappen aan dit onmogelijke relaas, of ze zou dingen met veel geraas kapot willen gooien, zodat het lawaai en de chaos zouden uitwissen wat haar zojuist was verteld. Maar het verhaal ging door, het relaas hoe de stervelingen van Zuidermark de koninklijke familie van het Schemervolk te gronde hadden gericht.

'Het kan niet waar zijn.' Ze keek Kayyin smekend aan. 'Dit doe je alleen omdat je duistere meesteres ons wil kwellen. Deze gruwelijke verhalen... Geef toe dat het allemaal leugens zijn!'

'Natuurlijk zijn het leugens,' zei Merolanna boos. Ze weigerde de blik van de elf nog langer te ontmoeten. 'Kwaadaardige leugens. Verteld door dit... dit kwaadaardige wisselkind om ons angst aan te jagen en ons geloof te gronde te richten.'

Kayyin spreidde zijn handen in een gebaar van berusting of overgave. 'Het geloof heeft er niets mee te maken, hertogin. Mijn meesteres Yasammez heeft me opgedragen u de waarheid te vertellen en dat heb ik gedaan. Ik ben haar niets anders verschuldigd dan mijn dood, dus ik kan u verzekeren dat ik niet zou liegen om haar te plezieren, zeker niet hierover, de grootste tragedie in de geschiedenis van mijn volk.' Zijn blik werd onmiskenbaar killer. 'En hoe lang ik mijn rol ook heb gespeeld, door het ophalen van de geschiedenis ben ik me weer bewust geworden van de verschillen tussen ons! Tussen u en mij! Mijn volk loopt niet weg voor de waarheid. Dat is de enige reden waarom we hebben weten te overleven in deze wereld... een wereld die is geschapen door uw soort.'

Hij keerde zich om en liep de kamer uit. Nog even hoorde Utta zijn lichte voetstappen op de trap, toen werd alles weer stil.

'Zie je nou wel?' Merolanna's stem klonk triomfantelijk, maar de triomf had iets koortsachtigs, dacht Utta. 'Hij weet dat we hem hebben doorzien. Door weg te lopen geeft hij dat min of meer toe!'

Na de vele, lange dagen van gedeelde gevangenschap had Utta niet meer de kracht noch de neiging om haar tegen te spreken. En trouwens, als Merolanna die overtuiging nodig had om haar moreel hoog te houden, wie was Utta dan om haar die te ontnemen? Toch kon ze er niet helemaal het zwijgen toe doen.

'Hoezeer het me ook tegenstaat om dat toe te geven, veel van wat hij zei... lijkt overeen te komen met de geschiedenis van mijn orde...' merkte ze op.

'Natuurlijk!' Merolanna was voortvarend – en volstrekt onnodig – bezig de kamer op te ruimen. 'Ziet u dat dan niet? Dat is juist zo sluw! Ze zorgen ervoor dat hun leugens geloofwaardig klinken, tot je er over gaat nadenken. Want wat zeggen ze nou werkelijk? Wat ze werkelijk zeggen, is dat het niet de monsters waren die uit hun schaduwrijk kwamen en óns aanvielen! Nee, wij, godvrezende inwoners van de Mark Koninkrijken, hebben hen úítgelokt, en hen vervolgens verraden en afgeslacht! Ziet u dan niet hoe dwaas dat is, Zuster Utta? Ik begin nu toch echt aan uw gezonde verstand te twijfelen. Bij zijn terugkeer uit de oorlogen in Segtland heeft mijn man me over de waanzinnigste gruwelen verteld. Maar u... Na zo'n lange gevangenschap begint u uw gevangennemers te geloven.'

Utta deed haar mond open en sloot hem weer. Ik moet geduld met haar hebben, hield ze zichzelf voor. *Ze is een goed mens. Maar ze is bang. Trouwens, dat ben ik ook.* Want als wat Kayyin hun had verteld allemaal gelogen was, zoals Merolanna zo vurig geloofde, dan waren de Qar volslagen krankzinnig. Maar als het waar was...

Dan hebben ze alle reden om ons te haten, dacht Utta. *En alle reden om ons te vernietigen. Ons allemaal.*

*

Terwijl Brionie terugliep naar haar vertrekken, begon de kolkende woede diep vanbinnen weg te ebben, alsof iemand het deksel van een kookpot had genomen. Ze had geen tijd voor woede, hield ze zichzelf voor; haar leven stond op het spel. Ze kon elk moment achter de tralies worden gezet, of worden verbannen naar een landgoed ver buiten de stad, waar ze ook opgesloten zou zitten. En als ze maar lang genoeg de tijd kreeg om hem te bewerken, zou Ananka het misschien zelfs voor elkaar krijgen dat de verdwaasde oude koning geloof hechtte aan die onzin over hekserij. Tenslotte had Brionies woord – het woord van een koningsdochter! – niets voor Enander betekend. In plaats van naar haar te luisteren had hij als een sukkel achterovergeleund en zich door die hoer laten manipuleren...

Rustig blijven, zei ze tegen zichzelf. *Wat zei Shaso altijd? 'Zelfs wanneer je je verdedigt moet je aanvallen. Je kunt je niet beperken tot reageren op wat er op je afkomt. Een krijger moet altijd actie ondernemen, al is het maar om zijn volgende zet voor te bereiden.'*

Dus, wat was haar volgende zet? Wat waren de middelen die haar ten dienste stonden? Dawet was de stad uit. Het geld dat Eneas haar had gegeven, was zo goed als op. Zoria zou voor haar zorgen, hield ze zichzelf voor... Maar dan moest ze Zoria wel de kans geven. Brionie was met als enige bezit haar vrijheid naar Tessis gekomen. Ze mocht van geluk spreken als ze de stad onder dezelfde omstandigheden wist te verlaten.

Aan de gegeneerde uitdrukking op hun gezicht zag Brionie dat haar hofdames het nieuws al hadden gehoord. En dat verbaasde haar niet; roddels en geruchten deden als een lopend vuurtje de ronde in Paleis Dreefstaete. Toch was het pijnlijk om te zien hoe haar vrouwen probeerden hun houding jegens haar te bepalen. Waren ze van meet af aan van Feivals verraad op de hoogte geweest? En hoevelen van hen spioneerden óók voor Ananka?

Van al haar hofdames kwam alleen Agnes, de lange, slanke dochter van een plattelandsbaron, haar tegemoet lopen. Het meisje nam Brionie aandachtig op. 'Is alles goed met u?' Ze klonk alsof het antwoord haar oprecht interesseerde. 'Kan ik iets voor u doen, Prinses?'

Brionie keek naar de andere jonge vrouwen, die zich afwendden en zogenaamd druk waren met allerlei nutteloze zaken en taken. 'Heel graag, Vrouwe Agnes. U zou wat met me kunnen praten terwijl ik andere kleren aantrek. Deze heb ik al de hele dag aan.'

'Natuurlijk, Prinses. Met alle plezier.'

In haar kleedkamer begon Brionie zich haastig uit te kleden. Terwijl Agnes haar uit haar jurk hielp en in haar zware nachtgewaad, nam Brionie haar aandachtig op. Agnes was iets jonger dan zij, maar net zo lang; en ze was slanker, maar ook blond – en dat zou van pas kunnen komen.

'Heb je gehoord wat er vanmiddag is gebeurd? Hoeveel weet je ervan?' vroeg Brionie.

Agnes kleurde. 'Meer dan me lief is, Prinses. Ik heb gehoord dat Meester Feival de koning leugens op de mouw heeft gespeld over u.' Ze schudde haar hoofd. 'Als ze mij naar mijn mening hadden gevraagd, zou ik hun de waarheid hebben verteld; namelijk dat u geen enkele schuld treft, dat uw contacten met Zijne Koninklijke Hoogheid, Prins Eneas, uitsluitend eerzaam zijn geweest.' Haar gezicht verried hoe geschokt ze was. 'Wilt u dat ik dat tegen hen zeg, Prinses? Als u dat wilt, dan doe ik het, ook al maak ik me wel zorgen om mijn familie...'

'Nee, Agnes. Zoiets zou ik niet van je vragen, noch van een van de andere meisjes.'

'De anderen zijn laf, Prinses. Trouwens, ik vrees dat ze de waarheid toch niet zouden vertellen. Ze zijn bang voor Ananka.' Ze lachte spijtig. 'En dat ben ik ook. Sommigen zeggen dat ze een heks is; dat ze een bezwering over de koning heeft uitgesproken.'

Brionie trok een lelijk gezicht. 'Nou, dan zal ik haar eens een staaltje hekserij laten zien; maar dat kan alleen als jij me wilt helpen.'

Agnes strikte de ceintuur van Brionies nachtgewaad en keek met een ernstig gezicht naar haar op. 'Wanneer de goden me dat toestaan, zal ik u helpen, Prinses. Ik zal doen wat u wilt. Want ik vind het afschuwelijk wat u wordt aangedaan.'

'Mooi. Volgens mij moet dit lukken zonder dat jouw reputatie aan het hof ook maar enige schade lijdt. Luister...'

De eerste keer dat ze Agnes eropuit stuurde, liep Brionie met haar naar de deur zodat de wachten haar konden zien in haar nachtgewaad. Dan maar onzedig, dacht ze. *Een krijger kent geen zedigheid.*

'Kom zo snel mogelijk terug!' zei ze zo luid dat de soldaten het konden horen. Ze keerden zich naar het meisje terwijl ze haastig kwam langslopen, maar Agnes was geen type dat veel aandacht trok bij de mannen. Ze had een brief bij zich, gericht aan de koning, met daarin de pleidooien en de verklaringen van onschuld die verwacht konden worden van iemand in Brionies positie, maar de wachten namen niet eens de moeite haar te vragen wat ze ging doen, laat staan dat ze inzage eisten in de brief.

Idioten, dacht Brionie. *Nou ja, ik neem aan dat ik blij zou moeten zijn dat ze hier zo'n lage dunk van me hebben.*

Terwijl Agnes weg was inspecteerde Brionie de schamele inhoud van de reiskist waarmee ze aan het hof van Tessis was gearriveerd. Ze maakte een bundel van wat ze wilde meenemen, en wikkelde dat in een reismantel – de armoedigste die ze kon vinden, een simpel, ongeborduurd exemplaar van zware donkere wol dat tot haar enkels viel en dat een bezoeker ooit had achtergelaten.

Misschien is hij wel van de prins, dacht ze. *Ja, ik kan me Eneas heel goed voorstellen in zo'n bescheiden mantel, aan het hoofd van zijn manschappen.* De mantel was in elk geval lang genoeg om van Eneas te kunnen zijn.

Het duurde niet lang of Agnes kwam terug, waarna Brionie haar opnieuw op pad stuurde, dit keer met een brief voor Ivgenia e'Doursos. Brionie wilde dat haar vriendin wist wat er gaande was, dus ze had haar geschreven dat ze valselijk was beschuldigd, natuurlijk zonder ook maar iets prijs te geven over wat ze van plan was. Ze had geleerd dat ze niemand kon vertrouwen, zelfs Ivvie niet. Het feit dat ze zo zwaar op de jonge Agnes moest steunen, vervulde haar met ongemak, maar daar was niets aan te doen.

Brionie ging ook deze keer in de deuropening staan en zorgde ervoor dat de wachten haar zagen. 'Schuif het maar onder haar deur door,' zei ze tegen Agnes. 'En pas op dat je haar niet wakker maakt.'

Agnes glimlachte. 'Ik zal heel voorzichtig zijn.'

De andere vrouwen waren duidelijk gepikeerd dat zij niet bij deze blijkbaar belangrijke boodschappen werden betrokken. Dus Brionie zette hen aan het werk om te proberen wat eten te bemachtigen.

'Ik wil graag wat brood en kaas uit de provisiekamer,' zei ze. 'Zoveel als je kunt krijgen. Maar je moet tegen niemand zeggen dat het voor mij is. En ook wat gedroogd fruit. En mispels – doe ze in een doek, anders komt alles eronder te zitten. En wat nog meer... O ja, wat kweeperenmoes.'

'Hebt u zo'n honger, Prinses?' vroeg een van de meisjes.

'Ik rammel! Het is zwaar werk om het doelwit te zijn van verraad.'

De vrouwen verlieten met grote ogen de kamer en ze waren de deur nog niet uit of ze begonnen onderling al te fluisteren. Brionie merkte op dat een van de wachten blijkbaar even weg was; de andere keek nauwelijks op terwijl de twee jonge vrouwen langskwamen.

Toen het brood en de kaas en de rest van het eten binnen waren, ging Brionie ermee naar haar kleedkamer waar ze veilig was voor ongewenste blikken. Ze rolde haar bundel uit en verborg het eten erin. 'Jullie kunnen wel vast naar bed gaan,' riep ze naar haar hofdames. 'Dan wacht ik op Agnes. Ik heb nog geen slaap.'

Teleurgesteld in hun hoop op nog meer uitzonderlijke opdrachten – of misschien hadden ze gehoopt dat Brionie de hele berg eten achter elkaar naar binnen zou werken – trokken de hofdames zich terug om zich gereed te maken voor de nacht. Niet lang daarna kwam Agnes terug.

'Dank de goden!' verzuchtte Brionie. 'Ik was al bang dat je iets was overkomen.'

'Er waren mensen in de gang en ik wist niet of u wilde dat ze me zouden zien,' antwoordde Agnes. 'Dus ik heb gewacht tot ze weer weg waren. Heb ik iets verkeerds gedaan?'

'Genadige Zoria, nee, natuurlijk niet! Waarom heb ik je niet eerder ontdekt?' Ze gaf het meisje een snelle kus op de wang. 'Nog één ding. Geef me je jurk.'

'Mijn jurk, Prinses?'

'Sst! Niet zo hard. De anderen hebben zich net teruggetrokken. We moeten snel zijn. Hier, neem jij dit gewaad en trek het aan.'

Het pleitte voor Agnes dat ze geen tijd verspilde met het stellen van vragen. Geholpen door Brionie werkte ze zich uit haar gewaad, en terwijl ze rillend in haar hemdjurk stond, hees Brionie haar in haar eigen nachtgewaad.

'Nu moet jij mij helpen,' zei ze vervolgens.

Toen ze in de japon was geregen, nam ze Agnes mee naar haar reiskist. 'Het spreekt vanzelf dat je al mijn jurken mag hebben. Er liggen er verschillende in de kist. Maar ik wil je ook nog iets anders geven. Alsjeblieft. De dwaas die me deze heeft gegeven, heeft niet gekregen wat hij hoopte, maar hij wilde hem ook niet terug. Dus het staat me vrij om hem aan jou te geven.' Met die woorden deed ze de kostbare armband die Heer Nikomakos haar met romantische bedoelingen had gestuurd, om de pols van de jonge hofdame.

Agnes keek haar verbijsterd aan en kreeg tranen in haar ogen. 'U bent veel te goed voor me, Prinses...'

'Helemaal niet. Je moet nog één ding voor me doen, en dat is niet eenvoudig. Wanneer ze me komen halen – dat kan vannacht al zijn als ze iets zijn gaan vermoeden, maar het kan ook pas morgen gebeuren – moet je de mannen van de koning ervan zien te overtuigen dat je geen idee had wat ik van plan was.' Ze fronste haar wenkbrauwen. 'Nee, dat geloven ze nooit; daar ben je veel te slim voor. Zeg maar dat ik je zo bang heb gemaakt dat je niks durfde te zeggen.'

Nu was het Agnes die hoofdschuddend haar wenkbrauwen fronste. 'Ik pieker er niet over u zwart te maken, Prinses Brionie. Dus ik bedenk wel wat. Laat dat maar aan mij over.'

'Mogen de goden je zegenen, Agnes! Luister goed naar wat ik zeg. Wanneer we bij de deur zijn, zet je niet meer dan één voet de gang op. Verder ga je niet. En hou je gezicht afgewend van de soldaten.'

Zodra ze de deur had opengedaan, zei ze met luide stem: 'Denk erom dat je voortmaakt, kindje! Breng haar die spullen en kom zo snel mogelijk terug. Ik wil naar bed!'

Er stond nog altijd maar één wacht, en zoals Brionie had gehoopt keek hij nauwelijks op bij het verschijnen van de twee vertrouwde gedaanten – de vrouw in nachtgewaad en haar dienstmeisje dat er met een laatste boodschap opuit werd gestuurd.

'De prinses weet van geen ophouden, hè vrouwe?' riep hij naar Brionie toen die zich langs hem haastte met de opgerolde mantel tegen haar borst geklemd.

'Zeg dat wel!' zei ze, zo zacht dat ze het alleen zelf kon horen. 'Reken maar. Ik ben helemaal uit mijn doen.' En met die woorden sloeg ze de volgende gang in.

Ze volgde de weg terug die ze met Eneas had gelopen, en liep even de stallen in om de jongenskleren aan te trekken die ze had gedragen terwijl ze met de troep meereisde. Het mocht dan lente zijn in Syan, maar het was een koude nacht. Dus ze dankte Zoria en de andere goden voor de dikke mantel. Bovendien was ze dankbaar dat er die avond markt werd gehouden hetgeen betekende dat de paleispoorten nog tot laat openbleven terwijl de mensen in en uit liepen. Nadat ze de jurk die Agnes haar had gegeven, onder het stro had verstopt, verliet ze de stallen en liep ze door de poort de stad in.

Eenmaal daar zette ze rechtstreeks koers naar de taveerne waar de spelers waren ondergebracht. 'De Walrus' lag in een smalle straat in een donkere, maar levendige wijk vlak bij de rivierkades; op het uithangbord was een vreemd zeewezen geschilderd met slagtanden die uit zijn muil naar buiten krulden. Dronken mannen zwierven zingend of ruziënd door de straten, sommigen met vrouwen aan hun arm die net zo dronken en ruzieachtig waren als zijzelf. Brionie was blij dat ze als man gekleed ging, en ze bad dat niemand haar zou aanspreken. Want dit leek haar het soort buurt waar het slecht met haar zou kunnen aflopen, zelfs als ze niet als meisje werd herkend.

Nevin Hewneij zat in de gelagkamer te slapen, met zijn hoofd op een van de tafels. Finh Teodoros, die naast hem zat, was er weliswaar iets beter aan toe, maar toch duurde het even voordat hij haar herkende, ook nadat ze haar naam had gefluisterd.

Toen leunde hij ver naar achteren, alsof hij haar van top tot teen wilde opnemen, en vervolgens weer naar voren. 'Tim, beste jongen... Ik bedoel Prin-'

Brionie legde zo hardhandig haar hand op zijn mond dat iemand die minder dronken was geweest, het zou hebben uitgeschreeuwd van de pijn. 'Niet doen! Is de hele troep hier?'

'Ik – hik! – ik weet het niet zeker. Hewneij is al uren geleden in slaap gevallen. En volgens mij zag ik dat Propermans probeerde een plaatselijke koopman stroop om de mond te smeren...' Hij keek haar opnieuw met uitpuilende ogen aan, alsof hij rekening hield met de mogelijkheid dat hij droomde. 'Maar wat kom je dóén? En dan ook nog in... in zulke kleren?'

'Daar wil ik het hier niet over hebben. Neem Hewneij mee. In je kamer praten we verder.'

'Feival?' Teodoros werd bleek. 'Echt waar?'

'Hoezo, echt waar? Dacht je dat ik erom zou liegen? Hij heeft me verraden!'

'Neem me niet kwalijk, Hoogheid. Ik had gewoon niet... Bij de Bedrieger, wie had dat ooit kunnen denken?'

'Wij allemaal, stuk voor stuk, als we ook maar een greintje gezond verstand hadden gehad.' Nevin Hewneij hief zijn druipende hoofd uit een kom water. 'Hij was altijd al verzot op mooie spullen, onze Feival. Ik heb wel eens gezegd dat hij ons op een dag zou verlaten voor een rijke man... of desnoods een rijke vrouw. Nou, die heeft hij gevonden. En hij hoeft haar niet eens aan haar gerief te helpen.'

'Hewneij!' zei Teodoros geschokt. 'Zulke taal wil ik niet horen waar de prinses bij is.'

Brionie sloeg haar ogen ten hemel. 'Het is niet alsof ik het voor het eerst hoor, Finh. Dat ik mijn leven als prinses heb hervat, betekent voorlopig alleen maar dat ik andere kleren draag.' Ze lachte wrang. 'Trouwens, ik heb mijn prinsessengewaden opnieuw verruild voor oude plunje.'

Het gezicht van de gezette toneelschrijver stond ongelukkig. 'Wat gaat u nu doen, Hoogheid?'

'Wat ík ga doen? Wat wíj gaan doen, zul je bedoelen. We gaan hier weg, vannacht nog. Feival heeft jullie allemaal beschuldigd van spionage, tegen niemand minder dan de koning zelf. Dus misschien zijn er al soldaten onderweg hierheen.'

Hewneij gromde. 'De ellendige hoerenzoon...'

Finh knipperde met zijn ogen. 'Dus jij denkt dat de mannen van de koning al op weg zijn hiernaartoe?'

'Ja natuurlijk, sufferd die je bent! Wees blij dat ik jullie kom waarschuwen. Daardoor hebben jullie tenminste nog een kans om te ontsnappen. We vertrekken onmiddellijk richting Zuidermark.'

'Maar hoe denk je dat te doen? We hebben geen geld, geen proviand... En hoe komen we de stadspoort uit?'

'Daar moet ik nog over nadenken.' Ze haalde het laatste goudstuk uit haar zak van het geld dat Eneas haar had geleend – een glanzende dolfijn – en gooide het naar Teodoros. De toneelschrijver mocht dan uit zijn doen zijn, hij plukte de munt soepel uit de lucht. 'Daar moet toch het een en ander mee te regelen zijn. Ik wacht hier terwijl jij de rest optrommelt.'

'Volgens mij moeten de meesten hier ergens in de buurt zijn.' Finh keek om zich heen. 'Estir is de stad in. Net als onze reus, Dowan. Hij zag er piekfijn uit, gewassen en geschoren. Ik zou bijna denken dat hij ergens een grietje heeft zitten,' zei hij met grote ogen van verbazing.

'Dat kan me allemaal niet schelen, Finh. We moeten zorgen dat we ze allemaal hier krijgen. En vlug ook.'

'Ik ga een vat wijn regelen om mee te nemen,' kondigde Nevin Hewneij aan en hij stond op. 'Als ik dan toch moet sterven, mogen de goden verhoeden dat ik nuchter ben.'

Finh Teodoros stond ook op. 'Mogen de goden ons allen behoeden. Het lijkt erop dat het leven van een prinses nooit saai is, en bijna altijd vol gevaren. Dus ik ben voor het eerst van mijn leven blij dat er boerenbloed door mijn aderen stroomt.'

30
Licht aan de voet van de treden

'Kyros, de monnik en geleerde uit Soteros, was er heilig van overtuigd dat de Qar geen wezens van vlees en bloed waren, maar de zielen van stervelingen die leefden in de tijd voor de stichting van de Kerk van het Trigonaat en aan wie nooit verlossing was geschonken. Phayallos bestrijdt dit en verklaart dat de elfen "weliswaar vaak ogen als monsters, maar onmiskenbaar levende wezens zijn".'

Uit *Een Verhandeling over de Elfenvolken van Eion en Xand*

Zelfs de blote hemel voelde als een bedreiging, maar de mensen verzamelden zich weer op het kleine plein voor de Troon Zaal, ze zetten kramen op, marchandeerden over wat iemand in zijn groentekelder had ontdekt, of over de magere vangst van die ochtend – kleine vissen uit de onbewaakte Oostelijke Lagune. Net als iedereen keek Mattes Tinslager voortdurend angstig over zijn schouder, maar hoewel de doornenbrug van het Schemervolk zich met zijn enorme zwarte stammen nog steeds over de buitenmuren van het kasteel welfde en hoewel de enorme stekelige schaduwen een belangrijk deel van de Grote Markt in duisternis hulden, had het elfenvolk zelf de buitenburcht verlaten.

Maar niet voorgoed, vreesde Tinslager; vanaf de muren waren de elfen door de rook en de mist nog altijd te zien, bedrijvig in de weer in hun kamp op het vasteland alsof de slachting van de laatste dagen nooit had plaatsgevonden.

Iedereen wantrouwde de plotselinge rust, want er was geen logische verklaring voor de terugtrekking. De elfen waren in drommen over de kasteelmuren geklommen, een zwerm van gruwelen, als demonen uit een tempelfresco. Ondanks de inspanningen van Avin Brone, Durstin Crowel en ook Hendon Tollij zelf, die zich tot het uiterste hadden ingezet, hadden de elfen de mensen volledig uit de buitenburcht verdreven. Een aanzienlijk deel van de Grote Markt en de grote tempel van het Trigonaat waren in de as gelegd – delen van de wijk ten zuidwesten van de poortmuur smeulden nog. De straten in de binnenburcht waren verstopt door menselijk wrakgoed; ontheemden kropen tegen de muren bij elkaar in tenten gemaakt van lappen stof, overal lagen onbehandelde gewonden, waardoor het leek alsof een enorme vloedgolf door de Raven Poort de burcht was binnengedrongen en was stukgelopen op de Troon Zaal, zodat de wrakstukken naar alle kanten waren verspreid. Tinslager had die ochtend dingen gezien die hem nog jaren in zijn slaap zouden blijven achtervolgen: kinderen zwartgeblakerd door het vuur, niet meer te redden, jammerlijk huilend, hele gezinnen die ziek waren of stierven van de honger, dicht op elkaar in koortsige menselijke puinhopen voor huizen waarvan de luiken gesloten waren, slechts een paar onoverbrugbare ellen verwijderd van warmte en hulp.

Maar toen had het Schemervolk, na alle verwoestingen die het had aangericht, na alle gruwelen die het zovelen had aangedaan, het beleg van de binnenburcht de vorige dag ineens gestaakt en was aan een ordelijke terugtrekking begonnen, alsof het reageerde op een onhoorbare roep. Het nam niets mee – geen buit, geen gevangenen. De mannen van Hendon Tollij hadden inmiddels een cordon gelegd rond de geruïneerde maar voor het overige ongemoeid gelaten tempel van het Trigonaat om plunderaars op een afstand te houden. En de elfen waren verdwenen achter de mist, alsof het hele beleg slechts een afschuwelijke, moordzuchtige droom was geweest.

Maar wat ook de reden van de terugtrekking mocht zijn, daardoor had Mattes Tinslager – en met hem alle inwoners van Zuidermark – een adempauze gekregen. En hij kon het zich niet veroorloven die te besteden aan gepieker over de elfen en hun onbegrijpelijke motieven. Hij had een soort gezin waarvoor hij moest zorgen: Elan en zijn moeder verbleven bij de nicht van Rebus in Tempelhof, een betrekkelijk rustige buurt in het zuidwestelijk deel van de burcht. De voorraadkasten waren echter leeg, en in het vrouwenhuishouden had Tinslager de taak om de stad in te gaan en te zorgen dat ze te eten hadden. Hij zou het afstropen van de markt liever aan een ander hebben overgelaten, maar zelfs in de smalle straten van Tempelhof was het zo'n gedrang van vluchtelingen dat hij de vrouwen niet alleen de stad in durfde te sturen. Bovendien was hij als de dood dat zijn moeder, spraakzaam en zelfingenomen als ze was, iets zou zeggen waarmee ze de ware identiteit verried van de jonge vrouw die aan haar zorgen was toevertrouwd.

En dus kon hij – dat leek de laatste tijd zijn lot – kiezen uit twee kwaden: zijn moeder de stad insturen of zelf gaan; hij had gekozen voor de optie die hem het minst gevaarlijk leek.

Het was een vreemde situatie, dacht Tinslager terwijl hij zich een weg baande door de rusteloze menigten, over hulpeloze stumpers heen stapte en probeerde zich af te sluiten voor de smeekbeden van gewonde mannen of van moeders met hongerige kinderen. De soldaten die amper een dag eerder op de muren hadden gevochten tegen schepsels die ze slechts kenden uit legenden, zagen zich nu gedwongen op te treden tegen vechtpartijen tussen de hongerige inwoners van Zuidermark. Een eindje vóór zich uit zag Tinslager twee mannen in de modder liggen, worstelend om een miezerige pompoen die in een bloembak voor een raam groeide. Even overwoog hij er een gedicht over te schrijven – het onderwerp was zo anders dan waarover hij doorgaans dichtte! – maar Mattes Tinslager diende op dat moment zo veel meesters dat hij amper de tijd had om te denken, laat staan om te schrijven. Toch was het een boeiende gedachte – een gedicht over mensen die vochten om een vrucht. Dat zou in elk geval méér zeggen over de tijd waarin hij leefde, dan een liefdesgedicht in opdracht van een hoveling om de lof te zingen van de blanke hals van een jonge vrouwe.

Hij had de Grote Markt achter zich gelaten en was weer op weg naar huis, met een enigszins beschimmeld stuk brood dat hij in zijn mantel had gerold, samen met een kleine ui en – zijn opwindendste vondst – een gedroogde paling, waaraan het grootste deel van zijn boodschappengeld was opgegaan. De palingstoofpot van zijn moeder behoorde tot zijn weinige gelukkige jeugdherinneringen. Anamesiya Tinslager kocht alleen paling op de dagen dat de vissers met een grote vangst terugkwamen, zodat de prijs laag was. Het was dan ook een traktatie geweest die zowel Mattes als zijn vader al vroeg naar de tafel had gelokt, met schoongeboende handen en wangen, terwijl hun bij voorbaat het water in de mond liep.

Ik zou moeten zien of ik ergens in deze puinhopen nog wat peper-peulen uit Marash op de kop kan tikken, dacht hij, toen hij ineens vol-slagen onverwacht oog in oog stond met Okros, de koninklijke lijfarts, die de deur uit kwam van een kippenslachter.

'O! Goedendag, heer,' zei Tinslager geschrokken, zijn hart begon plot-seling te bonzen. *Weet hij dat ik hem ken? Hebben we elkaar ooit gespro-ken of heb ik hem alleen maar bespioneerd?*

Okros leek zo mogelijk nog meer geschrokken dan de dichter. Hij had iets onder zijn mantel – iets wat leefde, bleek al snel. Want terwijl hij probeerde zich langs de aanzienlijk langere Tinslager heen te wer-ken, staken er uit de hals van zijn mantel, die hij krampachtig dicht-hield, een gele snavel en een helder oog met daarin een blik van paniek. Een haan! En te oordelen naar de glimp die Tinslager van het dier op-ving, een fraai exemplaar met een rode kam en glanzende zwarte veren.

Okros keurde de dichter nauwelijks een blik waardig, alsof het kwaad kon om iemand recht in de ogen te kijken. 'Ja, ja, goedendag,' was alles wat hij zei. Het volgende moment was hij de straat op geschoten, zich terughaastend naar het kasteel, alsof het bezit van een kip een misdrijf tegen de troon was.

Misschien is hij bang om te worden beroofd, dacht Tinslager. *Sommi-gen hier zouden al voor minder bereid zijn tot moord.* Maar de hele ontmoe-ting had iets vreemds. Tinslager wist zeker dat er in de kasteelresidentie meer kippen waren dan hier, in de ruïnes van de buitenburcht. En waar-om wekte de heelmeester de indruk alsof het geheim was wat hij deed?

Terwijl Tinslager de heuvel beklom naar de binnenburcht, kwam er een vage herinnering bij hem op – iets wat hij ooit had gelezen in een van de boeken van zijn vader...

De liefde voor boeken was misschien wel het enige geschenk dat zijn vader hem had gegeven, dacht hij soms, maar het was een heel waarde-vol geschenk: een schier eindeloze stroom boeken, waarvan de meeste waren geleend (of misschien wel gestolen, dacht Mattes Tinslager in-eens) uit de huizen waar Kaerne Tinslager als privéleraar had gewerkt – Clemon, Phelsas, alle klassieken, maar ook lichtere kost zoals de ge-dichten van Vanderin Uegenios en de toneelstukken van de meesters uit Hierosol en Syan. Het lezen van Vanderin had de jonge Mattes geïn-spireerd om te dromen van een leven aan het hof, van een carrière waar-in hij werd bewonderd door nobele vrouwen, en waarin hij door voorname heren met goud werd beloond. Vreemd eigenlijk, dat hij die droom eindelijk had weten te verwezenlijken, maar dat hij zich toch zo vervloekt ongelukkig voelde...

De vage herinnering die bij hem was opgekomen, werd plotseling helder; het ging om enkele regels van Meno Strivolis, de meesterdichter uit Syan van twee eeuwen eerder:

'Toen nam ze de jonge, zwarte haan
En legde die op de steen,
Met haar scherpe mes
Liet ze de zilte wijn stromen
Die Kernios drinkt...'

Dat was alles – een klein stukje Meno over Vais, de beruchte heksenkoningin uit Krace, een paar regels waarin werd gesproken over een jonge, zwarte haan, net zo'n haan als de heelmeester onder zijn mantel had verborgen. Meer was het niet, maar het bleef vreemd dat Okros zich zo ver buiten het kasteel waagde om een kip te kopen. Want Tinslager wist zeker dat er in de kippenren van de residentie betere en vettere kippen te vinden waren...

Maar misschien geen kippen in de juiste kleur, dacht hij plotseling. En er schoten hem nog enkele regels van het gedicht te binnen:

'Het is altijd het bloed dat de Hogen roept
Van hun bergtoppen en uit hun verborgen schaduwen,
Uit hun diepe wouden en oceaanburchten,

En het is het bloed dat hen bindt,
Zodat ze hun oren openen
Voor de bede van een onderdaan
Die vraagt om een geschenk,
Of om beschutting
Tegen een dreigend kwaad...'

De angst die bezit van hem had genomen toen hij bijna tegen Okros was opgebotst, overviel hem opnieuw, zo overweldigend dat hij dreigde te wankelen en even moest blijven staan, in het midden van de smalle straat. Mensen werkten zich onder het slaken van nijdige verwensingen langs hem heen, maar hij hoorde hen amper.

'En dus plengde ze het bloed van de jonge haan
En bad ze de eeuwenoude Aardheer om haar
Dodelijke macht over haar vijanden te verlenen...'

Kon dat de reden zijn? Had Okros zich zo ver buiten de veilige residentie gewaagd omdat hij een zwarte haan nodig had voor het een of andere ritueel? Had het iets te maken met de spiegel waarover Brone meer wilde weten?

Vervuld van verwarde, angstige gedachten, maar ook hevig opgewonden zodat het bijna voelde alsof hij koorts had, haastte Mattes Tinslager zich door de dichte, vechtende massa's in de binnenburcht naar huis.

Zijn moeder reageerde – geheel naar verwachting – woedend. 'Hoezo, je moet er weer vandoor? Ik heb hout nodig voor het vuur! Wat verbeeld je je wel, om hier binnen te komen als zijne deftigheid, palingstoof te eisen en van me te verwachten dat ik me uitsloof om voor je te koken? Wat ben je nou weer voor rottigheid van plan?'

'Dank u, Moeder, u ook een fijne dag gewenst. Trouwens, ik ga nog niet meteen weer weg.' Hij bukte zich om de smalle trap op te lopen zonder zijn hoofd te stoten.

Elan zat met een borduurwerkje rechtop in het grote bed dat ze deelde met de achternichten van Rebus. Hij was blij te zien dat ze begon aan te sterken, maar in haar ogen las hij nog altijd de opgejaagde blik die hij had gehoopt daaruit voorgoed te verdrijven.

'Vrouwe, bent u alleen?'

'Dat zie je.' Er verscheen een wrange glimlach om haar mond. 'De meisjes zijn op bezoek bij de buren en proberen een extra deken te regelen. Zoals je weet, slapen hun moeder en de jouwe beneden op de bank.'

Dat wist hij inderdaad. De door gefluister begeleide machtsstrijd van de twee oudere vrouwen op de smalle bank – als twee chagrijnige skeletten in een enkele kist – waren de reden dat hij weer bij Rebus was ingetrokken in de drukke koninklijke residentie, hoe onbevredigend die regeling ook was. 'Ik zag net Broeder Okros op het plein. Weet u iets van hem?'

Elan schonk hem een merkwaardige blik. 'Hoe bedoel je? Ik weet dat hij Hendons lijfarts is. En dat hij er vreemde ideeën op nahoudt...'

'Zoals?'

'Over de goden, geloof ik. Eerlijk gezegd heb ik nooit veel aandacht aan de gesprekken besteed wanneer hij bij ons aan tafel zat. Dan praatte hij maar door over alchemie en over de heilige orakels. Soms leek het me zelfs godslasterlijk wat hij zei... Maar godslastering is iets waar Hendon zich nooit aan heeft gestoord.'

'Doet hij ook aan... Hebt u ooit gehoord dat hij aan magie doet?'

Elan schudde haar hoofd. 'Nee, maar zoals ik al zei, ik ken hem nauwelijks. Hendon en hij zaten vaak 's avonds laat nog te praten, op de vreemdste uren, alsof Okros bezig was met een heel belangrijke opdracht voor Hendon; iets wat niet kon wachten. Hendon heeft ooit eens iemand bijna doodgeslagen omdat die hem stoorde tijdens zijn middagdutje, maar bij Okros verloor hij nooit zijn geduld.'

'Waar spraken ze dan over?'

De uitdrukking op Elans gezicht werd hartverscheurend, en Tinslager besefte ineens dat hij haar dwong te denken aan dingen die ze zich helemaal niet wilde herinneren. 'Ik... ik weet het niet meer,' zei ze ten slotte. 'Als ik erbij was, duurden die gesprekken nooit lang. Hendon nam Okros meestal mee naar een ander gedeelte van de residentie. Maar ik heb de heelmeester ooit horen zeggen dat... wat was het ook alweer... het was iets heel vreemds... "De perfectie is aan het veranderen... en vertelt nu een andere waarheid." Ja, dat was het. Ik begreep er helemaal niets van.'

Tinslager fronste nadenkend zijn wenkbrauwen. 'Kan het misschien "reflectie" zijn geweest, in plaats van "perfectie"?'

Elan haalde haar schouders op. Bij het zien van de duisternis in haar ogen wenste hij dat hij haar dit had kunnen besparen. 'Dat kan best zijn,' zei ze zacht. 'Ik kon niet goed verstaan wat er werd gezegd.'

De reflectie is aan het veranderen, herhaalde hij in gedachten. *En vertelt nu een andere waarheid.* Het klonk op een verontrustende manier logisch, als ze over de spiegel hadden gesproken waarover Brone het had gehad. En Elan had bovendien de goden genoemd. Meno's gedicht sprak over een harteloze koningin die een zwarte haan aan Kernios offerde om op die manier haar vijanden te vervloeken. Was dat ook wat Okros van plan was? Dat zou dan geen gewoon offer zijn, maar een vorm van hekserij.

Dit moest hij aan Avin Brone vertellen. En als hij zijn plicht had gedaan, kon Mattes Tinslager terugkeren in de lichtelijk door vlooien geteisterde schoot van zijn gezin en genieten van een welverdiende kom palingstoof.

Brone gebaarde naar een puisterige jongeman die, geleund tegen een tot op de draad versleten wandtapijt, bezig was met een glimmend mes zijn nagels korter te maken. Tinslager vermoedde dat de jongeman een van de familieleden was van de graaf uit Landseind. 'Breng me een kruik wijn, knaap.' Avin Brone keerde zich naar Tinslager. 'Goed werk, dichter. Hier heb je nog wat koperstukken voor deze nieuwe inlichtingen. En dan wil ik dat je opnieuw naar Okros op zoek gaat – op dit uur van de dag is hij waarschijnlijk te vinden in de kruidentuin, zeker nu er zoveel gewonden zijn die medicijnen nodig hebben. Ik wil dat je hem schaduwt, maar pas op dat hij je niet in de gaten krijgt.'

Mattes Tinslager kon hem slechts met open mond aanstaren. 'Wat?' wist hij ten slotte uit te brengen, amper in staat het woord over zijn lippen te krijgen.

'Staar me niet zo aan, onnozele dwaas met je knobbelknieën!' gromde Brone. 'Je hebt me gehoord. Ik wil dat je hem schaduwt! Om te zien wat hij van plan is. En om te zien of hij je naar de spiegel leidt!'

'U bent krankzinnig! Die man is een heks! Hij gaat een bezwering uitspreken over iemand of... proberen demonen op te roepen! Als u hem wilt laten schaduwen, dan doet u het zelf maar! Of u stuurt dat puisterige jongmens!'

Brone leunde over de schrijfcassette op zijn schoot naar voren, zodat hij met zijn dikke buik bijna de inktpot omverstootte. 'Ben je soms vergeten dat ik die dichtersjuwelen van je in mijn hand hou? En dat ik ze op elk moment dat ik dat wil, kan laten afknippen?'

Tinslager deed zijn best om niet te laten merken hoe bang hij was. 'Dat kan me niets schelen! Wat wilt u doen, me aangeven bij Hendon Tollij? Dan vertel ik hem zonder blikken of blozen dat u hem bespioneert. En dan eindigen uw juwelen naast de mijne op de tafel van de uitbener, Heer Brone. Hendon Tollij zal ons allebei laten vermoorden, maar dan heb ik mijn ziel tenminste nog. En ik zal niet worden weggevoerd door demonen!'

Brone nam hem langdurig en doordringend op, terwijl zijn lippen bewogen in de ruige baard die bijna helemaal grijs was geworden. Ten slotte verscheen er iets wat leek op een glimlach in de harige diepten. 'Je begint eindelijk wat lef te tonen, Tinslager. En dat is goed. Niemand hoort zijn hele leven een volslagen lafaard te blijven, zelfs een misbaksel zoals jij niet. Dus wat doen we eraan?' Zijn hand schoot plotseling uit, veel sneller dan Tinslager voor mogelijk zou hebben gehouden, en greep de dichter zo strak bij de kraag van zijn mantel dat hij dreigde te stikken. 'Als ik je niet bij Tollij kan aangeven, neem ik aan dat ik je zelf je strot om zal moeten draaien.' De glimlach veranderde in iets dreigenders.

'Nnnnh! Nnnnnt ddnnnn!' Tinslagers keel werd pijnlijk dichtgeknepen. Toen de neef uit Landseind terugkwam met wijn, bleef hij in de deuropening staan en bekeek het tafereel belangstellend.

'Als ik niks meer aan je heb, dichter – erger nog, als je een bedreiging voor me wordt – heb ik weinig keus...'

'Mhhhrrr kkkhhhh bbhhhhnnn ggghhhhnnnn bdrhhhhgnnnnnhh- hggg!'

'Dat zou ik maar al te graag willen geloven, knaap. Maar zelfs als je geen bedreiging vormt, dan heb ik nog altijd niks aan je. En in zulke zware tijden – zulke gevaarlijke tijden – kan ik je dan beter kwijt dan rijk zijn. Als je me wél wilt helpen door te doen wat ik vraag, dan kun je blijven rekenen op krabben en zeesterren – en het moet toch heerlijk zijn om wat geld te hebben, vooral in een tijd als deze, nu alles zo duur is geworden en eten zo schaars? Bovendien hoef ik dan niet je kop van je romp te trekken.'

'Gggdddd. Kkkkhhh zzzzlllll uuuhhhh hllpppnnn.'

'Mooi zo.' Brone liet abrupt zijn kraag los, zodat Tinslager achterovieviel. De jongeman uit Landseind deed beleefd een stap opzij om Tinslager alle ruimte te geven, terwijl hij languit tegen de grond sloeg.

'Maar waarom moet u uitgerekend mij hebben?' vroeg hij hijgend en over zijn pijnlijke hals wrijvend, toen hij zich eindelijk overeind had gewerkt. 'Ik ben dichter!'

'En geen bijster getalenteerde,' zei Brone. 'Maar wat is het alternatief? Zelf door de residentie strompelen? Mijn idiote neef sturen?' Hij gebaarde naar de jongeman die zich weer aan zijn smerige nagels had gewijd, maar zijn mes in een soort groet naar Tinslager hief. 'Nee, ik heb iemand nodig die toestemming heeft om door de residentie te dwalen; iemand van wie zelfs wordt verwacht dat hij dat doet; iemand die te onnozel is om te worden gevreesd en te nutteloos om te worden verdacht. Dat ben jij dus.'

Mattes Tinslager wreef nog altijd over zijn pijnlijke keel. 'Ik voel me vereerd, Graaf Avin.'

'Zo mag ik het zien! Je toont eindelijk een beetje pit! Daar hou ik van. Vooruit, aan de slag! Zorg dat je erachter komt wat ons te wachten staat en je zult er niet slechter van worden. Misschien krijg je zelfs wel een kruik wijn uit mijn eigen kelder. Hoe zou je dat vinden?'

Het vooruitzicht dat hij zich een dag of twee naar de vergetelheid zou kunnen drinken, was de eerste echte verleiding om Brone te blijven dienen, ook al volgde het behoud van zijn hoofd daar dicht achter. Hij maakte een voorzichtige buiging voordat hij de kamer verliet, alsof hij zich scherp bewust was van de wankele positie van dat hoofd.

*

'Weet u wat ik denk, Moeder?' Kayyin sprak alsof hij hun gesprek voortzette na een korte onderbreking, in plaats van na meer dan een uur zwijgen.

Yasammez keek hem niet aan en toonde ook anderszins geen enkele reactie.

'Volgens mij begint u sympathie voor die zonlanders te krijgen.'

'Waarom zeg je zoiets belachelijks? Of probeer je soms je dood te bespoedigen?' vroeg ze, nog altijd zonder hem aan te kijken.

'Volgens mij heb ik gelijk.'

'Heb je het tot je levensdoel verheven om mij te kwetsen en te ergeren? Help me eens even... Waarom heb ik je nog niet gedood?'

'Misschien omdat u hebt ontdekt dat u toch van uw zoon houdt.' Kayyin glimlachte, geamuseerd door de gedachte. 'Dat u net zulke basale en sentimentele gevoelens hebt als de zonlanders. Misschien bent u na eeuwen van negeren en openlijk minachten tot de ontdekking gekomen dat u het graag goed zou willen maken. Wat denkt u, Moeder? Zou ik daar gelijk in kunnen hebben?'

'Nee.'

'Ach. Eigenlijk dacht ik dat ook niet echt, maar het was leuk om met de gedachte te spelen.' Hij had lopen ijsberen, maar bleef abrupt staan. 'Weet u wat zo vreemd is? Na zo lang het uiterlijk van een sterveling te hebben gedragen – en als sterveling te hebben geleefd – betrap ik mezelf erop dat ik er in sommige opzichten een ben geworden. Ik ben bijvoorbeeld rusteloos op een manier zoals niemand van onze soort dat ooit is geweest. Als ik te lang op één plek blijf, is het alsof ik kan voelen dat ik de ware dood sterf. Dan word ik ongeduldig, ontevreden – alsof het lichaam de geest commandeert, in plaats van andersom...'

'Misschien verklaart dat die dwaze ideeën van je,' zei Yasammez. 'De onzin die je uitkraamt, dat ben jij niet, dat is de sterfelijke vermomming die je hebt aangenomen. Als dat zo is, dan is het buitengewoon boeiend, maar ik geef de voorkeur aan stilte.'

Hij keek haar aan. Ze beantwoordde zijn blik nog steeds niet. 'Waarom hebt u uw troepen teruggetrokken uit het kasteel van de zonlanders, vrouwe? Het was zo goed als van u, en het onbeduidende verzet in de grotten daaronder had u ook bijna neergeslagen. Weet u zeker dat u geen medelijden begint te krijgen met de stervelingen?'

Voor het eerst klonk er gevoel in haar stem door – de klank daalde naar een nog diepere kilte. 'Praat toch geen onzin. Ik vind het een belediging dat een kind dat aan mijn lendenen is ontsproten, zijn adem verspilt aan dat soort dwaasheid.'

'Dus u hebt volstrekt geen medelijden met hen? Ze betekenen nog minder voor u dan het stof onder uw voeten?' Hij knikte. 'Waarom vraagt u me dan hun het verhaal van Janniya en zijn zuster te vertellen? Wat kan daarvan het doel zijn geweest, tenzij u wilde dat ze althans iets zouden voelen van onze pijn... of beter gezegd, úw pijn.'

'Je waagt je op gevaarlijk terrein, Kayyin.'

'Als ik een boer was met het vaste voornemen de ratten te vernietigen die mijn oogsten opvraten, zou ik dan de moeite nemen die ratten uit te leggen wat ze hadden aangericht, vóór het voltrekken van het vonnis...'

'Ratten begrijpen hun eigen wandaden niet.' Eindelijk richtte ze haar donkere ogen op hem. 'Als je nog één woord over de zonlanders zegt, ruk ik je kloppende hart uit je borst.'

Hij boog. 'Zoals u wilt, vrouwe. In plaats daarvan zal ik een wandeling maken langs de zee, om na te denken over het verhelderende gesprek dat we zojuist hebben gevoerd.' Hij liep naar de deur. Daarbij ontging het Yasammez niet dat zijn al dan niet vermeende en gedeeltelijke sterfelijkheid niet ten koste was gegaan van zijn gratie en elegantie. Zijn tred had nog altijd de brutale souplesse uit zijn jongere jaren. Ze sloot haar ogen weer.

Slechts enkele ogenblikken nadat Kayyin was vertrokken, werd ze zich bewust van een andere aanwezigheid – Aesi'uah, haar hoofdheremiet. Aesi'uah kon desnoods urenlang zwijgend afwachten tot ze werd aangesproken, wist Yasammez, maar dat zou zinloos zijn; de ongrijpbare gedachte die Vrouwe Porcupina door het eeuwenoude labyrint van haar geheugen had nagejaagd, was verdwenen.

'Is het zover?' vroeg Yasammez.

Het gezicht van haar raadsvrouwe, dat doorgaans het zachte, warme grijs droeg van een duivenborst, zag opmerkelijk bleek. 'Ik vrees van wel, vrouwe. Alle heremieten hebben hun gedachten en hun lied gebundeld, maar ondanks dat heeft hij zich zo ver teruggetrokken dat we hem niet meer kunnen bereiken.' Ze aarzelde. 'We dachten... ik dacht... Misschien als u...'

'Natuurlijk kom ik.' Ze stond op van haar stoel, zich ervan bewust dat haar gedachten meer op haar drukten dan haar zware, zwarte pantser. Voor het eerst voelde ze iets van het enorme gewicht van haar leeftijd, was ze zich bewust van de last van haar lange, lange leven. 'Ik moet afscheid nemen.'

De heremieten hadden zich gevestigd in een grot, hoog in de heuvels boven een verlaten, door de wind gegeseld stuk strand, even ten oosten van de stad. Stilte en eenzaamheid waren de muren van hun tempel, en de plek die ze hadden gekozen, voldeed bij uitstek aan die criteria: terwijl Yasammez achter Aesi'uah het rotsachtige pad omhoog volgde, hoorde ze slechts de wind en in de verte de klaaglijke roep van zeevogels. Even voelde ze zich bijna vredig.

Al Aesi'uahs zusters en broeders – het verschil was niet altijd gemakkelijk te zien – hadden zich verzameld in de donkere grot. Zelfs Yasammez, die in een nacht zonder maan en zonder sterren vanaf een heuveltop kon zien wat een jagende uil zag, kon niet méér onderscheiden dan de doffe glinstering van ogen in hun donkere kappen. Sommige van Aesi'uahs jongste geestverwanten, die waren geboren in de schemerjaren, hadden het volle licht van de zon nooit gezien en zouden zijn stralende warmte niet overleven.

Yasammez voegde zich bij de kring. Aesi'uah ging naast haar zitten. Niemand zei iets. Woorden waren overbodig.

In de droomlanden, in de verre oorden waar alleen goden en ingewijden naartoe konden reizen, voelde Yasammez dat ze een vertrouwde gedaante aannam. Die droeg ze wanneer ze buiten zichzelf reisde, zowel in de wakende wereld als hier. In de wakende wereld was hij zo ijl als lucht, maar hier was de gedaante die ze aannam, een vurige verschijning met klauwen en tanden, met fonkelende ogen en een vacht zo zacht als zijde. De heremieten, die moed ontleenden aan haar aanwezigheid, volgden haar als een niet-stoffelijk leger, een zwerm vuurvliegen. De Vuurbloem brandde in hen niet zoals hij dat in haar deed; zonder bescherming waren hun mogelijkheden om zich te verplaatsen maar beperkt.

Aesi'uah had de waarheid gesproken – de aanwezigheid van de god was zwakker dan ooit; zo zwak als het geluid van een muis die ver weg door het gras scharrelde. Nog erger was dat ze de aanwezigheid van anderen kon voelen, niet van de andere verloren goden, maar van mindere wezens die waren verdreven met hun meesters, toen haar vader hen allen had verbannen. Deze hongerige schepselen roken verandering in de wind die waaide door de droomlanden, en voelden dat de tijd naderde waarop ze konden terugkeren naar een wereld die was vergeten hoe hen te weerstaan.

Een van de wezens zat zelfs op hen te wachten, midden op het pad. De kluizenaars vlogen op, hevig geschrokken, en begonnen rond te cirkelen, maar Yasammez liep door tot ze recht voor het wezen stond. Het was oud. Dat zag ze aan de manier waarop het voortdurend in beweging was en veranderde; de vorm was haar zo vreemd dat ze zowel zijn uiterlijk als het gevoel dat het bij haar opriep, niet goed kon peilen.

Je bent ver van huis, kind,' zei het wezen tegen een van de oudste schepselen die op aarde rondliepen. *'Wat zoek je?'*

'Je weet wat ik zoek, oude spin,' antwoordde ze. 'En je weet dat mijn tijd beperkt is. Dus laat me erdoor.'

'Dat is toch geen manier om je buurman te bejegenen?' Het wezen grinnikte.

'Je bent mijn buurman niet.'

'Ach, maar dat hoeft niet lang meer te duren. Hij is stervende. En wie zal mij en mijn soort tegenhouden wanneer hij er niet meer is?'

'Zwijg! Ik wil je giftige woorden niet horen! Laat me erdoor of ik zal je vernietigen.'

Het wezen kwam vluchtig in beweging, lichtte even op, toen keerde de rust weer. *'Daar heb je de kracht niet voor. Dat kan alleen een van de oude machten.'*

'Misschien heb je gelijk. Maar zelfs als ik je niet kan vernietigen, kan ik je wel zo zwaar verwonden dat je niet in staat zult zijn de overstap te maken wanneer het zover is.'

Het ding staarde haar aan; tenminste, zo leek het, want voor zover Yasammez dat kon zien, had het geen ogen. Ten slotte glibberde het opzij. *'Ik kies ervoor vandaag niet met je te strijden, kind. Maar de dag nadert. Dan zal de Maker er niet meer zijn. Wie zal je dan beschermen?'*

'Die vraag zou ik ook aan jou kunnen stellen.' Maar ze had al genoeg tijd verspild. Dus ze liep voorbij, en de heremieten volgden haar als een wolk van kleine vlammen.

Yasammez haastte zich zo snel mogelijk verder door plekken waar de wind huilde met de stemmen van verdwaalde kinderen en door andere waar de hemel zelf uit het lood leek, tot ze eindelijk bij de heuvel kwam waar de deuropening zich verhief, een enkele rechthoek die de met gras begroeide top bekroonde, als een boek dat op zijn korte kant was gezet. Ze klom naar boven, hurkte voor de opening en krulde de staart van haar droomgedaante om zich heen. De heremieten wachtten onzeker af.

'Hij is aan deze kant van de deur niet meer te horen, vrouwe,' vertelden ze haar.

'Dat weet ik. Maar hij is er nog. Ik zou het weten als hij er niet meer was.' Ze stuurde hem haar roep, maar hij antwoordde niet. In de stilte die volgde, voelde ze de winden die door de ijzige oorden zonder lucht voorbij de deur bliezen. 'U moet me helpen,' zei ze tegen hen die haar waren gevolgd. 'Leen me uw stem.'

Daarop begonnen ze te zingen, en hun stemmen dreven weg, de eindeloosheid binnen. Na een heel lange tijd, toen zelfs het niet-menselijke geduld van Yasammez bijna uitgeput was, werd ze zich bewust van een vluchtige beweging in de buitenste bereiken van haar waarneming; een zwak, bescheiden gemompel als de stervende adem van de Bloemen Maagd in de stroom.

'...*Jaaaaa...*'

'Bent u dat, Maker? Bent u daar... nog?'

Ja, ik ben er... Maar ik ben op weg... naar het niets...'

Ze wilde iets sussends zeggen, of het zelfs volledig ontkennen, maar haar soort neigde niet tot het ombuigen van wat echt was naar onwaarheid. 'Ja. U bent stervende,' zei ze dan ook.

'*Dat werd... al heel lang... verwacht. Maar zij die... bijna net zo lang als ik... hebben gewacht... maken zich gereed. Ze... zullen... doorbreken...*'

'Dat zullen wij, uw kinderen, niet laten gebeuren.'

'*Je bent... niet machtig genoeg.*' Daarop werd zijn stem zwakker, zacht als een regendruppel op een verre heuveltop. '*Ze hebben te lang gewacht... zij die slapen... en zij die niet slapen...*'

'Vertel me wie we moeten vrezen. Vertel het me en ik kan de strijd met hen aanbinden!'

'*Dat is niet hoe het moet gaan, dochter... Kracht... kun je niet... op die manier verslaan...*'

'Wie is het? Vertel het me!'

'*Dat kan ik niet. Mijn... handen zijn... gebonden. Al wat ik ben... is het enige wat de deur nog dichthoudt...*' Ze hoorde de enorme vermoeidheid in zijn stem, het verlangen naar het einde van de worsteling dat de dood zou brengen. '*Dus ik kan niet anders dan... het geheim bewaren...*'

Zijn stem zweeg, en even dacht ze dat hij voorgoed was heengegaan.

Toen werd ze zich opnieuw van iets bewust, zwevend als een veer op de wind in de nacht. *'Het orakel spreekt van bessen... witte en rode... Zo zal het zijn. Zo moet het zijn.'*

Ze wist zeker dat het zijn laatste woorden waren. 'Vader?' Ze probeerde sterk te zijn. 'Vader?'

'Gedenk het orakel en wat het zegt.' Zijn zachte stem stierf weg, het niets tegemoet. *'En weet dat elk licht... tussen zonsopgang... en zonsondergang...'*

'... het waard is om er althans éénmaal voor te sterven,' maakte ze zijn zin af, maar hij was al verdwenen.

Toen ze weer zichzelf was, de Yasammez die ademde en voelde, de Yasammez die elk pijnlijk moment van de duizendjarige nederlaag van haar volk bewust had beleefd, stond ze op en liep ze de grot uit. Geen van de heremieten volgde haar, zelfs Aesi'uah, haar vertrouwde raadsvrouwe, niet. De dood lag in haar ogen en in haar hart. Geen levend wezen had haar kunnen vergezellen, en ieder van hen wist dat.

*

Dit was niet wat Mattes Tinslager zich van de avond had voorgesteld.

Hij brak het laatste stuk brood doormidden en weekte het in de wijn in zijn kroes. Soppig brood terwijl hij palingstoofpot had kunnen eten! Anderzijds, hij mocht van geluk spreken dat hij de wijn had gevonden, en hij voelde geen sikkepitje spijt tegenover degene die de kruik daar had neergezet. Hij zat al vanaf de avondklok verborgen op het balkon van de kapel, en inmiddels moest het bijna middernacht zijn. Al die tijd hield hij de deur in de gaten die leidde naar de vertrekken van Hendon Tollij, want volgens de leerling van de broeder was Okros Dioketian daarnaartoe gegaan. Wat had de heelmeester zo lang in Tollijs vertrekken te zoeken? Maar wat belangrijker was, zou de heelmeester teruggaan naar zijn eigen vertrekken wanneer hij eenmaal weer naar buiten kwam, zodat Tinslager eindelijk kon gaan slapen? Want hij ging ervan uit dat Avin Brone niet verwachtte dat hij Okros volgde tot in diens slaapkamer!

Hij hoorde het knarsen van de deur al voordat hij die zag opengaan. Tinslager dook nog dieper in elkaar, zodat hij net over de reling kon kijken, ook al was de afstand van het balkon tot de deur minstens een steenworp, en ook al werd hij door het schaduwrijke, overhangende gedeelte aan het zicht onttrokken.

Zoals hij zo vurig had gewenst, kwam Broeder Okros naar buiten; zijn tengere gedaante en kale hoofd maakten hem ondanks zijn wijdvallende gewaden duidelijk herkenbaar, maar tot Tinslagers verrassing was hij niet alleen; achter hem volgden drie potige kerels met op hun zware, doorgestikte jas het wapen van de Tollijs – de zilveren ever met de gekruiste speren. Naast hen liep een vierde man in een donkere mantel met een kap. De sierlijke bewegingen van die laatste verrieden maar al te duidelijk wie hij was. Tinslagers hart bonsde. Orkos en Hendon Tollij gingen samen op pad. Hij had geen andere keus dan hen te volgen.

Bij de gedachte alleen al voelde hij zich ellendig.

Hij had verwacht dat ze koers zouden zetten naar de vertrekken van de heelmeester, maar elke hoop dat ze in de residentie zouden blijven, werd de bodem ingeslagen toen Okros de kleine stoet via een zijdeur naar buiten leidde. Tinslager deed zijn best om zo ver mogelijk achter hen te blijven en praatte nog even vrijblijvend met de wachten bij de deur, over zijn slapeloosheid en over zijn hoop om die met wat frisse nachtlucht te genezen.

De nachtlucht was inderdaad fris, dacht hij terwijl hij zich door de zijtuin haastte, het licht volgend van de fakkels waarmee Okros en zijn gevolg zich hadden gewapend. Het was zelfs allemachtig koud! Hij was slechts gekleed in zijn wollen mantel over een dun buis, zonder hoed, zonder handschoenen, en hij had zelfs geen fakkel om te voorkomen dat hij struikelde in het donker. Die vervloekte Brone ook, met zijn ellendige gecommandeer!

Hij kreeg de mannen weer in de gaten toen ze de modderige hoofdweg overstaken die van het arsenaal naar de barakken van de wacht leidde en begon hen op een afstand te volgen. Een van de wachten droeg een grote, in doeken gewikkelde bundel, een ander koesterde voorzichtig een kleiner pakket – was dat misschien de haan? Maar waarom liepen ze op dit uur van de nacht met een haan rond te zeulen? Tenzij ze van plan waren die te gebruiken bij een of ander heksenritueel. Tinslager voelde dat zijn bloed nog ijziger werd dan het toch al was door de koude nachtlucht.

Toen de groep even later de hoofdweg verliet die naar de Troon Zaal leidde, en een kronkelend pad insloeg naast de kapel van de koninklijke familie, verkilde het bloed van de dichter zo mogelijk nog meer. Het leek erop dat Tollij en Okros op weg waren naar de begraafplaats!

Tinslager moest al zijn moed bij elkaar schrapen om hen te blijven volgen. Hij had een intense afkeer van begraafplaatsen en het overwoekerde grafveld naast de tempel was een van de verschrikkelijkste in zijn soort, met zijn vreemde oude standbeelden en zijn mausolea als gevangenissen voor de rusteloze doden. Het was uitsluitend zijn angst voor Avin Brone die hem deed volhouden – en een zekere nieuwsgierigheid. Wat was Okros van plan? Wilde hij hier, op deze eenzame plek, op dit griezelige tijdstip de goden oproepen? Maar waarom?

Voor de familiecrypte van de Eddons bleven de mannen staan, en Tinslager smoorde een kreun van afschuw. Hendon Tollij had een sleutel om zijn nek hangen. Toen de cryptedeur eenmaal was geopend, daalde het groepje gevieren de treden af. Slechts een enkele wacht werd bij de deur geposteerd. Het licht van de fakkels werd zwakker naarmate ze verder in de diepte verdwenen, maar hun rusteloze gloed bleef zichtbaar in de deuropening. Terwijl hij de schaduwen onrustig over de muren zag bewegen, was Tinslager innig dankbaar dat hij de groep niet tot in dat huis van de dood hoefde te volgen.

De wacht, die aanvankelijk kaarsrecht en alert naast de deur had gestaan, begon na enige tijd een beetje in te zakken, en uiteindelijk leunde hij met zijn rug tegen de rijk bewerkte voorgevel van de tombe en zette hij zijn speer naast zich tegen de muur. Tinslager (die nooit had gedacht dat hij zo stoutmoedig zou zijn) besloot dat dit een goed moment was om dichterbij te sluipen, zodat hij misschien iets kon horen van wat er binnen werd gezegd. Dat zou Brone vast en zeker wel een paar extra zeesterren waard zijn, misschien zelfs een zilveren koningin of twee!

Hij liep in een grote halve cirkel om de gloed van de fakkels heen die nog altijd uit de crypte naar buiten viel, tot hij de muur van de kapel bijna had bereikt. De doorgezakte rug van de wacht gaf hem de moed nog verder naar voren te sluipen, tot hij zich op slechts enkele stappen van de deuropening bevond. Daar hurkte hij achter een grafmonument dat deels werd overwoekerd door de klimop die van de muur van de tempel naar beneden groeide.

'... *Maar niet zo,*' klonk het heel zwak, maar duidelijk verstaanbaar uit de crypte – Tinslager meende de stem van Okros te herkennen. *'Het draait niet om het offer híér, maar om wat dáár wordt geofferd.'*

'Je vraagt wel erg veel van mijn geduld,' zei een andere stem – een stem die Tinslager maar al te goed kende. Ineens was het gedaan met zijn

dwaze optimisme. Wat dééd hij hier? Een dichter die in het holst van de nacht de spion uithing? Hendon Tollij zou hem levend laten villen als hij hem hier betrapte! Uitsluitend de angst om geluid te maken en zich tegenover de wacht te verraden weerhield Mattes Tinslager ervan het voor gezien te houden en zich terug te haasten naar de residentie. Hij trilde zo dat hij al hurkend amper zijn evenwicht wist te bewaren. '*Bovendien begin ik me te vervelen,*' klonk opnieuw de stem van Tollij. '*En dan ben ik niet op mijn gezelligst, pillendraaier. Dus ik stel voor dat je iets doet om het weer een beetje boeiender te maken.*'

'*Ik... doe mijn best, heer.*' Okros klonk duidelijk nerveus. '*Alleen... ik... we... Ik moet voorzichtig zijn. Het zijn indrukwekkende machten...*'

'*Dat kan best wezen, maar op dit moment ben ik voor jou de grootste macht. Dus ga door. Voltooi het offer. Het kan me niet schelen hóé je het doet. Als je het maar doet! We moeten zien dat we de locatie van de Godensteen achterhalen, anders hoeven we er niet op te hopen dat de macht ons ter wille zal zijn. En als blijkt dat we mis hebben gegokt, dan zal ik niet de enige zijn die het moet bezuren, Okros. Daar kun je op rekenen...*'

'*Alstublieft, heer. Heb geduld! Kijk, ik doe wat u me hebt opgedragen...*'

'*Je staat alleen maar wat te prikken, idioot! Ik heb je geen onvoorstelbare rijkdom beloofd om je lukraak in een spiegel te zien prikken! Steek je hand erin, kerel! Zorg dat er wat gebeurt!*'

'*Natuurlijk, heer. Maar dat is niet zo... niet zo gemakkelijk...*'

Op het moment dat de stem van de heelmeester zachter werd en dat Tinslager zich verder naar voren boog om hem beter te kunnen verstaan, werd de duisternis plotseling verscheurd door een kreet, zo gruwelijk en zo snel aan kracht winnend dat het ondenkbaar leek dat die werd voortgebracht door een menselijke keel. Even snel als hij was opgeklonken, ging de kreet over in een verstikt gereutel dat al na amper twee hartslagen werd overstemd door het geluid van haastige voetstappen toen de groep mannen in paniek de treden opklauterde om de crypte te ontvluchten.

De eerste die naar buiten kwam was een wacht. Hij liet zich op de bovenste tree op zijn knieën vallen en begon te braken. Zijn collega stormde langs hem heen, met een hand voor zijn mond, en met in de andere hand een fakkel waar hij wild mee zwaaide. Nog altijd brakend kwam de eerste wacht weer overeind en volgde zijn makker over het grafveld, onbeholpen zigzaggend tussen de zerken.

Daarop verscheen de lange gedaante van Hendon Tollij in de deuropening van de crypte. Zijn hoofd was bedekt met een kap, in zijn armen hield hij de grote bundel. 'Ga terug naar de residentie,' zei hij tegen de man die de wacht had gehouden voor de deur en die hem met open mond aanstaarde.

'Maar... heer...'

'Kop dicht! Vooruit, schiet op! Achter die stommeling met die fakkel aan! We mogen hier niet worden betrapt. Want dan hebben we heel wat uit te leggen.'

'Maar... de heelmeester...'

'Kop dicht, zei ik! De volgende keer snij ik je je strot door! Is dat duidelijk? Lopen!'

Binnen enkele ogenblikken waren ze in de duisternis verdwenen, Tinslager hijgend en trillend alleen achterlatend op het in duisternis gedompelde grafveld. De deur naar de tombe stond nog open, daarbinnen flakkerde nog altijd het licht van fakkels.

Mattes Tinslager wilde de treden niet afdalen – niemand met ook maar een greintje verstand zou dat willen! Maar wat was er gebeurd? Waarom brandde die fakkel daarbeneden nog altijd? Terwijl het verder doodstil was? Hij zou op z'n minst die fakkel moeten gaan halen, besloot Tinslager. Dan hoefde hij niet opnieuw in het pikkedonker de begraafplaats over.

Achteraf kon hij niet verklaren wat hem dreef. Dapperheid kon het niet zijn geweest; de dichter was de eerste om toe te geven dat hij geen dapper mens was. En nieuwsgierigheid was het ook niet – louter nieuwsgierigheid zou niet genoeg zijn geweest om zijn afschuw opzij te zetten – ook al moest het daar toch wel iets mee te maken hebben. De enige verklaring die hij later voor zijn handelwijze kon geven, was dat hij op de een of andere manier móést weten wat er aan de hand was. Want daar, in die duistere tempeltuin, doodsbang en moederziel alleen, besefte hij dat niets zo angstaanjagend zou zijn als zich de rest van zijn leven afvragen wat er in de diepte van de crypte was gebeurd.

Hij zette zijn voet op de eerste trede en luisterde, met gespitste oren. Het licht dat door de deuropening beneden naar buiten viel, was slechts een vage, geelachtige gloed. Doodstil en op zijn hoede daalde Mattes Tinslager de donkere treden af. Aan de voet van de trap zag hij dat zich aan weerskanten nissen in de muren bevonden, als donkere honingraten. De fakkel lag op de stenen vloer. Meer had hij niet nodig, besloot hij plotseling. Dan wist hij maar niet wat er was gebeurd! Hij zou de crypte verder laten voor wat die was. De brandende toorts lag slechts een paar stappen bij hem vandaan. Hij zou er op zijn knieën naartoe

kruipen, zodat hij de lege ogen van de stenen gezichten boven de sar-
cofagen niet hoefde te zien...

Op het moment dat zijn vingers zich om de fakkel sloten, zag hij
Okros. De heelmeester lag opzij van het midden, languit op zijn rug,
met zijn benen gespreid, zijn linkerarm gestrekt; in zijn hand hield hij
nog een stuk perkament geklemd. Hij had zijn ogen onmogelijk wijd
open, net als zijn mond, alsof hij een geluidloze kreet slaakte. Zijn gezicht verried zo'n overweldigende angst dat zijn hart in de kooi van zijn
ribben uiteen moest zijn gespat. Maar het angstaanjagendst was zijn
rechterarm – of liever gezegd, het ontbreken daarvan; een kort, glimmend bot dat als een gebroken fluit uit zijn schouder stak, was het enige overblijfsel, de huid was tot aan de hals opengebarsten zodat het
rode spierweefsel daaronder zichtbaar was. Verder staken er uit zijn
schouder slechts gehavende, gescheurde strengen vlees, als de hennep-
draden van een gebroken touw.

Het bizarre was dat er in die hele ravage van vlees en bot nergens
bloed vloeide. Geen druppel. Alsof wie of wat het ook was geweest dat
zijn arm had afgerukt, al het bloed uit zijn vlees had gezogen.

Op handen en knieën gezeten braakte Tinslager de inhoud van zijn
maag eruit, toen hij plotseling iets kouds en scherps in zijn nek voelde.

'Nee maar!' zei een stem, die werd weerkaatst door de muren van de
crypte. 'Ik kom terug voor een stukje perkament en ik vind een spion.
Overeind! Ik wil je gezicht zien! En veeg dat braaksel van je kin. Heel
goed. Zo mag ik het zien!'

Tinslager werkte zich overeind en draaide zich om, zo langzaam als
hij kon. Het koude, scherpe ding kroop langs zijn nek omhoog, drukte
zijn oor in het voorbijgaan tegen zijn hoofd, en haalde zijn huid open,
zodat hij zich tot het uiterste moest beheersen om het niet uit te schreeuwen. Toen gleed de kling onzacht over zijn wang en bleef net onder zijn
oog rusten.

Door een speling van het licht was de kling van het zwaard onzichtbaar en leek het alsof Hendon Tollij hem met een lans van schaduw in
bedwang hield. De Heer Behoeder zag eruit alsof hij koorts had, zijn
ogen schitterden, zijn huid glom van het zweet.

'Aha, onze kleine dichter!' Tollij grijnsde, maar het was een verre van
aangename grijns. 'En wie is je meester? Prinses Brionie? Trekt ze helemaal uit het verre Tessis aan je marionettentouwtjes? Of zit je meester dichterbij? Is het soms Avin Brone?' Even dreigde de punt van het
zwaard omhoog te glijden. 'Het maakt niet uit. Want je bent nu van mij,

Tinslager. Want zoals je ziet, heb ik vanavond een van mijn belangrijkste volgelingen verloren, en er is nog veel te doen. Nog heel erg veel. Dus ik heb iemand nodig die kan lezen.' Hij gebaarde naar de eenarmige overblijfselen van Broeder Okros. 'Ik kan je natuurlijk niet beloven dat de functie zonder gevaar is. Maar je moet maar denken dat je veel meer gevaar loopt als je weigert me ter wille te zijn. Is dat duidelijk, dichtertje?'

Tinslager knikte, heel voorzichtig, want de punt van het zwaard rustte nog altijd vlak onder zijn oog. Hij voelde zich als verdoofd, hulpeloos, als een vlieg in een web die de spin langzaam ziet naderen.

'Pak dat stuk perkament uit de vingers van Okros!' zei Tollij. 'Vooruit! En nu naar de trap. Jij voorop. Je boft, dichter! Van nu af aan mag je elke nacht aan het voeteneind van mijn bed slapen! En je hebt nog geen idee van wat je allemaal te zien zult krijgen en gaat leren!' Hij lachte. En het geluid was net zo onaangenaam als zijn glimlach dat was geweest. 'Wanneer je eenmaal bij mij in dienst bent, zul je die loze en ziekelijk zoete verzinsels van je nooit meer verwarren met de waarheid.'

31
Een simpel stukje touw

'Kupilas de Maker, die slechts kortstondig een rol speelt in de vele
verhalen van de Trigon en de Godenstrijd, is bij de Qar daarentegen een
belangrijke figuur. In sommige verhalen wordt zelfs gesuggereerd dat hij
uiteindelijk de Broeders van het Trigonaat versloeg – een theorie die door
Kyros wordt aangeduid als "de Xissische Dwaalleer". In de legenden van de
Qar is Kupilas, die door hen de Manke wordt genoemd, doorgaans een
tragische figuur.'

Uit *Een Verhandeling over de Elfenvolken van Eion en Xand*

Barrick had amper de tijd om zijn zwaard te trekken voordat de eerste
skrijter vanuit het nachtlicht op hem af kwam stormen. Het schepsel leek
met zijn wapperende mantel en zijn wijd gespreide, rafelige armen te
worden gedragen door de wind. Toen Barrick naar zijn belager uithaalde, sneed zijn kling dwars door de stof, die als een rottende sluier uit elkaar viel. De toonhoogte van het lied dat het monster zong, veranderde,
maar het griezelige neuriën ging door terwijl Barrick bleef toesteken. Het
lukte hem niet het wezen te verwonden – zijn zwaard raakte niets wat
voelde als een lichaam. Waren de Eenzamen niet-stoffelijk? Bestonden
ze slechts uit opbollende gewaden? Waren het geesten?

Hij durfde er bijna niet over na te denken. Wááruit de spinsels ook
bestonden, ze waren tenminste echt – hij kon ze verwonden, in brand

steken. Maar op deze skrijters had zijn kling geen vat, en vuur had hij niet bij de hand.

Telkens opnieuw kwam het wezen op hem af en wervelde dan weer weg, zijn ritmische zang slingerde zich in contrapunt rond een tweede, zwakkere melodie – dus waar was de tweede, vroeg Barrick zich plotseling af. Hij draaide zich om, nog net op tijd voordat een golvende gedaante hem van achteren besprong. In gedachten hoorde hij Shaso's stem, zo duidelijk als wanneer de oude man naast hem had gestaan: *'Zorg dat ze je niet vastpinnen op één plek! Blijf in beweging!'*

Terwijl hij wegdook, wanhopig om niet in de val te raken tussen twee belagers, haalde de eerste skrijter plotseling een soort paardenzweep tevoorschijn, ook al zag het ding eruit alsof het was gemaakt van nevelen en spinrag. Toen de skrijter de zweep in zijn richting liet knallen, sprong Barrick achteruit, maar hij werd nog net geraakt op zijn kuit, hetgeen een ijzige, uitwaaierende pijn veroorzaakte.

Daarop begonnen de twee skrijters rondtrekkende bewegingen te maken, in een poging hem opnieuw te omsingelen. Ware doodsangst had bezit van Barrick genomen en werd met elk moment dat verstreek, sterker. Ook het tweede wezen zwaaide inmiddels met eenzelfde soort vreemde zweep, en hun lied won aan kracht, bezield door een opzwepende klank van triomf. Waaruit bestonden de schepsels? En waarom waren hun ogen het enige wat hij van hen kon zien, als bloedvlekken op de bleke vodden van hun gezicht? Ze moesten uit méér bestaan dan lucht alleen, maar uit wat?

Als in antwoord op zijn vraag schoof de kap van een van de skrijters opzij toen het monster zich op hem stortte, en Barrick keek recht in een gezicht uit een nachtmerrie – bloedeloos bleek op de karmozijnkleurige vlekken rond de rode ogen na, en een mond als een leeg gat; een vrouwelijk gezicht zonder een zweem van menselijkheid of warmte, uitgerekt tot een krijsend masker.

Dat korte, gruwelijke moment werd hem bijna noodlottig; terwijl Barrick als verlamd toekeek, raakte het andere monster hem met de punt van zijn zweep vol op zijn rug. Pijn joeg als een bliksemschicht door Barrick heen, hij zakte door zijn knieën, zijn zwaard viel onder luid gekletter op de grond en stuiterde weg – hij wist niet waarheen. Bijna verblind door de pijn probeerde hij wanhopig de kracht te vinden om overeind te komen, maar op dat moment kwam de eerste skrijter op hem af en hief zijn wapen. In plaats van achteruit te deinzen in de richting van zijn andere belager, wierp Barrick zich naar voren en greep de aanvaller op de plek waar diens benen hadden moeten zijn. Maar er was niets, of bijna niets – vodden, klammigheid en een soort knarsende, broze weerstand als van bevroren takken, was het enige wat hij voelde. De kou verspreidde zich razendsnel door zijn armen, en amper een moment later voelde hij dat de kilte ook zijn borst binnendrong en dreigde zijn hart te bevriezen. Hij kon niets anders doen dan zijn armen terugtrekken en opzijrollen. Terwijl hij om zich heen tastte, raakten zijn vingers zijn gevallen zwaard. Maar op het moment dat hij zijn greep daarop verstevigde, stortten de skrijters zich op hem, krijsend als opgewonden eksters, hun lied doorspekt met snel tonggeklak en slepende klanken die klonken als woorden.

Huilend van angst en afschuw haalde Barrick keer op keer uit met zijn zwaard. Hij slaagde erin de skrijters iets terug te dringen zodat hij zich overeind kon werken, maar zijn benen waren zo zwak dat hij amper kon staan. Wankelend, snakkend naar adem lukte het hem zelfs niet zijn zwaard omhoog te houden. De situatie was hopeloos maar hij was vastbesloten zijn huid zo duur mogelijk te verkopen.

En toen, op het moment dat de twee monsters zich opnieuw op hem stortten, hun ogen vernauwd tot bloedrode speldenprikken, hun niet-menselijke stemmen snerpend van kille vreugde, wervelde er iets zwarts door de lucht en beukte de dichtstbijzijnde skrijter in de rug. Even dacht Barrick dat het Skurn was die hem te hulp schoot, maar toen richtte het getroffen schepsel zich op, het slaakte een griezelige, hoge kreet van pijn of verrassing, en Barrick zag dat er kleine zwarte golven aan zijn haveloze gewaad likten – zwarte vlammen!

De tweede skrijter verstijfde, alsof de wezens niet gewend waren aan tegenstand. Barrick dook naar voren, grijpend met beide handen. Ondanks de ogenschijnlijke broosheid verzette het schepsel zich verrassend krachtig. Voordat het erin slaagde zich los te rukken, wist Barrick het echter net ver genoeg achteruit te duwen om het in contact te brengen met zijn gillende, fladderende makker, waarop de zwarte vuurgloed zich ook over de mouwen en de kap van de tweede gruwel verspreidde.

De eerste skrijter was volledig omhuld door duistere vlammen; hij had zijn gezang gestaakt en bracht nog slechts een soort vals, nauwelijks hoorbaar gekrijs uit. De golven ijzige kou die van het schepsel afsloegen, waren te pijnlijk om er dichterbij te komen, dus Barrick draaide zich om naar de tweede skrijter en waadde maaiend met zijn zwaard de kilte in tot hij voelde dat de stof begon te scheuren en de rafelige flarden zich om zijn kling slingerden. Inmiddels was ook deze vijand volledig bedekt met zwarte vlammen; zijn schrille stem zonder woorden werd steeds luider, er klonk angst in door tot de skrijter abrupt zijn vorm verloor en in het niets leek op te lossen. Barrick zag nog wat donkere tentakels, glad en glibberig als smeltend niervet, en probeerde ze te grijpen, maar ze vloeiden als zwarte regen weg in de grond. Barrick hield slechts een leeg, rottend gewaad in zijn handen dat uit elkaar viel en als zand door zijn vingers gleed.

Toen hij zich omdraaide, was hij net op tijd om te zien dat de tweede skrijter op en neer danste in een waas van onrustig flakkerende duisternis, waarop hij met een droge knal en een fontein van ijzige vonken implodeerde en in het niets oploste; het enige wat er van het schepsel overbleef, was een stapel smeulende vodden die verteerden in een laatste opflakkering van schaduw. Daarnaast lag de zwartgeblakerde handgreep van een toorts; de fakkel zelf was volledig weggebrand.

Barrick staarde er verbijsterd naar, verdwaasd door pijn en boordevol vragen, niet begrijpend wat er was gebeurd. Maar toen kwam Raemon Beck vanuit de schaduwen tussen de bomen naar hem toe lopen. Zijn gezicht stond bijna beschaamd.

'Ik... ik heb een van de nachtlichten uit de houder gehaald. En naar de vijand gegooid.'

Barrick slaakte een diepe zucht van opluchting en liet zich op de grond vallen. 'Dat heb ik gezien.'

Het liefst zou hij zich hebben opgerold om even te gaan slapen, maar het zou ongetwijfeld niet onopgemerkt blijven dat ze twee bewakers van de stad in brand hadden gestoken. Sterker nog, misschien konden ze elk moment een nieuwe aanval door de gruwelijke wezens verwachten. Dus hij werkte zich kreunend overeind en loodste de weigerachtige Beck naar de enorme stenen muur en wat daar ook achter mocht liggen.

Behoedzaam baanden ze zich een weg door de woeste wirwar, de muur volgend tot ze bij een gewelfde poort kwamen. De deur waarmee deze ooit afgesloten was geweest, lag in lange, verrotte balken op de grond met hier en daar stukken roestig metaal; er was niets wat hun de doorgang belette.

Tot Barricks verrassing was de binnenplaats achter de poort een soort verwilderde weide, als het grasland rond een landhuis, ook al was er op dit gras al geruime tijd niet meer gegraasd; het stond bijna kniehoog, hier en daar groeide een verwilderde struik en het veld was bedekt met een netwerk van zwarte kruipranken, als aderen onder de huid. Helemaal aan het eind van de binnenplaats stond weer een muur, met opnieuw een poort en een vergane deur.

'Ik ga wel eerst, om te kijken wat daarachter ligt,' zei Barrick.

Hij had amper een paar stappen in het gras gezet of iets greep hem bij zijn enkels. Met een verwensing rukte hij zijn laars los, maar toen hij hem weer neerzette, gebeurde er precies hetzelfde. Het gras wikkelde zich om zijn benen, de sprieten reikten tastend omhoog als gevorkte slangentongen en omwikkelden hem met lange halmen die zich rond zijn benen omhoogslingerden.

'Blijf daar!' riep hij over zijn schouder naar Beck. 'Dat gras... Het lijkt wel kwaadaardig!'

Hij hakte wanhopig op de halmen in, maar het leek wel alsof het zwaard van Qu'arus van perkament was gemaakt, zo gering was de schade die het wist aan te richten. Inmiddels reikten sommige halmen naar zijn hand, alsof ze probeerden hem het wapen te ontfutselen. Achter zich hoorde hij Beck iets roepen, maar hij kon niet verstaan wat de koopman zei.

De grashalmen die zich om zijn benen hadden gewikkeld, begonnen hem naar beneden te trekken, krimpend als repen dierenhuid die werd gedroogd. Als hij eenmaal op de grond lag, zou hij nooit meer overeind kunnen komen, besefte Barrick. Hij maaide nog altijd woest om zich heen, zonder noemenswaardig resultaat – een paar stengels werden doorkliefd, maar voor elke halm die hij afsneed, kwamen er twee terug die naar hem reikten.

Toen de wanhoop hem dreigde te overweldigen, kwam er ineens een idee bij hem op.

Hij nam de grijze mantel af die hij zich had toegeëigend, gooide die in zijn volle lengte voor zich op het gras en liet zich erop vallen, een draai beschrijvend in de lucht zodat hij met zijn rug op het midden van de mantel belandde. Onder zich voelde hij het gras bewegen als een zee van grijpende vingers, maar het kon niets uitrichten dankzij de zware wol die naar beneden werd gedrukt door het gewicht van zijn lichaam. Profiterend van die tijdelijke bescherming begon hij de halmen die zijn voeten hadden omstrengeld, los te snijden. Na enig hijgend geploeter had hij zich weten te bevrijden. Even was hij tot niets anders in staat dan buiten adem achteroverliggen, als een zeeman die schipbreuk had geleden, zijn mantel een vlot op een woedende groene zee. Toen zijn krachten weer enigszins waren teruggekeerd, begon hij zich als een rups over het gras te bewegen, waarbij hij ervoor zorgde dat hij de mantel tussen zijn lichaam en het roofzuchtige gras hield. Aan de andere kant van het veld gekomen werkte hij zich omhoog tot hij in de doorgang stond en wierp hij een snelle blik naar wat daarachter lag, om zich ervan te overtuigen dat hij door niets werd opgewacht. Toen draaide hij zich om en hij gooide de mantel in een prop terug naar Beck. Dankzij Barricks voorbeeld had Beck aanzienlijk minder tijd nodig om het grasveld over te steken.

Het duurde niet lang of ze stonden naast elkaar in de doorgang en keken naar de volgende binnenplaats. Daar hing een soort laaghangende mist, en toen Barrick zijn ogen tot spleetjes kneep, zag hij dat die boven een ondiepe poel zweefde die de hele binnenplaats vulde, zoals de vorige volledig bedekt was geweest met gras.

'U gaat toch niet proberen erdoorheen te lopen, heer?' vroeg Beck.

Barrick haalde zijn schouders op. 'Ik heb weinig keus. Maar je hoeft niet mee. Dat heb ik je al eerder gezegd.'

Beck kreunde. 'Wat moet ik anders? Rechtsomkeert maken? Met de dood van twee Eenzamen op mijn kerfstok?'

'Dat was trouwens razend slim van je!' Barrick gooide zijn mantel weer over zijn schouders. 'Om ze in brand te steken met hun eigen nachtlicht.'

'Ach, met slim had het weinig te maken, heer. Ik ging gewoon op zoek naar iets om mee te vechten. Het nachtlicht was het eerste wat ik zag.'

Even voelde Barrick zich bijna warm worden vanbinnen en was hij zich bewust van een soort verwantschap, maar dat was een zwakte die hij zich niet kon veroorloven. Dus hij draaide zich om naar de wachtende poel.

De mist krulde loom boven het water, maar Barrick kon zien dat daaronder een rij gebarsten, eeuwenoude stenen schuilging die net boven het oppervlak uitstaken en naar een derde gewelfde doorgang leidden aan het eind van de binnenplaats. Ze waren duidelijk bedoeld als stapstenen, maar het was Barrick net zo duidelijk dat de oversteek niet zo gemakkelijk zou blijken te zijn als hij leek. Hij stapte op de eerste steen en wachtte nerveus af of er iets gebeurde. Toen dat niet zo was, stapte hij op de volgende, met zijn vingers krampachtig om het heft van het zwaard; ondertussen liet hij zijn blikken over het water gaan, alert op een angstaanjagend schepsel dat zich daaronder misschien verborgen hield en hem vanuit de bedrieglijk vreedzame ondiepten gadesloeg. Maar er gebeurde nog altijd niets, dus Barrick deed opnieuw een stap naar voren, op een afstandje gevolgd door Raemon Beck.

Pas toen hij halverwege was en hoop begon te koesteren dat wat deze poel ooit mocht hebben bewoond, inmiddels was vertrokken, werd hij zich bewust van een slap gevoel in zijn benen; het was alsof ze leegliepen, als graanzakken waarin muizen een gat hadden geknaagd. Toen hij naar beneden keek zag hij dat de dunne nevelen zich rond zijn enkels en kuiten hadden verdicht tot mistige tentakels waarvan de bewegingen niet werden bepaald door de wind. Terwijl het gevoel van slapte zich begon te verspreiden, meende hij contouren in de mist te ontdekken – grotesk misvormde gezichten en grijpende vingers. Overal waar de mist hem beroerde, begon hij het koud te krijgen. Hij nam nog een stap maar zijn benen waren zo slap geworden dat hij wankelde en bijna viel. Toen hij hulpeloos achteromkeek naar Raemon Beck, bleek uit diens gewankel dat ook hij door de mist werd belaagd.

'Het doet pijn...!' bracht de koopman kreunend uit. 'En het is koud...'

'Pas op dat je niet valt!' Barrick probeerde uit alle macht zijn evenwicht te bewaren; als hij in het water viel, kwam hij er nooit meer uit, besefte hij; dan zouden de gezichten in de mist alle kracht uit hem zuigen.

Dat is het! Ze zuigen ons leeg, als bloedzuigers...

De koude plekken op zijn huid breidden zich uit. Blijkbaar kon zijn kleding hem niet beschermen tegen de warmtezuigers; het was alsof hij werd overspoeld door koude koortsrillingen, alleen kwam deze kou vanbuiten en werkte zich een weg naar binnen...

Vanbinnen zijn we warmer, dacht hij enigszins beneveld. *Iedereen is vanbinnen warmer dan vanbuiten. En ze zijn uit op warmte...*

Het was een krankzinnig idee, maar hij besefte dat hij heel snel moest handelen. Dus hij tilde zijn linkerhand op en haalde het korte zwaard van Qu'arus over de huid. Hij voelde de snee nauwelijks, alsof hij zijn arm eerst in sneeuw had gedoopt, maar de kling had de huid wel degelijk doorboord, zodat er bloed opwelde uit een vouw in zijn handpalm en langs zijn pols begon te druipen. Barrick strekte zijn arm, uit alle macht proberend zich staande te houden, en liet het bloed in het water druppelen.

Onmiddellijk begonnen de nevelen sneller te wervelen, cirkelend boven de plek waar zijn bloed zich als een roze waas door het water verspreidde. De mist boven de poel werd dichter en nam ook een heel licht roze kleur aan, als lage wolken in de gloed van de opkomende dageraad.

'Schiet op!' riep Barrick, maar zijn stem was zo zwak dat hij zich niet kon voorstellen dat Beck hem kon horen. Hij liet nog meer bloed in het water druppelen en stapte wankel op de volgende platte steen. De nevelslierten wervelden opnieuw even rond het bloed, maar kwamen toen weer op hem af. Barrick schudde krachtig met zijn hand, maar het bloeden begon al minder te worden. Dus hij sneed zichzelf op een andere plek en druppelde opnieuw bloed in het water. Zelfs de mist die zich aan de benen van Raemon Beck vastklampte, leek dunner te worden terwijl een deel daarvan naar de plek zweefde waar Barricks bloed het water roze kleurde. Becks eerste stap was die van een man die tot zijn middel door dikke modder waadde, de tweede ging al wat gemakkelijker, en het duurde niet lang of ze haastten zich samen over de stapstenen naar de veilige overkant.

Tegen de tijd dat ze zich hijgend en huiverend van de kou in de doorgang op de grond lieten vallen, had Barrick zich op nog drie plaatsen in zijn arm gesneden. Vanaf zijn elleboog naar beneden zaten zijn arm en zijn hand onder de rode strepen, waartussen de smalle repen schone huid verblindend wit leken, als ogen in een donker woud.

Toen Beck weer op adem was gekomen scheurde hij de uiteinden van zijn gerafelde mouwen en bond die rond Barricks wonden. Het verband was niet bepaald schoon, maar het stelpte het bloeden.

Barrick tuurde ongelukkig naar de volgende binnenplaats. Die zag er zelfs nog onschuldiger uit dan de vorige twee – een kale, stenen vlakte met aan het eind een stel treden die leidden naar iets wat eruitzag als een simpele gesloten deur. Hij wist echter wel beter. 'Wat zou ons daar nou weer te wachten staan?' vroeg hij zuur. 'Een nest adders?'

'Wat het ook is, Hoogheid, u zult het weten te verslaan.' Iets in de stem van Raemon Beck maakte dat Barrick zich naar hem omdraaide. Vergiste hij zich of las hij bewondering in Becks ogen? Was er daadwerkelijk iemand die hem, Barrick Eddon, de berucht gebrekkige prins, bewonderde? Of hadden de gruwelen van die dag Becks hersenen aangetast?

'Ik wíl het niet verslaan.' Barrick zag Skurn hoog boven hun hoofd aan de hemel cirkelen, ver weg van behekste grashalmen en bloeddorstige nevelen. Tenminste iémand met een greintje verstand. 'Ik wil dat er iemand komt met een stormram die de hele zaak met de grond gelijkmaakt. Want ik heb er meer dan genoeg van.'

Raemon Beck schudde zijn hoofd. 'We moeten verder. Er zullen ongetwijfeld andere skrijters komen om de dood van hun zusters te wreken, en die zullen we niet op dezelfde manier kunnen verrassen.'

'Zusters?' Een gevoel van misselijkheid bekroop Barrick. 'Dus het zijn echt vrouwen?'

'Geen menselijke vrouwen,' zei Beck grimmig. 'Een soort vrouwelijke demonen, denk ik.'

'Je hebt gelijk. We moeten verder.' Barrick wist dat wat er gebeurde min of meer onvermijdelijk was; natuurlijk kon hij niet terug, net zomin als hij in het leven terug kon gaan om alle fouten die hij had gemaakt, goed te maken. Hij werkte zich kreunend overeind. De verdoving van de bijtende mist was uitgewerkt, hij had pijn over zijn hele lichaam. Wat zouden de mensen in Zuidermark vinden van hun arme sloeber van een prins als ze hem zo konden zien?

Prins van Niets, zei hij tegen zichzelf. *Zonder onderdanen, zonder soldaten, zonder familie, zonder vrienden.*

Skurn liet zich uit de hemel vallen en streek met veel vleugelgeklapper neer op het plaveisel aan de andere kant van de boog. Terwijl de raaf op slechts enkele stappen bij hem vandaan heen en weer paradeerde, verwachtte Barrick half en half dat er iets vanuit de stenen omhoog zou reiken en de zwarte vogel zou wurgen. Maar óf het loerende gevaar gaf niet om raven, óf het gevaar was subtieler dan dat.

'Ons kan er niks aan doen,' zei Skurn. 'Ons móét het vragen. Bent u nu tevreden?'

'Hou je slakkengat! Ik moest naar deze ellendige stad toe. En nu zal ik hier ook doorheen moeten zien te komen. Niemand heeft je gedwongen om mee te gaan.'

'Ach natuurlijk, stuur ons maar weg. Ons heeft alleen maar gewaarschuwd. Waar blijft onze eerlijke beloning?'

'Vertel me liever of je iets ziet, in plaats van me als een oud wijf de les te lezen. Wat ligt er achter de volgende binnenplaats?'

De raaf keek hem aan met een kraaloog. 'Niemendal.'

'Echt waar? Wat is er dan aan de andere kant van die deur?'

Skurn tuurde over de binnenplaats naar de eeuwenoude houten deur zonder enige versiering, op een geroeste metalen rozet na in het midden – misschien een handvat.

'Aan de andere kant? Er ís geen andere kant.'

'Wat bedoel je?' Barrick moest zich tot het uiterste beheersen om niet driftig te worden. 'Wanneer we de binnenplaats oversteken en die deur opendoen, dan moet er toch iets aan de andere kant zijn? Een gebouw? Of weer een binnenplaats?'

'Niemendal, zeg ik toch!' De raaf zette geërgerd zijn veren op. 'Niet eens een deur. Aan de andere kant is de achterkant van de grote muur. Dan bomen en wat al niet. Zo'n beetje hetzelfde als aan de voorkant. Verder niks.'

Herhaald vragen leverde uiteindelijk op dat wat klonk als een misverstand, de simpele waarheid was; volgens Skurn, die er diverse malen overheen was gevlogen, was er aan de andere kant van de laatste deur helemaal niets; sterker nog, aan de andere kant verried niets de aanwezigheid van de deur aan de voorkant. Blijkbaar was het één groot, uitgebreid bedrog. Verslagen liet Barrick zich in de doorgang op de grond zakken, maar Raemon Beck trok hem aan zijn arm.

'Toe, Hoogheid. U mag nu niet wanhopen. Het eind is in zicht.' De kleren van de lappenman waren inmiddels bijna net zo smerig en haveloos als die van Barrick, die er al maanden in rondliep. De vraag kwam bij hem op hoe hij er in de ogen van anderen uitzag – en hoe hij róók.

Prins van Niets, dacht hij opnieuw, en hij begon te lachen. Het overviel hem zo dat hij geruime tijd alleen maar voorovergebogen kon blijven zitten, hijgend van ademnood.

'Wat is er, Hoogheid? Bent u gewond?' Beck trok hem weer aan zijn arm. 'Voelt u zich niet goed?'

Barrick schudde zijn hoofd. 'Help me eens overeind,' zei hij ten slotte, nog altijd buiten adem. Hij wist niet eens waarom hij lachte. 'Je hebt gelijk. Het eind is in zicht.' Alleen, hij had een ander idee van dat eind dan Beck.

Toen hij eenmaal rechtop stond, aarzelde hij niet langer – wat had uitstel nog voor zin? – maar liet hij de doorgang achter zich en begon hij de verlaten binnenplaats over te steken, een vlakte van gebarsten, verbrokkelde stenen. Hij deed zijn best zijn hoofd hoog te houden en dapper voorwaarts te lopen, ook al wist hij dat er elk moment iets uit de grond kon schieten of uit de lucht kon komen vallen. Maar tot Barricks vermoeide verbazing werd hij niet belaagd door grijpende handen, noch besprongen door dreigingen die in de schaduwen op hem hadden geloerd. Samen met Beck marcheerde hij langzaam, maar gestaag de binnenplaats over tot ze op de treden stonden en opkeken naar de grote grijze deur met zijn ruwe metalen handgreep.

Skurn streek neer en zette nerveus zijn klauwen in Barricks schouder. Ongemakkelijk ineenkrimpend strekte Barrick zijn hand uit naar de deur, in de verwachting dat hij elk moment kon worden tegengehouden – door een geluid, een plotselinge beweging, een kwellende pijn. Maar er gebeurde niets. Zijn vingers sloten zich om het ruwe, roestige metaal, maar toen hij aan de handgreep trok, gaf de deur niet mee, er ging zelfs geen huivering doorheen. Het was alsof de deur deel uitmaakte van de muur.

Barrick pakte de handgreep met beide handen. Zonder acht te slaan op de pijn in zijn verbonden arm begon hij nog harder te trekken, maar de deur bleef onbeweeglijk, onverzettelijk als een berg. Met zijn voet tegen de bovenste trede leunde hij achterover, en hij zette kracht met zowel zijn benen als zijn armen. Maar hij had net zo goed kunnen proberen de hele, groene aarde op zijn schouders te nemen. Daarop sloeg Raemon Beck zijn armen om Barricks middel om zijn gewicht en zijn krachten aan die van Barrick toe te voegen. Het maakte geen enkel verschil.

'Heeft u niet overwogen om tegen gene grote deur te dúwen, in plaats van te trekken?' opperde Skurn.

Barrick schonk hem een vernietigende blik, maar ging op de drempel staan en duwde zo hard als hij kon. Er was nog altijd geen beweging in de deur te krijgen. 'Ben je nu tevreden?' vroeg hij de raaf. Toen keerde hij de deur de rug toe en liet zich op de drempel zakken, vanwaar hij terugkeek over de naargeestige binnenplaats, waar geen nachtlichten brandden en waar de schemering vrij spel had.

'En u weet zeker dat u hard genoeg hebt geduwd?' vroeg Skurn.

Barrick schonk hem opnieuw een vernietigende blik. 'Probeer het zelf als je denkt van niet.'

Skurn maakte een keelachtig geluid van weerzin. 'Ons heeft toch geen handen?'

De woorden van de raaf riepen iets wakker in zijn geheugen. *Geen handen.* Barrick liet zijn hoofd achterover tegen de deur zakken – die voelde zo massief als een granieten klifwand – en sloot zijn ogen, maar de gedachte bleef ongrijpbaar. Hij was zo vermoeid dat het leek alsof de hele wereld om hem heen begon te kantelen, dus hij deed zijn ogen weer open, ervan overtuigd dat hij nog nooit van zijn leven zo moe was geweest...

'Handen,' zei hij abrupt. 'Het had iets te maken met handen.'

'Wat?' Raemon Beck keek hem aan, maar de blik van de koopman was dof en verslagen. Barrick twijfelde er niet aan of hij zag een leger skrijters oprukken, over de binnenplaats met gras, dan over de binnenplaats met water...

'Ik weet het!' zei Barrick. 'De Slapers hebben me iets over deze plek verteld – over de Zaal van de Manke, tenminste, als we daar nu zijn. Ze zeiden dat geen sterfelijke hand de deur kon openen.'

Beck leek hem nauwelijks te hebben gehoord. 'We moeten iets doen, heer. Het zal niet lang duren of de Eenzamen komen achter ons aan!'

Barrick lachte; het klonk hard en somber. Wat had een mens aan kennis? Wat had een mens aan zijn gelijk? Ze waren hier allemaal sterfelijk, zelfs Skurn. Als de tekst simpelweg had geluid 'geen hand' zou de raaf de deur misschien hebben kunnen openen met zijn snavel. Barrick snoof bij de gedachte. Misschien moesten ze de skrijters om hulp vragen...

'Wacht eens even. *Geen sterfelijke hand!* Dat is wat ze zeiden.' Hij reikte in zijn buis, haalde de spiegel van Gyir tevoorschijn en tilde het koord over zijn hoofd. Met het niet onaanzienlijke gewicht van de spiegel in zijn hand, had hij even de vreemde sensatie dat het ding leefde. Maar er was geen tijd voor dat soort gedachten; het idee dat bij hem was opgekomen, had weinig met de spiegel te maken, maar alles met het dunne stuk ankertouw waar die aan hing.

Raemon Beck, die zich uitgeput op de treden had laten neerploffen, keek op. 'Wat is dat...'

'Sst.' Barrick boog zich dichter naar de deur, gooide het koord over de handgreep en pakte het vast aan weerszijden van de buidel met daarin de spiegel. Toen begon hij te trekken. Er gebeurde niets.

Skurn fladderde op en vloog een rondje om Barricks hoofd.

'Die grijze dingen... Ik zie er een stel bij de rivier... ze komen deze kant uit,' meldde hij. 'En... snel ook...'

Barricks vingers begonnen te tintelen, besefte hij, en vrijwel onmiddellijk danste er een glimp van licht over het koord, zo zwak dat het slechts zichtbaar was dankzij de donkere schaduwen van de doorgang. Zonder nadenken veranderde hij zijn greep en begon hij hand over hand te trekken. Met een diep gerommel en een bijna onhoorbaar geknars, alsof de scharnieren zich moesten ontdoen van de roest van eeuwen, zwaaide de deur naar buiten toe open. Barrick deed haastig een stap naar achteren toen de zware deur langzaam op hem afkwam, en Raemon Beck viel tuimelend van de treden om de deur te ontwijken. Skurn zweefde klapwiekend boven de opening, maar beschreef toen plotseling een draai in de lucht en verdween in de duisternis voorbij de deur, zo abrupt alsof hij door een krachtige wind werd meegevoerd.

'Hé, raaf!' Barricks hand schoot uit naar de leegte achter de deur, maar hij trok hem haastig weer terug voordat zijn vingers de deurlijst passeerden. Wat zich daarachter bevond, was meer dan slechts schaduw; het was het niets, zoals de zwarte golf die Kapitein Vansen had opgeslokt...

Hij voelde wind die langs hem streek, aan zijn haren trok en aan zijn kleren...

'Ik ben bang, heer...' wist Raemon Beck nog net uit te brengen. Toen leek de wereld te kantelen en was het alsof ze ervan afvielen. Barrick kon niet schreeuwen, niet huilen, hij kon niet eens denken en alleen maar door de zwarte duisternis tuimelen, door het kille totale niets dat hem nu al een eeuwigheid leek te duren...

Er was slechts leegte, zonder geluid of licht, zonder richting, zelfs zonder betekenis. De tijd had de leegte verlaten, misschien wel nooit betreden. Hij wachtte duizend maal duizend jaar voordat hij kon ademen, en toen nog eens duizend jaar voordat zijn hart begon te slaan. Hij leefde, maar hij leefde niet. Hij was nergens, en daar was hij voor altijd.

Een eeuwigheid verstreek. Hij was alles vergeten. Zelfs zijn naam. Die was allang verdwenen, en dat gold ook voor zijn herinneringen. Mocht hij ooit een doel, een bestemming hebben gehad, dan was ook daar niets meer van over. Hij dreef in het Tussentijdse, als een dood blad op een rivier, zonder wil, zonder zorgen, met geen andere beweging dan die hem werd gegeven. De leegte had kunnen zieden en razen als een waterval, maar omdat hij er deel van uitmaakte, voelde hij het niet. Hij was een zandkorrel op een verlaten strand. Hij was een koude, dode ster in de verste hoek van de hemel. Hij kon zelfs amper meer denken. Hij was... hij was...

Barrick? Barrick, waar ben je?

De geluiden vielen boven op zijn gedachten, verbijsterend in hun complexiteit. Natuurlijk betekenden ze niets voor hem – brokken van klanken die zwegen en weer opklonken, artefacten van intentie die geen betekenis konden hebben voor een blad, een kiezel, een koude vonk waarvan het licht sputterend was gedoofd. Toch was er een gevoel dat aan hem trok, dat hem deed herleven. Wat betekende het?

Barrick, waar ben je gebleven? Waarom wil je niet met me praten? Waarom heb je me alleen gelaten...

Toen dacht hij aan iets... of was het een gevoel... een stofdeeltje dat schitterde en danste voor zijn ogen, een sprankje licht... een flits van vuur. Eindelijk gaf de helderheid vorm aan de leegte, en aan hem gaf de helderheid richting – *omhoog, naar beneden, achteruit, vooruit*... Het licht was afkomstig van een kleine, ranke gedaante met donkere ogen en nog donkerder haar... haren bijna zo zwart als de leegte zelf, op een enkele stralende lok na, de flits van vuur die dwars door de eindeloze zinloosheid zijn aandacht had getrokken. De ranke gedaante was een meisje.

Barrick? Ik heb je nodig. Waar ben je gebleven?

En toen begonnen de herinneringen terug te keren, zij het fragmentarisch en verward, zodat hij even dacht dat het meisje met het zwarte haar zijn zuster was, of misschien zelfs zijn verloofde. *Qinnitan?* Hij probeerde uit alle macht haar te roepen. *Qinnitan?*

Ik ben zo eenzaam, riep ze. *Waarom wil je niet meer aan me verschijnen? Waarom heb je me verlaten?*

Ik ben hier! Maar hoewel het leek alsof hij bijna naast haar stond, lukte het niet zich verstaanbaar te maken. *Qinnitan! Ik ben hier!* Ze had net zo goed aan de andere kant van een dik raam kunnen zijn dat elk geluid, elk beeld vervormde. Ze waren samen in de leegte, alleen zij beiden, maar ze konden elkaar niet aanraken, ze konden niet met elkaar praten...

Waarom heb je me in de steek gelaten? riep ze. *Waarom toch?*

Prijs de voorouders. Een andere stem, een andere gedachte drong plotseling de leegte binnen. *Ik heb gezocht en gezocht. Ik dacht dat je verloren was geraakt in het Grote Tussentijdse...*

Het was duidelijk dat Qinnitan deze nieuwe aanwezigheid net zomin voelde als ze Barrick zag of hoorde. Haar stem werd zwakker. *O Barrick, waarom...*

Kom, zei de nieuwe stem – het was de stem van een man. Barrick had hem al eerder gehoord. *Ik zal je helpen, kind, maar je moet zelf de kloof oversteken. Het is al laat – je moet dwars door een duistere tijd gaan...* Toen zag hij de verschijning, een reusachtige, bleke gedaante op vier benen, het hoofd een samenspel van slanke takken als bij een jonge boom.

Nee, besefte hij, dat was een geweí; wat vóór hem stond in de eindeloze duisternis, gehuld in de ijzige, heldere gloed als van een verre ster, zodat hij Qinnitan daarachter nauwelijks kon onderscheiden, was een reusachtige, witte hertenbok.

Volg me, zei het dier. En zelfs de woorden leken een bleke, lavendelblauwe gloed te verspreiden. *Volg me, of heb je je hart al verloren aan het niets?* Toen was het alsof iets hem greep, een witte flits die hem losmaakte van de leegte en die hem wegtrok van het meisje met het donkere haar.

Nee! Hij verzette zich, maar het was tevergeefs. *Qinnitan, ik ben hier! Ik ben hier!*

Maar ze kon hem nog steeds niet horen, en hij kon het niet winnen van deze nieuwe kracht. Even later gleed ze weg, terugzinkend in een nog uitgestrektere vaagheid, alsof ze verdween onder het oppervlak van een modderige poel; het laatste wat hij van haar zag, was een vurige schittering in het diepe zwart. Barrick had het gevoel alsof zijn hart uit zijn borst werd gerukt en alsof hij het achterliet in de leegte.

Hij begon te draaien, te wervelen door afwisselend kou en hitte, door flitsen van licht die hem pijn deden en ziek maakten, maar die de duisternis niet volledig konden terugdringen. Hij viel, hij vloog, hij... hij wist het niet... De flitsen van licht kwamen sneller, de vlagen hitte werden frequenter. Al spoedig kwam er ook geluid – korte sisklanken zonder woorden, gekreun en gebrul, alsof de wereld met al haar leven en beweging op hem aanstormde als de golven van de oceaan en zich ook net zo snel weer terugtrok.

Ik wil terug... Maar wie hem ook bij het meisje met het donkere haar had weggehaald, sprak niet langer tot hem; of althans, Barrick kon zijn stem niet meer horen.

Qinnitan, het spijt me zo...

Toen braken licht en geluid plotseling door als een rivier die buiten zijn oevers trad; een stroom van sensatie die hamerde op zijn gedachten tot hij niet meer kon denken, alleen maar absorberen. Waanzin omhulde hem.

Gezichten zo groot als bergen – gezichten die bergen wáren en die aardverschuivingen uitbraakten – en gezichten als gezwollen donderkoppen die bliksemschichten spuwden. Mannen die stormen waren, vrouwen als vurige zuilen. Schaduwen die reden op paarden die hoge bomen onder hun hoeven vertrapten. Het land gespleten en omgewoeld, uitgehold tot nieuwe valleien en bergen, de hemel laaiend met wit licht of knallend en knetterend terwijl hij zich vulde met vallende sterren. Barrick kon alleen maar ineenkrimpen en jammeren terwijl hij er van alle kanten door werd bestookt.

Het was een oorlog tussen goden, tussen reuzen en monsters, de krankzinnigste, vreemdste oorlog die ooit had gewoed. De krijgers werden dieren, werden tollende winden of vlammengordijnen terwijl ze met elkaar worstelden voor de muren van een bizarre stad, een gerimpelde egelhuid van hoge, spitse, kristallijnen torens die tegelijkertijd leken op te rijzen en te sidderen, alsof de hemel zwaar op ze drukte. Het ene moment leek de stad hoger dan de hoogste berg, het volgende zonk hij in het niet vergeleken bij wie daar vochten – belegeraars zowel als belegerden.

Een strijd woedde. Vogels doken bij duizenden uit de hemel en vielen een vrouw aan die leek gemaakt van water, maar die uitgroeide tot een fontein, hoger dan de zwarte torens. Vlagen van verblindend licht onthulden complete legers van skeletachtige soldaten die weer onzichtbaar werden toen het licht doofde. Stenen wervelden in het rond als bladeren op de wind, een slang van verstrengelde bliksemschichten kneep de top van een berg en duwde die de helling af om een van de kasteelmuren te verbrijzelen. Het gat werd snel gedicht door een zwerm metalen insecten, die uit al hun gaten en gewrichten stoom braakten.

In het hart van dit alles staarden drie reusachtige gedaanten neer op de poorten; hun contouren bleven vaag, zelfs in de helderste gloed, op hun ogen na waarin een ijzig sterrenlicht straalde. Een van hen hield een enorme hamer in zijn hand, gesmeed van dofgrijs metaal, de andere twee hadden speren, de ene dubbelgepunt en groen als de oceaan, de andere zo zwart als een gat in de grond.

Barrick wist wie deze drie gedaanten waren, ook al sidderde hij van doodsangst om dat te erkennen.

De middelste figuur hief zijn hamer, en iets wat eruitzag als een storm van stralende schimmen stortte zich naar voren en wierp zich tegen de muren van het grote kasteel – vurige, gloeiende, voortdurend veranderende gedaanten, die samen zo'n heldere gloed verspreidden dat Barrick nauwelijks kon onderscheiden wat er gebeurde. Even leek het erop dat de reusachtige, indrukwekkende stad geen verweer had en simpelweg zou afbranden als een woud van dorre bomen in een vuurstorm. Toen ontbrandde er een nog stralender licht, vurig als de rijzende zon, en de aanvallers vielen in wanorde terug van de muren.

Slechts twee verschijningen kwamen uit de belegerde stad naar buiten, maar ze dreven de aanvallers terug. De ene was een grote bal laaiend goudbruin licht, de andere een kille, blauwwitte gloed die wonderlijk genoeg toch zichtbaar bleef naast de fellere, gouden schittering. Binnen deze twee machtige lichten waren de contouren zichtbaar van twee ruiters die trots en hoog te paard zaten. Beide ruiters droegen een zwaard. Het was onmogelijk te zien of de gloed afkomstig was van de ruiters zelf, van hun kling, of van de wapenrusting die ze droegen, maar geconfronteerd met de heldere schittering van het tweetal stoof het aanvallende leger naar alle kanten uiteen.

Het gebrul in Barricks oren werd luider, zijn hersenpan dreunde en galmde alsof daarbinnen een storm woedde. Door de laaiende gloed kon hij amper iets onderscheiden. De drie gedaanten op de heuvel spoorden hun paarden aan en stormden naar voren, in razende vaart de helling af, waarbij de hoeven van hun monsterlijke paarden de grond niet eens raakten. Ze hieven hun wapens, waarop de hemel leek open te barsten om hen neer te slaan met een nooit eindigende duisternis.

En toen waren ze plotseling verdwenen. Allemaal. De vuurvrouwen, de luchtmannen, de prachtige gedaanten in hun gruwelijke woede, alle strijd en alle strijders waren van het ene op het andere moment beëindigd en verdwenen. Het enige wat bleef was het kasteel; de bleke, glanzende torens waren gevallen als bomen na een winterstorm, gebroken en verspreid zodat de brokstukken in de modderige as glansden als druppels gesmolten goud op de vloer van een smidse.

Barrick had slechts vluchtig de krankzinnige schoonheid gezien die aan deze verwoesting vooraf was gegaan, maar terwijl hij naar de vernietiging staarde merkte hij dat hij tot in het diepst van zijn vezels rouwde om wat verloren was.

Toen stortte hij ineens, volkomen onverwacht, naar beneden. De ruïnes van het kasteel veranderden terwijl ze in razende vaart dichterbij kwamen. Wat glanzend goud was geweest, of bleekblauwgroen, of roomwit, werd weer zwart en verwrongen, en wat doorschijnend was geweest werd gevuld met schaduwen. Het even daarvoor nog zo schitterende kasteel was nog slechts stoffig, verlaten spinrag waar eens een glanzend spinnenweb had gehangen, bedekt met flonkerende regendruppels. De schoonheid was verdwenen, maar tegelijkertijd op een vreemde manier gebleven.

Alles was nog hetzelfde. En alles was anders. En Barrick viel erin, als wind die diep in de schacht van een put blies.

Hij kreeg amper de tijd om te beseffen dat hij voorover op een vlakte van platte, glimmend gepolijste en zorgvuldig in elkaar grijpende zwarte stenen lag. Vreemde, gejaagde geluiden kwamen dichterbij, al snel gevolgd door het gefluister van zachte voetstappen.

Toen hij zijn ogen opendeed, was hij ervan overtuigd dat hij in een nachtmerrie was beland. De gezichten die op hem neerkeken, waren dierlijk; in de rollende ogen lag een blik van waanzin, de opengesperde monden hadden lange, scherpe tanden. Alleen de vorm van de hoofden had vaag iets menselijks. En dat was het ergste.

'Aha,' zei een stem achter hem – een koude, onbekende stem. 'Goed zo, lievelingen. Jullie hebben een indringer gevangen.'

32
Mysteriën en uitvluchten

'Een van de elfengeslachten die in Ximanders boek worden beschreven,
is de stam van de Draaiers: Qar die in veel legenden van de mensen
worden opgevoerd als de elfen met wie te onderhandelen valt. Alleen
Ximander en een paar andere geleerden beweren iets over hen te weten, en
omdat Ximander stierf voordat zijn boek door anderen werd gelezen,
blijven zijn bronnen onbekend en kunnen we zijn conclusies niet als
betrouwbaar beschouwen.'

Uit Een Verhandeling over de Elfenvolken van Eion en Xand

'Eerlijk gezegd is het niet zo vreemd,' zei Broeder Antimoon, die duidelijk steeds enthousiaster werd over het onderwerp. 'De taal die de gevangene spreekt, lijkt sterk op de oude taal waarin de *Spraakkunst van
Veldspaat* is geschreven. U weet dat waarschijnlijk niet, maar de *Spraakkunst* is geschreven op vellen van zuivere mica, stuk voor stuk gevormd
uit een enkel kristal; de vellen bevatten verhalen over de Oudste Dagen
die je nergens anders tegenkomt...'

Vansen schraapte zijn keel om de bevlogen jonge monnik te onderbreken. 'Dat is allemaal heel interessant, Broeder Antimoon, maar we
moeten weten wat déze knaap nú zegt.'

Antimoon bloosde zo vurig dat Vansen het duidelijk kon zien, ondanks het schemerige licht waaraan de Funderlingen de voorkeur gaven. 'Verschoning...'

'Toe nou maar, kerel,' zei Cinnaber. 'Praat met de gevangene, als je dat kunt.'

De jonge monnik keerde zich naar de bevende, onheilspellend kijkende droggel, die blijkbaar veronderstelde dat hij naar de refter was gebracht om te worden gemarteld. Twee wachters stonden achter het vurige, bebaarde schepsel, klaar om in te grijpen als zich problemen voordeden, maar daarover maakte Vansen zich geen zorgen. Hij had talloze verhoren bijgewoond, en in dit geval vertoonde de ondervraagde duidelijke tekenen van de valse, opschepperige moed die doorgaans niet lang standhield.

'Vraag hem waarom ze ons hebben aangevallen, hier in ons eigen huis,' zei Vansen.

Antimoon uitte een haperende reeks diepe, keelachtige geluiden. Sommige Funderlingen keken verbijsterd, alsof de klanken hun bekend voorkwamen, maar voor Vansen was het alleen maar geluid, meer niet. Boven zijn ruige baard was de wrok van de droggel zichtbaar in elke lijn van zijn smerige gezicht, en hoewel hij de monnik aankeek, weigerde hij op diens vragen te reageren.

'Vraag hem waarom ze zich achter de duistere vrouwe hebben geschaard.' Vansen pijnigde zijn geheugen op zoek naar de naam die Gyir had genoemd. 'Vraag hem waarom de droggels aan de kant van Yasammez vechten.'

Deze keer verscheen er bij de vraag van Antimoon een verraste uitdrukking op het gezicht van de droggel. En uiteindelijk gaf hij zelfs antwoord – zij het kortaf en duidelijk met tegenzin.

Antimoon schraapte zijn keel. 'Hij zegt dat... Vrouwe Porcupina... tenminste, ik geloof dat hij haar zo noemt... dat ze u zal vermorzelen. Dat ze wraak zal nemen op de zonlanders. Ja, ik geloof dat hij dat zei.'

Vansen verbeet een glimlach. Kreten – dat kreeg je van gevangenen die niet wisten waarvóór ze vochten. 'Ik loop naar de andere kant van de kamer, Antimoon, en ik stel voor dat Cinnaber en jij hem vragen waarom de droggels de wapens hebben opgenomen tegen hun broeders – tegen Funderlingen.'

Met een gespeeld gebaar van frustratie liep hij weg. Cinnaber boog zich naar voren en begon vragen te stellen, die door Antimoon zorgvuldig werden vertaald. Het ontging Vansen niet dat Cinnaber regelmatig een van de vreemde woorden herkende en dat herhaalde. En onwillekeurig was hij onder de indruk van de kennis en de intelligentie van de magister.

Op die manier onderstreept hij de onderlinge band – hoor je dat wel, droggel? Hij spreekt min of meer jouw taal!

Vansen hield zich op de achtergrond terwijl Cinnaber doorging met het stellen van vragen, waarbij hij sterk het idee benadrukte dat de droggels nauwer verwant waren aan de Funderlingen dan aan de Qar-leiders aan wie ze blijkbaar trouw hadden gezworen. De gevangene bleef echter weigeren hem ook maar iets te vertellen.

Ach, als we maar een greintje sympathie of schaamte hebben gecreëerd... dacht Vansen. 'Vraag hem hoe hij heet.'

Antimoon keek hem verrast aan maar deed wat hij vroeg. Er verscheen een beschaamde uitdrukking op het gezicht van de droggel, terwijl hij een antwoord bromde.

'*Kronyuul,* zegt hij. Volgens mij is dat "Bruinkool" in onze taal.'

'Mooi.' Vansen praatte nog altijd heel zacht, om niet de aandacht op zichzelf te vestigen. 'Vraag Meester Kool dan eens waarom zijn Vrouwe Porcupina zo nadrukkelijk haar zinnen heeft gezet op ons kasteel. Wat gaat ze ermee doen als ze het weet te veroveren? En waarom verspilt ze zoveel droggellevens om het in te nemen?'

Nadat Antimoon de vraag had vertaald, staarde de droggel hem zwijgend aan, blijkbaar niet goed wetend wat hij moest zeggen. Ten slotte begon hij antwoord te geven. Mompelend, maar uitvoerig, dus de jonge monnik boog zich dicht naar hem toe. Zodra de droggel was uitgesproken, keerde Antimoon zich weer naar Vansen.

'Hij zegt dat de duistere vrouwe boos is. De koning van de Qar wilde niet dat ze ons – hij noemt ons een slecht volk en duidt ons aan met een term die neerkomt op "zonlandbewoners" – simpelweg afslachtte, maar dwong haar tot een soort pact. De duistere vrouwe heeft haar best gedaan zich daaraan te houden, maar het pact liep uit op een mislukking. Haar... ik begrijp het woord dat hij gebruikt niet goed... haar verwant, of haar vriend, of zoiets – het lijkt een beetje op wat wij een "lid van een clan" noemen – werd gedood, en daarmee is het pact opgeheven, aldus de duistere vrouwe. Ze legt de schuld daarvoor bij de elfenkoning, maar ze is ook kwaad vanwege de dood van haar verwant.' Antimoon ging achteruit zitten. 'Ik krijg de indruk dat dit alles is wat hij weet – hij is maar een lage officier in het ondergrondse leger...'

Vansens hart begon plotseling sneller te slaan. 'Bij de hamer van Perin, het is niet te geloven! Het pact? Noemde hij het pact?'

Antimoon haalde zijn schouders op. 'Overeenkomst, pact, verdrag – het is niet precies hetzelfde woord als...'

'Stil! Neem me niet kwalijk, Antimoon, maar doe er even het zwijgen toe.' Vansen probeerde het zich te herinneren. Ja, dacht hij, het leek allemaal te kloppen. 'Vraag hem of hij de naam weet van de verwant van de vrouwe – degene die werd gedood. Degene wiens dood een eind maakte aan het pact.'

De jonge monnik was duidelijk verrast door Vansens heftige reactie, maar hij keerde zich naar de droggel en legde hem de vraag voor. De gevangene leek hoe langer hoe angstiger te worden en steeds meer in verwarring te raken. 'Hij wil weten of u hem gaat doden,' zei Antimoon nadat hij het antwoord had gehoord. 'En volgens hem was "Stormlantaarn" de naam van de verwant.'

'Dacht ik het niet!' Vansen sloeg met zijn hand op de stenen tafel, tot grote schrik van de gevangene. 'Het antwoord is "nee", Antimoon. Nee, we gaan hem niet doden. Sterker nog, ik ben voornemens hem vrij te laten zodat hij me bij zijn vrouwe kan brengen. Ja, ik ga met haar praten. Om haar de waarheid te vertellen over de Stormlantaarn en het pact. Want ik was erbij toen hij stierf.'

Haperend bracht de monnik Vansens boodschap over aan de gevangene. Daarna werd het stil in de kleine ruimte. Vansen keek om zich heen. Cinnaber, Broeder Antimoon, Malachiet Koper, zelfs de droggel... Ze staarden hem allemaal aan alsof hij zijn verstand had verloren.

*

Chavens bed was nog altijd niet beslapen. Sterker nog, niets wees erop dat de heelmeester zelfs maar in zijn cel was geweest.

'Hij is er niet,' zei Flint met zijn ernstige, hoge stem.

'Dat is duidelijk,' gromde Kiezel. 'We hebben hem in geen dagen gezien – sinds die keer dat hij je liet ontsnappen toen hij werd geacht op je te letten. Maar ik moet hem spreken. Heeft hij tegen jou ook niks gezegd? Over plannen om ergens heen te gaan?'

'Hij is er niet,' zei Flint weer.

'Je drijft me tot wanhoop, knaap.' Kiezel ging hem voor het vertrek uit.

'Kapitein Vansen is er niet,' zei Cinnaber. 'Hij is bezig een reis voor te bereiden waarbij hij zijn leven gaat wagen voor iets wat ik niet helemaal begrijp; iets wat trouwens geen enkele kans van slagen lijkt te hebben.' Hij zuchtte. 'Ik hoop dat jij beter nieuws hebt.'

'Ik ben bang van niet,' zei Kiezel. 'Ik kan Chaven nergens vinden. We hebben de hele tempel afgezocht.'

Cinnaber fronste zijn wenkbrauwen. 'Dat is buitengewoon vreemd en verontrustend. Hendon Tollij heeft een prijs op zijn hoofd gezet, dus waarom zou hij bovengronds gaan, naar het kasteel? Of zelfs maar naar Funderstad?'

'Laten we hopen dat hij er niet alleen op uit is getrokken en is gevallen,' zei Malachiet Koper. 'Het is hier op veel plekken erg donker, vooral voorbij de Vijf Bogen. We zouden zijn lichaam misschien nooit vinden.'

Broeder Nikkel was razend. 'Ik heb toch gezegd dat er narigheid van zou komen! Een vreemde die nota bene niet eens van ons volk is en die ongewenst door de tempel zwerft en nog veel verder! Het is al erg genoeg dat die zoon van Kiezel Blauwkwarts de Mysteriën is binnengedrongen. Stel je voor dat deze... deze bovengronder, deze tovenaar-priester, hetzelfde doet! Ik durf nauwelijks te denken aan het onheil dat hij over ons zal afroepen!'

'Waarom zou Chaven naar de Mysteriën willen?' vroeg Kiezel.

'Waarom zou hij er níét naartoe willen?' Nikkel was zo kwaad dat hij zich nauwelijks kon beheersen. 'Blijkbaar denkt iedereen tegenwoordig dat hij iets in onze heiligste plaatsen te zoeken heeft! Bovengronders, kinderen, zelfs de elfen...'

'Elfen?' Kiezel keerde zich verward naar Cinnaber en Malachiet Koper. 'Wat heeft dat te betekenen? Waarom weet ik daar niks van?'

'IJzerkiezel en zijn hoeders hebben een paar pogingen geblokkeerd om door te breken in de gangen onder het niveau van de tempel,' antwoordde Malachiet Koper. 'Maar dat bewijst nog helemaal niets – waarschijnlijk waren de elfen gewoon op zoek naar een manier om ons te verrassen. En vervolgens hadden ze hetzelfde kunnen doen met de verdedigers van het kasteel, door aan te vallen vanuit de poorten naar Funderstad, al ruimschoots binnen de kasteelmuren.'

'U houdt uzelf voor de gek,' zei Nikkel. 'Ze zijn op zoek naar de macht in de diepten.' Hij keek Kiezel woedend aan, alsof de clan Blauwkwarts op de een of andere manier medeplichtig was aan dit smerige plan. 'Ze zijn op zoek naar de controle over de Mysteriën.'

'Maar waarom dan? Wat hebben de elfen daar te zoeken?' Kiezel zag plotseling een zweem van angst op Nikkels boze gezicht, als bij een kind dat wordt betrapt op een aperte leugen. 'Wacht eens even. Er is hier iets gaande wat ik niet begrijp. Wat is er aan de hand?'

'Vertel jij het hem? Anders doe ik het,' zei Cinnaber. 'Kiezel heeft ons vertrouwen verdiend.'

'Maar magister...' Nikkel was duidelijk van streek. 'Nog even, en iedereen kent onze geheimen!'

'Het Gilde heeft me volmacht verleend om hiertoe te besluiten, broeder. Bovendien is de tijd voor geheimzinnigheid misschien wel voorbij.' De magister liet zich met een zucht onderuitzakken in zijn stoel. 'Mogen de Aard Ouden me vergeven, maar ik zou willen dat ik deze last had kunnen doorschuiven naar een volgende generatie.'

Kiezel keek van de een naar de ander. 'Ik begrijp er helemaal niets van. Kan iemand me alsjeblieft uitleggen wat er aan de hand is?'

Ondanks zijn betrekkelijk jonge leeftijd had Nikkel het gezicht van een man op leeftijd, en op dit moment zag hij eruit alsof hij in de zuurste radijs van een toch al wrange oogst had gebeten. 'Dit is... dit is niet de eerste keer... dat de Qar hebben geprobeerd de Mysteriën binnen te komen. Ze zijn er al diverse keren geweest.'

Kiezel keek hem verbijsterd aan. 'Wát?'

'Zoals ik al zei, ze komen er al zo lang als de Metamorfische Broeders verslag uitbrengen van wat er in en om de tempel gebeurt,' snauwde Nikkel. 'De ouderlingen van de Broeders en van het Gilde hebben het altijd geweten en lieten het min of meer oogluikend toe – het is een ingewikkeld verhaal. Hoe dan ook, uiteindelijk stopten die bezoeken. Inmiddels is het al heel lang geleden dat de elfen er voor het laatst zijn geweest. Tweehonderd jaar, misschien wel langer.'

Kiezel schudde zijn hoofd. 'Ik begrijp er nog steeds niets van. Wat hadden ze in de Mysteriën te zoeken?'

'Dat weten we niet,' zei Cinnaber. 'Er bestaat een oud verhaal van een aantal monniken die hebben geprobeerd de elfen – of de Qar, zoals ze zichzelf noemen – te bespioneren terwijl ze in de Mysteriën waren, maar de bewuste monniken zouden vervolgens hun verstand hebben verloren. De elfen kwamen maar zelden – op z'n hoogst eens in de honderd jaar – en altijd in kleine groepjes, wat waarschijnlijk de reden is dat ze werden toegelaten. Het was al een oude traditie toen het Steenhouwersgilde zeven eeuwen geleden werd opgericht. Ze kwamen altijd door de Kalksteen Poort in de langste van Stormsteens gangen – de gang die leidt naar het vasteland. Dan bleven ze een paar dagen, langer niet, en ze namen nooit iets van waarde mee terug, noch beschadigden ze iets of iemand. Onze voorouders hebben zich er heel lang niet mee bemoeid, tenminste, zo gaat het verhaal. Maar na de slag bij

Kil Grauwveen kwamen de Qar niet meer.'

'Maar als ze beschikken over een toegangsroute, waarom hebben ze die dan nu niet gebruikt?' vroeg Kiezel.

'Omdat we de Kalksteen Poort na de tweede oorlog met de elfen hebben verzegeld.' Broeder Nikkel snoof nijdig. 'Tenslotte hadden ze bewezen dat ze niet te vertrouwen waren. Vandaar dat ze zich vanboven af een weg moesten zoeken, om op die manier door te dringen tot in onze heilige Mysteriën!'

Kiezel wreef over zijn voorhoofd, alsof hij probeerde om wat hij zojuist had gehoord, tot een begrijpelijker vorm te kneden. 'Zelfs als dat zo is, dan is dat nog geen verklaring voor het "waarom", Nikkel. Weet iemand wat ze daarbeneden te zoeken hadden? Of waarom ze in het verleden tot de Mysteriën werden toegelaten?'

Cinnaber knikte. 'Het schijnt dat de Qar in het verleden hebben geholpen met de bóúw van de Mysteriën – verschoning, Nikkel, dat bedoel ik niet godslasterlijk. Wat ik wil zeggen, is dat ze hebben geholpen met de aanleg van de gangen en de zalen in de diepten, niet met het ontstaan van de Mysteriën zelf.'

'Scheur en breuk!' Kiezel had het gevoel alsof hij was getroffen door een aardverschuiving; alsof hij met geweld werd weggevoerd van alles wat hij kende en wat hem vertrouwd was. 'En dat hoor ik nu pas? Ben ik de enige in heel Funderstad die dit niet wist?'

'Voor mij is het ook nieuw,' zei Koper. 'Ik weet niet goed wat ik moet zeggen.'

'Dit is voor ons allemaal nieuw, zelfs voor mij,' zei Cinnaber. Voordat ze me hierheen stuurden, hebben Grootgildemeesters Sarder en Rotsplaat me bij zich geroepen en het me verteld. Alleen grootgildemeesters en een select en klein aantal door de absolute kern van het Gilde uitverkorenen wisten hiervan. In de tempel, bij Broeder Nikkel, was de situatie hetzelfde.'

'Dat klopt,' gaf Broeder Nikkel toe. 'De abt heeft me ingewijd toen hij ziek werd. "De tijd is rijp voor een jonger iemand," zoals hij zei. "Ik ben te oud om deze geheimen nog langer vóór me te houden".' De monnik trok een stuurs gezicht. 'Ik heb wel gullere geschenken ontvangen.'

'"Grootvaders bijl hangt niet op een ereplaats aan de muur omdat hij zo mooi is," luidt het gezegde,' luidde Cinnabers reactie. 'We dragen het vertrouwen van allen die ons voorgingen en allen die na ons komen op onze schouders. En we moeten doen wat goed is.'

'In dat geval moeten we bidden tot de Heer van de Hete Natte Steen dat uw Kapitein Vansen zijn verstand niet heeft verloren,' zei Broeder Nikkel. 'Dat hij meer weet te bereiken dan alleen zijn eigen dood. Anders zullen we misschien nog een aanval weten af te slaan, en misschien nóg een, maar uiteindelijk zullen we geen stand kunnen houden en zullen ze zich de Mysteriën toeëigenen.'

'Niet alleen de Mysteriën,' zei Malachiet Koper. 'Als wij worden gedwongen ons gewonnen te geven, zal ook Funderstad vallen, en in het verlengde daarvan het kasteel.'

'Wat gaan we doen, Vader?'

Hij vond het nog altijd vreemd wanneer de jongen hem zo noemde, bijna alsof het kind de rol van de brave zoon speelde uit een van de Mysterie Spelen. 'Ik maak me zorgen om Chaven, dus ik ga hem zoeken,' legde Kiezel uit. 'Maar ik zal niet weer de fout maken om je alleen te laten. Bij de Ouden, wat mis ik je moeder!'

Flint keek hem aan, met een kalme blik in zijn ogen. 'Ik mis haar ook.'

'Misschien zou ik je naar haar toe moeten sturen in Funderstad, dan zou je in elk geval niet in de problemen raken – tenminste, niet in de tempel.'

'Nee!' Het kind leek voor het eerst van streek. 'Stuur me niet weg, Vader. Er zijn dingen die ik moet doen. En daarvoor moet ik hier zijn.'

'Wat is dat voor onzin, kind? Wat zou je moeten doen?' Flints stelligheid bezorgde Kiezel een ongemakkelijk gevoel. 'Denk erom dat je niet weer in de bibliotheek gaat rondsnuffelen! En ik wil ook geen onverwachte expedities meer naar de Mysteriën. De Broeders zijn toch al woedend op ons. Ze kunnen ons maar nauwelijks vergeven wat we hebben gedaan.'

'Ik moet in de tempel blijven,' zei Flint koppig. 'Ik weet niet waarom, maar het is zo.'

'Nou ja, daar hebben we het later wel over,' zei Kiezel. 'Voorlopig ga je met mij mee. Maar denk erom dat je bij me blijft. Is dat duidelijk?'

Diep vanbinnen was hij dolblij met het gezelschap van het kind. Kiezel maakte zich hoe langer hoe meer zorgen over de heelmeester en kwam steeds sterker tot de overtuiging dat Chaven niet zomaar aan het zwerven was geslagen. Dus óf hij was meegenomen door de Qar, wat een angstaanjagende gedachte was, óf hij was weer overvallen door spiegelwaanzin, en dat zou misschien zelfs nog ergere gevolgen kunnen hebben. Kiezel was niet van plan zich bij zijn zoektocht op gevaarlijk terrein te wagen, ook al zou hij zich na de waanzin van het jaar daarvoor nergens onder Funderstad meer echt veilig voelen. Maar er waren inmiddels enkele dagen verstreken sinds de laatste aanval van de Qar. Als dat niet zo was geweest, zou hij de jongen niet hebben durven meenemen, de tempel uit. Toch had hij zowel een houweel als een handbijl aan zijn riem gehangen, en hij had een grotere hoeveelheid koraal dan anders bij zich om hen bij te lichten.

Mogen de Ouden ons behoeden, dacht hij. *Het kind tegen het kwaad en mij tegen Opaal, mocht er iets met Flint gebeuren.*

Hij miste zijn vrouw. Sinds zijn leertijd bij de oude IJzerkwarts, met wie hij helemaal naar Segtland was gereisd, was hij nooit meer zo lang van Opaal gescheiden geweest. Hij miste haar niet op dezelfde manier als toen ze net getrouwd waren en toen het hem bijna lichamelijk pijn had gedaan om haar niet bij zich te hebben; in die tijd had hij niet van haar af kunnen blijven, hij had het niet kunnen laten om haar te plagen, te kussen, en het was een kwelling wanneer dat alles hem werd ontzegd. Nee, nu miste hij haar zoals hij een deel van zichzelf zou hebben gemist. Hij voelde zich incompleet.

Ach ouwetje, ik verlang zo naar je! Dat moet ik tegen je zeggen zodra we elkaar weerzien, in plaats van me als een dwaas aan te stellen. Ik popel van ongeduld om je alle kneepjes te kunnen geven die ik voor je bewaar. En ik wil je stem weer horen, zelfs als je me een ouwe dwaas noemt. Ik word liever door jou bespot dan geprezen door het Gilde.

'Je moeder is een goed mens,' zei hij hardop.

Flint hield zijn hoofd schuin. 'Ze is niet mijn echte moeder. Maar ze is een goed mens.'

'En je echte moeder? Kun je je haar nog herinneren?' vroeg Kiezel.

Flint bleef doorlopen, maar Kiezel had gemerkt dat hij verschillende soorten stiltes had. Deze stilte betekende dat hij nadacht.

'Mijn moeder is dood,' zei hij ten slotte, met een stem zo vlak als een plaat leisteen. 'Ze stierf toen ze probeerde me te redden.'

Ondanks die verrassende uitspraak kon hij zich verder niets meer herinneren, hoe Kiezel ook aandrong. En uiteindelijk, toen ze zo ver van de tempel waren dat zwijgen beter was dan onnodig gepraat, liet Kiezel de zaak rusten.

Ze zochten in de donkere gebieden aan weerskanten van de Treden van de Waterval, en hoger, helemaal tot in de gangen op het niveau onder de Zoutpoel. Toen hielden ze even rust om wat paddenstoelen en gerookte mol te eten die Kiezel als traktatie had meegenomen. Toen ze uitgegeten waren hadden ze dorst dus ze liepen een eindje verder de hoge treden op, naar een plek waar zich in de schuine rotswand een natuurlijke zinkput bevond, een fenomeen dat door de Funderlingen een 'Bron van de Ouden' werd genoemd. Anders dan de Zoutpoel, die in verbinding stond met de baai en waarin het peil altijd overeenkwam met het zeeniveau, was de Bron van de Ouden gevuld met heerlijk zoet water – regenwater afkomstig van de Midlands Berg. Het waren deze zinkputten die het leven op de grote rots mogelijk maakten voor zowel Funderlingen als het grote volk, die bovengronds hun eigen putten sloegen in deze waterhoudende grondlagen.

Terwijl Flint knielde bij de rand van de put, zijn handen vol schepte en dronk met zijn gebruikelijke vurige concentratie, alsof hij iets ervoer wat hij nooit eerder had gedaan, verwonderde Kiezel zich erover dat de simpelste dingen in het leven zo ingewikkeld konden zijn. Hier hadden ze zoet water. En amper een paar honderd el hoger, in Brenh's Baai, was het water zout. De twee werden slechts van elkaar gescheiden door de kalksteen van de Midlands Berg, en als dat ooit veranderde – bijvoorbeeld door een beving van de aarde zoals die op de zuidelijke eilanden regelmatig voorkwamen. Kiezel kon zich echter niet herinneren dat daar hier in het noorden ooit sprake van was geweest – dan zou alles anders worden: dan zou het water van de baai naar binnen stromen en alles onder het niveau van de Zoutpoel verzwelgen; en het zou alle monniken en wie zich verder in de tempel bevond, doden. Bovendien zou het water in veel van de dieper gelegen zoetwaterbronnen ondrinkbaar worden.

Ondanks dit wankele evenwicht was het leven hier eeuw na eeuw doorgegaan, zonder noemenswaardige veranderingen. Dankzij de Blauwkwarts-familietabletten kon Kiezel zijn eigen lijn bijna tien generaties terug volgen; sommige van de rijkere en machtiger families beroemden zich zelfs op honderd generaties van voorouders.

Maar zou de volgende generatie hetzelfde kunnen zeggen? Of zouden de Funderlingen in de toekomst de verhalen van hun geschiedenis vertellen in een hol of een armoedig gat in de grond nadat hun eeuwenoude thuis was verwoest door de triomferende Qar? Zouden toekomstige generaties Funderlingen een verwilderd bestaan leiden in vormeloze grotten, zoals hun voorouders dat ooit hadden gedaan, aldus sommige van hun excentriekere filosofen?

Kiezel schrok een beetje toen hij besefte dat Flint klaar was met drinken en hem aankeek met zijn kalme, grote ogen. 'Hoorde u dat ook?' vroeg hij. 'Ik dacht dat ik iemand hoorde kreunen.'

'Zou het Chaven kunnen zijn?'

De jongen schudde zijn hoofd. 'Te groot. En te diep.'

'Dan zijn het waarschijnlijk gewoon geluiden uit de aarde. Het spijt me, zoon. Ik stond te denken over water en steen – het soort dingen waar een oude gildeman nu eenmaal vaak aan denkt.'

'Dit is schelpsteen,' zei de jongen ernstig. Hij hield een bleek gekleurd, onregelmatig brok steen omhoog. 'Kalksteen met schelpen erin.'

Kiezel richtte zich lachend op. 'Ik ben blij te merken dat je hebt opgelet. Je bent een goed kind.'

Zonder een spoor van Chaven te hebben gevonden of ook maar iets ongewoons te hebben aangetroffen in de gangen rond de Treden van de Waterval, zochten Kiezel en Flint zich opnieuw een weg langs de tempel en door de poort van de Vijf Bogen, en vandaar door het ingewikkelde netwerk van gangen dat leidde naar de Doolhof. Natuurlijk was Kiezel niet van plan dichter in de buurt van de Mysteriën te komen – het laatste wat hij wilde, was het risico lopen de jongen kwijt te raken in die verwarrende diepten – maar als Chaven ergens onder de tempel verdwaald was geraakt, dan leek dit de meest waarschijnlijke plek om naar hem te zoeken. De Doolhof was zelfs nog verwarrender. Als de heelmeester inderdaad zo ver was afgedaald, zou Kiezel de hulp moeten inroepen van de Broeders voor een grondige zoektocht; hij was zijn eigen verontrustende ervaringen in dat oord zonder licht nog niet vergeten.

Ongeveer een uur later, toen Kiezel bij een punt kwam waar de gang zich splitste, besloot hij dat het waarschijnlijk tijd werd het zoeken op te geven en terug te gaan naar de tempel, als ze nog kans wilden maken op een bord avondeten. Op dat moment merkte hij dat Flint niet langer achter hem liep.

Hij rende terug, de gang door, beheerst door een groeiende ongerustheid. 'Flint! Flint! Waar ben je?' Zichzelf de grootste verwijten makend inspecteerde hij elke aftakking waar hij langs was gekomen; alles wat Opaal ooit over hem had gezegd, zelfs in haar minst liefdevolle momenten, was waar – hij was een volslagen stommeling. Hoe had hij zo onnozel kunnen zijn om met het kind terug te gaan naar de plek waar de jongen al een keer eerder was verdwenen, een plek waar het kind de vreselijkste angsten had doorstaan – hoe vreselijk, dat wisten alleen de Ouden...

Bij het verkennen van de zesde of de zevende aftakking belandde hij in een lange gang die steil naar beneden liep en diverse bochten maakte. Nadat hij zich enige tijd had voortgehaast, kreeg hij het gevoel dat hij zijn tijd verspilde in dit konijnenhol. Hij stond net op het punt rechtsomkeert te maken, toen de gang vóór hem breder werd. De ruimte die daardoor ontstond, eindigde in een enorme scheur, ongeveer zo breed als Kiezels arm, en verhief zich misschien drie, vier Funderlengtes. Nauwelijks had hij die afmetingen geregistreerd, of hij zag de kleine gedaante met witblond haar die een klein eindje vóór hem in elkaar gezakt in de schaduwen lag.

'Mogen de Ouden ons behoeden!' riep hij uit, en hij liet zich naast Flint op zijn knieën vallen. Tot zijn enorme opluchting ademde de jongen, en hij bewoog zelfs toen Kiezel hem een eindje van de grond tilde en hem onbeholpen in zijn armen nam.

'O jochie toch, wat heb ik gedaan?' verzuchtte Kiezel. Het kind schokte in zijn armen, eerst heel vluchtig maar geleidelijk aan heftiger. Toen Kiezel iets nats en warms op zijn hals voelde boog hij achterover, wanhopig op zoek naar een bloedende wond... Maar het was geen bloed dat over het gezicht van de jongen stroomde en op zijn hals spetterde, besefte hij. Het waren tranen. Flint huilde.

'Jochie?' vroeg Kiezel. 'Jochie, wat is er? Is alles goed met je? Kun je me horen?'

'Stervende...' bracht het kind uit. 'Stervende.'

'Dat is niet waar! Zulke dingen moet je niet zeggen... Daarmee trek je de aandacht van de Ouden!' Hij drukte het kind opnieuw dicht tegen zich aan. 'Pas op dat je hen niet in verleiding brengt! Ze moeten hun kolenkit elke dag vullen met nieuwe zielen.'

Flint kreunde. 'Maar ik voel... O Papa Kiezel, het doet zo'n pijn...'

'Niet bang zijn, m'n jongen. Ik zorg dat alles weer goed komt met je.'

'Nee, het gaat niet om mij! Het gaat om...' Flint bewoog onrustig in Kiezels armen zodat die hem bijna niet meer kon houden. 'Het is daar! Ik heb het gevoeld. Daar!' Hij wees naar de scheur aan het eind van de gang. 'Stervende!' Hij kreunde alsof hij in de greep was van een martelende ziekte.

Kiezel legde het kind voorzichtig neer, kroop naar de scheur en liet de broze straal van zijn lantaarn erdoorheen schijnen. 'Wat bedoel je? Is er daarbinnen iets?'

'Iets... iets wat ik niet...' Flint schudde zijn hoofd. Hij was bleek geworden, en in het licht van de lantaarn zag Kiezel dat er zweet op zijn gezicht parelde. 'Het maakt me bang. En het doet pijn. O Papa, help me, ik ga dood...'

'Je gaat niet dood.' Er ging een huivering door Kiezel heen. Lang geleden, in het familiegraf van de Eddons, had Flint ook zo gereageerd, al voordat hij in de Mysteriën was verdwenen. 'Het is gewoon een gat, kind. Of liever gezegd, een scheur, waar twee platen bij elkaar komen. Waarom ben je daar zo bang voor?'

Flint schudde zijn hoofd, met een mokkende uitdrukking op zijn gezicht, een beetje alsof hij zich betrapt voelde. 'Weet ik niet.'

Kiezel bewoog verder naar voren tot hij in de scheur kon kijken, maar bij het bleke, geelgroene licht zag hij niets, alleen maar stenen. De scheur was nergens breder dan zijn arm. 'Dat ziet er toch allemaal heel gewoon uit...' begon hij, toen werd hij zich ineens bewust van iets wat hem bekend voorkwam. Maar hoe kon dat? Het waren gewoon twee grote platen steen, en de smalle ruimte daartussen...

'Die geur,' zei hij ten slotte. Het was slechts een zwakke geur, maar nu hij die eenmaal had opgemerkt, was hij zo duidelijk en onmiskenbaar als het geluid van een klophamer op kristal. 'Ik heb die geur eerder geroken...'

En ineens wist hij het weer! De herinnering trof hem als een mokerslag – de donkere, enorme grot van de Mysteriën, het meer van glanzend metaal en in het midden daarvan de Lichtende Man...

'Bij de Hete Heer,' vloekte hij, zonder zich bewust te zijn van de grove godslastering, en dat nog wel waar het kind bij was! 'Maar dat is... die geur... In de grot. De kwikzilverpoel. De Zee der Diepten!' Hij herinnerde zich dat hij zich destijds had afgevraagd hoe de lucht werd afgevoerd, want kwikzilverdampen waren giftig, maar de jongen en hij – en in de loop der jaren ook talloze monniken, veronderstelde hij – hadden de Zee der Diepten weer levend verlaten. Bovendien hád kwikzilver geen geur, besefte hij nu hij erover nadacht.

Snuffelend boog hij zich weer naar de scheur. Hij rook iets anders – een geur die deed denken aan de zee en die blijkbaar afkomstig was van ergens boven de grond – maar het duidelijkst was nog altijd de geur die hij zich herinnerde van de zilverkleurige poel. Hij zou Cinnaber moeten vragen wat die geur kon zijn.

'Kom!' zei hij tegen het kind. 'Overeind, dan gaan we terug naar de tempel.'

Flint deed zijn best, maar hij was zo slap dat hij amper op zijn benen kon staan. Kiezel kon hem niet dragen, daar was hij te groot voor, maar als het kind op hem leunde, lukte het om langzaam maar gestaag vooruit te komen. Ze zouden echter te laat zijn voor het avondeten. Onder andere omstandigheden zou hij daar spinnijdig om zijn geworden, maar de schrik die het kind hem had bezorgd, gecombineerd met de vreemde geur van de Zee der Diepten, had Kiezels eetlust bijna volledig weggenomen.

De ervaring maakte hem opnieuw bewust van het vreemde karakter van deze kleine wereld onder Zuidermark – een wereld die niet alleen veel uitgestrekter en gecompliceerder was dan het grote volk daarboven zelfs maar kon vermoeden, maar die ook Kiezel en de Funderlingen voor verrassingen plaatste. Als de Zee der Diepten een uitlaat had naar boven – en dat kon niet anders – dan moest de opening zich ergens binnen de muren van Kasteel Zuidermark bevinden. Dat was op zich niet zo vreemd – de kalksteen van de Midlands Berg zat vol gaten, en er waren een heleboel scheuren waardoor de lucht in Funderstad en de diepten daaronder in beweging bleef; zonder die scheuren zouden daar niet zoveel mensen kunnen wonen. Maar om redenen die hem nog volstrekt onduidelijk waren, was de wetenschap dat zich tussen de Lichtende Man en de bovengrondse wereld slechts lucht bevond, zo verontrustend dat hij er bijna fysiek onder leed.

Toen ze langs de Vijf Bogen kwamen, leek Flint op slag aan kracht te winnen, en tegen de tijd dat ze begonnen aan de weg omhoog langs de Treden van de Waterval kon hij weer zelfstandig lopen, ook al was hij nog wel kortademig en moest hij regelmatig stilhouden om te rusten.

'Het spijt me, Vader,' zei hij tijdens een van die rustpauzes. 'Ik was... ik dacht dat ik doodging. Maar het voelde ook alsof iemand van wie ik hield, me alleen liet – alsof u of Mama Opaal wegging.'

'Het geeft niet, zoon. Met wat soep in je maag voel je je straks weer een stuk beter. Je moet je in elk geval nergens voor schamen – het is een vreemde boel hierbeneden in de gangen, dat weet iedereen.'

Toen ze de tempel naderden over het pad door de ceremoniële zwammentuinen stond daar, op een punt waar twee paden elkaar kruisten, een omvangrijke gedaante, verdiept in een kantwerk van witte zwammenstrengen die zodanig werden geleid dat ze de heilige houweel voorstelden. Eenmaal dichterbij gekomen meende Kiezel de gedaante te herkennen.

'Chaven? Bent u dat? Chaven!' Hij haastte zich naar voren. 'Prijs de Ouden, u bent terug!'

De heelmeester draaide zich om, zijn gezicht stond welwillend, er speelde een glimlach om zijn mond. 'Inderdaad.' Hij zei het alsof hij terug was van een wandelingetje.

'Waar bent u geweest?'

Chaven keek langs hem heen naar Flint, die midden op het pad was blijven staan. Het kind leek geen enkele haast te hebben om dichterbij te komen. 'Zo, m'n jong. Hm, waar ben ik geweest?' Hij knikte alsof dat een bijzonder wijze vraag was, een vraag die zorgvuldig nadenken vergde in plaats van een gehaast antwoord. 'Ik was in de gangen voorbij de Vijf Bogen. Ja, daar was ik!'

'Daar komen we net vandaan. Hoe kan het dat we u zijn misgelopen? Bent u al lang terug?'

Nog altijd die milde, verraste blik. 'Ik was... Ach, weet je, ik kan het me niet precies herinneren. Ik onderzocht wat... wat ideeën... gedachten die ik had.' Hij fronste vluchtig zijn wenkbrauwen, zoals iemand dat doet wanneer hem een boodschap te binnen schiet die hij is vergeten. 'Ja, ik... ik moest iets doen en toen... toen heb ik wat rondgezworven.'

Kiezel wilde doorvragen, vastbesloten om geen genoegen te nemen met deze onbevredigende antwoorden, toen een van de monniken plotseling aan het begin van het pad verscheen, duidelijk opgewonden en wild met beide armen zwaaiend.

'Blauwkwarts, ben jij het? Kom vlug! Een invasie!'

'Een invasie...' Pure doodsangst maakte zich van Kiezel meester. Was vrede onbereikbaar geworden? Betekende dit dat Vansens missie was mislukt?

'Ja,' zei de monnik. 'Het is verschrikkelijk. Overal vrouwen!'

'Wat? Vrouwen? Waar heb je het over?'

'Vrouwen uit Funderstad. De vrouw van de magister en alle andere vrouwen! Ze zijn net gearriveerd. Het zijn er tientallen! Daar is de tempel niet voor bedoeld!'

Kiezel begon opgelucht te lachen. 'Tja, daar zullen jullie toch aan moeten wennen, broeders! Ik heb met jullie te doen!' Hij keerde zich naar Flint. 'Dat betekent dat onze Opaal ook terug is. Kom mee, knul.'

Terwijl ze de nerveuze monnik volgden bleef Chaven een paar stappen achter, alsof hij nog altijd aangenaam verdiept was in zijn gedachten.

Flint boog zich naar Kiezel toe. 'Het is niet waar wat hij zei,' fluisterde hij, en hij klonk niet afkeurend, maar simpelweg alsof hij een constatering deed. 'Tenminste, niet alles. Hij verbergt iets voor ons. Iets belangrijks.'

'Dat gevoel had ik ook,' mompelde Kiezel. Een eind vóór hen uit wemelde het in de zuilengaanderij van de monniken, als muizen die vluchtten voor een kat. 'Ik dacht precies hetzelfde. En het bevalt me helemaal niet.'

*

Dus ik loop weer in wapenrusting, dacht Ferras Vansen met een soort vermoeide geamuseerdheid terwijl hij zich in de maliënkolder hees die de Funderlingen hem hadden gegeven – een buis van kleine ringetjes die zo verrassend dun waren en zo perfect in elkaar grepen dat hij er nauwelijks iets onder hoefde te dragen. *Nou ja, ik heb gelukkig geen tijd gehad om echt aan de vrijheid gewend te raken.*

'Ik heb wat te eten ingepakt, kapitein,' zei Broeder Antimoon. 'Zoals u had gevraagd. Wat brood en kaas en een paar uien. O, en we hebben geluk! Kijk!' De monnik hield Vansen een geopende zak voor. 'Oude-Mannenoren!'

Even dreigde Vansens maag omhoog te klimmen in zijn keel. Toen besefte hij dat wat Antimoon hem verheugd voorhield, er weliswaar uitzag als vlezige, gerimpelde oren, maar dat het gewoon een soort paddenstoelen waren. Toch vond hij dat ze wel vreemd roken – een duistere, klamme, muffe geur. Het kostte Vansen dan ook moeite om enthousiast te reageren. 'Ja! Geweldig.'

'Ik vind het nog altijd geen goed idee, kapitein,' zei Cinnaber. 'Neem dan ten minste een man of tien, twaalf mee. IJzerkiezel is weer voldoende opgelapt en hersteld.'

'Ja, kapitein. Laat mij alstublieft met u meegaan.' Het kale hoofd van Moker IJzerkiezel zat zo onder de sneden en de blauwe plekken dat het uit marmer leek gehouwen. 'Ik neem wel een stel van die grasdansers voor mijn rekening! Reken maar! Ik zal er met plezier nog een paar omleggen.'

'En dat is precies de reden waarom ik u er niet bij wil hebben,' zei Vansen. 'Het zou zonde zijn de krachten van onze beste krijger te verspillen op een missie waarbij ik niet wil dat er wordt gevochten. Ze hebben u hier harder nodig.'

'Maar wij hebben u hier ook nodig, Vansen,' zei Malachiet Koper. 'En dat is het belangrijkste.'

'U moet me vertrouwen, heren. Ik hoop op deze manier meer te bereiken. Wat hebt u liever? Dat ik hier blijf om te helpen bij het afslaan van een nieuwe aanval, of dat ik ervoor zorg dat er geen aanvallen meer komen?'

Cinnaber schudde zijn hoofd. 'Dat zijn niet de enige twee potentiële uitkomsten, dus dat is een ontwijkende redenering. U zou kunnen sneuvelen zonder dat er een overeenkomst wordt gesloten. Dan hebben we een verdediger nóch een vredestichter.'

'Geen erg opwekkende gedachte, magister, maar het is een risico dat ik moet nemen. Geloof me, ik ben de enige die dit kan doen. En als ik te veel mannen meeneem, gaat dat niet alleen ten koste van uw verdedigingspotentieel, maar het vergroot de kans dat mijn missie wordt gezien als een aanval. Mijn enige hoop ligt in een gesprek met hun leider, van aangezicht tot aangezicht.' Hij keerde zich naar Antimoon. 'Ik waardeer het touw – we moeten erop kunnen rekenen dat de gevangene er niet vandoor gaat – maar ik zou liever zien dat hij aan zijn enkel was geboeid, in plaats van rond zijn middel. Als hij dan probeert te ontsnappen, kan ik hem omvertrekken.' Hij keek de droggel streng aan. Die kon hem weliswaar niet verstaan, maar kon uit Vansens toon afleiden wat er werd besproken. De kleine, gebaarde man kromp angstig in elkaar en ontblootte zijn vooruitstekende gele tanden.

Ze draalden niet met vertrekken. Vansen wist dat Cinnaber en de anderen het niet eens waren met zijn besluit, en zelf werd hij geplaagd door schuldgevoel omdat hij de buitengewoon geliefde Antimoon meenam. Misschien zou een van de andere monniken ook als vertaler hebben kunnen optreden, maar Vansen vertrouwde erop dat Antimoon zijn hoofd koel wist te houden onder moeilijke omstandigheden. Want hoewel hij zijn best deed optimisme uit te stralen, besefte hij dat de kans om zonder complicaties zijn doel te bereiken, maar heel klein was.

De droggel, die nog altijd bang leek te zijn voor verraad door zijn gevangennemers, sjokte voorop en loodste hen aan zijn korte touw door de Zalen der Vieringen terug naar de plek waar de Qar waren doorgebroken. De mannen van Cinnaber hadden de bres die de Qar hadden geslagen, bijna weer gedicht met rotsblokken die ze zo deskundig hadden opgestapeld dat het onmogelijk zou zijn daar nog langs te komen. Vansen was geschokt – hij was vergeten dat de breuk werd hersteld. Hoe moesten ze nu bij de Qar komen? Niet via een bovengrondse route, daar kon geen sprake van zijn. Als de verwarde berichten klopten die tot in Funderstad waren doorgedrongen en vandaar de tempel hadden bereikt, was het beleg veranderd in een invasie op grote schaal. Dus die weg naar de Qar was afgesloten; een dergelijke onderneming zouden Antimoon en hij niet overleven.

En het zou uren duren om de gestapelde rotsblokken weer te verwijderen – uren die de Funderlingen hard nodig zouden hebben om de verdediging elders op peil te brengen, in plaats van hun werk hier ongedaan te maken en het gat vervolgens voor de twééde maal te moeten dichten. Ferras Vansen leunde tegen de muur, plotseling onuitsprekelijk vermoeid. Commandant? Generaal? Hij was niet eens geschikt voor zijn oude post als kapitein van de wacht!

De droggel liet zijn blik over de herstelwerkzaamheden gaan. Daarop keerde hij zich naar Vansen en zei iets in zijn harde, schrokkerige taal.

'Hij zegt... Volgens mij zegt hij dat er een andere weg is naar het kamp,' zei Antimoon tegen Vansen.

'Een andere weg? Hebben de Qar dan nóg een weg waarlangs ze onze grotten kunnen binnendringen?' Hij staarde naar de kleine, gebaarde man. 'En waarom zou hij ons dat geheim verraden?'

'Hij is bang dat de anderen hun geduld verliezen en hem doden als we nu rechtsomkeert maken. Hij zegt dat de haarloze – ik neem aan dat hij IJzerkiezel bedoelt – dat de haarloze... gebaren maakte.' Antimoon verbeet een glimlach. 'Dat die hem met plezier zijn nek om zou draaien... of erger.'

'Daar twijfel ik niet aan.' Vansen knikte. 'Goed dan. Zeg maar dat hij ons de weg mag wijzen.'

'Hij vraagt maar één ding. Of u Vrouwe Porcupina alstublieft niet wil vertellen dat hij u een weg heeft gewezen die u nog niet kende. Want als ze dat te weten komt, staat hem een nog gruwelijker einde te wachten dan zelfs de haarloze zou kunnen bedenken.'

33
Kinderen in kooien

'Rhantys, die beweerde dat hij met de elfen sprak, zegt dat de koningin
van de Qar bekendstaat als de Eerste Bloem omdat ze de moeder is van
het hele ras. Rhantys suggereert zelfs dat haar naam, *Sakuri*, is afgeleid van
een Qar-woord dat "Oneindig vruchtbaar" betekent, maar door de
afwezigheid van een Qar-spraakkunst valt dit moeilijk te bewijzen of te
ontkrachten.'

Uit *Een Verhandeling over de Elfenvolken van Eion en Xand*

Het was niet zo dat Pinimmon Vash niet van kinderen hield. Hij had
er jarenlang tientallen als slaaf gehouden, vooral voor zijn intiemste behoeften. Allemaal jongens, natuurlijk – hij vond meisjes onbevredigend
en niet toereikend. Maar voor het huishouden had hij ook altijd jeugdige slavinnen in dienst. Dus niemand kon beweren dat hij iets tegen
kinderen had. In dit geval vond hij hun vreemde zinloosheid echter ontmoedigend.

Om nog maar te zwijgen over al het werk dat de kinderen hem hadden bezorgd. Het was één ding om de gebruikelijke stemmingen van de
autarch op te vangen – zijn plotselinge behoefte de bizarste dingen te
eten, om een bepaald soort exotische muziek te horen, of om te experi-
menteren met een eeuwenoude, bijna vergeten ondervragingstechniek.
Dat viel allemaal royaal binnen de normale – zeer uiteenlopende – ei-

sen die er aan Vash in zijn functie als eerste minister werden gesteld; hij had dergelijke diensten ook al verleend aan diverse voorgangers van Sulepis. Sterker nog, hij ging er prat op dat hij op dergelijke verzoeken wist te anticiperen en op alle uren van de dag en de nacht althans de verwezenlijking ervan in gang wist te zetten. Maar vergeleken bij Sulepis leek zelfs zijn grootvader Parak, een man met de meest extreme begeerten en voorkeuren, zo saai als de oudste, meest geconstipeerde priester in de grote tempel. En nu...

'Ga aan wal met een troep soldaten,' had de autarch hem gezegd toen ze aanmeerden bij Orms, een stad in het moerassige Helobine, een gebied ten zuiden van Brenhland, waar ze met de plaatselijke bevolking zouden onderhandelen over de levering van vers drinkwater en het aanvullen van de proviand. 'Ga voorbij aan de stad en laat de muren enkele mijlen achter u. Ik heb geen zin om mijn tijd te verspillen aan het leveren van strijd. Bovendien, als ik mijn mannen de stad in laat gaan, moet ik hun de vrije teugel geven en dan liggen we hier dagen! Dus trek met uw mannen het platteland in om kinderen te ronselen. Ik wil ze levend aan boord hebben. Een stuk of honderd zou genoeg moeten zijn...'

Meer uitleg had hij niet gekregen, noch instructies; die gaf deze autarch zelden.

Haal honderd kinderen hun huis uit. Breng ze naar het schip. Regel dat ze onder dak komen, dat ze te eten krijgen, hou ze in leven en zorg dat ze het niet al te beroerd hebben. Maar is me ook verteld waarom? Nee, natuurlijk niet! Geen vragen stellen, Vash. Je mag dan de oudste en de vertrouwdste raadsman zijn van de autarch, maar op enige vorm van hoffelijkheid hoef je niet te rekenen, zei hij nijdig tegen zichzelf. *Je moet gewoon doen wat je wordt gezegd.*

De eerste minister liep een laatste keer door het deel van het ruim waar met ijzeren staven een soort kooi was gemaakt voor de jeugdige gevangenen. Tien van hen waren hier ondergebracht. De rest was verspreid over de andere schepen. Zorgen dat ze te eten hadden was het probleem niet, dacht Vash, terwijl hij zijn blik over hun bleke gezichten liet gaan – verward, stuurs of ronduit doodsbang. Maar hoe werd hij geacht ze in leven te houden? Verschillende kinderen hoestten al en hadden een loopneus. Een kooi in het ruim van een schip was niet bepaald een aangenaam warme plek om halfnaakte kinderen te huisvesten, maar zou de autarch het begrijpen als ze plotseling allemaal ziek werden en aan de koorts bezweken? Natuurlijk niet.

Nee, dan kost het me mijn kop, dacht Vash somber. Hij staarde naar een huilende jongen en wenste dat hij door de tralies kon reiken om het kind te slaan zodat het ophield met huilen. *En zelfs als ik geluk heb en ze in leven weet te houden voor welke krankzinnige bedoelingen hij ook met ze heeft, wat is dan het volgende plan? Wat krijgen we daarna, Pinimmon?*

Er kwam geen eind aan de vreemde grillen van de autarch. Ze waren met een enkel schip uit Hierosol vertrokken, maar inmiddels hadden zich veel meer schepen van de Xissische marine bij hen aangesloten, stuk voor stuk geladen met soldaten. Nu de vloot langs Brenhland was gezeild en door de Straat van Conordh was gevaren, kwamen ze aan een ondiepe baai in de wilde landen langs de oostelijke grens van Helmswater. Dit was net zo'n verrassing voor Pinimmon Vash als de opdracht om honderd kinderen te ronselen. Hij raakte er in toenemende mate van overtuigd dat zijn meester hem welbewust in onwetendheid hield over de belangrijkste aspecten van deze vreemde onderneming.

En wat nog vreemder was, een troep van de vurige Witte Honden van de autarch was met hun paarden in kleine boten aan land gegaan. De mannen waren in westelijke richting het woud in getrokken en nog niet teruggekeerd toen de autarch de kapitein opdracht gaf het anker te lichten. De vloot was nog vele mijlen van Zuidermark, wat blijkbaar hun bestemming was, dus Vash had niet het geringste vermoeden met welke opdracht de Witte Honden waren achtergelaten.

'Laat we open kaart spelen, Olin,' zei Sulepis. 'Al was het maar omdat we ontwikkelde mannen zijn en broedermonarchen.' Eenmaal weer op zee, langs de kust oprukkend naar zijn uiteindelijke bestemming, was de autarch in een exuberante bui. Hij stond zo dicht bij de reling – en bij de verdoemde koning uit het noorden – dat Vash de nervositeit van zijn Luipaarden bijna kon voelen, die de situatie gadesloegen met de strakke roofdierblikken van hun naamgenoten. 'Het merendeel van wat ons door de priesters en door de heilige boeken over de goden wordt verteld, is onzin,' vervolgde Sulepis. 'Verhalen voor kinderen, dat zijn het.'

'Dat geldt misschien voor de verhalen over uw god,' zei Olin stijfjes. 'Maar dat betekent nog niet dat ik de wijsheid van óns geloof zou willen afdoen als onzin...'

'Dus u gelooft alles wat het *Boek van de Trigon* u vertelt? Over vrouwen die in hagedissen worden veranderd omdat ze niet ingingen op de toenaderingspogingen van de goden? Over Volos Langbaard die de oceaan opdrinkt?'

'Het is niet aan ons om te oordelen over de bedoelingen van de goden, noch over hun vermogens en waartoe zij in staat zijn wanneer ze daartoe besluiten.'

'Ach, natuurlijk. Daar zijn we het over eens, Koning Olin.' De autarch glimlachte. 'Vindt u het onderwerp niet interessant genoeg? Laat ik dan iets specifiekers aansnijden. Uw familie lijdt aan een bepaalde onzichtbare... misvorming. Een smet, als het ware. Ik denk dat u wel weet waar ik op doel.'

Olin was duidelijk razend, maar hij hield zijn stem vlak. 'Smet? Er kleeft geen smet aan de Eddons. Dat u de macht hebt om me te doden, geeft u nog niet het recht mijn familie en mijn bloedlijn te beledigen. Ons huis had al koningen voortgebracht in Conordh voordat we naar de Mark Koninkrijken kwamen, en vóór het koningschap bekleedden mijn voorvaderen al de functie van hoofdman.'

De autarch keek geamuseerd. 'Geen smet? Er kleeft geen smet aan het karakter noch het lichaam van de Eddons? Ik hoor het u zeggen, maar laat mij u dan vertellen wat ik heb ontdekt. Als u, wanneer ik ben uitgesproken, nog altijd beweert dat ik het mis heb, dan zweer ik u – op mijn eed als autarch – dat ik bereid ben u mijn verontschuldigingen aan te bieden. Dat zou nog eens wat zijn, hè Vash?'

De eerste minister had geen idee wat Sulepis wilde dat hij zei, maar het was wel duidelijk dat zijn meester een antwoord verwachtte. 'Inderdaad, Gouden Vorst. Maar ook buitengewoon onwaarschijnlijk.'

'Laat me u eerst iets vertellen over mijn eigen spirituele reis, Olin. Misschien geeft dat u een idee van waar ik op doel. Ik weet zeker dat u dit ook interessant vindt, Heer Vash. Behalve Panhyssir heeft nog niemand in heel Xis dit verhaal gehoord.'

De naam van zijn rivaal had op Vash het effect van een gloeiende kool die in zijn kraag viel, maar hij deed zijn best zijn gezicht te plooien in een dankbare glimlach. Gelukkig was de hogepriester niet aanwezig; anders was de vernedering nog kwellender geweest. 'Ik luister altijd gretig naar de wijsheid die mijn heer wenst te delen.'

'Natuurlijk.' Het was duidelijk dat Sulepis genoot; zijn langgerekte gezicht rimpelde zich in een brede reptielenglimlach, en zijn vreemde ogen stonden zelfs nog levendiger dan gebruikelijk. 'En terecht. Al toen ik heel klein was, wist ik dat ik anders was dan andere kinderen. Niet simpelweg omdat ik de zoon was van een autarch, want ik ben grootgebracht met tientallen kinderen die hetzelfde konden zeggen. Maar al sinds mijn prilste jeugd heb ik dingen gehoord en gezien die voor anderen verborgen bleven. Geleidelijk aan ging ik beseffen dat ik, als enige van al mijn broers, de aanwezigheid van de goden kon voelen! Iedere autarch beweert dat hij de stem van de goden hoort, maar ik kreeg in de gaten dat dit zelfs voor mijn vader, Parnad, loze woorden waren. Hoe anders was dat bij mij!

Maar het was ook vreemd. Alle andere koninklijke zonen waren net als ik kinderen van de god-op-aarde, en toch kon alleen ík de aanwezigheid van de goden voelen! Nog vreemder was het dat ik geen grotere macht had dan deze ene kleine gave. De goden hadden me niet meer kracht gegeven dan andere stervelingen, geen langer leven, niets! En het was duidelijk dat voor mijn vader en voor al zijn andere erfgenamen hetzelfde gold. De autarch van Xis was een gewoon mens, niet meer en niet minder! Zijn bloed was het bloed van een gewone sterveling. Alles wat ze ons hadden verteld, was gelogen, maar alleen ik had de moed om dat te erkennen.'

Vash had nog nooit zoveel godslasterlijke taal gehoord – nota bene uit de mond van de autarch! Wat beoogde hij daarmee? En hoe werd hij, als eerste minister, geacht te reageren? Hoewel religie hem doorgaans onverschillig liet, behalve voor zover die als het ware de gestage hartslag vormde van de Xissische hofrituelen, kromp Vash heimelijk ineen en vroeg hij zich angstig af of de grote god hen allen zou treffen met zijn vurige stralen. Het was maar al te duidelijk dat zijn zorgen over de geestelijke gezondheid van de autarch gerechtvaardigd waren!

'... Dus ik besloot dat ik er een studie van zou maken,' vervolgde Sulepis. 'Zowel van het bloed van de goden als van de geschiedenis van mijn familie.

Ik begon met het lezen van alle boeken in de grote bibliotheken van het Warande Paleis. En zo leerde ik dat, vóórdat mijn voorouders de woestijn achter zich lieten om de troon van Xis te bestijgen, de stad werd geregeerd door andere families die zich beriepen op een verwantschap met andere goden. Hoe verder ik terugging in de geschiedenis, hoe meer deze voorouders werden beschreven alsof ze zelf bijna een soort goden waren. Was dat omdat zij dichter bij hun goddelijke voorouders stonden dan wij in onze tegenwoordige tijd, zodat ze een grotere concentratie van het heilige bloed in hun aderen hadden? Of waren de verhalen over hen simpelweg mooier gemaakt met het verstrijken van de jaren? Kon het zo zijn dat deze monarchen van eeuwen geleden, deze zelfverklaarde nazaten van Argal of Xergal, net zo sterfelijk waren als de saaie domkoppen met wie ik in het paleis werd grootgebracht – net zo sterfelijk als mijn vader? Parnad mocht dan vurig en sluw zijn, ik was allang tot de conclusie gekomen dat hij geen belangstelling had voor onderwerpen zoals religie en filosofie, en dat hij daar trouwens ook niet de hersens voor had.

Sommige priesters herkenden in mij wat ze beschouwden als een verwante ziel. Daarin vergisten ze zich natuurlijk – ik ben nooit geïnteresseerd geweest in esoterische kennis, alleen om die kennis als zodanig. Een enkel sterfelijk leven is te kort voor zo'n onbeperkte, ongedisciplineerde studie. Er was maar één gedachte die me beheerste. Zonder de waarheid had ik geen instrument in handen, en zonder een instrument kon ik de wereld niet hervormen tot iets wat me beter beviel.

Hoe het ook zij, de priesters die in de bibliotheek werkten, vertelden me over boeken waarvan ze hadden gehoord maar die ze nooit onder ogen hadden gehad – en ik besefte voor het eerst dat er ook boeken en geschriften waren die níet in het bezit waren van de bibliotheken in het Warande Paleis, boeken en geschriften in andere talen dan de onze, waarvan sommige zelfs nooit in het Xissisch waren vertaald! Hebt u zich wel eens afgevraagd waarom mijn Hierosolaans zo goed is, Koning Olin? Nu weet u het. Ik heb de taal geleerd zodat ik kon lezen wat de geleerden van het noorden eeuwen geleden te zeggen hadden over de goden en hun doen en laten. Phayallos, Kofas van Mindan, Rhantys – vooral Rhantys – ik heb ze allemaal gelezen, en ik ging bovendien op zoek naar de verboden boeken van het zuidelijke continent. Na lang zoeken vond ik eindelijk een exemplaar van de *Annalen van de Hemelkrijg* in een tempel bij Yist, waar een van mijn verre overgrootvaders de laatste van de elfensteden in ons land met de grond gelijk heeft gemaakt.'

'Waren de Qar in uw land?' Het was voor het eerst sinds geruime tijd dat Olin sprak, en ondanks zichzelf klonk hij geïnteresseerd, dacht Vash.

'Wáren. Inderdaad. Daar hebben mijn voorouders voor gezorgd.' Sulepis lachte. 'De Valken Koningen zijn niet zulke sentimentele figuren als u, noordelijke heersers – we hebben niet gewacht tot een epidemie de helft van onze koninkrijken vernietigde, voordat we het elfengespuis verdreven.

Mijn zoektocht naar de waarheid bracht me in mijn jeugd naar vele vreemde plekken. Ik groef cilinderboeken op uit de slangentomben van de Hayyiden die verspreid liggen over de vlakten als de braakballen van woestijnkatten. Ik onderhandelde met de *golya* rond hun woestijnvuren;

ze eten mensenvlees, maar bovendien wordt beweerd dat ze gedaante-wisselaars zijn – bij volle maan veranderen ze in hyena's. Ze vertelden me verhalen over de vroegste tijden en lieten me de rotsinscripties zien die nog dateerden uit de tijd dat de goden over de aarde liepen. Van hen leerde ik het geheim van de Vloek van Zhafaris, de vloek van de ster-felijkheid die de grootste van alle goden uitsprak over het mensdom toen zijn kinderen zich tegen hem keerden.

Ik plunderde zelfs de laatste rustplaats van mijn eigen verwanten, de Eyrie van de Bishakh, waar mijn voorouders die hoofdman waren ge-weest in de woestijn te ruste waren gelegd op de top van de Gowkha, hun gemummificeerde lichamen in nesten gemaakt van de botten van slaven, hun vleesloze gezichten gericht naar het oosten waar de Zon van de Wederopstanding zal opkomen. Terwijl de maan langs de hemel klom, terwijl het gehuil van de golya opsteeg uit de diepte van de woes-tijnravijnen, en terwijl mijn lijfwacht in doodsangst de berg af vlucht-te, wrikte ik de stenen tabletten uit de verwrongen, dode handen van mijn voorvaderen, op zoek naar de geheimen van de hemel.

Maar alles wat ik te weten kwam, bevestigde alleen maar wat ik al wist. De goden mochten dan echt zijn, hun macht was vervlogen, en er was geen mens op aarde die hun macht had overgenomen, zelfs de au-tarch van Xis niet. De heilige Nushash, heer van de zon, mag dan mijn stamvader zijn, ik kan zonder lamp een donkere kamer niet verlichten, noch kan ik die lamp aansteken zonder vuursteen.

Maar naarmate ik de eeuwenoude geleerden volgde over paden die zo duister en grimmig waren dat zelfs de priesters in de bibliotheek me begonnen te mijden, kwam ik tot het besef dat de waarheid over mijn voorouders niet noodzakelijk de waarheid was over alle mensen. Van sommige geslachten, ontdekte ik, werd al sinds de vroegste tijden be-weerd dat ze waarlijk het bloed van de goden in hun aderen hadden, vaak via de *Pariki*, de elfen – het volk dat u kent als de Qar.'

'Ik wil er verder niets meer over horen,' zei Olin abrupt. 'Ik ben ver-moeid en ziek en ik smeek u me verlof te geven om terug te gaan naar mijn hut.'

'U kunt smeken zoveel als u wilt,' zei de autarch met een geërgerde uitdrukking op zijn gezicht. 'Het zal u niet helpen. Ik wil dat u dit ver-haal hoort, al moet ik u vastbinden en knevelen. Want het amuseert me om u dit verhaal te vertellen, en ik ben de autarch.' Er verscheen een glimlach op zijn gezicht. 'Nee, ik zal het nog simpeler maken. Als u er niet mee instemt te luisteren, zal ik een van de kindergevangenen laten

halen en voor uw ogen wurgen, Olin van Zuidermark. Wat hebt u daarop te zeggen?'

'Mogen de goden u vervloeken! Maar ik zal het verhaal aanhoren.'
De stem van de noordelijke koning klonk zo zacht dat Vash hem bijna
niet kon verstaan boven het geluid van de golven.

'O, u zult meer doen dan me alleen maar aanhoren, Olin Eddon,' zei
de autarch. 'Want het bloed waar ik over sprak – het bloed dat goddelijke macht schenkt – hebt ú in uw aderen. Voor u is het waardeloos,
een vloek, maar voor mij betekent het alles. En over slechts enkele dagen, wanneer de laatste klok luidt op de Dag van de Zonnewende, zal
ik uw bloed tot het mijne maken.'

*

De laatste paar uur tot het licht werd en de stadspoorten van Tessis weer
opengingen, waren verschrikkelijk. Zittend op de grond van de wagen
waarmee de troep rondreisde, probeerde Brionie een beetje te slapen,
maar hoe moe ze ook was, de slaap wilde niet komen. Feivals verraad,
de wreedheid van Vrouwe Ananka, en het verkeerde, oneerlijke en dwaze oordeel van Koning Enander gunden haar geen rust, de woorden van
haar kersverse vijanden zoemden als steekvliegen door haar hoofd.

Nu ben ik weer op de vlucht, dacht ze. *En wat heb ik in al mijn tijd
in Tessis bereikt? Niets. Helemaal niets! Er is weer een stad verboden terrein
voor me geworden, en ik hoef geen enkele hoop meer te koesteren om met hulptroepen uit Syan naar Zuidermark terug te keren.*

Finh Teodoros kwam zacht de wagen binnen. 'Verschoning,' zei hij
toen hij zag dat ze wakker was. 'Ik ben op zoek naar mijn pennen. Heeft
Zakkas u gebeten, Prinses? U ziet eruit alsof u vervuld bent van diepe
gedachten.'

Ze fronste om de onverschillige godslastering. Het orakel was de patroon van zowel de profetie als de waanzin; aanvallen van een van beide werden soms 'beten van Zakkas' genoemd. 'Ik ben zo rusteloos dat
ik niet kan slapen. Ik heb alles bedorven.'

De toneelschrijver kwam bij haar zitten. 'Ach, hoe vaak heb ik dat
niet tegen mezelf gezegd?' Hij lachte. 'Waarschijnlijk niet zo vaak als ik
dat had moeten doen. Ik zie meestal pas veel later wat ik verkeerd heb
gedaan. Dus het is goed dat u er onmiddellijk van doordrongen bent.
Maar u moet zich er niet door laten meeslepen.'

'Ik wou dat ik kon slapen, maar ik kan mijn ogen niet eens dichthouden. Wat moeten we beginnen als ze ons opwachten bij de poort?'

'Het lijkt me onwaarschijnlijk dat ze óns opwachten. U misschien... Maar dat is dan ook de reden dat u in de wagen blijft.'

'Maar misschien heeft iemand zich de troep herinnerd. Heer Jino is bepaald niet op zijn achterhoofd gevallen. Hij zei dat het hem speet wat er was gebeurd, maar dat zal hem er niet van weerhouden zijn werk te doen. En ik weet zeker dat hij de naam van de troep heeft genoteerd.'

'Dan zullen we ons anders moeten noemen,' zei Finh. 'Probeer wat te rusten, Prinses.'

Toen hij weer naar buiten liep, deinde de wagen licht onder zijn gewicht op de kleine treden. Brionie bleef alleen achter met de stemmen in haar hoofd die spraken over alles wat ze verkeerd had gedaan.

Tegen de tijd dat de wagen naar de stadspoort rolde, zagen de leden van Propermans' Troep er nauwelijks meer uit als een reizend toneelgezelschap. De maskers en de linten en alle rekwisieten die getuigden van hun beroep, waren diep weggestopt, en de spelers zelf waren gehuld in onopvallende reiskleding. Toch trokken ze – om welke reden dan ook – de aandacht van een van de poortwachters. Had inderdaad iemand in het paleis zich de spelers herinnerd, vroeg Brionie zich ongerust af.

'Waar zei u dat u naartoe ging?' vroeg de poortwachter misschien wel voor de derde of de vierde keer. 'Ik heb die naam nog nooit gehoord.'

'De bron van het Orakel Finneth, in Brenhland,' antwoordde Finh zo sereen mogelijk.

'En dit zijn allemaal pelgrims...'

'Bij de Drie!' Pedder Propermans had onder de gunstigste omstandigheden al weinig geduld. 'Het is een schande...'

'Hou je mond, Pedder,' waarschuwde Teodoros.

'Kent u Finneths Bron niet?' Nevin Hewneij ging voor Propermans staan. 'Dat is nou jammer. Echt jammer.' Hewneij was bekender om zijn schrijverskwaliteiten dan als acteur. Desondanks gaf hij een soepel staaltje improvisatie weg. 'De jeugdige Finneth was de dochter van een molenaar, een kuis en zuiver meisje. Haar vader was een ongelovige – dit was nog in de tijd dat Brenhland en Conordh in belangrijke mate heidens waren en de Drie Heilige Broeders niet hoger achtten dan de andere goden.' Hewneij plooide zijn gezicht in de uitdrukking van vervoering die de ware gelovige verried. Even was zelfs Brionie, die door een kier tussen de planken van de wagen meekeek, overtuigd van zijn vuur. 'Haar vader schaamde zich voor haar omdat ze door het land trok en

het heilige woord van de Trigon predikte. Bovendien sprak ze haar afkeuring uit over het feit dat hij met een onzedelijke vrouw samenleef-
de, zonder dat hun samenzijn in de tempel was gewijd.' Hewneij pakte
de wacht bij de elleboog en boog zich zo dicht naar hem toe dat de
poortwachter achteruitdeinsde. 'En dus grepen hij en zijn onreine vrouw
Finneth in haar slaap en gooiden haar tussen de stenen van de molen.
Maar de stenen wilden niet draaien! Ze weigerden Finneth kwaad te
doen! Daarop sleepten de molenaar en zijn bijslaap haar in het holst van
de nacht naar de put om haar te verdrinken, maar toen de ochtend aan-
brak...'

'Wat bazelt u?' De wacht trok zijn arm weg.

'Ik vertel u over het Orakel Finneth,' zei Hewneij geduldig. 'Toen de
vrouwen van het dorp bij het aanbreken van de nieuwe dag water kwamen halen, rees Finneth op uit de put, stralend als een van de goden,
en ze sprak tot hen over de waarheid van de Drie Broeders, over de Zes-
voudige Weg en de Leer van Wellevendheid jegens Gedomesticeerde
Dieren...'

'Hou op!' bracht de wacht kreunend uit. Net toen het erop leek dat
hij hen zou doorlaten, voelde Brionie een siddering door de wagen gaan
en werd er aan de deur gerammeld. Ze liet zich op de grond vallen en
trok de deken op tot haar kin.

'En wie is dít?' De vraag was afkomstig van een van de andere wachten uit het poorthuis. Hij klom de wagen in en boog zich over haar heen.
Brionie kreunde, maar hield haar ogen gesloten. 'Wat doet zij hier?' vroeg
hij. 'Vooruit! Wat zit er onder die deken?'

Brionie voelde dat de deken ruw werd weggetrokken. Ze sloeg beschermend haar handen om haar buik en om de buidel vodden die ze
onder haar tot op de draad versleten jurk had gestopt.

'Heer! Ik bid u!' zei Finh. 'Dat is mijn vrouw. We brengen haar naar
de put van het orakel om een veilige geboorte af te smeken. Geen van
onze kinderen mocht in leven blijven...'

'Mijn zwager heeft verschrikkelijk geleden,' klonk de stem van Hewneij achter hem. 'Zijn vrouw mankeert wat, het arme mens... We denken dat ze een ziekte onder de leden heeft. Bij de laatste bevalling verloor ze een soort zwarte smurrie die stonk als rotte vis...'

Ondanks haar angst moest Brionie een glimlach verbijten toen de
wacht niet wist hoe snel hij de wagen weer moest verlaten.

Pas toen de stadspoorten achter hen eindelijk uit het zicht waren verdwenen, kwam Brionie weer tevoorschijn en ging ze op de treden van

de wagen zitten terwijl die over de Koninklijke Heirweg hobbelde, langs de brede rivier de Ester die glinsterde in de vroege ochtendzon.

'Wellevendheid jegens Gedomesticeerde Dieren?' vroeg ze. 'Rotte vís...?'

Hewneij schonk haar een hooghartige blik. 'Ik heb een vrouw gekend in Groot Schapenschot die voortdurend naar rotte vis stonk. En ze had vrijers bij de vleet!'

'Om nog maar te zwijgen over een troep katten die haar overal volgde,' zei Finh lachend. 'Goed werk, Prinses. Ik zie dat u niet bent vergeten wat we u hebben geleerd.' Hij omklemde zijn royale buik. '"O, mijn arme kind! O, wat ben ik er verschrikkelijk aan toe!" Heel overtuigend.'

Ondanks zichzelf moest Brionie lachen. Iets wat ze al lang niet meer had gedaan. 'Schurken zijn jullie! Allemaal!'

'En toch zijn toneelspelers nog altijd eerlijker dan de meeste edellieden,' zei Hewneij.

Brionies glimlach verdween. 'Behalve Feival.'

Ook om Hewneijs mond verscheen een grimmige trek. 'Inderdaad, behalve Feival.'

Ze reisden de hele dag door en wisten tegen de avond Doros Eco te bereiken, een ommuurde stad in de uitlopers van de heuvels langs de bovenloop van de rivier. Het was koel, winderig, maar terwijl Brionie ineendook in haar mantel en Estir Propermans gadesloeg die met de kookpot in de weer was, besefte ze dat ze zich voor het eerst in maanden... vrij voelde. Hoewel, misschien was dat niet het juiste woord. Maar de zware last die in Paleis Dreefstaete dag in dag uit op haar schouders had gedrukt, de last van andermans verdenkingen en verwachtingen, was verdwenen. Ze maakte zich nog altijd grote zorgen, sterker nog, ze was doodsbang na alles wat er was gebeurd met haar leven en met de mensen van wie ze hield, maar hier onder de blote hemel, omringd door mensen die niets van haar wilden wat ze niet met plezier zou geven, kreeg ze weer een klein beetje vertrouwen in de toekomst.

'Kan ik helpen, Estir?' vroeg ze.

De toneelspeelster keek haar aan met een blik vol wantrouwen. 'Waarom zou u, Prinses?'

'Omdat ik dat wil. Omdat ik niet wil toekijken terwijl anderen het werk doen. Dat heb ik mijn hele leven al gedaan.'

De zuster van Pedder Propermans snoof verachtelijk. 'En is dat zo erg?' Ze wees naar een paar wortelen en een ui met een lange baard.

'Nou, geniet ervan, zou ik zeggen. Het andere mes ligt daar. Ze moeten in stukjes worden gehakt.'

Brionie spreidde een zakdoek op haar schoot en begon de groenten te snijden. 'Waarom ben je hier eigenlijk, Estir?'

'Hoezo?' vroeg die op haar beurt, zonder Brionie aan te kijken. 'Waar zou ik anders moeten zijn?'

'Ik bedoel, waarom doe je dit? Rondtrekken met een toneelgezelschap? Je bent een knappe vrouw. Het kan niet anders of er zijn mannen geweest die... die je het hof hebben gemaakt. Heeft er nooit een gevraagd of je met hem wilde trouwen?'

Opnieuw die blik van wantrouwen. 'Het gaat je natuurlijk niks aan, maar inderdaad, die zijn er geweest...' Plotseling verbleekte ze. 'Verschoning, Hoogheid. Ik vergat even...'

'En dat moet je vooral blijven vergeten, Estir. Alsjeblieft! We waren... we waren ooit bijna vriendinnen. Kunnen we dat niet weer worden?'

Estir Propermans snoof. 'Dat is makkelijker gezegd dan gedaan. Als u dat wilt kunt u me laten ophangen, vrouwe. Eén woord van u tegen de juiste mensen, en ik zit achter de tralies, te wachten op de beul. Of ik sta op het marktplein voor een stel zweepslagen.' Ze schudde haar hoofd, opnieuw zorgelijk. 'Niet dat ik denk dat u dat zou doen. U bent een lief meisje... een echte prinses, wil ik maar zeggen...'

Het was onmogelijk een gewoon gesprek met haar te voeren. Brionie gaf het op en concentreerde zich op de wortelen.

Met het verstrijken van de dagen begon Brionie terug te vallen in het ritme van het leven langs de weg. Ze had de troep haar laatste geld gegeven, dus ze hoefden even niet op te treden. In plaats daarvan waren ze druk aan het werk met repeteren en het maken van decors, rekwisieten en kostuums voor de stukken die Finh, Hewneij en Propermans wilden gaan spelen wanneer ze terug waren in de Mark Koninkrijken. Tot ieders verbazing was de jonge Pilneij, die ooit Brionies toneelechtgenoot was geweest, verliefd geworden op de dochter van een herbergier – níet de verraderlijke Bedoyas, maar de uitbater van De Walrus – en achtergebleven in Tessis om te trouwen en in dienst te treden bij zijn kersverse schoonvader. Door dit verlies en door de minder charmante desertie van Feival, was het aan Brionie om de meeste meisjes- en jongemannenrollen voor haar rekening te nemen. Het was onderhoudend, ze had er zelfs plezier in, maar toch kon ze de gedachte deze keer nooit helemaal van zich afzetten dat het tijdelijk was; dat de echte wereld aanzienlijk dichterbij was dan tijdens de reis naar Tessis.

Een duidelijk bewijs daarvan was het nieuws dat ze hoorden in steden en van andere reizigers die ze langs de weg tegenkwamen. Tijdens hun tocht naar het zuiden was er al druk gesproken over de gebeurtenissen in de Mark Koninkrijken en hadden er al geruchten gecirculeerd over de oorlog met de elfen, over de troonswisseling in Zuidermark en over de zege van de autarch op Hierosol. Inmiddels was de naam van de autarch nog steeds op ieders lippen, maar de geruchten die de ronde deden waren zowel angstaanjagender als verwarder. Volgens sommige had de autarch Hierosol met de grond gelijkgemaakt en trok hij inmiddels op naar het noorden, naar Syan. Andere geruchten suggereerden dat hij om welke reden dan ook naar Jellon was gereisd en dat land had aangevallen. En volgens weer andere geruchten was hij met zijn vloot op weg naar Zuidermark, iets wat Brionie erg onwaarschijnlijk leek, maar wat haar desondanks vervulde met angst. Wat kon een monster als de autarch van haar kleine landje willen? En als het gerucht op waarheid berustte, was de situatie die ze thuis zou aantreffen, dan nog erger dan ze al vreesde? Natuurlijk waren de andere geruchten minstens zo verontrustend. Als Hierosol inderdaad was gevallen, waar was haar vader dan? En leefde hij nog?

Dus het was niet zo verrassend dat Brionie minder plezier ontleende aan het toneelspelen dan in het verleden.

De gezichten van Hewneij en Pedder Propermans stonden erg somber en moedeloos toen ze uit de stad terugkwamen.

'De soldaten van de koning zijn hier ook al geweest,' vertelde Propermans terwijl hij zijn stoffige mond spoelde met een slok zuur bier. 'Dus het is te riskant om met de hele troep de stad in te gaan. Hoogstens alleen of met z'n tweeën.'

Moedeloosheid overviel Brionie. Niet dat ze zo graag de stad in had gewild – wat had ze er te zoeken? In de gelagkamer van de taveernes zou ze haar gezicht verborgen moeten houden. En misschien waren er wat marktkramen met snuisterijen, maar ze had geen geld – maar de wetenschap dat Koning Enander al zo snel zo serieus jacht op haar maakte, was verontrustend. En nog veel erger was het besef dat Finh en de troep ook zwaar zouden moeten boeten, als de mannen van de koning haar te pakken kregen.

Er viel een lange schaduw over haar heen. 'Wat kijkt u verdrietig, Prinses.' Het was Dowan Berk, de langste van de troep en daardoor gedoemd om alle reuzen en monsters te spelen, hoewel die rollen volstrekt in tegenspraak waren met zijn zachtmoedige aard. Brionie wilde hem of de anderen niet nog ongeruster maken met haar angsten – tenslotte wisten ze maar al te goed hoe de zaken ervoor stonden.

'O, let maar niet op mij. Waarom ben je de stad niet ingegaan, met Pedder en de anderen?'

Hij trok zijn magere schouders op. 'Als ze op zoek zijn naar Propermans' Troep, word ik meteen herkend.'

Ze bracht verrast haar hand naar haar mond. 'O Dowan, wat vind ik dat afschuwelijk voor je! Daar heb ik geen moment bij stilgestaan. Ik kan zelf geen kant uit, maar ik hou jou ook gevangen. Het is mijn schuld dat je het kamp niet uit kunt.'

Hij glimlachte verdrietig. 'Ach, het is eigenlijk maar beter zo. Overal waar ik kom, word ik aangegaapt en nagestaard. Daar heb ik genoeg van. Ik vind het best om hier te zitten...' Hij gebaarde met zijn onmogelijk lange arm om zich heen. 'Ik ben al blij als er niemand naar me kijkt.'

'Is dat het enige waar je van droomt, Dowan? Dan zijn je verwachtingen wel erg laag gespannen.'

'O, maar ik heb ook wel grotere dromen. Ooit hoop ik een boerderij te hebben... en een lieve vrouw...' Plotseling begon hij te blozen, en hij wendde zijn gezicht af. 'En natuurlijk droom ik ervan om kinderen te hebben...'

'Berk!' riep Pedder Propermans. 'Wat sta je nou te lummelen? Er moet van alles versteld worden!'

Dowan rolde met zijn ogen, zodat Brionie begon te lachen. 'Ik kom eraan, Pedder.'

'Dat had ik je al eerder willen vragen, hoe komt het dat je zo goed kunt naaien?' vroeg ze.

'Voordat ik toneelspeler werd, leerde ik voor priester en woonde ik samen met andere acolieten in de tempel van Onir Iaris. Daar waren natuurlijk geen vrouwen, en we hadden allemaal onze eigen taken. Sommigen bleken goed te kunnen koken. Anderen niet, maar dáchten van wel.' Hij lachte even. 'En ik bleek redelijk goed overweg te kunnen met naald en draad.'

'Ik wou dat ik hetzelfde kon zeggen. Mijn vader zei altijd dat ik borduurde als een vrouw die met een bezem achter een spin aan zat – prik! baf! prik!' Brionie begon ook te lachen, hoewel het pijn deed om aan Olin te denken. 'Bij de goden, wat mis ik hem!'

'Hij leeft nog, zei u. Dus u zult elkaar weerzien.' Berk knikte langzaam. 'Neem dat maar van me aan. Ik vóél zulke dingen, en doorgaans heb ik het bij het rechte eind...'

'Als je niet voortmaakt, zul je vóélen dat je je baan verliest en om eten moet gaan bedelen,' bulderde Pedder Propermans. 'Schiet op, luie steltloper!'

'We hadden er in de tempel ook zo een,' fluisterde Berk terwijl hij overeind kwam. 'Op een nacht hebben we een emmer water over hem heen gegooid terwijl hij lag te slapen, en hem toen wijsgemaakt dat hij in bed had gepiest.'

Terwijl Brionie hem lachend nakeek, draaide hij zich nog even om. Er lag een vreemde, afwezige uitdrukking op zijn gezicht.

'Onthoud dat, Prinses!' zei hij. 'U zúlt hem weerzien. Zorg dat u weet wat u dan tegen hem moet zeggen.'

*

Uiteindelijk kwam Qinnitan – voornamelijk door toeval – zelfs de voornaam van haar gevangennemer te weten. En ze ontdekte nog iets waarvan ze hoopte dat het haar beter van pas zou komen dan welke naam ook.

Er was een halve tiendaagse of meer verstreken sinds ze had gedroomd dat Barrick haar op de heuveltop de rug toekeerde, en hoewel ze de jongen met het rode haar ook daarna nog in haar dromen had gezien, had hij nooit meer gereageerd en telkens verder weg geleken. De hopeloosheid van haar situatie begon ten koste te gaan van haar vastberadenheid. Ze zat elke dag uren naar de verre kustlijn te kijken, wanhopig proberend een plan te bedenken om te ontsnappen. Soms voeren andere boten op korte afstand langszij, maar ook al zou ze om hulp roepen, er was niemand die zou reageren, wist ze. En zelfs áls iemand haar te hulp zou komen, dan zou die het nooit kunnen opnemen tegen de demon Vo. Dus ze hield haar mond. Door háár was de arme Duif zijn vingers kwijtgeraakt – waarom zou ze een onschuldige visser de dood injagen?

In de nacht dat ze erachter kwam hoe Vo's voornaam luidde, had ze geruime tijd liggen piekeren voordat ze in slaap was gevallen. Het geluid van voetstappen wekte haar in de schrale, koude uren na middernacht; aan de tred kon ze horen dat het Vo was die over het dek liep te ijsberen. Ze luisterde terwijl hij heen en weer liep, altijd volgens dezelfde route waarop zij zich halverwege bevond, schatte ze. Ze verbaasde zich over het gemompel dat ze af en toe kon horen boven de golven uit die onafgebroken tegen de boot klotsten, tot ze besefte dat het haar gevangennemer was die in het Xissisch tegen zichzelf praatte.

Het was een gedachte die haar doodsbang maakte, het idee dat een man als Vo, met zijn ijzeren wil, in zichzelf liep te mompelen; dat duidde op een vorm van waanzin, op verlies van controle. Hoewel Vo haar van meet af aan angst had aangejaagd, had Qinnitan altijd geweten dat ze in elk geval in leven zou blijven tot hij haar overdroeg aan de autarch – op voorwaarde dat Vo ook geestelijk de boel bij elkaar hield. Maar Sulepis had hem iets toegediend, en als Vo daardoor veel pijn had, of als de druppels vergif die hij dagelijks nam, zijn geest aantastten, was niet te voorspellen wat er zou gebeuren. Dus Qinnitan lag trillend onder haar deken te luisteren terwijl hij over het dek heen en weer liep.

Het leek wel alsof hij een gesprek voerde met iemand, of op z'n minst alsof er iemand luisterde naar wat hij zei. Veel daarvan klonk als een lijst van grieven, waarvan het merendeel Qinnitan niets zei – een vrouw die spottend naar hem had gekeken, een man die zichzelf als superieur had beschouwd, een andere man die van zichzelf had gedacht dat hij slim was. Het was blijkbaar allemaal ten onrechte of niet waar gebleken, althans, in de koortsachtige optiek van haar gevangennemer, en dat legde hij uit aan de een of andere denkbeeldige luisteraar.

'Inmiddels zijn ze allemaal hun huid kwijt.' Zijn sissende, triomfantelijk klinkende stem was zo ijzingwekkend dat ze zich moest beheersen om het niet uit te schreeuwen. 'Hun huid en hun ogen... en hun bloed druipt in het stof van het leven na dit leven. Want Daikonas Vo laat niet met zich spotten...'

Enkele ogenblikken later bleef hij vlak bij haar staan. Ze waagde het erop heel voorzichtig door haar wimpers te gluren, maar ze kon niet goed zien wat hij deed. Hij hield zijn hoofd achterover, alsof hij een kroes wijn naar binnen goot; de beweging duurde echter maar heel even.

Het gif, besefte ze. Wat er ook in het zwarte flesje zat, hij nam het niet alleen 's ochtends, zoals ze had gedacht, maar ook 's nachts. Deed hij dat altijd al? Of was dit iets nieuws?

Toen Daikonas Vo het flesje weer had weggeborgen, wankelde hij licht en viel bijna; dat was misschien nog wel het allervreemdst, want tot op dat moment had hij een roofdierachtige sierlijkheid en souplesse bezeten. Hij liet zich op het dek zakken, met zijn rug tegen de mast, zijn kin op zijn borst. Toen werd het stil, alsof hij in een diepe slaap was gevallen.

Dat ze zijn voornaam kende, leverde Qinnitan niets op. Sterker nog, het feit dat ze hem zo woedend tegen zichzelf had horen praten vervulde haar zo mogelijk met nog grotere angst – het leek erop dat hij bezig was volslagen krankzinnig te worden. Maar wat door haar hoofd bleef spoken, was het besef hoe snel zijn lichaam slap en zwaar werd nadat hij het gif naar zijn mond had gebracht.

Dat was beslist iets om over na te denken.

34
Zoon van de Eerste Steen

'Er wordt beweerd dat Eenur, de koning van de elfen, blind is. Sommigen zeggen dat hij die verwonding opliep toen hij vocht aan de zijde van Zmeos Witvuur tijdens de Godenstrijd en werd getroffen door een vurige schicht van Perins hamer. Volgens anderen gaf hij zijn ogen op in ruil voor de toestemming om het *Boek van Berouw* te lezen.'

Uit *Een Verhandeling over de Elfenvolken van Eion en Xand*

Een gedaante in een bleek gekleurd gewaad trad uit de verwarrende schaduwen naar voren. De drie beest-wezens trokken zich terug en zwermden eromheen als de honden van een jager, maar de hurkende, aapachtige schepsels leken in niets op jachthonden.

Barrick richtte zich op zodat hij zich kon verdedigen, maar de uitdrukking op het gezicht van de vreemdeling die op hem neerkeek, drukte vooral verbijstering uit. Aanvankelijk had Barrick gedacht dat de onbekende een man was, maar bij nader inzien was hij daar niet meer zo zeker van: de oren van de vreemdeling hadden een merkwaardige vorm en stonden te laag in zijn haarloze schedel; ook de vorm van zijn gezicht was ongebruikelijk, met heel hoge jukbeenderen, een langgerekte kaak, en een neus die slechts een lichte verhevenheid was boven twee spleten.

'Wat ben...' Barrick aarzelde. 'Wie bent u? Waar ben ik?'

'Ik ben Harsar, een dienaar. U bent in het Huis van het Volk, waar anders?' De vreemdeling sprak – zijn lippen bewogen – maar Barrick hoorde de stem van de onbekende in de beenderen van zijn hoofd. 'Dat was toch uw bestemming?'

'Ik... eh... ja, dat neem ik aan. De koning! De koning zei dat ik hierheen moest komen...'

'Precies.' De vreemdeling strekte een hand uit, koud en droog als de klauw van een hagedis, en hielp Barrick overeind. De drie wezens dartelden vluchtig om hem heen en schoten toen de deur uit, een gang in waar een blauw licht scheen. Daar bleven ze staan, ineengedoken en afwachtend. Barrick nam voor het eerst zijn omgeving in zich op en zag dat hij zich bevond in een weelderig en gedetailleerd, maar somber gedecoreerde ruimte, omringd door een woud van gestreepte zuilen – het waren er zo veel dat ze niet slechts als ondersteuning bedoeld konden zijn. In de verder sobere stenen vloer verschafte een grote schijf van een soort glanzend parelmoerachtig materiaal het enige licht in de grote zaal.

'Ben ik nog...' Barrick schudde zijn hoofd. 'Dat moet haast wel. Ben ik nog achter de Schaduwgrens?'

De haarloze hield zijn hoofd schuin alsof hij over die vraag moest nadenken. 'Natuurlijk, u bent nog in het domein van het Volk. En dit is het grootste huis van het Volk.'

'En de koning. Is die hier? Ik moet hem iets geven...' Hij aarzelde, in het besef dat hij geen idee had van mogelijke onderlinge intriges bij het Schemervolk. 'Ik moet hem spreken.'

'Precies,' zei Harsar weer. De uitdrukking op zijn gezicht leek een glimlach aan te duiden, maar die was binnen een oogwenk weer verdwenen, met dezelfde snelheid als waarmee zijn slangentong naar buiten en weer naar binnen schoot. 'Maar de koning rust. Kom maar mee.'

De vreemde kleine wezens dartelden rond hun voeten terwijl ze de ruimte met de gloeiende vloer verlieten en een hoge gang betraden waar het donker was, op enkele zwakke glinsteringen van turkooiskleurig licht na. Barrick was uitgeput, buiten adem. Hij had zijn bestemming bereikt, besefte hij. Eindelijk! Qul-na-Qar, was de naam die Gyir de Stormlantaarn had gebruikt. Zelfs de druk die de donkere vrouwe op hem had gelegd, de druk die in de loop der tijd was afgezwakt tot een soort doffe, voortdurende pijn, was geweken. Hij had het volbracht!

Maar wat heb ik precies volbracht? Nu de behoefte eindelijk was bevredigd, was er weer ruimte voor twijfel, en die twijfel begon in snel tempo te groeien. *Wat gaat er hier met me gebeuren?*

Alles wat hij om zich heen zag, was hem vreemd. De architectuur leek vormeloos, elke rechte hoek werd ontwricht door een andere, minder duidelijke vorm; zelfs het begin en eind van elke doorgang verschilden van afmetingen om redenen die hem niet duidelijk waren.

Het licht was ook vreemd. Soms liepen ze in volslagen duisternis, maar even later begonnen de plavuizen in het midden van de vloer te glanzen. Voor het overige waren het vooral kaarsen die voor licht zorgden, maar de vlammen hadden niet de gebruikelijke geel-witte kleur; sommige brandden bleekblauw of zelfs groen, waardoor de lange gang de waterige aanblik kreeg van een reeks onderzeese grotten.

Barrick begon ook op te merken dat hij overal waar hij ging, leek te zijn omringd door zachte geluiden – niet alleen het lichte hijgen van de kleine schepsels die rond Harsars benen schoten, maar ook gezucht, gefluister, stemmen die zacht zongen, zelfs het gedempte fluiten of luiden van onzichtbare instrumenten, alsof er een leger van geestachtige hovelingen boven hun hoofd hing en hen overal volgde. Barrick moest onwillekeurig aan een verhaal uit zijn jeugd denken, over de Dag van de Wees: Heer Caijlor met de zak winden die alle stemmen in de wereld had opgeslokt, en hoe sommige tijdens het rijden wisten te ontsnappen en hem bijna tot waanzin dreven.

En hij is nog maar kortgeleden teruggekeerd om te vertellen wat hem is overkomen... dacht Barrick. *Zo eindigde het verhaal.*

De herinnering aan dat beroemde verhaal over een eenzame ontsnapping riep een andere gedachte bij hem op. 'Wat... Waar zijn ze? De anderen die bij me waren...'

Zijn tengere gids bleef staan en schonk hem een welwillende, maar tegelijkertijd afkeurende blik. 'U was alleen.'

'Maar ze zijn met me meegekomen door de Deur van de Manke. In de stad Slaap. Een man die... Beck heet... en een zwarte vogel.' De verdere naam van de koopman was hem even ontschoten; de laatste momenten in Slaap leken niet alleen ver weg qua afstand maar ook in tijd.

'Ik ben bang dat ik u niet kan helpen,' zei de haarloze. 'Dat zult u aan de Zoon van de Eerste Steen moeten vragen.'

'Aan wie?'

De afkeuring werd een zweem minder welwillend. 'Aan de koning.'

Ze vervolgden hun weg door lege gangen. Het viel Barrick niet mee om het bedrieglijk snelle tempo van zijn gids bij te houden, maar hij was vastbesloten niet te klagen.

Het was misschien het vreemdste uur van zijn leven, zou hij later denken – zijn eerste bezoek aan Qul-na-Qar, tevens de laatste keer dat hij het met zijn oude ogen zag, met zijn oude manier van kijken en begrijpen. De aanblik leek in niets op wat hij ooit eerder had gezien: het gebouw was duidelijk logisch en geordend, maar het was een logica die nieuw voor hem was, met muren die abrupt naar binnen bogen of die om onduidelijke redenen in het midden van een vertrek eindigden, trappen die naar de hoge plafonds leidden en die aan de andere kant van de ruimte weer naar beneden kwamen, alsof ze alleen maar waren gebouwd voor het geval dat iemand hoog boven de grond zou willen lopen. Sommige deuren gaven toegang tot een ogenschijnlijke leegte of een flikkerend licht, andere stonden alleen, zonder muren aan weerskanten, als losse portalen in het midden van een ruimte. Zelfs de gebruikte materialen leken bizar in Barricks ogen: regelmatig was een donkere, zware steensoort gecombineerd met levend hout dat binnen de massa van de muren leek te groeien, compleet met wortels en takken. De bouwers leken ook willekeurige stukken muur te hebben verwisseld voor kleurige strepen van een soort edelsteenachtig, gloeiend materiaal zo helder als glas maar zo dik als platen graniet, waardoor er een uitzicht naar buiten ontstond dat hem slechts in staat stelde vage vormen en schaduwen te onderscheiden. En overal waar ze kwamen, lag alles er verlaten bij.

'Waarom is er niemand?' vroeg hij aan Harsar.

'Dit deel van het Huis van het Volk behoort aan de koning en de koningin,' antwoordde de bediende. Hij wierp een strenge blik op zijn kleine schare volgelingen die dreigde weg te zwerven, waarop de wezens weer bij hem terugkwamen. 'De koning zelf heeft weinig dienaren en de koningin is... elders.'

'Elders?'

Harsar begon weer te lopen. 'Kom. We hebben nog een heel eind te gaan.'

De lege zalen en vertrekken die ze doorkruisten om van de ene gang in de andere te komen, waren gemeubileerd, sommige heel gewoon, andere bijna onbegrijpelijk, maar Barrick bespeurde toch een overeenkomst tussen alle meubelstukken, van de simpelste tot de meest complexe; een gemeenschappelijke aanblik die hem niet kon ontgaan omdat die zo anders was dan alles wat hij ooit had gezien, alsof katten kleren hadden gemaakt voor zichzelf, alsof slangen de choreografie hadden bedacht voor een ingewikkelde dans. Stoelen, tafels, kisten, relikwieschrijnen – hoe simpel of rijkversierd ze ook waren, ze hadden allemaal een onmiskenbare overeenkomst waar hij niet helemaal de vinger op kon leggen, een verontrustende, gedeelde nuance. Van een afstand leken de tapijten op de donkere, gepolijste vloeren en aan de muren heel vertrouwd, maar wanneer hij ze nauwkeuriger bekeek, werd hij duizelig van de drukke, complexe ontwerpen die hem op een ongemakkelijke manier herinnerden aan het levende grasveld dat de Zaal van de Manke had bewaakt. En hoewel sommige vertrekken hoge ramen hadden waarachter de schemerhemel was te zien, terwijl andere raamloos waren, en hoewel in sommige ruimten honderden kaarsen brandden en andere helemaal geen kaarsen of een andere vorm van verlichting hadden, was het licht toch overal hetzelfde – een gedempte, waterige, flakkerende gloed. Terwijl je door Qul-na-Qar liep, had je een beetje het gevoel alsof je zwom, dacht Barrick.

Nee, besloot hij even later, alsof je droomde. Alsof je droomde met je ogen wijd open.

Maar van alle ongebruikelijke gevoelens die bezit van hem namen terwijl hij voor het eerst door het Huis van het Volk liep, was het allervreemdste dat Barrick Eddon zich voelde alsof hij ten langen leste, na een leven in ballingschap, was thuisgekomen.

En toen eindelijk – hij begon net te strompelen van vermoeidheid – liet zijn gids hem een kleine, donkere kamer binnen waarvan de afmetingen een menselijker schaal leken te hebben dan veel van de andere ruimten – een soort privézitkamer met glimmend gewreven houten stoelen, glad en simpel, maar tegelijkertijd onmiskenbaar vreemd van vorm. De muren waren bedekt met nissen, als een bijenkorf. In elk van deze kleine compartimenten stond iets wat eruitzag als een enkel gesneden beeld gemaakt van een glanzende steensoort of gegoten in metaal, maar Barrick kon in de vormen niets vertrouwds ontdekken; hij vond dat ze er nogal grillig en willekeurig uitzagen, als gemorste materialen bij de constructie van nuttiger voorwerpen, liefdevol verzameld op de vloer van de smederij en hier tentoongesteld.

Harsar wees naar een bed, een sober, houten raamwerk op poten. 'U kunt hier wat rusten. De koning ontvangt u wanneer hij er klaar voor is. Ik zal u iets te eten en te drinken brengen.'

Voordat Barrick ook maar iets kon vragen, had zijn gids zich omgedraaid en was hij de kamer uit gelopen, met zijn vreemde, kleine troep springend en dartelend rond zijn benen.

Op een ander moment zou hij de ruimte misschien hebben verkend; die leek zo huiselijk en tegelijkertijd zo vreemd. Maar hij had het gevoel alsof hij zich geen moment langer staande kon houden. Dus hij strekte zich uit op het bed en zakte weg in het welkome zachte comfort alsof hij zich huiverend van kou in een warm bad neerliet. Binnen enkele ogenblikken had de slaap hem overmand.

Toen hij wakker werd bleef Barrick aanvankelijk heel stil liggen, terwijl hij probeerde zich te herinneren waar hij was. Hij had aangenaam rustig gedroomd, met vredige beelden, als verre muziek. Ten slotte rolde hij op zijn zij en ging rechtop zitten. Toen pas besefte hij dat hij niet alleen was in de kamer.

Een klein eindje van het bed zat een man op een stoel met een hoge rugleuning – tenminste, hij zag eruit als een man, maar in een oord als dit was hij dat misschien wel niet, besefte Barrick. Het lange, sluike, witte haar van de onbekende werd door de blinddoek voor zijn ogen strak tegen zijn hoofd gedrukt. Hij droeg geen waardetekenen – geen kroon, geen scepter, geen heraldisch medaillon op zijn borst; sterker nog, zijn grijze kleren waren net zo haveloos als het lappenpak van Raemon Beck. Toch was er iets in zijn houding en in de plechtige ernst die hij uitstraalde, waardoor Barrick onmiddellijk wist wie het was die daar zat.

Bent u uitgerust? De woorden van de blinde koning klonken in Barricks hoofd, melodieus als water dat in een poel klaterde. *Alstublieft, Harsar heeft wat te eten voor u gebracht.*

Barrick had de verleidelijke geur van het brood al geroken en liet zich uit bed glijden. Op een klein tafeltje stond een bord met diverse heerlijkheden voor hem klaar – een rond brood, een pot honing, dikke paarse druiven en andere kleine vruchten die hij niet herkende, plus een punt bleke, romige kaas. Hij was er al op aangevallen – het smaakte allemaal even verrukkelijk na een dieet van voornamelijk wortels en zure bessen – toen hij zich plotseling afvroeg of het misschien de bedoeling was dat hij het eten deelde.

Nee, zei de koning toen Barrick het wilde vragen. *Ik eet nauwelijks meer – als ik at zou dat te vergelijken zijn met een hele dennenstam die op een enkele smeulende kool wordt gegooid, in de verwachting dat hij vlam vat.* De koning lachte vluchtig; het was een geluid dat Barrick daadwerkelijk kon horen, een winterse windvlaag die beelden opriep van sneeuw, meegevoerd door een bries. Daarna sprak de blinde koning pas weer toen Barrick zelfs de korst van de kaas met graagte had verorberd en zijn bord schoonveegde met het laatste stukje brood.

Welaan, ik ben Ynnir din'at sen-Qin. Welkom in het Huis van het Volk, Barrick Eddon.

Barrick besefte ineens dat hij de vreemde, indrukwekkende gedaan-te niet gepast had begroet, met een buiging of een neigen van zijn hoofd, maar in plaats daarvan alleen maar gretig zijn maag had gevuld. Dus hij veegde zijn plakkerige vingers af aan zijn kleren en liet zich op zijn knieën zakken. 'Dank u, Majesteit. Ik heb u gezien in mijn dromen.'

Dat soort titels begeer ik niet. En de titel waarmee mijn eigen volk me aanspreekt, zou voor jou niet gepast zijn. Dus noem me maar gewoon Yn-nir.

'Dat... dat zou ik niet kunnen,' zei Barrick naar waarheid, want het zou zijn alsof hij zijn eigen vader met diens voornaam aansprak.

De koning glimlachte weer, met een zweem van geamuseerdheid. *Zeg dan maar 'Heer', net als Harsar. Je hebt geslapen en gegeten. Dan rest ons nog één plicht als gastheer.*

'Wat bedoelt u?'

In de kamer hiernaast vind je een bad met heet water. Het vereist geen scherp waarnemend vermogen om te weten dat je al enige tijd niet hebt ge-baad. De koning hief zijn slanke hand en gebaarde met zijn vingers. *Ga maar. Ik wacht hier. Ik ben nog vermoeid en we hebben een heel eind te gaan.*

Barrick liep naar de deur in de verre muur en wilde die net opendoen toen hem iets te binnen schoot.

'Bij de goden, dat vergat ik bijna!' Hij aarzelde, zich afvragend of het godslasterlijk was om de goden op deze plek aan te roepen, maar de ko-ning leek het niet op te merken. 'Ik heb iets voor u meegebracht, Heer; een geschenk van Gyir Stormlantaarn – het is heel belangrijk...'

Ynnir hief opnieuw zijn hand. *Dat weet ik. En je zult je taak volbren-gen, mensenkind – maar nu nog niet. We hebben zo lang gewacht dat een uur meer of minder geen verschil maakt. Dus ga naar hiernaast om het stof van de reis van je af te spoelen.*

De kamer achter de deur leek in niets op wat Barrick ooit eerder had gezien – een met stoom gevuld vertrek zonder ramen, verlicht door gloeiende, geelbruine stenen in de muur. Midden op de vloer van don-kere tegels stond een stenen kuip. Toen hij zijn hand in het water stak, voelde dat verrukkelijk warm. Voor het eerst sinds... hij wist niet hoe lang... werkte hij zich uit zijn oude, haveloze kleren en stapte – hij sprong bijna! – in de kuip.

Toen hij er enige tijd later weer uit klom, gloeide hij over zijn hele lichaam; de warmte was zelfs tot in zijn botten, tot in zijn bloed door-gedrongen. Tot zijn schrik bleken zijn smerige, kapotte kleren te zijn verdwenen en vervangen door andere. Waarom had hij daar niets van gemerkt? Hij wist zeker dat er niemand binnen was gekomen terwijl hij in bad zat. Voordat hij ze aantrok hield hij de nieuwe kleren omhoog – een broek en een lang buis van lichtgekleurde, zijdeachtige stof en een paar zacht leren pantoffels, allemaal prachtig gemaakt, maar heel eenvoudig.

Als dat soort kleding blijkbaar beschikbaar was voor gasten, dan maakte dat de haveloze uitmonstering van de koning nog onverklaarbaarder, besefte hij terwijl hij de badkamer uit liep.

Ynnir zat nog op dezelfde plek op hem te wachten, met zijn kin op zijn borst gezakt alsof hij sliep. Het was ongetwijfeld gezichtsbedrog door de vreemde bleke verlichting, maar Barrick meende een soort lavendelblauwe gloed boven het hoofd van de koning te zien flikkeren, heel zwak als een soort fosforescerend licht.

Toen Barrick dichterbij kwam hief Ynnir zijn hoofd op, en de gloed verdween – als die er al was geweest.

Kom mee. De koning keerde zijn blinde ogen naar Barrick. *Het is tijd om de versmallende weg te betreden, zoals mijn volk het noemt.*

Ynnir stond op uit zijn stoel. Hij was langer dan Barrick had verwacht – langer dan de meeste mannen – maar de natuurlijke gratie die hij onmiskenbaar bezat, werd gehinderd door zijn leeftijd of door vermoeidheid, besefte Barrick al snel, want hij wankelde even en moest zich vastgrijpen aan de rugleuning van zijn stoel.

Op de een of andere manier wist de blinde Ynnir blijkbaar wat Barrick zag en wat hij dacht. *Inderdaad, ik ben vermoeid. Ik dacht dat ik je was kwijtgeraakt in het Tussentijdse, en het heeft me erg veel kracht gekost om je te helpen je weg hierheen te vinden – kracht die ik eigenlijk niet kan missen. Maar dat doet er allemaal niet meer toe. We hebben lang genoeg gewacht. Het is tijd om naar de Zaal van de Dodenwake te gaan.*

Terwijl hij met de lange koning op pad ging zag Barrick eindelijk iets van de andere bewoners van de indrukwekkende burcht. Het viel in de donkere, dromerige gangen niet mee om dingen duidelijk te onderscheiden – de gedaanten die ze tegenkwamen, bewogen te snel, of ze waren slechts vluchtig zichtbaar voordat ze weer in de duisternis verdwenen, en het weinige wat hij van hen zag, was vaak nog verwarrender dan als hij alleen maar schimmen had gezien – maar het was in elk geval duidelijk dat de burcht bewoond was.

'Hoevelen van uw volk wonen hier, Heer?' vroeg hij.

Ynnir deed nog enkele trage stappen voordat hij antwoord gaf. Daarbij hief hij zijn hand en bracht hij zijn duim en zijn andere vingers bij elkaar alsof hij iets heel kleins vasthield. *De meesten zijn met Yasammez meegegaan, maar ook vóór hun vertrek waren we al met veel minder dan hier eens woonden. Een enkeling is gebleven om mij en Qul-na-Qar te dienen, en sommigen, zoals de beheerders van het Diepe Boekenrijk, zouden hier nooit weg willen, noch kunnen. Dat geldt ook voor anderen – je hebt de zonen van Harsar gezien...*

'De zónen van Harsar?' Even wist Barrick niet op wie de blinde koning doelde. Toen schoten de groteske monsterlijke wezentjes hem te binnen die rond de voeten van de dienaar hadden gedraafd. 'Die... die... dingen?'

De Eerste Gave produceert niet altijd nuttige veranderingen, zei de koning cryptisch. *Maar alle kinderen van de Gave worden gekoesterd.* Hij maakte een gebaar, als een zucht van berusting. *Alles bij elkaar schat ik dat er nog geen tweeduizend van mijn volk meer in deze vele, vele kamers zijn achtergebleven...*

Barrick werd afgeleid door het uitzicht uit de hoge ramen – zijn eerste duidelijke blik op wat zich buiten de gangen bevond. Qul-na-Qar strekte zich uit zo ver het oog reikte, een woud van glanzende, stenen torens in tientallen tinten zwart dat tot aan de horizon reikte waar het oploste in de mist. De torenspitsen leken allemaal verschillend van vorm en hoogte, maar waren tegelijkertijd allemaal gebouwd volgens hetzelfde principe – simpele vormen die telkens werden herhaald tot ze als geheel de aanblik boden van sombere vonkenregens in zwart en donkergrijs.

'Nog geen tweeduizend... in dit enorme complex van zalen en gangen...' Barrick was verbaasd – Tessis en Hierosol hadden minstens het honderdvoudige aan inwoners.

De meesten zijn ten strijde getrokken, vertelde Ynnir. *Tegen jouw volk. En ik betwijfel of iemand van hen zal terugkeren. De bitterheid van Yasammez is te oud, te diepgeworteld...*

Bij het horen van die naam en bij de herinnering aan de angstaanjagende, ontzagwekkende vrouwe in het zwart bleef Barrick staan en reikte in zijn buis. 'Ik heb hem... de spiegel...'

Ynnir hief een slanke hand. *Dat weet ik. Ik voel hem als een gloeiend brandijzer. En dat gaan we nu doen – we gaan hem gebruiken om de hitte van de Vuurbloem te herstellen. Maar je moet hem me nu nog niet geven.*

Gedachten stroomden als een waterval door Barricks hoofd, elkaar verdringend voordat hij de kans had ze nader te onderzoeken. 'Waarom zijn we... waarom bent u...' Hij zweeg verward; even was hij vergeten wie hij was, zelfs wát hij was. 'Waarom zijn de Qar in oorlog met Zuidermark?'

Omdat jouw familie mijn familie te gronde heeft gericht, antwoordde de koning zonder dat er ook maar een zweem van kwaadaardigheid in zijn woorden doorklonk. *Hoewel je ook zou kunnen zeggen dat onze familie zichzelf te gronde richt. Maar nu moet je stil zijn, mensenkind. We zijn bij de antichambre.*

Voordat Barrick de kans kreeg om ook maar iets van wat de koning had gezegd, tot zich te laten doordringen, betrad hij vanuit de schemerig maar niet ongebruikelijk verlichte gang een ruimte die uit onbewerkte rots leek te zijn gehouwen, met langgerekte, ragdunne formaties lichtgekleurd gesteente die als spinnenwebben het plafond met de vloer verbonden – dit alles ondanks het feit dat ze zich in het hart van het grote paleis bevonden. 'Wat is dit voor ruimte?' vroeg hij.

De koning hief een hand. *Geen vragen, mensenkind. Ik moet je voorgaan en de rituelen alléén uitvoeren – vooral de Celebranten hebben niet veel op met stervelingen. Jij bent er in elk geval nog niet klaar voor om zulke dingen te zien – tenminste, niet met je eigen ogen en gedachten. Dus wacht hier. Ik kom je straks halen.*

De koning liep naar een donkere plek bij de muur, en het volgende moment was hij verdwenen. Barrick deed een paar stappen naar voren om de plek te onderzoeken. Was het een deuropening? Zo op het oog leek het een schaduw, meer niet.

Het wachten in de rotsachtige ruimte leek hem een eeuwigheid te duren, terwijl hij luisterde naar de zachte, holle stemmen die in dit vreemde oord overal leken te klinken. De koning had hem – of liever gezegd, zijn familie – bijna met zoveel woorden een moordenaar genoemd, toch had hij Barrick als een welkome gast behandeld. Hoe was dat mogelijk? En waarom had de koning de spiegel niet van hem willen aannemen? De spiegel die hij zo lang en door zoveel gevaren bij zich had gedragen? Als de mens Ynnirs vijand was, waarom vertrouwde de koning Barrick dan nog langer met iets wat zo waardevol was dat de krijger Gyir zijn leven ervoor had gegeven?

Uiteindelijk wonnen zijn verwarring en verveling het van zijn geduld. Hij liep weer naar de plek waar de koning was verdwenen en spitste zijn oren. Maar hij hoorde niets. Als het een deur was die openstond, dan heerste er aan de andere kant slechts stilte. Hij strekte zijn arm uit en voelde een vluchtige kilte, maar er was niets wat hem tegenhield, dus hij stapte de koude schaduw binnen.

Even – echt maar heel even – was het alsof hij opnieuw door de deur-opening van de Zaal van de Manke viel, en hij was als de dood dat hij een fatale stommiteit had begaan. Toen zwol het licht aan tot een kol-kende, grijze schemering, en hij kon een witte gedaante onderscheiden in een haveloos, wapperend gewaad, omringd door een werveling van schaduwen, als een man die werd belaagd door woedende vogels. De witte gedaante was Ynnir. Hij stond met zijn handen geheven, zijn mond open, alsof hij om hulp riep of... alsof hij zong. De zwarte schaduwen wervelden en dansten om hem heen. Barrick ving een flard op van een klaaglijke, bovennatuurlijke melodie, voordat hij besefte dat een deel van de fladderende schimmen zich van de koning had afgekeerd en op hem af kwam. Met wild bonzend hart stapte hij naar achteren, de koude duis-ternis in, terug naar de verlaten, rotsachtige ruimte. Eenmaal weer daar, merkte hij dat hij huiverde en over zijn hele lichaam was bedekt met klam zweet.

Je moet buigen voor Zsan-san-sis, zei Ynnir bij zijn terugkeer. Als hij al had gemerkt dat Barrick hem was gevolgd, dan zei hij daar niets over. *Hij is veel ouder dan ik – althans, in één opzicht – en zijn loyaliteit jegens de Vuurbloem is boven elke twijfel verheven.* De koning legde een koude hand op Barricks schouder en loodste hem naar de donkere deur.

De ruimte daarachter zag er nu anders uit, geen wirwar van grijstin-ten, maar een verzameling diepe schaduwen; de enige lichtbron was een geelgroene gloed helemaal aan de andere kant. Terwijl de koning hem naar voren leidde, besefte Barrick met een schok dat de gloed afkom-stig was uit de kap van een donkere gedaante in een lang gewaad die roerloos als een standbeeld op hen leek te wachten. Toen de gedaante zijn hoofd optilde, ving Barrick onder de kap een glimp op van een grimmig, zilverkleurig gelaat – een masker, dacht Barrick, het moet een masker zijn. Uit de neusgaten, de mond en de ogen viel een groen schijn-sel. Het wezen hief zijn arm alsof het hen groette, en vluchtig gloeide er een zespuntige, groene ster van licht aan het eind van zijn mouw.

'Dit is Zsan-san-sis,' zei Ynnir geheel ten overvloede.

Barrick boog zo diep als hij kon. Al was het maar omdat hij dat aan-zienlijk liever deed dan in die rare, ziekelijke gloed te moeten kijken.

Er werd iets gezegd – althans, Barrick meende gefluister te horen, geen woorden, maar een zacht gesis en gepruttel. Daarop boog het gloei-ende wezen zijn hoofd en leek in zichzelf op te lossen. Met het wezen verdwenen ook de muren daaromheen, en de koning leidde Barrick opnieuw voorwaarts, naar een plek waar de muren, de vloer en het plafond waren bedekt met zwakke, maar onafgebroken bewegende vlekjes gekleurd licht, zodat het was alsof er duizend kleine kaarsjes in de duisternis brandden.

Ondanks het oogverblindende schouwspel werd Barricks aandacht onmiddellijk getrokken naar de figuur in het midden van de kleine, lage ruimte – een vrouw die languit op een ovaalvormig bed lag en die eruitzag alsof ze sliep. Een standbeeld, dacht hij aanvankelijk doordat ze zo bleek was en doordat ze zich niet bewoog. Maar terwijl de koning hem dichter naar de vrouw bracht, voelde Barrick dat zijn hart zwaar en koud werd. Blijkbaar was ze dood, deze vrouw met haar donkere haar en haar merkwaardige hoekige gelaatstrekken, en was hij uiteindelijk toch te laat gekomen. De liggende gedaante was een lijk, een prachtig dood lichaam met een streng gezicht, een opgebaarde koningin.

'Ach Heer, het spijt me zo...' Hij haalde de spiegel uit het leren buideltje en hield hem de blinde koning voor.

Ze leeft nog. De gedachten van de koning waren zacht als vallende sneeuwvlokken. Zijn lange vingers sloten zich om de spiegel, en hij hield die voor zijn gezicht alsof hij hem, dwars door de blinddoek heen, inspecteerde met zijn blinde ogen. Er gleed vluchtig een frons over zijn gezicht.

Er klopt iets niet, zei hij zacht. *Er ontbreekt iets.*

Barrick had het gevoel alsof hij vanbinnen bevroor. 'Wat dan, Heer?'

De koning zuchtte. *Ik had meer verwacht, mensenkind, zelfs nu de Maker zo dicht bij zijn einde is. Maar het doet er niet toe. In deze tijd van de wereld draait het om wat we hier in onze handen houden, om de essentie die hij ons heeft gegeven, welke dat ook mag zijn. We hebben geen andere keus dan die te gebruiken en te bidden dat de onvolkomenheid niet te groot is.*

De blinde koning ademde op de spiegel en legde die toen op de borst van de koningin.

Gedurende een langgerekt moment leek er niets te veranderen. Het haperende licht flakkerde geluidloos; het was alsof zelfs de lucht verstrakte, als adem die werd ingehouden. Toen leek het gezicht van de koningin te verkrampen in een grimas van pijn, en ze hijgde terwijl ze lucht naar binnen zoog. Haar ogen – zwarte ogen als verbijsterend donkere, diepe meren – gingen even open, haar blik gleed van Barrick naar Ynnir en bleef rusten op die laatste. Als een drenkeling die bovenkomt voor een laatste ademtocht voordat hij zich definitief overgeeft, leek ze vervolgens terug te vallen. Haar oogleden trilden, haar ogen vielen weer dicht; haar hand, die ze op haar borst had gelegd als om de spiegel aan te raken, gleed terug op het bed.

Barrick had het gevoel alsof hij zou kunnen huilen, maar de pijn was te koud, te dof voor tranen. Hij had gefaald. Waarom had hij – of wie dan ook – geloofd in een andere afloop?

De koning boog zijn hoofd en knielde geruime tijd zwijgend naast de koningin. Toen stak hij een slechts licht bevende hand uit en nam de spiegel van haar boezem. Hij hield hem omhoog, alsof hij hem nauwkeurig wilde onderzoeken, maar slingerde de spiegel die eerst Gyir en daarna Barrick zo lang met zich had meegedragen, van zich af. Barrick was geschokt. Terwijl de spiegel onder luid geraas over de vloer schoot, kwamen de muren abrupt in beweging, en voor het eerst zag Barrick dat de glanzende schubben die de muren en het plafond bedekten, glanzende torren waren, wier vleugelschilden olieachtig glommen als regenbogen.

Ze heeft een paar uur langer gekregen, misschien zelfs een paar dagen, maar onze voorouder was niet krachtig genoeg meer in de spiegel aanwezig om haar te wekken, zei Ynnir somber. *Er rest me nog maar één weg. Kom mee, mensenkind. Ik moet je vertellen over waarachtige maar gruwelijke dingen. Daarna moet je een besluit nemen zoals dat van niemand van je soort ooit eerder is gevraagd.*

Of de goden hier altijd al waren, of dat ze van elders naar deze landen zijn gekomen, zullen we wel nooit weten. Zelfs de gedachten van Ynnir kwamen traag, alsof ze hem erg veel inspanning kostten.

Ze waren teruggekeerd naar het vertrek waar Barrick had geslapen, en Barrick besefte voor het eerst dat de bescheiden, kleine ruimte die hem in de enorme burcht met zijn talloze vertrekken ter beschikking was gesteld, het persoonlijke kabinet van de koning moest zijn.

Ze zeggen dat ze er altijd al zijn geweest. Ynnir pauzeerde om een slok water te drinken, iets wat Barrick merkwaardig gewoon leek. *Niemand van ons leefde toen al, dus we kunnen het niet tegenspreken...*

'Zeggen de goden zélf dat ze er altijd al zijn geweest?' Barrick wist niet zeker of hij Ynnir goed had begrepen.

Dat is wat onze voorouders beweren. Om precies te zijn, dat is wat de Manke, de stamvader van mijn geslacht, aan de eerste generatie van de Vuurbloem heeft verteld, ook al kan zelfs de Manke dat niet met zekerheid hebben geweten. Hij werd hier geboren, tijdens de Oorlog der Goden.

Híér geboren? Wat bedoelde de koning, vroeg Barrick zich af. En waarom nam Ynnir de moeite om hem dit allemaal te vertellen als de spiegel had gefaald – als Barrick zelf had gefaald?

Maar hoe het ook zit met hun geboorte, met hun bron, de goden waren hier al toen de Eerstgeborenen ter wereld kwamen, vervolgde de koning.

'De Eerstgeborenen. Zijn dat uw voorouders? Noemt u hen zo?'

Mijn voorouders, maar ook de jouwe, mensenkind. Want ooit behoorden we allemaal tot hetzelfde volk – de Eerstgeborenen. Maar slechts een deel daarvan bezat de Eerste Gave – de Verandering, zoals sommigen die noemden. Dat deel waaruit ons volk zou voortkomen, ontstond uit een speling van de natuur en ons bloed stelde ons in staat om verschillende gedaanten aan te nemen, en dus ook om voor verschillende manieren van leven en zijn te kiezen, terwijl onze mede-Eerstgeborenen – jouw soort – tot hun beenderen, hun huid, hun verschijningsvorm waren veroordeeld. Zo kwam het dat de twee stammen met het verstrijken van de tijd uit elkaar groeiden tot we twee afzonderlijke soorten waren – de mijne en de jouwe – die zich in sommige gevallen niet eens meer hun gedeelde wortels herinnerden. Maar die gedeelde wortels waren – en zijn – er wel degelijk. Dat is dan ook de reden waarom sommigen van ons – met name in mijn familie – zo sterk op jouw soort lijken. We zijn veranderd, maar vooral vanbinnen. Aan de buitenkant hebben we veel van onze oorspronkelijke kenmerken bewaard.

Barrick meende dat hij het begreep, in elk geval voldoende om te knikken; maar hij stelde zich voor hoe de volgelingen van het Trigonaat thuis zouden reageren; hoe geschokt ze zouden zijn door zo'n verbijsterende vorm van heiligschennis.

Vergeef me dat ik dit allemaal op de vleugels van een gedachte naar je toe stuur, zei Ynnir. *Maar dat vermoeit me minder dan spreken zoals jouw soort dat doet.* Hij zuchtte. *Tegen de tijd dat Maanheer en Bleke Dochter samen naar dit grote huis vluchtten en daarmee de Oorlog der Goden ontketenden, waren onze twee volkeren niet langer slechts gescheiden door de Eerste Gave. Het merendeel van jouw voorouders had zich op het zuidelijke continent gevestigd, rond de Berg Xandos, waar ze de Donderaar en zijn broeders aanbaden. Mijn volk was voornamelijk naar het noorden getrokken, rond de burcht van de Maanheer, en toen de Maanheer en zijn verwanten werden belegerd door de clan van de Donderaar, kozen we dan ook zijn kant en die van Witvuur...*

'Maanheer, Bleke Dochter, ik... Dat zijn mensen die ik helemaal niet ken, Heer...'

Geen mensen, goden! En je kent ze maar al te goed, alleen noem jij ze anders. Khors en Zoria, en Zoria's vader is Perin de Donderaar, die zo woe-

dend was dat hij een beleg sloeg voor het maankasteel van de geliefden. Daarop riep Khors de hulp in van zijn broer en zuster, Zmeos en Zuriyal, die aan zijn oproep gehoor gaven. Mijn volk verbond zijn lot met het hunne, en zelfs mijn voorouders die ver weg woonden, kwamen naar hier om zich bij hen aan te sluiten.

Terwijl Ynnir zijn gedachten ordende, probeerde Barrick te begrijpen wat hij had gehoord. 'Wacht even, Heer! Heb ik het goed begrepen dat uw voorouders... naar hier kwamen?'

Ja, deze plek is veel ouder dan mijn volk, sprak Ynnir. *Deze burcht waar we nu zijn, of liever gezegd de burcht die hieronder en hierachter ligt, was ooit het domein van de god van de maan, Khors Zilverglans. De volgende keer dat je de muren en de trotse, hoge torens ziet, moet je niet kijken naar de zwarte steen waaruit ze zijn opgetrokken, maar naar de glans van de maansteen daaronder. Wie goed kijkt, kan hem zien.*

Barrick keek stomverbaasd om zich heen. Was deze vreemde burcht... Was dit echt Immer-Vorst, de duistere burcht uit de legenden?

Zelfs de meest onwetenden van jouw volk weten hoe die strijd is geëindigd, ook al kennen ze niet alle redenen waarom hij werd gestreden, vervolgde Ynnir. *Khors werd gedood, zijn broer en zuster werden uit de wereld verbannen. Zijn vrouw – Perins dochter Zoria – ontsnapte en doolde rond tot ze uiteindelijk werd gevonden door Perins broer Kernios, de duistere heer van de aarde. Hij nam haar mee naar huis en maakte haar – tegen haar wil – tot zijn vrouw.*

Maar tijdens de oorlog had ze een kind gekregen – de slimme Kupilas, de zoon van Zoria en de Maanheer – en terwijl Kupilas opgroeide werden zijn scheppende gaven steeds duidelijker. Dus hoewel ze hem bespotten en wreed behandelden, namen Perin en de andere Xandische goden hem met zich mee zodat ze gebruik konden maken van zijn talenten. Hij maakte vele prachtige dingen voor hen...

'Zoals Aardster, de speer van Kernios,' zei Barrick, die zich het verhaal van Skurn herinnerde.

Ja, en die speer werd vervolgens zowel de glorie van de Manke als zijn doem, vertelde Ynnir. *Maar zover zijn we nog niet. Toch lag de doem van de Vuurbloem – datgene wat ons op ditzelfde moment overweldigt – al besloten in de puinhopen van de Oorlog der Goden. Uiteindelijk wist de Manke aan zijn gevangenhouders te ontsnappen. Hij reisde de wereld rond, onderwees zowel jouw volk als het mijne en leerde meer dan enige andere man of god ooit had geleerd over de kunst van het scheppen. En in die jaren leerde hij ook hoe hij de wegen van de Leegte moest bereizen.*

Barrick knikte, denkend aan een ander vreemd verhaal dat de raaf hem had verteld. 'De wegen van zijn overgrootmoeder.'

Inderdaad. En zo kwam hij ten slotte hierheen en leefde enige tijd onder mijn mensen, hier in de ruïnes van de Maanburcht, en terwijl hij bij ons was werd hij verliefd op een van mijn voorouders, de maagd Summu. Dat was in de tijd toen goden en stervelingen nog samen over de wereld liepen, en zelfs samen kinderen kregen. Maar anders dan de meesten van zijn soort, liet de Manke – Kupilas – zijn kroost niet achter met slechts verhalen als erfgoed. Summu kreeg drie kinderen, twee meisjes en een jongen, en bij de geboorte hadden ze allemaal de gave die wij de Vuurbloem noemen. Toen Kupilas verder was getrokken om zijn grootse en gruwelijke bestemming te vervullen, bleek dat zijn kroost anders was dan de rest van de stam, in die zin dat in zijn kinderen de levenskracht sterker stroomde. Een van die kinderen was Yasammez, de grote, duistere vrouwe die je hebt ontmoet en wier leven al in die verre dagen begon – een leven dat bijna zo lang is als dat van de goden zelf. Haar broer en zuster, Ayann en Yasudra, gebruikten de gave op een andere manier, ook al wisten ze aanvankelijk helemaal niet dat ze een gave bezaten. Hoewel ze niet langer leefden dan andere leden van ons volk, een tijdsspanne die kan worden uitgedrukt in enkele eeuwen, werd hun gave niet aan hen geschonken, maar aan hun kroost.

Summu behoorde tot de hoogste bloedlijn van onze soort. Dus volgens de traditie die ook nu nog wordt gerespecteerd, werden haar oudste zoon en haar oudste dochter met elkaar in het huwelijk verbonden om te zorgen dat de lijn zuiver en krachtig bleef. Maar deze twee, Ayann en Yasudra, gaven de Vuurbloem door aan hun kinderen, en het geschenk dat daaruit voortvloeide was dat, toen Ayann en Yasudra stierven en hun kinderen heersten over het Volk, die kinderen de essentie van hun ouders in zich droegen – niet hun geest of hun bloed, maar hun levende kern en al hun herinneringen. Zij baarden vervolgens ook weer kinderen, de kleinkinderen van Ayann en Yasudra, en op een dag trouwden die twee en ontvingen de wijsheid en de gedachten van zowel hun ouders als hun grootouders. En zo is het sindsdien altijd gegaan; de koning en de koningin van ons volk geven alles wat hen maakt tot wat ze zijn, door aan de volgende generatie. We zijn een soort vleesgeworden Diep Boekenrijk, en daardoor hebben we alles wat we nodig hebben om onze kinderen te behoeden tijdens de pijn van de Grote Nederlaag. De koning knikte langzaam. *Je weet niet wat dat betekent, is het wel, mensenkind? Wij noemen het de Grote Nederlaag omdat wij, als Qar, met te weinigen zijn om onze voormalige verwanten, de stervelingen, het bezit van de wereld te bestrijden. Daardoor weten we dat het ons lot is om in aantal terug te lopen en uiteindelijk te worden vervangen door jouw volk – nogmaals, dit zijn inge-wikkelde kwesties die ik te eenvoudig verwoord.*

Maar nu komen we bij de harde, onloochenbare waarheden.

De Vuurbloem stroomt voor altijd door Yasammez omdat zij hem niet heeft gedeeld. Ze heeft nooit iemand van haar eigen bloed tot geliefde genomen, en dus heeft ze de gave niet verzwakt. Sommigen zeggen dat ze handelde uit zelfzuchtigheid. Anderen beweren het tegendeel en noemen het een offer; ze beweren dat ze een pijnlijk lang leven heeft aanvaard om te kunnen waken over de generaties van de bloedlijn van haar broer en zuster. Maar wie er ook gelijk heeft, Yasammez is wat ze is.

Diegenen van ons die de Vuurbloem van hun ouders hebben gekregen en die deze op hun beurt moeten doorgeven aan hun kroost, hebben een gecompliceerdere weg te bewandelen. Om te beginnen kost elk doorgeven van de Vuurbloem, elk doorgeven van een herinnering van voorgaande generaties, erg veel kracht. En die kracht kunnen we niet alleen uit onszelf putten – daarvoor is de prijs te hoog. Er is maar één plek waar we die kracht kunnen halen. En dat is bij de Manke, of liever gezegd, bij het laatste spoor dat ons in deze wereld van hem rest.

Dat laatste spoor van de god bevindt zich onder het kasteel dat jullie Zui-dermark noemen, maar dat ooit de toegang vormde tot het huis van de aard-god Kernios. Het is het laatste tastbare overblijfsel van die gruwelijke tijd, lang geleden, toen alle goden over de aarde liepen.

Het merendeel van jouw mensen weet hier trouwens niets van, maar bij degenen die in de diepten onder het kasteel wonen zijn er die ervan op de hoogte zijn. Ze noemen dat laatste overblijfsel de Lichtende Man.

'Ik heb nooit... Daar weet ik niets van, Heer.'

Maar de droggels die onder het kasteel van je familie wonen, wel. Ze heb-ben het jarenlang aanbeden en beschermd zonder te weten wat het werkelijk was.

'Droggels?'

Hij gebaarde afwerend met zijn hand. *Jullie noemen ze 'Funderlingen', geloof ik. Maar dat doet er niet toe, want nu komen we bij de kern van de zaak.*

Jarenlang is de plek die jullie Zuidermark noemen, bezet geweest door men-sen – krijgsheren en lage edelen voerden er het bewind in opdracht van an-dere koningen, en hoewel wij als de regerende familie van het Volk daar niet openlijk naartoe konden, hadden we andere manieren om bij de Lichtende Man te komen en daar de kracht te halen die we nodig hadden om de Vuur-bloem te doen voortleven in ons bloed. Mijn zuster Saqri en ik maakten de bedevaart in de tijd dat Syan zijn bloeitijd doormaakte. Onze grootouders waren er geweest toen Hierosol de mensheid regeerde. Maar uiteindelijk kwamen de jaren van de pest en werden we door de mensen uit al hun landen verdreven – landen die eens van ons waren geweest, maar waar we inmiddels werden beschouwd als indringers, als het doelwit van angst en haat – en het pijnlijkste verlies van alles was de plek die jullie Zuidermark noemen, de plek waar de Manke in de diepte op ons wachtte. We leverden strijd om de weg naar hem toe open te houden, maar we werden verslagen – in belangrijke mate dankzij de inspanningen van jouw voorvader Anglin – en gedwongen ons terug te trekken in onze gebieden in het noorden, waar de mensen zelden kwamen.

En zo kwam het dat Saqri en ik, toen we ziek begonnen te worden van ouderdom, de Vuurbloem niet konden overdragen aan onze zoon en dochter. Een eeuw verstreek, en onze benarde situatie werd wanhopig. Yasammez, de oudste zuster van onze bloedlijn, zei dat we oorlog moesten voeren tegen de mensheid om het kasteel terug te veroveren, maar ik was bang dat we zo'n krachtmeting zouden verliezen en dat de situatie daardoor alleen maar erger zou worden. Mijn vrouw koos de kant van onze voormoeder. Gedurende lange tijd was onze familie in twee kampen verdeeld, tot heel Qul-na-Qar ten slotte verdeeld raakte. Uiteindelijk vertrokken mijn zoon Janniya en zijn zuster Sanasu op eigen initiatief naar Zuidermark, zonder hun moeder en mij deelgenoot te hebben gemaakt van hun plannen, en slechts vergezeld van een klein aantal huiswachten en bedienden.

Ze werden echter gevangengenomen en voor Kellick gebracht, Anglins erfgenaam, heer van de Mark Koninkrijken. En toen jouw voorvader Kellick mijn dochter zag, mijn prachtige Sanasu... Ynnir zweeg, en hoewel de uitdrukking op zijn gezicht niet veranderde, was het abrupte einde van zijn rustige gedachten in Barricks hoofd net zo schokkend als wanneer de koning in tranen zou zijn uitgebarsten... *Toen wilde hij haar als zijn vrouw,* vervolgde hij ten slotte. *Een sterfelijke man begeerde de vrouw die de onsterfelijke koningin van haar hele volk had moeten worden! En hij nam haar, zoals een wolf een sierlijke hinde overweldigt, zonder ook maar iets te geven om de schoonheid die wordt vernietigd, zolang hij zijn eetlust maar kan bevredigen...*

Deze keer was het zwijgen welbewuster. In een soort hulpeloze droom zag Barrick het bleke gezicht van de koning verharden tot een zo mogelijk nog ijziger masker dan daarvoor.

Hij nam haar. Janniya, haar broer en de man met wie ze zou trouwen – mijn zoon! – vocht voor haar, maar Kellick Eddon had een aanzienlijke le-

germacht. Janniya werd… gedood. Sanasu werd tot een huwelijk gedwongen. De Vuurbloem kon niet worden doorgegeven aan de zoon en de dochter. Het eind van het Volk was ophanden.

Koningin Sanasu! Barrick dacht aan haar beeltenis in de Portretten Galerij, een gezicht dat hij goed kende, met een vreemde, opgejaagde blik in de ogen, vuurrood haar en een bleke huid. *Maar ze… ze was getrouwd geweest met de koning van Zuidermark! Hoe kon ze dan tot de Qar hebben behoord?*

In het kielzog van die verschrikkelijke gebeurtenissen, vervolgde de koning, *begonnen Yasammez en de haren een oorlog tegen de mensen, en gedurende enige tijd wisten ze zelfs de plek te heroveren waar de Manke de laatste van de goden had vernietigd. Maar Kellick trok zich met Sanasu, mijn dochter, dieper terug in het domein van de mensen tot hij genoeg bondgenoten had verzameld om terug te vechten. In de tijd dat wij het kasteel hadden heroverd, deden Saqri en ik wat we konden om ons innerlijke vuur te versterken, maar we wisten dat we, zonder erfgenamen, slechts uitstel bedongen van het onvermijdelijke. Ten slotte werden we overweldigd door de mensen en opnieuw verdreven, waarbij zovelen van ons volk werden afgeslacht dat we een groot deel van de kracht die ons restte, gebruikten om de Mantel te scheppen, een mantel van schemerlicht die de mensen zou ontmoedigen ons te volgen. En daaronder hebben we de laatste jaren geleefd.*

Inmiddels zijn de koningin en ik allebei stervende. Ik heb haar zoveel van mijn kracht gegeven als ik kon, terwijl we wachtten hoe het… hij hief de spiegel … hoe de gok met het Pact van de Spiegel zou uitpakken. Maar het is niet genoeg. Ze zal nooit meer wakker worden. Tenzij ik haar het weinige geef wat ik nog heb. Met andere woorden, tenzij ik haar mijn leven geef.

Barrick ging geschokt zitten. 'U zou uw leven voor haar moeten geven? Maar dat zou niets oplossen.'

In elke andere situatie zou je gelijk hebben, maar de wegen van de Vuurbloem zijn complex en subtiel. Er is misschien nog een manier om het onvermijdelijke einde van onze lijn te voorkomen – althans, om dat nog enige tijd uit te stellen. Misschien is dat wat Yasammez dacht toen ze je naar me toe stuurde. Dat denk ik in elk geval liever dan dat het haar bedoeling was de spot met me te drijven.

'Ik… ik begrijp het niet, heer.'

Nee, natuurlijk niet. Hoe zou je dat ook kunnen begrijpen? Jouw volk heeft de waarheid van wat er is gebeurd zo ver mogelijk weggestopt. Toch moet je je in je jonge leven soms dingen hebben afgevraagd… Misschien heb je zelfs wel eens gevoeld dat er… dat er iets mis was…

Barrick was zich bewust van een plotselinge kilte, alsof zich een koortsaanval door zijn lichaam verspreidde. 'Iets mis? Met mij, bedoelt u? Hebt u het over mij?'

Over jou, je vader, en over iedereen die ooit het erfgoed van de Vuurbloem heeft gedragen dat in menselijke aderen zo pijnlijk en zo verwarrend is. Ja, mensenkind, ik heb het over jou. Je bent een afstammeling van Sanasu, mijn dochter, en haar bloed stroomt krachtig in jou. In zekere zin ben je mijn kleinzoon.

Barrick staarde hem aan. Zijn hart bonsde zo heftig dat hij er duizelig van werd. 'Dus ik maak deel uit van... van het Schemervolk?'

Nee, je bent minder dan dat... en tegelijkertijd meer. Je hebt het bloed van de Hoogste in je, maar tot op dit moment heeft dat je alleen maar verdriet gebracht. Toch zou je daardoor de laatste hoop kunnen zijn van ons eeuwenoude volk – op voorwaarde dat je bereid bent een enorm offer te brengen. Want je kunt mij in staat stellen de Vuurbloem aan jou door te geven.

Barrick begreep er helemaal niets van. Hij staarde de koning verbijsterd aan. Diens gezicht stond nog net zo kalm als even eerder, voordat hij de woorden had gesproken die Barricks hele wereld op zijn kop zetten. 'U... u wilt de Vuurbloem aan... aan míj geven?'

Om de koningin nog wat langer in leven te houden moet ik haar mijn laatste krachten geven. Als ik de Vuurbloem aan jou kan doorgeven – maar misschien blijkt dat helemaal niet te kunnen – zal het erfgoed althans blijven bestaan. En wat jou betreft, zelfs als je de overdracht overleeft, Barrick Eddon, zul je nooit meer, in geen enkel opzicht dezelfde zijn.

'Maar als u dat doet, wat... wat gebeurt er dan met u?'

Voor het eerst in lange tijd glimlachte Ynnir – een vluchtig, vermoeid verstrakken van zijn lippen. *Ach mensenkind, dat begrijp je toch wel? Als ik dat doe, zal ik sterven.*

35
Ringen, knuppels en messen

'De elfen die sneuvelden in de grote slag bij Kil Grauwveen, werden begraven in een massagraf. Hoewel de plaatselijke inwoners de plek mijden en beweren dat het er spookt door de wraakzuchtige geesten van de dode Qar, en hoewel ik de exacte locatie van het graf niet heb kunnen vaststellen, heb ik wel kunnen constateren dat de algemene aanblik van het gebied er een is van een prachtig, bloeiend weideland.'

Uit *Een Verhandeling over de Elfenvolken van Eion en Xand*

Aan de rand van Ugenion moesten ze stilhouden omdat de Koninklijke Heirweg werd geblokkeerd door een begrafenisstoet die op weg was naar de tempel in de stad. Het ging duidelijk om het afscheid van een rijk man: vier paarden trokken een kar met daarop de met zwarte kleden bedekte kist, en het aantal rouwenden dat de kar volgde, was zo groot dat Brionie uit de wagen klom en zich langs de kant van de weg bij de andere spelers voegde.

'Wie is de gestorvene?' vroeg Brionie aan een van de rouwenden aan het eind van de stoet, een vrouw met in haar hand een lange wilgentak.

'Onze goede baron, Heer Favoros,' luidde het antwoord. 'Hij is niet in de wieg gestikt, want hij heeft meer dan driemaal twintig jaar van het leven mogen genieten. Maar hij heeft zijn zoon verloren aan de kannibalen van de autarch, en hij laat een ziekelijke vrouw achter met een erfgenaam die nog veel te jong is. Mogen de Broeders zijn familielijn zegenen.' Ze maakte het teken van de Drie.

Toen ze zich afwendde, betrapte Brionie zichzelf erop dat ze hetzelfde deed.

'Ik heb nooit van die baron gehoord,' zei ze zacht tegen Finh Teodoros terwijl ze de rouwstoet aan zich voorbij zagen trekken. 'Maar te oordelen naar het verdriet op alle gezichten moet hij een goed mens zijn geweest.'

'Dat kan, of ze rouwen omdat ze in deze onzekere tijden een vertrouwd iemand hebben verloren en maar moeten afwachten wie zijn plaats zal innemen.' Finh haalde zijn schouders op. 'Maar ik neem aan dat u gelijk hebt, Prinses. Ik zie geen haringhuilers in de menigte.'

'Haringhuilers?' Het beeld dat het woord opriep, maakte dat Brionie begon te lachen. 'Wat zijn dat, in hemelsnaam?'

'Mensen die meelopen in een begrafenisstoet en voor een koperen krab of twee luidkeels jammeren, of die zich als groep verhuren voor een enkele haring. De gestorvene moet wel geliefd zijn geweest, dat zijn familie geen enkele haringhuilers hoefde in te huren.'

Het eind van de stoet trok langzaam voorbij – kinderen met kaarsen, karren met brood en gedroogde vis voor de tempel waar het lichaam zou worden opgebaard en waar de priesters dag en nacht zouden bidden om een snelle overgang naar de hemel af te smeken voor de overledene. Toen de laatste rouwenden waren gepasseerd en de laatste geïnteresseerde toeschouwers zich bij de trage stoet hadden aangesloten, klommen Brionie en Finh weer in de wagen. Dowan Berk liet de leidsels knallen, waarop de wagen naar de stadspoorten rolde, op korte afstand gevolgd door de rest van Propermans' Troep.

Nadat ze met de wachten in het poorthuis een bescheiden, maar afdoende omkoopsom hadden geregeld, reden ze Ugenion binnen. Ze volgden de begrafenisstoet die zich over de heuvelachtige hoofdstraat naar de tempel in het hart van de stad slingerde.

'Hij was, zo te zien, ook een rijk man,' zei Finh toen ze voor het eerst de hele stoet konden overzien. 'Maar ik heb met geen woord over begrafenisspelen horen spreken, iets wat hier toch gebruikelijk is, zelfs na de dood van mindere mannen. Misschien komt het door de angst voor wat er in het noorden gebeurt.'

'En in het zuiden,' zei Brionie verdrietig. 'In het arme Hierosol.' De wagen schokte zo dat ze haar plaatsje aan het raam verruilde voor de grond. Waar zou haar vader zijn? Leefde hij nog? Werd hij nog altijd gevangengehouden? Als Hierosol was gevallen, zou de autarch dan bereid zijn hem uit te leveren in ruil voor losgeld? Trouwens, wat maakte het uit? Barrick noch zij had toegang tot de schatkist van Zuidermark.

En zou het echt waar zijn dat haar tweelingbroer naar huis was teruggekeerd? Alleen dat al zou althans iets goedmaken van de duisterste lente die Brionie Eddon ooit had gekend.

'Wat kijkt u ernstig, Prinses,' zei Finh. 'Ik zou bijna denken dat u de arme ziel die naar de tempel wordt gereden hebt gekend.'

'Ach, ik... Het is allemaal zo onzeker. Alles. Wat moet ik doen bij terugkeer in Zuidermark? Het is niet ondenkbaar dat de elfen het kasteel al hebben ingenomen.'

Finh wendde zich af van het raam. 'Dan staan de zaken er wel heel anders voor dan toen we vertrokken. U moet niet proberen sluwer te zijn dan de Qar, vrouwe, want ze zijn zo anders dan wij. Alstublieft, dat moet u van me aannemen – tenslotte weet ik wel iets van ze.'

'Hoe komt dat zo? Heb je... heb je soms een stuk over ze geschreven?' Ze probeerde luchtig te klinken, maar haar stem verried hoe verdrietig en verbitterd ze was. 'Over hun charmante elfenmagie en hoe ze die gebruiken om onschuldige mensen te ontvoeren en te vermoorden?'

Finh trok zijn wenkbrauwen op. 'Natuurlijk heb ik het Schemervolk opgevoerd in mijn stukken, op heel veel verschillende manieren. En als ik hen niet juist heb geportretteerd, dan komt dat waarschijnlijk doordat ik ze geheimzinniger en angstaanjagender wilde voorstellen dan ze zijn, in plaats van hen op te voeren als schilderachtige dragers van magische ringen en geruststellende beloners van onnozele maagden. Mijn kennis heb ik op een voor een toneelschrijver erg merkwaardige en ongebruikelijke manier opgedaan; ik heb namelijk studie van hen gemaakt.'

'Wat bedoel je?'

'Precies zoals ik het zeg, Hoogheid. Ik bedoel het niet oneerbiedig, maar misschien kunnen we dit gesprek beter staken, zodat u wat rust kunt nemen. U lijkt me een beetje uit uw doen.'

Ze sloot haar ogen en probeerde haar opkomende boosheid terug te dringen. Dat lukte niet helemaal. 'Het spijt me, Finh. Ga alsjeblieft niet weg. Maar ik heb alle reden om uit mijn doen te zijn. Trouwens, jij ook. Nog afgezien van al mijn onschuldige onderdanen die ze schade hebben berokkend, heb ik mijn broer verloren – mijn tweelingbroer! Hij is spoorloos verdwenen. Misschien is hij wel dood. En de Qar hebben ook iemand meegenomen die...' Ze aarzelde en vroeg zich af wat ze over Vansen had willen zeggen. 'Iemand die ik als een vriend beschouwde.

Net als mijn broer is hij nooit teruggekeerd van de Vlakte van Kolkan. Dus kom me niet aan met mooie praatjes over die afschuwelijke schepselen.'

'Maakt u zich geen zorgen. Ik zei dat ik ze had bestudeerd, Hoogheid, niet dat ik er een was geworden. Heer Brone heeft me erop uitgestuurd om zo veel mogelijk te weten te komen over de Vreedzamen, zoals ze eufemistisch worden genoemd. En daar heeft hij me vorstelijk voor betaald – meer dan ik tot dusverre voor mijn stukken heb gekregen, ongeacht of er elfen in meespeelden.'

Ondanks zichzelf begon ze zacht te lachen. 'Nou, vertel op! Wat vind je van ze?'

'Om te beginnen ben ik me ervan bewust dat ik hen niet begrijp, Prinses. En ik weet dat ze om de een of andere reden bijzonder in Zuidermark geïnteresseerd zijn, maar waarom precies, dat is me niet duidelijk.'

'Zou het niet gewoon zo zijn dat het ze in de weg staat? Anglin, de stichter van onze familielijn, kreeg het kasteel om het als eerste bolwerk te verdedigen tegen de terugkeer van het Schemervolk. Aan die gewijde opdracht hebben we ons altijd gehouden.'

'En waar lanceerden ze deze keer hun eerste aanval, Hoogheid?'

Ze herinnerde zich de beklagenswaardige, jeugdige Raemon Beck. 'Ergens op de weg naar Segtland. Daar hebben ze de karavaan van een koopman vernietigd.'

'En als ze daar zijn begonnen, waarom zouden ze dan honderd mijl naar het oosten trekken om Zuidermark aan te vallen? Ze hadden ook in westelijke richting kunnen optrekken naar Segtland; dat zou een veel gemakkelijker doelwit zijn geweest. Of als het ze om buit ging, hadden ze kunnen kiezen voor de Vallei van de Ester met zijn rijke koopmansstadjes ver van de bescherming van Koning Enander. De noordkant van die vallei ligt twee keer zo ver van Tessis, als de plek waar ze de karavaan hebben overvallen, van Zuidermark.'

'Wat wil je daarmee zeggen, Finh?'

'Dat het allemaal niet zo erg logisch lijkt wat ze hebben gedaan, tenzij het hun simpelweg om wraak te doen was, óf tenzij Zuidermark hun iets anders te bieden heeft – en dan heb ik het niet over het land, maar alleen het kasteel zelf. De Qar hebben alles met de grond gelijkgemaakt wat ze tijdens hun opmars naar de burcht van uw familie zijn tegengekomen, maar Dalers Trouw, Kertesdam en Zilverzijde hebben ze ongemoeid gelaten.'

'Maar waarom dan toch?' vroeg ze met een zucht van wanhoop. Want als ze ergens geen behoefte aan had, dan was het aan nog meer raadsels. Het was toch al een strijd om zich van dag tot dag staande te houden met zoveel onbeantwoorde vragen over haar dierbare naasten. 'Waarom haten ze ons zo?'

Hij haalde zijn schouders op. 'Ik weet het niet, Hoogheid.'

'Zorg dan dat je daarachter komt! Laat dat van nu af aan je roeping zijn.'

De dikke toneelschrijver keek haar verschrikt aan. 'Maar Prinses...'

'Als mijn vader niet terugkeert – moge Zoria hem genadig zijn, maar stel dat hij níét terugkeert – dan heb ik hulp nodig. Ik moet kunnen beschikken over de kennis die mijn vader – en zelfs mijn oudste broer – zich in de loop der jaren heeft eigengemaakt. Het is duidelijk dat de Qar een van de onderwerpen vormen die ik moet leren begrijpen. En ik ken niemand die zoveel van ze weet als jij, Finh. Reken je jezelf tot mijn onderdanen?'

'Prinses Brionie, natuurlijk respecteer ik u en uw familie...'

'Behoor je tot mijn onderdanen?'

Hij knipperde met zijn ogen, en nog een keer, geschokt door haar felheid. 'Daar kunt u van verzekerd zijn, Hoogheid. Ik ben een loyaal onderdaan van de Mark Koninkrijken en u bent de dochter van de koning.'

'Precies, en tot de situatie weer verandert, ben ik prinses-regentes. Ik beschouw je als een vriend, Finh, maar het is het een of het ander. Ik kan nooit meer terug naar de rol van "Tim". En ook al houd ik me op dit moment opnieuw bij jullie schuil, ik zal nooit meer deel uitmaken van jullie troep. Mijn volk heeft me nodig, en ik zal doen wat ik doen moet om mijn volk te dienen... en aan te voeren.'

Hij glimlachte vluchtig. 'Dat spreekt vanzelf, Hoogheid. En ik zal me vereerd voelen in de functie van de Koninklijke... hoe zullen we het noemen... Geschiedschrijver?'

'Je wordt *een* Koninklijke Geschiedschrijver, Teodoros.' Ze zag tot haar tevredenheid dat hij ineenkromp, niet omdat ze er genoegen in schiep hem te kleineren, maar omdat ze wilde dat hij doordrongen was van de situatie. 'Of er ook nog andere Koninklijke Geschiedschrijvers zullen zijn, hangt af van de kwaliteit van je werk.'

De wagen kwam tot stilstand, vanbuiten klonken luide stemmen. Bezorgd voelde Brionie aan haar messen; ze had zich aangewend die in een bundeltje in haar mouw te dragen. Nadat ze geruime tijd stil hadden gestaan, stak Estir Propermans haar hoofd naar binnen.

'Waarom zijn we gestopt?' vroeg Finh.

'Pedder en Hewneij praten met een schout en zijn bullebakken; een mannetje of drie, vier. Het schijnt dat de wachten van de koning hier de afgelopen tiendaagse al twee keer zijn geweest, om navraag te doen naar bepaalde reizigers...' Ze wierp een bezorgde blik op Brionie. 'Vandaar dat het stadsbestuur alle vreemdelingen aanhoudt om hun te vragen wat ze komen doen, waar ze vandaan komen... dat soort dingen.'

'Moet ik naar buiten komen?' vroeg Finh.

'Dat kun je doen, maar volgens mij redt mijn broer zich wel. Maar het kan zijn dat ze de wagen willen inspecteren. Wat moeten we zeggen als ze vragen of ze even binnen mogen kijken?'

'Dat ze dat gerust kunnen doen, natuurlijk,' zei Brionie. 'Finh, geef me je mes, dan hoef ik het mijne niet tevoorschijn te halen.'

Zowel Estir als de toneelschrijver keek haar met grote ogen aan.

'Rustig maar! Ik ben niet van plan de schout aan te vliegen! Het lijkt me alleen beter als ik mijn haar weer afsnijd.' Ze pakte een lok en keek er verdrietig naar. 'Het begon net weer ergens op te lijken. Maar voor ijdelheid kopen we niks. Het moet maar. Ik heb me tenslotte al eerder als jongen voorgedaan.'

Tegen de tijd dat de schout zijn rood aangelopen gezicht naar binnen stak, hurkte Brionie in Pilneijs oude schaapherderskleren op de grond aan de voeten van Finh Teodoros om de riem van een van zijn schoenen te repareren.

'En wie bent u?' vroeg de schout aan Finh. 'Waarom laat u zich rijden terwijl de eigenaar loopt?'

'Mag ik misschien ook vragen wie ú bent, heer?'

'Ik ben Puntar, de schout van de koning – dat kan iedereen hier bevestigen.' Met zijn ogen tot spleetjes geknepen tuurde hij naar Brionie, toen liet hij zijn blikken door de stampvolle wagen gaan, over de kostuums, de houten rekwisieten, de hoeden die elke beschikbare ruimte in beslag namen. 'Een toneelgezelschap...'

'Zo zou je het kunnen noemen,' zei Finh haastig. 'Maar als mijn vriend u heeft verteld dat hij de eigenaar is, dan liegt hij. Zeker weer te veel gedronken.' Met een strenge blik op Estir Propermans legde hij haar het zwijgen op voordat ze haar broer verontwaardigd te hulp kon schieten. 'De stakker. Ooit was het allemaal van hem. Maar dat is lang geleden. Hij heeft alles vergokt. En hij mag van geluk spreken dat ik hem in dienst heb genomen toen ik de boel kocht.'

'En wie bent u?' vroeg de schout.

'Broeder Doros van de Orde van het Orakel Sembla, met uw welnemen.'

'U bent priester? En u reist in het gezelschap van vróúwen?'

Finh haperde slechts een fractie, toen besefte hij dat de schout alleen op Estir doelde, niet op Brionie. 'O, zíj. Ze is onze kokkin en naaister. Maakt u zich geen zorgen over haar enigszins gehavende deugdzaamheid, heer. Wij broeders vormen een vrome orde, vol mededogen. Als u me niet gelooft kunt u Nevin, de man met de baard, vragen u het verhaal te vertellen van het gruwelijke martelaarschap van Oni Pouta, keer op keer verkracht door barbaren uit Krace. De tranen stromen over zijn wangen wanneer hij daarover spreekt, zo zorgvuldig heeft hij niet alleen deze gebeurtenissen bestudeerd, maar ook andere die door de goden tot lering zijn bedoeld.'

De schout keek hem aan in opperste verwarring. 'Maar... maar waar zijn al die kostuums dan voor? U kunt toch niet tegelijkertijd priesters en toneelspelers zijn?'

'We zijn ook geen toneelspelers. Tenminste, niet echt,' verduidelijkte Finh. 'We zijn op bedevaart, naar Blauwkust in het noorden. Maar onze orde verzorgt voorstellingen voor de ongewassenen, waarin we de vrome lessen aanschouwelijk maken die er uit de levens van de orakels en uit het *Boek van de Trigon* te trekken zijn, opdat de ongeletterden begrijpen wat in een andere vorm misschien te subtiel en te hoog gegrepen zou zijn. We kunnen u wel een stukje voorspelen. Wat dacht u van de geseling van Zakkas? Hij schreeuwt echt schitterend, en wordt vervolgens gered door een gevleugelde incarnatie van de goden...'

Maar de schout wist niet hoe snel hij zich moest verontschuldigen. Hij liet zich haastig uitgeleide doen door Estir Propermans, die vanuit de deuropening een woedende blik wierp op Finh voordat ze de smalle, steile treden afdaalde.

'Waar háál je het vandaan?' vroeg Brionie toen hij eenmaal was vertrokken. 'Ik heb nog nooit zoveel onzin gehoord!'

'Ik sprak, net als de orakelen, met de tongen der goden,' zei Finh zelfingenomen. 'Want je ziet het, hij is weg, en wij zijn ongemoeid gelaten. Zo, laten we dan nu maar eens op zoek gaan naar een plek om stil te houden voor de nacht. Dan kunnen we daarna gaan kijken welk vertier deze stad te bieden heeft.'

'Ze zijn hier in de rouw vanwege de dood van hun baron,' hielp Brionie hem herinneren.

'Een reden te meer om te vieren dat wij nog leven. Maar dat leer je wel als je ouder wordt.'

De spelers slaagden er niet altijd in de plaatselijke autoriteiten ervan te overtuigen dat ze pelgrims waren, op weg naar Blauwkust. In de grotere steden haalden ze soms de jongleerspullen tevoorschijn en gingen Hewneij en Finh in de weer met ringen en knotsen om een paar koperstukken te verdienen, terwijl de rest zijn oor te luisteren legde voor roddels en geruchten en nieuws over belangrijke gebeurtenissen. Hewneij was erg vingervlug wanneer hij nuchter was, maar de dikke Finh was een openbaring en bleek zelfs met fakkels en messen te kunnen jongleren zonder zichzelf of anderen schade te berokkenen.

'Waar heb je dat geleerd?' vroeg Brionie.

'Ik ben niet altijd zo welgevuld geweest, Hoogheid,' antwoordde haar koninklijke geschiedschrijver gnuivend. 'Al sinds mijn prilste jeugd zit ik langs de weg. En ik heb mijn kostje op allerlei manieren verdiend, zowel eerlijk... als minder rechtschapen. Wat jongleren betreft, heb ik het meest geleerd van mijn eerste meester, Bingulou de Kraciër. Hij was de beste die ik ooit heb gezien! De mensen gingen linea recta naar de tempel nadat ze hem hadden zien optreden, ervan overtuigd dat de goden een wonder aan hen hadden geopenbaard...'

Er waren twee berichten waar ze telkens weer op stuitten, in elk dorp en elke stad in de Vallei van de Ester die ze aandeden. Ten eerste dat de soldaten uit Syan de zoektocht naar hen nog niet hadden opgegeven, en ten tweede dat er in het noorden vreemde dingen aan de gang waren. Veel van de mensen die ze naar nieuws vroegen, vooral kooplui en bedelmonniken die regelmatig naar het noorden reisden, spraken over een soort duisternis die over de Mark Koninkrijken leek te zijn neergedaald; en die duisternis gold niet alleen het weer, ook al vond iedereen dat het er grijzer en bewolkter uitzag dan het seizoen zou doen verwachten, maar manifesteerde zich tevens als een soort innerlijke beklemming. De wegen lagen er verlaten bij, vertelden de reizigers, en de jaar- en weekmarkten die anders altijd veel volk trokken, werden slecht bezocht, áls ze al werden gehouden. Stedelingen waren weigerachtig om op reis te gaan, en voor zover ze daartoe de mogelijkheid zagen, waren de plattelanders naar de steden getrokken omdat ze zich daar veiliger voelden; of ze hadden zich verzameld in de schaduw van de stadsmuren.

Toch konden zelfs degenen die recentelijk in het noorden waren geweest, zoals een ketellapper die ze ontmoetten even boven Doros Kallida, niet vertellen wat er precies aan de hand was. Iedereen was het erover eens dat het Schemervolk uit het door nevelen omhulde noorden was gekomen, net zoals het dat twee eeuwen eerder had gedaan, en dat het tijdens zijn opmars naar Zuidermark behalve Kaarsmakersstad ook diverse andere steden met de grond gelijk had gemaakt. Maar het beleg dat al was geslagen voordat Brionie haar thuis verliet, leek sindsdien met een merkwaardige nonchalance te zijn voortgezet, terwijl de elfen maandenlang vreedzaam voor de muren lagen zonder dat zich noemenswaardige schermutselingen voordeden tussen de mensen en de schaduwlanders.

Maar sinds kort scheen daar verandering in te zijn gekomen, aldus de ketellapper. Tenminste, dat had hij gehoord van andere reizigers die hij verder naar het noorden was tegengekomen. Op enig moment in de afgelopen tiendaagse was het beleg serieus hervat, en de verslagen waren gruwelijk en angstaanjagend, zelfs bijna ongelooflijk. Er werd gesproken over reusachtige boomschepselen die de muren van Zuidermark neerhaalden, over de buitenburcht die in brand zou staan, over demonachtige wezens die de verdedigers afslachtten en hulpeloze burgers verkrachtten en vermoordden.

'Mogen de goden ons bewaren, maar het zou onderhand voorbij moeten zijn,' zei de man vroom, terwijl hij het teken van de Drie maakte. 'Het kan haast niet dat er nog maar één steen op de andere staat.'

Brionie werd zo diep ongelukkig van het verslag van de ketellapper dat ze de rest van de dag amper nog een woord kon uitbrengen.

'Het zijn verhalen van reizigers, Hoogheid, meer niet,' zei Finh. 'Daar moet u niet te zwaar aan tillen. Neem dat maar aan van een geschiedschrijver, wiens taak het is dat soort verhalen te onderzoeken op hun waarheidsgehalte. De eerste verslagen, vooral wanneer ze worden doorgegeven door mensen die er zelf niet bij zijn geweest, zijn altijd zwaar overdreven en veel gruwelijker dan de werkelijkheid.'

'Dat lijkt me niet echt een geruststelling,' zei ze. 'Want moet ik daaruit opmaken dat slechts de helft van mijn onderdanen is gedood? Dat slechts de helft van mijn huis is platgebrand?'

Hoezeer Finh en de anderen ook hun best deden, het bleek die avond en in de dagen daarna onmogelijk Brionie op te vrolijken.

En als Barrick inderdáád naar huis was teruggekeerd, dacht ze telkens weer. *Heb ik hem dan opnieuw verloren, en nu voorgoed? Hebben de elfen hem gedood?* Gekweld door zulke gedachten lag ze 's nachts wakker. *Als dat zo is, dan zal ik ervoor zorgen dat die goddeloze wezens tot de laatste man worden afgeslacht!*

'We zitten met een probleem,' zei Finh, terwijl ze aan de schapenstoofpot zaten die Estir had gekookt. Ze had de te verwaarlozen hoeveelheid vlees gecompenseerd met een royale dosis peperkorrels die ze op de markt had gekocht in de laatste stad waar ze doorheen waren gekomen. Dus hoewel de stoofpot niet zo voedzaam was als hij had kunnen zijn, kregen ze het er in elk geval warm van.

'Zeg dat wel,' zei Pedder Propermans. 'Mijn zuster besteedt al onze duiten aan kruiderijen en we hebben nauwelijks meer een koperstuk in de buidel.'

'Idioot!' tierde Estir. 'Jij geeft meer geld uit aan drank dan ik aan peper en kaneel.'

'Drank is het voedsel van de geest,' verklaarde Nevin Hewneij. 'Wanneer een kunstenaar in nuchterheid moet verdorsten, is hij te zwak om zijn ambacht uit te oefenen.'

Finh gebaarde afwerend. 'Zo is het wel genoeg. Als we er zorgvuldig mee omspringen kunnen we het met het geld van Prinses Brionie uitzingen tot we thuis zijn. Dus hou op met je gezeur, Pedder. En jij ook, Nevin.'

'Zolang "zorgvuldig" maar niet betekent dat we water moeten drinken,' mopperde Hewneij.

'Het probleem is wat de boeren vertelden die we vandaag hebben gesproken,' vervolgde Finh, zonder erop in te gaan. 'Jullie hebben gehoord wat ze zeiden. Ze beweren dat Syannese wachten buiten de muren van Layandros hun kamp hebben opgeslagen. Wat denken jullie dat ze daar doen?'

'Vriendjes worden met de plaatselijke schapen?' opperde Hewneij.

Finh schonk hem een vernietigende blik. 'Je mond is je grootste bezit, m'n beste; zelfs nog waardevoller dan je buidel. Ik stel voor dat je ze allebei stijf dicht houdt. En misschien kunnen jullie dan nu even opletten, in plaats van de lucht te vullen met de dampen van je onwetendheid. Het lijkt me duidelijk dat de soldaten op zoek zijn naar Prinses Brionie – en naar ons. Tot dusverre hebben we geluk gehad en gevangenneming weten te voorkomen, ook al had het onder andere in Ugenion niet veel gescheeld of we waren ontmaskerd.' Hij schudde zijn hoofd. 'Ik vrees dat we deze keer misschien niet zoveel geluk hebben. Dit zijn vakkundig opgeleide soldaten van Koning Enander, en die zullen zich niet zo gemakkelijk laten beetnemen als de plaatselijke sukkels en stro-hoofden die we tot dusverre zijn tegengekomen. Ik betwijfel dat ik de mannen van Enander ervan kan overtuigen dat we op bedevaart zijn.'

'Dan hebben we geen keus,' zei Brionie. 'Jullie reizen zonder mij ver-der. Want het gaat ze om mij.'

'Gesproken als de heldin uit een tragisch verhaal,' zei Finh. 'Maar met alle respect, Prinses, als u dat oprecht gelooft, dan bent u een dwaas.'

Verontwaardiging maakte zich van haar meester – ze had geen moei-te met de informele omgang, maar om door een gewone burger voor dwaas te worden uitgemaakt... Toen besefte ze echter dat vleiers en krui-pers haar weinig goeds hadden gebracht. *Ik kan mensen niet mijn vrien-den noemen als ze me niet eerlijk hun mening kunnen zeggen. Want dan zijn het geen vrienden maar bedienden.*

'Waarom zou ik níét alleen verdergaan, Finh?' vroeg ze dan ook. 'Door weg te lopen ben ik ongehoorzaam geweest tegenover de koning. Hij had me uitdrukkelijk opgedragen in het paleis te blijven. En ik weet ze-ker dat Vrouwe Ananka me sindsdien nog kwaadaardiger heeft belas-terd. Waarschijnlijk heeft ze me inmiddels de schuld van het verlies van het hele Syannese Imperium in mijn schoenen geschoven...'

'Het zal ze inderdaad vooral om u gaan, vrouwe,' zei Finh. 'Maar ze zijn zeker ook op zoek naar ons. Waarom denkt u dat we Dowan zo vaak hebben gedwongen zijn lange benen als een sprinkhaan op te vou-wen en bij u in de wagen te kruipen? Omdat hij van ons allemaal het gemakkelijkst te herkennen is. Dus zelfs als we u niet bij ons hadden, dan nog zouden ze ons niet doorlaten. Ze zouden ons gevangennemen en ons... overhalen te vertellen waar ze u konden vinden, Prinses. En ik betwijfel of ze ons ooit weer zouden vrijlaten.'

Brionie werd plotseling zo overweldigd door wanhoop dat ze haar handen voor haar gezicht sloeg. 'Genadige Zoria! Het spijt me zo! Dit had ik jullie nooit mogen aandoen...'

'Gedane zaken nemen geen keer,' zei Hewneij. 'Dus verspil uw tra-nen niet aan ons. Nou ja, misschien aan Propermans, want die had ge-hoopt op een gemakkelijk leventje met lekkere weesjongens in Tessis. Maar daar hebben we een stokje voor gestoken.'

'Op zo'n belachelijke beschuldiging ga ik niet eens in!' zei Pedder Pro-permans. 'Behalve dan door te zeggen dat mijn belangstelling voor jon-ge jongens louter en alleen voortkomt uit veiligheidsoverwegingen. Want zij zijn de enigen van wie ik zeker weet dat jij ze niet met de pok-ken hebt besmet...'

Finh rolde met zijn ogen terwijl de rest in lachen uitbarstte. 'Bij de goden, wat zijn jullie grof in de mond! Zijn jullie soms vergeten dat we de vrouwe van alle Mark Koninkrijken in ons midden hebben?'

'Je bezorgdheid komt te laat, Finh, ouwe makker van me,' zei Propermans. 'Als het om grove taal gaat doet ze niet voor ons onder. Heb je gehoord waar ze Hewneij laatst voor uitmaakte?'

'En volkomen ten onrechte,' zei de toneelschrijver. 'Ik botste in het donker gewoon tegen haar op...'

'Genoeg!' zei Finh. 'Jullie kunnen wel grappen maken, maar dat is omdat jullie je kop in het zand steken. De Koninklijke Heirweg is niet veilig. De mannen van de koning liggen ons buiten Layandros op te wachten, en zelfs als we langs hen heen weten te glippen, dan nog is het diverse dagreizen naar de Syannese grens.'

'Wat stel jij dan voor, Finh?' vroeg Brionie. 'Je klinkt alsof je een plan hebt.'

'Ze heeft niet alleen betere manieren dan jullie, ze heeft ook meer hersens,' merkte de gezette geschiedschrijver op. 'Maar dat is waarschijnlijk ook niet zo moeilijk,' voegde hij er met een woedende blik op Hewneij en Propermans aan toe. 'Hoe dan ook, een paar mijl naar het noorden is er een afslag naar het oosten. Een smalle weg, ogenschijnlijk niet veel meer dan een boerenpad – trouwens, de eerste paar mijl ís het ook een boerenpad. Maar uiteindelijk komt het uit op een grotere weg – niet te vergelijken met de route die we tot dusverre hebben gevolgd, maar wel een echte weg, door de rand van het bos. Aan de andere kant daarvan ligt een abdij, dus we zullen waarschijnlijk maar één nacht in het bos hoeven door te brengen, met als beloning een warm bed en een bord eten bij de monniken.'

'De weg langs de buitenrand van het Zwarte Water Woud?' vroeg Dowan Berk. Het was voor het eerst dat de reus iets zei.

'Precies,' zei de toneelschrijver. 'Die weg bedoel ik.'

'Ik wist niet dat die zo ver naar het westen liep; en dat we er binnen een dag kunnen zijn.' Zijn langgerekte gezicht stond bezorgd. 'Het is er niet pluis, Finh. Het wemelt in het bos van de... slechte dingen.'

'Waar heeft hij het over?' vroeg Pedder Propermans. 'Wat voor slechte dingen? Wolven? Beren?'

Dowan schudde zijn hoofd, maar wilde verder niets zeggen.

'We zijn er maar heel kort; één nacht, niet langer,' zei Finh. 'We kunnen een vuur maken, we zijn gewapend en we zijn met z'n allen! Trouwens, we hebben zelfs eten bij ons, dus we kunnen bij elkaar blijven want we hoeven niet te foerageren. Het komt allemaal goed. Geloof me nou maar. Of willen jullie liever je geluk beproeven met de mannen van de koning?'

Berk werd bestookt met vragen waar hij precies bang voor was, maar de zachtmoedige reus weigerde iets los te laten. Dus bij gebrek aan een beter plan ging de troep uiteindelijk akkoord.

De volgende morgen waren ze al voordat de zon op zijn hoogste punt stond bij de splitsing. De weinige medereizigers – voornamelijk afkomstig uit de directe omgeving – keken de troep van Propermans verrast en nieuwsgierig na toen de wagen de hoofdweg verliet en het hobbelige bospad insloeg.

Ze trokken al sinds enige dagen door een landschap dat geleidelijk aan steeds wilder oogde, alleen was dat nu ineens duidelijker dan ooit. Dankzij de weidsheid van de Koninklijke Heirweg hadden ze voornamelijk door open terrein gereisd, en zelfs wanneer de weg aan weerskanten omsloten was geweest door bomen en struiken, hadden die ver uit elkaar gestaan en nauwelijks enige beschutting geboden tegen de zon. Maar zodra ze het pad insloegen dat Finh had voorgesteld, leken de eiken en beuken zich nieuwsgierig naar hen toe te buigen, alsof ze zich afvroegen wie de vreemdelingen waren die hun domein hadden betreden. Plotseling liet de zon, die hen gedurende het grootste deel van de reis had vergezeld, het vaak geruime tijd afweten. En ook klonk niet meer met enige regelmaat de roep van een boer die de reizigers groette, of die vanaf een helling zijn schapen of koeien terugriep wanneer die dreigden te ver weg te dwalen. De enige geluiden waren het geknars van de wielen van de wagen, de wind in de boomtoppen en nu en dan het gedempte gekwinkeleer van vogels. Voor het overige werden de spelers op hun nieuwe route omringd door stilte.

Bovendien bleek dat Finh een niet geheel juiste voorstelling van zaken had gegeven; de afslag die bij het verlaten van de hoofdweg de indruk had gewekt van een boerenpad, bleek hier en daar aanzienlijk avontuurlijker – meer een soort wildspoor – waardoor de wagen regelmatig vast kwam te zitten en slechts met de grootste inspanning weer in beweging was te krijgen. Ze hadden amper de rand van het bos bereikt of de verscholen zon dook weg achter de horizon in het westen en de wereld raakte geleidelijk aan steeds meer bedekt met schaduwen.

'Het bevalt me hier niks,' zei Brionie tegen Dowan Berk die naast haar liep. Vanwege de slechte weg en omdat ze toch geen andere reizigers tegenkwamen, hadden de reus en zij de wagen verlaten en liepen ze erachter, net als de rest, zodat ze konden meehelpen met duwen wanneer de wielen weer eens vastliepen.

Het bos deed haar denken aan iets wat ze zich alleen maar vaag kon herinneren – aan de dagen na Shaso's dood en nadat het huis van Effir dan-Mozan was afgebrand, waarin ze alleen en doelloos had rondgezworven. De manier waarop de schaduwen bewogen en waarop de bomen in het grillige licht langzaam met hen mee leken te draaien, bezorgde haar een gevoel van geheimzinnigheid; sterker nog, ze had het gevoel alsof het bos hun kwaadaardig gezind was. Vandaar dat ze uren eerder de talisman al tevoorschijn had gehaald die ze van Lisiya had gekregen.

Dowan haalde zijn schouders op. Zijn gezicht stond zelfs nog somberder dan dat van Brionie. 'Het bevalt mij hier ook niet, maar Finh heeft gelijk. We hadden geen keus.'

'Je zei... dat er... dat het hier wemelt van de slechte dingen...'

'Ik weet het niet, Hoogheid. Dat zijn verhalen van vroeger, toen ik nog klein was.' Hij keek gekwetst toen ze begon te lachen. 'Ik ben ook ooit klein geweest.'

'Dat is het niet alleen. Ik moest vooral lachen omdat je... omdat je me "Hoogheid" noemde.' Ze moest haar hoofd in haar nek leggen om naar hem op te kijken. 'Uitgerekend jij!'

Hij fronste zijn wenkbrauwen, maar ze kon aan zijn gezicht zien dat hij het wel kon waarderen. 'Ach, ik neem aan dat je "hoogheid" op verschillende manieren kunt uitleggen.'

'Dus je bent hier in de buurt opgegroeid? Ik dacht eigenlijk dat je uit Zuidermark kwam.'

Hij schudde zijn smalle hoofd. 'Nee, ik kom uit de buurt van Zilverzijde. Maar er kwamen altijd veel reizigers langs, op weg naar de markt in Eerstvoorde, aan de overkant van de rivier. Mijn vader besloeg hun paarden.'

'Hoe ben je dan in Zuidermark terechtgekomen?'

'Pa en ma werden ziek. Ze zijn gestorven aan de koorts. Ik kwam bij mijn oom in huis, maar hij was een vreemde man. Hij hoorde stemmen. En hij zei dat ik verkeerd was geschapen – ik werd toen al erg lang. Dat de goden mijn ouders hadden weggenomen omdat... Ik weet niet precies meer wat hij zei, maar het kwam erop neer dat het mijn schuld was.'

'Maar dat is afschuwelijk!'

Weer een frons. 'Ach, hij zat zelf gewoon niet goed in elkaar. Er was iets mis met zijn hoofd. De goden bezorgden hem nachtmerries, zelfs overdag. Hoe dan ook, ik moest daar weg, anders had ik niet voor mezelf ingestaan. Dus ik sloot me aan bij een groepje veedrijvers die op weg waren naar Zuidermark, en daar vond ik het prettig. Ik werd er niet zo aangegaapt en nagestaard.' Hij kleurde en keek op. 'Mag ik u iets vragen, Hoogheid?'

'Natuurlijk.'

'Ik weet dat we op weg zijn naar Zuidermark. Maar wat denkt u te doen wanneer we daar aankomen? Als die Tollijs nog op de troon zitten... en als de elfen er nog zijn... Is er dan ook maar íéts wat wij kunnen doen?'

'Ik weet het niet,' antwoordde ze naar waarheid.

Even voor donker hielden ze stil en sloegen ze hun kamp op. Tijdens het eten waren ze allemaal luidruchtiger dan anders, alsof ze de geluiden van het nachtelijke woud om hen heen niet wilden horen. Nog ongebruikelijker was het dat ze niet laat opbleven. Brionie, die het een geruststellende gedachte vond om tussen de warme, enorme lijven van Dowan en Finh Teodoros te liggen, rolde zich stijf in haar mantel, met Lisiya's amulet tegen haar borst geklemd.

Terwijl ze de rivier der dromen afdreef, meende ze een paar keer de stem van de halfgodin te horen; hij klonk zwak en smekend, alsof Lisiya van het Zilveren Moeras bij haar werd weggetrokken. Een keer dacht ze zelfs dat ze haar zag: de oude vrouw stond alleen op een kale heuveltop en wuifde naar haar. Aanvankelijk dacht Brionie dat de halfgodin probeerde haar aandacht te trekken, maar toen besefte ze dat Lisiya haar wilde waarschuwen. *Ga weg! Ga weg!* leek ze met haar wuivende gebaren duidelijk te willen maken.

Brionie schrok huiverend wakker. Om haar heen heerste de bijna inktzwarte duisternis van de nacht. Alleen aan het zachte gloeien van de as in het kampvuur kon ze zien waar ze was. Er stonden tranen in haar ogen, maar ze kon zich niet herinneren dat ze iets verdrietigs had gedroomd.

Het kon niet lang na het middaguur zijn geweest, toen de zon stralend en op zijn hoogste punt aan de hemel had moeten staan, dat het donker begon te worden. De troep raakte in de greep van een bijgelovig soort paniek toen Nevin Hewneij opmerkte wat ze allemáál hadden moeten beseffen.

'We krijgen slecht weer,' zei hij. 'Er schuiven wolken voor de zon.'

Hoewel de bomen dicht op elkaar stonden, leek het woud hun toch niet de aangewezen plek om een onweer af te wachten. Dus Propermans'Troep met in zijn midden de koninklijke verstekeling haastte zich verder, in de hoop de abdij – of in elk geval hoge, droge grond – te bereiken voordat het echt donker werd. De weg was hier tamelijk breed en werd regelmatig gekruist door andere bospaden, wat Brionie voor het eerst sinds uren weer hoopvol stemde. Het kon niet anders of ze naderden een plek waar mensen woonden!

Finh Teodoros, die naast haar voortploeterde, was de eerste die de gezichten zag tussen de bomen.

'Sst,' zei hij zacht. 'Brionie... Hoogheid... Niet meteen kijken, maar links... tussen de bomen... Ziet u daar iets vreemds?'

Aanvankelijk kon ze in het complexe, grillige patroon van licht op de bladeren – door de vallende schemering was moeilijk te zeggen wat lichtvlekken waren en waar het gebladerte licht van kleur was – niets onderscheiden, maar toen ineens zag ze iets glinsteren, iets wat sterker oplichtte dan de omgeving. Brionie meende een glimp van een oranje vacht en een stralend zwart oog te zien; ze waren vrijwel meteen weer verdwenen.

'Genadige Zoria, wat was dat?' fluisterde ze. 'Ik zag... iets wat eruitzag als een vos. Maar het was manshoog!'

'Ik weet het niet, maar dat was niet de enige.' Er was niets meer over van Finhs gebruikelijke luchtigheid, zijn stem klonk gesmoord van angst. Hij liep naar voren, krampachtig en strak voor zich uitkijkend, fluisterde iets in Hewneijs oor en draafde toen een paar stappen verder om met Pedder Propermans te overleggen.

Terwijl ze hem nakeek, ving Brionie opnieuw een glimp van beweging op in het vage, haperende licht, deze keer aan de andere kant van de weg, een eindje vóór hen uit. Daar verscheen vluchtig een vreemde, beestachtige snuit van achter een boom. Hij was bijna onmiddellijk weer verdwenen, maar Brionie had kunnen zweren dat ze het eerst nog recht omhoog de lucht in zag gaan. In haar angst struikelde ze en was ze bijna gevallen. Waren het kobolden? Elfen? Waren het verkenners van het schemerleger dat haar huis had bestormd?

Toen ineens kwamen er van weerskanten beestmannen tussen de bomen op hen afstormen, krijsend als demonen.

'Hierheen! Hierheen!' bulderde Pedder Propermans. Brionie zag dat hij zijn zuster bij de arm greep en haar achter zich trok, zodat de wa-

gen haar rugdekking gaf. Propermans had een mes, maar dat stelde weinig voor – iets om fruit mee te schillen en om erg taai schapenvlees mee
te snijden. Maar hij hield het omhoog alsof het Caijlors Zuchtende
Zwaard was, en Brionie bewonderde zijn moed.

'Bij elkaar blijven!' riep Finh Teodoros. Hij had de deur van de wagen opengerukt en haalde er alle wapens uit die ze bezaten – in veel gevallen kwam het neer op rekwisieten. De beestmannen waren bij de
boomgrens even blijven staan en kwamen nu langzaam naar voren.

'Laat ze vallen!' schreeuwde de eerste met luide, boze stem. 'Laat uw
wapens vallen of we hebben geen andere keus dan u te doden!' Met enige opluchting besefte Brionie dat hij geen magisch wezen was maar gewoon een man met een masker. Verschillende van zijn trawanten – ook
allemaal voorzien van een masker – waren gewapend met pijl en boog,
de rest was rijkelijk voorzien van speren, bijlen en zelfs zwaarden.

'Bandieten,' zei Nevin Hewneij vervuld van weerzin.

De hoofdman kwam naar hem toe, grijnzend onder zijn ruwe vos-
sensnuit. 'Pas op wat je zegt! We zijn eerlijke burgers, maar wat doet
een eerlijke burger die niet kan werken? Wat doet een eerlijke vent wanneer zijn land hem wordt afgepakt door hoge heren die alleen hun eigen wetten respecteren?'

'En wat kunnen wij daaraan doen...' begon Hewneij, maar de ban-
dietenhoofdman sloeg hem met de rug van zijn hand hard in het gezicht, zodat de toneelschrijver tegen de grond sloeg. Vloekend krabbelde hij weer overeind, met zijn handen tegen zijn neus gedrukt. Het bloed
sijpelde tussen zijn vingers door, maar Dowan Berk moest hem tegenhouden om te voorkomen dat hij zijn tegenstander aanvloog.

'Graat, Hobkin, Col... Hou ze in de gaten,' zei de leider. 'En de rest...
Pak wat je pakken kan! En doorzoek vooral die wagen grondig. Vooruit, mannen! Aan het werk!' Nadat hij zijn mannen een voor een nadrukkelijk had aangekeken, viel zijn blik op Brionie, en hij zette grote
ogen op. 'Nee maar, kijk nou eens,' zei hij zacht, maar zijn mannen waren al druk en luidruchtig aan de slag gegaan en hoorden hem niet. De
bandietenleider liep naar Brionie toe, die naast Finh Teodoros stond.
'Wat hebben we hier? Jong en mooi... en dat moet doorgaan voor een
jongen?' Toen hij zich naar haar toe boog, rook ze zijn stinkende adem.
Hij miste het merendeel van zijn tanden, waardoor hij ouder leek dan
hij was. De twee stompen in zijn bovenkaak staken onder het vossen-
masker uit, en even werd het Brionie allemaal te veel. Ze stak met haar
mes naar zijn buik, maar een man die al heel lang aan de zelfkant leef-

de, liet zich niet zo gemakkelijk verrassen. Hij greep haar pols en draaide die ruw om. Tot haar schaamte dwong de pijn haar het mes onmiddellijk los te laten.

Het was een Yisti-mes en waarschijnlijk meer waard dan alle bezittingen van de troep bij elkaar, maar dat wist de bandiet niet. Hij gokte op een buit die hem beter beviel, en ze had dan ook zijn volle aandacht. 'Je bent bepaald niet lelijk, meid.' Hij trok Brionie naar zich toe. 'Hebben die boerenkinkels zich zo voor de gek laten houden? Dachten ze echt dat je een jongen was? Nou, wees dan maar blij, want Draver de Rooie laat zich niet zo gemakkelijk beetnemen. Je bent nu van een echte man.'

'Laat haar met rust...' begon Finh boos, maar de bandiet sloeg hem zonder aarzelen tegen de grond. Toen de toneelschrijver probeerde overeind te krabbelen, haalde de bandiet naar hem uit met zijn voet.

Terwijl Brionie hem aankeek, herkende ze plotseling iets in hem. Hij was een beest, een dief en een bullebak, maar hij was ook de sterkste en de slimste van deze groep mannen; en als de gebeurtenissen in de wereld zich zo krankzinnig bleven ontwikkelen, zouden veel van dit soort mannen de obscuriteit ontstijgen en sommigen zouden zelfs hun eigen koninkrijken stichten.

Zo gaat het, dacht ze. *Het is niet fraai, maar zo gaat het in elke koninklijke bloedlijn, inclusief de mijne. Wie daartoe in staat is, grijpt de macht en draagt die vervolgens over op zijn kinderen...*
Draver had er inmiddels genoeg van de dikke Finh te kwellen en trok Brionie weer naar zich toe. Maar toen de bandietenleider een smerige hand uitstak om onder haar wijdvallende buis naar haar borsten te tasten, schreeuwde hij het plotseling uit van pijn. Wankelend deinsde hij een paar stappen achteruit. Het mes dat hij Brionie had gedwongen te laten vallen, stak trillend in zijn dij.

'Smeerlap!' zei Finh met bebloed gezicht, zich overeind werkend op zijn knieën. 'Die was voor je noten bedoeld!'

Bij de schreeuw van hun baas hadden de andere bandieten zich omgedraaid. Ze keken met open mond toe terwijl die wankelend een stap in de richting van de toneelschrijver deed. 'Mijn nóten? Ik zal jóuw noten eraf draaien! Tenminste, als je die hebt, jij... verwijfde... ontmande... vent van niks!' Op zijn wenk schoten twee van zijn mannen haastig toe. In een oogwenk hadden ze Finh overmeesterd en tegen de grond gewerkt. Daar pinden ze hem vast door boven op hem te gaan zitten. Met een verachtelijk hoofdgebaar trok Draver de Rooie het mes uit zijn been.

'In de vetlaag! Het mocht wat! Je bent duidelijk geen vechter.' Hij boog zich naar voren. 'Ik zal je laten zien hoe je een mes moet gebruiken...'

'Nee!' gilde Brionie. 'Laat hem met rust! Dan kun je met mij doen wat je wilt!'

De bandiet lachte. 'En reken maar dat ik dat ook zal doen, sloerie! Maar eerst moet ik deze vleesberg uitbenen...'

Er klonk een gezoem, Draver de Rooie haperde en richtte zich toen langzaam op. Hij bracht zijn hand naar zijn gezicht om het masker af te nemen, maar merkte dat hij dat niet kon: een pijl stak met trillende veren in zijn voorhoofd, net boven zijn oog, en had het masker aan zijn schedel genageld.

'Ik...' begon hij, toen viel hij achterover, als een gevelde boom.

'Grijp ze!' klonk een stem. Tien, twaalf mannen stormden tussen de bomen vandaan de weg op. Pijlen zoefden naar alle kanten, als woedende wespen. Een van de mannen die Finh tegen de grond gedrukt hield, sprong voor Brionie. Binnen een oogwenk viel hij tegen haar aan, met drie trillende, geveerde schachten in zijn borst en zijn buik.

Nog meer pijlen vlogen door de lucht. Mannen schreeuwden als angstige kinderen. Een van de bandieten omklemde een boom alsof het zijn moeder was. Toen hij naar de grond zakte, was de stam bedekt met een breed bloedspoor.

Brionie wierp zich op de grond, met haar armen beschermend om haar hoofd.

De Syannese soldaten sleepten de laatste lijken van de bandieten naar de stapel. 'Ze zijn er allemaal, kapitein!' riep een van hen. 'Tenminste, daar lijkt het wel op.'

'En de anderen?'

'Eén dode. De rest heeft alleen maar lichte verwondingen.'

Brionie krabbelde overeind. Eén dode? Estir Propermans had zich snikkend op haar knieën laten vallen. Brionie wilde zich naar haar toe haasten, maar een van de soldaten pakte haar bij de arm en hield haar tegen.

'Het is jouw schuld!' Estir keerde zich van het reusachtige, stille lichaam woedend naar Brionie. 'Zonder jou was dit allemaal niet gebeurd en zou die arme Dowan nog leven!'

'Dowan? Is Dowan dood? Maar... ik heb nooit...' Brionie wist niet wat ze moest zeggen. Er was niets wat ze kón zeggen. Zelfs de andere leden van de troep, onder wie Estirs broer, Nevin Hewneij en zelfs Finh, leken haar verwijtend aan te staren vanaf de plek waar de soldaten hen bij elkaar hadden gedreven.

De soldaten droegen de kleuren van Syan, voorzien van een ordeteken dat Brionie niet herkende: een woeste, rode hond. Hun kapitein trad naar voren en nam haar streng op. Zijn lange baard was buitengewoon verzorgd; zijn hoge helm was getooid met een smetteloos witte pluim. Een man die erg prat ging op zijn uiterlijk, dacht Brionie onwillekeurig. 'Bent u Prinses Brionie Eddon van Zuidermark, recentelijk van het hof van onze koning in Syan?'

Het had geen zin het te ontkennen; ze had al genoeg schade aangericht. 'Dat klopt. Maar wat gaat er met mijn vrienden gebeuren...'

'Daar hebt u niks mee te maken, vrouwe.' Hij schudde grimmig zijn hoofd. 'We zijn al dagen naar u op zoek. Dus u gaat met mij mee. Denk erom dat u niet voor problemen zorgt. En voor alle duidelijkheid, u staat onder arrest.'

36
De Jacht op het Stekelvarken

'De elfen die de tweede oorlog met de mensen overleefden en terug
vluchtten naar het noorden, trokken – in een daad van hekserij die sinds de
dagen van de goden niet meer was vertoond – een weidse lijkwade van
wolken en mist achter zich op die door de mensen de Schaduwgrens werd
genoemd. Alle stervelingen die deze grens overschrijden, lopen het gevaar
op zijn minst hun verstand te verliezen, zo niet hun leven. De weinigen die
de Schaduwlanden hebben betreden en zijn teruggekeerd, beweren dat het
hele noorden nu door die schaduw wordt bedekt.'

Uit *Een Verhandeling over de Elfenvolken van Eion en Xand*

Ik schijn veroordeeld te zijn tot vreemde drietallen op vreemde plekken, dacht Ferras Vansen terwijl ze het slingerende pad beklommen dat
Antimoon de Koperen Ring had genoemd. *Eerst trek ik door de Schaduwlanden met de troonopvolger en een Qar-soldaat zonder gezicht, en nu
door gangen diep onder de grond met twee aardmannetjes. Dat eerste avontuur heb ik overleefd... nou ja, op het nippertje...* Hij was nog altijd verbijsterd door wat er destijds was gebeurd; hoe was het mogelijk dat hij achter de Schaduwgrens door een soort poort was gevallen en vervolgens
in het rijk van de Funderlingen was terechtgekomen, diep onder Zuidermark?

Het was een vraag die hij wel nooit zou kunnen beantwoorden. Misschien hadden de goden er de hand in, ook al was hij zelfs daar niet zeker van. Als hem in dit krankzinnige jaar één ding duidelijk was geworden, dan was het dat zelfs de goden geen controle leken te hebben over hun eigen lot.

Antimoon en het groezelige kleine schepsel wiens naam Bruinkool scheen te betekenen, liepen te ruziën. De monnik was een kop groter – hij was een van de grootste Funderlingen die Vansen had ontmoet en reikte tot de onderste rib van de kapitein – maar hij was geen partij voor de felle droggel; het kleine mannetje grauwde als een in het nauw gedreven kat. Het was vreemd om het tweetal zo dicht bij elkaar te zien, vreemd om zowel de overeenkomsten als de verschillen te registreren; een kleine, verwilderde pony met een ruige vacht naast een keurig geborsteld, onverstoorbaar boerenpaard.

'Wat is er aan de hand?' vroeg Vansen.

Antimoon trok een lelijk gezicht. 'Volgens mij is het een val en belazert hij de boel. Hij wil via de Oude Groeve Weg naar Tufa's Buidel, maar daar ben ik gisteren nog geweest. En daar kun je niet verder! Het heet niet voor niets een Buidel. Je kunt er alleen weer uit via dezelfde weg als je bent gekomen.'

Vansen keerde zich naar Bruinkool. De droggel keek zo nijdig als een das die ontdekt dat zijn hol is blootgelegd. 'Heeft hij ook gezegd waaróm hij die route wil nemen als we daar niet verder kunnen?'

'Volgens hem kunnen we wél verder. En hij zegt dat ik een blinde sukkel ben om te denken dat ik het beter weet.' Antimoon balde zijn vuisten. Als Vansen de afmetingen van Bruinkool had gehad, zou hij er erg onrustig van zijn geworden.

'Laten we dan eerst maar eens afwachten. Als het een val is, dan zou het niet handig van hem zijn om ons een doodlopend stuk in te leiden. Want hij weet drommels goed dat hij de eerste is die het loodje legt als blijkt dat hij de boel heeft belazerd.' Vansen hield de norse droggel zijn bijlhamer voor. 'Maar het kan geen kwaad hem daar nog eens aan te herinneren.'

Bruinkool bleef hardnekkig de Oude Groeve Weg volgen tot die nog maar heel af en toe werd gekruist door dwarsgangen. De gang waarin ze zich bevonden, liep duidelijk naar beneden, en nadat ze nog enige tijd zwijgend verder hadden geploeterd, kwamen ze uit op een splitsing.

Antimoon wees naar rechts. 'Dat is Tufa's Buidel.'

'En waar gaat de Oude Groeve Weg hiervandaan naartoe?' Vansen wees naar de andere vertakking.

'Weer omhoog en terug, tot hij uiteindelijk uitkomt op de Koperen Ring aan de andere kant van Funderstad. Dat is een van de wegen van Stormsteen.'

'En waarom hebben ze ooit bedacht dat de weg hier moest doodlopen?'

'Dit was de oorspronkelijke loop van de Oude Groeve Weg, maar het graven bleek te zwaar – ze hadden in die tijd nog geen plofpoeder. En dus kozen ze voor deze route.' Hij wees naar de linker vertakking. 'Daar was de steen zachter.'

Ondanks Antimoons wantrouwen liet Vansen Bruinkool de leiding nemen, de vertakking in, die erg bochtig bleek te zijn en op sommige plekken zo laag dat Vansen door zijn knieën moest zakken en ongemakkelijk gehurkt moest lopen. Ten slotte kwamen ze bij een punt waar de gang weer iets ruimer werd. Bij het bleke goudgele licht van Antimoons koraallamp zag Vansen dat de monnik gelijk leek te hebben gehad: de gang eindigde in een groeve met een berg puin. Ze konden niet verder.

Maar terwijl Antimoon zijn hoofd schudde in een soort nijdige zelfgenoegzaamheid, stapte Bruinkool naar voren, hij bukte zich en reikte onder een van de gebarsten stenen die voor de groeve lagen opgestapeld. Grommend begon hij het puin te verwijderen. Tot Vansens verrassing rolden er wat rotsblokken weg, maar bleek de rest van de stenen één aangesloten blok te vormen. Hij haastte zich naar voren en ontdekte een rond slagschild zoals de droggels dat droegen, bedekt met een soort cement en belegd met stenen, waardoor alleen bij een zeer nauwkeurige inspectie te zien was dat het hier niet om een onschuldige berg puin ging.

'Bij Perins Hamer!' zei hij. 'Een geheime deur!'

Bruinkool keek op met een zo goed als tandeloze, triomfantelijke grijns, toen stak hij zijn benen in de opening die hij had blootgelegd. Hij trok aan het touw rond zijn enkel waarvan Broeder Antimoon het uiteinde in zijn hand hield, tot het strak stond, toen liet hij de rest ervan in het gat vallen en sprong erachteraan. Weg was hij. Antimoon en Vansen konden elkaar alleen maar aankijken terwijl het touw eerst slap hing en toen weer strak trok.

'Bij de Ouden,' zei Antimoon plotseling geschokt. 'Hij is daarbeneden helemaal alleen!' De monnik gooide zijn rugzak over de rand van het gat en volgde haastig. Toen ook hij was verdwenen aarzelde Vansen. Hij vond het geen prettig vooruitzicht zich te laten zakken in iets wat hij niet kon zien en wat hij niet kende.

'Broeder Antimoon?' riep hij in de richting van het gat. 'Bent u daar nog? Is alles in orde?'

'Kom maar naar beneden, kapitein!' Zo te horen stond de monnik niet ver beneden hem. 'U kunt springen. Het neerkomen is geen probleem, en het is hier... Nee, dat moet u met eigen ogen zien! Het is werkelijk schitterend!'

Vansen had zijn twijfels, maar het stelde hem gerust de stem van de Funderling te horen. Dus hij liet zijn rugzak in het gat vallen, draaide zich om en sprong in het gat, met zijn armen beschermend voor zijn gezicht geslagen.

Zijn maliënbuis was weliswaar niet zwaar, maar het maakte zijn landing toch wat minder soepel dan die van de anderen: hij gleed naar beneden, struikelde, gleed weer een eind en wist zich nog net op tijd om te draaien voordat zijn voeten onder hem werden weggeslagen en hij onzacht op zijn stuitje in een stapel stenen belandde.

'Bij de Donderaar!' vloekte hij, terwijl hij kreunend overeind krabbelde. 'En u zei dat neerkomen geen probleem was?'

'Maar kijk,' zei Antimoon. 'Dat is toch wel een tuimeling waard?'

Vansen moest toegeven dat hij gelijk had – tenminste, als je een Funderling was. De hellende doorgang vanuit de verborgen opening werd uiteindelijk breder, na een paar stappen over losliggend gruis. Het flakkerende goudgele schijnsel van de koraallamp onthulde een reusachtige grot, waarvan het gewelf was bedekt met vreemde, ogenschijnlijk rond geslepen kussenvormige stenen, stuk voor stuk bijna zo groot als Vansen zelf, zodat het leek alsof hij en de twee aardmannen in het hart van een roerloze wolk stonden. Daaronder bevond zich in het midden van de ruimte een meer, verlicht door een merkwaardige, parelachtige gloed die afkomstig was uit het water zelf. In het vage schijnsel leek het roerloze oppervlak gemaakt van kristal. Terwijl Vansen in diepten staarde waarin het licht van geen enkele koraallamp zou kunnen doordringen, begreep hij plotseling waarom de Funderlingen geloofden dat hun scheppende god was verrezen op de kust van een dergelijke poel.

'Is het niet schitterend?' vroeg Antimoon. 'Wie had kunnen vermoeden dat Tufa's Buidel hierop uitkwam? Om zoiets prachtigs zou ik dat mormel en zijn soort hun moordlustige gedrag bijna kunnen vergeven. Zo moet het zijn geweest toen mijn voorouders voor het eerst op onderzoek uitgingen in de Mysteriën!'

Vansen wist niet goed wat hij daarmee wilde zeggen. 'Het is inderdaad prachtig, maar we moeten verder.'

'Natuurlijk.' De monnik zei iets tegen Bruinkool, kreeg antwoord en keerde zich met een gekwelde en tegelijkertijd zelfgenoegzame grijns weer naar Vansen. 'Hij vindt het erg dat hij dit geheim heeft moeten onthullen om zijn huid te redden, zegt hij. Hij had gehoopt dat mijn mensen noch de Qar ooit achter het bestaan van deze grotten zouden komen, zodat zijn volk ze voor zichzelf had kunnen houden. Daarmee bewijst hij althans dat hij verwant is aan ons, Funderlingen.'

De twee kleine mannen gingen Vansen vóór langs het ondergrondse meer dat bijna net zo groot leek als een van de lagunes in Kasteel Zuidermark, ergens hoog boven hun hoofd. Waar Vansen ook in het water keek, hij kon de bodem nergens zien, maar vanuit een bepaalde hoek meende hij beweging te zien in de diepste schaduwen, ook al hield hij zichzelf voor – en hoopte hij vurig – dat het gezichtsbedrog was door de lampen die hij en zijn metgezellen droegen.

Bruinkool loodste hen naar het eind van de grot, waar een eeuwen-oude afwatering een soort smalle vallei had uitgesleten die zelfs nog stei-ler naar beneden liep. Ze volgden het lage ravijn, waarbij ze hun best deden de tere kristallen niet aan te raken die zich als kegelvormige sneeuwvlokken vastklampten aan de wanden en die bij de geringste aan-raking uiteenvielen. Antimoon kreeg tranen in zijn ogen nadat hij per ongeluk een groot en bijzonder uitbundig woekerend exemplaar had ver-nield dat als een soort miniatuurboom uit de rotswand groeide met een stam die uitwaaierde in nog delicatere, slankere 'takken' van doorzich-tig gesteente. Bruinkool de droggel nam de verdrietige monnik zwij-gend op, zijn groezelige gezicht vertrokken in een ondoorgrondelijke grimas.

Terwijl het kleine gezelschap steeds dieper in de vreemde grotten af-daalde, zag Vansen dingen die hij in zijn stoutste dromen niet had kun-nen bedenken – ruimtes, behangen met zich vertakkende constructies die eruitzagen als de geweien van monsterlijke hertenbokken, grotten gevuld met kalkachtige zuilen die zowel vanaf de grond omhoog als van-af het gewelf naar beneden groeiden, alsof twee met honing besmeerde sneden brood op elkaar waren gedrukt en toen langzaam uit elkaar ge-trokken. Niet zelden gingen schoonheid en gevaar hand in hand, ter-wijl de reizigers hun weg zochten langs smalle sporen of over ranke, brugachtige overspanningen met daaronder gapende zwarte leegten.

Wie had kunnen vermoeden dat er onder de grond een hele wereld schuilging, dacht Vansen terwijl ze langs poelen met witte krabben en vissen zonder ogen kwamen, die wegschoten zodra ze de trilling van hun voetstappen voelden. In sommige van de grotere grotten hingen verbijsterende aantallen vleermuizen – één keer verstoorden ze zo'n slaapzaal, waarop de wolk van krijsende, fladderende diertjes wel bijna een uur nodig leek te hebben om de ruimte te verlaten, zoveel waren het er. Maar het gebeurde vaker dat Vansen zijn gidsen volgde door benauwde ruimten waar hij niet zelden op zijn ellebogen en zijn knieën, of zelfs op zijn buik over de grond moest kruipen, zich als een slang door nauwe gaten wurmend, met als gevolg dat hij al spoedig van onder tot boven onder de modder en het gruis zat.

Ten slotte hielden ze stil voor een kloof, een scheur in de rotswand die zo smal was dat Vansen verwachtte dat zelfs zijn metgezellen er niet door konden. Hij zette zijn rugzak neer en liet zich op zijn hurken zakken om de scheur op te meten. Die bleek niet breder dan de afstand tussen zijn elleboog en zijn vingertoppen!

'Daar kan ik niet doorheen,' zei hij.

Blijkbaar verstond de droggel hem, want hij zei iets in zijn keelachtige taal. 'Hij zegt dat u dat toch moet proberen,' vertaalde Antimoon. 'Dit is de laatste smalle doorgang.' Hij fronste zijn wenkbrauwen en luisterde weer even. 'Ook al zegt hij dat dit wel de reden is waarom ze niet via deze route hebben aangevallen. Het is hier te smal voor de...' Hij zweeg even. 'Hij heeft het over de Diepgangers – volgens mij bedoelt hij de reusachtige wezens die wij ettins noemen. Ze konden er hier niet door, en de gang was te lang om hem te verbreden. Het lawaai zou hen hebben verraden.'

Vansen onderdrukte een huivering. 'Dat doet er allemaal niet toe. Ik kan er gewoon niet door!'

'Dan moet u terug, zegt hij,' rapporteerde Antimoon. 'Er is geen andere weg naar de duistere vrouwe.'

Vansen wist echter dat hij de enige was die met haar kon praten; dat hij als enige een kans maakte om een eind aan dit alles te maken voordat iedereen in Zuidermark – klein en groot, boven- en benedengronds – werd afgeslacht. 'Akkoord,' zei hij dan ook. 'Ik zal het proberen. Kunt u mijn wapenrusting en mijn wapen van me overnemen?'

Antimoon dacht even na. 'Niet als ik ook nog de rest van de proviand en het water moet dragen. Ik ben niet zoveel smaller dan u – Nikkel zegt altijd dat ik in mijn eentje net zoveel eet als twee of drie andere Broeders.'

Vansen probeerde te glimlachen. 'Dan moet ik mijn wapenrusting hier achterlaten, maar mijn bijl neem ik mee. Die duw ik wel voor me uit.

Hoe gaan we dit doen? Moet ik als laatste?'

'Nee. Als uw rol in dit gezantschap inderdaad zo belangrijk is als u beweert, dan wil ik niet dat u aan de buitenrand van Funderstad vast komt te zitten, zonder nog voor- of achteruit te kunnen. Als er iets misgaat, moet iemand hulp kunnen gaan halen. En dat stuk inteelt vertrouw ik niet. Ik wil niet dat hij als eerste gaat. Als u vast komt te zitten, zien we hem nooit meer terug. Dus ik vrees dat u voorop zult moeten gaan, kapitein. Daarachter onze kleine vriend, en ik sluit de rij.'

Ferras Vansen legde zijn maliënkolder en zijn gevoerde onderhemd af, en kreeg het op slag zo koud dat hij begon te klappertanden. De droggel sloeg de ontwapening belangstellend gade, met zijn ogen tot spleetjes geknepen. 'Zorg dat hij geen kans krijgt om mijn achillespezen door te snijden,' zei Vansen tegen Antimoon.

'Maakt u zich geen zorgen, kapitein.' Met een grimmige trek om zijn mond luste hij het touw van de gevangene op. 'Als hij ook maar iets probeert wat me niet zint, trek ik hem letterlijk een poot uit.'

'Je doet maar, zolang je maar zorgt dat hij blijft leven,' zei Vansen. 'Want we hebben hem aan de andere kant misschien nog nodig. Hoe ga ik die gang in, met mijn hoofd naar voren, of eerst met mijn voeten?'

'Dat hangt ervan af of u uzelf wilt bijlichten.' Antimoon wees naar de lantaarn uit de Zoutpoel die op Vansens voorhoofd was bevestigd. 'Nee, zonder gekheid, met uw hoofd naar voren, kapitein. U bent het breedst bij uw schouders. Denk eraan uw armen op te tillen wanneer u uzelf smaller moet maken. En wees niet bang – ik kom achter u aan.'

Vansen haalde diep adem, en nog eens, en nog eens, maar hij wist dat hij het niet langer kon uitstellen. Dus hij kroop naar het gat. Hoe moest hij zich in hemelsnaam door zo'n nauwe doorgang wurmen?

'Een arm omhoog, een naar beneden, als dat lukt,' zei de monnik. 'Dat geeft u meer bewegingsmogelijkheden en het maakt u bovendien smaller.'

Vansen duwde zijn bijl de gang in en kroop er toen achteraan. Tot zijn verrassing slaagde hij erin zijn schouders en zijn bovenlichaam door het eerste krappe gedeelte te persen. Daarna werd de gang iets breder, ook al lukte het hem nog steeds niet beide armen onder zijn hoofd te brengen. Dus hij duwde de bijlhamer vooruit en kronkelde er dan als een slang achteraan.

Een erg langzame, onhandige en angstige slang, dacht hij onwillekeurig.

Alles in hem verzette zich tegen het idee dat hij op deze manier steeds dieper in de aarde afdaalde. Zelfs de warme, vochtige lucht die hij in-ademde, begon ijl en ontoereikend te voelen. Anders dan hij zich had voorgesteld, was de gang geen gelijkmatige, gladde tunnel als het hol van een dier; in plaats daarvan was hij ontstaan door de toevallige ruim-te tussen reusachtige gebarsten platen steen. De gedachte aan trillingen kwam bij hem op; momenten waarop de aarde als een slapende reus haar schouders leek op te halen. Als dat nu gebeurde – al was het maar een minieme verschuiving – zou hij worden vermorzeld als een graankorrel tussen molenstenen.

Op een gegeven moment, toen de gang zo smal was dat hij niet eens volledig kon inademen, moest hij vechten tegen een plotselinge, over-weldigende doodsangst. Achter zich kon hij vaag de stem van Antimoon horen – hij twijfelde er niet aan of de monnik deed zijn best hem moed in te spreken – maar zijn eigen lichaam en de droggel achter hem blok-keerden het merendeel van het geluid, waardoor hij niet veel meer hoor-de dan wat gemompel.

Maar misschien moedigt hij me helemaal niet aan, dacht Vansen plot-seling. *Misschien heeft hij iets bedacht wat hij is vergeten me te vertellen – dat de gang ergens plotseling een heel eind naar beneden gaat, of dat hij ver-derop nóg smaller wordt... of dat ik moet oppassen voor slangen of giftige spinnen...*

Toen hij vastzat in een bijzonder krappe bocht en probeerde zichzelf weer los te krijgen, stootte hij zijn hoofd pijnlijk tegen de wand van de gang. Hij voelde iets vochtigs langs zijn hoofd sijpelen en veronderstel-de dat het bloed was. Maar toen begon zijn lantaarn te flakkeren en ging uit, zodat hij in totale, inktzwarte duisternis werd gedompeld.

Zijn hart sloeg op hol, haperde en even leek het erop dat het zijn rit-me niet weer zou oppakken. Hij stikte – met dichtgeknepen keel ge-vangen in de duisternis! Hij kon geen lucht krijgen!

'Hou op!' gromde hij tegen zichzelf, ook al waren het niet zozeer woorden die hij voortbracht, meer een soort hijgen en slikken. Maar het was wel zijn eigen stem! En dat betekende dat hij lucht had. De plot-selinge doodsangst die zijn hart deed bonzen en waardoor zijn schedel aanvoelde alsof die door een monsterlijke vuist werd samengeknepen, was ook niet méér dan dat... Angst, meer niet.

Trouwens, wat maakt het uit dat het donker is, zei hij tegen zichzelf. *Je kunt toch alleen maar kruipen, telkens een vingerbreedte naar voren. Je bent een worm. En wormen zijn toch ook niet bang in het donker?*

Het was een merkwaardig geruststellende gedachte; uiteindelijk begon zijn hart weer rustiger te slaan. En ineens zag hij zichzelf zoals een god hem misschien zou zien – een god met gevoel voor humor. Een god die hem zag als een nietig wezen, op een plek waar hij niet thuishoorde, in een veel te smalle gang diep onder de grond, als een gedroogde erwt in een rieten blaaspijp – het soort blaaspijp dat hij en zijn broers en zusters vroeger maakten toen ze nog kinderen waren. De aarde omhulde hem, maar wiegde hem ook. Het enige wat hem te doen stond, was voorwaarts blijven gaan. En wanneer hij in een bijzonder smal gedeelte bleef steken, zou hij net zo lang duwen en wrikken tot hij zichzelf weer vlot had gekregen.

Voorwaarts, alleen maar voorwaarts, zei hij tegen zichzelf. *Dat is het enige wat zin heeft.*

Wat zouden de goden om hem lachen!

Bezweet, huiverend, met trillende gewrichten en met ogen die prikten van het zand, kroop Ferras Vansen ten slotte aan het andere uiteinde van de scheur tevoorschijn. Hij bevond zich in een kleine grot die na de benauwde gang zo ruim en luchtig voelde als de grote tempel in Zuidermark. Achter hem kwam Bruinkool tevoorschijn, gevolgd door Antimoon, die het touw van de droggel omklemde als een kind het touw van zijn vlieger. Zwijgend aten ze wat en rustten ze even, en toen Vansen weer op zijn benen kon staan zonder dat zijn knieën begonnen te beven, vervolgden ze hun weg.

Ze stuitten slechts hier en daar nog op een smal gedeelte, maar dat was niet te vergelijken met de lange, benauwende gang. Nadat ze een uur of twee gestaag omhoog waren gelopen, stonden ze in een gaanderij die duidelijk het werk was van denkende wezens, met ruwe zuilen die het gewelf ondersteunden, zodat de lange, lage reeks kamers de aanblik bood van een bijenkorf of een doolhof. Vansen vroeg zich net af wie of wat daarvoor verantwoordelijk was toen een regen van pijlen afketste op de stenen boven hen. Vansen en Antimoon doken naar de grond, waarbij de monnik zo'n harde ruk aan het touw van de droggel gaf dat de kleine kerel onderuit werd getrokken en omvertuimelde als een stuk speelgoed.

Het duurde niet lang of de aanvallers hadden hun doelwit duidelijk in het vizier en overal om hen heen beukten er pijlen tegen de stenen. Een afbrekende scherf trok een groef in Vansens wang. Bruinkool, die naast Antimoon hurkte, begon in zijn keelachtige taal naar de onzichtbare vijand te schreeuwen.

'Wat zegt hij? Ik wil weten wat hij zegt!' bulderde Vansen.

'Ik kan niet alles verstaan.' Antimoon luisterde aandachtig terwijl de droggel antwoord kreeg. Opnieuw begon Bruinkool te roepen, met een merkwaardige klank van wanhoop in zijn stem. 'Onze droggel zegt dat we met vreedzame bedoelingen komen en dat we met de duistere vrouwe willen praten,' zei de monnik zacht tegen Vansen. 'Maar de anderen – ook droggels – zeggen iets over het touw om zijn been. Ik denk dat ze hem niet vertrouwen; ze denken dat we hem dwingen te liegen.'

'Snij het touw door.'

'Wat?'

'Je hebt me gehoord. Snij het touw door. Maak de knoop los. Het kan me niet schelen wat je doet, maar geef hem de kans naar ze toe te lopen. Dan kunnen ze zien dat onze bedoelingen oprecht zijn.'

'Verschoning, kapitein, maar bent u soms gek geworden? Wat weerhoudt hen er dan nog van ons te doden?'

'Maar begrijpt u het dan nog niet, broeder? Onder deze omstandigheden valt er voor ons niets te vechten. Zij hebben bogen, wij niet. En misschien zijn er op ditzelfde moment al versterkingen onderweg. Dus maak de droggel los.'

Antimoon schudde zijn hoofd maar deed wat Vansen zei. Toen het tot hem doordrong wat er gebeurde, zette Bruinkool grote ogen op. Zodra het touw wegviel, begon hij bij zijn gevangennemers vandaan te schuifelen.

'Zeg dat hij zijn makkers duidelijk moet maken dat we uitsluitend vreedzame bedoelingen hebben.'

Tegen de tijd dat Antimoon de boodschap had vertaald, was de droggel al een eind weggescharreld en liep hij met opgeheven armen zijn makkers tegemoet. Er zoefde een pijl vanuit de schaduwen op hem af, maar ze hadden geluk. Het projectiel ging ver naast. Bruinkool wierp een dreigende blik in de richting van waar de pijl was gekomen, en het bleef bij die ene.

'Nu is het een kwestie van afwachten,' zei Vansen.

'Nu is het een kwestie van bidden,' verbeterde Antimoon hem.

Ferras Vansen had nog ruimschoots de tijd om zich tot diverse goden te richten voordat Bruinkool terugkwam met een groepje van zijn makkers, stuk voor stuk gehuld in een leren wapenrusting en zonder uitzondering met een bijna identieke blik van wantrouwen in hun ogen. Ondanks Antimoons angstige voorgevoelens droeg Vansen zijn bijlhamer over – de droggel die opdracht kreeg hem aan te pakken, zuchtte onder het gewicht zoals een gewoon mens zou zuchten onder het gewicht van een halve koe. De droggels gebruikten het touw dat om Bruinkools enkel had gezeten, om de polsen van Vansen en Antimoon te boeien. Daarop zei hun voormalige gevangene iets tegen hen – een scherp, gebiedend uitgesproken woord. Vansen had geen vertaling nodig, maar Antimoon kon het niet laten.

'"Lopen!" zegt hij.' De stem van de monnik klonk vermoeid en berustend.

Opnieuw klommen ze enige tijd gestaag. Onder het lopen verschenen er van alle kanten uit de duisternis droggels die hen wantrouwend opnamen, maar ook andere, vreemdere schepsels, tot ze werden gevolgd door een heuse menigte. Vansen kreeg het gevoel alsof hij aan het hoofd liep van een religieuze processie, maar daarbij drong bovendien de gedachte zich aan hem op dat het bij sommige processies de offerdieren waren die op de voorste wagens werden meegevoerd.

Uiteindelijk bereikten ze een hoge ruimte die Vansen deed denken aan het inwendige van een tempel met een koepeldak. Het smalle pad slingerde zich langs de wand van de grot en was hier en daar verbreed met houten planken die rechtstreeks in de rotswand waren bevestigd. In de ruimte werden ze opgewacht door een compagnie soldaten – van gewone, menselijke afmetingen. Hun strenge gelaatstrekken waren echter verre van gewoon; hun ogen schitterden, en ze waren gehuld in een donkere wapenrusting. Vansen dacht dat ze hun bestemming hadden bereikt, maar toen de soldaten een stap opzij deden, onthulden ze een enorme, gepantserde gedaante, gezeten op een rots. Jikuyin, was Vansens eerste gedachte, en pure doodsangst overviel hem bij het vooruitzicht van opnieuw een confrontatie met de halfgod. Maar toen de droggels hem naar voren duwden, zag hij dat de onbekende gedaante weliswaar reusachtig was, maar kleiner dan het monster dat hem gevangen had gehouden in de mijnen van de Grote Diepten. Bovendien zag deze figuur er aanzienlijk minder menselijk uit. Zijn huid was bedekt met ruwe schubben, als het vel van een hagedis, en onder zijn zware voorhoofd leken zijn gelaatstrekken slechts vaag op die van een mens, alsof de god die hem had geschapen zijn werk had afgeraffeld.

Zelfs in zittende houding keek het wezen op hem neer. Toen Vansen dichterbij kwam nam het hem strak op, zonder ook maar één keer met zijn heldere, verrassend kleine ogen te knipperen.

'Antimoon,' zei Vansen zacht, 'vraag eens aan Bruinkool om dit schepsel duidelijk te maken dat onze bedoelingen vreedzaam zijn en dat we met de duistere vrouwe willen praten...'

'Daarvoor hebt u Meester Kronyuul niet nodig,' zei de reus; zijn stem had een geluid als van stenen die over elkaar schuurden. 'Want zoals u kunt horen, spreek ik uw taal. Vrouwe Yasammez hecht eraan dat haar generaals goed bekend zijn met de vijand.' Zijn gegrinnik klonk als hamerslagen op een stuk lei. Hij stond op, hoog uittorenend boven zelfs zijn langste wachten. 'Ik ben Hamervoet van de Eerste Diepten, krijgsheer van de ettins. En u... u bent een stel moordenaars.'

'Nee!' Vansen deed een stap naar achteren. 'We zijn hier om te onderhandelen...'

'Waarom zouden we met u onderhandelen? Over een paar dagen hebben we u weggevaagd, zowel onder als boven de grond, en dat weet u. U bent hier omdat u wanhopig bent en omdat u hoopt onze vrouwe te doden. Maakt u zich geen zorgen! Die kans krijgt u... Maar dan moet u eerst zien dat u mij doodt.'

'Wat?' Vansen deed nog een stap naar achteren. 'U begrijpt het niet! We komen om te onderhandelen!'

'Hier, neem uw wapen terug!' Hamervoet keerde zich naar de droggels. 'Geef hem zijn bijl. Ik ga het gevecht ongewapend aan.' De bewuste droggel kwam naar voren met de hamerbijl. Vansen pakte hem aan, voor een deel uit medelijden met het schepsel dat zuchtte onder het gewicht. Maar hij liet het wapen op de grond rusten.

'Ik vecht niet met u,' zei hij tegen de reus.

'Kom kom, zelfs jullie, zonlanders, kunnen toch niet zulke lafaards zijn?' sprak Hamervoet met dreunende stem. Hij boog zich naar voren tot zijn reusachtige, gelooide gezicht zich op dezelfde hoogte bevond als dat van Vansen. 'Ik geef je ook nog het voordeel van de eerste klap. Ben je dan nog steeds bang? Je voorouders waren niet zo aarzelend bij Qul-Girah. Ze hebben mijn grootvader overgoten met brandend pek. Stroomt er soms water in de aderen van hun afstammelingen?'

Al toen hij heel klein was, en ook later toen hij soldaat werd, waren Vansens kalmte en beheersing vaak ten onrechte aangezien voor lafheid. Alleen Donald Murrij, zijn kapitein, had het vuur herkend dat in hem brandde; alleen Murrij had gezien dat Ferras Vansen bereid was elke uitdaging aan te nemen om een zinloos gevecht te vermijden, maar dat hij zou strijden als een in het nauw gedreven dier wanneer hij geen andere keus had. Toch werd Vansen vervuld door vurige schaamte bij de honende woorden van Hamervoet en de wrede lach van diegenen onder de Qar die konden verstaan wat de reus zei.

'Breng me bij de duistere vrouwe,' zei Vansen opnieuw.

'Uw weg gaat door mij,' zei Hamervoet. 'Wilt u soms niet vechten omdat u uw wapenrusting hebt moeten achterlaten?' De ettin deed zijn reusachtige borstplaat af en liet die, galmend als een tempelgong, op de grond van de grot vallen. 'Kom, zonlander, ten aanval en wees bereid te sterven! Of kent u geen enkele eer?'

'Kapitein!' Dat was de stem van Antimoon, angstig en op het punt te breken.

Alles in Ferras Vansen schreeuwde erom zijn bijl op te nemen en de zelfgenoegzame grijns van dat grote, valse gezicht te slaan in een waterval van rood – of welke kleur het bloed van een reus ook mocht hebben. Hij hief het wapen en woog het in zijn handen. Hamervoet spreidde zijn enorme armen, om duidelijk te maken dat hij de slag niet zou blokkeren.

Vansen liet de bijl op de grond vallen. 'Ik weiger te vechten. Als u me niet bij uw vrouwe wilt brengen kunt u me net zo goed meteen doden. Ik vraag u alleen de monnik te laten gaan. Bruinkool kan u vertellen dat hij in goed vertrouwen als tolk is meegegaan.'

'Ik sluit geen overeenkomsten met zonlanders...' grauwde Hamervoet. Hij hief een vuist als een boomstronk boven Vansens hoofd.

'Dood hem niet, Diepe Delver!' klonk een nieuwe stem, ijzig als de wind in Eimene. 'Zover zijn we nog niet.'

'Mogen de Ouden ons beschermen,' mompelde Antimoon.

'Vrouwe Yasammez...' Hamervoet klonk verrast.

Vansen draaide zich om en zag over het spiraalvormige pad langs de wand van de grot een kleine processie naderen. Aan het hoofd liep een verschijning die hij nooit eerder had gezien, maar die hij desalniettemin onmiddellijk herkende. Ze was langer dan hij en volledig gehuld in een wapenrusting van zwarte platen. Haar lange, witte zwaard dat zonder schede achter haar riem was gestoken alsof het slechts een reservedolk was, leek een subtiele gloed te verspreiden. Maar het was vooral het gezicht van de vrouwe dat hem trof – onbewogen als een ritueel masker, star als van een beeltenis op een graftombe. Aanvankelijk zag Vansen geen sprankje leven in dat gezicht, op de ogen na die schitterden als hoog oplaaiende vlammen in een haardvuur. Toen kneep de vrouwe die vurige ogen tot spleetjes, haar dunne lippen welfden zich in een vreugdeloze glimlach, maar ook al was haar gezicht tot leven gekomen, Vansen kon er geen sprankje warmte of sympathie in ontdekken.

'Wat krijgen we vandaag veel bezoekers,' zei ze. 'En allemaal ongewenst.' Ze kwam dichterbij. Zelfs toen hij zijn ogen sloot voelde Vansen haar nabijheid als de nadering van een sneeuwstorm. Naast zich meende hij te horen dat Antimoon een soort jammerkreet slaakte. 'Ik neem aan dat u me komt overtuigen van de noodzaak om onze krachten te bundelen tegen de gemeenschappelijke vijand?'

Vansen knipperde met zijn ogen. Doelde ze op Hendon Tollij? 'Ik... ik ben niet...' Het viel hem zwaar haar aan te kijken, maar zijn blik afwenden bleek net zo moeilijk. Hij voelde zich als een mot die om een kaarsvlam danste, er hopeloos door aangetrokken, maar zich er tegelijkertijd van bewust dat de lichtste aanraking hem noodlottig zou worden. 'Ik weet niet wat u bedoelt, vrouwe.'

'Dan draait de wereld zelfs nog vreemder dan ik al dacht,' zei ze. 'Deze kleine delegatie kwam me waarschuwen voor het menselijke wezen dat bekendstaat als de autarch van Xis. Hij zou van plan zijn op korte termijn met een aanzienlijke vloot en troepenmacht de baai binnen te varen.'

Vansen staarde haar verbouwereerd aan en besefte dat het niet alleen gewapende wachten waren die Vrouwe Yasammez vergezelden; pal naast haar stonden drie angstig ineengedoken gedaanten waarin hij mensen herkende; ze waren kaal en hadden uitzonderlijk lange armen.

'Jutters!' Vansen was verbijsterd. 'Komen jullie uit Zuidermark?' vroeg hij, maar de onbehaarde mannen weigerden hem aan te kijken alsof hij iets beschamends had gezegd. Vansen keerde zich weer naar de duistere vrouwe. 'De autarch van Xis is de machtigste man op de twee continenten. Waarom zou hij hierheen komen?' Vansen keek om zich heen. Zelfs in doodsnood stelde hij verwonderd vast hoe grondig de oude wereld was vernietigd; hoe ingrijpend ze was veranderd in wat hij hier om zich heen zag – elfenkrijgers, reuzen, Funderlingen... En blijkbaar stond het monster van Xand ook op het punt zich bij deze krankzinnige versie van de Zosimia te voegen. 'Hij heeft het grootste leger ter wereld,' zei hij luid, zowel tegen de aanhangers van Yasammez als tegen de duistere vrouwe zelf. 'Zelfs de gruwelijke Vrouwe Porcupina kan hem niet verslaan. Niet zonder hulp...'

'Dwáás.' Haar stem knalde als de zweep van een veedrijver. 'Denk je dat ik om vrede moet smeken, alleen omdat mijn volk spoedig tussen twee menselijke legers zal staan?' Ze liet haar blik woedend om zich heen gaan alsof ze haar vazallen uitdaagde te spreken. Hun neergeslagen ogen en uitdrukkingsloze gezichten verrieden dat geen van hen dat zelfs maar overwoog. 'Ik sterf nog liever in de modder op Herwaartse

Kust dan dat ik opnieuw een pact sluit met verraderlijke stervelingen!' Ze keerde zich naar de reusachtige ettin. 'Dit gewauwel is zinloos, Hamervoet. Dus leef je uit. Doe het snel, of neem er de tijd voor, het kan me niet schelen, zolang je ze maar afmaakt!'

Antimoon slaakte een kreet van angst, maar Vansen deed een stap naar voren. 'Niet zo haastig!' Onmiddellijk waren er minstens tien Qarbogen op hem gericht. Hij bleef staan in het besef dat hij het risico liep gedood te worden voordat hij zijn zaak kon bepleiten. 'U had het over een pact, Vrouwe Yasammez. Ik weet van een ander pact – het Pact van de Spiegel!'

Ze keek hem aan met een ondoorgrondelijke uitdrukking op haar gezicht. 'En waarom zou mij dat interesseren? Dat pact is opgeheven – het gambiet van de Zoon van de Eerste Steen heeft niets opgeleverd. Dus niets zal me er nu nog van weerhouden – zelfs niet een zuidelijke potentaat met magische pretenties – om dit huis van verraad tot op de grond toe plat te branden!'

'Maar het Pact van de Spiegel is niet opgeheven!'

Het kon gezichtsbedrog zijn door de schaduwen en de onrustig brandende fakkels, maar even meende Ferras Vansen te zien dat de duistere vrouwe groter werd, dat haar silhouet groeide en werd overdekt met doornen, als een zwarte distel. 'Hoe durft u zo tot me te spreken!' Haar woedende uitval schalde vernietigend door zijn hoofd. Hij viel op zijn knieën greep naar zijn hoofd, bijna jankend van de pijn. 'Mijn vader is dóód! Kupilas de Maker is dood! Ondanks gevangenschap, eenzaamheid en gruwelijk lijden waarvan u zich geen voorstelling kunt maken, heeft hij eeuw na eeuw over onze wereld gewaakt... Maar nu is hij dood. Dus hoe kunt u zelfs maar denken dat ik mijn adem nog zou verspillen aan schepselen zoals u – de vernietigers van mijn familie? Laat die sterfelijke autarch maar komen! Hij zal hier niets anders aantreffen dan puinhopen en ruïnes. Ter nagedachtenis en uit naam van mijn vader, en ter herinnering aan alle levens die jullie, stervelingen, van ons hebben gestolen, zal hier niets overleven en zullen de goden in hun ballingschap voor eeuwig verder slapen!'

Maar terwijl ze zich afwendde werkte Vansen zich op zijn knieën overeind en strekte zijn hand naar haar uit. Zijn hoofd bonsde, bloed droop uit zijn neusgaten en in zijn mond, zodat hij een zoute smaak in zijn mond kreeg.

'Dood me als dat u behaagt, Vrouwe Yasammez! Maar luister eerst naar wat ik te zeggen heb! Ik heb Gyir Stormlantaarn gekend. We zijn samen door het land achter de Schaduwgrens getrokken. Hij was... We waren vrienden.'

Ze draaide zich met een ruk naar hem om, in twee stappen stond ze vlak voor hem, met haar hand op het gevest van het witte zwaard. 'Gyir is dood.' De woorden troffen hem als harde, ijzige hagelstenen. 'En hij was niet bevriend met een sterveling. Dat is onmógelijk!'

'Het spijt me dat hij dood is, meer dan u ooit zult weten. Ik was bij hem in zijn laatste uur, in de Grote Diepten. En als we geen vrienden waren, dan waren we toch zeker bondgenoten.'

Ze nam hem strak op met haar reptielachtige blik. 'Dat betwijfel ik. Maar wat doet het er nog toe, nietige mens? Hij heeft me in de steek gelaten. Gyir is dood. Nog even, en dan geldt dat ook voor u.'

'Misschien vergist u zich, vrouwe. Ik denk dat er een kans bestaat dat Gyirs missie – ondanks zijn dood – alsnog kan slagen, en als dat zo is, dan is dat dankzij een geschenk dat u naar de koning van de Qar hebt gestuurd – een geschenk genaamd Barrick Eddon, prins van Zuidermark.'

Haar vingers sloten zich strakker om het gevest van het zwaard. Ze stond zo dicht voor hem dat ze hem met één zwaai zou kunnen onthoofden, besefte Vansen. Berustend boog hij zijn hoofd. 'Gyir heeft u niet in de steek gelaten, vrouwe, en zelfs toen hij stierf deed hij wat u hem had opgedragen. Het Pact zou nog steeds kunnen slagen.'

Hij wachtte op de slag van het zwaard, maar die kwam niet.

'Ik wil dat u me alles vertelt wat u weet van Gyir Stormlantaarn,' zei ze ten slotte. 'Tot u dat hebt gedaan, zal ik uw leven sparen.'

37
Onder een beenderwitte maan

'*Het Boek van Berouw* is niet het enige handschrift van de Qar. Er wordt beweerd dat er ook een verzameling orakeluitspraken bestaat, *De Profetieën der Geworpen Beenderen,* die sinds hun vroegste dagen wordt bijgehouden. Beide zouden deel uitmaken van een groter boek – of verhaal of lied – getiteld *Het Vuur in de Leegte,* maar er is geen enkele geleerde, zelfs Ximander niet, die dat met zekerheid durft te beweren.'

Uit *Een Verhandeling over de Elfenvolken van Eion en Xand*

Brionie kon er niet over uit hoe enorm de afmetingen waren van het Syannese kamp. Ze had een groepje mannen te paard verwacht, misschien hoogstens een halfhonderd soldaten, die langs de Koninklijke Heirweg hun kamp hadden opgeslagen. Maar toen ze naar de weg waren gereden en deze misschien een uur in de stromende regen in zuidelijke richting hadden gevolgd, kwamen Brionie en haar gevangennemers bij een modderig stuk grasland vol tenten – het moesten er enkele honderden zijn, dacht ze; een compleet militair kamp met voetsoldaten, ridders en hun paarden en bedienden. Toen de mannen zich naar haar omdraaiden en ze zelfs op de strengste gezichten een blik van nieuwsgierigheid las, trok haar maag pijnlijk samen. Zou ze ter dood worden gebracht? Nee, dat kon toch haast niet, alleen omdat ze was weggelopen! Maar ze kon de kille blik in de ogen van Vrouwe Ananka niet uit haar gedachten zetten. Brionie had al jong geleerd dat je als koningsdochter kon worden gehaat door mensen die je helemaal niet kenden; mensen die je zelfs nog nooit hadden gezien!

Je moet niet vergeten dat je in hun ogen niet helemaal echt bent,' had haar vader vaak gezegd. *Je bent een soort spiegel waarin mensen – en vooral je onderdanen – zien wat ze willen zien. Als ze gelukkig zijn, dan zien ze je in dat licht. Maar wie ongelukkig is, ziet je als degene die – op z'n minst ten dele – verantwoordelijk is voor dat ongeluk. En mensen die worden bezeten door een demon, beschouwen je als iets wat vernietigd dient te worden.'*

Als de goden mensen alleen beroerden in hun dromen, zoals Lisiya had gezegd, konden ze daar dan zowel leugens als waarheid zaaien? Had een kwade god Ananka en de koning van Syan tegen haar opgezet?

Moet je jezelf nou eens horen, mopperde ze in gedachten. *Is het al niet erg genoeg dat ik trots ontleen aan het aantal soldaten dat erop uit is gestuurd om me gevangen te nemen en terug te brengen naar Tessis? Nu vlei ik mezelf ook nog met de veronderstelling dat de goden zich tegen me hebben gekeerd. Dwaze, hovaardige vrouw!*

Maar wat er ook gebeurde, ze zou niemand de bevrediging schenken een Eddon te zien huilen en om genade te horen smeken. Zelfs niet als ze naar het hakblok van de beul werd geleid!

Bij een groot paviljoen in het hart van het kamp aangekomen steeg de kapitein af en hielp haar zwijgend, doeltreffend, maar zonder enige hoffelijkheid uit het zadel. Nu ze het wapen op zijn overjas beter kon zien, zag ze dat de witte hond daarop bijna skeletachtig mager was en dat zijn ribben zo duidelijk te zien waren dat ze leken op een dameskam. Het deed een rilling over haar rug lopen.

De kapitein loodste haar langs de mannen die voor het paviljoen op wacht stonden. Eenmaal binnen dwong hij haar zo hardhandig te blijven staan, dat ze haar gezicht vertrok van pijn. In het midden van de grote tent bevond zich een groep militairen, allemaal in wapenrusting, gebogen over een bed dat was bedekt met kaarten. Niemand scheen de bezoekers te hebben opgemerkt.

'Verschoning, Hoogheid...' zei de kapitein ten slotte, duidelijk ongeduldig om zijn goede nieuws bekend te maken en de lof daarvoor te oogsten. 'Ik heb haar gevonden – de prinses uit het noorden – en haar gevangengenomen.'

De langste van de gewapende mannen draaide zich om... en zette grote ogen op. 'Brionie... Prinses!' Het was Prins Eneas, de zoon van de koning van Syan, die zich vervolgens abrupt naar de kapitein keerde. 'Wát hebt u gedaan? Heb ik u goed verstaan, Linas? U hebt haar gevángengenomen?'

'Zoals u had bevolen, Hoogheid. Ik heb haar gevonden en gevangengenomen.' Maar de stem van de kapitein, even eerder nog zo ferm en trots, klonk ineens aanzienlijk minder zelfverzekerd. 'Hier is ze. Ik heb haar... ik heb haar bij u gebracht.'

Met een nijdig gezicht liep Eneas naar hem toe. 'Idioot! Wanneer heb ik gezegd dat u haar gevangen moest nemen? "Zorg dat u haar vindt!" heb ik gezegd.' Hij strekte zijn handen uit naar Brionie en liet zich tot haar verbijstering op een knie zakken. 'Ik smeek u om vergiffenis, Prinses. Mijn soldaten hebben de opdracht blijkbaar niet goed begrepen, en dat kan ik alleen mezelf aanrekenen.' Hij keerde zich weer naar de kapitein die haar had opgebracht. 'Wees blij dat u haar niet in de boeien hebt geslagen, Kapitein Linas, want dan zou ik u misschien met de zweep hebben gegeven. Dit is een edelvrouwe, en we hebben haar toch al verschrikkelijk behandeld.'

'V-verschoning, Prinses,' stamelde de kapitein. 'Daar had ik geen idee van... Ik heb u onrecht aangedaan...'

Ze mocht hem niet, maar zweepslagen wenste ze hem nu ook weer niet toe. Hoewel, misschien een... of twee... 'Natuurlijk, uw excuus is aanvaard.'

'Ga de rest waarschuwen om te zeggen dat de zoektocht is afgeblazen.' Hij keek de berispte kapitein na terwijl die zich de tent uit haastte, toen draaide hij zich om naar de rest van zijn mannen, die het gebeuren met geamuseerde belangstelling gadesloegen. 'Heer Helkis, u kunt gaan, en hetzelfde geldt voor de anderen. Ik wil de prinses graag even alleen spreken.' Hij dacht even na. 'Of nee, Helkis, blijft u maar hier. Ik wil niet dat de reputatie van deze arme vrouw nog verder wordt bezoedeld. Ze heeft al genoeg geleden door mijn familie, en ze is buitengewoon oneerlijk behandeld.'

De knappe jonge edelman boog. 'Zoals u wilt, Hoogheid.' Hij trok zich terug op een kruk in een hoek van het paviljoen. Brionie had het gevoel alsof ze droomde. Het ene moment had ze zich nog afgevraagd of ze ter dood zou worden gebracht, het volgende knielde er een prins voor haar neer en kuste haar hand.

'Ik kan niet van u verwachten dat u mijn familie vergeeft,' zei Eneas. 'Dat durf ik zelfs niet te hopen. Het zou in elk geval niet verdiend zijn. Het enige wat ik kan doen, is u nogmaals mijn verontschuldigingen aanbieden. Ik werd er al snel na onze terugkeer uit Neerbrugge op uitgestuurd. Tegen de tijd dat ik te horen kreeg wat er was gebeurd en naar Tessis was teruggekeerd, was u al verdwenen.' Hij vernauwde zijn ogen tot spleetjes. 'Merkwaardig. Dat lijkt mijn oude reismantel wel. Sterker nog, ik zou kunnen zweren dat hij het is. Nou ja, dat doet er ook niet toe.'

Daarop vertelde hij dat de waarheid hem ter ore was gekomen dankzij Erasmias Jino, die een boodschapper achter hem aan had gestuurd. Deze had hem ingehaald terwijl hij met zijn manschappen over de Koninklijke Heirweg naar het zuiden optrok, in de richting van de grens. Brionie wenste dat ze Jino kon bedanken. Het was wel duidelijk dat ze zijn welwillendheid – of in elk geval zijn loyaliteit jegens Eneas – had onderschat.

'Het was midden in de nacht toen ik zijn brief onder ogen kreeg, maar ik heb mijn Tempelhonden onmiddellijk opdracht gegeven het kamp op te breken, en we zijn spoorslags naar Tessis teruggekeerd,' aldus Eneas.

'Tempelhonden?'

'De mannen die u hier om u heen ziet. Mijn eigen cavalerie-eenheid,' zei hij, glimmend van trots. 'Ik heb ze stuk voor stuk zelf geselecteerd. Weet u nog dat ik u vroeg naar Shaso en wat u van hem had geleerd? Bij het oprichten van de Tempelhonden heb ik de Tuani-ruiters als voorbeeld genomen. Laat u niet misleiden door Linas en zijn dwaze vergissing – deze mannen zijn de beste die Syan heeft, getraind om snel en efficiënt in actie te komen, zowel op de weg als in het gevecht. Het spijt me dat uw eerste kennismaking zo onplezierig is verlopen.'

Brionie schudde haar hoofd. 'Het was niet alleen maar akelig. Ze hebben ons gered van een stel bandieten.' In gedachten zag ze het bloedeloze gezicht van Dowan Berk en zijn halfgeopende, niets ziende ogen. 'Althans, de meesten van ons...' Haar dankbaarheid dat ze gespaard was gebleven, maakte plaats voor een ijzige kilte die als lood op haar hart drukte. 'Kunt u iemand naar mijn metgezellen sturen? De spelerstroep? Ze hebben geen idee wat me is overkomen. Waarschijnlijk denken ze dat ik word onthoofd of in elk geval teruggesleept naar Tessis.' Ze zweeg, ten prooi aan verwarring. 'Ga ik terug naar Tessis? Wat gaat er met me gebeuren als uw gevangene, Prins Eneas?'

Hij keek haar geschokt aan. 'Maar u bent toch niet mijn gevangene, vrouwe! Hoe kunt u dat zelfs maar denken? Het spreekt vanzelf dat u vrij bent om te gaan en te staan waar u wilt... hoewel... Nou ja, ik hoop vurig dat u me de kans wilt geven u mee terug te nemen naar Tessis. Dan kunnen we uw naam zuiveren van de kwetsende, ongefundeerde beschuldigingen die tegen u zijn uitgesproken. Dat is wel het minste wat ik kan doen.'

'Maar Ananka, uw stiefmoeder... haat me...'

Even verhardde de uitdrukking op zijn gezicht. 'Ze is mijn stiefmoeder niet. Mogen de goden ons genadig zijn en zorgen dat mijn vader spoedig een eind maakt aan die ongepaste relatie.'

Brionie betwijfelde dat het zo gemakkelijk zou zijn. 'Blijft het feit dat er tot twee keer toe een poging is gedaan om me te vergiftigen,' zei ze.

'Maar van nu af aan zal ik niet van uw zijde wijken,' zei Eneas. 'U zult onder mijn persoonlijke bescherming staan.'

Het vooruitzicht dat een aardige, sterke, bekwame man als Eneas zich over haar zou ontfermen, was erg verleidelijk – ze was al zo lang op zichzelf aangewezen. Haar vader was ontvoerd, allebei haar broers waren uit haar leven verdwenen, en het zou een bevrijding zijn om eindelijk niet langer waakzaam te hoeven zijn... 'Nee,' zei ze ten slotte. 'Ik dank u voor uw aanbod, Hoogheid, maar ik kan niet terug naar Tessis.'

Hij deed zijn best om te glimlachen. 'Het zij zo. Maar waar u ook uw toevlucht wilt zoeken, ik hoop dat u me wilt toestaan te zorgen dat u daar veilig aankomt. Dat is wel het minste wat ik voor u kan doen na de wrede behandeling die u aan het hof van mijn vader ten deel is gevallen.'

'Dan vraag ik u me terug te brengen naar de spelers. Uw kapitein weet waar ze zijn. En vertel me ondertussen alles wat u hebt gehoord en gezien sinds de laatste keer dat we elkaar spraken,' zei Brionie. 'Maar wat u me ook zult vertellen, ik weet bijna zeker dat ik niet van gedachten zal veranderen. Ik wil terug naar Zuidermark. Mijn volk verkeert in grote nood.'

'Als dat uw besluit is, dan zal ik u daarheen begeleiden,' zei Eneas ernstig. 'Zelfs al zou de zwarte Zmeos in eigen persoon met zijn legioenen de weg blokkeren!'

'Spreek alstublieft niet over de goden, en al helemaal niet over goden die worden gedreven door woede,' zei Brionie plotseling ongerust. 'Want die laten ons toch al niet met rust.'

*

Toen het gebeurde, ging het allemaal heel snel.

Vele dagen waren verstreken terwijl de vissersboot waarop Qinnitan gevangen werd gehouden de kust van Syan volgde naar Brenhland en vandaar omhoog door de zeestraten die Brenhland scheidden van Conordh en de talrijke kleinere, rotsachtige eilanden daaromheen. Als jonge vrouw die een groot deel van haar leven in de Korf en de Koninklijke Afzondering had doorgebracht, zou Qinnitan dat allemaal niet hebben geweten, ware het niet dat ze ontdekte dat Daikonas Vo in de ochtenduren na het innemen van zijn drankje – of wat het ook was – bereid was tot het beantwoorden van vragen. Het was duidelijk dat zijn ijzeren zelfbeheersing begon af te brokkelen. Toch sprak Qinnitan hem maar zelden aan, uit angst dat deze onwaarschijnlijke bron van kennis abrupt weer zou opdrogen.

Sinds enkele dagen wist ze dat Vo zijn medicijn behalve 's ochtends ook 's avonds innam; naarmate de middag verstreek, werd hij steeds rustelozer, tot hij zichzelf kort na het vallen van de avond kalmeerde met het drankje. Qinnitan begreep niet precies wat er aan de hand was, maar ze was dankbaar voor het verslappen van zijn aandacht, waardoor zij de kans kreeg om na te denken.

Dagenlang was het enige wat ze van de kust had kunnen zien, een verzameling rotsachtige kapen geweest met wrede kliffen waar de golven tegenaan beukten als bedelaars die op een vergrendelde deur bonkten. Maar terwijl Vo over het dek ijsbeerde en terwijl de oude Vilas aan het roer stond, met zijn zoons roerloos aan zijn voeten, gleed de vissersboot die dag langs een laatste bolwerk van heuvels. Plotseling kwam er een eind aan de muur van rotsen en voeren ze langs een enorme, vlakke uitgestrektheid van vochtig zand, met hier en daar reusachtige ronde stenen, als het achtergelaten speelgoed van reuzenkinderen. Achter de natte getijdenvlakte liep het land glooiend omhoog in grazige hellingen waarop groepjes bomen groeiden met een witte bast; en voorbij de hellingen strekte zich een dicht woud uit dat als een donkergroene deken lag uitgespreid over de knieën van heuvels die zich ver aan de horizon verhieven.

Vanavond moest het gebeuren, besloot Qinnitan. Als zich ooit een kans presenteerde, dan was het hier. Want het was maar al te waarschijnlijk dat de kustlijn spoedig weer zou veranderen en opnieuw zou bestaan uit rotsachtige kliffen waartegen zelfs een goede zwemmer te pletter zou slaan en verdrinken. Dus het moest die avond gebeuren.

Het kostte haar geen moeite om wakker te blijven, maar wel om zich niet te verroeren. Ze dwong zichzelf haar ogen zo veel mogelijk gesloten te houden, vechtend tegen de aandrang om zich ervan te overtuigen dat de maan nog net zo helder aan de hemel stond als even tevoren.

Ze hoorde Vo in zichzelf mompelen, wat een goed teken was. Toen ze het er eindelijk op waagde haar ogen open te doen, zag ze dat hij over het dek liep te ijsberen, ondertussen met zijn nagels over zijn armen en zijn hals krabbend, en wrijvend over zijn buik alsof hij daar pijn had.

'... begint te ontwaken,' hoorde ze hem zeggen, gevolgd door een reeks verwensingen in keelachtig Xissisch die Qinnitan een jaar eerder zouden hebben doen blozen. Sterker nog, het zou haar hebben geduizeld! '... belazerd...' gromde hij. '... slaapt helemaal niet... Allebei! Ze wisten het! Honden zijn het!'

Ten slotte staakte hij het ijsberen, en Qinnitan probeerde geen vin te verroeren en zelfs niet te ademen. Ze gluurde tussen haar wimpers door. Vo stond met zijn rug naar haar toe en likte aan de naald die hij gebruikte voor het innemen van zijn drankje. Tot haar verrassing doopte hij hem opnieuw in de fles en bracht hem nogmaals naar zijn mond.

Dus hij likte nu al drie keer per dag aan de naald! Wat betekende dat voor háár? Was dat goed of slecht? Ze dacht even na en kwam tot de conclusie dat het alleen maar gunstig kon zijn. Vanaf dat moment kostte het wachten haar zo mogelijk nog meer moeite, maar de goden waren haar gunstig gezind: Vo zakte al vrij snel door zijn knieën en liet zich op het dek glijden.

Door haar wimpers keek ze tot de maan verdween achter het grootzeil. Toen haalde ze diep adem, ze blies langzaam uit, rolde op haar zij en kroop naar de in schaduwen gehulde figuur tegen de mast.

'Akar,' fluisterde ze, het Xissische woord voor 'meester'. 'Akar Vo, kunt u me horen?' Ze stak haar hand uit en schudde hem voorzichtig. Zijn hoofd wiebelde, zijn lippen weken licht uiteen alsof hij iets ging zeggen. Ze schrok, maar hij hield zijn ogen gesloten, en er kwam geen geluid uit zijn mond.

Ze schudde hem nogmaals zachtjes, terwijl ze ondertussen haar hand onder zijn mantel liet glijden, op zoek naar zijn beurs. Toen ze die had gevonden, trok ze hem voorzichtig naar zich toe. Hij was zwaarder dan ze had gedacht en gemaakt van soepel, geolied leer. Ze stopte de oude broodkorsten die ze had bewaard, op de plek van de portemonnee, en verstijfde even in doodsangst toen haar gevangennemer zich bewoog en iets mompelde. Zodra de rust was weergekeerd bond ze de beurs haastig aan het stuk touw dat ze als riem over haar gerafelde, tot op de draad versleten bediendenjurk uit Hierosol droeg. Haar hart bonsde in haar keel. Zou ze dit wel durven?

Natuurlijk durfde ze! Trouwens, ze had geen keus. Nu ze Duif niet meer bij zich had, droeg ze alleen nog verantwoordelijkheid voor zichzelf. Als ze haar ontsnappingspoging met de dood moest bekopen, dan was dat altijd nog beter dan wat haar wachtte wanneer ze werd teruggegeven aan de autarch. Daar twijfelde ze niet aan.

Ze reikte nogmaals in de mantel van Vo, op zoek naar het gif. Heel voorzichtig trok ze de fles, geklemd tussen haar duim en haar andere vingers, onder zijn mantel vandaan. Even aarzelde ze. Als ze de inhoud zelf opdronk, was ze van al haar problemen verlost – tenminste, van alle problemen die de levenden kwelden. De duisternis in de kleine fles riep haar, verleidde haar met een slaap waaruit ze nooit meer wakker zou worden. En de verleiding was groot! Maar de herinnering aan de jongeman die Barrick heette, de vriend uit haar dromen, was sterker. Had hij haar echt de rug toegekeerd? Of was er iets gebeurd? Had hij haar hulp nodig? Als ze nu een eind maakte aan haar leven, zou ze het nooit weten.

Vastberaden trok Qinnitan de glazen stop uit de fles, sprak een gebed tot de gouden bijen van Nushash die ze zo lang had verzorgd, en hield de fles toen ondersteboven boven Vo's mond.

Haar plan mislukte nog bijna door de onverwachte dikte van het medicijn, dat niet als water uit de fles klaterde maar druppel voor druppel, als granaatappelsiroop, in zijn mond sijpelde. Hij had amper de eerste druppel binnen toen hij zich al begon te verzetten. Toch slaagde ze erin minstens een kleine lepel vol achter in zijn keel te gieten voordat hij volledig bijkwam en zich hoestend en spugend losrukte. Hij sloeg de fles uit haar handen. Het ding schoot ver weg over het dek, maar dat kon Qinnitan niet schelen. Ze wist zeker dat ze hem tientallen keren zijn normale portie had gegeven, en dat moest voldoende zijn om hem te doden.

Natuurlijk wachtte ze niet tot ze daar zekerheid over had. Ze waren tenslotte niet alleen aan boord. Vilas en zijn onnozele, wrede zoons waren er ook nog. De oudste van de twee jongens stond aan het roer, de andere twee mannen sliepen. Het zou niet lang duren of zelfs de suffe roerganger zou een worsteling in de gaten krijgen. Dus Qinnitan haastte zich naar de lage reling en wierp zich aan landzijde overboord. Na de eerste schok van het koude water kwam ze boven en begon ze zo goed en zo kwaad als het ging in de richting van de donkere kust in de verte te zwemmen. Toen ze een eindje was gevorderd keek ze achterom naar de boot. Ze zag iets donkers over de reling vallen, gevolgd door een bleke fontein van opspattende druppels in het door de maan beschenen water. Opnieuw bonsde haar hart in haar keel. Kwam Vo achter haar aan? Had zelfs een lepel vol van het gif hem niet kunnen doden?

Misschien was hij gestruikeld en overboord geslagen, zei ze tegen zichzelf toen ze met veel gespetter weer in de richting van de kust begon te zwemmen. *En misschien is hij al verdronken.*

Ze was amper een steenworp van de vissersboot toen ze het ijskoud begon te krijgen en dreigde uitgeput te raken – het leek wel alsof het water haar wegvoerde van de kust, alsof Efiyal, de kwaadaardige oude god van de oceaan, zijn uiterste best deed om haar dwars te zitten.

Dat laat ik niet gebeuren... dacht ze, hoewel het haar niet helemaal duidelijk was tegen wie ze zich verzette, want het kostte haar de grootste moeite om helder te denken. *De dood? De goden? Daikonas Vo? Ik laat het niet gebeuren...*

Ze vocht door, hevig spartelend en woest uithalend met armen en benen, zodat ze wist dat ze haar vanaf de boot moesten kunnen zien, maar er kwam niemand achter haar aan. Moest ze daaruit afleiden dat Vo dood was? Of dachten ze dat ze toch niet meer gered kon worden?

Het deed er niet toe. Ze had geen andere keus dan doorzwemmen.

Water prikte in haar ogen en kwam in haar mond, zodat ze zich dreigde te verslikken. De maan hing als een reusachtig oog aan de hemel, rimpelend wanneer ze kopje onder ging en dan weer hoog boven haar wanneer ze haar hoofd uit het water stak. Haar benen waren loodzwaar en trokken haar naar beneden, hoe wanhopig ze zich ook tegen de greep van de oceaan verzette. Vermoeidheid nam bezit van haar hele lichaam en veranderde van iets wat even daarvoor als vuur in haar aderen en haar longen had gebrand, in een ijzige kilte die zich hoe langer hoe verder verspreidde, tot ze haar armen en benen niet meer voelde en ze niet meer wist wat onder of boven was. Of ze het ging halen of bezig was te verdrinken, of het de maan was die boven haar hing of de weerspiegeling daarvan in de weerkaatsende diepten, ze wist het niet meer...

Ze voelde zand, gladde rotsen, maar verloor haar houvast weer. Na opnieuw een paar wilde, wanhopige slagen voelde ze duidelijk opnieuw vaste grond onder haar voeten, en deze keer verdween hij niet. Ze ging staan, het water reikte niet hoger dan haar hals... haar borsten... haar middel...

Ten slotte voelde ze het water niet meer, ze liet zich op de natte stenen van het strand vallen en volgde de maan, de duisternis in.

Ze werd huiverend wakker onder een maan zo wit als oude beenderen. Van Vo of de boot was geen spoor te bekennen, maar ze voelde zich afschuwelijk kwetsbaar op het strand. Bovendien stond er een harde, koude wind. Dus ze kneep zo veel mogelijk water uit haar jurk en begon langzaam aan de tocht naar de heuvels; haar blote voeten waren zo koud dat ze de scherpe stenen nauwelijks voelde.

Halverwege de helling liep ze door een zee van lange grashalmen die meebogen met de wind, fluisterend als angstige kinderen. Qinnitan was te moe om nog één stap verder te lopen. Ze liet zich op haar knieën zakken en kroop een eindje verder, uitgeput en half dromend, in de veronderstelling dat ze op de een of andere manier wel een veilige plek zou weten te vinden, een plek waar niemand haar kwaad kon doen. Ten slotte liet ze zich in het hoge, fluisterende gras zakken tot ze de gesel van de wind niet langer voelde en de wereld om haar heen opnieuw wegviel.

*

'Ik zou willen dat u uw haar niet had afgesneden, Prinses,' zei Eneas terwijl hij haar hielp het maliënbuis over haar hoofd te laten zakken. 'Ook al moet ik toegeven dat een wat mannelijker uiterlijk beter past bij uw huidige uitmonstering.'

'Ach, mensen zijn bereid tot de vreemdste dingen wanneer ze moeten vluchten voor hun leven.'

De prins bloosde. 'Natuurlijk, vrouwe, het was niet mijn bedoeling...'

Brionie gooide het over een andere boeg. 'Wat voelt dit licht! Veel lichter dan ik had gedacht.' De wapenrusting zat aanzienlijk prettiger dan de formele japonnen die ze aan het hof had gedragen, om nog maar te zwijgen over de baleinen en de gesteven kragen en de ettelijke onderrokken die ze onder de japonnen had moeten dragen. De maliën vielen soepel over een gevoerd onderbuis en reikten bijna tot haar knieën, maar dankzij een split aan weerskanten was dat geen probleem bij het rijden.

'Ja, het materiaal is heel licht.' De prins was duidelijk in zijn nopjes met haar opmerking. Mede daarom vond ze hem zo aardig, dacht Brionie onwillekeurig; omdat hij altijd zo enthousiast reageerde wanneer ze belangstelling toonde voor wapens en wapenrustingen – of in elk geval meer belangstelling dan andere vrouwen misschien zouden hebben getoond. 'Zoals ik al zei, we hebben de Tuani tot voorbeeld genomen en de Mihanni, snelle woestijnruiters zoals de mannen over wie uw leermeester Shaso ooit het commando voerde. De tijden zijn voorbij dat trage ridders de vijand naar believen konden vertrappen. Wat door de ver reikende boog in de tijd van onze grootvaders al moeilijker werd, zal spoedig door het gebruik van geweren onmogelijk worden. Zelfs de sterkste wapenrusting kan een geweerkogel alleen van grote afstand tegenhouden, maar heeft bovendien een nadelig effect op de wendbaarheid van de drager en maakt hem volslagen hulpeloos wanneer hij van zijn paard valt...' Hij kleurde weer. 'Wat draaf ik weer door. Laat me u helpen met uw overjas.' Eneas hielp haar samen met zijn page in het kledingstuk terwijl zij haar armen wijd hield. En toen de jonge page de zijkanten dichtbond, deed Eneas een stap naar achteren, misschien uit een gevoel van wellevendheid.

'Schitterend!' zei hij waarderend. 'Nu bent u een echte Tempelhond!'

Brionie lachte. 'Ik voel me vereerd, zelfs al is het alleen maar uiterlijk. Maar denkt u echt dat ik dit nu al aan moet?'

'Zuidermark is ver weg, Prinses, en in het noorden heerst chaos; het is er gevaarlijk. In het kielzog van het elfenleger heeft wetteloosheid bezit genomen van het land. Die bandieten met wie Kapitein Linas en zijn mannen hebben afgerekend, waren lang niet de enigen. Bovendien zijn er nog talloze anderen die niets van mijn vader of van Syan moeten hebben, zelfs binnen onze eigen grenzen.'

'Maar niemand zal toch zo'n grote troep soldaten als de uwe durven aan te vallen?'

'Nee, dat denk ik ook niet. Maar dat laat onverlet dat iemand ons vanuit een hinderlaag met pijl en boog of een geweer zou kunnen bestoken.' Hij hield haar een helm voor met een gordijntje van maliën in de nek. 'Dus u doet er goed aan ook deze te dragen, Prinses.'

'Mag ik daarmee dan tenminste wachten tot we de tent verlaten?'

Toen glimlachte hij eindelijk, en Brionie moest toegeven dat hij met zijn open gezicht en zijn wilskrachtige kaak een bijzonder plezierige aanblik bood. 'Natuurlijk, vrouwe. Maar dan mag u hem niet meer afzetten tot we Zuidermark hebben bereikt. Of nee, zelfs dan niet.'

De prins had zijn mannen opgedragen zich gereed te maken voor de reis naar het noorden, terwijl hij samen met Brionie en zijn persoonlijke lijfwacht terugreed naar de plek waar de troep nog altijd min of meer in hechtenis werd gehouden door Syannese soldaten.

'Opnieuw is ons dankzij u een buitengewoon onplezierig lot bespaard gebleven, Prinses,' zei Finh Teodoros.

'Een lot dat jullie zonder mij niet zou hebben getroffen,' zei ze. 'Ik zal doen wat ik kan om het goed te maken. Voor jullie allemaal. Hoe gaat het met de anderen?'

'Dat kunt u zich wel voorstellen,' aldus Finh. 'Natuurlijk zijn we in de rouw door de dood van Dowan Berk. Hij was ons allemaal dierbaar, maar ik denk dat Estir meer van hem hield dan wij ooit hebben beseft.'

Brionie zuchtte. 'Arme Dowan. Hij is altijd zo aardig voor me geweest. Als ik mijn troon ooit terugkrijg, zal ik een theater naar hem vernoemen.'

'Dat zou leuk zijn, maar ik zou er nog maar niets over zeggen nu de wond nog zo vers is.' Finh schudde zijn hoofd. 'Woorden schieten te kort om u te vertellen wat ik voelde toen ze u meenamen, Hoogheid. Maar daar bent u weer! Ik heb zo'n gevoel dat er een epos in uw avonturen schuilgaat, en volgens mij heeft u me nog maar de helft verteld van wat u allemaal hebt meegemaakt.'

'Teodoros mag u dan de hemel in prijzen, maar verwacht van mij niet hetzelfde,' klonk een stem achter Brionie.

Ze draaide zich om. Daar stond Estir Propermans, met verwarde haren en rode ogen van het huilen.

'O Estir, ik vind het zo verschrikkelijk...'

'O ja?' Ze maakte een verslagen indruk, alsof ze was verkrampt van verdriet, maar tegelijkertijd deed ze Brionie denken aan een dier dat zich elk moment op zijn prooi kon storten. 'Echt waar? Waarom hebt u dan niet meteen bij terugkeer gevraagd of u Dowan de laatste eer mocht bewijzen?'

'Dat wilde ik ook...'

'Ja, dat zal wel.' Estir greep Brionie zo hardhandig beet dat die zich min of meer aangevallen voelde. 'Kom dan maar mee. Kom mee, dan kunt u hem zien.'

'Estir...' zei Finh Teodoros waarschuwend.

'Nee, laat maar. Ik ga mee,' stelde Brionie hem gerust. 'Natuurlijk ga ik mee.'

Ze liet zich door Estir de weg over trekken, een eindje het bos in, naar de plek waar ze waren onderschept. Het lichaam van de vriende-lijke reus lag op de grond, zijn gezicht en zijn borst waren bedekt met een van de schitterende mantels die hij had gedragen in zijn rol als de god Volios.

'Hier!' zei Estir. 'Dit is alles wat ik nog van hem heb.' Ze trok de man-tel weg zodat Dowans langgerekte gezicht werd onthuld, bleek als een vissenbuik. Estir had zijn ogen gesloten en zijn kaak dichtgebonden met een lap stof, maar anders dan wat mensen vaak sussend zeiden, zag Do-wan er niet uit alsof hij sliep. Helemaal niet. Hij zag eruit als een ding, een voorwerp, kapot en nutteloos.

Net als die arme Kendrick, dacht ze. *Het ene moment zorgde het bloed nog voor een blos op zijn wangen, het volgende lag het als een snel verdam-pende plas op de grond. We zijn niets wanneer het leven uit ons is geweken. Ons lichaam is niets.*

'Huilt u?' vroeg Estir. 'Huilt u om mijn Dowan? U mag dan een prin-ses zijn, maar waar haalt u het lef vandaan! U bent net zo arrogant als de goden wanneer u om hem kunt huilen terwijl ú het was die zijn dood over hem heeft afgeroepen.' Ze wees naar het gruwelijke, lege gezicht van de reus. 'Kijk dan! Kijk nou hoe hij daar ligt! Hij was alles wat ik had. We zouden gaan trouwen wanneer we wat geld hadden! En nu is hij... nu is hij niet meer dan een... een...' Ze wankelde en liet zich op haar knieën zakken, hijgend, snikkend. 'Moge Kernios je behoeden en je verwelkomen, lieve D-Dowan...'

Brionie wilde haar hand op Estirs schouder leggen, maar die sloeg hem weg. 'Blijf van me af! De anderen mogen u dan stroop om de mond smeren, maar dit is uw schuld! U hebt nooit ook maar iets om ons ge-geven!'

'Estir...' Finh kwam Brionie haastig te hulp. 'Dat is onzin. De prin-ses heeft hier niets mee te maken...'

'Ze heeft er álles mee te maken,' snauwde Estir Propermans. 'Maar er is verder niemand die haar dat recht in haar gezicht durft te zeggen omdat ze een prinses is! Mogen de goden haar vervloeken! Het kan me niets schelen, al was ze de koningin! Mijn lief is dood... mijn laatste kans. Mijn allerlaatste kans...' Ze liet zich voorovervallen en legde snik-kend haar hoofd op de borst van haar dode geliefde. 'O Dowan...'

'Kom mee, Prinses,' zei Finh. 'Geen van de anderen maakt u ook maar enig verwijt.'

Het was Brionie echter niet ontgaan dat niemand van de anderen haar was komen begroeten, en dat Nevin Hewneij en Pedder Propermans en

de rest haar van een afstand gadesloegen, alsof er een vloek op haar rustte waardoor ze was veranderd in iets waar ze bang voor waren.

'Ik zal ervoor zorgen dat hij een mooie begrafenis krijgt in Layandros,' zei ze tegen Finh. Brionie keek naar Prins Eneas die met zijn
mannen welbewust op enige afstand stond te wachten, om haar alle
ruimte te geven voor de hereniging met wat hij beschouwde als haar
vrienden – trouwens, ook zij beschouwde de spelers als zodanig. 'Dat is
wel het minste wat ik kan doen.'

'Nogmaals, u moet uzelf niets verwijten, Prinses. De wegen zijn niet
langer veilig, en we zitten al een groot deel van ons leven langs de weg.
Dit had ook kunnen gebeuren als we u niet bij ons hadden gehad.'

'Maar jullie hadden mij wél bij je, Finh, en ik heb jullie geen keus gelaten. Als ik er niet was geweest, had Dowan achter kunnen blijven, om
samen met Estir een boerderij te kopen.'

'En dan had hij de pest kunnen krijgen, of een van zijn stieren had
zijn buik kunnen openrijten. Ik weet niet of ik in de goden geloof, maar
het Lot is wat anders.' Finh schudde zijn hoofd. 'De dood weet ons altijd te vinden, Prinses. Mijn dood, de uwe, die van Estir Propermans.
Of we ons verbergen of niet, de dood houden we niet voor de gek. En
Dowans dood heeft hem hier gevonden. Zo is het en niet anders.'

Geruime tijd kon ze geen woord uitbrengen. Ze had het gevoel alsof alles wat ze had verloren en alles waarin ze was tekortgeschoten, zo
zwaar op haar drukte dat ze nauwelijks adem kon halen.

'D-dank je wel,' zei ze ten slotte. 'Je bent een goed mens, Finh Teodoros. Ik vind het heel erg dat ik jullie in mijn problemen betrek.'

Nu was het de beurt aan de toneelschrijver te zwijgen, maar hij wekte eerder de indruk alsof hij nadacht dan dat hij was overweldigd door
emoties. 'Kom even met me mee voordat u ons verlaat, Prinses Brionie,'
zei hij ten slotte.

Ze liepen naar de overkant van de weg tot ze op ruime afstand maar
nog wel in zicht waren van Eneas en zijn soldaten, en zo ver van de rou-
wende Estir Propermans dat Brionie weer lucht kreeg.

'Als er ook maar iets is wat ik voor je kan doen, dan moet je het zeggen,' zei Brionie. 'Lieve Finh, je bent een van de weinige mensen in deze wereld die alleen maar goed voor me is geweest.' Ze kon maar niet
vergeten hoe bazig en heerszuchtig ze hem had behandeld, en ze kon
wel door de grond zinken wanneer ze eraan dacht dat ze hem had gedreigd met haar hoge positie. 'Zoals ik al zei, je wordt mijn geschiedschrijver, maar ik hoop ook dat je altijd mijn vriend zult blijven.'

Voor het eerst zolang ze hem kende, leek hij niet te weten wat hij moest zeggen. Maar opnieuw leek dat niet te komen doordat hij werd overweldigd door emoties. Ten slotte schudde hij zijn hoofd alsof hij probeerde iets van zich af te zetten wat hem al heel lang dwarszat. 'Ik moet met u praten, Prinses.'

'Ik begrijp u niet, Meester Teodoros. We praten toch al?'

'Ik bedoel eerlijk, in alle openheid.' Hij slikte. 'U hebt veel geleden voor ons volk en nog veel meer op het spel gezet, Hoogheid. Luister goed naar wat ik zeg. Degenen die u beschouwt als uw vrienden en uw bondgenoten... zijn dat niet allemaal. Integendeel zelfs.'

Dawet had min of meer hetzelfde tegen haar gezegd, lang geleden in Zuidermark. In een andere wereld, leek het wel. 'Wat bedoel je? Niet om het een of ander, maar ik kan nauwelijks iemand bedenken die het vertrouwen van mijn familie níét heeft beschaamd – de Tollijs, Hesper van Jellon, Koning Enander...'

'Nee, ik bedoel iemand die veel dichter bij u staat.' Zijn gebruikelijke houding van geamuseerd cynisme was helemaal verdwenen. 'U weet dat ik heel lang voor Avin Brone heb gewerkt, als wetenschapper en als spion.'

'Ja, en ooit vraag ik je om me alles te vertellen over die tijd, en over wat je moest doen. Brone heeft ooit eens gezegd dat ik te goed van vertrouwen was, dat ik moest zien dat ik mijn eigen spionnen en informanten kreeg, maar ik moet bekennen dat ik dat spel nauwelijks beheers...'

Teodoros hief zijn hand, maar bedacht zich toen hij besefte dat hij zich tegenover een prinses niet ongeduldig mocht tonen. 'Verschoning, Hoogheid, maar ik doel juist op Brone.'

Het duurde even voordat ze hem begreep. 'Op Brone? Wil je daarmee zeggen dat Avin Brone een verrader is?'

Zijn ronde gezicht verried hoe pijnlijk hij de situatie vond. 'Dit valt me zwaar, vrouwe. Heer Brone is altijd eerlijk en rechtvaardig tegen me geweest, en hij heeft nooit ook maar iets tegen me gezegd waaruit ik heb kunnen opmaken dat hij minder loyaal was jegens u... Maar hij heeft me ooit alleen gelaten in zijn persoonlijke kabinet; dat was toen een van zijn andere spionnen onverwacht werd binnengebracht, die op de Zuiderweg was getroffen door een pijl...'

'Ruhle. Hij heette Ruhle,' zei Brionie. 'Genadige Zoria, ik kan me die nacht nog herinneren. Ik was bij Brone in zijn vertrekken.'

'En ik zat in de kamer daar vlakbij, waar de graaf zijn zaken afhandelde.' Finh keek om zich heen om zich ervan te overtuigen dat ze nog altijd buiten gehoorafstand waren. 'Ik... ik ben een nieuwsgierig mens, dat zal u niet verrassen. Bij Zosim met de Vele Gezichten, daar kan ik niets aan doen – ik ben schrijver! Het was me nooit eerder gebeurd dat Heer Brone me alleen liet tussen zijn spullen en... Nou ja, ik moet bekennen dat ik de kans heb waargenomen om wat in zijn papieren te snuffelen. Sommige teksten betroffen zaken waar ik niet veel van begreep – kaarten van plaatsen die ik niet kende, lijsten van namen – en andere waren simpelweg rapporten over gebeurtenissen in Zomergaarde, Hierosol, Jellon en andere oorden; verslagen van zijn vele spionnen. Maar onder op een stapel in zijn schrijftafel vond ik een velijnen envelop met het wapen van de Eddons erop, maar hij was niet verzegeld.'

'Je weet dat je daarvan af had moeten blijven,' zei Brionie. 'Als iemand je had betrapt, had het je je kop kunnen kosten.' Ze zei het bijna luchtig, maar de enige reden dat ze iets zei, was om tijd te rekken; want wat hij ook ging zeggen, ze wilde het niet horen.

'Zoals ik al zei, Prinses, ik ben schrijver, en zoals iedereen weet, is dat een ander woord voor dwaas. Ik liep naar de deur om te luisteren of er iemand aankwam, toen maakte ik de envelop open. Er zat een lijst in van mensen – voor zover ik de namen herkende, ging het om vertrouwde agenten van Heer Brone – die op een nog af te spreken moment en op een nog af te spreken teken de leden van de koninklijke familie zouden doden of gevangennemen. Er waren ook plannen voor daarna, om de macht te consolideren en het volk rustig te houden. De plannen waren geschreven in Brones handschrift. Dat ken ik als mijn eigen.'

'Wat...' Ze kon haar oren niet geloven. 'Wil je daarmee zeggen dat Brone van plan is ons te vermoorden?'

Het gezicht van Finh Teodoros stond diep ongelukkig. 'Misschien heb ik het mis, Hoogheid. Misschien was het een kopie die hij had gemaakt van het een of andere rapport – bijvoorbeeld van een samenzwering die hij had ontdekt en misschien zelfs verhinderd. Of misschien was het iets heel anders. Op basis van wat ik heb gezien, wil ik de graaf nergens van beschuldigen, laat staan dat ik zijn dood op mijn geweten wil hebben. Maar ik zweer u dat wat ik u heb verteld de waarheid is. Hij had een lijst in zijn eigen handschrift die verdacht veel leek op een plan tot verraad en moord – een plan om de macht te grijpen in Zuidermark. Ik wou dat het niet zo was, maar dat is wat ik heb gezien.'

De open plek langs de weg leek plotseling te deinen als het dek van een schip. Even vreesde Brionie dat de grond onder haar voeten zou wegzinken en dat ze zou flauwvallen. 'Waarom... waarom vertel je me dit, Finh? Uitgerekend nu?'

'Omdat u ons spoedig gaat verlaten,' zei hij. 'We kunnen de soldaten van de prins niet bijhouden, en dat zouden we trouwens ook niet willen. We zijn geen vechters, maar bij de goden, u gaat nog heel wat strijd tegemoet.' Finh boog zijn hoofd alsof hij haar niet kon aankijken. 'En ik vertel het u... omdat u goed voor me bent geweest, Prinses. Ik heb u in mijn hart gesloten. Zoals u zei, ik zou u graag willen beschouwen als een vriendin – en niet vanwege de macht en de invloed die de kringen rond de troon met zich meebrengen. Ooit kon ik mezelf ervan overtuigen dat ik me misschien vergiste, en dat het mijn zaak niet was. Maar inmiddels... inmiddels ken ik je te goed, Brionie Eddon. En dat meen ik oprecht, Prinses.'

'Ik... ik moet nadenken.' Hoe alleen ze zich ook had gevoeld toen haar tweelingbroer ten strijde was getrokken, dit was nog veel erger. De wereld, die toch al zo gevaarlijk en verwarrend was, bleek inmiddels volledig uit het lood te zijn geslagen en gespeend te zijn geraakt van elke logica. 'Ik moet nadenken. Zou je me alsjeblieft alleen willen laten?'

Hij boog en liep weg. Toen Prins Eneas naar haar toe kwam omdat hij voelde dat er iets niet goed zat, gebaarde ze ook hem dat hij haar alleen moest laten. Er school geen troost in het gezelschap van anderen. In elk geval niet op dit moment. En misschien wel nooit meer.

38

Invasielegers

'Er wordt beweerd dat sommige stervelingen nog altijd het bloed van de Qar in hun aderen hebben, vooral in de landen rond de legendarische berg Xandos op het zuidelijke continent en onder de Vutten en andere stammen die ooit in het verre noorden leefden. Hoevelen deze smet dragen, en welk effect die zou kunnen hebben op stervelingen, zijn vragen die ik in geen enkel wetenschappelijk werk behandeld zie.'

Uit *Een Verhandeling over de Elfenvolken van Eion en Xand*

Olin Eddon stond aan de reling. Met zijn boeien was hij verbonden met een van de wachten, en vlakbij stonden nog twee bewakers. De autarch mocht zich dan geen zorgen maken over wat een wanhopige verdoemde zou kunnen doen, Pinimmon Vash wel, en hij had uiteindelijk opdracht gegeven dat de noordelijke koning te allen tijde op enige manier geboeid moest zijn. Want het minste wat Olin zou kunnen doen was zichzelf overboord gooien en daardoor de plannen bederven die de meester van Vash met hem had. Waarom Sulepis zich daar geen zorgen over maakte, begreep Vash niet. Ook al gedroeg de autarch zich alsof hij onfeilbaar was en was tot dusverre uit niets gebleken dat de Gouden Vorst het bij het verkeerde eind had, Vash wist uit jarenlange ervaring dat áls er iets misging, dat zou worden beschouwd als zíjn fout en niet als een onvolkomenheid van de monarch.

'U ziet er niet goed uit, Majesteit,' zei hij op dat moment.

'Ik voel me ook niet goed.' De noorderling zag bleker dan anders, zijn ogen lagen diep in hun kassen. 'Ik slaap de laatste tijd slecht. En ik droom afschuwelijk.'

'Het spijt me dat te horen.' Tot welk een vreemde dans had de autarch hem gedwongen, dacht Vash. Iedereen op het schip wist dat het doodvonnis van deze man was getekend, en toch verwachtte de autarch dat Olin hoffelijk werd bejegend alsof er niets aan de hand was. 'Het is goed dat u aan dek bent gekomen. De zeelucht staat bekend als heilzaam voor vele kwalen van de geest.'

'Niet voor deze, vrees ik.' Olin schudde zijn hoofd. 'Die zal alleen maar erger worden naarmate ik dichter bij huis kom.'

Vash wist niet wat hij moest zeggen – na wat hij van hun gesprekken had opgevangen, wist hij niet eens of zijn meester en koning Olin geestelijk wel helemaal gezond waren. Hij keek op naar een kasteel op de rotsachtige kapen. Van de toren wapperde een vlag, maar de afstand was nog te groot om iets anders dan de kleuren te onderscheiden – rood en goud. 'Weet u wat dat is?'

'Ja, dat is Landseind. Het huis van een van mijn oudste en trouwste vrienden.' Olins glimlach leek meer een grimas; Vash kon aan zijn gezicht zien dat de koning een hevige pijn verborg, maar of die pijn fysiek was dan wel het gevolg van een herinnering, wist hij niet. 'Zijn naam is Brone. Hij was in veel opzichten mijn eerste minister, zoals u dat bent van de autarch.'

En ik wil wedden dat u hem beter behandelde dan Sulepis mij; voor de autarch ben ik een soort nuttig huisdier, meer niet. Vash was verrast door zijn eigen bitterheid. 'Ach. Misschien wilt u liever even alleen zijn?'

'Nee, uw aanwezigheid is me welkom, Heer Vash. Sterker nog, ik had gehoopt dat we ergens een moment zouden vinden om te praten... onder vier ogen.'

De nekharen van Vash begonnen te prikken. 'Wat wilt u daarmee zeggen?'

'Niets, alleen dat u en ik volgens mij meer gemeenschappelijke belangen hebben dan u misschien beseft.'

Dacht deze dwaas nu werkelijk dat hij Pinimmon Vash kon overhalen de autarch van Xis te verraden? Zelfs als hij niet bang was geweest voor zijn meester – en de goden wisten dat Sulepis hem pure doodsangst aanjoeg – dan nog zou Vash de troon nooit verraden. Zijn familie had Xis generaties lang gediend. 'Ik ben ervan overtuigd dat we talloze interessante dingen zouden kunnen bespreken, Majesteit, maar gedeelde belangen... die zou ik niet kunnen bedenken. Helaas schiet me net te binnen dat ik vanochtend nog het een en ander te doen heb, dus ons gesprek zal even moeten wachten.'

'Weest u er maar niet zo zeker van dat we geen gemeenschappelijke belangen hebben,' zei Olin toen Vash zich omdraaide om te gaan. 'Niemand van ons is in staat de volle waarheid te kennen. Het is een vreemde wereld die wij, stervelingen, bewonen. Dat is mijn grootste troost én mijn grootste angst.'

De volgende keer dat Vash de noorderling tegenkwam, werd Olin naar de boeg van het schip gebracht om zich bij Sulepis te voegen, terwijl de priesters tijdens het zingen van gebeden twee gouden zeeschelpen met bloed van de autarch leeggooiden in zee om de golven te zuiveren en om deze nieuwe watervlakte op te eisen voor Xis. Ondanks de linnen verbanden om zijn armen zag Sulepis er bijna obsceen gezond uit, en toen Olin en zijn wachten het voordek betraden, had het contrast tussen de twee vorsten niet groter kunnen zijn.

'Ik hoor van Vash dat u zich niet goed voelt,' zei de autarch. 'Als het de zee is die u niet verdraagt, dan kan ik u geruststellen. Zoals u waarschijnlijk al had vermoed, gaan we over een uur of twee voor anker.'

Olin reageerde niet. In plaats van naar het spektakel van Panhyssir en zijn priesters te kijken die de wateren zegenden, draaide hij zich om en liet hij zijn blikken over de rest van het grote schip gaan. Alles werd voorbereid op het naderende aanleggen; zeelieden en soldaten zwermden over het dek, lieren kraakten terwijl de soldaten hun uitrusting uit het ruim hesen en zich gereedmaakten om van boord te gaan.

Het was ongebruikelijk en zelfs behoorlijk riskant om te beginnen met uitladen voordat het schip lag afgemeerd; daaruit maakte Vash op dat Sulepis haast had.

Achter hen in de baai lag de rest van de vloot, bijna de helft van de schepen die de autarch had meegebracht naar het noordelijke continent, zodat de gouden valken op hun zeilen een grote zwerm leken te vormen die over het water vloog. De hoge muren van Hierosol waren al na enkele dagen gevallen. Hoe lang kon het veel kleinere Zuidermark hopen de macht van Xis te weerstaan?

De noorderling had blijkbaar dezelfde gedachtegang gevolgd. 'U hebt een indrukwekkende troepenmacht meegebracht.' Olin keerde zich weer naar de autarch. 'Dat doet me denken aan een stukje geschiedenis. U bent een belezen man, Sulepis. Hebt u wel eens gehoord van de Grijze Compagnies die zo'n drie eeuwen geleden door deze landen zwierven?' De autarch spreidde zijn vingers met de gouden sluifjes als om bewonderend te kijken hoe ze flonkerden in de zon. 'Natuurlijk heb ik van die huurlingen gehoord,' zei hij toen. 'Een dergelijk fenomeen is in mijn land niet toegestaan. In Xis worden bandieten aan scherp gepunte palen gespietst op een plek waar iedereen ze kan zien. Mijn onderdanen weten dat ik over hen waak.'

'O, daar twijfel ik niet aan,' zei Olin. 'Maar kijkend naar uw vloot en naar het enorme leger dat met deze schepen wordt vervoerd, moest ik denken aan de tijd van de Grijze Compagnies, en in het bijzonder aan Davos, de beroemde krijgsheer, die de "Mantis" werd genoemd.'

De autarch keek geamuseerd. 'De Mantis? Ik heb zelfs nog nooit van hem gehoord.'

'Dat komt, denk ik, omdat u de latere geschiedenis van mijn familie aandachtiger hebt bestudeerd dan die eerdere periode.'

'Gezien zijn naam vermoed ik dat hij een priester was. Klopt dat?'

'Hij incasseerde de inkomsten van een heiligdom, maar dat maakte hem nog geen priester. Noch kreeg hij die bijnaam voor zijn goede daden. Sterker nog, sommigen beweren dat er in heel Eion nooit een grotere schurk heeft rondgelopen... maar anderen zouden dat misschien tegenspreken.'

Sulepis schaterde het uit en leek oprecht geamuseerd. 'Dat is geweldig, Olin! Nooit een grotere schurk tót de dag van vandáág, wilt u natuurlijk suggereren.'

De noorderling haalde zijn schouders op. 'Denkt u nu werkelijk dat ik zo onbeleefd zou zijn tegen een attente gastheer zoals u?'

'Ga door. Ik ben een en al oor.'

'U weet ongetwijfeld wel dat de Grijze Compagnies hier in het noorden zijn ontstaan tijdens de chaos van de eerste oorlog tegen het Schemervolk. In de jaren na Kil Grauwveen zwierven ze door het land – troepen soldaten die nergens heen konden en die bereid waren te vechten voor iedere heer die voor hun diensten wilde betalen. Uiteindelijk vervielen de Grijze Compagnies echter tot roof en plundering. De ergste van allemaal – en de machtigste – was een telg van een Syannese adellijke familie, Davos van Elgi. Vanwege de inkomsten uit het heiligdom, of misschien vanwege de lange, zwarte mantel die hij droeg, kreeg hij de bijnaam "Mantis". In de chaotische omstandigheden van die tijd zette Davos zich in voor vele zaken en plunderde hij vele steden, maar een groot krijgsheer is als een man die rijdt op een woeste beer – iedereen vreest hem behalve de beer, en hij moet er altijd voor zorgen dat het beest te eten heeft. De Mantis was gedwongen zijn rooftochten voort te zetten, zelfs toen de meeste oorlogen die volgden op de terugtrekking van de Qar, al waren geëindigd. Terwijl steeds meer steden in het noorden werden geplunderd, hadden de uitgehongerde overlevenden geen andere keus dan hun plunderaar te volgen, dus de legers van de Mantis groeiden en groeiden. Uiteindelijk heerste hij over heel Brenhland en grote stukken van Syan. Zijn mannen plunderden ook delen van mijn land en zwierven moordend en stelend door Zuider- en Westermark tot de bevolking wanhopig om hulp riep om van deze gruwel te worden bevrijd. Die hulp kwam van mijn vorouder, Lelie Eddon, de kleindochter van Koning Anglin.'

'Ach natuurlijk!' zei de autarch. 'De vrouw die een land regeerde! Ik heb van haar gehoord.'

'Haar roem was verdiend. Ze verloor haar man – en haar zoon – in een gevecht tegen een van de medebandieten van de Mantis. Lelie bleef alleen achter, veroordeeld tot het landsbestuur. Een groot deel van de angstige bevolking beweerde dat ze moest worden afgezet ten gunste van een ridderkrijger. Maar Lelie deed als krijger voor geen enkele man aan haar hof onder – ze was een waardige, vurige afstammeling van Anglin. Dus ze weigerde zich aan de kant te laten schuiven.

De Mantis had al heel lang zijn oog laten vallen op Zuidermark, en niet alleen vanwege de jonge koningin. Het land was vruchtbaar en het kasteel zo goed als onoverwinnelijk. Dus Davos stuurde Koningin Lelie een boodschap waarin hij haar het aanbod deed met haar te trouwen. Ze had man noch zoon. De Mantis schreef dat hij rijk en machtig was en dat ze, door met hem te trouwen, verzekerd zou zijn van de hulp van zijn grote leger dat zich zou inzetten voor de veiligheid van de Mark Koninkrijken. Velen aan het hof van Zuidermark drongen erop aan dat ze op zijn voorstel inging en zeiden dat een huwelijk met Davos haar enige hoop was.

Maar de brief die Lelie terugstuurde naar Davos Elgin, de in het zwart gehulde Mantis, die – zo werd beweerd – aan het hoofd stond van honderdduizend bloeddorstige soldaten, sprak andere taal. "Koningin Lelie betreurt het dat ze niet in staat zal zijn uw aanbod aan te nemen. Ze zal het te druk hebben met het uitroeien van de ratten die haar land teisteren." En dat was precies wat ze deed.' Olin keek op. 'Vermoei ik u, Sulepis?'

'Helemaal niet! U amuseert me, en dat is een vreugde die ik maar zelden smaak.' De autarch boog zich naar de buitenlandse koning. Met zijn lange neus en de verontrustend heldere, starende ogen in zijn benige gezicht zag hij er meer dan ooit uit als een menselijke havik, dacht Vash onwillekeurig. 'Dus gaat u alstublieft door.'

'Lelie wist dat de Grijze Compagnies zonder plunderen niet konden blijven bestaan. Waar ze gingen, trokken ze een spoor van verwoestingen door het land. Dus ze stuurde haar afgezanten erop uit om het volk opdracht te geven zich terug te trekken, niet alleen in het directe pad van de Mantis maar overal, zelfs uit gebieden waarvoor geen dreiging leek te bestaan. Ze drukte de mensen op het hart alles mee te nemen wat ze konden dragen en alles wat ze moesten achterlaten, te vernietigen. Als ze Zuidermark wisten te bereiken zou zij hen daar beschermen, beloofde ze. Daarop stuurde ze haar manschappen op pad – voor een groot deel nog altijd bikkelharde veteranen, gepokt en gemazeld in de strijd tegen het Schemervolk – om de veel grotere troepenmacht van de Mantis te hinderen zonder rechtstreeks de confrontatie aan te gaan.

Zo kwam het dat de huurlingen bij hun opmars door de Mark Koninkrijken door verlaten, platgebrande gebieden trokken; er waren geen edelen die ze gevangen konden nemen en voor wie ze losgeld konden eisen, er was niets van waarde om te stelen, en er was niets te eten. Terwijl de huurlingen met een lege maag voortploeterden, verschenen mannen van de Mark als schimmen vanuit het niets, vielen aan en verdwenen weer. Er vielen nooit veel doden bij dat soort acties, maar door de onvoorspelbaarheid ervan werden de troepen van de Mantis hoe langer hoe angstiger en onzekerder. Soms sneden de mannen van de Mark 's nachts de keel door van een huurling, die omringd door zijn kameraden lag te slapen, zodat die, wanneer ze hem vonden, beseften dat een dergelijk gruwelijk lot ook hen had kunnen treffen. De guerrillastrijders van Koningin Lelie zaaiden dood en verderf onder de mannen van de Mantis op talloze verschillende manieren, zowel subtiel als met grof geschut – ze zaagden de pijlers van bruggen door, ze vergiftigden het water of de etensrantsoenen van de huurlingen, of terwijl die lagen te slapen, staken ze simpelweg hun tenten in brand. Er vielen zo veel doden onder de wachten van Davos, dat de patrouilles uiteindelijk samenklitten in groepjes van drie of vier man, waardoor grote delen van de omtrek van het kamp zo goed als onbewaakt waren.

Toen uiteindelijk zelfs elke schaduw zijn mannen de stuipen op het lijf joeg, zette Davos de Mantis al zijn kaarten op een snelle en rechtstreekse aanval op Kasteel Zuidermark zelf. Langs de baai was de hele kust volgebouwd met de primitieve onderkomens van mensen die voor Davos waren gevlucht, maar voor wie in het overvolle kasteel geen plaats meer was. Toen de huurlingen dichterbij kwamen, namen deze vluchtelingen opnieuw de wijk en zochten hun toevlucht in de grotten en beboste hellingen van de kapen. Terwijl Davos en zijn mannen door de hoofdstraat marcheerden, alert op een hinderlaag, drong de geur van rook in hun neus, en het duurde niet lang of ze zagen de eerste vlammen – de stad langs de baai was in brand gestoken. De huurlingen keken elkaar angstig aan. Het volk van Zuidermark brandde liever telkens opnieuw zijn eigen steden plat dan te zwichten voor overvallers, beseften ze. En ze beseften ook dat vechten tegen dit soort waanzin zou neerkomen op vechten tegen windmolens.

Uiteindelijk kwamen de hoge muren van Kasteel Zuidermark aan de overkant van de baai in zicht, en de mannen van de Mantis wisten dat het hun een jaar of langer zou kosten om zo'n machtige burcht in te nemen – een jaar van hongersnood, want hun voorraden waren uitgeput en het omringende land was veranderd in een dorre woestenij. Zelfs de meest loyale luitenants van Davos, mannen die zich onder zijn aanvoering hadden verrijkt en van bandieten waren opgeklommen tot machtige, invloedrijke figuren, weigerden zijn orders uit te voeren. Ze hadden de wil om te vechten verloren. Veel soldaten gooiden ter plekke de wapens neer en namen de vlucht voor de overweldigende aanblik van het onoverwinnelijke Zuidermark.

Lelie had echter alleen een symbolisch legertje in het kasteel. Het merendeel van haar manschappen was per schip langs de kust naar Landseind gevaren om vandaar aan hun opmars naar het zuiden te beginnen. Dus toen het leger van de Mantis in opperste wanorde verkeerde – meer dan een kwart van de mannen was gedeserteerd en de rest had de wapens tegen elkaar opgenomen – werd het aangevallen door het leger van Zuidermark.

De aanvallers waren weliswaar geringer in aantal, maar ze hadden een volle maag, ze waren woedend en ze vochten voor hun eigen land. De in het nauw gedreven huurlingen op het strand pleegden slechts kortstondig verzet, toen werden ze door de troepen van Zuidermark uiteengejaagd. Degenen die zich aan de kant van de baai bevonden, werden de ijzige golven in gedreven en gaven zich over of werden gedood. De huurlingen aan landzijde probeerden alsnog hun gevluchte kameraden te volgen, maar de meesten werden gevangengenomen tijdens pogingen om de kliffen te beklimmen. De boogschutters van de koningin schoten hen als vogels uit een boom, en hun lichamen tuimelden in zo groten getale de hellingen af dat een ongeordende hoop in Zuidermark al eeuwenlang een "mantisberg" wordt genoemd, ook al weet bijna niemand meer waar die benaming vandaan komt.

De Mantis zelf, Davos van Elgi, verdronk in Brenh's Baai, terwijl hij, getroffen door misschien wel tien, twaalf pijlen, probeerde naar het kasteel te waden.

Dus u ziet, de Mark Koninkrijken zijn binnengevallen door Syan, door Hierosol, door de Kraciërs en door de huurlingen van de Grijze Compagnies. De Qar hebben tot drie keer toe een invasie gepleegd. We hebben hen twee keer met zware verliezen teruggeslagen en dat zullen we opnieuw doen. En u, Sulepis, zult ondanks al uw macht en uw zelfvertrouwen spoedig de zoveelste naam zijn in de geschiedenis van mijn land – de zoveelste mislukte invasiepleger, de zoveelste wiens trots groter was dan zijn verstand.'

Ook al spraken alleen Vash, de autarch zelf en Panhyssir Olins taal goed genoeg om alles te begrijpen wat hij zei, de toon waarop de koning uit het noorden zijn verhaal beëindigde, maakte dat velen rond de draagstoel van de autarch met een akelig voorgevoel, misschien zelfs doodsangst opkeken naar hun monarch. Deze vreemdeling beledigde de Gouden Vorst!

Sulepis reageerde niet meteen, maar ten slotte verscheen er een glimlach op zijn hoekige gezicht.

'Een fraai verhaal,' zei hij. 'Echt een bijzonder fraai verhaal, Olin. En leerzaam! Ook al zou uw gehoor die les ook wel hebben getrokken zonder die laatste passage. Dat was wat al te veel honing op de taart, als u het mij vraagt. Maar toch, het blijft een mooi verhaal.' Hij knikte, alsof er een idee bij hem was opgekomen. 'En uitstekend advies. Het zou inderdaad niet verstandig zijn om met al mijn schepen en al mijn manschappen tegelijk de baai in te varen, want dat zou me kwetsbaar maken voor de onzalige bedoelingen van de Qar, wat die ook mogen zijn.' Hij boog zich naar voren alsof hij een geheim ging onthullen. 'Dus over enkele ogenblikken laten we een aanzienlijk aantal van onze soldaten van boord met de opdracht over land op te trekken naar Zuidermark, terwijl de vloot de burcht over het water nadert. Wat vindt u, Koning Olin? Het was uw idee, dus misschien wilt u me wel vergezellen. Het zou uw enige kans kunnen zijn om de grond van uw vaderland weer onder uw voeten te voelen – althans, met de blote hemel boven uw hoofd.'

Hij lachte en keerde zich toen in de richting van de kapitein van het vlaggenschip. 'Tref voorbereidingen voor afmeren en ontschepen!'

Gevolgd door zijn bedienden, die als mieren voor hem uit zwermden, verliet de autarch het voordek. Uiteraard had Pinimmon Vash geen andere keus dan de Gouden Vorst te volgen – dit voortijdige afmeren was nieuw voor hem en hij had nog veel te doen. Toen hij achteromkeek, stond Olin Eddon nog altijd op dezelfde plek, omringd door wachten. Zijn bleke, vermoeide gezicht verried geen enkele emotie die Vash kon duiden.

Als hij eerlijk was, moest Pinimmon Vash toegeven dat Olin Eddon hem een ongemakkelijk gevoel bezorgde. In zijn lange leven had hij slechts twee soorten monarchen ontmoet, en zeker voor alle autarchen die hij had gediend, gold dat ze hetzij tot het ene hetzij tot het andere type hadden behoord – óf ze waren blind voor hun eigen tekortkomingen of ze werden erdoor overweldigd. Sommigen van de extreemste monarchen, zoals Parak, de grootvader van de huidige autarch, hadden tot het laatste type behoord. Parak Bishakh am-Xis vi had in elk gefluisterd woord, in elke neergeslagen blik een samenzwering vermoed. Vash had zijn jaren aan het hof van Parak amper overleefd; de enige reden dat hij zijn hoofd op zijn romp had weten te houden, was dat hij – natuurlijk uiterst subtiel – andere slachtoffers in de aandacht van de autarch had aanbevolen. Toch was zelfs Pinimmon Vash in de laatste jaren van die nachtmerrie tot tweemaal toe gearresteerd, en hij had één keer zelfs zijn testament geschreven (niet dat het zou zijn gerespecteerd als hij was terechtgesteld; een belangrijke motivatie voor Parak om zijn onderdanen te beschuldigen van verraad, was dat de bezittingen van de verrader aan de troon toevielen).

De huidige autarch behoorde natuurlijk tot het andere type, het type dat geloofde in zijn eigen onfeilbaarheid. Sterker nog, de jeugdige autarch had zo buitensporig veel geluk dat zelfs Vash was gaan geloven dat het succes van Sulepis wel eens door de Hemel kon zijn voorbeschikt.

Maar deze noorderling, Olin Eddon, was anders dan alle heersers die de eerste minister ooit had ontmoet; om precies te zijn deden zijn afgemeten manier van praten en de kalmte waarmee hij zijn omgeving observeerde, Pinimmon Vash denken aan zijn vader. Tibunis Vash was opperhuismeester geweest in het Warande Paleis en had als eerste in die functie zijn pensioen weten te halen – al zijn voorgangers waren hetzij gestorven in het harnas hetzij ter dood gebracht door ontevreden autarchen. Zelfs toen Pinimmon al volwassen was, sterker nog, zelfs toen hij al de positie van eerste minister bekleedde – de hoogst bereikbare functie voor wie niet tot de koninklijke familie behoorde – had zijn vader hem nog altijd weten te intimideren, alsof de oude man dwars door alles heen keek wat op anderen zoveel indruk maakte; alsof hij de angstige jongeman onder het ambtsgewaad kon zien.

'*Hij is al tien jaar dood,*' had de jongere broer van Vash ooit eens gezegd. '*En toch kijken we nog altijd achterom, bang dat hij ons in de gaten houdt.*'

Maar Tibunis Vash was niet wreed geweest, niet eens echt koud, alleen gereserveerd, op zijn hoede, een man die nadacht voordat hij iets zei, die zijn daden vooraf liet gaan door woorden. In dat opzicht hadden Olin Eddon en hij veel gemeen. Geen van beide mannen deed ooit overhaaste uitspraken en allebei leken ze dingen te horen en te zien die anderen ontgingen. Het verschil was de indruk die ze op de buitenwereld maakten; de vader van Pinimmon Vash had boven de beroering van het drukke, verraderlijke hof van Xis verheven geleken, sereen als het beeld van een god in een tempeltuin. Koning Olin leek gebukt te gaan onder een groot maar geheim verdriet zodat al het andere in het leven, hoe heerlijk of hoe verschrikkelijk ook, in zijn ogen slechts onbeduidend kon zijn. Maar ondanks dat aura van verslagenheid had de koning uit het noorden toch iets waardoor Pinimmon zich buitengewoon ongemakkelijk voelde. Dus terwijl Olin naast hem stond op het rotsachtige strand van de kleine baai waar de boten hen aan land hadden gezet, had Vash het gevoel dat hij en niet de gevangene iets verkeerd had gedaan.

'Het zal niet lang duren,' zei hij. 'Voordat de zon zijn hoogste punt is gepasseerd, zijn we op weg.'

Het leek Olin allemaal onverschillig te laten; de noorderling nam niet de moeite Vash aan te kijken, maar bleef de bewegingen van de manschappen volgen die de opmars voorbereidden; sommige soldaten waren bezig kruiken en kisten van de schepen aan land te brengen, andere zetten wagens in elkaar die in gedeelten in het ruim hadden gelegen, of ze spanden de paarden en ossen in die de wagens zouden moeten trekken. 'Wilt u dat gesprek nu voeren?' vroeg hij ten slotte, nog altijd vol aandacht voor alles en iedereen behalve voor Vash.

'Welk gesprek?' Was hij echt zo wanhopig, of gewoon een dwaas? 'Kijk, daar komt onze Gouden Vorst. Ik stel voor dat u uw gesprek met hem voert, Koning Olin.'

Honderd stappen verder langs het strand verliet de autarch over de ruggen van een dozijn gehurkte slaven zijn vergulde boot. Op het strand stonden andere slaven al klaar met de draagstoel met daarop zijn troon. Het bladgoud glansde zo stralend in de lentezon dat de draagstoel de strijdwagen van de zon zelf had kunnen zijn!

'Geef acht!' klonk het bevel van de brigadecommandanten aan de soldaten die in de zon hadden staan wachten. Tegen de tijd dat de manschappen het strand hadden verlaten, zouden de bevoorradingswagens gereed zijn om achter de colonne aan te sluiten.

Vash lag nog op zijn knieën toen de draagstoel naast hem stilhield. 'Aha, daar bent u!' De autarch keek op hem neer. 'Ik had u niet gezien, kruipend door het zand. Vooruit, overeind!'

Vash gehoorzaamde haastig, ook al kostte het hem de grootste moeite niet te kreunen van de pijn in zijn gewrichten. Het was krankzinnig dat hij hier, in de wildernis van dit onbeschaafde land, werd blootgesteld aan wie weet welke kilte en schadelijke dampen ook. Hij had in Xis moeten zijn, om in afwezigheid van de autarch het koninkrijk in de gaten te houden en wijze vonnissen uit te spreken vanaf de Valken Troon, zoals gepast zou zijn geweest gezien zijn leeftijd en zijn vele dienstjaren... 'Ik leef om u te dienen, Gouden Vorst,' zei hij toen hij eindelijk weer op zijn benen stond.

'En zo hoort het ook.' Sulepis, gehuld in zijn volledige oorlogsuitmonstering, liet zijn blik over het strand gaan en over de wachtende soldaten – vele duizenden krijgers en bijna net zoveel begeleiders, terwijl ongeveer eenzelfde aantal aan boord was gebleven om per schip naar Olins Zuidermark te reizen. Vash wist dat de noorderlingen zich geen voorstelling konden maken van de macht van de autarch, van de omvang van zijn rijk, laat staan dat ze die macht zouden kunnen weerstaan; de Gouden Vorst kon zonodig moeiteloos een leger op de been brengen dat tien keer zo groot was, zonder het beleg van Hierosol te verzwakken en zonder ook maar iets af te doen aan de onneembaarheid van zijn bolwerk in Xis.

Dat wist de autarch natuurlijk maar al te goed; hij grijnsde en op zijn gezicht lag de euforische uitdrukking van een man die iets wat hem dierbaar is, eindelijk verwezenlijkt ziet worden. 'En waar is Olin?' riep hij. 'Aha, daar bent u. We waren het erover eens geworden dat u met mij zou meereizen, dus kom aan mijn voeten zitten. Dit is uw land. U kunt me ongetwijfeld op talloze herkenningspunten wijzen en vertellen over merkwaardige gebruiken en gewoonten.'

Olin keek met een nors gezicht op naar Sulepis in zijn draagstoel. 'We kennen hier inderdaad heel wat merkwaardige gewoonten. En nu we het daar toch over hebben, vindt u het erg als ik loop? Na al die weken aan boord heb ik behoefte aan beweging.'

'Natuurlijk, maar dan zult u wel luid moeten spreken zodat ik u hierboven kan horen – een fraaie metafoor, vindt u niet? Het is als een waarschuwing om te zorgen dat ik niet te ver van mijn onderdanen af kom te staan!' Sulepis lachte; een hoog gegiechel dat sommige van zijn dragers deed beven, zodat de draagstoel licht begon te deinen. Vash voelde zijn hart bonzen in zijn keel. Het leek wel alsof de autarch met elk uur dat verstreek, extremer en onvoorspelbaarder werd.

Met tromgeroffel en hoorngeschal kwam het grote leger in beweging. Wapenrustingen glommen in de middagzon, waardoor het leek alsof de golven met hun flonkerende kammen het strand overspoelden en over het land stroomden, zo ver als het oog reikte. Vash wachtte tot hij het leger kon volgen, samen met Olin en zijn bewakers, met Panhyssir en de andere priesters, en met tientallen andere hovelingen en functionarissen, die zich verdrongen in de schaduw van de draagstoel van de autarch op de schouders van zijn slaven.

'Ik geloof niet dat we al uitgesproken waren over de elfen,' zei de autarch toen ze de kustweg bereikten en de gelederen van manschappen en dieren begonnen aan hun opmars in zuidwestelijke richting naar Kasteel Zuidermark. 'We hadden het over het ongebruikelijke erfgoed van uw familie, is het niet, Olin?'

De ademhaling van de noorderling ging na de korte klim vanaf het strand al zwaar, zijn gezicht zag niet langer lijkbleek maar droeg een vurige, rode blos. Hij gaf geen antwoord.

'Welaan, de elfen,' zei Sulepis, 'of de *Pariki*, zoals wij ze in Xand noemen, werden lang geleden bijna volledig uit onze landen verdreven, zelfs uit de hoge bergen en diepe wouden in het zuiden. Maar in die vroegste tijden toen ze nog door onze landen zwierven, paarden sommige elfen met de goden. En met stervelingen. En het gebeurde wel eens dat er uit die paringen kinderen voortkwamen. Dus lang nadat de goden waren vertrokken en de elfen verdreven, was het hemelse bloed nog altijd aanwezig bij sommige sterfelijke families, ook al gingen er soms generaties voorbij zonder dat die erfenis zich manifesteerde. Maar het bloed van de goden is buitengewoon krachtig, en uiteindelijk zal het zich altijd weer kenbaar maken.'

Tijdens mijn studies kwam ik erachter dat uw noordelijke Pariki, de Qar, nooit volledig werden verdreven; sterker nog, dat ze nog altijd een groot deel van het meest noordelijke deel van het continent bezaten. Maar wat nog belangrijker is, ik ontdekte dat ze een verwantschap waren aangegaan met een van de koninklijke families in Eion. Zo mogelijk nog interessanter is het dat de Qar om wie het ging, beweerden rechtstreeks af te stammen van de god Habbili... Volgens mij noemt u hem Kupilas. Ja, Kupilas de Maker. U kunt zich mijn belangstelling voorstellen toen ik te weten kwam dat er in het noorden stervelingen waren in wier aderen het bloed van de grote Habbili stroomde. U weet ongetwijfeld welke familie ik bedoel, is het niet, Olin?'

De noorderling balde zijn vuisten. 'Vindt u het amusant om de spot te drijven met de vloek van de Eddons? De grimmige streek die de goden ons hebben geleverd?'

'Ach, maar mijn beste Olin, dat ziet u toch helemaal verkeerd!' zei de autarch gnuivend. Vash had de god-koning nog nooit in zo'n vreemde stemming gezien; hij leek wel een pervers kind. 'Het is helemaal geen vloek, maar het grootst denkbare geschenk...'

'U bespot me nog steeds!' Alleen de toon van Olins stem was voor de Luipaarden al genoeg om de beveiliging van hun dolken los te maken. Vash was erg blij te zien dat ze niet van plan waren musketten te gebruiken nu ze zo dicht op elkaar liepen. Het lawaai van geweerschoten maakte hem nerveus, bovendien was hij er tijdens het marcheren van de Luipaarden ooit getuige van geweest dat een ondervizier per abuis door het hoofd werd geschoten. 'Ik ben uw gevangene, Sulepis. Is dat niet genoeg? Moet u me ook nog honen? Dood me nou maar, dan hebben we het gehad.'

Vash was eraan gewend geraakt dat de autarch Olin als een soort vermaak behandelde; dat hij uitspraken en daden van verzet van de noordelijke koning accepteerde, die bij zijn onderdanen al hoog en breed zouden hebben geresulteerd in marteling tot de dood erop volgde. Toch werd hij telkens weer verrast door de milde reacties van Sulepis.

'Maar het is écht een geschenk, Olin, ook al beseft u dat blijkbaar niet.'

'Dat geschenk, zoals u het noemt, is er waarschijnlijk de reden van dat mijn vrouw is gestorven in het kraambed. En het heeft mij ertoe gebracht mijn eigen zoon van de trap te gooien, zodat hij voor het leven verminkt is geraakt en zodat ik me diverse nachten per jaar moest afzonderen van mijn gezin, uit angst dat ik opnieuw iemand pijn zou doen.

In de klauwen van dat geschenk heb ik zelfs gehuild naar de maan, net zoals uw Xissische hyenamannen! En dezelfde vloek die door mijn aderen kruipt, en inmiddels ook in de aderen van mijn kinderen, wordt met elk uur dat verstrijkt sterker, nu u me mee terugsleept naar huis. Bij de goden, het lijkt wel een vuur dat in me brandt! In handen van Ludis Drakava was ik ook een gevangene, maar in Hierosol had ik tenminste geen last van de vloek! Daar was ik ervan bevrijd! Mogen de goden u vervloeken! Nu voel ik het weer, een vuur dat brandt in mijn hart, in mijn lijf, in mijn hoofd...'

Het kostte Vash de grootste moeite om niet rechtsomkeert te maken en het op een lopen te zetten. Hoe kon iemand zulke dingen zeggen tegen de Levende God op Aarde zonder dat met de dood te moeten bekopen? Maar opnieuw leek de autarch nauwelijks te horen wat Olin zei.

'Natuurlijk voelt u het,' zei Sulepis. 'Maar dat maakt het nog niet tot een vloek. Uw bloed voelt de roep van zijn bestemming! U hebt het bloed van een god in uw aderen, maar u hebt altijd geprobeerd een gewone sterveling te zijn, Olin Eddon. Die dwaasheid is mij vreemd.'

'Wat wilt u daarmee zeggen?' vroeg de noordelijke koning. 'U zei dat zo'n vloek in uw familie niet bestaat, dat uw voorouders en u in niets verschillen van gewone mensen.'

'Waar het ons bloed betreft, ja. Maar in een ander opzicht verschil ik dramátisch van gewone stervelingen, Olin. Ik zie dingen die niemand anders ziet. En daarom heb ik gezien dat het bloed van uw familie u een instrument in handen geeft om te onderhandelen met de goden. U hebt dat nooit begrepen. U hebt die macht nooit gebruikt... Maar ík ga die wel gebruiken!'

'Wat een onzin! U hebt zelf gezegd dat u niet zulk bloed hebt.'

'En dat hebt u ook niet meer wanneer het eenmaal uit u is gestroomd op de Zomerwende,' zei de autarch grijnzend. 'Maar míj zal het macht geven over de goden. Sterker nog, dankzij uw bloed zal ik een god worden!'

Daarop verviel Koning Olin in stilzwijgen en hij begon steeds langzamer te lopen tot een van zijn bewakers hem bij de elleboog pakte om hem tot grotere snelheid te dwingen. De autarch leek daarentegen te genieten van het gesprek; zijn lange gezicht stond levendig, zijn ogen flitsten als het goud op zijn kostbare wapenrusting. Eerder dat jaar was Vash bijna zijn hoofd kwijtgeraakt toen hij gedwongen was geweest de autarch duidelijk te maken dat een wapenrusting van massief goud niet haalbaar was; dat het gewicht daarvan zelfs een god-koning te veel zou hinderen. Toen had hij dezelfde les geleerd die ook Olin nu leerde, namelijk dat Sulepis de Gouden Vorst niet voor rede vatbaar was en dat je alleen maar elke ochtend weer kon bidden dat hij je opnieuw een dag zou sparen.

'Kom Olin, kijk niet zo gekwetst!' zei de autarch. 'Ik heb u al lang geleden gezegd dat het me zal spijten een eind te moeten maken aan onze vriendschap – ik heb oprecht genoten van onze gesprekken – maar dat u dood nu eenmaal waardevoller voor me bent dan levend.'

'Als u denkt dat ik u om mijn leven ga smeken...' begon Olin zacht.

'Dat denk ik niet. Sterker nog, dat zou me teleurstellen.' De autarch hief zijn bokaal, en een slaaf die aan zijn voeten knielde vulde hem onmiddellijk bij uit een gouden kan. 'Neem wat wijn. Vandaag zult u nog niet sterven, dus dan kunt u net zo goed genieten van deze prachtige middag. Kijk eens naar de zon! Wat is hij prachtig en krachtig!'

Olin schudde zijn hoofd. 'U zult het me ongetwijfeld vergeven als ik niet met u meedrink.'

De autarch rolde met zijn ogen. 'Zoals u wilt. Maar mocht u nog van gedachten veranderen, aarzel niet dat te zeggen. Ik ben nog lang niet aan het eind van mijn verhaal. Waar was ik gebleven...' Hij fronste zijn wenkbrauwen en deed alsof hij nadacht – een speels gebaar dat Vash een gevoel bezorgde alsof zijn maag zich omdraaide. Zou het echt kunnen? Zou Sulepis zich de macht van de hemelse goden kunnen toeëigenen – een krankzinnige, die toch al de machtigste man op aarde was?

'Ach natuurlijk, ik had het over uw gave,' zei de autarch.

Er ontsnapte Olin een zacht geluid, dat klonk als een zucht van pijn.

'U weet natuurlijk hoe u aan uw gave bent gekomen. Sanasu, de Qarvrouwe die door uw voorvader Kellick Eddon gevangen werd genomen, schonk hem kinderen en die kinderen werden uw voorouders. Ja, ik heb uw familie grondig bestudeerd, Olin. De gave is het sterkst aanwezig bij degenen die het teken van de Vuurbloem dragen, het vlammende haar dat soms "Het rood van de Manke" wordt genoemd. In mijn taal "Het teken van Habbili". Ik vermoed echter dat alle afstammelingen van Kellick de gave in hun bloed hebben, ook degenen die de uiterlijke tekenen missen...'

'Dat is niet waar,' zei Olin boos. 'Mijn oudste zoon en mijn dochter hebben nooit last gehad van de vloek.'

De autarch glimlachte van kinderlijk plezier. 'En uw grootvader, de derde Anglin? Het is algemeen bekend dat hij leed aan vreemde aanvallen, helderziende dromen, en dat het niet veel scheelde of hij had ooit twee bedienden met zijn blote handen gewurgd, hoewel hij bekendstond als een buitengewoon zachtmoedig mens.'

'U weet inderdaad... veel over mijn familie.'

'En uw familie heeft in bepaalde kringen veel aandacht getrokken, Olin Eddon.' De autarch boog zich naar hem toe. 'U weet ongetwijfeld dat uw grootvader Anglin weliswaar alle tekenen vertoonde van deze... kleuring van het bloed, maar dat hij toch geen zogenaamde rode Eddon was. Hij had het bleekblonde haar van uw verre noordelijke voorvaderen, net als uw dochter en uw oudste zoon.'

'U bespot me. Het bloed van mijn dochter is niet besmet,' zei Olin afgemeten.

'Dat doet er niet toe; uw dochter is voor mij nauwelijks interessant,' zei de autarch. 'Dankzij Ludis heb ik wat ik nodig heb, en dat bent u... of liever gezegd, dat is uw bloed. Het enige waarover de oudste en betrouwbaarste verhalenvertellers van beide continenten het eens zijn, net als de alchemisten en wonderdoeners in mijn land die hun geheime experimenten hebben overleefd zodat ze er verslag van konden doen, is dat alleen het bloed van Habbili – Kupilas, zoals u hem noemt – de weg naar de slapende goden kan openen. En waarom is dat zo belangrijk? Omdat, als de weg kan worden geopend, de slapende goden die door Habbili zo lang geleden werden verbannen, weer kunnen worden gewekt en bevrijd.'

'U bent krankzinnig,' zei Olin. 'En zelfs als die waanzin op waarheid zou berusten, waarom zou u dat doen? We doen het al zo lang zonder hen, dus waarom zouden we hen opnieuw over de aarde laten lopen? Denk maar niet dat u hen zou kunnen trotseren, zelfs niet met al uw legers! Bij de Drie Broeders, hun door talloze generaties verdunde bloed in mijn aderen heeft mijn hele leven op zijn kop gezet! In hun hoogtijdagen haalden ze bergen neer en groeven ze oceanen met hun blote handen! U bent zo verzot op macht, dus waarom zou u zulke gruwelijke rivalen wekken?'

'Ach, dus helemáál naïef bent u niet,' zei de autarch waarderend. 'U vraagt ten minste *Maar als het waar zou zijn, wat dan?* Natuurlijk, het zou dwaas zijn om alle goden hun vrijheid terug te geven. Maar als ik dat nou eens met één god deed? En – dat is nog belangrijker – als ik een manier had om die god te commanderen en naar mijn hand te zetten? Zou zijn macht dan niet de mijne worden? Dat zou vergelijkbaar zijn met het meesterschap over de oude *shanni* – maar dan duizendvoudig! Alles wat in het vermogen van de god lag, zou ook in mijn vermogen liggen.'

'Dus dat is wat u van plan bent?' Olin staarde hem aan. 'Zoveel honger naar nog meer macht en rijkdom bij iemand die al zoveel heeft, is belachelijk... obsceen...'

'Nee, dat ziet u te beperkt. Dat maakt me tot wie ik ben, terwijl andere mannen, zelfs andere koningen zoals u, niet meer zijn dan... vee. Want ik, Sulepis, zal mijn bezit niet afstaan wanneer Xergal de Heer van de Dood met zijn laffe haak verschijnt om me weg te halen. Wat heeft het voor zin om de aarde te veroveren, als de beet van een adder of een brok steen dat afbreekt van een zuil, dat alles binnen een oogwenk kan doen eindigen?'

'Iedereen sterft.' Er klonk minachting in Olins stem. 'Bent u zo bang voor de dood?'

De autarch schudde zijn hoofd. 'Ik was al bang dat u het niet zou begrijpen, Olin, ook al hoopte ik dat de magie in uw bloed misschien verschil zou maken. Wat is een man die genoegen neemt met wat hem is gegeven? Dat is geen man, maar een onnozel beest, meer niet. U vraagt wat een man die de wereld regeert, nog kan begeren? De tijd om te genieten van wat hij bezit! En wanneer hij er niet meer van geniet, de tijd om het neer te halen en iets anders op te bouwen!' Sulepis boog zich zo ver voorover dat Vash doodsangsten uitstond dat hij uit de draagstoel zou vallen. 'Onbeduidende koning uit het noorden, ik heb niet mijn twintig broers gedood, diverse zusters en alleen Nushash weet hoeveel anderen om de troon te kunnen grijpen, wanneer ik die vervolgens na slechts enkele jaren weer zou moeten overdragen aan een ander.'

Iemand riep iets en het tempo van de draagstoel vertraagde.

'We naderen uw huis, Olin. Inderdaad, u ziet er niet goed uit – blijkbaar had u gelijk met wat u zei over de nabijheid die u ziek maakte.' De autarch lachte zacht. 'Dus dat is alweer een reden om me dankbaar te zijn. Ik zal ervoor zorgen dat u niet veel langer onder die onaangename situatie hoeft te lijden.'

'Gouden Vorst, waarom houden we stil?' vroeg Vash. Hij had visioenen van een hinderlaag door Olins mensen, die zich elk moment vanuit de bomen op hen konden storten.

'Omdat we bijna bij de plek zijn waar de kustweg het bos achter zich laat,' antwoordde de autarch. 'We hebben verkenners vooruitgestuurd om te zien waar we ons kamp moeten opslaan. Waarschijnlijk zullen we de Qar moeten verdrijven die het kasteel van onze vriend Olin al maandenlang belegeren. Hun leger is niet groot, maar ze zijn listig. Gelukkig weet Sulepis daar wel raad mee!' Hij lachte vrolijk, als een kind dat genoot van een snelle rit te paard.

'Maar wat doen we hier?' vroeg Olin. 'Vanwaar al die moeite als u denkt dat u me moet doden om uw krankzinnige plannen te kunnen uitvoeren? Is het om mijn familie te straffen, mijn onderdanen die me nog een goed hart toedragen? Om hen te honen in hun hulpeloosheid?'

'Te honen?' De autarch genoot van de rol die hij speelde. Op dat moment deed hij alsof hij zich gekwetst voelde. 'We zijn hier om hen te redden! En wanneer de Qar zijn verdreven en ik hier klaar ben, kunnen uw erfgenamen doen wat ze willen met dit oord.'

'U komt hier om mijn volk te redden? Dat liegt u!'

Opnieuw weigerde de autarch beledigd te reageren. 'Het is niet de volledige waarheid, dat moet ik toegeven. We zijn hier omdat ooit precies op deze plek de goden werden verbannen. Hier, onder alles wat uw geslacht heeft gebouwd, ligt de poort naar het paleis van Xergal – Kernios voor de noorderlingen. Hier heeft Habbili met hem gevochten en hem verslagen, waarna hij hem voorgoed uit de wereld heeft verbannen. Dus dit is de plaats waar het ritueel moet plaatsvinden.'

'Aha,' zei Olin. 'Dus zoals ik al vermoedde, heeft het uitsluitend en alleen met uw eigen krankzinnige bedoelingen te maken.'

De autarch keek hem bijna verdrietig aan. 'Wat u ook denkt, Olin, ik ben niet inhalig. Wanneer ik kan beschikken over de macht van de goden, hoef ik me niet meer te bekommeren om een kasteel meer of minder. Dan zal ik de hemelse paleizen van de berg Xandos herbouwen!'

Olin en Vash konden hem alleen maar verbijsterd en vol afschuw aanstaren, hoewel de eerste minister natuurlijk zijn uiterste best deed om zijn gevoelens te verbergen.

Er was bijna een uur verstreken, en al die tijd stonden ze roerloos midden op de kustweg. Olin was in stilzwijgen vervallen, en de autarch leek vooral geïnteresseerd in een van zijn jonge vrouwelijke bedienden die hij onder het genot van het ene glas wijn na het andere, streelde en betastte, haar ondertussen in haar oor fluisterend. Vash maakte van het uitstel gebruik om zijn verslagen door te kijken – wanneer ze de plek eenmaal hadden bereikt waar ze hun kamp opsloegen, zou hij het gruwelijk druk krijgen – toen een van de generaals naar de draagstoel kwam en vroeg om met de autarch te mogen spreken. Na een woordenwisseling waarbij de generaal zich slechts fluisterend tot zijn opperbevelhebber richtte, stuurde de autarch hem weg. Even bleef het stil, toen begon hij te lachen.

'Wat is er aan de hand, Gouden Vorst?' vroeg Vash. 'Is alles in orde?'

'Het kon niet beter,' antwoordde de autarch. 'Het gaat allemaal nog gemakkelijker dan ik had voorzien.' Hij gebaarde met zijn goudgesluifde vingers, waarop de draagstoel weer in beweging kwam, begeleid door een zacht gekreun van de slaven. 'Let maar eens op.'

Het duurde even voordat Vash begreep wat zijn meester bedoelde. Bij een bocht in de weg gekomen reikten de slaven omhoog en trokken de gordijnen open. Paniek dreigde Vash te overweldigen. Toen zag hij waarom ze dat hadden gedaan.

Op de kust van Brenh's Baai bood de stad Zuidermark een verlaten aanblik. Veel van de gebouwen brandden nog of waren in de as gelegd, de enige beweging kwam van de rook en de dansende vlammen. Er viel nergens een teken van leven te bespeuren, en zelfs het kasteel aan de andere kant van het water maakte een onbewoonde indruk, ook al twijfelde Vash er niet aan of het zat stampvol met Olins landgenoten die hun wapens scherpten en zich voorbereidden op het vergieten van Xissisch bloed.

'Ziet u dat?' De autarch klonk triomfantelijk. 'De kust is van ons! De Qar hebben zich teruggetrokken. Ze wilden niet in de val komen tussen ons leger en de baai. Ze hebben hun aanspraken op de Lichtende Man opgegeven!'

Vash werd afgeleid door een geluid achter zich, maar de autarch besteedde er geen aandacht aan. Sulepis liet met een tevreden gezicht zijn blik in het rond gaan, alsof niet Olin maar hij na een lange afwezigheid naar huis terugkeerde.

Het duurde even voordat Pinimmon Vash besefte wat het geluid was dat hij hoorde. Toen wist hij het. Terwijl hij over het water naar het stille kasteel keek, stond Koning Olin te bidden.

39
En de rivier van de tijd slingert zich voort

'Sommigen beweren dat de Qar onsterfelijk zijn, anderen dat hun levens alleen veel langer duren dan die van stervelingen. Maar niemand weet of dat waar is, noch wat er na hun dood met de elfen gebeurt.'

Uit *Een Verhandeling over de Elfenvolken van Eion en Xand*, geschreven door Finh Teodoros, in opdracht van Heer Avin Brone, Graaf van Landseind

Zijn leven lang had Barrick Eddon vurig gewenst dat alles waardoor hij anders was dan anderen – zijn gebrekkige arm, zijn nachtelijke angsten en aanvallen van onverklaarbaar verdriet, kortom de hele gruwelijke erfenis van zijn vaders waanzin – een betekenis zou blijken te hebben; dat zijn waarheid meer was dan simpelweg een mislukt en zinloos leven. Die wens was eindelijk verhoord, maar het maakte hem doodsbang.

Ik heb de koningin niet kunnen redden. Wat gebeurt er als het ook niet lukt met de Vuurbloem van de koning? Hoe moet het verder als die me niet accepteert?

Hij stond op het balkon van het kabinet van de koning. Er was net een regenbui over de burcht getrokken; de torens en puntdaken staken omhoog als grafstenen op een volle begraafplaats in tientallen verschillende tinten vochtig, glimmend zwart. In de korte tijd dat hij hier was, had hij de hemel boven Qul-na-Qar alleen maar grijs gezien, met afwisselend mist, motregen en stortbuien, alsof de eeuwenoude burcht een schip was dat door noodweer zeilde.

Toch had dit oord ook iets vredigs, en dat kwam niet alleen doordat het bijna leeg was; de ogenschijnlijk eindeloze doolhof van stille gangen ademde de sfeer uit van een grafveld, waar de geesten al te lang dood waren om de levenden nog lastig te vallen. Hij wist dat er in de schaduwen wezens loerden die hem doodsangst hadden moeten aanjagen, maar in plaats daarvan voelde hij zich thuis in dit huis der goden vol griezelige onbekenden. Sterker nog, het was vreemd hoe weinig hij ook maar iets van vroeger miste – zijn thuis in de zonlanden, zijn zusje, het meisje met het donkere haar uit zijn dromen. Het leek allemaal heel ver weg. Was ook maar iets daarvan het waard om naar terug te gaan?

Uiteindelijk had Barrick genoeg van de glimmende natte daken en van zijn gedachten die in een kringetje ronddraaiden. Hij liep de kamer uit en daalde een steile trap af waarvan de witte stenen op veel plaatsen gebarsten waren. Buiten betrad hij de overdekte zuilengang die langs de druipende, verlaten tuin liep. Zelfs de kleuren van de vreemde planten leken gedempt, hun groentinten bijna grijs, hun bloemen zo bleek dat alleen van dichtbij de verschillende soorten roze en geel te herkennen waren, alsof de regen de meeste kleur uit hun blaadjes had geloogd. Van beneden zagen de vele torens van de burcht er niet zozeer uit als grafzerken, maar als een weergave van de complexiteit van de natuur, vol abstracte, zich repeterende vormen – zuilen, balken en chevrons die de edelen bij de stervelingen gebruikten als heraldieke symbolen verbonden met hun familienaam, maar die hier eindeloos werden herhaald in patronen die deden denken aan de schubben van een slang. De overdaad van deze basale vormen was zowel sussend als verwarrend, en nadat hij enige tijd had gelopen merkte Barrick dat zelfs zijn gedachten vermoeid raakten.

Waarom heb je me de keus gegeven, Ynnir, dacht hij. *Ik heb nog nooit een goede keuze gemaakt...*

Alsof dat het antwoord was, kwam er een werveling van ritselende bladeren de hoek om en werd in een draaikolk weer teruggezogen toen de koning in zijn haveloze gewaden de zuilengang betrad, ogenschijnlijk vanuit het niets, alsof hij uit een plooi in de lucht stapte.

Ik kan het gejammer van de Celebranten niet langer verdragen, zei Ynnir; zijn gedachten fladderden naar Barrick als de bladeren die op het pad vielen. *Dus ik heb mijn zuster – mijn geliefde – weggehaald uit de Zaal van de Dodenwake. Wat je ook besluit, Barrick Eddon, als ik haar leven wil behouden, moet ik haar spoedig mijn krachten geven. Ik voel dat de Maker eindelijk heeft gefaald. Mijn kracht begint af te nemen. Het zal niet lang meer duren of de gave van de Spiegel zal ook Saqri niet meer kunnen helpen en het zal er niet langer toe doen wat we besluiten.*

Kom mee.

Samen met de rijzige koning verliet Barrick zwijgend de natte tuin en keerde terug naar de weergalmende gangen. Terwijl ze passeerden, kwamen Ynnirs bedienden fluisterend uit de schaduwen naar voren, schepselen in talloze verschijningsvormen en afmetingen die zich bij hen aansloten en hen op eerbiedige afstand volgden. De vreemde gezichten die hem aanstaarden, bezorgden Barrick een ongemakkelijk gevoel, maar alleen omdat hij wist dat zij hier hoorden en dat hij hier een vreemde was.

'Ik weet niet wat ik moet doen,' zei hij ten slotte. 'Want ik weet niet wat er gaat gebeuren.'

Als je dat wel wist, zou je een selectie maken, geen keuze. Ynnir bleef staan en keerde zich naar hem toe. *Ik zal je wat laten zien, mensenkind.* Hij reikte naar de lap voor zijn ogen en betastte die teder met zijn lange vingers. *Terwijl de jaren van mijn leven verstreken en de benarde toestand van ons volk steeds grimmiger werd, keerde ik me hoe langer hoe meer naar binnen, op zoek naar iets wat ons zou kunnen redden. Ik leefde bijna voortdurend met mijn voorouders, met de Vuurbloem en met het Diepe Boeken-rijk, en in gedachten reisde ik naar plekken met een naam die jij niet zou begrijpen. Ik dook zo diep in wat zou kunnen zijn en in wat was geweest, dat ik het zicht verloor op wat zich recht vóór me bevond. Een eeuw verstreek voordat ik besefte dat mijn vrouw, mijn geliefde zuster, stervende was.* Hij maakte de knoop aan de achterkant van de blinddoek los en liet de lap van zijn gezicht glijden. Zijn ogen waren zo wit als melk. *Uiteindelijk werd ik letterlijk blind. Behalve in mijn herinnering heb ik het gezicht van mijn geliefde al zo lang niet meer gezien dat ik niet eens meer weet wanneer de laatste keer was. Jouw gezicht zal ik nooit kennen, mensenkind. Ik weet alleen hoe je eruitziet in de geest van anderen. En dat komt allemaal doordat ik heb geprobeerd te weten wat er allemaal gaat gebeuren. Het komt allemaal doordat ik heb geprobeerd geen enkele fout te maken.*

'Ik... ik geloof niet dat ik het begrijp.'

'"*Regen valt, dauw stijgt. Daartussen is mist. Tussen is al wat is.*" Dat is

*een uitspraak van een van onze orakels. Laat dat je antwoord zijn, mensen-
kind. Piеker niet te veel over wat voorafging, tob niet over wat gaat komen.
Wat daartussen ligt, is het enige wat ertoe doet. Het enige wat er is.'*

Ynnir bond zijn blinddoek weer voor en liep verder. Barrick haastte
zich achter hem aan en volgde de koning lange tijd zwijgend, in gedachten verzonken.

'Zou u dit kunnen doen, ook als ik het niet wilde?' vroeg hij ten slotte. 'Zou u me kunnen dwingen?'

*Wat bedoel je? Of ik je zou kunnen dwingen de Vuurbloem te aanvaar-
den?*

'Ja. Zou u me de Vuurbloem kunnen geven, ook als ik die niet wilde?'

Wat een vreemde vraag. Ynnir leek vermoeid; hij bewoog zelfs nog trager dan in de eerste uren na Barricks aankomst. *Ik kan me zoiets helemaal niet voorstellen. Waarom zou ik dat doen?*

'Voor uw volk! Opdat het zal blijven voortbestaan! Is dat niet voldoende?'

*Als je de Vuurbloem aanvaardt, Barrick Eddon, betekent dat niet dat mijn
volk zal blijven voortbestaan – alleen de kennis die het heeft vergaard.*

'Maar zou u me kunnen dwingen?'

Ynnir schudde zijn hoofd. *Het... Ik kan geen... Het spijt me, kind, maar
gedachten die zijn gekleurd door jouw taal, kunnen de betekenis niet overbrengen. De Vuurbloem is ons grootste geschenk, het is wat de Kreupele ons
heeft gegeven waardoor we anders zijn dan alle anderen. Zij die de Vuurbloem zullen dragen, wachten daar hun hele leven op, en de Vuurbloem wordt
ons pas gegeven wanneer onze moeders of vaders stervende zijn. Wanneer we
de Vuurbloem eenmaal dragen, zijn we de rest van ons leven bezig met het
bedenken van manieren om die door te geven aan onze erfgenamen, aan de
kinderen van ons lichaam. Om jou te dwingen haar aan te nemen – ik kan
de woorden niet vinden om het uit te leggen, maar ik kan het me simpelweg
niet voorstellen. Of je accepteert de Vuurbloem, en dan zullen we zien wat er
gebeurt, of je accepteert haar niet, en dan zal mijn volk zijn weg vervolgen
naar een einde waarvan de Vuurbloem niet langer deel uitmaakt. Zo verstrijken de dagen van de Grote Nederlaag tot de slaap van de Tijd.* Hij bleef
staan. *We zijn er. We zijn bij de zaal waar Saqri wacht.*

De reusachtige, donkere deuren stonden open. De koning ging naar
binnen, gevolgd door Barrick, maar geen van de schepsels in de stoet
achter hen zette een voet over de drempel. Vele lichten deden de zaal
baden in een heldere gloed, maar Barrick was vooral onder de indruk

van de duisternis die – ondanks de talrijke kaarsen en lampen – onder
de bewerkte balken bleef hangen; van de duisternis en de spiegels.

De muren van de zaal, die zich zo ver uitstrekte dat Barrick al lopend
het gevoel kreeg dat hij in een droom was beland, waren aan weerskanten bedekt met ovale spiegels in allerlei afmetingen en met stuk voor
stuk een andere lijst. Elke spiegel herbergde zowel licht als schaduw,
maar in elke spiegel was het beeld anders, waardoor Barrick de indruk
kreeg dat het geen spiegels waren, maar ramen; ramen die weliswaar
dicht naast elkaar hingen, maar die uitzicht boden op honderden verschillende plekken. Het was verwarrend en overweldigend, maar tegelijkertijd was hij zich ook bewust van iets anders. 'Ik... ik ben hier eerder geweest.'

Ynnir schudde zijn hoofd maar zei niets. Toen hij ten slotte reageerde klonk zijn stem zwakker dan ooit. *Je bent hier nooit geweest, mensenkind. Geen sterveling is hier ooit geweest...*

'Dan heb ik het gedroomd. Maar ik weet zeker dat ik dit heb gezien
– de spiegels, de lichten...' Hij fronste zijn wenkbrauwen. 'Maar toen
was de zaal gevuld met talloze verschijningen, en aan het eind... aan het
eind...'

Het was allemaal zo overweldigend dat hij tot op dat moment de gedaante helemaal aan het eind van de zaal niet had opgemerkt. De koning en hij leken door een stralende gloed – als de laaiende helderheid
van een hete zomerdag – naar haar toe te lopen, terwijl het in de zaal
koel was en zelfs een beetje tochtig. Toen ze voldoende dichtbij waren,
zag Barrick dat de koningin gezeten was in een van twee stenen zetels,
onderuitgezakt, alsof ze dood was; de andere troon was leeg. Het leek
macaber dat de koning haar zo had achtergelaten, zowel vreemd als oneerbiedig. Barrick had de neiging om naar haar toe te gaan en haar overeind te zetten, om haar een houding te geven die paste bij een wezen
met zo'n uitzonderlijke, hulpeloze elegantie.

'Waarom is ze... Heer...?'

Ynnir was blijven staan en had zich op zijn knieën laten vallen. Barricks eerste gedachte was dat het een rituele handeling was, een gebaar
van eerbied of rouw, maar toen besefte hij dat de koning snakte naar
adem. Barrick haastte zich naar hem toe en probeerde hem overeind te
helpen, maar de koning was te groot, en te zwak. Uiteindelijk liet Barrick zich op zijn hurken zakken en sloeg zijn armen om de koning heen,
verbaasd om onder de haveloze gewaden gewoon botten en spieren te
voelen. Ondanks zijn vreemde koninklijke waardigheid was de koning

een wezen van vlees en bloed, en bovendien was hij stervende.

In Barricks beleving raakten de wereld, de schaduwlanden, zelfs de zaal met de spiegels op de achtergrond tot ze uiteindelijk helemaal verdwenen waren. Het enige wat restte, waren de koning en hij en zijn keuze. 'Ja,' zei hij. 'Ik heb mijn besluit genomen en ik zeg... ja.'

De ademhaling van de koning werd rustiger. *Je moet het echt zeker weten,* zei hij ten slotte. *Dit is nooit eerder gedaan – het aanvaarden van de Vuurbloem zou je dood kunnen worden. En als ze eenmaal op je is overgedragen, kan alleen de dood je weer van haar ontdoen. Tot je laatste uur hier op aarde zul je een levend monument zijn, achtervolgd door de herinneringen van al mijn koninklijke voorouders.*

Nu was het Barricks beurt om naar adem te snakken. 'Dat begrijp ik,' wist hij ten slotte uit te brengen. 'Ik weet het zeker.'

Ynnir schudde verdrietig zijn hoofd. *Nee, mijn zoon, je begrijpt het niet. Zelfs ik kan niet volledig begrijpen wat de Manke ons heeft gegeven, en daar ben ik me mijn hele lange leven van bewust geweest.* De koning richtte zich op, maar toen Barrick zijn voorbeeld wilde volgen, schudde Ynnir zijn hoofd en gebaarde hem te blijven knielen. *Het heeft zo moeten zijn, en ook dit is zoals het moet zijn – Saqri, ik, jij, en de draden van dwaze keuze en vreemd toeval die onze families met elkaar verbinden.*

'Wat moet ik doen?' Angst overviel Barrick, niet voor de pijn die de Vuurbloem hem zou bezorgen, maar angst dat hij Ynnir zou teleurstellen, dat hij niet sterk genoeg zou zijn om te ontvangen wat hem werd gegeven.

Niets. Een vreemde gloed vulde de zaal, paars als het laatste avondlicht. Barrick besefte al snel dat de gloed niet zo wijdverbreid was als hij aanvankelijk had gedacht, maar van heel dichtbij kwam. Het schijnsel omhulde Ynnirs hoofd als mist rond een bergtop. De rijzige koning bukte zich, legde zijn handen aan weerskanten langs Barricks gezicht en drukte toen zijn koele, droge lippen op Barricks voorhoofd, net boven en tussen zijn ogen. Even dacht Barrick dat het zachte licht op de een of andere manier in hem was gedrongen, omdat alles om hem heen – Ynnir, de stoffige spiegels, de balken aan het plafond die door het houtsnijwerk de aanblik boden van takken, zwaar behangen met bessen en gebladerte – diezelfde violetkleurige gloed had aangenomen.

'Wat...' Hij knipperde met zijn ogen. Er luidde een klok – het moest een klok zijn, de galm was zo krachtig, zo diep! 'Wat moet ik...' De klok luidde opnieuw – maar het kon geen klok zijn, besefte hij, want er klonk geen enkel geluid. Toch voelde hij het luiden diep doortrillen tot in zijn botten.

Slaap mijn kind, zei Ynnir, nog altijd met zijn handen tegen Barricks hoofd. *Het is begonnen...*

Toen was Barrick zich van niets meer bewust, behalve het lome galmen van zijn gedachten, van zijn hart dat luid en krachtig sloeg, als ijzige wateren die als bloed door de aderen van een berg werden gedreven, van pijn die voelde als een ijzig vuur, en van zijn schedel die huiverde van elke weergalmende slag... na slag... na slag...

Ten slotte viel hij, uitgeput van de worsteling en in de greep van een kwelling die tegelijkertijd vluchtig en eindeloos was, in een diepte waar duisternis en stilte heersten.

Het onbehaarde, mensachtige wezen keek op hem neer; schaduwen die werden geworpen door de flakkerende lampen, dansten over zijn gezicht. Nee, het was niet één wezen, het waren er meer, veel meer, en ze waren allemaal licht transparant.

Toen hoorde hij iets fluisteren, een stem zonder geluid die aan zijn gedachten kriebelde: *Harsar zo'n trouwe dienaar maar nooit helemaal te vertrouwen de Ring van Stenen heeft te veel verloren in de Grote Nederlaag...*

Terwijl de stem in zijn gedachten wegstierf, versmolten de wezens om hem heen weer tot één gedaante: Harsar, de dienaar van de koning. Gedurende een lang, duizelingwekkend moment was Barrick ten prooi aan totale verwarring. Wat was er gebeurd? Waar was hij?

'Nog in de Zaal der Spiegels,' antwoordde Harsar, hoewel Barrick zijn vraag niet hardop had gesteld. Hij zag de mond van de bediende bewegen, hoorde Harsars zorgvuldig vlak gehouden stem in zijn oren, maar tegelijkertijd in zijn gedachten, en daar had wat de stem zei een subtiele verandering ondergaan. *De Eerste Steen slaapt. De Dochter van de Eerste Bloem vraagt naar u.*

Opnieuw voelde hij dat de fluistering zonder geluid door hem heen blies: *Welslagen dat ze leeft maar we zijn onvruchtbaar we slingeren ons zaad in de wind terwijl we de beenderen werpen.* Het was niet zozeer simpelweg een stem in zijn hoofd, maar meer... een idee, zo stil als het gras dat naar de zon reikte. Barrick probeerde rechtop te gaan zitten. Waarom lag hij op de grond? Waarom voelde zijn hoofd als een zak berstensvol grind die dreigde te scheuren op de naden, terwijl al deze gedachten *woorden ideeën geluiden geuren* in zijn hoofd knetterden als sparappels

die openspatten in een vuur? Hij bracht zijn handen naar zijn hoofd om
te voorkomen dat zijn schedel openbarstte. Geleidelijk aan ebde het gevoel weg, maar zijn hoofd leek nog altijd verontrustend vol en de wereld om hem heen bewoond door vage schimmen van de werkelijkheid,
alsof hij dat alles zag door verkeerd geblazen glas.

'Treed naar voren,' zei Harsar. 'De dochter van de Eerste Bloem...'

Saqri, Zuster, Echtgenote, Kleindochter, Nazaat... mompelden de stille
stemmen in zijn hoofd.

'... verwacht u.'

*In het Oord der Versmalling. De Zaal der Kruispunten. Onder de doorn-
achtige loten, zoals in de Eerste Dagen toen het Volk nog jong was...*

Barricks hoofd voelde als een bijenkorf – het kostte hem de grootste
moeite om niet naar de zwermende gedachten te slaan. 'Maar de koning dan... Waar is Ynnir?'

'De Zoon van de Eerste Steen is in de Zaal van het Vaarwel,' zei Harsar.

... is naar het hart van de Dans der Verandering gegaan, zei de stem in
Barricks gedachten.

'Kom,' zei Harsar. 'Ze zal je bij hem brengen.'

Barrick kreeg geen woord meer over zijn lippen; hij was tot niets anders in staat dan Harsar volgen over het pad door het midden van de
zaal, bestookt door nieuwe gedachten, wervelend als stofdeeltjes in een
storm – namen, momenten, glinsteringen die vóélden als herinneringen, maar de beelden die erbij hoorden kon hij zich niet herinneren en
riepen zelfs geen volledige herkenning op. En die flarden van betekenis
waren niet het enige wat hem verwarde: alles in de zaal – de banken, de
spiegels aan de muren, de wervelende tegelpatronen op de grond – leek
een soort gloed te hebben aangenomen, een glans van *echtheid* die in
niets leek op wat hij ooit eerder had ervaren. Zelfs de meest vertrouwde voorwerpen uit zijn jeugd hadden hem nooit zo sterk het gevoel gegeven dat ze deel van hem uitmaakten, als de balken boven zijn hoofd,
het donkere, eeuwenoude hout gesneden tot stekelige hulstbladeren en
taaie klimranken. Alles had een structuur en een vorm die zich niet liet
negeren; alles had een verhaal. En zoals alles in Qul-na-Qar was de zaal
ook zélf een verhaal, het grootse verhaal van het Volk.

Toen zag hij haar; ze wachtte op hem in haar glanzende witte gewaden.

Alleen al haar aanblik trof hem als een vloedgolf die woest tegen zijn
zintuigen beukte en zijn geest overspoelde met herinneringen zoals hij

ze nooit eerder had gekend – een woud vol rode bladeren, een gladde schouder, bleek als ivoor, haar hoog opgerichte gedaante op een grijs paard terwijl sneeuwvlokken neerdaalden op haar mantel.

Saqri.

Zuster van de Wind.

Laatste van de lijn.

Geliefde vijand.

Verloren en teruggekeerd.

Koningin van het Volk...

De opmars van de herinneringen zette zich voort tot er van Barrick zelf bijna niets meer over was, maar tegelijkertijd werd hij getroffen door iets veel machtigers, iets veel zuiverders, alsof een schacht van het stralendste licht zijn ogen doorboorde terwijl een zilveren pijl hetzelfde deed met zijn hart.

Hij wankelde, het lukte hem niet zich staande te houden. Met tranen in zijn ogen liet hij zich voor haar op zijn knieën vallen.

Saqri was het mooiste wat hij ooit had gezien, zo machtig en complex dat alleen al haar aanblik hem pijn deed; het ene moment leek ze te bestaan uit herfstdraad en spinrag en droge twijgjes als de poppen waar kinderen in een ver verleden mee speelden, zo oud en broos dat ze bij de lichtste aanraking uit elkaar zou kunnen vallen, maar het volgende zag ze eruit als een standbeeld gehouwen uit harde, glanzende steen. En haar ogen – haar ogen waren zo zwart, zo peilloos diep! Barrick kon er niet in kijken zonder dat het hem duizelde en hij het gevoel kreeg alsof hij zou vallen, eindeloos, zonder ooit weer op vaste grond te staan.

De koningin beantwoordde zijn blik, haar gezicht star als een masker; een masker dat hem vreemder voorkwam en tegelijkertijd vertrouwder dan enig gezicht op de hele wereld. Een heel licht opkrullen van haar mondhoeken maakte dat het leek alsof ze glimlachte, maar haar ogen en zijn onverklaarbare herinneringen vertelden hem dat die glimlach slechts schijn was.

'Dus dit is wat rest van het kostbare bloed van mijn dochter Sanasu?' Ze sprak hardop alsof ze het niet kon verdragen zijn gedachten te beroeren. Haar stem bezat geen enkele warmte. 'Deze farce, dit brok vreemde, verloren substantie is alles wat aan het einde der tijden bij me terugkeert?'

Hij wist dat hij boos zou moeten zijn, maar hij had er de kracht niet voor. Het was te overweldigend om alleen al voor haar te staan. Was zij het of was het de Vuurbloem die zijn hoofd vulde met kleuren en geluiden en vuur? 'Ik ben zoals de goden me hebben geschapen,' was het enige wat hij kon uitbrengen.

'De goden!' Saqri slaakte een vluchtige kreet, die zowel een hoongelach als een snik zou kunnen zijn, maar de uitdrukking op haar gezicht veranderde niet. 'Wat hebben ze ooit voor ons geschapen dat zich uiteindelijk niet tegen ons keerde? Zelfs ons grootste geschenk, de gave van de Manke, bleek een kwelling te zijn.'

Het leek Barrick alsof zelfs de schaduwen terugdeinsden, geschokt door haar godslasterlijke woorden. Iets in hem herkende dat wat ze zei, voortkwam uit de diepten van een kwelling waarvan hij zich geen voorstelling kon maken. 'Het spijt me... als wat ik ben u niet bevalt, vrouwe. Ik heb er niet voor gekozen om hier te komen, net zomin als ik heb gekozen voor het bloed dat door mijn aderen stroomt. Wat mijn voorouders u ook hebben aangedaan, geen van hen heeft mij ooit om raad gevraagd.'

Ze keek hem doordringend aan, met zo'n vurige blik in haar donkere ogen dat hij die nauwelijks kon verdragen. 'Genoeg!' zei ze. 'Genoeg gepraat. Ik heb een man om wie ik moet rouwen.'

Met lichte tred, alsof ze zweefde op een bries, daalde de koningin het podium af, waarbij haar opbollende gewaad de grond amper leek te raken. Terwijl Barrick haar volgde, terug naar het midden van de zaal, golfden in de spiegels aan weerskanten honderden elfenkoninginnen en honderden sterfelijke prinsen naar de deur. Sommige van de Barricks draaiden zich zelfs naar hem om en keken hem aan. Veel van de gezichten leken niets op het zijne, andere sprekend, en het was vooral de uitdrukking op die laatste die hem verontrustte.

Ze betraden de grote ruimte achter de deur van de Spiegelzaal, die stampvol bleek te zijn met een menigte elfen in tientallen verschillende verschijningsvormen die Barrick volkomen vreemd voorkwamen, maar die hij tegelijkertijd zonder uitzondering herkende – *kruiers, gangenslopers, trolachtigen zo lang als bomen* – en hij wist zelfs dat de plek waar ze wachtten, bekendstond als de *Zaal van het Winter Banket*. Terwijl de koningin passeerde, op korte afstand gevolgd door Barrick, sloten ze zich achter haar aan, de huilende vrouwen en de kleine mannen met dierenogen, de gevleugelde schimmen en anderen met gezichten die eruitzagen alsof een beeldhouwer zijn werk nog niet had voltooid, zodat de stoet aanzwol tot deze de gangen vulde en zich uitstrekte tot ver voorbij Barricks gezichtsveld, een rivier van angstaanjagend leven.

Barrick volgde Saqri door een doolhof van onbekende gangen, maar als een spiegeling op een stille vijver verschenen hem namen en ideeën – *de Verpozing van de Trieste Pijper, het Kreunende Solarium, de plek waar Behoedzaamheid en Zwemmende Vogel uiteengingen.* Ten slotte kwamen ze buiten, onder de blote hemel, in een tuin van stenen gedaanten, verkrampt als in een onrustige slaap, en hij was zich bewust van regendruppels op zijn gezicht en zijn haar.

Het gevoel was zo oud en vertrouwd, en zo herkenbaar dat alle andere gedachten even wegvielen en hij gewoon weer zichzelf was, de Barrick die hij altijd was geweest, vóór de Schaduwgrens, vóór de Dromers, vóór Ynnirs kus.

Wat zal er van me worden? Hij was niet meer zo bang als hij was geweest, maar het viel niet mee om zijn verliezen niet te betreuren. *Ik zal nooit meer zijn zoals ik nu ben.*

Aan de andere kant van de tuin – *Kevers Wakkere Hof,* fluisterden zijn gedachten, *waar Regen Dienaar de Koning der Vogels op zijn hand hield en hem vertelde over het einde der tijden* – kwamen ze in een uitgestrekte ruimte waar duisternis heerste, behalve in een kleine ring van kaarsen op de grond. De ruimte was verlaten, op het lichaam na dat op een platte steen in het midden van de ring van kaarsen lag opgebaard.

Er kwamen tranen in Barricks ogen. Niemand hoefde hem te vertellen wie dit was. Het koor van gefluister in zijn hoofd diende nu alleen nog om de helderheid van zijn gevoelens te vertroebelen. Degene die hier lag, was in één enkele dag een soort vader voor hem geworden – nee, meer dan dat: Ynnir was altijd geduldig gebleven en had hem niets anders dan welwillendheid getoond.

De koningin stond naast het lichaam van haar man en keek erop neer. De blinddoek was verdwenen, Ynnirs ogen waren gesloten alsof hij sliep. Barrick deed nog een paar stappen naar voren en liet zich langzaam op zijn knieën zakken, niet in staat het gewicht van het moment nog langer te torsen.

Zoon van de Eerste Steen, de Springende Hertenbok, Slimme Zwakkeling... Een koor van gefluister, als het gekoer van duiven. *Verrader! – nee, hij was de dierbare nazaat van de Manke...*

Kijk naar me, zei een andere stem, zuchtend en ver weg. *Zo klein. Zo verloren in het moment.*

Geschrokken keek Barrick om zich heen. 'Ynnir?' Het was de koning die had gesproken, dat wist hij zeker. *Laat me niet alleen!* Hij stuurde de gedachte naar de gedachten van de koning. De andere herinneringen, stemmen, geesten, de ontelbare schimmen en flarden van begrip die hem achtervolgden, waaierden voor zijn vraag uiteen, maar wat het ook was geweest dat hem van de echte Ynnir had beroerd, was alweer verdwenen.

'Oude dwaas,' zei de koningin zacht, neerkijkend op het bleke, verstarde gezicht van de koning. 'Prachtige, blinde oude dwaas.'

De begrafenis van de Heer der Winden en Gedachten trok langs Barricks zintuigen als een gezwollen rivier die buiten haar oevers trad en die op haar stroom talloze, onherkenbaar verminkte voorwerpen meevoerde. In die dichtbevolkte, duistere, mompelende ruimte verzamelde zich een menigte gestalten rond het lichaam van de koning; ze huilden, ze zongen, soms maakten ze geluiden die Barrick niet kon koppelen aan een menselijke emotie, en na enige tijd verspreidden ze zich weer. Sommige van hun rouwgebaren waren zo complex als spelen of tempelritu-elen en leken uren te duren, andere waren als een vluchtig fladderen van vleugels boven Ynnirs roerloze gedaante. Barrick hoorde toespraken waarvan hij elk woord kon verstaan, maar waar hij tegelijkertijd niets van begreep. Anderen die treurden, gingen naast het lichaam van de koning staan en uitten een enkel, vreemd geluid dat een hele wereld in Barricks geest opende, als de verhalen die werden verteld door de barden in de Nacht van de Wees en die duurden van zonsondergang tot de dageraad.

En nog altijd bleven ze komen.

Ratten, misschien wel duizend of nog meer, die zich als een levend, fluwelen tapijt rond Ynnir bewogen. Toen waren ze weer verdwenen. Huilende schimmen; mannen met ogen zo rood als sintels; zelfs een prachtig meisje van bezemstelen en spinrag, dat voor de dode koning zong met een stem die klonk als neerdwarrelend stro. Allemaal kwamen ze afscheid nemen. Terwijl de uren voorbijkropen, terwijl buiten wind en regen de daken geselden en terwijl binnen de vlammen van de lampen flakkerden in de dodenkamer, begon er bij Barrick begrip te dagen, niet de volle omvang en diepgang van wat er in die kamer tot uitdruk-king werd gebracht, maar althans enig inzicht in wat het betekende om een van deze rouwenden te zijn. Hij zag dat de processie meer was dan degenen die langsliepen en wat ze te zeggen hadden, meer dan de ge-baren die ze maakten om hun verdriet te tonen. De processie was een verzameling van vormen en geluiden, stuk voor stuk afzonderlijk en te-gelijkertijd net zo verbonden met het geheel als de letters in een woord, of als de woorden in een verhaal. Daarbij was tijd het medium, en Bar-rick besefte vaag – het was niet meer dan een glimp van begrip, als een kleine vis in een stroom die wegschoot zodra hij ernaar reikte – dat het

Volk van de Qar in de tijd leefde op een manier zoals Barricks sterfelijke ras dat niet deed. De Qar behoorden toe aan de tijd en tegelijkertijd stonden ze erbuiten. Ze rouwden maar ze zeiden ook *Dit is rouwen, en zo zou het moeten zijn. Dit is de dans en zo zijn de passen.* Door er hetzij meer hetzij minder van te maken zouden ze het als het ware uit de tijd halen, als een vis die uit de rivier wordt gehaald. De rivier zou aan schoonheid verliezen, maar verder zou er niets veranderen.

Uiteindelijk doofden de kaarsen. Er werden nieuwe aangestoken, en dat leek op zichzelf weer een volgend deel van de dans, een volgende bocht in de rivier. Barrick liet het allemaal over en door zich heen stromen. Soms merkte hij dat hij al voordat iemand sprak, of zong, of zijn stilzwijgende eerbetoon bracht, wist waar diegene vandaan kwam en wat hij voor de dode had meegebracht. Op andere momenten voelde hij zich verloren in alle vreemdheid, zoals vroeger toen hij als kind naar de wind had geluisterd die rond de schoorsteen huilde en die onder de dakpannen van het huis kroop, overweldigd door suggesties van zin en betekenis waarvan hij wist dat hij die nooit zou kunnen bevatten; door de eeuwige frustratie van de sterveling, zo klein en nietig in de uitgestrektheid van de onverschillige nacht.

Ten slotte kwam hij als het ware weer boven uit een duisternis vol afnemend gezang en verblekende schimmen. De enorme zaal lag er verlaten bij. Het lichaam van de koning was verdwenen. Alleen de koningin was er nog.

'Waar... waar is hij...'

Saqri was even roerloos als het standbeeld waarop ze leek, en staarde naar het lege podium. 'Zijn omhulsel... wordt teruggebracht. Zo nemen we afscheid van een waarachtig vorst... Ynnir heeft er welbewust voor gekozen me zijn laatste krachten te schenken om me te wekken, en daardoor zijn hij en zijn voorouders voorgoed voor ons verloren.'

Barrick kon alleen maar wezenloos voor zich uit staren, zonder te bevatten wat er was gebeurd.

'En zo komen we weer een stap dichter bij het eind van alle dingen.' Ze keerde zich naar hem toe, ook al leek ze hem nauwelijks te zien en was het alsof ze tegen zichzelf praatte. 'En wat zal jouw plek zijn in dat alles, sterveling? Wat staat er voor jou in het Boek geschreven? Misschien is het je bestemming om althans een schim van onze nagedachtenis levend te houden, zodat wanneer we eenmaal zijn verdwenen, nog een vage, verwarde herinnering de overwinnaars onrustig kan maken.

Hebben we jou onrust bezorgd? Heb je zelfs maar een vermoeden van wat je hebt verwoest?'

Zo fel, zo helder – als vuur! fluisterde een stem in zijn hoofd, maar Barrick was te boos om ernaar te luisteren.

'Ik heb niets verwoest! Wat mijn overgrootvaders ook gedaan mogen hebben, daar draag ik geen schuld aan – sterker nog, daarmee hebben ze mij ook vervloekt! En ik heb er niet voor gekozen hier te komen – ik ben gestuurd door uw... door uw vrouwe, door Yasammez, uw vrouwe stekelvarken.' Plotseling viel er iets van zijn verwarring weg, alsof iemand een laag vuil van een oud voorwerp had geveegd waardoor de glans weer zichtbaar werd. 'Nee, dat is niet waar. Ik heb er wél voor gekozen om hier te komen, tenminste gedeeltelijk. Omdat Gyir dat wilde. Omdat de koning me riep, omdat hij me vroeg te komen... erop aandrong dat ik kwam. Ik heb er niet om gevraagd te worden geboren, en zeker niet om te worden geboren met de brand van het Qar-bloed in mijn aderen. Want het heeft me bijna tot waanzin gedreven!'

De uitdrukking op het volmaakte gezicht van de koningin, teer als een eierschaal, bleef onveranderd terwijl ze in stilzwijgen verviel.

'Dus zij heeft je gekozen,' zei ze ten slotte. 'Mijn dierbare vrouwe, mijn geliefde, mijn voorouder?' Saqri deed een stap in zijn richting, hief haar hand en streek over zijn gezicht. 'Wat heeft ze gezien?' Hoewel ze niet langer was dan Barrick en zo slank als een rietstengel, kostte het hem de grootste moeite niet ineen te krimpen onder haar aanraking. Net als de kus van haar echtgenoot voelden haar vingers op zijn voorhoofd koel en droog aan. 'Wilde ze me alleen maar honen? Yasammez heeft nooit van mijn man gehouden – tenminste, niet zoals ik. Ze vond hem laks als behoeder van het Volk en ze verweet hem dat hij het goede liet prevaleren boven het noodzakelijke.'

Maar dat is hetzelfde, zei een zachte stem in Barricks gedachten.

De koningin trok haar vingers weg alsof ze zich had gebrand. 'Wat moet dit voorstellen?' Haar hand schoot weer uit, als een slang die toeslaat, haar vingers fladderden verrassend teder over zijn ogen en drukten toen krachtig op de plek in het midden van zijn voorhoofd. 'Wat...'

Ze wankelde achteruit – de eerste niet volmaakt sierlijke beweging waarop hij haar betrapte. Haar ogen werden groot. 'Nee! Dat kan niet waar zijn!'

In dit oord van eeuwenoude kennis en rituelen zo oud als de tijd, joeg haar verraste reactie Barrick angst aan. 'Wat is er? Waarom kijkt u me zo aan?'

'Hij... hij zit in je! Ik voel hem maar ik kan niet bij hem komen!'

Iets wat nu in Barrick leefde, bleef onaangedaan door haar ontsteltenis en leek die zelfs amusant te vinden. 'Hij zei dat hij zou proberen de Vuurbloem aan me door te geven.'

'Nee!' Ze gilde het bijna uit, en hij was geschokt, ook al besefte hij vrijwel onmiddellijk dat zijn geschoktheid slechts werd veroorzaakt door het verschil met haar gebruikelijke afgemeten toon. 'Je bent een sterveling. Je bent een jong van de schepselen die ons hebben verkracht... en uitgemoord!'

We zijn allemaal kinderen van zowel het goed als het kwaad dat ons is voorgegaan.

Ynnir? Bent u dat? Barrick probeerde de gedachte vast te houden, maar die was alweer vervlogen. Hij besefte dat de koningin hem strak aankeek, met zo'n vurige blik in haar ogen dat het bijna pijn deed ernaar te kijken. Toen ze zijn arm greep, was hij verrast door haar kracht.

'Wat voel je? Is hij daar, mijn broer... mijn echtgenoot? Spreekt hij in jou? En hoe zit het met de Voorvaderen, voel je hen ook?'

'Ik... ik weet het niet.' En toen ineens voelde Barrick het van heel diep naar boven komen, en even was het alsof zijn lichaam, zijn tong, zijn hoofd niet meer aan hem toebehoorden. *We zijn er, we zijn er allemaal,* zeiden zijn gedachten en zijn mond, zonder dat Barrick er zelf bij betrokken was. *Het is niet wat we hadden verwacht, velen van ons zijn verward... en weer anderen verloren. De Vuurbloem is nog nooit op deze manier doorgegeven. Het is allemaal anders...* Toen ebde de vreemde aanwezigheid weg en had Barrick weer controle over zijn lichaam. Maar alles was veranderd, wist hij. Alles was anders en zou nooit meer hetzelfde zijn.

De koningin staarde hem nog altijd aan, maar de blik in haar ogen verried dat ze heel ver weg was. Toen begaven haar krachten het, en met een zacht geritsel van haar witte gewaad zakte ze in elkaar. Vanuit alle hoeken en verborgen plekken in de uitgestrekte zaal kwamen schimmen bij elkaar, dienaren die al die tijd hadden gewacht. Ze gingen om haar heen staan, tilden haar op en droegen haar weg.

Barrick kon hen slechts nakijken en bleef alleen achter met de stam onbegrijpelijke vreemden die zich hadden genesteld in zijn bloed en zijn gedachten.

Appendix

Barrick Eddon – Prins van Zuidermark
Baz'u Jev – dichter uit Xand
Bergzout – een Funderling
Bingulou de Kraciër – Finhs eerste meester
Bitterkalk – Grootgildemeester van de Kallikanters in Neerbrugge
Brambinag Steenlaars – mythische reus
Brecht – dienster in de Dorstige Jager
Brennas – een orakel wiens hoofd zijn executie meer dan drie jaar zou
   hebben overleefd
Brionie Eddon – Prinses van Zuidermark
Broeder Okros Dioketian – priester-heelmeester van de Academie in
   Oostermark
Caijlor – legendarische ridder en prins
Caradon Tollij – jongere broer van Gailon
Chaven – heelmeester en astroloog in dienst van het Huis Eddon
Cheshret – vader van Qinnitan, lage priester van Nushash
Cinnaber Kwikzilver – magister bij de Funderlingen
Clemon – beroemd Syannees historicus, ook genoemd 'Clemon van
   Anverrin'
Col – een bandiet
Conarij – herbergier van De Dorstige Jager
Conor, Sivon en Iel – 'primitieve' stammen die in Eion woonden voor
   de verovering door het zuidelijke continent Xand
Daknokkers – bij slechts weinigen bekende inwoners van Kasteel
   Zuidermark
Daman Eddon – Merolanna's echtgenoot, broer van Koning Ustin
Davos van Elgi, ook bekend als Davos de Mantis – beroemd
   huurlingenleider, aanvoerder van een Grijze Compagnie
Dawet dan-Faar – gezant uit Hierosol, recentelijk uit Tuan
Donald Murrij – voormalig kapitein van de koninklijke garde in
   Zuidermark
Draaiers – stam bij de Qar
Draver de Rooie – bandietenleider
Dumin Mauyuz – antipolemarch van de expeditiemacht van de
   Autarch naar Zuidermark
Duny – acoliet van de Korf, vriendin van Qinnitan
Durstin Crowel – Baron van Grauwsluis
Eilis – hofdame van Merolanna
Elan M'Corij – schoonzuster van Caradon Tollij

Ena – Jutter, dochter van Turleij Langvinger

Enander – Koning van Syan

Eneas – Prins van Syan, zoon van Enander

Erasmias Jino – Markies van Athnia, belangrijke Syannese functionaris

Erinna e'Herayas – Tessische hoveling

Erivor – god van de wateren, ook wel Efiyal en Egye-Var genoemd

Ettin – een Qar-reus

Favoros – Baron in Syan

Favoros, Baron – Heer van Ugenion

Ferras Vansen – kapitein van de koninklijke garde in Zuidermark

Finlae – priester uit Segtland, slaaf in het huis van Qu'arus

Finh Teodoros – schrijver

Finneth – orakel in Brenh uit het verhaal van Hewneij

Funderlingen – soms 'delvers' genoemd, kleine mensen die zich specialiseren in steenbewerking

Gailon Tollij – Hertog van Zomergaarde, neef van het Huis Eddon

Gieteling – een van de hoeders bij de Funderlingen

Gok – een Qar-wacht

Golya – 'eters van mensenvlees'

Graat – een bandiet

Gregor van Syan – een beroemde bard

Grein Gezwind – een Daknokker

Grijze Compagnies – huurlingen en mannen zonder land, die in de nasleep van de Grote Dood voor een leven als bandiet hebben gekozen

Grootvader Sulfer - een wijze, oude Funderling, lid van de Metamorfische Broeders

Grote Knoest (Blauwkwarts) – Kiezels vader

Gyir – een Qar, de kapitein van Yasammez, ook bekend als 'Gyir Stormlantaarn'

Hamervoet – een Diepe Ettin, krijgsheer uit de Eerste Diepten

Harsar – raadsman van Ynnir

Hasuris – verhalenverteller uit Xis

Hayyiden – een eeuwenoud volk in Xand

Helkis, Heer – luitenant van Prins Eneas

Hendon Tollij – jongste van de gebroeders Tollij

Hesper – Koning van Jellon, verrader van Koning Olin

Hiliometes – legendarische held en halfgod

Hobkin – een bandiet

Hoeders (van het Gilde) – stadswachten in Funderstad

Iaris – orakel van Kernios, een halve heilige

IJzer Kwarts – een van Kiezels eerste meesters

Immer-Gewonde Maagd – personage uit een legende

Iola, Koningin van Syan, Tolos en Perikal, regeerde tijdens het Rijk van Syan en de Oorlog van de Drie Blazoenen

Ivgenia e'Doursos – de jonge dochter van de Burggraaf van Teryon

Jeddin – kapitein van de Luipaarden, de persoonlijke garde van de autarch, ook bekend als 'Jin'

Jenkin Crowel – gezant van Zuidermark in Tessis

Jutters – een volk dat zijn brood op en rond het water verdient

Kallikanters – Syannese benaming van Funderlingen

Karal – Koning van Syan, door de Qar bij Kil Grauwveen gedood

Kayyin – een Qar, zoon van Yasammez, ook bekend als Gihl de tappersknecht

Kellick Eddon – achter-achterneef van Anglin, eerste van de mark Koningen van het Huis Eddon

Kendrick Eddon – prins-regent van Zuidermark, oudste zoon van Koning Olin

Kernios – god van de aarde, ook bekend als 'Xergal'

Khors – maanheer, echtgenoot van Zoria, broer van Zmeos, vader van Kupilas

Kiezel (Blauwkwarts) – Funderling, echtgenoot van Opaal

Kinderen van het Smaragd Vuur – stam bij de Qar

Kleine Tin – een monnik

Kofas van Mindan – een filosoof uit Ulos

Kreas, Koning – personage uit oud verhaal

Krijt – tromsteenpriester bij de Kallikanters

Kupilas – god van de heelkunde, ook bekend als 'de Maker', 'Habbili', 'de Manke', en 'Kioy-a-pous'

Lander III – zoon van Karal, Koning van Syan, ook bekend als 'Lander de Goede' en 'Lander Elfenvloek'

Lelie – Anglins kleindochter, koningin die Zuidermark regeerde in de tijd van de Grijze Compagnies

Linas – kapitein van Eneas' Tempelhonden

Lindon Tollij – vader van Gailon, voormalig eerste minister van de Mark Koninkrijken

Lorick Eddon – Olins oudere broer, die jong stierf

Ludis Drakava – Behoeder van Hierosol
Luian – een belangrijke Gunsteling in de Afzondering, eerder bekend
   als 'Dudon'
Lukos de Pottenbakker – Therons vader
Malachiet Koper – een leider bij de Funderlingen
Malamenas Kimir – apotheker in Agamid
Marwin – een van de slaven van Qu'arus
Massilios met het Gouden Haar – een legendarische held (genoemd
   door Barrick)
Mattes Tinslager – een dichter, ook bekend als 'Mats'
Melarkh – een semi-legendarische koning van Jurr
Meno Strivoli – Syannees meesterdichter
Meriel – Olins eerste vrouw
Merolanna – oudtante van de tweeling, afkomstig uit Fael, weduwe
   van Daman Eddon
Mesiya – maangodin
Metamorfische Broeders – religieuze orde bij de Funderlingen
Moina – een van Brionies hofdames
Moker IJzerkiezel – leider van de hoeders in Funderstad
Molenaarsdochter, De – personage in 'Verhaal van een
   Plattelandspriester'
Nevin Hewneij – toneelschrijver
Niccol Opanour – Poortheraut van Hesper van Jellon
Nikomakos, Heer – zoon van een Syannese graaf
Numannyn – Koning van de Qar ten tijde van de slag op de
   Huiverende Vlakte, bekend als 'de behoedzame'
Nushash – Xissische god van het vuur, beschermheer van de
   autarchen, ook bekend als 'Zmeos' en 'Witvuur'
Olin Eddon – Koning van Zuidermark en de Mark Koninkrijken
Opaal – Funderling, vrouw van Kiezel
Panhyssir – hogepriester van Nushash in Xis
Parak – voormalig autarch van Xis, grootvader van Sulepis
Pariki – Xissische benaming voor de Qar
Parnad – vader van de huidige autarch, Sulepis, soms bekend als de
   'Immer-Wakende'
Pedar Vansen – vader van Ferras Vansen
Perin – hemelheer, ook wel 'Vrijheer van het Weerlicht' genaamd en
   'Argal'
Phayallos – filosoof en alchemist

Phimon – Hiërarch van Tessis
Pinimmon Vash – eerste minister van Xis
Pouta – een orakel, mogelijk verzonnen door Finh Teodoros
Prusas – scotarch van Xis, ook wel 'Prusas de Kreupele' genoemd
Puntar – een schout
Qar – niet-menselijk volk dat eens een groot deel van Eion bezette
Qinnitan – acoliet in de Korf in Xis, ontsnapte bruid van Autarch
    Sulepis
Qu'arus – een Droomloze
Raemon Beck – lid van koopmansgeslacht in Helmswater
Rafe – Ena's vriend, lid van De-Romp-Schuurt-het-Zand, een clan
    bij de Jutters
Rebus – hofnar van het Huis Eddon
Rhantys van Kalebria – schrijver van 'Kwelling van Meinedige
    Waarheid'
Risto, Markies van Omaranth – een Syannese edelman en militaire
    bevelhebber
Roos – een van Brionies hofdames, een nichtje van Avin Brone
Ruhle – informant van Avin Brone
Saqri – koningin van de Qar, ook bekend als 'de Eerste Bloem'
Sanasu – weduwe van Kellick Eddon, bekend als de 'Wenende
    Koningin'
Schemervolk – andere naam voor de Qar
Schimmen Garde – stam bij de Qar
Schist – een gesneuvelde Funderling
Schoters – een volk dat leeft in de Biddemanslanden achter de
    Schaduwgrens
Selia – hofdame van Anissa, net als zij afkomstig uit Devonis
Sembla – een orakel, mogelijk uitgevonden door Finh Teodoros
Seris – dochter van de Hertog van Gela, een hoveling in Tessis
Shanni – een soort Xissische geest die wensen doet uitkomen
Shaso dan-Heza – wapenmeester in Zuidermark
Silas van Perikal – semi-legendarische ridder
Slapers – afvallige Droomlozen, ook bekend als 'Dromers'
Spinsels – schepselen uit de schaduwlanden die 'niet spreken noch
    naar de markt gaan', aldus Skurn
Steen der Onwilligen – een Qar van de Schimmen Garde
Summu – moeder van Yasammez, 'bruid' van Kupilas
Surigali – godin in Xis, ook bekend als 'Zuriyal'

Sveros – oude god van de nachtelijke hemel, vader van de goden van
   de Trigon, ook bekend als 'Zhafaris'
Talia – een van Brionies jeugdige hofdames in Tessis
Theron – leider van bedevaarten
Tibunis Vash – vader van Pinimmon Vash
Tranen Makers – het beroemde vechterslegioen van Yasammez
Trigon – de priesterschap van Perin, Erivor en Kernios die in
   gezamenlijkheid optreedt
Trigonarch – hoofd van de Trigon, belangrijkste religieuze figuur in
   Eion
Turleij Langvinger – leider bij de Jutters, van de clan Terug-op-
   Avondrood-Tij
Tyne Aldricht – Graaf van Blauwkust, bondgenoot van Zuidermark
Ustin – vader van Koning Olin
Utta – ook bekend als 'Zuster Utta', priesteres van Zoria en Brionies
   huisonderwijzeres
Vais – legendarische 'heksenkoningin van Krace'
Vanderin Ugenios – klassiek dichter
Vaspis de Duistere – een autarch van Xis
Veldspaat – Gesneuvelde hoeder bij de Funderlingen
Vilas – een visser uit Perikal
Vo Jovandil – volledige familienaam van Daikonas Vo
Volk van de Ring van Stenen – stam bij de Qar
Volos Langbaard – een god
Yasammez – edelvrouwe bij de Qar, ook wel 'Vrouwe Porcupina'
   genoemd of 'Gesel van de Huiverende Vlakte'
Yasudra – tweelingzuster van Yasammez
Ynnir de Blinde Koning – heer van de Qar, 'Ynnir din'at sen-Qin,
   Heer der Winden en Gedachten', ook bekend als 'Heer van de
   Eerste Steen'
Zand Looksteen – Opaals vader
Zandsteen – Funderling-familie
Zhafaris – Xissische naam voor Sveros, ook bekend als 'Schemer',
   vader van de goden
Zmeos – een god, Perins aartsvijand, ook wel 'Witvuur' en 'Nushash'
   genoemd
Zoria – godin van de wijsheid, ook wel 'Suya', 'Bleke Dochter', 'Bloem
   van de Dageraad' genoemd
Zosim – god van toneelschrijvers en dronkaards, ook wel 'Draaier' en
   'Salamandros' genoemd

Zuiveraars – fanatiekelingen die hun krachten bundelden om de Qar en anderen te straffen voor de Grote Dood

PLAATSEN

Academie van Oostermark – universiteit, oorspronkelijk in het oude Oostermark, sinds de laatste oorlog met de Qar gevestigd in Zuidermark

Acaris – eiland tussen Xand en Eion

Agamid – stad ten noorden van Devonis

Basilisk Poort – hoofdpoort van Kasteel Zuidermark

Berg (de), ook bekend als de Midlands Berg – rots in Brenh's Baai waarop Zuidermark is gebouwd

Biddemanslanden – gebied achter de Schaduwgrens

Bloemengaard – grootste markt in Tessis

Boorgaten – monnikenretraite voorbij de Vijf Bogen

Brenhland – klein land ten zuiden van de Mark Koninkrijken

Brenh's Baai – baai rond Kasteel Zuidermark, vernoemd naar de legendarische held

Bron van Finneth – heilige plaats in Brenhland

Burcht van Immer-Winter – mythisch kasteel

De Dorstige Jager – taveerne in Zuidermark

De Laarzen van de Das – herberg in Zuidermark

Devona Plein – plein in Tessis met een beroemde fontein

Diepe Boekenrijk – plek in Qul-na-Qar

Doolhof – netwerk van gangen in de Diepten onder Funderstad

Doros Eco – stad in Syan

Drie Goden, de – driehoekig plein in Zuidermark; een populaire wijk rond dat plein

Drymusa – versterkte stad aan de zuidgrens van Hierosol

Eerste Diepten – grotsteden in het land van de Qar

Eion – het noordelijke continent

Esterian – stad bij Tessis

Fael – land in het hart van Eion

Funderstad – ondergrondse stad van de Funderlingen, in Zuidermark

Gowkha – berg waar de oude Xissische woestijnkoningen liggen begraven

Gremos Pitra – hoofdstad van Jellon

Grote Markt – voornaamste openbare ruimte in Zuidermark

Helobine – moerassig gebied ten zuiden van Brenhland

Hierosol – ooit het rijk dat de wereld regeerde, inmiddels sterk verzwakt, met als wapen het gouden slakkenhuis

Hof Zomergaarde – hertogelijke zetel van Gailon en het Huis Tollij

Huis der Tranen – kerker in Paleis Dreefstaete

Huiverende Vlakte – plaats van een enorme slag in het land van de Qar

Jellon – koninkrijk, ooit deel van het Imperium van Syan

J'ezh'kral Groeve – plek die voorkomt in de mythologie van de Funderlingen

Jurr – eeuwenoude stadstaat in Xand

Jutters Lagune – lagune binnen de muren van Zuidermark, staat in verbinding met Brenh's Baai

Kaarsmakersstad – stad in Dalers Trouw

Kalksteen Poort – poort op de weg van het vasteland van Zuidermark naar het Huis van de Heer der Funderlingen, zoals de Kallikanters Funderstad noemen, met andere woorden naar Funderstad en zijn Mysteriën

Kapel van Erivor – familiekapel van de Eddons

Kegge Straat – straat waaraan Kiezel en Opaal wonen

Kertesdam – een van de Mark Koninkrijken

Kil Grauwveen – legendarisch slagveld, naar een woord in de taal van de Qar: 'Qul Girah'

Koninklijke Heirweg – ook wel Koning Karals Weg genoemd

Koperen Ring – weg buiten Funderstad die leidt naar veel van de Wegen van Stormsteen

Korf, de – tempel in Xis, huis van de heilige bijen van Nushash

Krace – verzameling stadstaten, ooit deel van het Imperium van Hierosol

Kwijn, of de rivier de Kwijn – voornaamste waterweg in de Stad Slaap

Landseind – deel van Zuidermark, Brones leengoed, met als heraldische kleuren rood en goud

Lantaarn Dreef – breedste straat in Tessis

Layandros – stad in het noorden van Syan

Marash – provincie van Xand waar pepers worden gekweekt

Marijnstred – een van de Mark Koninkrijken

Mark Koninkrijken – oorspronkelijk Noordermark, Zuidermark, Oostermark en Westermark, maar na de oorlog met de Qar samengesteld uit Zuidermark en de Negen Naties (waaronder Zomergaarde en Blauwkust)

Markt Straat – een van de belangrijkste straten in Zuidermark

Markt-Straatbrug – brug over het kanaal tussen twee lagunes in Zuidermark

Moker Slop – straat in Funderstad

Nedersteen – woonplaats van de Funderlingen onder Hierosol

Neerbrugge – stad van de Funderlingen (Kallikanters) in Tessis

Noordermarkse Weg – de oude weg tussen Zuidermark en het noorden

Ooskasteel – stad in Marijnstred

Orms – stad in Helobine

Oude-Groeveweg – vertakking van de Koperen Ring

Pellos – rivier in Zilverzijde

Qul-na-Qar – eeuwenoude woonplaats van de Qar of het Schemervolk

Raven Poort – toegang tot de binnenburcht van Kasteel Zuidermark

Schaapsheuvelbaan – langs Schaapsheuvel aan de voet van de Nieuwe Muren in Zuidermark

Schaduwgrens, de – demarcatielijn tussen de gebieden van de Qar en het rijk der stervelingen

Segtland – klein, bergachtig land ten zuidwesten van de Mark Koninkrijken; bondgenoot van Zuidermark

Sintel Zaal – in de Diepten onder Funderstad

Sterrenwacht, de – woning van Chaven

Stouwersstraat – straat in de buitenburcht van Kasteel Zuidermark

Syan – eens een wereldmacht, nog altijd een machtig koninkrijk in het hart van Eion

Tempelhof – buurt in het zuidwestelijk deel van de binnenburcht van Zuidermark

Tessis – hoofdstad van Syan

Tolos – een koninkrijk, inmiddels geannexeerd door Syan

Toren van de Wolken-Geest – een toren in Qul-na-Qar

Torvio – eilandstaat tussen Eion en Xand

Treden van de Waterval – Trap in de Diepten van Funderstad

Tuan – geboorteland van Shaso en Dawet

Tufa's Buidel – doodlopende zijgang van de Oude-Groeveweg

Ugenion – stad in Syan

Walrus, de – taveerne aan de rivier in Tessis

Westkaap – oude stad van Funderlingen in Segtland
Witte Woud, het – woud op de grens tussen Zilverzijde en
    Marijnstred
Xand – het zuidelijke continent
Xandos – mythische, reusachtige berg die ooit op de plek stond waar
    nu Xand is gebouwd
Xis – grootste koninkrijk van Xand; wordt geregeerd door de autarch
Yist – ooit een elfenstad in Xand
Zaal der Schattingen – zaal die grenst aan de gang waaraan Brionies
    slaapkamer ligt
Zaal van de Maansteen – in de Diepten onder Funderstad
Zijde Poort – plek onder Funderstad
Zijde Water – rivier op de Huiverende Vlakte
Zijde Woud – woud achter de Schaduwgrens
Zilverstroom – rivier op de Huiverende Vlakte
Zoutpoel – ondergrondse zeearm in Funderstad
Zuidermark – zetel van de Mark Koninkrijken, soms 'Schaduwmark'
    genoemd
Zwarte Lanteerne – gang buiten Funderstad die leidt naar de Wegen
    van Stormsteen
Zwarte Water Woud – een woud in het noorden van Syan

DINGEN, DIEREN EN BENAMINGEN

Annalen van de Hemelkrijg – een verloren en verboden boek
Antipolemarch – hoge Xissische generaal
Astion – een symbool van gezag bij de Funderlingen
Basiphae – naam voor het organisme in Vo's lichaam
Blauwwortel – kruid waarvan de Funderlingen thee trekken
Boek van Berouw – heilig geschrift bij de Qar
Boek van de Trigon – bewerking uit later tijd van oorspronkelijke
    teksten over de drie goden
Dag van de Eerste Delving – religieuze feestdag bij de Funderlingen
Donderschicht – Hamer van Perin (Hemelheer)
Dreefstaete – residentie van Koning Enander van Syan
Eenzamen, de – een andere naam voor skrijters
Feest van de Verrijzenis – feest in Xis aan het eind van de regentijd
Feest van Onir Zakkas – feestdag van het Trigonaat waarop het volk
    kronen van lelies draagt

Flux Aelianus – een vergif

Geschiedenis van een plattelandspriester, De – een toneelstuk

Gilde Markt – jaarlijkse bijeenkomst van Funderlingen

Grote Afkoeling – legendarische periode in de geschiedenis en de mythologie van de Funderlingen

Grote Dood – een pest die een groot deel van de bevolking van Eion uitroeide

Halfhonderd – troep van vijftig soldaten

Hertenknoop – soort boom in de schaduwlanden

Hierosolaans – de taal van Hierosol, gebruikt in menige religieuze dienst en talloze wetenschappelijke boeken enzovoort

Hoorns van Zmeos – een sterrenbeeld, ook bekend als het Oude Serpent

Houweel, de – symbool van de macht van de abt bij de Metamorfische Broeders

IJslelie – een bloem

Iktis – bunzing, een klein dier dat holen graaft en dat behoort tot de wezelfamilie

'Immer-Gewonde Maagd' – een beroemd verhaal

Kamerschelp – Nautilus schelp, symbool van de priesterschap van Erivor

Kwaad-laat-af – handgebaar om onheil af te wenden

Laatsdag – eind van een tiendaagse

Lichtende Man – hart van de Mysteriën van de Funderlingen

Mantis – een priester, doorgaans van de Trigon

Nacht van de Wildzang – feestelijke avond, ook bekend als de Winterwende

Nachtschade Kroon – ceremoniële hoofdtooi van de autarch

Negenjarige Oorlog – een beroemde oorlog die een keerpunt vormde in de geschiedenis van Xis

Onir Plessos – een tempel in Zomergaarde

Oorlog van de Drie Blazoenen – een dynastieke krijg in de tijd van het Imperium van Syan

Optimarch – een militaire rang, te vergelijken met majoor

Perins Oog – patroon in de vloer van de troonzaal in Tessis

Processie van Penitentie – een religieus feest

Rode Slangenwortel – een vergif

Skrijters – wachters in Slaap

Spinsels – wezens in de Schaduwlanden

Staf, de – andere naam voor de berg Xandos
Steur – zilveren munt, twee keer zo groot als een zeester
Tijgervenijn – gif gemaakt van het sap van de IJslelie
Wetten van Shakh Xis – regels volgens welke het tweede en derde
   Xissische Imperium werd bestuurd
Wimmuai – benaming van de Droomlozen voor menselijke slaven
Witvuur – zwaard van Yasammez, ook een benaming van Zmeos
Xawadis – Xissisch woord voor oase of waterpoel
Yanedan – bergachtig eiland in de zuidelijke zee
Zakkaskruid – een plant met geneeskrachtige eigenschappen
Zeester – kleine zilveren munt

Een woord van dank

Zoals altijd gaat mijn grote dank uit naar mijn uitgevers Betsy Wollheim en Sheila Gilbert en verder naar iedereen bij DAW Books; naar mijn vrouw Deborah Beale, naar onze assistente Dena Chavez en naar Matt Bialer, mijn agent. En niet te vergeten naar Lisa Tveit, die onze website beheert – www.tadwilliams.com – en dat geweldig doet. Tegen mijn lezers zou ik willen zeggen: kom eens langs op de site. Altijd leuk, en schadelijke bijwerkingen zijn zeldzaam.

Sinds Dorothy in Oz belandde, is niemand meer zo door magie omringd geweest als ik, en daarvoor ben ik de fantastische mensen die ik dagelijks om me heen heb, innig dankbaar.